GRAN BRETAÑA E IRLANDA

Franz N. Mehling

GRAN BRETAÑA E IRLANDA GUIA ARTISTICA EN COLOR

EDITORIAL EVEREST, S. A.

MADRID • LEON • BARCELONA • SEVILLA • GRANADA • VALENCIA
ZARAGOZA • LAS PALMAS DE GRAN CANARIA • LA CORUÑA
PALMA DE MALLORCA • ALICANTE — MEXICO • BUENOS AIRES

Título original: Knaurs Kulturführer in Farbe. Grossbritannien und Irland

Autores: Mary L. James, Gernot Kachel, María Lingart, Dr. Dieter Maier, Michael Raeburn, Gerhard Rebhan

Fotografía: Gunda Amberg, Automobile Association (Basingtoke), Britische Zentrale für Fremdenverkehr, Werner Grabinger, Ernst Höhne, Irische Fremdenverkehrs-zentrale, Lore Nedoschil, Dr. Herbert Neumaier, Northern Ireland Tourist Board (Belfast), Bernhard Rauscher, Susanne Ritter

Traducción: TEA

"Esta obra se ha publicado originalmente en alemán con el título de KNAURS KULTURFUHRER IN FARBE GROSSBRITANNIEN UND IRLAND por Droemersche Verlagsanstalt Th. Knaur Nachf. Munich/Zurich.

EDITORIAL EVEREST, S. A.
Carretera León-La Coruña, km 5 - LEÓN

ISBN: 84-241-4997-1
Depósito legal: LE.1018 – 1988
Printed in Spain - Impreso en España

EDITORIAL EVERGRÁFICAS, S. A.
Carretera León-La Coruña, km 5 - LEÓN (España)

PRÓLOGO

«Rule Britannia.
Britannia rule the waves...»

Con razón este poema ensalza a Gran Bretaña como «reina de los mares» ya que, después de la derrota de la Armada Española (1588) se convirtió en la potencia naval más importante, y bajo el reinado de la reina Victoria (1818-1901), el Imperio poseía colonias en el mundo entero. El corazón de Gran Bretaña es Inglaterra, con su capital, Londres. Es la patria del legendario rey Arturo y su Mesa Redonda; de literatos, como Chaucer, Shakespeare y Dickens; valerosos descubridores, como Drake, Raleigh y Livingstone; estrategas, como Nelson y Wellington. Es la cuna del parlamentarismo europeo y de la industrialización, y en ningún otro país de Europa se respeta más la tradición. Pero la historia de este país también narra graves reveses del destino. En el año 43 d. de J. C. las legiones romanas conquistan la isla. Les siguieron los anglos, los sajones y los jutlandeses, que tuvieron que enfrentarse posteriormente a daneses y vikingos. La conquista normanda (1066) produjo reiterados roces violentos entre nativos y conquistadores. Desde 1337 se combatía con Francia en la guerra de los Cien Años (la última posesión continental, Calais, no se perdió hasta 1558). Entre 1455-1471 las familias Lancaster y York se disputaron, en la «Guerra de las Dos Rosas», la hegemonía en el poder; entre 1642-1660 se desató la guerra de la Independencia norteamericana y la de los boers. Ya en 1284 Inglaterra había conquistado Gales, con sus hermosos paisajes y su población de descendencia celta, famoso en la actualidad por su productiva minería. En 1707 se llegó, tras reiterados enfrentamientos, a la anexión real de Escocia, gobernada por la bella y desgraciada María Estuardo.

Sir Walter Scott, prosista y poeta, no sólo recogió para nosotros la vieja tradición popular escocesa, también ha dejado elocuentes descripciones del espíritu escocés de resistencia al imperialismo británico, así como la historia y la organización de los rudos *Highland Clans*. De 1800 a 1914 también Irlanda, la «Isla Verde», de herencia gaélica, perteneció al reino. Sus habitantes, rígidos católicos, subsisten gracias a la agricultura. Consiguieron, sin embargo, independizarse como república tras una sangrienta y exaltada lucha de liberación. Irlanda del Norte, no obstante, permaneció fiel a Gran Bretaña, convirtiéndose con el tiempo en un foco de conflictos.

La presente obra quiere ser un acercamiento a los atractivos de Irlanda y Gran Bretaña. Son documentos de épocas prehistóricas (Stonehenge), construcciones romanas (muro de Adriano), hermosas iglesias románicas y góticas y majestuosas catedrales (Salisbury, Canterbury, Edinburgh), imponentes, opulentos y mundanos casti-

llos, fortificaciones y palacios, así como íntimas casas rurales y las de la ciudad.
Se mencionan, además, numerosos hallazgos arqueológicos, tesoros y documentos culturales del país y de todo el mundo, expuestos en museos. Como en los demás tomos de la serie, las ilustraciones en color están en concordancia con el texto. Todos los palacios, iglesias, lugares de interés arqueológico, castillos, museos y otras obras maestras del arte se encuentran reproducidos con las fotografías a color, aparecen numerosos planos de edificios. Como en los tomos precedentes, los artículos se encuentran en orden alfabético de lugar, sin distinción entre ambos estados, hallándose con fondo de color verde los referentes a la República de Irlanda (los restantes tienen un fondo de color azul).
La relación entre dos lugares geográficamente colindantes, pero separados en este libro por orden alfabético, puede hallarse en los mapas de las págs. 322-333. En ellos aparecen todos los lugares citados, facilitando la visión general para determinar los lugares cercanos a un punto de destino, que podrían incluirse eventualmente en el plan del viaje. Para cada lugar se indica, en la cabecera del artículo, su denominación y región, además de la referencia al mapa correspondiente (ej.: pág. 332 K 15 = pág. 332, cuadrícula K 15). Por tratarse de mapas a doble página con un cuadriculado consecutivo, sólo se facilita la numeración del lateral izquierdo.
Los puntos de interés turístico están impresos en negrita. En el anexo se encuentran dos índices. Uno explica, por orden alfabético, los tecnicismos más importantes. El otro recoge aquellos lugares, castillos, fortificaciones e iglesias que aparecen bajo el concepto de «alrededores» en otra palabra clave, o simplemente se citan.

A

Aberdeen

Grampian/Escocia Pág. 324 □ I 6

La importancia industrial y comercial (el granito, el aceite y los arenques) caracterizan a esta ciudad, la tercera más grande de Escocia. Desde 1179 el nombre de la ciudad fue *Royal Burgh;* en 1337 Eduardo III la arrasó completamente incendiándola.
Durante la reconstrucción surgieron dos ciudades. Por un lado *Old Aberdeen,* en el nacimiento del *Don,* alrededor de la residencia papal y, por el otro, *New Aberdeen,* junto a la desembocadura del *Dee,* alrededor del puerto mercante. En 1498 *New Aberdeen* se convirtió en *Burgh of Barony,* volviéndose a unir de nuevo las dos ciudades.

St. Machar's Cathedral: La catedral fue construida en 1136. El edificio actual fue erigido, utilizando esencialmente granito, en el siglo XV, durante el obispado de Leighton. Las

Aberdeen. King's College

Aberdeen. St. Machar's Cathedral

Aberdeen. Provost Skene's House

partes construidas con piedra calcárea son más antiguas, como p. e., el transepto que divide el crucero. En 1540 se introdujeron techos de madera adornados con emblemas y escudos reales. Durante la Reforma se destruyó el altar de la catedral por completo. Cromwell hizo desmontar el palacio obispal anexo a la catedral usando posteriormente los materiales para construir una plaza militar, lo que ocasionó el derrumbamiento de la torre central y gran parte del crucero.

King's College: Esta capilla fue construida entre 1500 y 1505. Durante la Reforma no sufrió destrozos y su estado de conservación actualmente es bueno. Su torre y la cúpula esférica, en forma de corona, fueron construidas en 1525. Es la única iglesia medieval en Escocia que todavía mantiene el atrio primitivo y una sillería de coro en madera de encina, tallada por un artista flamenco.

St. Nicholas's Church: Esta iglesia está dividida en dos desde su reforma en el siglo XII. En la cripta, que data del siglo XV, todavía se distinguen algunas zonas talladas en madera. En el siglo XVII sirvió de cárcel para las brujas, para convertirse posteriormente en hojalatería y «cocina de pobres».

Provost Skene's House: Esta construcción, edificada en 1545, es buen ejemplo de un antiguo ayuntamiento. De 1676 a 1685 vivió aquí el alcalde Sir George Skene. La torre destaca por sus techos estucados y pintados. En el interior se encuentra una amplia colección pictórica sobre la historia de la ciudad.

Museos: *Aberdeen Art Gallery and*

Museum. Posee una colección regional, esculturas y pinturas inglesas correspondientes al siglo XII (obras de Raeburn, Turner, Wilkie). En el *museo Antropológico,* en el *College Marischal,* se exponen antigüedades egipcias y chinas, así como muestras del pasado escocés. En esta edificación se encuentra el tesoro celta de plata encontrado en las islas *Shetland* en 1958.

Otros lugares de interés: Cerca del *Town House* (Ayuntamiento), hacia el E, se encuentra la «cruz del mercado» de 1682. Fue financiada, en aquel entonces, con 100 libras de la caja común del gremio de comerciantes. La medieval *Brig o'Dee* con sus 120 m de longitud, tiene siete arcos y está adornada con signos heráldicos. *Brig o'Belgownie* es el puente más antiguo de Escocia, está compuesto por un único arco y franquea con sus 19 m un profundísimo abismo. El constructor de este antiguo puente fue el obispo Cheyne.

Alrededores

Dyce (4 km N): Son de notable interés las dos *Symbol Stones* localizadas en el patio de la iglesia, así como las ruinas de la *Old Church.* También se encuentran símbolos importantes, como por ejemplo: una cruz celta.

Abergavenny

Gwent/Gales Pág. 332 □ H 14

St. Mary's Church: Esta iglesia parroquial fue, en 1100, un convento benedictino. Fue destruida y reconstruida en diversas ocasiones en los siglos XIV y XIX. La sillería del coro, del siglo XIV, está labrada con hermosas misericordias y motivos de Jesse-Baumes. En la capilla *Herbert* y *Lewis* se encuentran viejas lápidas de los

Abergavenny. St. Mary's Church

siglos XIII al XVII (esculturas de alabastro).

Castle: Hamelin de Ballon, fundador de conventos, hizo edificar alrededor de 1100 la primera fortaleza de *Abergavenny* que, posteriormente, sufrió diversos cambios. En la actualidad se ha convertido en museo, ya que alberga documentación sobre la ciudad y sus alrededores.

Alrededores

Bettws-Newydd (10 km SE): La iglesia del pueblo alberga en su interior un hermoso atril tallado en madera del siglo XV. A la salida se puede contemplar una antigua casa feudal con su parque.

Usk (19 km SO): En esta pequeña ciudad, situada junto al río del mismo nombre, se encuentra también un bello atril fechado en el siglo XV. La fortaleza normanda, originaria del siglo XII, es de propiedad privada, por lo que no puede ser visitada por el público.

Llanvaplay (8 km E): A unos 3 km del pueblo se hallan las ruinas de *White Castle.* En el interior, reconstruido, se encuentra una importante colección de viejas herramientas agrícolas y caseras. La fortaleza, que data de 1100, fue construida por lor normandos, al igual que las vecinas ruinas de *Skenfrith* (Monmouth) y *Grosmont.* Cruzando el extenso cementerio del castillo se llega a un patio exterior de la fortaleza (Outer Bailey) situado sobre una isla y rodeado por enormes y macizos muros construidos en el transcurso del siglo XIII. En la parte posterior de la vistosa fortaleza se encuentra el patio principal de la misma, erigido también sobre una isla (Inner Bailey) y que posee imponentes muros y torres procedentes de los siglos XII y XIII.

Raglan (14 km SE): En este lugar se encuentran las impresionantes ruinas de *Raglan Castle,* en su mayor parte muy bien conservadas. Fue construido entre los años 1430 y 1610. Cerca de los puestos defensivos se encuentran numerosos y decorativos escudos heráldicos de estilo gótico.

Aberystwyth. Castle

Desde la torre hexagonal, llamada «Yellow Tower of Gwen», se tiene una increíble panorámica. Detrás, se encuentra el edificio principal, la *Great Hall,* con sus hermosas ventanas arqueadas. En este lugar del castillo cultivaban los reyes bardos sus aptitudes poéticas y musicales.

La iglesia parroquial de *Raglan,* de construcción normanda, contiene en su recinto un anexo en el que se halla el coro y un «muro de pobres» que servía para que se apoyaran los enfermos.

Aberystwyth

Dyfed/Gales Pág. 328 □ G 13

Esta pequeña ciudad se halla situada en la desembocadura de los ríos *Ystwyth* y *Rheidol.* Está considerada como el centro espiritual de Gales y tiene una población de alrededor de 13 000 habitantes. La elegante y distinguida pequeña ciudad, de clara influencia y carácter victoriano, alberga una parte de la *Universidad Nacional de Gales,* fundada en el año 1872 (cercana a las poblaciones de Cardiff y Bangor). En esta ciudad también se encuentra la importantísima *National Library of Gales.* Fue fundada en el año 1907 y alberga en su interior más de 1 000 000 de tomos, entre ellos valiosos manuscritos e impresos antiguos de escrituras cámbricas (por ejemplo, el «Black Book of Camarthen» que está considerado como el manuscrito más antiguo, fechado en el año 1105) y los primeros textos escritos en idioma cámbrico, originarios, probablemente, del año 1546.

Castle: Esta fortaleza fue edificada en el año 1277, siendo destruida y reedificada en diversas ocasiones, hasta su destrucción total en 1648. Quedan ruinas del castillo concéntrico en la costa S (el parque del castillo es público y puede ser visitado).

Otros lugares de interés: El *Ceredigion Museum* (Vulcan Street) y la ex-

posición *Aberystwyth Yesterday,* en la Upper Great Darkgate Street.
Es recomendable la visita a la *Great Hall Gallery* (universidad) con su variada exposición de pinturas, impresos y cerámica.

Alrededores

Aberaeron (desembocadura del Aeron, 22 km SO): En la torre de la iglesia de *Aberaeron* (13 km N) existen tres lápidas celtas de los siglos IX y X. Son de interés igualmente las ruinas del castillo de *Cadwgan* (siglo XIII).

Devil's Bridge (15 km E): Este lugar está situado en un hermoso y romántico paisaje en el barranco de *Mynach* y cerca de las cataratas de *Rheidol,* término del tren de *Aberystwyth* que existe desde 1902. Aquí se encuentran tres puentes superpuestos. El más antiguo (Devil's Bridge), del siglo XII, fue edificado por los monjes de Strata Florida. El segundo puente data del año 1753 y el tercero, construido en 1901, está construido en hierro.

Llanbadarn Fawr (2 km E): En los alrededores, más antiguos que la ciudad, se halla la iglesia de *St. Paternus,* de principios del siglo XIII, que recuerda el obispado de *Paternus* en el siglo VI. En el crucero se encuentran dos cruces celtas. La mayor de ellas es una de las más hermosas de Gales, está adornada con esculturas de pájaros y personas. Muy cerca (a 4 km SE) se encuentra la casa feudal de *Nanteo* (siglo XVIII) con muchos muebles y obras pictóricas del mismo siglo.

Llywernog (18 km E, cerca de Pont-erwyd): Existe en este lugar un museo minero de gran interés turístico.

Pen Dinas (3 km S): En la montaña cercana se encuentran restos de lo que en otro tiempo fuera una cantera.

Talybont (2 km N): Al O de *Tre-Taliesin* están los restos de la tumba en piedra del bardo galés más famoso: Taliesin (el «Homero» de Gales).

Ysbyty Cynfin (15 km E): Los muros del patio de la iglesia están provistos de cinco menhires de la Edad del Bronce, dos de ellos forman la entrada al cementerio. En las cercanías se encuentra el encantador puente *Parson's Bridge.*

Llanbadarn Fawr (Aberystwyth). St. Paternus

Abingdon. St. Helen's Church

Abingdon

Oxfordshire/Inglaterra Pág. 332 □ I 15

La que fuera antigua capital del condado de *Berkeshire* debe su inmensa riqueza a la industria lanera. Se conservan numerosas casas originarias de los siglos XV y XVI.

Abbey: Esta abadía benedictina, antiguamente muy poderosa, fue fundada en 675 y disuelta en 1538. Se conservan intactas algunas partes del claustro. La construcción más antigua, el *Checker House* es del siglo XIII. El sótano del cuadrado edificio de piedra era utilizado como lugar administrativo y caja de la abadía. La *Long Gallery* fue edificada alrededor de 1500; el pórtico es muy original y data del año 1450.

Church of St. Helen: Esta iglesia, del siglo XIII, llama la atención de lejos por su hermosa torre puntiaguda. Vista de cerca, sorprende el hecho de que es más ancha que alta. Las naves a ambos lados de la torre son de los siglos XV y XVI. La parte más antigua de la iglesia es la *Lady Chapel,* con el hermoso fresco que representa el árbol genealógico de Jesé. También son de interés los trabajos de talla en madera del púlpito de 1636 y el revestimiento del órgano de 1725. Los diferentes monumentos fúnebres que alberga esta iglesia son del siglo XV; la esmaltación en color fue renovada en el siglo XIX.

County Hall: Esta construcción, de dos pisos de altura, fue edificada sobre unas imponentes arcadas por Cristopher Wren. En la actualidad el edificio se encuentra dividido en dos partes para albergar en ellas al museo de la ciudad, en una, y al archivo condal, en la otra.

Alrededores

Dorchester-on-Thames (12 km E): Después de ser campamento romano se convirtió en sede de los sajones. De 634 a 705 habitó en el histórico lugar el obispo de Wessex. De 869 a 1072 estuvo ocupado por el obispo de Mercia. La *Abbey Church de SS. Peter and Paul* data del mismo tiempo aproximadamente. La parte O del coro fue edificada alrededor de 1180. Las naves laterales del coro son góticas; su construcción se efectuó entre 1280 y 1320. Merecen especial atención las arcadas del coro. La terminación del lado O del coro, también de estilo gótico, incluye tres ventanas decoradas con increíbles esculturas. Las vidrieras son originarias de la época. El famoso ventanal situado en la nave lateral N muestra el árbol genealógico de Jesé. Las pequeñas ventanas triangulares en la cara S contienen escenas de vida de *St. Birinus,* apóstol de Wessex. La pila bautismal de plomo, adornada con figuras de apóstoles, es de gran valor. También son interesantes diversas esculturas del siglo XIII.

Adare
Limerick/Irlanda Pág. 326 □ B 13

Earl of Dunraven calificó a esta pequeña localidad, en los alrededores de *Limerick*, como el pueblo más bonito de Irlanda. Aquí se encuentran infinidad de monumentos artísticos. Las ruinas del *Desmond's Castle* incluyen un cementerio muy bien conservado; el castillo fue edificado por los FitzGeralds en el siglo XII. Cerca se encuentra la casa feudal gótica *Adare Manor* (siglo XIX) de los Earls of Dunraven. En el interior se encuentran interesantes pinturas de Canaletto, Ruysdael y Reynolds. El convento franciscano adyacente (Franciscan Friary) fue edificado por *Earl of Kildare* en 1464 y restaurado en 1875. Dignas de admiración son las ruinas de la iglesia, en forma de cruz, con sus hermosas ventanas, los nichos de los FitzGeralds, la altísima torre, el delicadamente ornamentado relieve del claustro y otros edificios del mismo (dormitorios y refectorio). Al N del castillo está la pequeña capilla de San Nicolás, de los siglos XIII y XVI. La iglesia parroquial católica fue construida sobre las ruinas del monasterio de los Trinitarios (White Abbey) entre los años 1230 y 1270. La iglesia protestante de 1870 fue construida sobre la antigua abadía agustina *Black Abbey* en 1315. En el siglo XVII se instalaron evadidos luteranos en el E de Adare, en el palacio imperial alemán, por esa razón los alrededores conservan todavía hoy el nombre de «Pfalz», e incluso se conservan nombres de algunas familias alemanas.

Alrededores

Garranboy Castle (5 km SO): Ruinas de una fortaleza con hermoso cementerio del siglo XV.

Newcastle West (20 km SO): Este centro agrícola (2 500 hab.) posee las ruinas del castillo *Desmond*, del siglo XV, con dos hermosos salones de banquetes (Desmond's Hall) de restauración moderna.

Abingdon. St. Nicholas

Rathkeale (12 km SO): Junto al pueblo está situado el recientemente restaurado castillo de *Castlematrix* (siglo XV), donde, bajo la dirección de Sir Walter Reich, alrededor del año 1598, se plantaron las primeras patatas de Europa.

Alfriston
East Sussex/Inglaterra Pág. 332 □ K 16

Este pueblecito se halla en medio de los *Downs*, en *Chuckmere River*.

Sr. Andrew's Church: La pequeña iglesia del siglo XIV, con su torre recubierta de ripias, se halla situada sobre un montículo. El interior de la misma conserva todo el encanto de la época en que fue fundada.

Clergy House: Esta hermosa casa de paredes entramadas, del siglo XIV, es una de las pocas casas parroquiales construidas antes de la Reforma.

Star Inn: Casa de paredes entramadas; la de mayor interés en Alfriston.

Otros lugares de interés: En las cercanías se han encontrado restos arqueológicos de una necrópolis.

Alrededores

Arlington (2 km NE): La pequeña iglesia de *St. Pancras,* está compuesta por elementos normandos y sajones; todavía existen fragmentos de frescos pintados en la pared.

Berwick (1 km NE): La *St. Michael and All Saints Church* con su famosa pila bautismal sajona, es del siglo XII; los frescos de 1942 son obra de Duncan Grant y de la hermana de Virginia Woolf, Vanessa Bell.

Bishopstone (3 km S): *St. Andrew's Church,* con material de construcción normando, sajón y medieval. El reloj de sol de la puerta es de procedencia sajona.

Charleston Manor (2 km SE): Casa de campo registrada en el «Domesday Book», con construcciones del siglo XIX.

Wilmington (3 km NE): En la antigua abadía benedictina se encuentra hoy un museo de viejas herramientas agrícolas. *Wilmington Long Man* es una enorme figura humana esculpida en piedra calífera, de origen desconocido, probablemente ha sido reformada en alguna ocasión.

Alnwick

Northumberland/Inglaterra Pág. 324 □ I 9

Alnwick Castle: Desde 1309 es el palacio residencial de los *Condes de Northumberland.* Gracias al Conde Harry Percy, fallecido en 1403, la familia pasó a formar parte de la literatura mundial. Shakespeare bautizó al Conde en «Enrique IV» con el nombre de «Hotspur of the North» (cabeza caliente del Norte). Los muros del si-

Wilmington (Alfriston). Wilmington Long Man

glo XII son la parte más antigua de la fortaleza, reforzados a principios del siglo XIV por el primer Lord Percy. Las torres fueron construidas en la misma época. Alrededor de 1400 se efectuó la construcción del pórtico principal externo (Bailey). Otro gran pórtico del siglo XIV da acceso al patio interior de la fortaleza. En el siglo XVIII se renovaron diversas piezas del conjunto. En el siglo XIX fue transformado el interior de las salas de representación por artistas italianos. Son de especial interés los muebles franceses del siglo XVII, una colección de armas que incluye valiosas piezas medievales, una colección de porcelanas, una galería de pinturas (obras de Tiziano, Tintoretto, Canaletto, Van Dyck y otros) y una amplia biblioteca que contiene libros de rezo manuscritos. En *Postern Tower* (siglo XIV al E del cementerio) se muestra una colección arqueológica con objetos románicos y prerrománicos.

Otros lugares de interés: *St. Michael's Church* (NO de la ciudad), iglesia parroquial de los siglos XIV y XV. *Hotspur Gate,* al S de la ciudad, restos de murallas medievales (1450). *Percy Tenantry Column* (también llamada Farmers Folly), columna conmemorativa de 1816, edificada por los arrendatarios del Conde de Northumberland Hall (1826, estilo clásico).

Alrededores

Brinkburn Priory (20 km SO): Iglesia excelentemente restaurada en el siglo XII, fundada por monjes agustinos.

Callaly Castle (16 km NO): Casa feudal del siglo XV, ampliada en los siglos XVII y XVIII.

Chillingham (20 km NO): Aquí se encuentra el castillo de los *Earls of Grey,* reformado después del siglo XIV (hermoso parque de castillo con manadas de renos salvajes). En la iglesia, la impresionante tumba de *Sir Ralph Grey,* fallecido en 1443.

Craster (9 km NE): Lugar con un pintoresco puerto y torres medievales. Desde este lugar hasta *Dunstanburgh Castle* hay que recorrer unos 2 km por la costa. El castillo está situado sobre una roca cerca del mar. Fue edificado por el Conde de Láncaster en

Alnwick. Alnwick Castle

1313 para proteger el pequeño puerto; en el siglo XIV fue transformado. Entrada al *Bailey* a través de un enorme portón con torre, muro defensivo circular con sus respectivas torres.

Howick (6 km N, en la costa): En la iglesia existe un monumento dedicado al *segundo Earl of Grey,* promotor de la reforma parlamentaria de 1832, que vivió en *Howick Hall,* construcción edificada en 1782 con su hermoso y gran parque.

Hulne Park (en el interior está prohibida la circulación de vehículos. Es posible cruzar el parque a pie a través del Estate Office, Alnwick Castle): Justo en la entrada se encuentra una caserna (casa de vigilancia) del siglo XIV, que es todo lo que queda de la abadía premonstratense de *Alnwick.* A unos 2,5 km, las ruinas de la más antigua abadía carmelitana de Inglaterra. *Hulne Abbey,* del siglo XII. Bellas vistas de *Brizlee Tower,* de 1781.

Old Bewick (17 km NO): *Hill Fort,* fuerte de la Edad del Hierro sobre una colina.

Warkworth (10 km SE del litoral): Merece especial atención el castillo de *Warkworth* desde 1332 en posesión de la familia *Percy* (Shakespeare menciona la fortaleza en «Enrique IV»). La construcción es, en su mayor parte, del siglo XIII. De notable interés son el pórtico, la *Great Hall* y la torre del león, de 1480. Desde el castillo se llega en bote a una ermita del siglo XIV construida en la roca arcillosa. Igualmente son interesantes: la iglesia, erigida durante los siglos XII al XIV, y la torre, de 1200, así como el puente sobre el río *Coquet,* construido en el siglo XIV.

Alton

Hampshire/Inglaterra — Pág. 332 □ I 15

El mercado está situado al E de *Hampshire* cerca de un camino de peregrinación. Edmund Spencer vivió en una casa edificada en el año 1590 y que se encontraba cerca del lugar.

Church of St. Laurence: Esta iglesia, de los siglos XIII al XV, contiene un transepto normando y una pila bautismal sajona. Una pintura sobre una columna representa la figura de *Enrique VI.* En el año 1643 miembros del partido parlamentario destruyeron el pórtico del lado sur, asesinando a un partidario realista.

Curtis Museum: Expone obras y objetos relacionados con la historia del lugar, útiles de artesanía y objetos diversos de casas de campo. Igualmente se expone una amplia colección de porcelana, cerámica y vidrio. La colección de muñecas es especialmente interesante.

Jane Austen's Home (Chawton): Jane Austen vivió aquí de 1809 a 1817. En ese tiempo escribió «Emma» y «Persuasión». La casa ha sido convertida en museo conmemorando a la célebre escritora.

Anglesey (I)

Gwyneed/Gales — Pág. 328 □ F 12

Esta isla, de suave paisaje, con sus praderas, costas de arrecifes y bahías de arena al NO de Gales, está separada del país por el estrecho de *Menai.* La isla, en la antigüedad llamada *Mona* (Tacitus), sirvió de bastión a los sacerdotes druidas celtas. Numerosos monumentos fúnebres (Cromlechs) fueron de gran importancia para los celtas. La isla fue conquistada el 78 a. de J. C. por el general romano Agrícola. El geógrafo medieval Giraldus llama a la isla «Mon mam Cymbry» (Mona madre de Gales) y la alaba por su riqueza en trigo. Su nombre posterior, *Anglesey,* procede de tiempos normandos.

Menai Bridge: Este lugar se encuentra enfrente de *Bangor* y lleva el mismo nombre del puente que cruza *Menai Street.* Este puente colgante, de 323 m de largo, fue edificado en 1826

Anglesey. Tumba megalítica de Bryn-Celli-Ddu

y ampliado en 1939. El puente paralelo del ferrocarril (1,6 km E), *Britannia Tubular Bridge,* tiene una longitud de 561 m y fue construido en 1850 por el hijo del inventor del ferrocarril, George Stephenson. En este lugar existe un museo infantil donde se exponen muñecas, juguetes, etc. (Museum of Childhood).

Alrededores: Muy cerca (2 km O) nos encontramos con el nombre más largo del mundo: *Llanfairpwllgwyngyllgogerychwyrndrobwll-Llantysiliogogogoch.* La abreviación: *Llanfairpwllgwyngyll,* o sea, Llanfair PG. La interesante tumba megalítica de *Bryn-Celli-Ddu* (5 km SO) data de los siglos II y III a. de J. C. Sobre la imponente colina se encontraban cámaras sepulcrales limitadas por cuatro círculos de piedras. Cerca del pueblo de *Bryn-Siecyn* se encuentran escasos restos del fuerte celta de *Caer Leb* (300 d. de J. C.).

Beaumaris (2 000 hab.): Este pequeño lugar, apreciado por cazadores y bañistas, está al N de *Menai Street,* enfrente de *Bangor.* Su nombre normando-francés significa «Bello paisaje» (beau marais). En el N se encuentran restos de *Beaumaris Castle.* Fue edificado por el rey Eduardo I en 1295. El Castillo es cuadrado y está rodeado por un anillo hexagonal de bajos muros con torres. La *Great Hall* se encuentra en el piso superior, y en la torre central se encuentra la hermosa capilla de la fortaleza. La fosa del castillo se comunicaba con el mar por un canal. Digna de admiración es, también, la iglesia, de una sola nave, originaria del siglo XIV y el altar, realizado en el siglo XVI. La *County Hall* (Court House), con su antigua prisión, fue erigida en 1614.

Alrededores: Las ruinas de *Penmon Priory* están a unos 7 km NO. La fundación del priorato es del siglo VI. Partes del siglo VI: refectorio, dormitorios, salón y cocina, todavía se conservan. La nave del edificio procede del siglo XII (al igual que el crucero S, el presbiterio y el santuario). El crucero fue anexionado en el siglo XIX. Cerca se encuentran los restos de *St.-Seirios-Brunnens,* de los siglos VI y VII, un viejo palomar fechado en el 1600 y una hermosa cruz celta del 1000 con la imagen de «La tentación de San Antonio».

Amlwch (2 900 hab.): El pequeño lugar al N de la isla (29 km de Menai Bridge) posee minas de cobre desde la época de los romanos.

Alrededores: En el pueblo cercano, *Llaneilian,* se conserva una interesante iglesia del siglo XV con un importante atril-crucifijo y sillería. La iglesia parroquial de *Llanfechell* (7 km O) data de los siglos XII y XIV y posee una pila bautismal normanda (siglo XII), una piedra sepulcral (alred. de 1300), en la caserna, y una torre erigida en el siglo XVI.

Holyhead (Caer Cybi): Esta alegre ciudad, con su importante puerto (Dun Laoghaire), es la localidad de mayor importancia de *Anglesey.* La pequeña *Holy Island,* sobre el *Holyhead,* está unida por un estrecho cabo (durante la marea baja está parcialmente seco) a la isla principal. Todavía se conservan restos de los muros de una pequeña fortaleza romana (Caer Cybi) erigida en el siglo IV (partes de las torres circulares). También es de especial interés la iglesia de *St. Cybi,* que tiene planta en forma de cruz latina y es de estilo gótico.

Alrededores: Al O y S de *Holyhead* se encuentran impresionantes cromlech y numerosos sepulcros prehistóricos.
El *Caer y Twr,* sobre la montaña de Holyhead, es un fuerte de la Edad del Hierro.
En *Cytiaur Gwyddelod,* al E, quedan restos de un poblado construido en piedra, que data de tiempos de antes de Cristo.
Los menhires de *Penrhosfeilw,* al SO, son dos megalitos verticales de la Edad del Bronce (importancia ritual).
En *Trefignath,* al S, se encuentran restos de un túmulo de la Edad de Piedra.

Aberffraw: En esta pequeña localidad costera se encuentra la prehistórica cámara sepulcral de *Barclodiadygawres.* En el túmulo (30 m de diámetro) se llega a la cámara central por un pasadizo. Cinco de los megalitos existentes muestran incrustaciones lineales rituales.

Alrededores: En la localidad vecina, *Llangadwaladr* (3 km E), se encuentra una iglesia de estilo gótico con ventanas antiguas y una lápida del siglo VII con inscripción condal (Conde de Cadvan).

Antonine Wall

Strathclyde/Escocia central Pág. 324 □ G 8

Esta fortificación romana se fundó alrededor del 140 d. de J. C. bajo el emperador Antonino Pío. Se extendía del *Firth of Forth,* cerca de *Bridgeness* (2 km E de Borrowstounness), hasta *Old Kilpatrick,* en el Clyde. Este muro, de 60 km de largo, sustituye al Muro de Adriano (Hadrian's Wall), ya que el territorio del S de Escocia estaba ocupado por los romanos y era necesario fortificarlo para su defensa. Este Muro, que disponía de fosos y fortificaciones a 3 km de distancia unas de otras, fue construido por las legiones II, IV y XX bajo el mando del gobernador romano en *Britannia.* Por el lado N del Muro se extiende un profundo foso, mientras que por el lado S discurre, paralela al Muro, una otrora importante vía militar. A finales del siglo II d. de J. C. el Muro dejó de cumplir la misión para la cual fue erigido, y fue abandonado. En Glasgow, en el museo *Hunterian,* así como en el museo de antigüedades de *Edinburgh,* se exponen inscripciones, esculturas y escudos. Las partes mejor conservadas de *Antonine Wall* (Muro de Antonino) se encuentran en las cercanías de *Rough Castle,* en *Bonnybridge,* y cerca de *Bearsden* (N de Glasgow).

Beaumaris (Anglesey). Vista ▷

Antrim
Antrim/Irlanda del Norte Pág. 326 □ E 10

La capital del mismo nombre que el condado (8 000 hab.), está al NO de *Lough Neagh,* el mayor lago de las islas Británicas (28 × 17 km). En este lugar se encuentra una de las más hermosas torres circulares del siglo X, de 27 m de altura (relieve en las puertas, techo cónico restaurado). Las ruinas de *Antrim Castle,* con caserna fortificada de estilo anglogótico (siglo XVII), proceden de 1662. En 1816 el castillo fue ampliado y en el año 1922 sufrió grandes daños producidos por un incendio. También de interés son los hermosos jardines, de estilo francés, del siglo XVII.

Alrededores

Randalstown (5 km NO): Enfrente del lugar están las ruinas de *Shane's Castle* que fue reedificado por John Nash en 1812 (en 1816 fue incendiado).

Templepatrick (7 km SE): El *Castle Upton* fue la residencia de la familia *Upton* (Viscounts Templeton). Fue construido en 1619. En el jardín del castillo, modificado por R. Adam en 1788 (ruinas), se halla el mausoleo *Upton,* de 1783. Al NE se encuentra la sepultura prehistórica de *Browndod* y, al S, la neolítica *Lyles Hill.*

Antrim. Sixmile Water

Aran Islands (I)
Galway/Irlanda Pág. 326 □ B 12

Delante de *Galway Bay* se encuentran las islas atlánticas de *Aran.* Su vegetación es escasa y la población abundante (2 000 hab.). Aquí se encuentran multitud de monumentos culturales de tempranas épocas cristianas.

Historia: Las islas eran de gran importancia en los tiempos celtas (bronce y hierro), como lo demuestran las fortalezas conservadas. El elemento celta (gaélico) se conserva de forma especialmente pura. Después de la cristianización se crearon múltiples conventos e iglesias. Las islas sufrieron saqueos vikingos; del siglo XII al XVI reinó el rey celta O'Brien y en 1587 fueron reconocidas por Inglaterra.

Inishmore: Es la mayor de las islas (al NO) con una extensión de 14 km de longitud y 2,4 km de anchura. Su puerto es *Kilronan* en la Killeany Bay al NE (combinación marítima con Galway). Al SE, en el pueblecito *Killeany,* se hallan los restos de la pequeña iglesia de *St. Benen* (Temple Benan), del siglo II. También existen ruinas de una torre circular, un convento franciscano (siglo XV), con cruz celta, y el *Arkin Castle* (siglo XVI). En la costa están los restos de la fortaleza construida sobre arrecifes, *Doocaher* (Dubh Cathair «Black Fort»). En el centro de la isla (4 km NO), el famoso fuerte circular de piedra, *Dun Oghil.* Este fuerte prehistórico posee dos muros de piedra concéntricos y está muy bien conservado (es el punto más alto de la isla). En las cercanías de *St. Kieran* (iglesia del siglo XIII, con crucifijos de principios del cristianismo) se encuentra la sencilla iglesia de *St. Sorney* (Templesoorney), del siglo XI. En el pueblo vecino *Cowrath,* un cementerio con antiguas piedras sepulcrales (siglos XII y XV).

Kilmurvy (10 km NO): Restos de la iglesia prerrománica *MacDuagh* «Temple MacDuagh» (coro y ventana O del siglo XV). De igual interés es el pozo de agua bendita de *Tobermacdonagh,* con crucifijo celta. Cerca de *Kilmurvy,* en la costa S, sobre una roca de casi 100 m de altitud, están los restos de la fortaleza prehistórica *Dun Aengus:* esta construcción de piedra se sitúa entre los monumentos más pintorescos de la antigua historia europea; posee un muro circular (media circunferencia) triple, de piedra calcárea, situado cerca del mar. Delante del muro intermedio se encuentra una fosa de protección con piedras puntiagudas en su interior. Cerca del vecino *Onaght* (al NO) existe otro fuerte circular restaurado, *Dun Onaght,* con escalones incrustados en la pared interior. Muy cerca se hallan las ruinas del *Seven Churches,* de los siglos XIII y XV.

Inishmaan (Inish en gaélico = isla): Esta isla, más pequeña, vecina (2 km SO), posee ante todo reliquias prehistóricas; el ovalado fuerte de piedra *Dun Copor,* con sus construcciones adyacentes en el patio interior y exterior, y una cámara sepulcral de la Edad del Bronce. Cerca, las ruinas de la iglesia *Templemurry* (siglo XV).

Inisheer: La más pequeña de las islas Aran, contiene una fortaleza prehistórica (Cregganskeel), con restos del castillo *O'Brien,* del siglo XV, en la circunferencia interior. También las ruinas del pequeño oratorio románico de *Kilgobnet* (siglo XI).

Arbroath
Tayside/Escocia Pág. 324 □ H 7

En esta pequeña cidad, en la costa E, se firmó, en 1320, la declaración de *Arbroath,* en la que los regentes esco-

Arbroath. Abbey (abadía)

Arbroath. Abbey, cúpula de la iglesia

Sacristía

ceses contestaban a una bula solicitada por el rey Eduardo III de Inglaterra, que afectaba a toda Escocia. En dicho escrito, Escocia declaraba su independencia y nominaba rey a Roberto Bruce.

Abbey: La abadía fue fundada en 1178 por Guillermo «el Lobo», como priorato de los cluniacenses. En 1233 se convirtió en la abadía de los monjes tironenses procedentes de *Kelso*. Durante la reformas se sustrajeron las pertenencias de la abadía; desde este momento decayó y hasta fue utilizada como cantera. Todavía hoy día se conservan las ruinas de las imponentes torres del lado O, partes de la nave lateral S, del crucero S, del coro y de la sacristía.
El enorme rosetón, situado en la pared S del crucero, se iluminaba en tiempos de la Edad Media de noche para servir de guía a los navíos en sus travesías.

Alrededores

Brechin (12 km N): Aquí se encuentra una torre circular de 26,5 m de altura. Junto a una torre similar en *Abernethy* es el único ejemplo de torres irlandesas en Escocia.

Edzell (18 km N): Uno de los jardines barrocos más hermosos de Escocia demuestra el amor por la jardinería de los *Lindsays of Glenesk*. El diseño de jardín es de estilo francés. Las partes más antiguas del castillo de dicho jardín son de 1500, construidas con ladrillo rojo.

Montrose (10 km NE): Aquí como es tradición, suena cada día a las diez de la noche la «campana de Pedro» (procedente de Rotterdam, 1676) anunciando la hora de cierre. La fortaleza, del siglo X, sirvió al rey Eduardo I de residencia en 1296; un

Armagh. Vista de la ciudad

año después fue destruida por el nacionalista escocés William Wallace.

Armagh
Armagh/Irlanda del Norte — Pág. 326 ☐ E 10

La capital (12 000 hab.), del mismo nombre que el condado, es sede episcopal católica y protestante y es el centro religioso de Irlanda.

Historia: Armagh fue, desde 400 años a. de J. C. hasta 333 d. de J. C. sede de los reyes celtas del Ulster. El antiguo nombre gaélico del lugar *Ard Macha* (montículo de Macha) recuerda a la legendaria reina Macha. Esta fortificación celta se encontraba sobre la colina vecina *Navan Fort* (2 km O), en gaélico «Eamhain Macha» (Emania). Se encuentra en este lugar un enorme muro circular con fosa interior y un cementerio. La importancia cristiana de Armagh comenzó con *St. Patrick* (San Patricio) que fundó aquí, alrededor de 445, una iglesia y un convento. De ahí surgió un centro misionero (centro escolar). La ciudad fue saqueada en tiempos póstumos repetidas veces, por lo que casi no quedan monumentos antiguos.

St. Patrick's Cathedral: La monumental obra procede de 1834 y su promotor fue L. Cottingham. En la actualidad quedan pocas partes originales de su época de construcción. De interés son los monumentos fúnebres del interior (siglos XVII y XVIII) y una cruz celta, en bastante mal estado de conservación. En el exterior del crucero se halla una placa conmemorativa dedicada al rey celta Brian Boru (fallecido aquí en 1014).

Otros lugares de interés: *St. Patrick's Cathedral,* edificada de 1840 a 1873 en estilo neogótico (impresionante decoración interior italiana). Las ruinas del convento franciscano son de 1264. En la calle principal, *Mall* (boulevard), hermosos edificios de los siglos XVIII y XIX de estilo georgiano (Royal School, de 1774; Court House, de 1909; Market House, de 1742 a 1815). En el *County Museum* (Mall Street), exposiciones de arqueología e historia del lugar.

Alrededores

Caledon (14 km O): En este lugar se encuentra la hermosa casa feudal *Caledon House,* del año 1779, de estilo georgiano, y *Regency.* Cerca de Caledon, restos de *Tynan Abbey* (siglo XII), las cruces de *Tynan* (al S), con representaciones bíblicas (siglo XII).

Arran (I)

Strathclyde/Escocia Pág. 326 □ F 9

Contrariamente a las otras islas Hébridas, *Arran* ofrece un paisaje muy variado, con montañas de hasta 900 m de altitud y con bellísimos paisajes que recuerdan a las islas *Highlands.*

Brodick Castle: Este castillo familiar, que data del siglo XIV, fue propiedad de los *Duques de Hamilton.* Edificado por Oliver Cromwell en 1652, se efectuaron ampliaciones y la construcción de la torre en 1844. En el castillo se encuentra una amplia colección de porcelanas, plata y trofeos de caza. Junto al castillo, un jardín de estilo francés de 1710 y otro inglés de 1923.

Otros lugares de interés: En la parte S de la isla se encuentran numerosos monumentos del Neolítico. *Cairn Baan,* en las proximidades de *Kilmory,* es un importante sepulcro con pasadizos. Al O se encuentra el sepulcro, también del Neolítico, de *Torrylin Cairn.* Al abrir las tumbas se encontraron ocho esqueletos, trozos de una vasija de barro y cuchillos de piedra. De cinco círculos de piedra de la Edad del Bronce quedan los *Standing Stones of Machrie Moor.* Los menhires alcanzan una altura de 4,5 m. El *Stone Circle of Auchagallon* señala el lugar que fuera sepulcro en la Edad del

Arundel. Castle

Bronce. En este lugar se encuentran cinco menhires dispuestos en forma circular.

Arundel
West Sussex/Inglaterra Pág. 332 □ K 16

Esta pequeña ciudad, pintoresca y construida en ladrillo rojo, está situada en el valle del *Arun.*

Castle: Esta edificación, que domina la ciudad, se sitúa en medio de un gran parque natural con su lago *Swanbourn,* y hace más de quinientos años que es propiedad de los *Duques de Norfolk.* Fue comenzado por Eduardo «El Confesor» (1003-1066); de esta época datan el cementerio y el puente. En el siglo XVII, las tropas de Cromwell destruyeron el castillo. La edificación actual, a menudo comparada con el castillo de *Windsor,* se erigió en el siglo XIX; gran parte de las instalaciones interiores proceden del siglo XV. De especial interés es la colección de obras pintóricas, que incluyen creaciones de Gainsborough, Van Dyck y Hans Holbein.

St. Nicholas: Esta iglesia fue edificada por Richard Fitzalan en el siglo XIV. Desde 1880, el coro y la *Fitzalan-Chapel* son propiedad de la familia; alberga numerosos monumentos sepulcrales de los *Fitzalan* y *Howards,* más conocidos por los *Duques de Norfolk;* de notable interés con los altares y la ventana E.

Our Lady and St. Philip Neri: Posee una pequeña torre decorada con filigranas neogóticas de 1863 y tiene hermosas ventanas.

Alrededores

Amberley (8 km NE): Viejo pueblo con techos de paja. Al final de la calle principal, la iglesia *St. Michael,* de los siglos XII y XIII, con pila bautismal normanda y techos del coro. La nave S y la torre proceden del gótico inglés; el pórtico S también es gótico. Del castillo obispal de *Chichester* sólo quedan las ruinas (siglo XVII).

Bignor (11 km N): De interés turístico es la gran villa romana, con hermosos mosaicos y un museo en el que se exponen los objetos y piezas hallados en el lugar.

Harrow Hill (3,5 km NO): Aquí se pueden contemplar los restos de una lápida funeraria de la Edad de Piedra.

Parham (10 km NE): Esta casa feudal isabelina, rodeada de un espléndido parque, se erigió en 1577 y posee una amplia colección de pinturas. En la *St. Peter's Chapel,* restaurada al estilo gótico en el siglo XIX, se encuentra una pila bautismal del siglo XIV.

Ashbourne
Derbyshire/Inglaterra Pág. 328 □ I 13

Esta vieja ciudad mercante es conocida por el torneo de fútbol que se organiza el martes de carnaval, en el que toda la población utiliza, sin reglas fijas, todas las calles de la ciudad, estando ambas porterías a una distancia de 4 km.

Arundel. Castle, Torre del Homenaje

St. Oswald: Esta iglesia fue edificada durante los siglos XIII y XIV en el lugar de una construcción de la época anglosajona y normanda, con planta cruciforme y la alta torre cuadrada de 70 m de altura del siglo XIV. En el interior, hermosa pila bautismal del siglo XIII, antiguas pinturas sobre cristal y un monumento fúnebre dedicado a *Penelope Boothby* (obra maestra del escultor Thomas Banks).

Otros lugares de interés: *Mainstreet,* con sus casas antiguas, y *Grammarschool* (construcción de estilo Tudor y del Renacimiento).

Alrededores

Cromford (16 km NE): La *Cromford Bridge* sobre el río *Derwent,* data del siglo XV (en una parte tiene arcos de medio punto y en la otra son ojivales). Al S del puente, ruinas de un santuario de pescadores (inscripción «Piscatoribus sacram»). También de interés es la *Cromford Old Mill,* en la que Richard Arkwright utilizó, en 1771, por vez primera, la energía hidráulica para hacer funcionar un molino algodonero.

Fenny Bentley (4 km N): Iglesia gótica *St. Edmund* (en el interior, de especial interés, los muros del coro, de principios del siglo XV).

Ilam (6 km NO): En el cementerio se pueden ver dos viejas y bonitas cruces anglosajonas de piedra. En la iglesia, un monumento fúnebre realizado por Sir Francis Chantrey.

Tissington (8 km NO): Interesante pórtico románico en la iglesia. *Tissington Hall,* construcción de estilo renacentista-jacobino, edificada en 1609.

Wirksworth (13 km NE): *St. Mary,* iglesia con torre del siglo XIII. En el interior se encuentra un sarcófago esculpido en tiempos anglosajones, con escenas del Nuevo Testamento; pila bautismal románica.

Ashford

Kent/Inglaterra Pág. 332 □ L 15

A raíz del descubrimiento del ferrocarril, este pequeño pueblo se convirtió en uno de los nudos ferroviarios más importantes de Inglaterra. En la actualidad es conocido por las frecuentes subastas de ganado.

Ashbourne. St. Oswald, sepulcro de Sir John Cokayne

Alrededores

Charing (8 km NO): Ciudad típica de *Kent,* con pintorescas casas y las ruinas del Palacio Obispal del siglo XIV.
Godinton Park (2,5 km O): Casa con frontispicio, bonitos muebles, colección de porcelanas y jardines de los siglos XVIII y XIX.
Mersham (7 km SE): *Church of St. John the Baptist* es una iglesia normanda con hermosas vidrieras (en parte del siglo XIV), y un monumento fúnebre, obra de William Tylers, dedicado a *Sir Wyndham Knatchbull* (siglo XVIII).
Yardhurst (5 km SO): En este lugar se encuentra una casa del siglo XV, recientemente restaurada.

Ashby de la Zouch
Leicestershire/Inglaterra Pág. 328 □ I 13

St. Helen: Esta iglesia fue edificada en el siglo XV, siendo ampliada en el siglo XIX. Ala del altar de 1679. En el interior, de especial interés, los monumentos fúnebres (ante todo el construido para el *segundo Earl of Huntington* en 1561, con dos figuras de alabastro horizontales, al igual que el del *noveno Earl of Huntington,* diseñado por William Kent, composición artística de Joseph Pickford y Michel Rysbrack).

Otros lugares de interés: Las ruinas de la fortaleza, de la época de Eduardo VI (1461-1483), en la que vivió María Estuardo.
En el centro de la ciudad se conserva una hilera de casas de paredes entramadas de la época del Renacimiento (siglos XV al XVI).

Alrededores

Appleby Magna (8 km SO): Iglesia de *St. Michael,* del siglo XIV, con hermosos ventanales; en el interior, restos de pinturas sobre vidrios originales de la época. Techo estucado, sillería de la iglesia y tribuna añadidos durante una restauración del siglo XIX.
Breedon-on-the-Hill (10 km N): La iglesia *SS. Mary and Hardulph* se erigió en el mismo lugar de una fundación anglosajona destrozada por los daneses en 885; la construcción actual es románica con modifica-

Ashbourne. St. Oswald, sepulcro de Penélope Boothby

Athy. White Castle

ciones posteriores. En la nave lateral S, restos arquitectónicos de la iglesia original prerrománica.

Castle Donington (4 km NE): *Donington Racing Car Museum* (con coches de carreras a partir de 1911).

Donington-le Heath (8 km NE): Casa feudal restaurada del siglo XIII (en el interior, entre otras cosas, muebles de estilo).

Kegworth (16 km NE): La iglesia *St. Andrew*, de principios del siglo XIV, posee restos de pinturas medievales sobre vidrio.

Measham (5 km SO): En el *Midland Motor Museum*, colección automovilística.

Moat House (6,5 km SO): Restos de una casa feudal del siglo XIV (se conservan los muros de protección, un pozo y caserna del siglo XV).

Staunton Harold (6,5 km NE): La iglesia, edificada en 1563, es una de las pocas construidas bajo la regencia republicana de Oliver Cromwell (el interior se conserva intacto). Digna de interés, una casa feudal georgiana, *Staunton Hall*, del siglo XVIII (fachada principal de estilo Palladio).

Askeaton

Limerick/Irlanda Pág. 330 □ B 13

Sobre una isla situada en el río *Deel* se encuentran los restos del castillo *Desmond*, del siglo XV. Todavía se conserva la hermosa sala de banquetes (Great Hall), de 1550, con ventanas emplomadas, y la torre de la fortaleza (ventanas y chimeneas). La fortaleza fue sede de la conocida familia real de los *Earls of Desmond* (Fitz-Geralds). Las ruinas de la iglesia, con hermosa pared de arcos y ventanas esculpidas, proceden del convento franciscano de los *Desmond*. También se conserva el *Vía Crucis* (estatua franciscana).

Alrededores

Ballylongford (37 km O): En este lugar se encuentran las ruinas del *Carrigafoyle Cas-*

Avebury. Menhires

tle, edificado por O'Connors of Kerry alrededor de 1350. Desde la torre de la fortaleza existe una bella panorámica de la bahía del mar de *Shannon.*

Glin (24 km O): Cerca de este pueblo costero, en el antiguo río *Shannon,* se encuentran los restos del *Glin Castle.* Fue edificado alrededor de 1300 por los *FitzGeralds* (Knoghts of Glinn) siendo reedificado en 1800 en estilo neogótico.

Scattery Island (isla en el Shannon enfrente de Ballylongford): Interesantes ruinas de seis iglesias (siglos XII al XV); fragmentos de escultura románica y de la torre circular mejor conservada y de más altura de Irlanda, unos 36 m de altura (Round Tower). En este lugar fundó, en el siglo VI, *St. Senan* un convento.

Athy

Kildare/Irlanda Pág. 326 □ D 12

Esta pequeña ciudad, de unos 4 000 hab., alberga los restos del *White Castle* (en el puente Barrow), edificado por el *Conde de Kildare* en 1575. También de interés son: el *Palacio de Justicia* y el *Market House* de 1800 (estilo georgiano). La moderna *Dominical Church* (iglesia dominicana de 1965), con sus hermosos ventanales, es un buen ejemplo de la arquitectura sacra de la época.

Alrededores

Woodstock Castle (2 km N): Restos del castillo del siglo XII. En el año 1649 fue destruido.

Avebury

Wiltshire/Inglaterra Pág. 332 □ I 15

En ningún lugar de Inglaterra se pueden admirar tantos y tan diversos restos prehistóricos. Los arqueólogos encontraron en las excavaciones arqueológicas realizadas en los alrededores huellas prehistóricas originarias del siglo IV a. de J. C.

Stone Circle: Este círculo megalítico de piedra, de 4 000 años de antigüedad, es bastante más importante que el conocido cromlech de *Stonehenge.* La enorme construcción circular, con un diámetro de 1,5 km, estaba rodeada por un muro de tierra de 5 m de altura y una fosa de 10 m de profundidad. El gran círculo, dentro de este anillo, estaba compuesto por más de 700 piedras gigantescas. En el centro se erigían dos círculos menores, de piedras más pequeñas. Una hilera de unos 200 monolitos flanquean el camino que conduce hacia el santuario. En el círculo de piedra menor se han encontrado numerosas piedras volcánicas.

Silbury Hill: Este artístico montículo de tierra, denominado «pirámide más grande de Europa», tiene un diámetro de 180 m. Se ha demostrado que el monte fue construido en tres fases 3 000 años a. de J. C. La finalidad de esta construcción, en la que debieron trabajar 700 hombres durante un período de 10 años, no ha sido descubierta todavía.

West Kennet Barrow: Muy cerca del misterioso *Silbury Hill* se encuentra la cámara sepulcral más bonita del Neolítico en Inglaterra. Tiene unos 110 m de longitud y está rodeada por un foso. En el sepulcro se encontraron vasijas de cerámica de 3 000 a 1 600 a. de J. C. En la actualidad se exponen en un museo que se halla enclavado en la población de *Devizes.*

Windmill Hill: El monte, situado al NO de *Avebury,* es uno de los más antiguos hallazgos del Neolítico. Cabe la posibilidad de que se tratara de un lugar de culto, pues se encontraron numerosos restos de cerámica de toda la parte SO. Muchos de los hallazgos

Avebury. Silbury Hill

proceden del 3 100 a. de J. C.; por esa razón el monte dio nombre a la cultura agrícola más temprana.

Alexander Keiller Museum: Lleva el nombre de su fundador, que creó el museo en 1938 para mostrar los hermosos hallazgos encontrados en *Avebury* y *Windmill Hill.* Actualmente se halla documentado en este museo todo lo referente a la población de Avebury y sus alrededores.

Alrededores

Devizes (14 km SO): El *Museum of Wiltshire Archaeological and Natural History Society* alberga importantes hallazgos del Neolítico, la Edad del Bronce, del Hierro y de tiempos romanos; con ellos nos proporciona una visión amplia de la temprana historia del O de Inglaterra. El *Wiltshire Regimental*

Museum ilustra la historia de la regencia de los Condes desde 1756.

Aylesbury

Buckinghamshire/Inglaterra Pág. 332 □ K 14

La capital del condado de *Buckinghamshire* ha derivado en una importante ciudad industrial; no obstante, el núcleo antiguo y la plaza del mercado están bien conservados. La estatua de *John Hampden* en la plaza recuerda a este hombre que, en 1635, se negó a pagar el impuesto aditivo introducido por Carlos I.

Church of St. Mary: Esta iglesia de planta en forma de cruz, data del siglo XIII. En el siglo XV fue ampliada hasta tener su tamaño actual. Por desgracia, Sir Gilbert Scott la reformó tan minuciosamente que quedan hoy pocas muestras artísticas de la época de su construcción. De interés son las vidrieras policromadas victorianas y la pila bautismal, delicadamente ornamentada, de finales del siglo XII.

County Museum: Este museo condal se encuentra en la vieja escuela. El edificio, del siglo XV, fue renovado en el año 1730. La interesante exposición muestra la arqueología del lugar e historia natural.

Alrededores

Boarstall Tower (25 km O): De la antigua casa feudal sólo queda la caserna, rodeada con una fosa de agua del siglo XIV (renovada en los siglos XVI y XVII).

Claydon House (20 km NO): La residencia de la familia *Verney* data del siglo XVI y fue ampliada por el *segundo Earl of Verney* a

medidados del siglo XVIII. Bajo la dirección de Sir Thomas Robinson se construyeron las salas de representación (30 años de construcción), en estilo rococó, y las salas góticas, en el piso superior.
La obra fue realizada con esmero, utilizando técnicas de estucado y trabajos en madera. El señor de la casa hizo construir una sala especial en la que se puede apreciar su afición por China. La fachada S se construyó en el siglo XIX.

Long Crendon (13 km SO): *Courthouse,* del siglo XIV, en parte está construida con paredes entramadas.

Thame (17 km SO): *Church of St. Mary the Virgin* es de la época gótica y tiene una especial torre cuadrada. Las ventanas, el coro y los pórticos son, en parte, de principios, en parte, de finales del gótico. Interesantes son los monumentos fúnebres, entre ellos el de *Lord of Thame,* de 1559 (enfrente del mar).

Waddesdon Manor (9 km O): La casa feudal fue edificada por el barón *Ferdinand de Rotschild* en 1880-1889 en el estilo del Renacimiento francés. Contiene valiosos muebles y tapices del siglo XVIII, porcelanas de Sèvres y pinturas de Rubens, Reynolds y Gainsborough, así como una colección de armas.

B

Ballina
Mayo/Irlanda Pág. 326 □ B 10

Este pequeño puerto costero (6 000 hab.) se encuentra en la desembocadura del río *Moy,* en la *Killala Bay,* En el cementerio (cerca de la iglesia católica) se encuentran restos del convento agustino (Agustinian Friary) de 1427, con las ruinas de la iglesia (hermoso pórtico, adornado con figuras). Al S del lugar, un dolmen con tres piedras de soporte y la superior.

Alrededores

Bellavary (27 km S): Al N del lugar se encuentran las ruinas del dominicano *Strade Friary,* del siglo XIII. Son de especial interés las tumbas, impresionantemente adornadas, con figuras del siglo XV, en la sala del coro. Al N, las ruinas de la fortaleza de *Ballylahan Castle,* del siglo XIII. Hacia el O la conservada torre circular de *Turlough,* con su vecina iglesia de estilo gótico (restaurada, siglos XIII y XIV). Otra interesante torre circular es la *Meelick Round Tower,* con una piedra sepulcral de la antigüedad irlandesa (3 km O de Bellavary).

Errew Abbey (18 km SO): En la orilla E del *Lough Conn,* debajo de la montaña cónica *Nephin* (807 m), se encuentran las ruinas de esta abadía con su iglesia del siglo XIII. Cerca, un pequeño oratorio rectangular (casa de rezo), llamada *Temple-nagal-liagdoo* (iglesia de monjas negras), resto de un antiguo convento de monjas del siglo XVI.

Killala (13 km N): Iglesia reedificada en 1670 (pórtico S de estilo gótico); cerca, una torre circular restaurada (siglo XII) de 25 m de altura. En este lugar *St. Patrick* erigió su primera fundación (para el obispo Muiredagh).

Moyne Friary (12 kim N): Este convento franciscano, bien conservado, data de 1460. Posee una hermosa iglesia claustral con

Bellavary (Ballina). Ballylahan Castle

torre central rectangular, un Vía Crucis (Cloister Garth), y restos del edificio.

Rathfran Friary (17 km N): En dirección hacia *Rathfran* están los restos del convento dominicano de 1274, con iglesia y Vía Crucis. En las cercanías (dirección N), restos de tumbas prehistóricas (megalitos) y círculos de piedra (cromlech), así como la piedra *Ogham,* con inscripciones del siglo V.

Rosserk Abbey (5 km N): Las ruinas del convento franciscano (fundado en 1441), todavía están bien conservadas. De interés, la iglesia claustral (hermoso pórtico y ventanas), el Vía Crucis y una alta torre circular.

Ballinasloe

Galway/Irlanda Pág. 326 □ C 12

Esta pequeña ciudad (5 000 hab.) está a orillas del *Grand Canal* (Canal de Irlanda de E-O) y posee hermosas casas de los siglos XVIII y XIX.
En este centro agrícola se organiza anualmente el mayor mercado de ganado de Irlanda (fiesta folclórica en la que participa todo el pueblo), especialmente de caballos.

Alrededores

Clonfert (15 km SE): Aquí fundó el santo celta legendario *St. Brendan,* alrededor de 560, un monasterio (no quedan restos). El nombre local del actual pueblecito, *Clonfert* (pradera de tumbas), recuerda la tumba de *St. Brendan.* Una saga de la época del cristianismo dice que St. Brendan fue el «marinero» que cruzó el Atlántico, por primera vez, en busca del «Promised Land of the Saints». La *St. Brendan's Cathedral,* que todavía se conserva, procede de los siglos XII al XV. El pórtico E es único: la obra maestra del estilo románico irlandés, con sus columnas arqueadas, muestra numerosas ornamentaciones en relieve, sobre todo cabezas humanas y ornamentos triangulares. De notable interés son las ventanas góticas E, los arcos del coro, la pila bautismal y las lápidas.

Clontuskert Abbey (5 km S): Las ruinas de este convento franciscano son del siglo XII.

Eyrecourth (20 km S): En este lugar se encuentran, cerca del río *Shannon,* los restos del convento franciscano, *Meelick Friary,* del siglo XV, con iglesia bien conservada.

Kilconnel Friary (13 km O): Es uno de los monasterios franciscanos irlandeses mejor conservado. Fue construido alrededor de 1353 en el mismo lugar de la fundación de *St. Connal* (siglo VI). «Kil Connal» significa «iglesia de St. Connal». De interés son las ruinas de la iglesia y los ornamentos de las ventanas, el pórtico, la torre y los restos del edificio del claustro; también los nichos en la pared N.

Banbury

Oxfordshire/Irlanda Pág. 332 □ I 14

Esta antigua ciudad lanera fue, en la guerra civil, lugar de tremendas luchas que fueron motivo de la destrucción total de su castillo. Se conservan, a pesar de todo, diversas casas antiguas de los siglos XVI y XVII. Los puritanos derrumbaron en 1602 el *Banbury Cross;* la construcción que le sustituyó fue construida en 1858 (neogótica). La gran iglesia parroquial fue edificada por los hermanos *Cockerell* de 1790 a 1822, después de ser destrozada por el pueblo la anterior iglesia.

Alrededores

Bloxham (6 km S): La *Church of Our Lady* posee una torre del siglo XIV, decorada con otra torre menor y que está coronada por una aguja octogonal. En 1866 la iglesia fue restaurada por George Edmund Street. Su ventana oriental es obra de William Morris y Edward Burne Jones.

Broughton Castle (5 km SO): La fortaleza data de 1300, ampliada en la época isabelina. El lugar de nacimiento y residencia de *Lord Saye and Sele* conserva su primitiva estructura (1554-1599). El castillo incluye una colección de objetos chinos.

Ballinasloe. St. Brendan's Cathedral

Bloxham (Banbury). Ventana E

Canons Ashby (30 km NE): El exterior de la iglesia está excelentemente trabajado; alberga las ruinas de la capilla claustral; siglo XIII. La hermosa casa feudal data de los siglos XVII y XVIII y fue residencia de la familia del poeta *John Dryden.* También el poeta Edmund Spencer era visitante asiduo de esta casa, rodeada por un hermoso jardín.

Sulgrave Manor (20 km NE): La propiedad se menciona en el «Domesday Book» por vez primera en 1086; posteriormente perteneció a un priorato en *Northhampton.* En 1539 Enrique VIII vendió la propiedad a Lawrence Washington, que edificó en 1560 la casa actual. De 1920 a 1930 fue renovada parcialmente. La casa, cuyo escudo es parte del emblema de la bandera norteamericana, es hoy el denominado *Museo de Washington.*

Wroxton Abbey (5 km O): Esta casa de estilo jacobino, fue durante siglos residencia de la familia *North.* Edificada en 1618 por Sir William Pope, incluye restos del priorato agustino del siglo XIII.

Banff
Grampian/Escocia Pág. 324 □ H 6

Este puerto, en la desembocadura del *Deveron,* se convirtió, en 1372, en *Royal Burgh.* No obstante, de su maravilloso pasado sólo quedan algunas casas del siglo XVII. En la *Biggar-Fountain,* en la *Low Street,* estuvo en tiempos pasados la horca en la que fue colgado James Macpherson.

Duff House: En 1730 William Adam comenzá a construir para William Duff un castillo barroco imitando la arquitectura de la *Villa Borghese* en Roma. La construcción, de tres pisos con fachada clásica, pilastras corintias y ático, no fue finalizada jamás. Después de trece años de construcción el dueño no pudo seguir costeando la obra y, así, los dos pabellones laterales que debían ser unidos con el edificio central por soportales arqueados, no fueron jamás construidos.

Alrededores

Craigston Castle (8 km SE): La residencia de la familia *Urquhart* fue construida de 1604 a 1607. Las dos salas de la torre que servían de vivienda, con planta en forma de O, están unidas entre sí por debajo de la base del aguilón a través de arcos y un balcón. En los cantos exteriores hay consolas, pero faltan las correspondientes torres esquineras. En la casa se pueden ver increíbles trabajos en madera, tanto en las paredes como en los techos.

Turrif (12 km S): Aparte del coro de la iglesia del siglo XVI es digno de admiración el *Delgatie Castle.* La torre data del siglo XV. En la actualidad es la residencia de los *Hay-Clans* y alberga una interesante colección de armas y retratos. Los techos de madera, de 1590, son especialmente valiosos.

Bangor

Gwynedd/Gales

Pág. 328 □ G 12

Esta pequeña ciudad de gran actividad (17 000 hab.), en el saliente NE de *Menai-Street,* entre el norte de Gales y la isla Anglesey, se ha convertido en un apreciado lugar de vacaciones y excursionismo. La ciudad alberga parte de la Universidad Nacional, fundada en 1872 (edificio de 1911; unos 3 000 estudiantes).

Cathedral: Está consagrada al obispo Deiniol (alrededor de 546) y está en el lugar de un antiguo convento del 525, del que no quedan restos. La primera catedral se construyó alrededor de 1120; fue quemada en diversas ocasiones y reedificada en diferentes estilos (por última vez en 1870). Los muros exteriores N y S son del siglo XIV, al igual que los pórticos; la torre O es del siglo XVI. En el presbiterio se puede ver una ventana normanda (tapiada). Detrás del pórtico S se encuentra una pila bautismal del siglo XV, en el crucero hay dos crucifijos de los siglos XIV y XV, en el presbiterio una gran ventana perpendicular (paredes S y E) de 1500. El pequeño museo, en el crucero N, nos muestra, entre otras cosas, una escultura de Cristo, tallada en madera de encina, baldosas del siglo XIV, así como misericordias y otras esculturas del siglo XVI.

Museum of Welsh Antiquities: En este museo se exponen antiguos muebles galeses (siglos XVII al XIX), trajes regionales y documentación sobre la historia del país, además de interesantes hallazgos de la prehistoria y de las épocas romana y celta.

Otros lugares de interés: El *Garth-Pier,* muelle para barcos de vapor (excursiones a la isla de Man e islas Puffin), se introduce en el mar unos 500 m (hermosa vista). Resiste mareas de hasta 6 m.

Alrededores

Bethesda (8 km SE): Después de pasar la ciudad dedicada a la explotación de pizarra (antiguo nombre bíblico Glanogwen), llegamos a *Ogwen-Tal* superior, valle de hermosísimo paisaje. El lago de *Llyn-Ogwert* (20 km SO), con numerosas cataratas del río *Ogwen,* está rodeado de imponentes montañas de más de 1 000 m de altitud (hacia el N y S). El monte de mayor altitud, *Carnedd Llywelyn* (1 061 m), es solamente 22 m más bajo que *Mount Snowdon* (10 km SE).

Menai Bridge (3 km SO): El puente colgante de Menai atraviesa el canal marítimo en dirección a *Anglesey.* En un tiempo fue el puente colgante más largo del país (323 m) siendo construido en 1826; en 1939 fue renovado y ampliado. El puente tubular vecino (Britannia Tubular Bridge, de 1850, es atravesado diariamente por infinidad de trenes. Su constructor fue el hijo del «inventor del ferrocarril». Stephenson.

Penrhyn Castle (2 km NE): Casa feudal del siglo XV con una colección de más de 1 000 muñecas (entre otras piezas).

Bantry. Bantry House

Bantry
Cork/Irlanda Pág. 330 □ B 14

Este pequeño puerto está al borde de una de las bahías más bonitas de Irlanda, de 6 km de ancho, con abundante vegetación subtropical (Bantry Bay). De 1689 a 1796, se instalaron en esta ciudad las tropas francesas.
Bantry House, de estilo georgiano (1740), está en la parte superior de la bahía; fue finalizada la obra por Lord Bantry, que puso especial cuidado en decorar el interior con interesantes colecciones de muebles y pinturas. Igualmente interesante es el jardín italiano del castillo.

Alrededores

Ardgroom (40 km O): En este lugar se encuentra una de las piedras *Ogham* más altas de Irlanda (5,20 m de altura), del siglo V ó VI.

Baltimore (20 km SE): Pueblo costero fundado en 1608 con las ruinas de un castillo del siglo XVI (hoy escuela de vela).

Castletown Bearhaven (30 km O): En la península *Beara,* de paisaje rocoso, entre el *Kenmare River* y la *Bantry Bay,* yacen, cerca de *Castletown,* las ruinas del *Dunboy Castle* (siglos XV al XVI).

Clear Island (25 km S): Interesante isla, cuyo pueblo, de habla gaélica, es fiel a las tradiciones. Existe un faro en el *Cape Clear,* en el punto más sureño de Irlanda, desde donde se goza de un hermoso paisaje.

Garinish Island (12 km NO): En 1910 se crearon los mágicos jardines italianos sobre estas islas rocosas situadas enfrente de *Glenariff.* Aquí escribió G. B. Shaw su «Santa Johanna».

Sherkin Island (20 km S): Sobre esta isla, enfrente de *Baltimore,* se encuentran los restos de un convento franciscano del siglo XV (con torre central).

Barnard Castle

Durham/Inglaterra Pág. 328 □ I 10

Castle: Esta fortaleza fue construida estratégicamente sobre la pendiente del río *Tees* por el normando Guy de Bailleul. La terminó su nieto, Bernard Baliol (el castillo lleva su nombre). En 1569 la fortaleza fue conquistada durante el levantamiento de los barones del N, después de haber sido sitiada por Cromwell. Del conjunto se conservan aún restos de las tumbas interiores, el cementerio circular de tres pisos y la *Great Hall,* del siglo XIV.

Bowes Museum (alcanzable a través de Newgate): Edificado por John Bowes. *Earl of Strathmore,* en el estilo de un palacio francés, como museo para las obras de arte que poseía la familia. De mayor interés es la galería de obras pictóricas, que contiene cuadros de Goya, El Greco, con su famoso cuadro de «San Pedro», pintores franceses (entre otros, Boucher, Courbet) e italianos (entre otros, Sassetta y Tiépolo). También se expone en este museo una importante colección de cerámicas y porcelanas (Sèvres, Meissen, Delft, etc.), muebles franceses de los siglos XVIII y XIX y una colección de juguetes con viejas muñecas y casas de muñecas. Además, el museo alberga otras colecciones: disfraces de los siglos XVI al XVIII, instrumentos musicales, manuscritos, tallas de madera y esculturas, joyas y piedras preciosas, tapices, relojes y cajas de tabaco, así como varias colecciones más.

Otros lugares de interés: El puente medieval sobre el río *Tees* y la calle central de la ciudad, con viejas y pintorescas casas.

Alrededores

Bowes (6 km SO): Fue una estación militar; restos de una fortaleza normanda (partes del cementerio).

Egglestone Abbey (2 km SE): Restos de una abadía premonstratense; de la iglesia se conservan el coro, en estilo temprano inglés del siglo XIII y parte de *Longhause* (siglos XII al XV).

Barnard Castle. Ruinas

Barnard Castle. Bowes Museum

Raby Castle (8 km NE): El castillo fue construido en el siglo XIV, siendo reformado en el año 1765 y, por segunda vez, en el siglo XIX. En el interior, son dignos de admiración: la *Great Hall* de 45 m de longitud (en el lado E el viejo emporio de piedra para los cantantes), la galería (entre otras obras, destacan las de varios maestros de los Países Bajos), así como una colección de muebles y de porcelanas.

Romaldkirk (8 km NO): La iglesia *St. Romald* se edificó en el siglo XII y fue renovada en los siglos XIII al XV (torre de estilo gótico perpendicular). En el interior se conservan, entre otras cosas de gran interés, un hermoso techo arqueado, la imagen de un caballero de 1304, una pila bautismal románica y el púlpito del siglo XVIII.

Staindrop (8 km NE, al S de Raby Castle): *St. Mary*, iglesia de fundación anglosajona de la época normanda. En el siglo XIII ampliación del crucero de estilo tempranogótico (Early-English-Stil). En el interior, tumbas del siglo XIII (de los Earls of Westmorland) hasta el siglo XIX (la más antigua, la de la Duquesa de Cleveland, de 1859). También una pila bautismal y la sillería del coro, de estilo cular tempranogótico, así como las ventanas emplomadas del siglo XIX.

Barnsley

South Yorkshire/Inglaterra Pág. 328 □ I 12

Ya en el normando «Domesday Book» (libro fundamental del siglo XI) aparece con el nombre de *Berneslai.* Desde la antigüedad fue centro industrial carbonífero; desde principios del siglo XVII fue famoso por sus vidrieros (ambos oficios están representados en el escudo de la ciudad). *Barnsley,* ciudad comercial desde 1249, formó parte de la red ferroviaria a partir de 1850, debido a Joseph Locke, colaborador de George Stephenson.

St. Mary's Church: Edificada en el siglo XV en estilo perpendicular gótico (la torre, coronada con ornamentos de cinc, data de la época de construcción). Posteriormente fue modificada casi por completo. En el interior quedan algunos objetos procedentes de la época de construcción.

Town Hall (Church Street): Ayuntamiento de la ciudad, finalizado en 1933. Edificio de cuatro pisos que contiene una torre con reloj de 45 m de

altura. El exterior de la construcción está revestido con piedra calcárea de Portland, que contrasta con los oscuros edificios de los alrededores (consecuencia de la contaminación del ambiente ocasionada por el carbón).

Otros lugares de interés: La *Cooper Art Gallery* (Church Street), en la antigua *Grammar School,* con una gran colección de pinturas y dibujos.

Alrededores

Cawthorne (8 km O): La casa feudal *Cannon Hall* fue construida en el siglo XVII y transformada en el siglo XVIII por John Carr de York. En el interior existe actualmente un museo con colecciones de pinturas, muebles de estilo y pequeños objetos artísticos. También de interés, la iglesia del pueblo (en el púlpito hermosos cuadros de estilo prerrafaélico) y un pequeño museo con objetos pertenecientes al pintor y poeta John Ruskin.

Monk Bretton Priory (2 km NE): Restos de una abadía cluniacense de 1153. Se conservan los restos de la iglesia, de la caserna del siglo XV y de la casa de invitados del siglo XIII.

Silkstone (6 km O): La iglesia *All Saints* (siglos XIV al XV), se construyó sobre una edificación anterior en estilo gótico perpendicular. En el interior, el monumento fúnebre de *Sir Thomas Wentworth* (1675), obra del escultor londinense Jasper Latham.

Worsbrough (4 km S): *Worsbrough Mill Museum,* aquí se exponen máquinas antiguas; de especial interés un molino de viento del siglo XVII.

Barnstaple

Devon/Inglaterra Pág. 332 □ F 15

Esta pequeña ciudad, en la desembocadura del *Taw,* ya era ciudad portuaria en tiempos normandos. En 1273 existía un puente sobre el Taw. Comerciantes y propietarios de navíos financiaron en esta época cinco barcos de guerra para luchar contra la Armada Española. Aquí nació John Gay en 1685, cuya obra «Beggar's Opera», de 1728, inspiró, doscientos años después, la «Dreigroschenoper», de Berthold Brecht.

St. Annes's Chapel: La parte superior del edificio data de 1450; la inferior, semejante a una cripta es considerablemente más antigua y debió ser utilizada como osario. A partir de 1685 la casa fue usada como lugar de reunión de los hugonotes; desde principios del siglo XVIII sirvió de escuela primaria. En la actualidad es el museo de la patria, en el que, entre otras cosas, se pueden ver objetos alusivos a John Gay.

Alrededores

Atherington (14 km S): La *Church of St. Mary* es gótica y data del año 1200. Su enorme torre O fue restaurada en 1884. Son impresionantes los techos de la iglesia y las ventanas anglogóticas, así como el coro, que, en su parte superior, termina en forma de tribuna; es el único de este tipo existente en *Devon.* Algunas lápidas conmemorativas de bronce son del siglo XV.

Braunton (7 km NO): La *Church of St. Brannock* se comenzó en tiempo normando, mas la mayor parte de la construcción data del siglo XIII. La parte inferior de la torre S es normanda y, la superior, es del siglo XVI. La bóveda de cañón de la nave es del siglo XV. La iglesia posee la sillería de coro más valiosa de todo el condado. Los laterales de los bancos, tallados en madera de castaño, contienen numerosos relieves, entre ellos la imagen del misionero celta *St. Branock* montado sobre una vaca.

Horwood (9 km SO): La *Church of St. Michael,* con su torre E de poca altura, de dos agujas, sólo tiene un crucero al N. En la iglesia se encuentra una pila bautismal normanda y restos de frescos del siglo XV. Los bancos, tallados en madera, son del siglo XVI; el púlpito data de 1635.

Ilfracombe (20 km N): La *Chapel of St. Ni-*

Ilfracombe (Barnstaple). Puerto

cholas data del siglo XIV. Desde 1522 es sabido que una de las ventanas N era usada como faro. Después de la Reforma, la capilla se convirtió en casa-faro y, en el lado E, se construyó una sala de iluminación. En 1819 la instalación fue cambiada por la actual. De los faros en iglesias o casas costeras éste es uno de los pocos existentes.

Barton-upon-Humber

Humberside/Inglaterra Pág. 328 □ K 12

St. Peter's Church: Es una de las iglesias más antiguas de la época anglosajona en Inglaterra. Fue fundada en 669 en una misión de *St. Chad.* La parte O de la iglesia y la torre son originales de la época. El interior y el coro fueron transformados al estilo gótico en el siglo XIV. De especial interés, una de las ventanas E delicadamente adornada.

Mary's Church: La iglesia es esencialmente románica; posteriores edificaciones adicionales y reformas fueron efectuadas en estilo gótico decorado y perpendicular. En el interior son de especial interés la ricamente ornamentada pared del coro, del siglo XV, y la lápida de la tumba del comerciante de vinos *Simon Seman de Hull.*

Alrededores

Appleby (10 km SO): La iglesia de *St. Bartholomew* fue reformada casi en su totalidad en el siglo XIX; de la construcción medieval sólo queda la pila bautismal. Interesantes son los trabajos en vidrio realizados en el siglo XIX.

Bigby (15 km S): La iglesia *All Saints* fue construida en estilo tempranogótico Early English; en el interior existe una hermosa escultura de María, de alrededor de 1300.

Bottesford (18 km SO): La iglesia de *St. Peter's Chains* (Cadenas de San Pedro) posee hermosas ventanas lanceoladas y una campana con santos recuperada en el s. XIX.
Broughton (16 km SO): La iglesia *St. Mary* es románica; la torre O es anglosajona, con sus interesantes torres en escalera. En el interior, tumbas del siglo XIV.
Cadney (18 km S): Iglesia *All Saints,* de estilo tempranogótico del s. XIII, con restos del románico; en el interior, son de especial interés la pila bautismal y la ventana O.
Goxhill (8 km O): Restos de una construcción del siglo XIV. Popularmente llamada *Goxhill Priory,* puede que fuese la residencia de los *Despenser.* En el interior se conserva una hermosa ventana gótica, una escalera de caracol y algunos arcos en las caras N y S.

Normanby Hall (4 km SO): Esta casa feudal fue diseñada en el siglo XIX por Sir Robert Smirke, arquitecto del Museo Británico de Londres. En el interior, entre otras cosas, se encuentran bonitos muebles de estilo Regency y esculturas realizadas a tamaño natural mostrando trajes típicos de la época.
Thornton Abbey (9 km SE): Restos de un convento agustino de 1139. La caserna, de peculiar construcción, data de 1382 y está hecha de piedra y ladrillo: es especialmente interesante.

Basign

Hampshire/Inglaterra Pág. 332 □ I 15

En esta pequeña ciudad, en el valle de *Loddon,* se conservan todavía numerosas casas de ladrillo. Sobre una loma se pueden ver los restos de una fortaleza normanda.

Basing House Ruins: En este lugar se hallaba en la antigüedad una fortaleza sajona, más tarde un castillo normando y, finalmente, alrededor de 1530, un castillo fortificado en el Renacimiento. En la guerra civil estuvo ocupado el lugar durante tres años por las tropas de Cromwell. En 1645 la fortaleza fue tomada y destruida. Numerosas excavaciones confirman la historia del lugar. Cerámica de la Edad del Hierro, monedas romanas y ladrillos del s. XIII fueron encontrados en el lugar, así como numerosos restos de la guerra civil. Los hallazgos se exponen en el *Hampshire County Museum.*

Church of St. Mary: Esta gran iglesia gótica fue seriamente dañada durante la guerra civil. En la segunda mitad del siglo XVII fue reparada de forma poco satisfactoria, de manera que fueron imprescindibles nuevos trabajos de restauración en 1874. La iglesia contiene monumentos fúnebres de los siglos XV y XVI.

Alrededores

Basingstoke (4 km SO): El *Willis Museum* contiene exponentes de la historia local y arqueológicos, así como una colección de relojes de pulsera y de pie (carillones).

Odiham (9 km E): Las ruinas de este castillo datan de la época normanda. En este castillo Simon de Montfort mantuvo prisionero al príncipe Eduardo; también el rey David Bruce estuvo encarcelado en él. En 1357 fue liberado con una fianza de 100 000 monedas de oro. La *Church of All Saints* es del s. XIII y fue ampliamente renovada en el s. XIX. El púlpito data de principios del s. XVII; las dos vidrieras más hermosas del coro son obra de Patrick Reyntiens.

Silchester (17 km N). En este lugar se encontraba en su tiempo la capital del condado romano *Calleva Atrebatum.* Es la ciudad más ampliamente explorada de Inglaterra (época romana). Sus cimientos, no obstante, sólo pueden ser valorados científicamente, ya que no existen pruebas materiales para la posterioridad. Los hallazgos más notables se encuentran en el *Calleva Museum,* entre ellos un águila de bronce, urnas, vasijas e inscripciones. Modelos de diversas construcciones románicas completan la colección. La *Church of St. Mary* posee

Basing. Antigua casa de ladrillo ▷

una reja de coro del siglo XVI, un púlpito de 1639 y una pila bautismal del siglo XV.

The Vyne (5 km N): La casa de campo de estilo Tudor es de los años 1500 a 1520. El constructor fue Lord Sandys, canciller de Enrique VIII. Su nombre procede de un monte dedicado al cultivo de la vid que, probablemente, fue obra de los romanos. La capilla y la galería forman parte de la construcción original. En 1654 Chaloner Chuten, parlamentario de la cámara baja, hizo reformar la casa y añadió el clásico pórtico diseñado por John Webb. En 1760 John Chutte renovó las escaleras y las salas. Las vidrieras pintadas de la capilla datan de 1700.

Bath

Avon/Inglaterra Pág. 332 □ H 15

En esta población se encuentran las únicas fuentes termales (minerales) de Gran Bretaña (49° C). Según la leyenda, las termas fueron declaradas medicinales por el pastor real de cerdos Bladud, padre de King Lears, ya que bañándose en ellas consiguió curar la enfermedad que padecía: la lepra. Está demostrado que los romanos también usaron las aguas cuando comenzaron a construir en 54 d. de J. C. su *Aquae Sulis*. En 577 fueron conquistadas por los sajones, quienes les pusieron el nombre de *Akemanceaster*. De 1090 a 1244 residió en la ciudad fortificada el obispo de Wells. El florecimiento de la ciudad tuvo lugar en el siglo XVIII, cuando se convirtió en ciudad-balneario de gente de renombre. Los dos John Woods diseñaron y construyeron una ciudad completamente nueva en estilo georgiano; en la actualidad se conserva igual (más de 4 000 monumentos históricos protegidos por el Estado dada su importancia.

Bath. Abbey Church, fachada

Roman Baths: Ya en tiempos de Agrícola (78-84) existía un ambiente de balneario. Los romanos, habituados a los baños, no se conformaron con los baños termales naturales, así diseñaron sofisticados cuartos de baño, en los que, aparte de las habituales aguas calientes, también se construyeron piscinas de aguas frías y salas calientes de reposo. Para el funcionamiento de este sistema utilizaban tuberías de plomo y calefacción hipocáustica. En el siglo II edificaron un enorme baño con una piscina de 25 × 12 m y una sala de columnas de 35 × 20 m. Cerca de los baños se construyó un templo dedicado a Minerva que ha sido descubierto en el siglo XVIII. Piezas magistrales son, p. e., una cabeza en bronce de Minerva y partes del altar. También se considera un importante hallazgo la cabeza de Medusa. En general, estos baños, antiguamente frecuentados por Augusto, Trajano y Adriano, forman parte de las construcciones más importantes legadas por los romanos a Gran Bretaña.

Abbey Church: En 676 se fundó en este lugar una primera abadía de monjas que fue convertida en convento de benedictinos por el rey Eduardo, coronado aquí en 973. A partir de 1107 la vieja iglesia fue sustituida por una iglesia episcopal normanda bajo John de Villula. Cuando el obispo regresó a su antiguo lugar de oficio (Wells), en 1244, la iglesia decayó. Bajo el obispo Oliver King, se comenzó una nueva construcción en 1499 que no pudo ser finalizada por causa de la Reforma. En 1616 pudo ser inaugurada la última de las grandes iglesias de la Reforma de Inglaterra. La «Linterna del Este» recibió este nombre gracias a sus inmensos ventanales verticales, que proporcionan una luminosidad increíble, especialmente en la parte superior. El techo, con sus arcos en forma de abanico, de William Vertue, tiene fama de ser de los más hermosos de Inglaterra y goza de una luz muy cálida y especial. Originalmente, esta maravillosa construcción sólo cubría el coro; más tarde, Scott amplió el techo hacia la nave central. En el crucero se encuentran más de 600 placas conmemorativas e infinidad de objetos diversos de estilo gótico. En la fachada E se halla un imponente pórtico de encina, de 1617, decorado con ángeles que ascienden al cielo por unas escaleras.

Museos: El *Roman Bath Museum* en el lado N, contiene todos los objetos romanos del siglo pasado que han podido ser desenterrados. La *Victoria Art Gallery and Museum,* contiene una colección de vidrio y cerámica, así como una importante cantidad de monedas y hallazgos geológicos. El *Museum of Costume* muestra al mundo la mayor colección de vestidos, trajes típicos y disfraces desde 1580 hasta la actualidad. Se pueden ver hasta ropas de bebé, calzado y ropa interior. El *Holburne of Menstrie Art Museum* muestra esencialmente la colección artística de Sir Holburne, cuya hermana donó el museo a la ciudad en 1882. Entre otras cosas, se hallan trabajos holandeses, flamencos y alemanes del s. XV, así como buenos ejemplos de obras de Gainsborough y Ramsay.

Otros lugares de interés: De las múltiples construcciones ejemplares, mencionaremos tres de las más interesantes: *The Circus,* diseñado por el padre Wood y finalizado por su hijo en 1758, es la perfección del habitáculo circular. Su fachada, seccionada con columnas toscanas, jónicas y corintias, tiene el aspecto de «like Vespasians Amphiteatre turned outside in», famosa expresión de la época. *Royal*

Bath. Abbey Church, bóveda de abanico

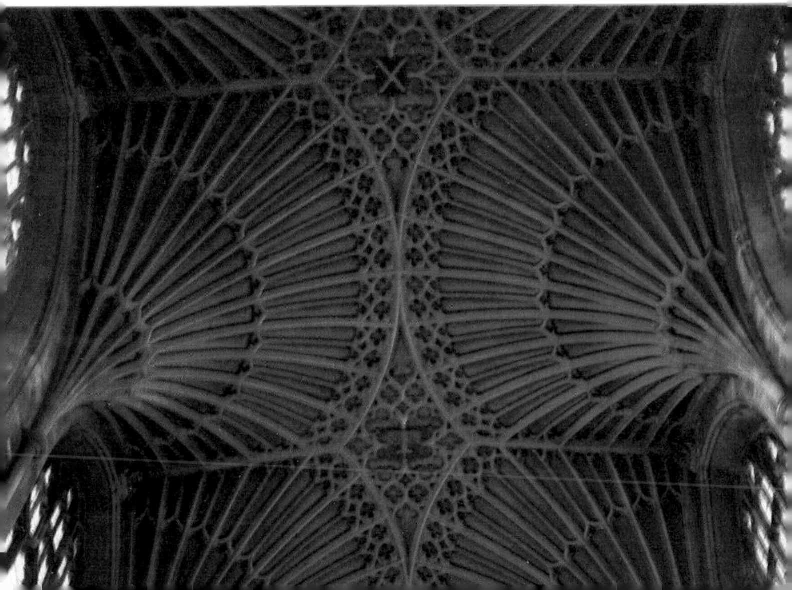

Crescent, una inmensa media circunferencia, se encuentra enfrente. Treinta casas alineadas en un enorme arco conforman la fachada de 184 m dividida por más de 100 columnas jónicas. La construcción data de 1767-1774. La *Pulteney Bridge* es obra de Robert Adam y fue edificada en 1770. El puente se extiende sobre el río Avon como una delicada casa edificada sobre tres arcos.

Alrededores

Claverton Manor (5 km E): En esta casa feudal de 1820, de estilo griego, se alberga en la actualidad un museo americano. Contiene muebles americanos de los siglos XVII al XIX, traídos de América. Igualmente se expone una amplia colección del arte indio y popular.

Dyrham Park (8 km N): La hermosa casa feudal, situada en un parque, fue edificada de 1692 a 1702 en el lugar de una antigua casa campestre. La fachada O y el invernadero de naranjos, de estilo barroco-italiano, son obra de William Talman. En el interior una colección de porcelana délfica y decoración flamenca en las paredes, así como pinturas de maestros holandeses.

Prior Park (4 km SE): El castillo de *Ralph Alan* es un diseño del padre Wood y se comenzó en 1735. El castillo fue punto de encuentro de los más importantes poetas de la época; desde 1830 sirve de internado. En el parque del castillo, un puente de 1750.

Beaulieu

Hampshire/Inglaterra Pág. 332 □ I 16

Este pequeño pueblo está situado en el lado S de *New Forest,* enorme extensión de bosque muy apreciada por gobernantes de todos los tiempos. Guillermo «El Conquistador» luchó afanosamente por defender su zona de caza real, sin importarle los castigos draconianos que se le imputaban. En el siglo XVIII surgió la necesidad de proteger el bosque de encinas antes de que fueran talados sus árboles por los constructores de barcos. En la actualidad la zona de bosques es propiedad de la Corona. Con una extensión de 400 km^2, es una de las zonas de bosque más bonitas de Inglaterra.

Beaulieu Abbey: La antigua abadía cisterciense fue fundada por el rey Juan en 1204. Más tarde, el antiguo refectorio se convirtió en iglesia parroquial con sus hermosas ventanas lanceoladas. De especial interés es el púlpito, incrustado en la pared y adornado con un arco del siglo XIII. De la gran iglesia sólo quedan ruinas y un pedazo de la pared S. De la vieja caserna de la abadía se creó *Palace House,* residencia de Lord Montagu, actual propietario de *Beaulieu Abbey.* Hizo construir un teleférico en la propiedad y fundó el *Lord Moutagu's National Motor Museum.* En él se encuentran más de 200 coches de carreras mundialmente famosos.

Alrededores

Bucklers Hard (4 km S): A partir de 1724 se formó aquí una colonia ejemplar y Lord Montagu intentó instalar una fábrica de azúcar. Al fracasar el intento, se montó una filial de la industrial real en Portsmouth. A partir de 1749, Henry Adam comenzó a construir barcos para la flota de Nelson utilizando las encinas de New Forest. En el *Maritime Museum* se perciben los tiempos en que eran necesarias 2 000 encinas para construir un barco.

Lyndhurst (15 km NO): La *Church of St. Michael* fue edificada de 1858 a 1870 y alberga en su interior delgadas columnas Purbeck con capiteles ricamente decorados. La ventana E muestra la nueva Jerusalén al estilo de los prerrafaelistas. Fue diseñada por Edward Brune-Jones en 1862 y finalizada por William Morris en 1864. El fresco en la pared E, que representa «Las vírgenes sabias y pulcras», es obra de Frederich Baron Leighton. La pintura, finalizada en 1864, es

Beaulieu. Abbey, altar

el primer fresco en una iglesia inglesa realizado después de la Reforma.

Beccles

Suffolk/Inglaterra Pág. 338 □ M 13

La vieja y pequeña ciudad en el *Waveney* ha sufrido cuatro grandes incendios entre los siglos XVI y XVII: prácticamente todas las construcciones originarias han sido destruidas. En la actualidad destacan en la ciudad las bonitas casas de ladrillo de la época georgiana. De 1794 a 1797 vivió en esta población Chateaubriand.

Alrededores

Barsham (4 km O): La *Church of the Holy Trinity* es de tiempos normandos; más tarde fue ampliada. Posee una torre O circular y la fachada O está ricamente ornamentada. Existen dos pilas bautismales, una normanda y la otra gótica. Los diversos trabajos en madera, incluyendo los del púlpito, son de estilo jacobino. La ventana E es obra de C. E. Kempe realizada durante el siglo XIX.

Bungay (12 km O): Existen pocas casas de antes de 1688, ya que en el pasado fue quemada la colonia casi íntegramente. Interesantes son los restos de la fortaleza normanda, la *Hugh Bigod,* de los *Earl of Norfolk,* edificada alrededor de 1165. En 1294 fue ampliada con una caserna decorada con dos torres. Desde finales del siglo XIV la instalación se encuentra abandonada. La *Church of the Holy Trinity* también es de tiempos normandos; su torre circular, fue probablemente edificada por los sajones. En los siglos posteriores la iglesia fue modificada en diversas ocasiones; en 1926 fue renovada la sala del altar. La iglesia contiene trabajos en madera de los siglos XVI y XVII, así como un monumento fúnebre de *Th. Scheemakers* (1774).

Mutford (9 km E): La *Church of St. Andrew* también es de la época normanda; de esa época todavía se conserva la hermosa torre circular O y algunos asombrosos arcos normandos. De interés especial son la pila bautismal, decorada con esculturas de 1380, así como el fresco de San Cristóbal.

Bedford

Bedfordshire/Inglaterra Pág. 332 □ K 14

La capital del condado de *Bedfordshire* fue tomada en 915 por los sajones. En 1010 fue conquistada por los daneses y en 1166 Enrique II aseguró su defensa con fortificaciones. La ciudad goza de una triste fama debido a John Bunyan (1628-1688), que fue encerrado durante doce años por sus ideas religiosas, aprovechando el encierro para escribir, entre otras importantes obras, «Pilgrim's Progress». Existe una estatua del personaje, obra de Sir Joseph Boehm, situada cerca de la *Church of St. Peter.*

County Museum: Las colecciones corresponden a la historia de la ciudad y alrededores y al condado. Las muestras y objetos arqueológicos proceden hasta de la Edad del Hierro; también existen infinidad de hallazgos de la época romana y sajona.

Cecil Higgins Art Gallery: Este museo contiene muchas colecciones sueltas. Aparte de una colección de dibujos coloreados del siglo XVII hasta la actualidad, se exponen grabados de Durero, así como una colección de esculturas. Finalmente se puede admirar en el museo una exposición de porcelanas, vidrio y mobiliario.

Alrededores

Ampthill (16 km S): La *Church of St. Andrew* data del siglo XIV y posee una torre del siglo XV. En la iglesia se encuentra el monumento fúnebre de *Richard Nicholls* (1624-1672), que luchó en América contra los holandeses, llegando a ser más tarde gobernador de New York. En el monumento está representada la bala de cañón que ocasionó su muerte en la batalla de *Solebay. Kathrine's Cross* fue construida en 1773 conmemorando a Catalina de Aragón, espo-

Turvey (Bedford). Sepulcro de los Mordaunt

sa de Enrique VIII. La cruz se encuentra en la plaza de *Ampthill Castle,* donde residió Catalina de 1531 a 1533. El diseño de la cruz es de James Essex; la inscripción de la misma se debe a Horace Walpole.

Elstow (3 km S): La *Church of SS. Mary and Helen* data de la época normanda. En el siglo XIII fue ampliado el lado O. El lado E fue destruido en el siglo XVI; la nave, así como las hermosas arcadas normandas y el pórtico N, se conservan. En el siglo XIX la iglesia y su torre independiente fueron restauradas respetando las partes antiguas de la construcción. Se conservan interesantes monumentos fúnebres del siglo XVI en adelante.

Felmersham (13 km NO): La *Church of St. Mary* procede del siglo XIII y es un buen ejemplo de la arquitectura tempranogótica, en especial la fachada O. En el siglo XV fue renovado el techo y se elevaron las paredes de la nave, para conseguir de esta manera mayor entrada de luz. En esta ocasión se instaló la actual reja del coro que combina a la perfección con las impresionantes columnas.

Marston Moretaine (14 km SO): La *Church of St. Mary the Virgin* se comenzó en 1340 y fue transformada en 1445. Tiene una enorme torre O y un interior ricamente decorado. En 1969 se pintó un gran fresco representando el Juicio Final. La pintura, procedente de principios del s. XVI, muestra la resurrección de los muertos que Cristo, Juez, envía al cielo o al infierno.

Old Warden (12 km SE): La *Church of St. Leonard* data del siglo XII. De especial interés es, ante todo, el monumento de *Sir Samuel Ongley,* obra de Peter Scheemakers y Laurent Delvaux, del siglo XVIII. Muestra una estatua idealizada, con vestiduras romanas, lo cual no corresponde al gusto popular de la época en que fue creada. El diseño original del monumento se encuentra en la actualidad en el *Londoner Victoria and Albert Museum.* La *Shuttleworth Collection* contiene una colección de viejos aviones, cuya pieza excepcional es un Blériot de 1909. Muchos de los aviones se conservan en perfecto estado y, ocasionalmente, se hacen demostraciones de vuelo con ellos. La colección también posee viejos motores de aviones, coches, bicicletas y otros instrumentos de vuelo.

Turvey (15 km O): La *Church of All Saints* es de la época sajona. En los siglos XIV y XV fue reformada y ampliada; en el siglo

Elstow (Bedford). Pórtico de la iglesia

Torre de la iglesia

XIX fue restaurada por Sir Gilbert Scott. La pila bautismal de la iglesia es del siglo XII; un fresco representando la Crucifixión data de principios del siglo XIV. Los numerosos monumentos fúnebres son de los siglos XV y XVI.

Belfast

Antrim/Irlanda del Norte Pág. 326 □ E 10

Belfast (400 000 hab.) es la capital de la provincia unida a Gran Bretaña, Irlanda del Norte. Posee un gran puerto con astilleros e importante industria. El desarrollo industrial de la ciudad, que hasta el s. XVIII fue un pequeño lugar a la sombra de la ciudad marina *Carrickfergus,* se fomentó gracias a su estratégica situación en la desembocadura del río *Lagar,* en la bahía de *Belfast-Lough.*

Historia: Del castillo de principios de la Edad Media, destruido en 1177, y la primera colonia, apenas quedan restos. El auge de la ciudad comenzó con la carta de liberación de Jaime I (alrededor de 1613) que permitió la colaboración de los hugonotes (alrededor de 1685), los cuales hicieron florecer la industria textil del lino. Desde el «Act of Union» (1800), la unión oficial a Inglaterra, Belfast creció hasta ser una capital industrial. Gracias a sus construcciones del siglo XIX se convirtió en la «Atenas del Norte». Desde 1920 es la capital regente de los seis condados de Irlanda del Norte (Antrim, Armagh, Derry, Down, Fermanagh y Tyrone), cuya unión a Gran Bretaña se discute todavía actualmente.

City Hall (Donegall Square): Este espectacular Ayuntamiento fue edificado por B. Thomas en 1900 como enorme palacio cupular con cuatro torres. El edificio, de estilo neorrenacentista, tiene una altura de 60 m; es el más importante de la ciudad. Son de especial interés, la gran sala de entrada, con escalera de mármol y pinturas murales sobre la historia de la ciudad, la sala de reuniones (Council Chamber) y la *Great Hall.* Enfrente del edificio, las estatuas de la reina Victoria y de ciudadanos célebres; en el O el monumento a la guerra (War Memorial), en el *Garden of Rememberance* (parque del recuerdo). El monumento del E recuerda el naufragio del vapor británico «Titanic», en 1912, construido en un astillero de Belfast.

St. Anne's Cathedral (Donegall Street): La construcción de la iglesia principal de la anglicana *Church of Ireland,* en estilo neorrománico-basilical, fue comenzada por Th. Drew alrededor de 1898. De especial interés son los tres pórticos S con arcos y esculturas; la nave de la iglesia está recubierta de mármol de 28 m de ancho y sus arcadas son de piedra con incrustaciones y esculturas de cabezas (religiosos irlandeses). A pocos metros, la *Chapel of the Holy Spirit* (capilla del Espíritu Santo) en el NE y la pila bautismal con su hermoso techo de mosaico. En la nave de la iglesia se halla el monumento fúnebre de *Lord Carson* (fallecido en 1935), dirigente de la Unión de Irlanda del Norte.

Ulster Museum (en el jardín botánico): En este museo se encuentran valiosas piezas de principios de la época celta (alrededor 200 a. de J. C.), de la época medieval y de principios del cristianismo (espadas, instrumentos bélicos, monedas, utensilios domésticos, joyas...). De interés es el tesoro en oro y plata de los *Girona,* de 1968, procedente de un galeón español hundido en 1588 delante de *Giant's Causeway* (Coleraine). En la galería de arte adyacente (Art Gallery) se encuentran pinturas de pintores europeos de los siglos XVII y XVIII (entre otros: Bruneger, Jordaens, Turner, Gainsborough), así como de pintores modernos irlandeses y británicos; también se exponen piezas irlandesas de vidrio, cerámica y plata. Interesantes son los apartados de historia natural, geología e industria.

Belfast. City Hall ▷

Belfast. Queen Elizabeth II and Queen's Bridge

Otros lugares de interés: La iglesia católica de *St. Patrick* (Donegall Street), con un tríptico prerrafaélico, fue construida a finales del siglo XIX. *St. Malachy's Catholic Church* (Alfred Street) es un edificio de estilo Tudor, de 1848, con partes del Renacimiento. En la *High Street* se encuentra la *Church of St. George,* de 1816, con pórtico de estilo clásico corintio. También es interesante la *Presbyterian Church* (Unitarian), de forma elíptica, de 1783, y los *Assembly Buildings* de la iglesia, con el campanario forrado de cinc del siglo XIX. Otras construcciones dignas de mencionar son: el clásico Palacio de Justicia (Royal Court of Justice) de 1929, en la *May Street;* el *Prince Albert Memorial* con campanario «torcido» del siglo XIX; la *Linenhall Library* de 1788, con una exposición referente a la historia de la producción del lino; el imponente *Custom House* (puesto aduanero) de 1855, y el georgiano *Clifton House* de 1774. El nuevo Castillo (Cave Hill) data de 1870, en estilo baronal-escocés, como residencia del primer ministro. El *Parliament House* (Irlanda del Norte), en Stormont, es una construcción de estilo clásico, de 1928 («regalo de Gran Bretaña»). *La Queen's University* (University Road) fue fundada en 1845 como el *Queen's College,* desde 1909, es Universidad Autónoma. Los más antiguos edificios se erigieron de 1845 a 1894 en estilo Tudor, utilizando el ladrillo rojo (hermosa torre central). En la Universidad se puede visitar el museo histórico.

Alrededores

Cultra Manor (12 km VE, en Belfast Lough): En el amplio parque del palacio se encuentra el *Ulster Folk Museum.* Este museo al aire libre muestra, en multitud de

Berkeley. Berkeley Castle

«Cottages» reconstruidos (talleres, molinos de agua, herrerías, tejedurías y patios de casas de campo), la forma de vida de esos tiempos. En el castillo, exposición de viejos utensilios domésticos y de oficio, pinturas irlandesas y un interesante museo dedicado a los transportes.

Berkeley

Gloucestershire/Inglaterra Pág. 332 □ H 15

Esta pequeña ciudad, a pocos km de la orilla E del *Severn*, todavía posee viejas casas. *Berkeley* es especialmente atractiva por su iglesia y su castillo.

Church of St. Mary the Virgin: Data de la época normanda. Sólo quedan de esta iglesia el pórtico S y la pila bautismal. El resto del santuario es gótico. En el interior se encuentra una reja de coro de piedra increíblemente trabajada, así como numerosos monumentos fúnebres de los *Lords of Berkeley*. Todavía se conservan algunos frescos, entre ellos una representación del Juicio Final.

Berkeley Castle: La construcción de la residencia de los *Lords of Berkeley* se comenzó en 1153, junto al monte del cementerio. Hasta 1160 no se finalizaron la salida de la fortaleza, el muro protector y la fosa. En 1340 fueron añadidas la Gran Sala, la cocina y la caserna. Aquí fue asesinado Eduardo II. La habitación en la que fue víctima de sus asesinos se conserva intacta; también el resto de las instalaciones se conserva en excelente estado. Alberga pinturas, muebles y otros objetos interesantes de calidad indiscutible. La pieza más valiosa del inventario es una *Madonna* con el Niño, tallada en madera del siglo XV. La Virgen, obra de un maestro francés, contempla, pensativamente, a su hijo que sostiene una bola del mundo en sus manos.

Alrededores

Frampton-on-Severn (15 km NE): La *Church of St. Mary* es de época normanda; no obstante, sólo es originaria la pila bautismal. La iglesia es de construcción tempranogótica y gótica y posee una perfecta torre en la parte O. El púlpito data de 1622. Los monumentos fúnebres más antiguos son del siglo XV.

Leonard Stanley (15 km NE): La sorprendente gran *Church of St. Leonard,* con forma cruciforme, es del siglo XII y originalmente fue el claustro de un convento de un priorato agustino. Las partes góticas de la construcción son menos interesantes que la huella normanda del edificio, entre otras cosas, pórticos arqueados. Del convento agustino no se conservan restos.

Woodchester (16 km E): La *Roman Villa* es una de las mayores de Gran Bretaña. En el siglo XIX fue explorada; en la actualidad está, lamentablemente, abandonada.

Berwick-upon-Tweed

Northumberland/Inglaterra Pág. 324 □ I 8

Esta pequeña ciudad (110 000 hab.), en la desembocadura del *Tweed;* fundada alrededor de 870 y originalmente sobre territorio escocés, fue lugar muy disputado en las largas luchas fronterizas entre Escocia e Inglaterra; entre 1147 y 1482 cambió de propietario 13 veces; desde el año 1482 pasó a ser inglesa.

The Ramparts (también llamado Elisabethan Wall): De 1558 a 1569 fueron construidos, por Isabel I, como defensa contra los escoceses, en el interior de los muros de la ciudad, cuatro bastiones (Meg's Mount Bastion, Cumberland B., Brass-B., Windmill B.), con muros de un espesor de más de 3 m, especialmente construidos para soportar cañoneos. De los viejos pórticos se conservan: *Cow Port Gate* (NE), *Ness Gate* (S), *Shore Gate* (SO) y *Scotsgate* (NO).

Otros lugares de interés: *Church of the Holy Trinity,* creada por el cons-

Bamburgh (Berwick-upon-Tweed). Bamburgh Castle

tructor londinense John Young en 1652 en estilo clásico inglés (comparable al barroco), es la iglesia parroquial de la ciudad. Es una de las dos iglesias construidas en la Inglaterra Republicana bajo Cromwell. En el interior, hermosas ventanas venecianas. *Town Hall,* Ayuntamiento de la ciudad, construido en el siglo XVIII. Restos de la vieja fortaleza (NO detrás de la estación ferroviaria, restos de los muros al E de «Bell Tower»). *Berwick Bridge,* puente de cinco arcos de ladrillo rojo inaugurado en 1634. *Royal Border Bridge,* puente ferroviario construido y diseñado por Robert Stephenson en 1847 e inaugurado por la reina Victoria en 1850 (28 arcos: altura sobre el agua aprox. 40 m). *Museum and Art Gallery,* con pinturas de Daubigny («Cap Griz Nez»); de Degas, el pastel «Bailarines rusos» en el «Berwick Room»; pinturas murales, témperas del siglo XVI, de la «Old Bridge Tavern».

Alrededores

Akeld (24 km S): Del enorme fuerte *Yeavering Bel* se conservan los muros circulares exteriores, con tres entradas, y los muros principales con unas 130 cabañas.
Bamburgh (24 km SE): Fue ocupada por los romanos en los siglos VII-VIII como capital del reino de *Northumbria.* De interés el *Bamburgh Castle,* construido por los normandos (del siglo XII se conserva el cementerio); fortaleza real hasta el siglo XV. Restaurada de 1894 a 1903; en el interior, considerable colección de armas y armaduras. También de interés la iglesia de *St. Adrian* (siglo XIII, sin crucero; existe una hermosa cripta bajo el coro).
Doddington Moor (20 km S): Con su fuerte de la Edad del Bronce; *Dod Law* (se conservan restos de casas de piedra).
Flodden Field (16 km SO): Monumento dedicado a la batalla de 1513, en la que cayó el rey escocés Jaime IV en la lucha contra la Armada Inglesa.
Holy Island (16 km SE): De interés son los restos de *Lindisfarne Priory,* fundado en 635 por St. Adrian; más tarde destruido por vikingos y daneses; después de 1081 fue recuperado por los benedictinos. Se conservan las ruinas de la iglesia del siglo XII y las del convento fortificado de los siglos XIII y XIV. Enfrente, *Lindisfarne Castle,* construido en 1549 para protegerse contra ataques escoceses. Fue destruido en la guerra civil y reedificado en 1900.

Holy Island (Berwick-upon-Tweed). Lindisfarne Priory, ruinas

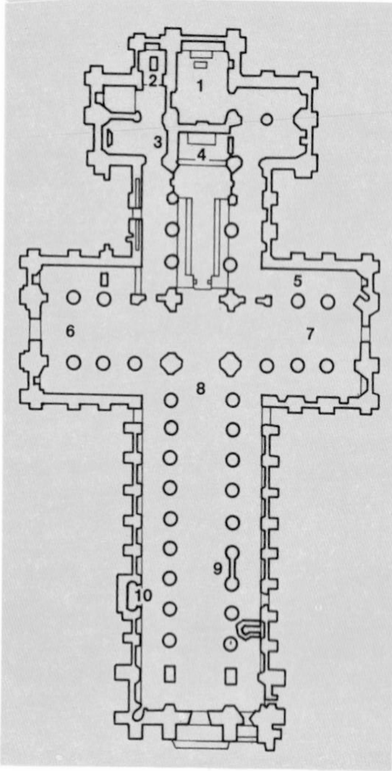

Beverley Minster: **1.** Lady Chapel. **2.** Percy Chapel con el monumento fúnebre del 5º Earl of Northumberland (fall. 1489). **3.** Percy Tomb (monumento fúnebre de Lady Percy, fall. 1365). **4.** Altar. **5.** War Memorial Chapel. **6.** Crucero N. **7.** Crucero S. **8.** Monumento fúnebre del obispo John de York (fall. 721). **9.** Maiden Tomb. **10.** Pórtico N.

Kirknewton (24 km SE): En el interior de la iglesia de *St. Gregory* existe un primitivo relieve del siglo XII con la escena de «La adoración al rey». El crucero y el coro tienen paredes arqueadas hasta el suelo.

Norham (12 km SE): Posee una hermosa iglesia románica y una imponente fortaleza (desde 1121 fortificación de frontera de los obispos de Durham, construcción del siglo XII apenas conservada, en parte renovada en el siglo XVI).

Roughtinglinn (12 km S): Fuerte de la Edad del Hierro sobre un montículo, fortificado con un muro circular; al E del fuerte grabados en roca de la Edad del Bronce.

The Kettles (24 km S): Fuerte de la Edad del Hierro sobre un montículo (se conservan los muros de defensa).

Beverley

Humberside/Inglaterra Pág. 328 □ K 11

Minster/Church of St. John the Evangelist: Es una de las iglesias más importantes de Inglaterra. La orden monacal fue fundada hacia el 700 por el obispo John, de York, canonizado en el 1307 (fallecido en el 721, encontrándose su tumba en la nave principal). Tras diversas destrucciones (886 por los daneses; 1188 por un incendio), en 1220 se inició la construcción del actual templo. Fue concluido en 1400 y restaurado por Sir Gilbert Scott entre 1866 y 1880. A pesar del largo período de construcción es arquitectónicamente muy pobre (coro y crucero en estilo tempranogótico *Earl-English,* casa vertical de estilo mezclado gótico-decorated y perpendicular. La fachada O, con sus torres también en estilo perpendicular).

Construcción exterior: Longitud, unos 110 m; ancho total considerando el crucero, unos 55 m. La fachada O es una de las más impresionantes de Europa (de especial interés en este lugar es el baldaquín construido encima de una ventana y compuesto por nueve partes y ampliamente decorado); en las torres, pilares divididos verticalmente en tres; decorados con figuras. El crucero es temprano-gótico.

Espacio interior: Pared del coro en madera de encina de 1880; en el coro una impresionante sillería de 1520. A la derecha del altar el llamado «Fridstool» (sillón de la paz) del siglo IX, sobre el que se hacía justicia a cualquier infractor de la ley. A la izquierda del altar, la pomposa *Percy Tomb,* monumento fúnebre de Lady Percy, fallecida en 1365 (de los últimos tiempos góticos, es una de las más admiradas en toda Europa).

En el interior, también de interés, la pila bautismal del Renacimiento y la ventana E con sus pinturas medievales, la *Percy Chapel* con la tumba del *quinto Earl of Northumberland,* fallecido en 1489, y el emporio sobre el altar con el techo ricamente decorado.

Beverley. Minster/Church

Sitial de la Paz

St. Mary's Church: Edificada por vez primera como iglesia del pueblo y de los gremios en el siglo XII, más tarde fue considerablemente transformada (de la construcción romana se conservan pocos restos arquitectónicos, sobre todo las filigranas en forma de corona en los pilares, el arco interior de la sala de entrada S y ornamentos geométricos sobre el arco en el crucero S). En 1520 derrumbamiento de la torre después de las obras que cambiaron la estética del edificio. En el interior, de especial interés, la sillería del coro, de principios del siglo XV, y la *Michael's Chapel,* en la parte E del crucero S. Encima se encuentra actualmente un pequeño museo (entre otras cosas, expone el lujo propio de la época). En el tesoro de la iglesia existen algunas piezas valiosas (entre ellas dos cálices del siglo XVI). En el crucero S, la biblioteca parroquial (siglo XVII, trabajos en madera de encina del siglo XV).

Otros lugares de interés: *Guild Hall* de 1832, con decorción estucada. *North Bar,* del s. XV, lugar antiguo. Crucifijo del mercado de 1714.

Alrededores

Dalton Holme (8 km NO): Iglesia *St. Mary* (neogótica del siglo XIX, hermosa y altísima torre de *John Loughborough Pearson).*

Goodmanham (14 km NO): Junto a la iglesia *All Hallows* (construida en el siglo VII sobre un templo pagano), interesantes pórticos románicos; en el interior se conserva un hermoso arco de coro románico y una pila bautismal de la época gótica.

Hornsea (17 km NO): Es mencionado en el «Domesday Book» normando en el s. II; aquí se conserva una iglesia gótica de 1430 en estilo perpendicular (restaurada por Gilbert Scott en 1868).

Lockington (9 km NO): La iglesia de *St. Mary the Virgin,* en sus orígenes románica,

fue más tarde reformada; el pórtico se conserva de la época de construcción.
North Newbald (13 km SO): Iglesia *St. Nicholas,* románica, sin crucero, interesantes pórticos y ventanas románicas; en el interior una pila bautismal del s. XII.

Bexhill
East Sussex/Inglaterra Pág. 332 □ L 16

Este pequeño pueblo costero de ensueño es muy estimado actualmente por los pensionistas.

De la Warr Pavillon: Este edificio, blanco y alargado, con su fachada principal frente al mar, es la principal atracción de Bexhill. Fue edificado por el arquitecto-constructor Erich Mendelson. En el interior nos sorprende especialmente el decorado *Banquet-Room.* En el museo se muestra una colección histórica local.

Alrededores

Ashburnham (10 km N): *St. Peter's* es una iglesia renovada en el siglo XVII en estilo perpendicular, con decoración correspondiente a la época y dos monumentos fúnebres de la familia real del lugar, así como una interesante representación pictórica de los Diez Mandamientos.
Hestmonceux Castle (10 km NO): Esta casa de campo fue erigida por un tesorero-canciller en 1440, decayendo más tarde. En 1949 el edificio fue restaurado, pero no es accesible para el público; alberga un observatorio real.
Penhurst (11 km N): *St. Michael's Church,* iglesia bien conservada en estilo perpendicular, que muestra tres tipos diferentes de tejado. En las cercancías se encuentra una casa de campo isabelina y otras edificaciones campestres.

Birmingham
West Midlans/Inglaterra Pág. 328 □ I 13

La ciudad floreció en la era industrial; no obstante, a mitad del siglo XII ya era conocida por los trabajos en metal que en ella se realizaban. En la guerra civil fue apoyada por el partido del Parlamento gracias a la donación de 15 000 espadas y sables. A pesar de todo fue ocupada por el príncipe

Hestmonceux Castle (Bexhill)

Penhurst (Bexhill). St. Michael's Church ▷

Rupert. Dada la riqueza en minerales y carbón en sus alrededores, comenzó, a finales del siglo XVIII, un importante auge que la llevó hacia la mayor concentración de fábricas metalúrgicas de toda Inglaterra.
Cualquier objeto de metal procesable era producido en la ciudad, incluyendo más de 800 000 armaduras, armas y pistolas para la guerra civil norteamericana. Es comprensible que, dada la actividad industrial, no queden apenas restos de otras épocas.

St. Martin's Church: Fue construida sobre los cimientos de una vieja iglesia del siglo XIV. La construcción definitiva es de 1873. La iglesia alberga los monumentos fúnebres de la familia *Birmingham*.

Church of St. Philip: Se comenzó la edificación, dirigida por Thomas Archer, en 1711. Había estudiado en Roma y tuvo el atrevimiento de transportar el arte barroco-romano al área industrial inglés. La iglesia fue terminada en 1719 y, la torre O, en 1725. Las vidrieras de colores son obra de Sir Edward Brune-Jones de los años 1884 y 1885. En el año 1905 la iglesia fue consagrada como catedral del lugar.

Cathedral of St. Chad: La iglesia, comenzada en el año 1839, es la primera catedral románica de Inglaterra de después de la Reforma. Fue construida bajo Augustus Pugin, quien intentaba atraer la atención con su peculiar estilo empleado en la construcción y decoración de iglesias.

Aston Hall: Esta casa, de estilo jacobino de 1618-1635, es una de las pocas construcciones antiguas de la ciudad. El constructor fue Sir Thomas Holte, quien tuvo como huésped a Carlos I en 1642. Más tarde el partido del Parlamento se hizo dueño de la propiedad y, de 1818, a 1848, vivió aquí James Watt, hijo del inventor de la máquina de vapor. La casa es especialmente interesante por su escalera, provista de una hermosa balaustrada, la larga galería y los techos estucados. Las pinturas y el resto de la decoración datan de las épocas victoriana y jacobina.

Town Hall: Esta sala, en el *Victoria*

Birmingham. Town Hall

Square, es del estilo de los templos clásicos y tiene unas 40 columnas corintias. La construcción se comenzó en 1832 por J. Hanson y E. Welch; en 1846 se representó aquí la versión original de Mendelson: «Elías». Las estatuas de la reina Victoria y James Watt son de Alexander Munro.

Museos: El *City Museum and Art Gallery* alberga una de las más importantes colecciones artísticas de Inglaterra, exceptuando Londres. El museo es especialmente famoso por su colección de pinturas prerrafaélicas, al igual que por las esculturas de Rodin y Henry Moore. Aparte de la extensa colección de arte, el museo posee una colección de trajes regionales, disfraces y accesorios de época de la moda a partir del siglo XVII; también es interesante una colección de artículos de plata de los siglos XVII al XIX. El museo arqueológico es un apartado independiente cuyos hallazgos proceden, en su mayoría, de la Edad de Piedra. La exposición es muy interesante, ya que los artículos proceden del mundo entero; así, por ejemplo, la reconstrucción de la tumba de Jericó data de 1800 a. de J. C. El *Barber Institute* está basado en la colección privada de Lady Barber. El museo posee un exquisita colección de principios del Renacimiento hasta principios del siglo XX (entre otros pintores, Rubens, Gainsborough y Degas). El *Museum of Science and Industry* ofrece una visión completa de la historia de la evolución industrial de la ciudad. En los salones de la antigua fábrica se exponen máquinas hidráulicas y eléctricas. En una sección independiente dedicada a medios de transporte, se conservan viejos coches, carros y bicicletas. En el *Geology Departmental Museum* se expone una excelente colección de minerales, fósiles y piedras preciosas de todo el mundo. Son impresionantes los gráficos que se exponen referentes a la estructura geológica de las islas Británicas.

Alrededores

Dudley (14 km O): La *Church of St. Thomas the Apostle,* de estilo neogótico, se construyó entre 1817 a 1819 bajo el mando

Birmingham.Museum, reloj de C. Clay

de W. Brooks. La vidriera policromada, en la pared O, muestra una imagen de la Ascensión y fue realizada por Joseph Backler en 1821. *Dudley Castle* son las ruinas de un castillo construido en el s. XII y ampliado en el s. XVI. En el *Central Museum* se exponen, ante todo, objetos arqueológicos, piedras y fósiles de los estratos carboníferos.

Walsall (19 km NO): Aquí se encuentra el único castillo-museo de Inglaterra. En este centro industrial metalúrgico (llaves y cerraduras), existente desde el reinado de Isabel I, se expone una colección de cerraduras desde el s. XVI. En el *Museum and Art Gallery* se expone una colección donada por Lady Epstein en 1973: «Garman-Ryan». Aparte de las diversas obras de Jacob Epstein, se exponen pinturas y dibujos de más de 100 artistas.

West Bromwich (14 km NO): La *Oak House* es una casa de paredes entramadas, de alrededor de 1500, con un ala en estilo jacobino de 1653. Lo más interesante de la casa es la torre, peculiarmente dividida y agujereada. Es el único ejemplo de edificio profano en Inglaterra. También el interior es interesante, con trabajos de madera y muebles jacobinos.

Bishop Auckland

Durham/Inglaterra — Pág. 328 □ I 10

Church of St. Andrew (en la orilla SE de la ciudad): Fue construida a finales del siglo XIII en estilo Early-English, con torre O y un hermoso pórtico en el lado S. En el interior, una cruz de piedra anglosajona de *Northumbria* (alrededor del 800) ricamente decorada con una imagen de Cristo y otras reproducciones bíblicas de santos. También posee una escultura en madera de encina, fechada en el 1340, que representa a un caballero con las piernas cruzadas.

Auckland Castle: Sede episcopal de *Durham* desde el siglo XII; la construcción actual data de los siglos XVI y XVIII. En el interior se conserva una capilla de la Edad Media (siglos XII al XIII).

Alrededores

Escomb (4 km E): La iglesia *St. John* es una de las más antiguas iglesias que se conservan en Inglaterra, probablemente fue construida en el siglo VII por espolios de la colonia romana *Vinovia* en Binchester, al N de *Bishop Auckland*. En el exterior se puede contemplar aún el material de construcción antiguo. Planta de diseño cristiano (casa principal sin naves laterales, coro; no hay cruceros).

Sedgefield (13 km E): La iglesia de *St. Edmund* fue construida originariamente en estilo tempranogótico Early-English, más tarde fue adicionada una torre en estilo gótico-perpendicular. En el interior, de especial interés, la ricamente decorada pared del coro, de 1670, y la sillería del coro de la misma época; además una pila bautismal de mármol y el órgano del siglo XVIII.

Bishop's Stortford

Hertfordshire/Inglaterra — Pág. 332 □ K 14

Esta vieja ciudad en el *Stort* es el lugar de nacimiento de Cecil Rodes (1853-1902). En su casa natal, la que fuera antigua casa parroquial, se halla un museo dedicado al político.

Church of St. Michael: Es del siglo XV y posee una altísima torre O de 1812. La pila bautismal, de mármol Purbeck, data del siglo XII; la ricamente decorada reja del coro está fechada en el siglo XV. De la misma época es la sillería del coro, con misericordias delicadamente talladas. El púlpito procede de 1658.

Alrededores

Hatfield Broad Oak (9 km SE): La *Church of St. Mary the Virgin* fue, en el pasado,

Bishop Auckland. Church of St. Andrew

parte de un pequeño convento fundado por Aubrey de Vere en 1135. De la construcción sólo se conserva la nave. En el siglo XV se le añadieron la torre O y el pórtico S. La reja del coro data del siglo XV; en la iglesia se albergan numerosos monumentos fúnebres.

Much-Hadham (8 km SO): Esta pequeña ciudad fue durante novecientos años sede episcopal de Londres y su atracción principal son las numerosas casas de los siglos XVI y XVII. La *Church of St. Andrew* data del siglo XII; no obstante, la mayor parte de la construcción data de los siglos XIII y XIV. De interés son los fragmentos de las vidrieras policromadas del siglo XV y detalles de las vidrieras nuevas del siglo XIX.

Sawbridgeworth (8 km S): La *Church of Great St. Mary's* data, en su mayor parte, del siglo XIV. La parte más antigua es la pila bautismal, de forma octogonal y fechada en 1400. El púlpito data de 1632. La enorme ventana E fue renovada en 1864 por Hardman. La iglesia posee numerosos monumentos fúnebres, siendo el más antiguo del siglo XVI.

Blackpool

Lancashire/Inglaterra Pág. 328 □ H 11

Este lugar posee la mayor y más popular playa de Inglaterra; la ciudad está dedicada casi por completo al turismo (153 200 habitantes y unos 8,5 millones de visitantes al año).
La mayor atracción de la ciudad es la llamada *Tower*, torre construida entre los años 1889-1895 imitando la famosa torre Eiffel de París (en la construcción adjunta a la torre, exposición de animales, un acuario y la mayor sala de fiestas de toda Inglaterra).
También es de interés turístico el *Grundy Art Gallery* (Queen Street), que expone una considerable colección de pinturas y dibujos pertenecientes a los siglos XIX y XX. De

Blackpool a *Fleetwood* (11 km N) funciona el último tranvía eléctrico existente en Inglaterra.

Alrededores

Lytham St. Anne's (junto a Blackpool al S): En el lado E de la ciudad subsiste uno de los últimos molinos de viento de los alrededores.

Poulton-le-Fylde (3 km NE): Iglesia *St. Chad,* construida originalmente en estilo gótico-perpendicular del siglo XV. Renovada casi por completo, exceptuando la torre, en 1751-1753; en el interior viejos y bonitos escudos y los restos de la sillería del coro de la familia *Hesketh* (siglo XVII). El púlpito data del siglo XIX.

Blair Castle

Tayside/Escocia

Pág. 324 □ G 7

Este visitado castillo no deja entrever nada, desde el exterior, de su movido pasado. Su torre de defensa, la *Cumming's Tower,* data de 1269. Los *Condes* y *Duques de Atholl* tuvieron la destreza de salvar sus heredades a través de los siglos, mediante una hábil política de vinculaciones familiares, aumentando así su prestigio social. En 1703 recibieron el título de Duques y, en 1845, la reina Victoria otorgó al Duque el derecho a mantener su propio ejército. Los *Atholl Highlanders* tocan, de vez en cuando, con sus gaitas y tambores en el *Tartan* del *Clan Murray,* siguiendo la tradición. El castillo actual es creación del arquitecto victoriano David Bryce (1868).
Imitando el pintoresco gusto de su tiempo, intentó hacer un castillo del siglo XVII utilizando aguilones escalonados, torres esquineras y azoteas. Las 25 salas están repletas de una mezcla de objetos valiosos y curiosidades. Pinturas más o menos costosas compiten con tapetes de Damasco, camas con doseles muebles de Chippendal, porcelanas de Sèvres, caros tapices y extravagantes terciopelos. Igualmente se pueden admirar numerosos objetos personales, viejos diplomas, recuerdos diversos, hasta se puede ver un collar de perro de la época, por ejemplo.

Otros lugares de interés: *Meal and Flour Mill,* un viejo molino de viento

Blackpool. Paseo de la Playa

en el que antiguamente se molía el trigo. En la actualidad está reconstruido de tal forma que no sólo sigue funcionando, sino que puede observarse el proceso detalladamente. En el molino es posible probar el tradicional pan de avena escocés.

Blandford Forum

Dorset/Inglaterra Pág. 332 □ H 16

Esta pequeña ciudad, enclavada en el *Stour,* fue incendiada por completo en el año 1731, por lo que sólo quedan construcciones georgianas, aparte de algunas casas antiguas.

Church of SS. Peter and Paul: La iglesia georgiana se acabó en 1748 según los planos de John Bastard. Está construida con piedra labrada; su torre cuadrada finaliza en forma de cúpula. En el interior dominan las columnas jónicas. En 1895 la iglesia fue dividida por la unión de la nave y el coro. El ábside se colocó encima de rodetes y fue apartado de la nave. En el nuevo espacio se construyó una sala de altar y, posteriormente, fue adherido de nuevo el viejo ábside a dicha sala, colocando, también de nuevo, el órgano de 1794.

Alrededores

Milton Abbas (10 km SO): Este «pueblo modelo» nació el año 1786, cuando Lord Milton, propietario de *Milton Abbey,* observó que el viejo pueblo molestaba su vista panorámica desde la abadía. Se destruyeron más de 100 casas y se edificaron otras nuevas a 2 km de distancia del primitivo poblado. La escuela del pueblo fue transportada a *Blandford Forum.* El primer diseño de la nueva colonia fue realizado por Capability Brown; los verdaderos planos fueron realizados por William Chambers.

Milton Abbey (12 km SO): La abadía fue fundada por Atheltan en 938, bajo Enrique VIII; fue disuelta y finalmente vendida. En 1752 Lord Milton compró la abadía e hizo construir un castillo para su uso personal por John Vardy; en 1774 continuó la obra James Wyatt. Se integró la vieja sala del abad de 1498. La iglesia adyacente se comenzó en los siglos XIV y XV, pero nunca fue termi-

Blair Castle. Castillo

nada. Fueron finalizados el coro, el crucero y la torre central, de 30 m de altura. De especial interés es la reja del altar de 1492 y el tabernáculo de madera del siglo XV. En el crucero se encuentra el monumento fúnebre de mármol dedicado a *Lord* y *Lady Milton,* obra de Agostino Carlini, según diseño de Robert Adam, siendo erigido el año 1776.

Blenheim Palace

Oxfordshire/Inglaterra Pág. 332 □ I 14

El castillo fue construido en recompensa a John Churchill, *primer Duque de Marlborough,* por su victoria contra las tropas francesas y bávaras en *Blenheim,* cerca del Danubio. El castillo fue construido por Sir John Vanbrugh de 1705 a 1722. La construcción barroca es una instalación de tres alas alrededor de un inmenso patio; la parte central está decorada con pequeñas torres y muestra un pórtico provisto de columnas corintias. En el interior se observa la colaboración de artistas de la época. Los frescos en la *Great Hall* son obra de Sir James Thonhill y Louis Laguerre. Los estucados son obra de Grinling Gibbons. El monumento fúnebre al héroe es de Michael Rysbrack. Las inmensas instalaciones de los jardines fueron reformadas en diversas ocasiones. El primer diseño fue realizado por el jardinero real de la reina Ana, Henry Wise. Poco tiempo después de acabar su obra fue encargada una nueva reforma al genial artista Capability Brown. El jardín fue nuevamente modificado por Achille Duchene en el período 1925-1932, siguiendo la prestigiosa tradición del gran arquitecto de jardines francés André Le Notre.

Blickling Hall

Norfolk/Inglaterra Pág. 328 □ L 13

La casa de ladrillo fue edificada en estilo jacobino por Robert Lyminge para Sir Henry Hobart de 1619 a 1625. Construyó una alargada casa principal con torres esquineras y amplias alas laterales. El patio interior es obra de Thomas Ivory, de los años 1765-1770. Una escalera ricamente decorada, con estucados y figuras (siglo XVII), conduce a las salas de representación. La galería, de más de 40 m, con su increíble techo de estucados, es la obra maestra de varios y conocidos arquitectos. La casa alberga en su interior valiosos tapices, muebles, así como numerosas pinturas.

Alrededores

Aylsham (4 km S): Bonitas casas antiguas erigidas en los siglos XVII y XVIII, tales como la *Aylsham Old Hall* y el *Old Bank House.* Se conserva una interesante iglesia en estilo perpendicular.

Cawston (8 km SO): Iglesia de estilo perpendicular con imponente torre, y, en el interior, un techo adornado con ángeles.

Felbridgg House (12 km N): Castillo de la familia *Wyndham* (1624); el ala O fue añadida en 1686. En el parque, interesante iglesia con monumentos fúnebres de los siglos XIV y XVII.

Reepham (15 km NO): La *Church of St. Mary* del siglo XIII, fue ampliada en el siglo XIV. En la iglesia se encuentra una pila bautismal románica de forma cuadrada y una lápida procedente del año 1391. Monumento fúnebre de Sir Roger de Kerdiston, fallecido en 1391.

Sall (14 km NO): La *Church of SS. Peter and Paul,* del siglo XV, posee una torre finamente proporcionada; en el S y en el N salas de entrada de dos pisos. La sillería del coro, tallada con hermosas misericordias, también data del siglo XV, como el púlpito. Se conservan todavía restos de las vidrieras originales. Se conservan, en perfecto estado, infinidad de monumentos fúnebres, entre ellos una momia de 1454.

Lanhydrock House (Bodmin) ▷

Bodmin

Cornwall/Inglaterra Pág. 330 □ F 16

La capital de *Cornwall* está situada en el lado SO de *Bodmin Moor* y, en la actualidad, no se encuentra tan apartada como antes, cuando se decía: «Into Bodmin and out of the world.»

Church of St. Petroc: Es la mayor iglesia comunal del condado y, en gran parte, es originaria del siglo XV. Las partes inferiores de su torre y la pila bautismal, que merece especial atención, del siglo XII, son de procedencia normanda. La inmensa piedra sostenida por cuatro pilastras parece querer simbolizar la vida en toda su amplitud, con cuatro cabezas de ángel en las respectivas esquinas. Entre brujas, dragones feroces y serpientes está plantado, inmutable, el árbol de la vida afrontando su alrededor. También de interés son: el armario de *St. Petroc* (1170) y la figura que conmemora al Prior Wyvyan, fallecido en 1533.

Alrededores

Lanhydrock House (3 km S): Esta casa, pictóricamente situada sobre el *Fowey*, de estilo jacobino, fue edificada por Lord Robartes a partir de 1642. Se conservan del edificio la caserna y el ala N; el resto fue reedificado en estilo victoriano. La galería de pinturas, de una longitud de 40 m, está recubierta por un techo estucado con escenas del Antiguo Testamento. El jardín, de distribución geométrica, se creó en 1857 y está adornado con ánforas de bronce y bagatelas de castillo. Son obra de Louis Ballin, que era mensajero de la Corte de Luis XIV.

St. Neot (16 km E): La *Church of St. Neot* está construida en honor al misionero celta que se había extraviado en este lugar durante sus actividades misioneras. La iglesia es famosa por sus vidrieras coloreadas, que datan de 1480. Los cuatro ventanales más antiguos muestran las imágenes de Adán y Eva en el Paraíso, la salvación de Noé, San Jorge y el dragón y la Creación. El trabajo fue realizado por oriundos del lugar y es un excelente ejemplo de los trabajos realizados en vidrio durante los siglos XV y XVI.

St. Winnow (15 km SE): La *Church of St. Wynnocus* está situada a orillas del *Fowey;* procede de una fundación celta. Dos de sus ventanales conservan los emplomados del siglo XVI. Los bancos, ricamente decorados, así como el púlpito, son también originarios del siglo XVI.

Wadebridge (10 km NO): El puente, de 17 arcos, fue financiado alrededor de 1470 con los beneficios obtenidos de la industria lanera. Sus pilares descansan sobre inmensas cantidades de lana para evitar que se hundan en la fina arena del fondo. Este es el puente más antiguo de Inglaterra que todavía se utiliza (carretera principal).

Bolton

Greater Manchester/Inglaterra Pág. 328 □ H 12

La ciudad (160 000 hab., nombre antiguo Bolton-le-Moore) fue hasta el siglo XVIII un centro de procesamiento de lana, así como punto central de la industria del algodón. En la historia de la Revolución Industrial albergó, y es ciudad natal, de Richard Arkwright (1732-1792, inventor de la máquina de hilar algodón) y de Samuel Crompton (1753-1827, inventor de una máquina de hilar automática, la «Spinning Mule»).

Museos de maquinaria textil: Colecciones referentes al proceso textil de *Lancashire*. La principal atracción del museo son tres modelos originales de máquinas que revolucionaron, a finales del siglo XVIII, el procesamiento del algodón: la «Spinning Jenny» (inventada en 1764 por James Hargreave, torno de hilar mecánico con varias bobinas); la máquina de hilar patentada por Richard Arkwright en 1769 («Water Frame», de 1772 a 1775), fue mejorada de manera que la pro-

Bolton. Abbey, pórtico

Museo

ducción se multiplicó por doscientos y, finalmente, la «Spinning Mule», de Samuel Crompton.

Museum and Art Gallery: Este museo posee, en su departamento de ciencias naturales, una colección única de pájaros; en el departamento de historia local, diversos objetos referentes a la historia textil; también interesante es una colección egipcia. En la galería, ante todo, obras de un maestro italiano del siglo XVI y acuarelas inglesas de los siglos XVIII y XIX.

Alrededores

Bury (10 km E): Ciudad natal de Robert Peel (1788-1850), fundador del moderno cuerpo de policía inglés, cuyos componentes llevan el nombre de «Bobbies». También nació aquí John Kay (en 1733 inventó el «Flying Shuttle», un telar mecánico). De especial interés en la ciudad es la *Wrigley-Collection,* en el museo de la ciudad (pinturas de maestros ingleses del siglo XIX, entre ellos Turner y Constable). También se conserva una colección de pinturas y el *Lancashire Fusiliers Museum* con piezas militares.

Chorley (16 km NO): *Astley Hall,* casa feudal de estilo del Renacimiento isabelino, construida en 1666; de especial interés en el interior la *Great Hall* (paredes lacadas, pequeña galería de pinturas); la *Long Gallery,* con una hermosa mesa de juego antigua y el techo de la sala de reunión ricamente estucado; los muebles son de la época.

Deane (1 km O): Iglesia *St. Mary* edificada en estilo gótico-perpendicular; torre O estilo perpendicular *decorated;* techo de la casa principal unido con el del coro renovado, según el original, en el siglo XIX.

Ecclestone (20 km NO): Iglesia parroquial *St. Mary* (las naves laterales del lado S están construidas en estilo perpendicular; en el interior, bonita lápida del s. XV).

Hall i' th'Wood (al NE de la ciudad): Casa feudal de 1483 (paredes entramadas; en 1591 se añadió un ala de piedra en estilo isabelino y, en 1648, hubo una ampliación general). Aquí construyó Samuel Crompton su máquina de hilar. En la casa se encuentra un museo casero, entre otras cosas.

Hindley (6 km SO): Iglesia *All Saints,* transformada en 1766 en estilo clásico de finales del Renacimiento inglés. Construcción en ladrillo con ventanas ricamente decoradas; en el interior, entre otras cosas, se conservan varias tallas en madera.

Rivington (15 km NO): Interesante iglesia de los siglos XVI y XVII. En el fantástico *Lever-Park* ruinas de una fortaleza y un jardín compuesto al estilo italiano.

Rochdale (17 km E): Aquí se fundó la primera sociedad de consumo del mundo (en *le Toad Lane* se conserva la tienda original). También de interés son la iglesia de la ciudad *St. Chad,* la *Town Hall* y el *museo.*

Smithills Hall (4 km NO): Extenso conjunto de casa feudal del siglo XIV. Construcciones de estilo Tudor de los siglos XV y XVI; en el interior bonitos muebles estilo Estuardo (siglo XVII).

Turton Tower (6 km N): Edificio del siglo XII, transformado en el siglo XVI; en el interior de la torre, conservada en perfecto estado, del siglo XV, el *Ashworth Museum* (entre otras cosas, una interesante colección de armas).

Bolton Abbey
North Yorkshire/Inglaterra Pág. 328 □ I 11

Priory Church: La fundación del convento tuvo lugar en el siglo XII por caballeros del coro agustino. Fue secularizado en el siglo XVI, en tiempos de la Reforma, bajo Enrique VIII, y vendido al *Earl of Cumberland;* posteriormente fue abandonado y destruido. La casa principal del convento fue reconstruida en 1864. *Construcción exterior de la iglesia:* Longitud total, 87 m; planta en forma de cruz. Casa principal en estilo Early-English temprano-gótico; nave lateral añadida a principios del siglo XIII (hermosas ventanas de estilo gótico-decorated); coro, en la actualidad, en ruinas: originalmente románico, reformado al igual que el crucero S en el siglo XIV. Delante de la fachada O de la iglesia una torre gótica (estilo perpendicular, comenzada por el último

Bolton Abbey. Ruinas junto al río

abad del convento, Richard Moore, en 1520; no pudo ser finalizada la obra por la disolución del convento). *En el interior:* En la pared O de la casa principal existen cuatro ménsulas desde la reforma, en el siglo XIX, que originariamente soportaban el techo arqueado. En el órgano, la imagen delicadamente trabajada de un «Agnus Dei». Al lado de la puerta de la sacristía, un bonito altar (en la parte superior, en el centro y en los laterales hay cinco cruces que simbolizan las cinco heridas de Cristo; en el centro se guardaba una reliquia). Por el lado E de la iglesia se puede cruzar el *River Wharfs,* cuando las aguas están bajas a través de 57 piedras. (Se desconoce la época en que fueron colocadas; sirvieron de paso a los habitantes del lado E del río.) Al O de la iglesia, la *Bolton Hall,* antigua portería de la abadía; desde la secularización, en 1542, fue transformada en casa-bastión.

Alrededores

Barden Tower (3,5 km NO): Últimos restos de una fortaleza de seis torres, perteneciente al territorio de *Skipton Castle.* El amo de la fortaleza, Lord Clifford, recibió el mote de «The Butcher» por sus brutales métodos en la llamada «Guerra de las Dos rosas», en el siglo XV. La capilla adyacente también se encuentra destruida.

Burnsall (8 km NO): En la iglesia es de especial interés una pila bautismal con símbolos paganos y unas lápidas de procedencia escandinava, también decoradas con símbolos paganos.

Boston

Lincolnshire/Inglaterra Pág. 328 □ K 13

Alrededor del año 650 tuvo lugar aquí la fundación de un monasterio; después de la conquista normanda en el siglo XIV, el lugar se convierte en el más importante puerto de exportación textil en estrecha combinación con el anseático. En el año 1620 zarpó de aquí la «Mayflower» con los *Pilgrim Fathers* hacia la famosa travesía hacia América. La emigración de estos puritanos al nuevo continente dio como resultado la fundación de la ciudad del mismo nombre en EE. UU.

Boston. St. Botolph

St. Botolph: Iglesia comenzada alrededor de 1310, posteriormente finalizada en estilo gótico-decorated y gótico-perpendicular; es una de las mayores iglesias parroquiales de Inglaterra. Restaurada en los siglos XIX y XX con la financiación de los ciudadanos de Boston, EE. UU. La torre, llamada *Boston Stump* (altura 90 m, finalizada en el año 1460, con faro de ocho esquinas), es una de las construcciones más espectaculares de la ciudad. En el interior, de especial interés, la sillería del coro e imponentes monumentos fúnebres de ricos comerciantes de la Edad Media. El hermoso púlpito fue realizado en el siglo XVII; las barandas del coro están trabajadas en hierro del siglo XVIII y los vidrios emplomados fueron realizados en el siglo XIX.

Guildhall (South Street): Antigua casa gremial fundada alrededor de 1450; construcción en ladrillo con hermoso ventanal dividido en cinco partes. A partir de 1607 fueron procesados aquí los *Pilgrim Fathers*. En la actualidad se ha convertido en museo de la ciudad (interesantes colecciones referentes a la historia de la ciudad).

Fydell House (adjunta a la Guildhall): Edificada en estilo georgiano en 1726, desde entonces no ha sido reformada; es uno de los edificios de mayor interés en la ciudad. Fachada dividida con seis pilastras, encima imponentes vigas y una balaustrada; el pórtico está limitado por columnas dóricas. En el interior son de interés las escaleras, las decoraciones de estilo rococó y los trabajos de estucado.

Otros lugares de interés: Iglesia *St. Nicholas* con torre gótica; en el interior hermoso púlpito del Renacimiento. Iglesia parroquial de la zona de *Skirbeck,* del siglo XIII. *Shodfriars Hall* (South Street), casa de paredes entramadas construida en el siglo XVI y reformada en el siglo XIX. Ruinas del monasterio dominicano (Spain Lane) construido en el siglo XIII. *Custom House*, de 1725. *Hussey Tower* (Skirbeck Road), con torre y precioso techo en la planta inferior.

Alrededores

Ewerby (20 km O): Iglesia *St. Andrew* estilo

Boston. St. Botolph, sillería del coro

gótico-decorated; en el interior, de interés, la pila bautismal románica.

Freiston (5 km E): La iglesia *St. James* es un resto del convento fundado en el siglo XII, en parte todavía románico; en el interior, hermosa pila bautismal gótica.

Friskney (17 km NE): Iglesia románica (en el interior frescos del siglo XIV).

Heckington (18 km O): La iglesia *St. Andrew* fue edificada en el siglo XIV en estilo gótico-decorated, desde entonces apenas ha sido reformada; en el interior muchas cosas interesantes, entre ellas la ventana E.

Howell (19 km O): Iglesia *St. Oswald* en parte estilo románico-transitional y en parte estilo gótico-decorated; en el interior restos de pinturas de las vidrieras medievales y una pila bautismal del siglo XIV.

Kirton (6 km S): Iglesia gótica del siglo XIV (la actual torre O sirvió de transepto hasta el s. XIX; actualmente ha sido trasladada).

Old Leake (10 km NE): Interesante iglesia gótica (torre octogonal).

Sibsey (7 km N): Iglesia *St. Margaret,* en parte todavía románica (torre S gótica, antesala S de 1699).

Sleaford (25 km O): La iglesia *St. Denys* fue edificada en el siglo XII. En el interior, entre otras cosas, son de especial interés las ventanas y los monumentos fúnebres. Dignos de atención son los interiores de los edificios públicos de la ciudad: *Sessons House* de 1831, *Union* de 1838. *Corn Exchange* de 1857.

Tattershall (16 km NO): Restos de la fortaleza edificada en 1231 (excelente ejemplo de una construcción en ladrillo medieval; se conserva el cementerio). Junto a la fortaleza la iglesia *Holy Trinity,* construida en el siglo XV; en el interior destaca la pared del coro y las pinturas de las vidrieras de la ventana E.

Wrangle (12 km NE): En la iglesia, en la ventana E, notables pinturas del siglo XIV.

Boyle
Roscommon/Irlanda Pág. 326 □ C 11

Esta pequeña ciudad de 1 700 hab., al S del lago *Shannon,* llamada *Lough Key,* posee restos de la antiguamente muy significativa abadía cisterciense: *Boyle Abbey:* La construcción fue erigida en 1161, siendo centro religioso del reino *Connacht.* La abadía de la iglesia (sin techo) está bien conservada, con nave principal del siglo XIII, coro, crucero y torre del transepto de poca altura.

Boyle. Boyle Abbey

Bradford. Catedral, ventana O

Del destrozado Vía Crucis se conservan dos pórticos E y un pórtico O. Los edificios alrededor del Vía Crucis (refectorio y cocina) datan de los siglos XVI y XVII.

Alrededores

Balindon Friary (15 km N): Al N de *Lough Arrow* se encuentran los restos del convento dominicano de 1507, con bonita torre central y campanario. Cerca, restos de la tumba del megalito, *Heapstone Cairn;* también existe otra piedra sepulcral prehistórica (al O del lago), en *Carrowkeel* Megalithic Cemetery).

Ballinafad (8 km NO): Aquí, en la punta S del *Lough Arrow,* se hallan los restos de un castillo construido alrededor de 1590 con imponentes torres esquineras. En este lugar se encontraba el histórico campo de batalla (hacia el SO) *Northern Moytura,* donde lucharon los inmigrantes celtas «Tuatha Dé Dana» (pueblo de la diosa Dana/Diana) contra los habitantes nativos de *Fir Bolgs,* alrededor del año 1300 a. de J. C.

Ballymote Castle (18 km NO): Las imponentes ruinas de esta fortaleza, con sus enormes torres, son de principios del siglo XIV. Fue el fuerte más poderoso del reinado de *Connacht* y cambió de dueño en diversas ocasiones. Del monasterio franciscano vecino quedan pocos restos (siglo XIV). Aquí fue escrito el famoso libro «Book of Ballymote» (1390); en la actualidad se encuentra en Dublín.

Bradford

West Yorkshire/Inglaterra Pág. 328 □ I 11

La ciudad es, en la actualidad, centro industrial del estambre y de la lana. En el siglo XIX pasó de ser una tranquila ciudad de campo, a ciudad industrial durante la época de la Revolución. *Bradford,* por ser «ciudad industrial de primer orden» fue, en el siglo XIX, fundamental en el campo del desarrollo social (entre otras cosas, escolarización ejemplar para los hijos de los trabajadores; aquí se propagó la primera ley laboral de Richard Oastler).

Cathedral: Es en su mayor parte del siglo XV; hasta 1920 iglesia de *St. Peter.* Posteriormente se convirtió en catedral (sede obispal) de la ciudad. De 1954 a 1965 se efectuaron ampliaciones. En el interior bellas vidrieras policromadas, artesonado en madera de encina en la nave principal, un trono obispal ricamente decorado y una pila bautismal con tapa del s. XV.

City Hall: Finalizada en 1873, en la fachada se encuentran varias estatuas de emperadores ingleses. Especialmente interesante es el juego de campanas de la torre (altura 65 m), que suenan varias veces durante el día.

Bolling Hall (Bolling Hall Road, en el S de la ciudad): Casa feudal de finales de

Bradford. Catedral, pila bautismal

la Edad Media; en los siglos siguientes fue transformada en diversas ocasiones. La impresionante torre de la entrada, servía de defensa de la casa en el siglo XV. En la actualidad, convertida en museo, expone cerámica y vestimentas de los siglos XV y de finales del XVIII.

Industrial Museum (Moorside Road, Eccleshill): El museo se encuentra en una fábrica textil fuera de servicio. Da una visión general de la industria de la lana y del desarrollo de los vehículos de transporte en Bradford. La mayoría de las máquinas expuestas funcionan.

City Art Gallery and Museum (Lister Park): Se encuentra en la barroca *Cartwright Hall*. En la galería se conserva una colección de floreros chinos y otra de obras pictóricas; en el museo de la ciudad, aparte de las exposiciones geológicas y de ciencias naturales, existe un departamento arqueológico.

Otros lugares de interés: *Wool Exchange* (mercado lanero cerca de Market Street), fue centro de negociaciones internacionales de la industria lanera. *Apperley Bridge,* bonito y viejo puente urbano del siglo XVI (camino de la carretera A 658, dirección NO).

Alrededores

Bingley (10 km N): Bonita calle, *Main Street,* del siglo XVIII.

Haworth (20 km NO): Aquí vivieron las famosas hermanas Charlotte y Emily Brontë, las que escribieron, a mediados del siglo XIX, obras sobre la emancipación de la mujer, siendo sus novelas famosas en todo el mundo. El antiguo patio parroquial donde actuó su padre (1820-1861) es, en la actualidad, el *Bronte Museum,* con algunos manuscritos y textos personales de las hermanas.

Ilkley (20 km N): En este lugar se aplicaron en 1843, por vez primera en Inglaterra, tratamientos hidroterapéuticos (en el «Ben Rhydding Hydro»; se conserva en bastante mal estado). Digna de atención, la iglesia de *All Saints*, construida sobre pilares románicos. En el lado O de la iglesia se conservan dos altares románicos que, originalmente, estuvieron incrustados en el muro interior de la torre; probablemente proceden de un templo dedicado a Hércules. En la nave lateral S se puede admirar una hermosa silla de iglesia de 1633. En un parque, enfrente de la iglesia *St. Margaret* se hallan los tres llamados «Cup and ring stones», en los que hay grabados figuras obscenas; la procedencia de estos monumentos es desconocida. También es interesante y digno de mención el *Manor House Museum and Art Gallery* (Castle Yard), situado en el recinto de la vieja fortaleza románica, albergando en su interior considerables hallazgos arqueológicos procedentes de *Ilkley* y alrededores.

Keighley (16 km NO): Museo con reconstrucción de talleres de artesanos oriundos. De aquí, a unos 1,5 km O (sobre el «Aire»), se llega a *East Riddlesden Hall*, casa feudal del siglo XVII; se conserva en perfecto estado un establo medieval. En las cercanías se encuentra *Ciffe Castle*, construido en estilo victoriano (siglo XIX) y que alberga en su interior un interesante museo.

Shipley (54 km N): La colonia fue edificada en 1853 por el industrial Sir Titus Salt, siguiendo el estilo italiano. Su intención era encontrar la solución a la «pregunta social» de la época, construyendo esta colonia ejemplar para trabajadores. La colonia se formó alrededor del mayor complejo industrial de aquellos tiempos y se componía de más de 800 viviendas, escuelas, hospital, biblioteca, baños públicos y otras instalaciones. En la iglesia congresionalista se encuentra el monumento fúnebre del fundador de la ciudad.

Tong (6,5 km SE): *Tong Hall*, edificada en 1702, es en la actualidad un museo que contiene una cornisa de chimenea asombrosamente labrada. Es especialmente interesante y digna de admiración la habitación privada de la familia *Tempest*, que, a pesar de su antigüedad, ya estaba provista de calefacción.

Bradford-on-Avon
Wiltshire/Inglaterra Pág. 332 □ H 15

En el ancho paso del río *Avon* fundó Abt Aldhelm el «Gesta Regnum Anglorum», de William of Malmesbury una *ecclesiola*. *St. Aldhelm* fue un monje y profesor de gran fama que vivió a finales del siglo VII. Su creación fue la, todavía bien conservada pequeña iglesia que fue bendecida por *St. Lawrence* en este lugar.

Church of St. Lawrence: Esta iglesia construida alrededor del 700, fue finalizada en el 1000; con su nave de 8 m de longitud, es una de las pocas iglesias anglosajonas que se conserva inalterada en Inglaterra. La pequeña iglesia ha sobrevivido estos mil trescientos años, ya que hasta hoy no se ha reconocido la función original de ésta. La construcción era utilizada como jardinería y colegio y nunca se creyó necesario cambiarla. De esta manera, la exageradamente alta nave y el coro rectangular con sus dos ángeles sobre el arco del coro, siguen inalterados con una sola excepción: un falso arco frisado con pilastras planas fue añadido en el exterior a lo largo de los siglos. Permanecen intactos e inalterados los arcos circulares, estrechos y sencillos, los pórticos a ambos lados de la nave y las dos ventanas diminutas situadas en la parte S de la nave y el coro.

Church of the Holy Trinity: Esta iglesia parroquial del siglo XII todavía muestra pruebas evidentes de la época de su construcción, especialmente en el recinto del altar y en las ventanas. A principios del siglo XIV se añadieron partes góticas a la nave; la torre E, muy puntiaguda, está fechada en el siglo XV. De especial interés es un fresco con la imagen de la Virgen María y dos pinturas que representan a Dios. El objeto más valioso del tesoro de la iglesia es la primera Biblia inglesa utilizada en una iglesia. Data del año 1572 y es copia de la Biblia obispal fechada en el año 1568

Alrededores

Corsham (20 km N): La *Church of St. Bartholomew* fue fundada en la época anglosajona y ampliada en el siglo XII.
G. E. Street la transformó por completo, derribando incluso la vieja torre original, sustituyéndola por otra. *Coursham Court* es una casa feudal edificada en 1582, isabelina, con ampliaciones georgianas. El edificio obtuvo su forma actual en 1840. La casa es especialmente interesante por la más bonita colección artística de Wiltshire: la *Methuen Collection*. Incluye muebles de Adam y Chippendale, así como pinturas de innumerables artistas como Fra Filippo Lippi, Tintoretto, Rubens, Van Dyck y muchos otros. El parque es obra del genial artista y creador Capability Brown.

Great Chalfield (5 km NE): La *Church of All Saints* data del siglo XV y está situada al lado de la casa feudal del mismo nombre. En los frescos se representan escenas de la vida de *St. Katharina*. El Púlpito, de tres pisos, data del siglo XVII. La casa fue construida por Thomas Tropnell en 1480 y es un buen ejemplo de la arquitectura gótica en el campo profano.

Lacock (15 km NE): El, sin duda, más bonito pueblo medieval de Inglaterra fue creado entre los siglos XV y XVIII y, en la actualidad, es propiedad del *National Trust*, ocupándose de que nada sea modificado o alterado. La *Church of St. Cyriac* tiene planta en forma de cruz y data del siglo XV. La capilla, construida en el lado NE, alberga el bonito monumento fúnebre de Sir William Sharington, de mediados del siglo XVI. La *Lacock Abbey* fue fundada como abadía agustina por la viuda de William Longespées en 1229. Después de la Reforma, la abadía pasó a ser propiedad de Sir William Sharington y fue transformado en casa feudal en los siglos XIII y XV en estilo Tudor. En 1755 fue transformada la sala medieval de esta abadía para pasar a ser, en la actualidad, una de las primeras salas creadas en estilo gótico-revival. En 1839 Fox Talbot inventó en este mismo lugar la fotografía sobre negativo. Su negativo más antiguo conocido data, probablemente, de agosto de 1835 y se conserva en el *Science Museum* de Londres.

Westwood Manor (4 km SO): La casa feudal del siglo XV, con transformaciones de 1610 y ampliaciones de los siglos XVI y XVII, tiene ventanas góticas, estucados y otras ventanas de estilo jacobino. De especial interés es el valioso mobiliario de la casa.

Bradford-on-Avon. St. Lawrence

Church of Holy Trinity

Braemar
Grampian/Escocia Pág. 324 □ H 7

El pueblo, enclavado en la parte superior del *Dee,* no es sólo un centro deportivo de nuestros tiempos. Ya en el siglo II el rey Malcolm III realizaba en este lugar importantes combates para escoger el mejor luchador de la zona. En la actualidad se ha convertido en el *Braemar Cathering,* al que asiste la familia real con regularidad. Según Fontane, se congrega en esta población «la flor azul de Escocia»; R. L. Stevenson escribió aquí, en 1881, su «Isla del tesoro».

Castle: Data de 1628 y fue el castillo de caza del *Earl of Mar.* Sesenta años después fue destruido por el jacobino John Farquharson, el «mayor negro». En 1748 el castillo de caza escocés se convirtió en guarnición para tropas hannoverianas. En aquellos tiempos se edificaba un muro de protección en forma de zigzag y las torres esquineras cubiertas se convirtieron en puestos de defensa. Cuando se efectuaron todos estos cambios, el castillo estaba arrendado, pues desde el año 1733 fue propiedad de la familia *Farqueharson.* Actualmente revisten especial interés diversas bóvedas subterráneas, así como la construcción de la escalera de caracol en la torre.

Alrededores

Balmoral Castle (14 km NE): Antes de que la reina Victoria hiciera del castillo su lugar de veraneo, la construcción cambió de dueño en diversas ocasiones. En 1484 los *Gordons* edificaron el pequeño castillo; en 1662 lo compraron los *Farquharsons,* que lo revendieron a los *Condes de Fife.* En 1848 la familia Real, finalmente, alquiló el castillo. Cuatro años después la Reina pudo comprarlo gracias a su herencia. El príncipe Alberto diseñó, junto al arquitecto William Smith, una nueva construcción que es un ejemplo perfecto de arquitectura victoriana por su ornamentación. La construcción del castillo fue finalizada en e año 1855; el castillo anterior fue completamente destruido.
En la actualidad sólo se puede visitar el par que cuando la familia real no se encuentra en el lugar.

Brecon/Aberhonddu
Powys/Gales Pág. 332 □ G 14

La pintoresca ciudad (6 000 hab.) se encuentra en la desembocadura del río *Gonddu* al río *Usk* (Aberhondu = Desembocadura del Honddu). La ciudad y la fortaleza fueron fundadas por los normandos en el siglo II. Se conservan actualmente muy pocos restos del interesante castillo normando y de la muralla que circundaba toda la ciudad.

Cathedral: La *Priory Church St. Jones* con planta cruciforme, fue edificada por los normandos en 1100 (pila bautismal y restos de la muralla datan de la misma época). El presbiterio y el crucero están realizados en *Early-English-Stil;* la vieja nave principal fue edificada en el siglo XIV en estilo decorated, al igual que lo fueron las capillas laterales.
Especialmente interesante es un quemador de aceite normando labrado en piedra, así como diversos monumentos fúnebres y vitrinas con viejas biblias que se conservan en el interior de la catedral.

St. Mary's Church (en el centro de la ciudad): La iglesia todavía posee algunas pilastras normandas, una pila de agua bendita del siglo XIV y la torre del siglo XVI.

Brecknock Museum: Buenas colecciones de hallazgos arqueológicos y geológicos, entre otros, monumentos fúnebres de principios del cristianismo y objetos populares.

Balmoral Castle (Braemar)

Llantwit Major (Bridgend). New Church

Cruz celta

Alrededores

Brecon Gaer (4 km NO): Restos de un viejo fuerte romano. El campamento, rodeado por una fosa y muros, fue fundado en el 75 d. de J. C. y clausurado en el siglo IV. Se conservan partes del muro y los pórticos. El pórtico principal estaba situado al O; existían otros pórticos pequeños al S, E y N; de las torres de vigilancia más pequeñas se conservan restos. El fuerte dependía de la fortificación romana *Caerleon* (Newport).

Hay-on-Wye (30 km NE): Esta pequeña ciudad, a orillas del río *Wye,* posee restos de una vieja fortaleza, con camino de entrada, del siglo XIII. El lugar es conocido por los múltiples anticuarios que allí viven. En las cercanías están los restos del *Paincastle.* De la resistente fortaleza normanda se conservan todavía varias tumbas y las murallas.

Heol Senni (16 km SO): En el paisajísticamente y hermoso *Brecon Beacons Nationalpark* se encuentra el menhir de la Edad del Bronce, *Maen Lila.* La piedra tiene una altura de 3,7 m y un ancho de 80 cm. Muy cerca se encuentra la cueva natural *Porthyr-Ogof,* en el valle de *Mellte.*

Talgarth (40 km NE): En este lugar se conserva una torre-puente del siglo XIV. Del vecino *Bronnlys Castle,* de procedencia normanda, sólo quedan unos pocos restos (torre de la fortaleza y partes de los muros).

Bridgend/Pen-y-bont

Mid Glamorgan/Gales

Pág. 332 □ G 15

Esta ciudad industrial, en la desembocadura del *Ogmore River* (67 km O de Cardiff), posee pocos restos del románico *New Castle* del siglo XII con su hermosísima caserna. En *Coity,* en las afueras, se encuentran las interesantes ruinas de *Coity Castle;* los restos de la torre circular (cementerio) datan del siglo XII; los muros y las ciudadelas

Llantwit Major (Bridgend). Iglesia

datan de los siglos XII y XIV. En un lugar cercano, *Coychurch,* se encuentra una iglesia bien conservada de estilo Early-English y decorated (temprano-gótico).

Alrededores

Cowbridge (10 km SE): Pequeña ciudad en la que se hallan numerosos restos de fortificaciones medievales del siglo XIV y la llamada *Puerta del Molino* (Port Mellin), cerca de la *Church Street.*

Ewenny (3 km S): Aquí se conservan las interesantes ruinas del convento benedictino medieval *Ewenny Priory*. El convento fortificado fue fundado por William de Londres en 1115. Formaba, junto con las construcciones vecinas de *Ogmore, Bridgend y Coity,* un conjunto defensivo contra los galeses. El estilo fúnebre normando se conserva bastante bien, exceptuando partes destrozadas en el O y N. En el crucero S se encuentran numerosas tumbas con losas de la familia fundadora «de Londres», entre otros.

Llantwit Major (15 km SE): En este lugar medieval, en la costa S, fundó en el siglo V el monje celta *Illtyd* un monasterio de famosa escuela y talleres artesanos (no se conservan restos). La interesante iglesia popular se compone de dos partes separadas por una torre central (Transitional-Stil).
La parte O (parroquial) se denomina *Old Church* y es de origen normando. Del mismo tiempo datan el pórtico S (pasillo de acceso) y el altar de piedra. La parte de la iglesia fue transformada en el siglo XV (ventanas de estilo perpendicular). En la parte (iglesia parroquial) hay una serie de cruces celtas con inscripciones del 800. Proceden, junto a una columna decorada, del antiguo taller del monasterio. La parte O («New Church»), construcción del siglo XIII, se convirtió en iglesia claustral; de especial interés son las pinturas murales de los siglos XIII y XIV, entre

otras, la de *San Cristophorus* (alrededor de 1300). Pieza especialmente valiosa es la «Jesse Nische», originaria del siglo XIII, con imágenes del árbol de Jesé (del dormido Jesé surge el árbol que sostiene a Cristo con sus ramas ligeramente deterioradas). También son dignas de atención, en su interior, la sala del altar y la pila bautismal.

Ogmore Castle (5 km NO): La fortaleza fue puesto de vigilancia sobre el río *Ogmore*. Se conservan en buen estado los muros y las fosas del siglo XII y el cementerio de tres pisos del siglo XIII.

St. Donat's Castle (20 km S): Este castillo, restaurado y modernizado, se encuentra muy cerca de la costa; procede de los siglos XIV al XVI y es llamado *Llantwit Major*. Aquí vivió el magnánimo W. R. Hearst (fallecido en 1951).

Bridlington

Humberside/Inglaterra Pág. 328 □ K 11

Priory Church St. Mary (Old Town): En la actualidad, iglesia parroquial de la ciudad; anteriormente fue un monasterio fundado por el normando *Walter de Gaunt* en 1113 para los señores del coro agustino. Fue disuelto en 1539 durante la Reforma; la iglesia fue destruida, exceptuando la casa principal. En 1850-1880 fue restaurada por Sir Gilbert Scott (se finalizaron las dos torres E). En la fachada E, hermosa y ricamente decorada, ventana en estilo gótico-perpendicular. En el lado E una ventana Jesé con 30 campos. Ventanales de la casa principal en excelente estilo gótico-Early-English. En el lado N de la casa principal se hallan los restos de las arcadas que cubren el pasaje de rezos. Son del siglo XII.

Espacio interior: La casa principal está soportada por 10 arcos (interesantes pilastras; el coro actual descansa sobre tres largos travesaños). En el lado O de la iglesia se encuentra la lápida del que fuera el fundador del monasterio, *Walter de Gaunt.*

The Bayle (cerca de la iglesia St. Mary): Caserna del antiguo monasterio del año 1388, en parte edificada con ladrillo; en el siglo XVII varió considerablemente (de la construcción original queda, entre otras cosas, la escalera de caracol). Después de la disolución del monasterio, la construcción fue utilizada como colegio y como cárcel; desde 1631 es sede de los llamados «Lords Feoffees», organismo de gobernación autónoma de la ciudad. Actualmente se encuentra en el edificio el interesante *Museum of Antiquities* (objetos referentes a la historia de la ciudad, pinturas y dibujos, colección de muebles, de muñecas y viejas herramientas...).

Severby Hall (NE del centro de la ciudad): Casa feudal ampliada en la primera mitad del siglo XIX y edificada alrededor de 1720 en estilo georgiano (mezcla entre barroco y renacimiento). Se utiliza desde 1936 como museo (sección arqueológica con hallazgos de la Edad del Bronce, entre ellos hachas de piedra). En la pequeña galería de arte se encuentran numerosas obras realizadas por artistas oriundos y el «Amy Johnson Rooms», en el que se pueden admirar los objetos que habían sido utilizados por la pionera inglesa que intentó volar.

Alrededores

Bainton (25 km SO): Iglesia *St. Andrew* del siglo XIV; en la construcción exterior se pueden apreciar varias estatuas de animales y caras humanas; en el interior, una hermosa pila románica.

Barmston (11 km S): La iglesia *All Saints,* de estilo gótico tardío, data del siglo XV; en su interior destaca una bella pila bautismal románica.

Boynton (5 km O): La iglesia de *St. Andrew* fue renovada en 1768 por John Carr de York; la torre es original, del siglo XV. También es notable la *Boynton Hall,* casa feudal de 1550 en estilo Tudor-Renacimiento.

Llantwit Major (Bridgend). Lápida mortuoria

Burton Agnes (9 km SO): Iglesia *St. Martin,* originalmente románica. En el interior se encuentra una pila bautismal románica. Igualmente de interés la *Burton Agnes Hall,* edificada entre 1598-1610 en estilo isabelino-Renacimiento (ampliada en 1628 por Inigo Jones; en el interior, una interesante colección de impresionistas franceses, muebles de estilo y porcelanas chinas).

Carnaby (4 km SO): En la iglesia que se encuentra en este lugar podemos admirar las hermosas ventanas románicas del siglo II.

Flamborough (8 km NE): La iglesia *St. Oswald* procede esencialmente del siglo XII, en su parte más antigua. De especial interés es la pared del coro y, en la nave lateral N, una ventana medieval descubierta en 1979. Digna de atención es la *Danish Tower,* últimos restos de una fortificación del siglo XIV. Al O del lugar se encuentra la llamada *Dane's Dyke,* en dirección N-S (presa danesa), una fortificación cuyo origen no está aclarado todavía (probablemente su origen se remonta a tiempos prehistóricos).

Great Driffield (19 km SO): Iglesia románica: la torre de la iglesia es de estilo gótico-perpendicular.

Rudstone (10 km O): Iglesia gótica de gran atractivo, la torre es románica; en el interior, una pila bautismal del siglo XII ricamente decorada.

Skipsea (17 km S): Iglesia bien conservada en estilo Early-English, gótica, edificada en el año 1196.

Sledmere (25 km O): La casa feudal, edificada en el año 1787 en estilo georgiano, *Sledmere Hall,* conserva en el interior una interesante biblioteca de 30 m de largo y una rica colección de muebles de diferentes estilos, porcelanas y pintura.

Weaverthorpe (20 km O): Iglesia *St. Andrew,* restaurada en el año 1872, románica; en el interior de la misma se conserva una pila bautismal de la época de construcción.

Brighton

East Sussex/Inglaterra Pág. 332 □ K 16

Este antiguo pueblo pesquero alcanzó gran popularidad cuando, en 1750, el doctor Richard Russel escribió un libro que pormenorizaba los efectos curativos del agua de mar y del aire marino. Después de elegir este lugar como residencia el Príncipe de Gales, más tarde rey Jorge IV, *Brighton* se convirtió con gran rapidez en uno de los lugares de baño más populares y elegantes de todo el país.

Royal Pavillon: En 1811 construyó John Nash el orgullo de la ciudad: un palacio de ensueño imitando los palacios hindúes, con cúpulas en forma de cebollas, techos caídos sobre los pabellones laterales, minaretes, almenas y balcones con filigranas en hierro muy decorativas. Hasta 1845 fue residencia Real, aunque la reina Victoria aseguraba que detestaba el edificio. En la actualidad es utilizado para eventos y reuniones. La decoración interior es china y los, en parte valiosos muebles, que habían sido transportados a *Buckingham* han regresado a su lugar de origen. De las 23 salas estatales del *Royal Pavillon,* destacan especialmente: el *Banqueting Room,* con su techo en forma de palma, las paredes decoradas con dragones, la sala de música, la cocina con variados utensilios de cobre y la biblioteca Real privada.

St. Peter: La iglesia parroquial de *St. Peter* fue construida en 1825 por Sir Charles Barry en estilo gótico. El coro de la iglesia fue añadido entre los años 1896-1902.

Museos: Brighton ofrece a sus visitantes multitud de exposiciones y museos interesantes.

Museum and Art Gallery: En este interesante museo se exponen numerosas colecciones populares, arqueológicas y botánicas, una colección de instrumentos musicales, muebles y porcelanas; también exposiciones de pintores modernos y algunos antiguos.

Booth Museum: Aquí se puede admirar una amplia colección de pájaros británicos.

Brighton. Royal Pavillon

Aquarium: Al pie de inmensas rocas, junto al río, se puede contemplar una gran variedad de peces en su medio natural.

Otros lugares de interés: *Preston Manor,* sede feudal de finales del siglo XVIII, en la que se conservan gran variedad de muebles, cuadros y cuberterías de plata de toda Europa. *The Dome,* la vieja bolsa del trigo, en la que se dan actualmente conciertos.
En el viejo pueblo de pescadores se conservan todavía *The Lanes,* pintorescas casas de pescadores del siglo XVII. La mayoría de ellas con sus bonitas ventanas y balcones, son de estilo Regency o victoriano; el hermosísimo jardín de piedra que posee es el mayor del mundo.

Alrededores

Danny (5 km NO): En este pintoresco lugar se encuentra una casa de estilo isabelino erigida en el siglo XVI.

Falmer (1,5 km N): *New University of Sussex,* una *Brick University,* edificada en 1961 por Sir Basil Spencer.

Hollingbury (1 km N): En este lugar todavía se conservan las ruinas de un interesantísimo fuerte procedente de la Edad de Piedra.

Hove: Al igual que Brighton, importante lugar turístico (bañistas). En el museo, de fabulosa distribución, se puede observar la cultura de la vivienda de cualquier época. La *All Saints Church* posee un Altar Mayor delicadamente tallado.

Shoreham-by-Sea (5 km SO): El museo *Marlipins* está ubicado en una casa de los siglos XII al XIV. Está dedicado a la navegación y muestra modelos de barcos, cartas marinas y aparatos de navegación, así como dibujos referentes al tema.

Bristol
Avon/Inglaterra Pág. 332 □ H 15

Esta ciudad industrial y comercial, enclavada en la parte inferior del *Avon,* es una fundación sajona y consiguió, ya en el pasado, gran importancia como ciudad portuaria, ya que era fácilmente alcanzable con la «Tide» subiendo por

Brighton. Royal Pavillon

el río. En la unión del *Avon* y el *Frome* fue construida, a partir de 1126, la fortaleza del *Conde de Gloucester,* fuertemente amurallada. En 1497 descubrió John Cabot, partiendo de Bristol, el continente americano y, un año más tarde, su hijo Sebastián descubrió la costa E americana, de *Neufundland* hasta *Florida.* En la guerra civil la ciudad tuvo, sucesivamente, dueño de los dos partidos y, en 1655, Cromwell hizo destruir el castillo. Todo esto influía negativamente sobre el floreciente comercio con América. Cuando un barco llevaba a Inglaterra esclavos, o azúcar, o tabaco, o ron, su destino era Bristol. La antigua riqueza de la ciudad se confirma en sus lujosas iglesias.

Cathedral: Fue fundada por *Robert Fitzhardinge* en 1148 para los señores del coro agustino. De esta construcción normanda se conserva la sala capitular. La parte más antigua de la iglesia es la vieja *Lady Chapel,* de 1215, a la que se añadió el coro y el crucero N. El coro fue edificado de 1298 a 1363; la nave, a partir del año 1465.
Cuando se produjo la disolución de los monasterios y de las órdenes religiosas, la nave estaba terminada hasta la mitad y no se podía pensar en continuar la obra. Se volvió a comenzar en 1868 bajo el mando de G. E. Street. Que se mantuviera la parte vieja y se pudiera construir se debe a que la antigua abadía, en 1542, fue consagrada como catedral por Enrique VIII.
En el interior salta a la vista la fantástica sala del coro. La sensación de espacio que se crea no es producida por la elevación de las paredes arqueadas de los muros de las naves laterales sino que, al abrirse los arcos hasta el techo, el espacio central hacia ambos lados es mayor. El techo forma una inmensa estrella, por lo que los arcos no son obstáculo para los travesaños, ya que se concentran en un punto. Este coro, de estilo temprano-gótico, es el primer intento en toda Europa de la basílica eclesial con forma de sala. La sillería del coro es una donación de Abot Elyot y data de 1515-1526. El revestimiento del órgano y los tubos son de 1685. La *Lady Chapel,* al E del coro, contiene una fantástica ventana E, en la que aún se conservan algunas piezas originales de 1340. En el lado S se encuentra la vieja sacristía de la iglesia (1306-1310) con su techo plano temprano-gótico construido en piedra.
En el lado E se encuentra la *Berkeley Chapel,* con sus increíbles ornamentos en el arco de entrada. En la cara N del coro se encuentra la vieja *Lady Chapel* (alrededor de 1215). Tiene una hermosa arcada con figuras grotescas. El capitel, junto al crucero S (1160), data de la época normanda y está provisto de ornamentos en zigzag.

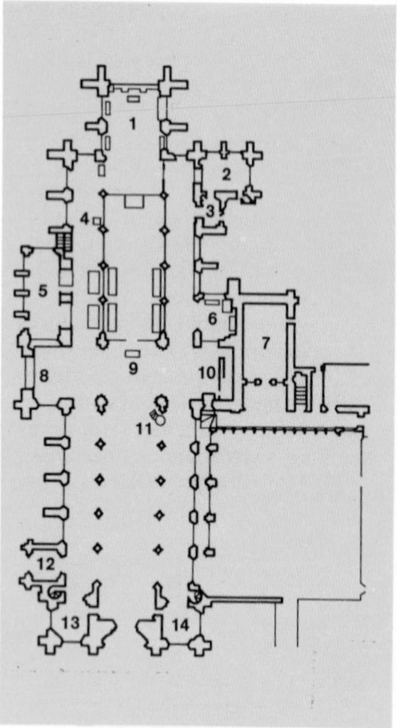

Bristol Cathedral: 1. Lady Chapel (E). **2.** Berkeley Chapel. **3.** Sacristía (1306-1310). **4.** Púlpito. **5.** Antigua Lady Chapel (1215). **6.** Newton Chapel. **7.** Sala capitular (hacia 1160). **8.** Brazo N del crucero. **9.** Altar. **10.** Brazo S del crucero. **11.** Púlpito. **12.** Pórtico N. **13.** Torre NO. **14.** Torre SO.

Bristol. Torre de la Catedral

Church of St. Mary Redcliffe: La reina Isabel I la llamó en 1574: «The most famous parish church in England». La iglesia parroquial, de estilo gótico, edificada en los años 1330-1375, sustituye a otra iglesia del siglo XII. La parte inferior de la torre fue construida a mediados del siglo XIII; la aguja es gótica, de principios del siglo XIV. El detalle, sin duda, más atractivo del exterior es el pórtico N, del siglo XIII. Está dividido en tres escalones de arcos tan delicadamente decorados que podrían parecer de construcción oriental. El interior es completamente gótico. Las altísimas ventanas hacen que el local, de 80 m de longitud, sea luminoso y aireado y recalcan el efecto de las delgadas pilastras interrumpidas por pequeños capiteles. Más de 100 piedras doradas cierran la bóveda, que aparenta una inmensa red. En la *American Chapel* se conserva una estatua de Isabel I que tiene un globo terráqueo y un cetro en sus manos (escultura en madera de 1574). La iglesia posee también numerosos monumentos fúnebres de conocidas celebridades y personajes, así como varias losas conmemorativas.

Church of St. Mark: También llamada *Lord Mayor's Chapel,* fue fundada en 1230 por Maurice de Gaunt. Originalmente perteneció, como capilla, al hospital; en 1541 fue recuperada por el pueblo, después de la disolución del hospital; de 1687 a 1722 sirvió a los hugonotes; desde 1722 vuelve a ser iglesia popular. El edificio, del siglo XIII, sufrió múltiples cambios a lo largo de los años. De la construcción original, sólo se conservan los muros de la nave y los arcos del crucero. La sala del altar y la torre proceden del siglo XV; el techo sobre la nave fue renovado en el siglo XVI. Las fantásticas ventanas emplomadas son, en parte, de procedencia francesa y, en parte, de Flandes (siglos XVI y XVII). La iglesia alberga en su interior múltiples monumentos fúnebres, fechados desde el siglo XIII hasta nuestros días.

Museos: La *City Art Gallery* es una donación de Sir W. H. Wills. Alberga pinturas de maestros antiguos y contemporáneos y una colección de esculturas, así como cerámica, vidrio y textiles. El *City Museum* muestra hallazgos arqueológicos, geológicos y de historia natural.

Clifton Suspension Bridge: Es el puente colgante más bonito de Inglaterra, creado de 1831 a 1864. Es obra del genial ingeniero Isambard Kingdom Brunel, constructor de la *Great Western Railway,* de Londres a Bristol. Este puente, de 400 m de longitud tiene un arco de luz de 214 m; cuelga encima del *Avon* a una altura de 80 m. Para su construcción Brunel utilizó partes de la vieja *Hungerford Bridge* en Londres.

Alrededores

Almondsbury (9 km N): Según la saga, está enterrado aquí el rey anglosajón Almond. La *Church of St. Mary the Virgin* posee restos

Bristol. Lady Chapel, ventana E

normandos y un altar temprano-inglés. Una tumba con esculturas, data del siglo XVI.

Clevedon Court (23 km SO): La casa feudal del siglo XII tiene añadidos y reformas de, prácticamente, todos los siglos. Desde 1709 es residencia de la familia *Elton,* que ha reunido en esta casa variadas colecciones de porcelanas y vasijas. Existe una documentación exclusiva sobre la historia del ferrocarril; una colección especial se compone de vidrio *Naisea* y cristalería en todas sus formas. Ya que *Thackeray,* el sátiro del siglo XIX, escribió aquí la mayor parte de su novela «Vanity Fair» y la novela «Henry Esmond», existe en este lugar una habitación en recuerdo del fallecido poeta. El jardín de terrazas es del siglo XVIII.

Codington House (15 km NE): La casa, en su origen isabelina, fue desde 1578 residencia de la familia *Codrington.* La casa actual, en estilo Renacimiento-Regency, fue construida por James Watt entre 1796-1813 por encargo de Christopher Codrington. El frente O está adornado por un pórtico que sobrepasa los dos pisos, dominado por seis imponentes columnas corintias. La sala de entrada está decorada con piedras blancas, rojas y negras, así como con ornamentos de cobre. La caja de la escalera se abre sobre los dos pisos, dividiéndose a mitad de camino. En la parte inferior está enmarcada por arcadas; en la superior, por un balcón y una galería. La baranda de la escalera es, probablemente, de procedencia italiana (1760). La casa está instalada en estilo Regency y contiene un museo de arte. Las instalaciones del jardín datan de 1764, según un diseño de Capability Brown. Dos lagos artificiales a diferentes niveles están unidos por una catarata.

Severn Bridge (22 km N): Este puente colgante, finalizado en 1966, tiene entre sus dos pilares, de 120 m de altura, un arco de luz de 1 000 m. Cada uno de los dos cables de soporte aguanta un peso aprox. de 7 000 t.

Buckingham

Buckinghamshire/Inglaterra Pág. 332 □ I 14

Esta confortable pequeña ciudad, parece estar construida circularmente alrededor del mercado y de su Ayuntamiento georgiano. Al lado de la plaza del mercado se encuentra la prisión, que tiene el aspecto de un pequeño castillo. La construcción data de 1758.

Chantry Chapel: Iglesia de la época normanda de la que sólo subsiste el pórtico. El resto de la iglesia fue sustituido por la construcción de la capilla en el año 1475.

Alrededores

Chetwode (12 km SO): La *Church of SS. Mary and Nicholas* fue, en su tiempo, altar de una construcción prioral agustina que fue edificada alrededor de 1250. En la iglesia, de especial interés, su terminación E, con finas ventanas lanceoladas, cuyas vidrieras emplomadas fueron sustituidas en la época victoriana, siguiendo el diseño de los siglos XIII y XIV. Piscina y misericordias del coro tienen ornamento dental.

Chicheley (16 km NO): La *Church of St. Laurence* procede del siglo XIV (casa principal y nave lateral N); la torre fue construida en el siglo XV. En el interior, interesante púlpito de 1708.

Gayhurst (16 km NE): La *Church of St. Peter,* con espectacular torre O, fue construida sobre una iglesia más antigua. En el interior, bonitos trabajos en madera y un monumento dedicado a Sir Nathan Wright y su hijo, que está decorado con dos esculturas verticales adornadas con trajes de la época.

Hillesden (4 km S): La gótica y bella *Church of All Saints* posee una torre O bien proporcionada, con bonitas almenas. El altar está decorado por debajo del tejado por una fila de ángeles en piedra que sostienen en sus manos rollos de escritura. Especialmente interesante es la vidriera policromada con escenas de la vida de *St. Nicholas.* Está compuesta de ocho partes; es del siglo XVI y muestra claramente indicios flamencos. La iglesia posee diversos monumentos fúnebres, entre ellos uno de mármol dedicado a A. Denton y su esposa, obra de Sir Henry Cheere (1733).

Burford

Oxfordshire/Inglaterra Pág. 332 □ I 14

Esta pequeña ciudad, en el *Windrush,* perteneció a los centros del comercio

Bristol. Catedral, nave mayor

Burford. St. John the Baptist

Pórtico de poniente

lanero en los *Cotswolds*. Aparte del puente sobre el *Windrush*, se conservan casas de comerciantes laneros.

Church of St. John the Baptist: Procede de tiempo normando; posee una torre puntiaguda y mantiene su forma actual desde principios del gótico. Son impresionantes las múltiples capillas conmemorativas, así como numerosos monumentos fúnebres. Aquí se encuentra enterrado, al igual que John Falkner, Speaker Lenthall.

Tolsey Museum: La antigua casa aduanera alberga actualmente una amplia colección referente a la historia local y muestra el desarrollo desde tiempos normandos hasta la actualidad.

Alrededores

Great Barrington (4 km O): La *Church of St. Mary the Virgin* procede de la época normanda; conserva su forma actual desde el gótico. Su arco de triunfo es completamente normando; las bóvedas del edificio, no obstante, son un trabajo del siglo XV. De especial interés, el monumento conmemorativo de dos niños fallecidos en 1711 y 1720, obra de Christopher Cass.

Minster Lovell (10 km E): La *Church of St. Kenelm,* con planta en forma de cruz con torre central, data del siglo XV. Extrañamente no coinciden las dimensiones de la torre con las de la iglesia. Siendo la torre más estrecha, las columnas dan la impresión de atar la nave en el transepto. De especial interés son algunas vidrieras procedentes del siglo XV, la pila bautismal gótica, así como los trabajos en madera. El monumento fúnebre de alabastro dedicado a *Lord Lowell,* fundador de la iglesia, data de 1430.
Minster Lovell Hall se convirtió en ruinas alrededor de 1750, cuando fue destruida la vieja casa feudal de los *Lords of Lovell.* Francis Lovell cometió el error de ser leal a

Burford. St. John the Baptist, detalle del sepulcro

Ricardo III y así, después de su caída, Enrique VIII no tuvo piedad de él y se vio obligado a esconderse en su casa de campo. En el año 1708, doscientos años después, se encontró durante unas obras su esqueleto en el escondite. En la actualidad sólo se conservan restos de la gran sala.

Northleach (17 km O): La *Church of SS. Peter and Paul* data esencialmente del siglo XV. Sus constructores obviamente querían impresionar más por el tamaño que por la belleza del edificio. No obstante, la sala de entrada S está bastante lograda con su techo cubierto por bóvedas. Las claraboyas sobre el arco de triunfo son de John Fortey. El púlpito de piedra es gótico; la pila bautismal también está fechada en el siglo XV y está adornada con relieves que representan caras humanas.

Witney (15 km E): Esta pequeña ciudad, conocida por sus mantas de lana en el *Windrush,* posee alguna fábrica del siglo XVIII. La «cruz de mantequilla», en la plaza del mercado, es de 1683. La *Blanket Hall,* una especie de Bolsa de la lana y punto de encuentro de los comerciantes, fue edificada en 1721. La *Church of St. Mary the Virgin* procede de la época normanda; su forma actual, no obstante, data del gótico. De especial interés, la ventana N, también de estilo gótico, y los monumentos fúnebres de los siglos XIV y XV.

Burnley

Lancashire/Inglaterra Pág. 328 □ H 11

Towneley Hall (SE en la orilla de la ciudad): Casa feudal fortificada del siglo XIII. Hasta 1902 fue la residencia de la familia *Towneley.* Construcción actual del siglo XIV; en tiempos posteriores (especialmente en los siglos XVI, XVII y XIX) constantemente renovada. Sala de entrada en estilo inglés-barroco de principios del siglo

Bury St. Edmunds. St. Mary

XVIII. Dos salas en estilo Regency (principios del siglo XIX), *Long Gallery* en estilo isabelino de principios del Renacimiento y una capilla del siglo XVI. En el interior, bonitos muebles del Renacimiento (Tudor y jacobino) e interesantes pinturas; los trabajos de estucado son dignos de admiración. La casa contiene dos colecciones de arte moderno; en verano se organizan exposiciones diversas. En la antigua cervecería de la casa se encuentra un museo (entre otros objetos, artesanía del lugar).

Otros lugares de interés: Iglesia *St. Peter,* con restos de antiguos y valiosos crucifijos.

Alrededores

Accrington (8 km SO): La *Haworth Art Gallery;* edificio construido en 1909 para el industrial William Haworth, en estilo del nuevo Renacimiento (en el interior, hermosos trabajos de estucado y paredes enmaderadas); las colecciones contienen, entre otras cosas, excelentes vasos de Tiffany (diseñados por el genio creador del americano L. C. Tiffany, 1848-1933).

Bacup (9 km S): El *Bacup Natural History Society's Museum* se encuentra en una vieja taberna del siglo XVIII; expone colecciones de historia natural, arqueología del lugar y formas de vivir de la época.

Clitheroe (12 km NO): Importante y tradicional lugar de mercadeo en el que se encuentran unas ruinas de una fortaleza de la época normanda (interesante museo con fósiles).

Colne (8 km N): La iglesia de *St. Bartholomew* fue finalizada en 1122, más tarde fue modificada en estilo perpendicular del siglo XV. En el interior, bonitos monumentos fúnebres de la familia *Emmot* del siglo XVIII (obra de Sir Thomas Taylor). También es de especial interés, el *British in India Museum,* que alberga en su interior importante documentación de ciento cincuenta años de dominación en India (fotografías, uniformes, monedas, dibujos y modelos; también se expone el traje de una soberana afgana, regalado a la reina Victoria).

Gawthorpe Hall (4 km O): Desde 1330 es la residencia de la familia *Shuttleworth;* el castillo, edificado en estilo jacobino de finales del Renacimiento, posee un museo textil y de mobiliario europeo.

Rawtenstall (10 km S): En el *Rossendale Museum,* que se encuentra en la antigua casa de un industrial del siglo XIX, se pueden ver colecciones referentes a la historia local; también es interesante la exposición que muestra las artes sobre el oficio de zapatero y las viejas partituras, notas e instrumentos de los «Deighn Layrocks» (Alondras de Dean), un excelente grupo de músicos que era muy conocido durante el siglo XVIII.

Slaidburn (25 km NO): Iglesia en la que se puede ver una pared de coro de estilo jacobino del Renacimiento muy bien conservada (siglo XVII).

Whalley (12 km NE): Restos de *Whalley Abbey,* abadía construida por los monjes cister-

Bury St. Edmunds. Torreón de acceso

Cathedral of St. James

cienses en 1296 (se conserva en perfecto estado el paseo de las oraciones). En la iglesia *St. Mary and All Saints*, en su origen normanda-románica, reformada en estilo gótico en los siglos XIII y XV, de especial interés, entre otras cosas, la vieja sillería del coro de la abadía y un precioso y viejo órgano, realizado aproximadamente en el 1729; en el cementerio adyacente se conservan varias cruces de estilo prerrománico.

Bury St. Edmunds

Suffolk/Inglaterra Pág. 328 □ L 14

La capital del condado fue denominada por los sajones *Beodericsworth*. El lema sobre el escudo de la ciudad «Sacrarium Regis, Cunabula Legis», narra las «cualidades de la ciudad»: Aquí fue enterrado el rey Edmundo; en la posteridad fue declarado santo, y aquí juraron los soberanos en el Altar Mayor de la abadía obligar al rey Juan a firmar la «Magna Carta». Se fundó un monasterio que no pudo ser destruido durante la conquista normanda gracias al abad Baldwin, de nacionalidad francesa. En 1121 fue nombrado abad Amselm, bajo su mando el monasterio consiguió crear una de las más famosas salas de escritura. Sus valiosos manuscritos ilustrados se encuentran en la actualidad en los más importantes museos del mundo. La famosa «Bury Bible» es propiedad del *Corpus Christi College*, en Cambridge. En 1327 las batallas entre los monjes y el pueblo fueron tan sangrientas que los monjes destruyeron la iglesia parroquial y el pueblo el monasterio.

Abbey: El primer convento fue fundado en 636; en 1032 el rey Canute le concedió el rango de abadía. En la segunda mitad del s. XI, el abad Baldwin reconstruyó el convento, creando una imponente fortaleza rectangular con cuatro impresionantes torres. En la primera mitad del siglo XVI, la abadía *St. Edmundsbury* formó parte de las más ricas y famosas de Inglaterra. De la inmensa iglesia, no obstante, sólo quedan restos de las fachadas E y O. La base del convento todavía se reconoce bastante bien; de la construcción sólo quedan dos de las torres. La más antigua data del siglo XII y es un buen ejemplo de los trabajos prerrománicos. La otra torre fue renovada a mediados del siglo XIV, después de ser parcialmente destruida.

Cathedral of St. James: La iglesia, cerca de la torre, fue comenzada en 1438 y fue consagrada como catedral en 1914. Los muros de la nave son del siglo XV. Las ventanas y el techo fueron renovados en el siglo XIX. La sala del altar, transformada por G. Scott, fue renovada por S. Dykes-Bower.

Church of St. Mary: La enorme iglesia del siglo XV posee en la nave principal un techo de vigas decorado con numerosos ángeles y, en el coro, una bóveda de cañón. Contiene numerosos monumentos fúnebres fechados a partir del siglo XV. En el NE de la sala del altar se encuentra la tumba de María Tudor (1496-1533), hermana de Enrique VIII y reina de Francia.

Moyses Hall Museum: Esta antigua casa de un comerciante judío fue edificada en el siglo XII. Es la vivienda más antigua de *East Anglia* y, en la actualidad, ha sido convertida en museo. Aparte de la crónica de un monje del siglo XIII, se exponen aquí numerosas piezas que datan desde la Edad de Piedra hasta la Edad Media. Las piezas más interesantes son las de un hallazgo del año 1959 realizado en *Isleham,* en Cambridgeshire. Este tesoro forma parte de los hallazgos más importantes de este tiempo realizados hasta el momento en Gran Bretaña. Los detalles decorativos de los utensilios muestran paralelismos con otros similares de la parte superior del Rin, del O de Francia y hasta de Hungría.

Suffolk Regiment Museum: Este museo se dedica por entero a la historia de la regencia del importante e histórico condado de *Suffolk.*

Alrededores

Bardwell (15 km NE): La *Church of SS. Peter and Paul* fue fundada en el siglo XV, siendo renovada y ampliada en el siglo XVI. El pórtico S data de 1430. El techo de vigas estaba decorado originalmente con ángeles; por desgracia se conservan muy pocos. De las vidrieras emplomadas del siglo XV quedan pocos fragmentos originales.

Hawstead (9 km S): La *Church of All Saints* data de la época normanda y posee una torre E ricamente decorada. El techo de vigas de la nave está decorado con ángeles; la sillería del coro está excelentemente trabajada y el púlpito es del siglo XVI. La reja del coro data del siglo XV; los numerosos monumentos fúnebres datan desde el siglo XIII.

Hessett (10 km E): La *Church of St. Ethelbert* data del siglo XIV; la torre E fue construida en el siglo XV. La sillería del coro, la pila bautismal y la reja del coro también datan del siglo XV. En la pared, frescos de los siglos XIV y XV muestran los siete pecados capitales, a Santa Bárbara y a San Cristóbal. La sacristía, del siglo XIV, fue habitáculo de un anacoreta, por esa razón todavía hoy conserva su propio altar.

Ickworth House (6 km SO): En 1792 Frederick August Hervey, *cuarto Earl of Bristol,* ordenó que se construyera esta extraña casa para poder exponer su colección particular de pinturas y objetos artísticos. La construcción de esta gran rotonda fue comenzada, según los planos del arquitecto Francis Sandys, en 1794; tiene dos naves laterales. Después de la muerte del obispo en 1830, el marqués de Bristol concluyó la obra. En la actualidad se encuentran en la casa muebles valiosos, una colección de objetos de plata y objetos artísticos muy variados. Los jardines fueron diseñados por Capability Brown.

Stowlangtoft (14 km SE): La *Church of St. Georg* es gótica y es famosa por sus trabajos en madera. Los bancos de la nave están her-

Bury St. Edmunds. Gárgola

mosamente tallados, así como la sillería del coro, que además muestra increíbles misericordias. Las escenas de la Pasión en el altar fueron talladas por maestros flamencos en el siglo XV. La pila bautismal data del siglo XIV; fragmentos de un fresco, con la imagen de San Cristóbal, son del siglo XV.

West Stow Hall (13 km NE): La casa feudal fue fundada por Sir John Crofts, mariscal de María Tudor, en el año 1520. Una de las salas del interior contiene un fresco de la época isabelina que muestra las cuatro edades por las que pasa el hombre.

Buxton

Derbyshire/Inglaterra Pág. 328 □ I 12

Ya fue famosa en tiempos romanos debido a sus aguas termales; en el siglo XIX se convirtió en un apreciado balneario de aguas curativas (fuentes radiactivas, curas de gota y reumatismo). El cuadro de la ciudad es obra de Lower Buxton; la elegante zona de baños data de la época victoriana.

The Crescent: Fue construido en 1780-1784 bajo orden del *Conde de Devonshire* en el lugar que ocupara una vieja instalación termal romana. Complejo de media circunferencia en estilo de finales del Renacimiento (influido por Palladio). Enfrente, junto al río, *St. Ann's Well,* la fuente termal más antigua y conocida de la ciudad; la *Old Hall* (1600) fue ampliada en 1670.

Museum: Colecciones referentes a la historia de la patria y de la ciudad, así como a la geología del lugar (minerales); pequeña colección artística de pinturas, grabados, cerámica y trabajos en vidrio.

Otros lugares de interés: Iglesia parroquial *St. John the Baptist* de 1811. *De-*

vonshire Royal Hospital, edificado en el siglo XVIII. *Poole's Cavern,* cueva de piedra calcárea, en la entrada un pequeño museo. *Solomon's Temple* (al S del centro de la ciudad); torre circular sobre un cementerio de colina llamado «Grin Low», edificado en 1896 en honor a Solomon Mycock.

Alrededores

Arbor Low (15 km SE): Fundación de piedra con forma circular de las Edades de Piedra y Bronce (1700 a. de J. C.); originalmente 50 piedras verticales de 2-3 m de altura, rodeadas de una fosa y muro. Cerca existe un cementerio sobre una colina de la misma época.

Bakewell (16 km SE): La iglesia *All Saints* fue edificada en la época normanda; posteriormente fue modificada. Hermoso pórtico O románico; la nave principal es gótica. En el interior, entre otras cosas, interesantes monumentos fúnebres. También de interés, el puente sobre el río *Wye,* del siglo XIII, uno de los más antiguos de Inglaterra, y el *Old House Museum* (en el interior de un edificio del siglo XVI con su instalación original).

Castleton (16 km NE): En el interior de la originalmente románica, más tarde reformada, iglesia de *St. Edmund,* se encuentra una bonita y vieja pila bautismal; también de interés un arco románico del coro y trabajos de estucado del siglo XVII. Los restos de *Peverick Castle* (edificado en el siglo XI como una de las primeras fortalezas de piedra normandas). Al NO se encuentra *Mam Tor,* un fuerte sobre un montículo (en la zona también se encuentran tumbas de la Edad del Bronce).

Chapel-en-le-Frith (8 km N): Iglesia *St. Thomas Becket* edificada en 1225 (construcción actual de finales del siglo XIV; pila bautismal gótica, restos de la construcción original en el coro).

Eyam (16 km E): Iglesia construida en la época prerrománica (en la sacristía, una pila bautismal anglosajona; de interés los restos de la construcción románica, entre otras cosas, dos pilares en la cara N). En el cementerio, una cruz anglosajona de 3 m de altura; el lugar se hizo famoso cuando en 1665 un gran porcentaje de la población falleció al aislarse voluntariamente por causa de la terrible enfermedad de la peste.

Haddon Hall (19 km SE): Casa feudal edificada en tiempos normandos (construcción actual de los siglos XIV y XVI). De especial interés la sala de banquetes, el enorme comedor, la capilla y la galería *Long Gallery,* de una longitud de 30 m.

Hope (16 km NE): Iglesia gótica del siglo XV (cerca de la antesala S restos de una cruz anglosajona; en el interior, de especial interés, una pila bautismal románica y el púlpito labrado en madera de encina).

Taddington (10 km E): Iglesia restaurada del siglo XIV; en el interior, de especial interés, un atril de piedra; en el cementerio restos de una cruz anglosajona. Cerca del lugar se encuentra el cementerio prehistórico «Five Wells Tumulus».

Tideswell (10 km NE): La iglesia de *St. John the Baptist,* llamada «Cathedral of the Peak», data del siglo XIV y desde entonces apenas ha sido reformada. La pila bautismal y la pared del coro son de la época de construcción; interesantes monumentos fúnebres de los siglos XIV y XV.

Youlgreave (20 km SE): Iglesia *All Saints,* casa principal románica; torre E gótica. En el interior, de interés, una pila bautismal románica y vidrieras policromadas de Sir Edward Burne-Jones.

C

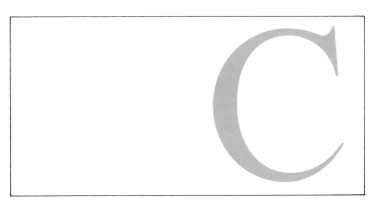

Caernarfon
Gwynedd/Gales Pág. 328 □ F 12

Esta encantadora y vieja ciudad (10 000 hab.) se encuentra al SO de *Menai Street* (Strait); un canal marítimo de 1,5 km de ancho entre el NO de *Gales* y la isla *Anglesey.* La ciudad es testigo de una larga historia. Aquí nació, en 1284, el hijo de Eduardo I de Inglaterra, más tarde Eduardo II, nombrado «Prince of Wales». La tradición de nominar a los sucesores del trono «príncipes de Gales» se conserva en la actualidad (p. e., la Coronación del príncipe Carlos en 1969).

Caernarfon Castle: La fortaleza se encuentra al S de la ciudad, en la desembocadura del río *Seiont,* en la *Menai Street,* y es una de la mejor conservadas fortalezas medievales en Europa. Se encuentra protegida por el canal y el río, así como por una fosa e imponentes muros. La construcción fue terminada de 1283 a 1327 (bajo Eduardo I), en el lugar de una fortificación de piedra y madera normanda. A través de la fosa de la fortaleza se entra en el castillo por

Caernarfon Castle: 1. Pórtico Real. **2.** Cocina. **3.** Torre del Pozo (Well Tower). **4.** Patio interior. **5.** Torre del Águila (Eagle Tower). **6.** Muro de la ciudad. **7.** Torre Real (Queen's Tower) con museo. **8.** Sala de Caballeros. **9.** Torre de Cámara (Chamberlain Tower). **10.** Torre Negra (Black Tower). **11.** Torre Cisterna (Cistern Tower). **12.** Pórtico de la Reina (Queen's Gate). **13.** Torre NE (Nort East Tower). **14.** Torre de almacenamiento de grano (Granary Tower). **15.** Patio exterior.

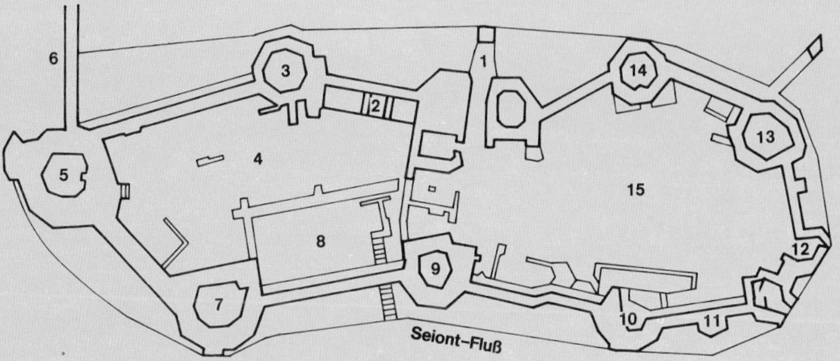

el Pórtico Real (Queen's Gate), con una estatua de Eduardo II; en el camino del pórtico, rejas y troneras hasta la Casa del Pórtico. De aquí se accede al patio interior del castillo con los muros de la cocina y la Torre del Pozo (Well Tower); camino con muro de fortificación hasta la Torre del Águila (Eagle Tower), donde se exponen armaduras medievales.
Aquí comenzaba el muro N de la ciudad. Sigue hacia el E la Torre Real, en la que se encuentra en la actualidad un museo. Adentrándose, los muros de la antigua Sala de Caballeros con puente elevadizo hacia el río. De la Torre de Cámara (Chamberlain Tower, enfrente de la entrada principal) conducen tres caminos fortificados hacia el E, a través de la Torre Negra (Black Tower), a la Torre Cisterna. El Pórtico Real (Queen's Gate) conducía antiguamente a un puente sobre el río *Seiont*. La torre NE (North East Tower) muestra dibujos alusivos a la investidura del Príncipe Carlos, acecida el 1 de julio de 1969. Por último, en el NO se encuentra la Torre del Granero (Granary Tower).

St. Mary's Church: Esta iglesia del siglo XIV, frecuentemente restaurada, se encuentra en la parte NO de la vieja ciudad, exactamente en el punto donde dobla la muralla de la ciudad. La vieja torre del muro es, a su vez, el campanario de la sacristía (edificada en 1740). De especial interés, las arcadas entre las naves de la iglesia en Early-English-Stil (temprano-gótico) y bonitas esculturas de cabezas humanas en las uniones de los arcos.

Otros lugares de interés: El conjunto de los muros de la ciudad, en perfecto estado de conservación, está estrechamente vinculado al castillo (véase plano pág. 97). Está fortificado contorres de defensa y conserva dos enormes pórticos de entrada a la ciudad en la parte E y O de la *High Street*. El imponente *Porth Mawr* (pórtico E) representa el, frecuentemente transformado, «Gran Pórtico»; en una época fue el Ayuntamiento de la ciudad (dañado en 963).

Caernarfon. Caernarfon Castle

Las calles del barrio antiguo están construidas ordenadamente: calle principal de O a E (High Street), tres calles de N a S y camino circular alrededor del muro. En el SE de la ciudad se encuentran los restos de la fortificación romana situada en la parte más al E, el *Forts Segontium* (de 78 a 385 d. de J. C.). El museo arqueológico en el fuerte muestra buenos hallazgos de tiempos romanos y celtas. En el monte de *Twthill* (en las afueras de Twthill West) se encuentran algunos restos de una colonia celta (tumba en una roca). En *Llanbeblig* (cerca del fuerte romano en el SO) se encuentra una vieja iglesia del siglo XIII que conserva, todavía, monumentos fúnebres antiguos.

Alrededores

Beddgelert (20 km SE): En el encantador pueblo vacacional, al S de *Snowdon-Berge*,

se encuentran, en las cercanías del lago *Llyn Dinas,* en un lugar llamado *Dinas Emrys,* restos de un refugio celta del siglo V, relacionado con el mago Merlín. Desde *Beddgelert* se puede hacer una bonita excursión a pie hasta *Snowdon.*

Llanberis (12 km SE): Desde este lugar se recomiendan bonitas excursiones al vecino parque *Snowdonia-Nationalpark* y, sobre todo, al monte *Snowdon* (1 085 m), la montaña que posee mayor altitud de todo Gales. De aquí sale el teleférico, único en Inglaterra, de 8 km (de 1896), hacia la cima del monte *Snowdon* (hermosa vista). En el pequeño lago (Llyn Peris) se encuentran los restos del *Dolbadarn Castle,* con su torre de observación circular. Fue una fortaleza defensiva, de origen normando, construida para defender el paso de *Llanberis.*

Nant Peris (Old Llanberis, 15 km SE): En este pintoresco lugar se encuentra la vieja iglesia *St. Peris,* que data, en su mayor parte, del siglo VI.

Caerphilly/Caerffili

Mid Glamorgan/Gales — Pág. 332 □ G 15

Esta pequeña ciudad se encuentra situada a 13 km al N de *Cardiff* y es mundialmente famosa por sus ricas especialidades en la industria quesera.

Caerphilly Castle: Esta fortaleza se halla situada en medio de un bello paisaje, en perfecto estado de conservación; es una de las mayores de Gales y, probablemente después de *Windsor Castle,* la mayor de la isla. Fue mandada edificar por el Rey Eduardo I en el año 1270; su planta tiene forma concéntrica, de esta manera era fácilmente defendible desde cualquier parte de la muralla. Contiene numerosos pórticos colgantes y, en lugar de un refugio, se construyó una torre (con rejas) que sirve de poderoso bastión. Se penetra al interior de la

Cambridge. King's College, The Backs

fortaleza a través del pórtico exterior, salvando la fosa y el molino de agua. A través de un puente se accede al patio del fuerte donde se encuentra la Sala de Caballeros. A partir del siglo XIV decayó el famoso castillo; una de sus torres fue volada por los soldados de Cromwell y ésta se ha convertido en la nota característica de *Caerphilly* (torre «Torcida»; altura, 24 m).

Alrededores

Castell Coch (4 km S): De esta fortaleza solamente quedan algunas ruinas. Fue edificada totalmente en el siglo XIII; su planta tiene forma triangular y fue reconstruida en varias ocasiones; una de ellas, de forma maravillosa, por el genial William Burges en el siglo XIX. En el interior se conservan pinturas murales, así como en los techos (pájaros, monos, mariposas, escenas de fábulas conocidas, motivos heráldicos y escudos de diversas y prestigiosas familias...).

Cahir

Tipperary/Irlanda Pág. 330 □ C 1

La ciudad, con 2 000 habitantes, est situada a orillas del río *Suir*. En u roca junto al río se eleva el imponente bien conservado *Cahir Castle* (gaélic cahir = fortaleza). El castillo fue edif cado en los siglos XV y XVI por familia *Butler* y es una de las mayor fortificaciones de Irlanda. Se efectu ron restauraciones en los años 1840 1964. Cerca de este lugar se localiza las ruinas de la agustina *Cahir Abbe* La catedral protestante gótica fue ed ficada en 1817 por J. Nash.

Alrededores

Mitchelstown (26 km SO): Esta pequeña ciu dad de 3 000 habitantes, fue ampliament modificada en el siglo XVIII. El *Castle* fu seriamente dañado por un incendio en 192

ambridge. *Queen's College*

u construcción original (1823) es de estilo udor. Cerca se encuentran las (cuevas) *Mithelstown Caves.* Fueron refugio en la revuelta de Munster en 1601.

Cambridge

Cambridgeshire/Inglaterra Pág. 328 ☐ K 14

Esta colonia, construida junto al puente sobre el río *Cam,* que en sus orígenes se llamó *Granta,* ya existió en tiempos romanos. Su nombre proviene del antiguo *Grantebrycge,* después pasó a denominarse *Cantebrigge* , en la actualidad, se denomina *Cambridge.* Hace mucho tiempo que a importancia de la ciudad está en estrecha relación con la extraordinaria que posee su Universidad. Ya en el siglo XII existió una escuela monacal de la que Enrique III hace verdaderos elogios en 1231. El colegio más antiguo fue *Peterhouse,* el *Hugh of Balsham,* fundado por el obispo de Ely en 1281. En 1381 surgieron diferencias entre la Universidad y los ciudadanos: los diversos colegios existentes fueron saqueados, de manera que fueron destruidos gran parte de los escritos que en ellos se encontraban. La Universidad sobrevivió a esta terrible experiencia y consiguió hacerse mundialmente famosa en 1510, cuando trabajó en ella el más importante historiador de todos los tiempos, Erasmo de Rotterdam. Ni la Reforma, que dañó a la mayoría de las universidades, dejó huella en esta gran Universidad. Está compuesta por 23 colegios y parece una pequeña ciudad, debido a sus viejas casas y estrechas calles. El encanto especial que posee ha hecho posible que su crecimiento haya sido incesante desde hace casi un milenio, conservando sus vetustas edificaciones y sus evocadoras callejuelas, que hacen de ella un conjunto artístico único.

Church of the Holy Sepulchre: Es una de las cuatro iglesias normandas que tienen planta de forma circular y que se conservan en Inglaterra. El núcleo de esta hermosa iglesia es originario del año 1130. El coro fue añadido en el siglo XIV y la bóveda del coro está fechada en el siglo XV y fue realizada en madera de encina. En el año 1842 la iglesia, desgraciadamente, fue renovada.

Peterhouse: Está considerado como el colegio más antiguo de la ciudad; fundado en el año 1281, conserva partes de la sala principal de la época de construcción del edificio, que debió ser a finales del siglo XIII. Reviste especial interés la capilla, edificada entre 1628-1632. Su ventana E todavía conserva el emplomado original. El altar está adornado por una hermosa Pietá, obra creada en el siglo XV.

King's College: Esta famosa institución fue fundada en 1441 por Enrique VI. Su capilla gótica, situada en el lado N del gran patio, se comenzó en 1446 bajo Enrique VI y fue finalizada en el año 1515 bajo Enrique VIII. Es llamada *crowning glory* de la universidad y está hermosamente decorada. El edificio posee 25 hermosas ventanas emplomadas, originarias del siglo XVI, que se conservan todas, con excepción de una ventana en el lado O bellamente trabajada por Clayton y Bell. Las increíbles bóvedas en abanico son un marco perfecto en el que se enmarca la sillería del coro y el órgano, revestido de madera tallada de 1536. En el altar se encuentra una pintura realizada por Rubens que representa «La adoración de los reyes». Las instalaciones en las dos capillas laterales proceden de la época original de construcción. La bóveda de la capilla de la esquina NE fue finalizada en el año 1461; la capilla, situada en la esquina SE, *War Memorial Chapel,* todavía conserva sus ventanas emplomadas de origen flamenco y que fueron realizadas en 1530. El *Fellows Building* fue edificado por el genio creador del maestro Gibbs en estilo clásico (1724).

Queen's College: Este afamado colegio fue fundado por *Andrew Doket,* bajo el reinado de Margarita de Anjou, esposa de Enrique VI. El edificio y el patio de este colegio están

King's College, pórtico

King's College

considerados como los más hermosos de la ciudad. Los edificios situados alrededor del primer patio son originarios del siglo XV. La gran sala, con su techo pintado, fue renovada en el año 1732. La *President's Lodge,* enclavada en el lado N del *Cloister Court,* fue edificada en 1573 y alberga en su interior una impresionante galería enmaderada, originaria del siglo XVI. En el *Pump Court* se encuentra la denominada *Erasmus Tower,* en la que vivió Erasmo de Rotterdam cuando enseñaba griego en este mismo colegio.

Jesus College: Este prestigioso colegio fue fundado por *John Alcock,* obispo de Ely, en 1496, en el lugar donde se encontraba el monasterio benedictino *St. Radegund,* disuelto por él mismo. El obispo consiguió edificar los diversos edificios del colegio sin complicar excesivamente la construcción. La iglesia del monasterio fue convertida en capilla del colegio, la casa de la abadesa fue vivienda del rector, el refectorio se transformó en domedor y el edificio-vivienda tuvo que ser elevado un piso. Con el dinero sobrante el obispo pudo construir una hermosa casa con pórtico, que sirvió más para darle fama a él que al colegio. La edificación más antigua del conjunto es la iglesia del monasterio, con planta en forma de cruz, edificada alrededor del año 1200. Gracias al obispo Alcock se conserva exactamente igual; la parte O de la nave fue separada e integrada en la casa del rector. La capilla, delicadamente restaurada, muestra detalles normandos en el crucero N; la impresión general del edificio es temprano-gótica. Las vidrieras emplomadas han sido realizadas por los siguientes maestros: Hardman y Pugin, Madox Brown, Burne-Jones y Morris. En la parte E del *Cloister Court* impresiona el, excelentemente trabajado, pórtico que se conserva en la sala capitular, edificado alrededor del año 1210.

St. John's College: Esta institución fue fundada en el año 1511 por Lady Margaret Beaufort, la *Countess of Richmond and Derby* y madre de Enrique VII, como sustitución del hospital de *St. John,* que había sido erigido en el siglo XIII. La fundadora (fallecida en 1509) no vivió la integración del colegio. El obispo John Fischer, su consejero personal, continuó

la obra, de manera que el funcionamiento del colegio comenzó en el año 1511. La entrada es impresionante; la casa del pórtico, de tres pisos, es obra del constructor real William Swayne, que decoró su obra con escudos heráldicos de la Reina Margarita y Enrique VII. Encima de los símbolos del poder Real se encuentra, colocada en una hornacina, la escultura de *St. John,* realizada en el año 1662, que sustituye a la escultura original procedente de la guerra civil. La capilla del colegio es obra de Sir Gilbert Scott, que fue creada de 1864 a 1869. La *Great Hall* está provista de un hermoso techo de vigas, trabajos de enmaderado y numerosos retratos.
También de notable interés es el *Combination Room,* en el que se pueden admirar excelentes trabajos de enmaderado; el techo se halla estucado y posee numerosos retratos. El *Second Court,* edificado en el período 1598-1602, es un buen ejemplo de construcción en estilo isabelino realizada en ladrillo; es uno de los más hermosos patios interiores del total de los que posee la universidad.

Trinity College: El colegio, considerado como el mayor de la ciudad, fue construido en el año 1546 por Enrique VIII en el lugar que ocupara la *King's Hall* (fundado en 1317 por Eduardo II) y el *Michaelhouse* (fundado en 1323 por Harvey de Stanton). La gran caserna fue comenzada en 1518 y está decorada, en el exterior, con una estatua de Enrique VII y, en el interior, con las esculturas de Jaime I, Ana de Dinamarca y Carlos I. En la *Great Court* se encuentra un pozo construido por Thomas Nevile, rector de 1593 a 1615 y, posteriormente, obispo de Canterbury. En el lado N se encuentra una capilla edificada en estilo Tudor, finalizada en 1561 y ampliada en el siglo XVIII. En la antesala se pueden ver las estatuas de: Newton, Bacon, Barrow, Macauly, Whewell y Tennyson. El lado O está compuesto por la *Great Hall,* finalizada en 1605. Alberga diversos retratos, entre ellos uno de Reynolds. La biblioteca se construyó según el diseño de Sir Cristopher Wren, de 1676 a 1695, en estilo clásico. Los bustos son obra de C. G. Cibber, de 1681. En el interior se pueden ver numerosos bustos de personajes famosos del colegio. Son obra de Louis Roubiliac, Michael Rysbrack, Peter Scheemakers y John Bacon the El-

Queen's College, visto desde Cambridge

der. Los armarios de libros y las estanterías están, en parte, decorados con tallas en madera de Grinling Gibbons. También se conservan valiosos y famosos manuscritos en vitrinas de cristal.

University Library: Es una de las mayores bibliotecas del país y posee más de 15 000 volúmenes manuscritos e impresos antiguos. Entre los tesoros que posee, se encuentran: el primer libro impreso en lengua inglesa, la primera biblia maguntina (1463), así como numerosos y valiosos códices del siglo VI en adelante.

Fitzwilliam Museum: Este museo, mundialmente famoso, pudo ser realizado gracias al *séptimo Viscount Fitzwilliam of Merrion*. En 1816 donó a la universidad 100 000 libras y una biblioteca propia, una colección de 144 pinturas y 130 manuscritos medievales entre otros objetos artísticos de valor. De 1837 a 1847 se construyó, para albergar la colección de George Basevi y C. R. Cockerell, un edificio propio en estilo clásico. En 1875 fue edificada la sala de entrada por E. M. Barry. Las colecciones se componen de hallazgos de la antigüedad (Egipto, Grecia y Roma), manuscritos medievales y códices, pinturas e impresos de todos los tiempos, monedas, medallones y otros objetos artísticos de gran valor.

New Museum: Complejo de múltiples museos y nueva biblioteca central. Las colecciones más interesantes del conjunto son las del museo arqueológico y etnológico, las del museo geológico y la de ciencias históricas.

Alrededores

Anglesey Abbey (10 km E): Esta casa, situada en un frondoso jardín del siglo VII, alberga restos de una antigua abadía agustina del siglo XIII (entre otras cosas se conserva la cripta). En el interior, una colección artística de Lord Fairhaven.

Madingley (16 km NO): La *Church of St. Mary Magdalen* posee una torre O con su bonita aguja y data, fundamentalmente, de los siglos XIII y XIV. Se conservan restos de las vidrieras emplomadas de los siglos XV y XVI. El banco de comunión, del siglo XVII, procede de Cambridge. En la iglesia se encuentran numerosos monumentos fúnebres,

Queen's College, Friar's Court

en especial los de la familia *Cotton*. El más espectacular es obra de Edward Stanton, de 1710. *Madingley Hall,* casa feudal isabelina, en la que vivió Eduardo VII durante su época de estudiante. En la actualidad forma parte del conjunto de la Universidad de Cambridge.

Trumpington (5 km S): La *Church of SS. Mary and Michael,* de planta en forma de cruz, data del siglo XIV. Impresiona por sus arcos increíblemente construidos y las ventanas. De especial interés es la lápida de *Sir Roger de Trumpington,* del año 1289. Es la segunda más antigua de Inglaterra. El crucifijo principal de la iglesia es obra de Eric Gill, del año 1921.

Wimpole Hall (14 km SO): Impresionante casa feudal erigida en el año 1638, con ampliaciones y reformas del siglo XVIII; antigua vivienda y propiedad de la hija del escritor mundialmente famoso *Rudyard Kipling.* En el interior de esta casa feudal se encuentran numerosos objetos que recuerdan la vida y obra del escritor. El camino de acceso a la casa está bordeado, a ambos lados, con hileras de hermosos olmos.

Canterbury
Kent/Inglaterra Pág. 332 □ L 15

Esta adorable ciudad, con su catedral, tiene una historia de más de dos mil años. Antes de que las legiones del César, 54 a. de J. C., expugnaran el territorio, ya fue dominada por los belgas. En tiempos anglosajones la ciudad recibió el nombre de *Cantwarbyrig;* en 597 d. de J. C., *St. Augustin,* que convirtió a Inglaterra al cristianismo, fundó el templo predecesor de la actual catedral. Desde el siglo VII Canterbury es la capital de la iglesia inglesa y, a su vez, su obispo es el supremo espiritual de la iglesia estatal anglicana. Durante los ataques daneses (siglo X y XI), así como en la guerra civil inglesa y durante las dos guerras mundiales, la ciudad y la catedral sufrieron grandes destrozos. La historia de la ciudad está directamente relacionada con la de Thomas Becket (1118-1170). Fue

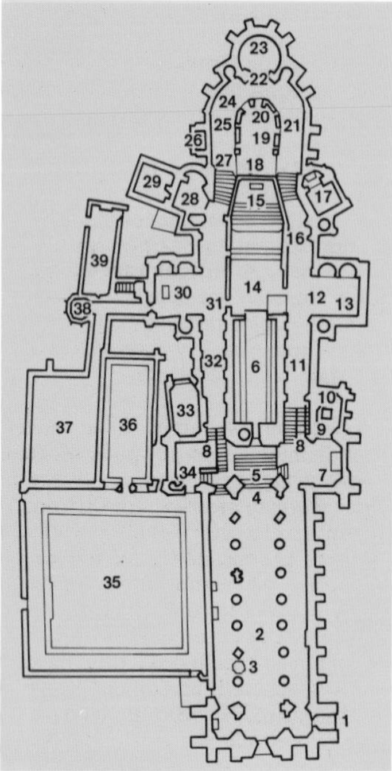

Canterbury. Cathedral: 1. Pórtico S. **2.** Nave central. **3.** Pila bautismal. **4.** Altar de la nave central. **5.** Bell Harry Lantern (impresionante bóveda de abanico). **6.** Coro (de los más largos y bellos del gótico). **7.** Crucero SO. **8.** Escalera de la Cripta. **9.** Warrior's Chapel (con numerosos monumentos fúnebres, entre ellos el de Lady Holland —fallecida en 1439— entre sus dos esposos). **10.** Monumento fúnebre a Stephen Langton. **11.** Coro S. **12.** Crucero SE con el altar de St. John's. **13.** Vidrieras de Bossanyi (finalizadas en 1960). **14.** Presbiterio. **15.** Altar Mayor. **16.** Pilgrim's Stairs. **17.** St. Anselm Chapel, con fresco del siglo XII (Paulus sobre Malta). **18.** Trinity Chapel (hermosas vidrieras policromadas). **19.** Tumba de Eduardo, el príncipe negro († en 1376), con escultura de bronce. **20.** Tumba de Coligny. **21.** Tumba de Hubert Walters. **22.** Corona de Becket. **23.** St. Agustine's Chair. **24.** Tumba de Dean Wotton. **25.** Tumba de Enrique VI († en 1413) y la reina Juana de Navarra (con esculturas en alabastro). **26.** Capilla de Eduardo. **27.** Vidrieras Becket, siglo XI. **28.** St. Andrew's Chapel. **29.** Cámara del tesoro. **30.** Nave NE con los altares de St. Martin y St. Stephen. **31.** Tumba del arzobispo de Chichele (sobre el sarcófago, su imagen con el hábito; en el interior se puede ver una figura envuelta en tela). **32.** Coro N. **33.** Capilla de Dean o Our Lady. **34.** Crucero NO (en el que fue asesinado Thomas Becket; estatua y lápida). **35.** Vía Crucis (bóveda con piedras y emblemas). **36.** Sala capitular. **37.** Biblioteca principal. **38.** Torre del agua. **39.** Biblioteca Howley.

Lord-canciller y amigo del rey Enrique II, que le dio el rango de arzobispo; Enrique II tenía esperanzas de aumentar la influencia Real sobre la Iglesia. Becket, no obstante, una vez asumido el título, se puso de parte de la Iglesia, lo cual provocó la ira del Rey, que hizo asesinar al traidor en 1170 en la misma catedral; en 1173 fue declarado santo por el Papa. La tumba de Thomas Becket, que se encuentra en el lugar del asesinato, se convirtió en meta de infinidad de peregrinos. De ahí surgieron las famosas historias del escritor Geoffrey Chaucer, los «Canterbury Tales», una serie de cuentos que relatan los peregrinos, en forma de competencia, de camino a Canterbury. Estas historias han sido relatadas a la posteridad de diferentes maneras y por diferentes autores, así por Tennyson (1184), T. S. Eliot (1935) y Jean Anouilh (1959).

Cathedral: De la iglesia que erigiera *St. Augustin* en 597 no se conserva nada. La construcción actual procede de los siglos XII al XIV, erigida en estilo gótico-inglés. El exterior está dividido por pilastras y arcos.
Sobresale la torre central *Bell Harry* entre el coro y la nave principal, reedificada por John Wastell en el siglo XVII. Las torres O, más bajas, son de construcción similar. Al E la Corona, de construcción sencilla (Becket's Crown). El coro, edificado por William de Sens, sobresale de la nave edificada por Henry Yvele en 1374 después de un incendio. A través del pórtico S se accede a la nave central, en la cual las pilastras, altas y delgadas, llegan a la hermosísima bóveda. La enorme vidriera O está compuesta de piezas antiguas y modernas. En el alto y majestuoso coro se encuentra una pared divisoria, ricamente decorada con estatuas de obispos y santos. La cripta es, con seguridad, la más hermosa de Inglaterra. El lugar de más interés es la *Lady Chapel,* cuyas paredes son obra de Eduardo, «el Príncipe negro», que quiso ser enterrado en este lugar. La capilla (The Black Prince's Chantry) fue preparada por Isabel I para los hugonotes como sala de oraciones.

Canterbury. Canterbury Cathedral

De esta manera se ha conservado su aire normando hasta la actualidad. Los capiteles de las columnas de la capilla de *St. Gabriel* están decorados con figuras de animales y cabezas humanas; los frescos en las paredes datan del siglo XII. De interés son también las dos capillas románicas, *St. Maria Magdalena* y *St. Nicholas,* así como la *Lady Chapel,* que se encuentra en la parte E. Junto a la catedral están ubicados los edificios monacales erigidos en el siglo XII, que contenían un sistema de abastecimiento de agua fuera de lo común, como se puede imaginar fácilmente por la torre del agua. El *Christ Church Gateway* es una construcción de dobles torres construida en estilo gótico (siglo XVI) y que conduce, desde el recinto de la catedral, a la ciudad.

Otras iglesias:

St. Dunstan's: Procede del siglo XI: fue restaurada en el siglo XIX. Aquí abandonó Enrique II sus ropas cuando se encerró en la catedral, en el año 1174, para cumplir la penitencia impuesta por la Iglesia por la muerte de Thomas Becket.

St. George's: La iglesia donde fue bautizado Christopher Marlowes (1564-1593) fue destruida durante los bombardeos habidos en la segunda guerra mundial, exceptuando la torre.

St. Martin's (1 km E): La pequeña iglesia, con su torre medieval, procede de tiempos agustinos y es la iglesia cristiana más antigua de Inglaterra.

St. Mildred's: Esta iglesia fue edificada en el siglo XIII sobre cimientos de mayor antigüedad.

St. Peter's: Iglesia del siglo XIII, con hermosas vidrieras policromadas.

St. Augustine's College: En este lugar construyó St. Augustin una abadía, de la que existen ruinas en la actualidad. De especial interés es la entrada, *Fydon's Gate*. Cerca, el moderno edificio del *Christ Church College*.

Palacio arzobispal: Construción moderna (1900).

Grey Friars: Fue construida en el sig XIII; en 1920 fue renovada, conse vando su forma original.

Poor Priest's Hospital: El edificio dat del siglo XIV. En él se encuentra Museo del Regimiento.

Hospital de St. Thomas o **Eastbridg** Este hospital fue construido a finale de la Edad Media; recientemente fu restaurado, albergando una hermos cripta en su interior.

The Weavers: Conjunto de casas de pa redes entramadas, habitadas en el pa sado por los hugonotes. En el prime piso se exponen telares y tejidos, qu confirman su gran destreza como teje dores.

Muros de la ciudad: Fueron construi dos entre los siglos XIII y XIV sobr cimientos romanos; quedan pocos res tos; de las siete puertas queda sólo la *West Gate*, en la entrada a la *St. Peters Street*, que en su día sirvió de cárcel y en la actualidad, se ha visto convertida en el *West-Gate-Museum*.

Otros lugares de interés: Los jardines

Chilham (Canterbury). Chilham Castle

de *Dane John Garden,* albergan un monumento dedicado a *Chr. Marlowe.* El *Marlowe Theatre*, en la *Castle Street,* posee una fachada de estilo Tudor. Ruinas de una fortaleza romana. *Roman Pavement* (Longmarket), con restos de mosaicos romanos. *University of Kent,* la vieja y tradicional forma de construcción de colegios ha sido cambiada por la arquitectura moderna. *Royal Museum and Art Gallery,* en este museo se exponen hallazgos arqueológicos y pinturas.

Alrededores

Adisham (5 km SE): La *Holy Innocents Church* es una pequeña iglesia de la época normanda que no está abierta al público.

Barfreston (8,5 km SE): *St. Nicholas,* pequeña iglesia de pueblo con interesantes trabajos en piedra de finales del siglo XII; de especial interés, el pórtico S, en cuyo tímpano está representada la glorificación de Cristo.

Chilham (8 km SO): Encantador pueblo, con un castillo del siglo XVI y el *Battle of Britain Museum.*

Julieberrie's Grave (6 km NO): Tumba de la época Neolítica.

Patrixbourne (3 km E): *St. Mary's Church* es una pequeña y encantadora iglesia con pórtico normando y la imagen de Cristo en el tímpano, así como hermosas vidrieras policromadas del siglo XVII.

Reculver (15 km N): Ruinas de la *St. Mary's Church* del siglo XVII. Del fuerte romano, el más antiguo del país, sólo quedan restos de sus muros.

Cardiff/Caerdydd

South Glamorgan/Gales Pág. 332 □ G 15

La ciudad está situada en la bahía de la desembocadura del río *Severn* al *Canal de Bristol.* Durante la industrialización de los últimos ciento cincuenta años, la ciudad hizo progresos en todos los sentidos. Desde 1955 es la capital de Gales, centro cultural (con universidad) y centro industrial del antiguo reinado.

Historia: En I d. de J. C. fue fundado aquí un fuerte romano sobre cuyos muros el Conde normando *Robert Fitz-Hammon* hizo construir una fortaleza alrededor de 1090. Gracias a la construcción del canal que conducía a la zona carbonífera en 1794 (antiguo centro industrial) y al dique del puerto, de 1830, creció la población de 1 000 habitantes, alrededor del año 1800, a 300 000 habitantes que tiene la ciudad actualmente. La fundación del *National Museum of Wales* (1907) y la *Universidad Nacional* galesa convirtió a Cardiff en centro cultural.

Cardiff Castle: Del antiguo fuerte romano se conservan restos de los cimientos y de los muros; entre otras cosas, es de interés el pórtico N del siglo IV (instalación inferior de piedra). Los normandos construyeron aquí una fortaleza que más tarde fue ampliada y, finalmente, destruida. Los edificios actuales proceden de una reconstrucción del siglo XIX.

Llandaff, Cathedral (en Llandaff): La primera iglesia del lugar fue fundada

Cardiff. Cardiff Castle

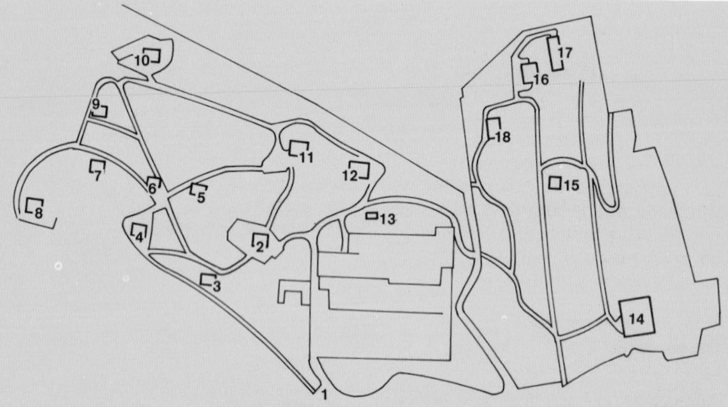

Cardiff Welsh Folk Museum: 1. Entrada. **2.** Casa de campo de Kennixton de 1630 (renovada en el siglo XVIII). **3.** Modelo de un viejo molino de trigo. **4.** Casa de campo de Uschaf del siglo XV. **5.** Cottage de Caernarfonshire de 1762. **6.** Casa de aduana de Aberystwyth de 1771 (instalación completa). **7.** Casa circular de Denbigh de 1726 con plaza para pelea de gallos. **8.** Fábrica de curtidos de Rhayader del siglo XVIII. **9.** Herrería de Montgomeryshire del siglo XVIII. **10.** Casa de campo de Radnorshire del siglo XVI con viejas herramientas. **11.** Casa de campo de Montgomeryshire del siglo XVI con interesantes muebles del siglo XVII. **12.** Capilla unitaria de Carmarthenshire (Chapel Pen-rhiw) del siglo XVIII. **13.** Viejo carruaje de gitanos. **14.** Casa feudal (castle) del siglo XVII con instalaciones diversas y museos (trajes típicos, instrumentos, así como otros objetos de notable interés). **15.** Viejo palomar. **16.** Fábrica textil de Brecknockshire, utilizando la energía hidráulica (procedente de 1760, modernizada en el siglo XIX). **17.** Imitación de una casa de redes y botas de Chepstow (con artículos de pesca). **18.** Establo de Flintshire del siglo XVI.

por el santo celta *St. Dyfrig* en el siglo VI. La construcción de la iglesia que se conserva es de estilo normando Early-English de 1107; en el siglo XV fue finalizada en estilo gótico. El frente O está limitado por dos torres: la torre NE, de 1495, y la torre SE, reconstruida en 1869. El interior fue restaurado en los siglos XVIII al XIX. Pórticos en arco en la *Lady Chapel* y la *David's Chapel.* La cruz celta data de tiempos prenormandos y se encuentra en la nave lateral de la derecha. De especial interés son algunas figuras horizontales de los siglos XIV al XVI; la galería real con varias esculturas de bustos de monarcas ingleses (siglos XIX y XX), así como la moderna escultura de Cristo, realizada en aluminio, están situadas junto al órgano (J. Epstein). La iglesia fue seriamente dañada durante los duros bombardeos a que fue sometida en el transcurso de la segunda guerra mundial (1941) y en 1960 pudo ser puesta en funcionamiento nuevamente.

National Museum of Wales (Civic Centre, cerca de Castle): El Museo posee valiosos monumentos de la época temprano-cristiana, sobre todo cruces celtas de piedra y hallazgos arqueológicos de las tumbas megalíticas prehistóricas (joyas de oro, potes de cerámica y herramientas de Llyn Fawr y Llyn Cerrig). Se exponen hallazgos de la época medieval galesa y una visión general de la artesanía, también galesa, y del desarrollo de la industria (p. e., el modelo de una mina de carbón).
La galería de pinturas contiene valiosas obras, de artistas galeses fundamentalmente, también de Rembrandt, Botticelli e impresionistas (Degas, Manet, Monet, Renoir, Cézanne y otros). En este museo se pueden ver las insignias de la investidura del Príncipe de Gales (corona, anillo y cetro).

Welsh Folk Museum (6 km O, en la población de St. Fagan): Desde 1948 esta parte del Museo Nacional se en-

Cardiff. Sepulcro católico de los Mathew

cuentra en el isabelino *St. Fagan's Castle* del siglo XVI (hermoso parque). Proporciona, a través de maquetas de casas de campo y de trabajo, entre otras cosas, una imagen completa del funcionamiento y la manera de vivir galesa de los siglos pasados. Las viejas herramientas y las instalaciones proceden de todo Gales.

Otros lugares de interés: En el *Cathay's Park* (centro de la ciudad, cerca del Castle) se edificó durane varios siglos el impresionante *Civic Centre,* con numerosos edificios monumentales abiertos al público. Entre los edificios destaca la *City Hall,* de construcción barroca, 1904, con su campanario y la cúpula coronada con el dragón galés. La sala de mármol y la casa de las escaleras están adornadas con esculturas alusivas a la historia de Gales. La universidad, los juzgados (Law Courts) y el famoso Museo Nacional de Gales, de 1907, son parte del *Civic Centre.*

Alrededores

Penarth (8 km S): En el *Turner House Gallery* (museo de arte) se pueden admirar numerosas pinturas e impresos de artistas ingleses y galeses.

St. Nicholas (8 km SO): En este pequeño lugar se encuentra la impresionante tumba gigante megalítica (Cromlech) *Tinkinswood* (Burial Chamber). La prehistórica tumba familiar, para unas 50 personas, data de mediados del siglo III y fue desenterrada en 1914. La impresionante piedra alargada (8 × 5 × 1, unas 50 t de peso) que cubre la tumba, la cámara y la entrada E, con su patio y cinco enormes piedras, todavía se conservan. En las cercanías de *St. Nicholas* (3 km O) se encuentra la tumba comunal de *Tinkinswood,* con el dolmen de *St. Lythan,* de la cámara del Cromlech; en la actualidad se conservan tres piedras de soporte y la piedra superior.

Cardigan/Aberteifi

Dyfed/Gales Pág. 330 □ F 14

Esta pequeña y activa ciudad está situada en la desembocadura del río *Teifi* (4 000 hab.), en el saliente de *Port Cardigan.* La enorme bahía que rodea el lugar lleva el mismo nombre, *Cardigan Bay.* Del viejo castillo del siglo XIII sólo se conservan dos torres circulares (cerca del puente), además de algunas ruinas de los muros de la fortificación medieval de la ciudad. El viejo puente-Teifi data del siglo XVII.

Alrededores

Cenarth (12 km SE): Cerca del lugar, con su hermoso puente de tres arcos de 1800, se encuentra *Cenarth Falls* (numerosas cataratas), el molino de agua más antiguo de Gales (siglo XVIII).

Cilgerran (7 km SE): Aquí se encuentran los restos del viejo castillo, sobre una colina, en un hermoso paisaje. De la fortaleza, construida en 1270, sólo se conservan dos torres cilíndricas y macizas y restos de una de las casernas. En el cercano patio de la iglesia se encuentra una lápida con inscripciones en *latín* y *ogham.*

Llanarth (30 km NE): La iglesia del pueblo contiene una vieja pila bautismal del siglo XIII y una lápida con inscripciones *ogham.*

Llandyssul (27 km SE): Aquí se conservan una torre de iglesia normanda (iglesia parroquial) y una lápida celta con inscripciones en *latín* del siglo VI.

Llechryd (5 km SE): En el lugar se encuentra un pintoresco puente sobre el río *Teifi* del siglo XVI.

Newcastle Emlyn (17 km SE): Hermosa y pequeña ciudad comercial con escasos restos del castillo del siglo XIII, desde el que se divisa un hermoso paisaje.

St. Dogmaels (2 km más allá del puente sobre el Teifi): Aquí se encuentran las ruinas del convento benedictino del siglo XII con su iglesia (numerosas esculturas e inscripciones) en buen estado de conservación; otros restos del edificio datan de los siglos XIII al XVI.

Carlisle

Cumbria/Inglaterra Pág. 328 □ H 10

Cathedral: El comienzo de la construcción data de 1092 como iglesia de una abadía agustina (dedicada a la Virgen María); en 1123 fue finalizada; en 1133, reinando Enrique I, fue convertida en la diócesis de *Carlisle.* En los siglos XIV y XV se realizaron ampliaciones y cambios; en la guerra civil inglesa del siglo XVII fue parcialmente destruida. Dado su largo período de construcción, la iglesia muestra diferentes estilos (normando-románico, Early-English, Decorated, perpendicular y gótico). El coro, finalizado en 1362 en estilo gótico-decorated, es una de las partes más interesantes de la iglesia: la vidriera E, ricamente decorada con la imagen del Juicio Final (19 m de altura, 10 m de ancho); la sillería del coro, de 1400, con dibujos de santos famosos, y un hermoso techo-bóveda. En la nave principal (en la actualidad Capilla del Regimiento), acortada en 1645, se encuentran hermosas pilastras góticas con capiteles sobre los que se representan los meses con sus características. También de interés es el púlpito de 1599 (hasta 1964 en una iglesia de Bedfordshire) y la pared del coro del Renacimiento de 1542. En 1797 contrajo matrimonio en esta iglesia Sir Walter Scott.

Castle: Fue edificado por el rey normando Guillermo II, en 1092. En tiempos posteriores fue ampliado y sirvió en las guerras anglo-escocesas como importante fortificación fronteriza. En 1568 estuvo presa en él María Estuardo; durante la guerra civil inglesa fue conquistado por las tropas del Parlamento. A principios del siglo XIX fue parcialmente destruido. De la construcción original quedan: el pórtico principal del siglo XIV, la *Queen Mary's Tower* y

Carlisle. Carlisle Castle

el imponente cementerio románico. En la fortaleza se encuentra en la actualidad el *Border Regiment and King's own Royal Border Regiment Museum,* con piezas y documentación que recuerdan la historia de las tropas fronterizas.

Otros lugares de interés: Iglesia de *St. Cuthbert* (al SO de la Catedral), edificada en 1778 en el lugar de una iglesia anglosajona del siglo VII; en el interior, hermosa vidriera del siglo XV. Enfrente, un viejo establo que en la actualidad ha sido convertido en salón parroquial. El *Market Place,* con su cruz del mercado de 1682; la *Town Hall,* de 1717, y la *Guild Hall,* del 1377 (también llamada Rednesshall) fueron punto de encuentro de los ocho miembros del gremio de comerciantes residentes en Carlisle. *Tullie House Museum* (Castle Street), es el museo de la ciudad y está ubicado en una casa feudal de estilo jacobino del siglo XVII; en este lugar son de especial interés los hallazgos arqueológicos de tiempos romanos (en el siglo III fue la localidad situada más al N del Imperio romano). Interesante es también la muralla de la ciudad (especialmente al O, allí se encuentra la «Sallyport», puerta secreta que conduce al interior de la ciudad).

Alrededores

Armathwaite (15 km SE): Interesante capilla renovada en el siglo XVII; hermosa vidriera E, obra de Morris & Co. de 1914.

Brampton (14 km NE): Iglesia *St. Martin,* con bonitas vidrieras de Sir Edward Burne-Jones.

Burgh-by-Sands (8 km NO): Iglesia fortificada sobre los cimientos de una iglesia románica situada al E del pueblo: monumento fúnebre de Eduardo I (1307).

Holme Cultram Abbey (24 km O): Restos de una abadía cisterciense de 1135; pórtico E románico en una antesala del siglo XVI y ventanal O en estilo tardío perpendicular del siglo XVII.

Warwick Bridge (6,5 km E): La iglesia *St. Leonard* contiene un ábside románico y los arcos en igual estilo.

Wetheral (5 km SE): Aquí se encuentra la iglesia gótica *Holy Trinity;* en el interior, se halla el interesante monumento fúnebre dedicado a *Mrs. Howard de Corby,* obra de Joseph Nollekens (siglo XVII).

Carlow

Carlow/Irlanda

Pág. 330 □ D 13

La localidad principal del condado de mismo nombre, en el río *Barrow,* es actualmente una activa ciudad comercial e industrial (10 000 hab.).

Carlow Castle: Los anglo-normandos edificaron aquí una fortaleza de río, en 1180, que fue ampliada en los años 1207-1213. De la fortaleza se conserva todavía el muro E con la torre principal y dos torres esquineras. En 1798 el lugar fue escenario de una sangrienta batalla entre los nacionalistas irlandeses y las tropas ingleses.

Otros lugares de interés: La catedral católica fue edificada en estilo neogótico alrededor de 1820. Contiene un hermoso monumento de mármol erigido en memoria del obispo James Doyle, que luchó por la emancipación de los católicos (siglo XIX). El impresionante edificio de juzgados fue edificado en estilo clásico (jónico) en 1830.

Alrededores

Browne's Hill (4 km E): Restos de un imponente dolmen de tiempos muy antiguos, con una roca de más de 100 t de peso.

Killeshin (5 km O): Capilla románica con interesante pórtico (siglos XI y XII).

Leighlinbridge (12 km S): Restos del *Black Castle;* torre del siglo XIV.

Muine Bheag (16 km SE): En las cercanías se encuentran los restos de *Ballymoon Castle,* de principios del siglo XIV. Se conserva el patio rectangular de la fortaleza, con muros, edificio y restos de la torre del homenaje. La caserna, con su torre defensiva, estaba situada al O.

Old Leighlin (12,5 km S): La catedral protestante de *St. Laserian,* con torre central y capilla N, data del siglo XIII (fue ampliada

Carlow. Palacio de Justicia

en el siglo XVI). De especial interés son: la pila bautismal del siglo XIII y las lápidas del siglo XVI.

Tullow (12 km SE): Vieja cruz celta en el antiguo cementerio del patio de la abadía.

Carmarthen/Caerfyrddin

Dyfed/Gales Pág. 332 □ F 14

La vieja ciudad condal (13 000 hab.) se encuentra en la desembocadura del río *Toey* (gaélico = Afon Tywi) y en su tiempo fue un importante puerto.

Historia: Se supone que el fuerte *Moridunum* fue romano; no quedan restos de él. Según la tradición celta, en este lugar vivió el legendario mago Merlín, de la mesa redonda del rey Arturo (500 d. de J. C.); el nombre gaélico de la localidad significa «fortaleza de Merlín». Alrededor del año 1100 los conquistadores normandos fortificaron la ciudad.

Castle: El castillo normando fue reformado en su mayor parte en el siglo XIV (en especial la caserna). Durante largo tiempo fue prisión del condado; en la actualidad se conservan escasos restos.

St. Peter's Church: La hermosa iglesia comunal, con su impresionante torre defensiva, data del siglo XIII. En la iglesia se encuentra un altar romano y varias tumbas interesantes (entre otras, de Rhys ap Thomas, del siglo XII, y Sir Richard Steele).

Otros lugares de interés: La bonita *Guild Hall* data del año 1766. En la ciudad, diversas estatuas de generales y héroes victoriosos. Del convento normando de 1105 no quedan huellas; en él se escribió el «Libro negro de Carmarthen», el manuscrito cámbrico de más antigüedad (se encuentra en la Biblioteca Nacional de Aberystwyth). En el lado E (dirección Brecon) se localizan los restos de una encina viejísima que el pueblo denomina «la encina mágica de Merlín».

Alrededores

Laugharne (25 km SO): Esta localidad es un vivo ejemplo de ciudad del siglo XVIII. El

Carmarthen. Vista panorámica

Town Hall (Ayuntamiento), reformado, data de 1746 (documentación muy antigua). La *St. Martin's Church* data del siglo XIV; fue restaurada en los siglos XV y XIX (vieja cruz de piedra). El castillo de *Laugharne* (siglo XII) fue transformado en el año 1300; dos de las torres fueron incluidas en la residencia posterior erigida el año 1582. La caserna actual es de la Edad Media; la vivienda data de la época georgiana (siglos XVIII al XIX). En el cementerio se halla enterrado el famoso poeta Dylan Thomas (1914-1953), que pasó sus últimos días junto a su familia en Laugharne.

Llansteffan (19 km SO): Este pintoresco pueblo costero, en la desembocadura del *Towy,* posee las ruinas de una impresionante fortaleza. La construcción normanda de tierra y piedra fue restaurada después de su destrucción, casi total, en el siglo XIII (imponente caserna). En los alrededores de *Llansteffan,* especialmente en *Lan-y-bri,* se encuentran numerosas capillas medievales en un paisaje solitario en el que se hallan viejas tumbas y patios.

St. Clears (20 km SO): En esta pequeña ciudad se encuentra, cerca del terraplén de una vieja fortaleza normanda, una iglesia también normanda con arcos finamente trabajados en la sala del Altar Mayor (antigua iglesia cluniacense).

Carndonagh

Donegal/Irlanda Pág. 326 □ D 9

En esta pequeña ciudad con 1 000 habitantes en el N de la península, se encuentra la cruz temprano-cristiana de *St. Patrick* (Donagh Cross), del siglo XV. Es una de las primeras cruces decoradas, en relieve, antecesoras de las posteriores «cruces elevadas» (High Crosses). El relieve representa la imagen de Cristo con los brazos extendidos y, a los costados, dos placas de piedra con las imágenes de David y motivos de la Crucifixión (Carved Slabs). Cerca se encuentra la protestante *Church of Ireland,* con su hermoso pórtico creado en el siglo XV.

Alrededores

Carrowmore (15 km E): En este pueblecito se encuentran dos cruces trabajadas en relieve (imágenes de ángeles) y varios monumentos fúnebres, únicos restos de un antiguo monasterio. Cerca (hacia el N, dirección Culdaff) se halla la *Clonca Church,* del siglo XVII, en el lugar del antiguo convento *St. Buodan,* del siglo VIII. El bonito monumento, en el NO de la iglesia, tiene grabadas inscripciones galesas. Junto a la iglesia, una cruz elevada, con motivos bíblicos.

Greencastle (28 km SE): El lugar está situado en la entrada de la bahía de *Lough Foyle;* cerca se encuentra *Inishowen Head.* Las ruinas del castillo datan de 1305; la planta tiene forma alargada; se conservan los impresionantes muros, la torre central gruesa y rectangular y una caserna defendida por otra torre (gathouse). Fue construido por el «Red Earl of Ulster», Richard Burgh; la finalidad de la construcción era defender la entrada a la bahía.

Carrickfergus

Antrim/Irlanda del Norte Pág. 326 □ E 10

Este puerto fue de enorme importancia durante la invasión anglorromana en el siglo XII, antes del auge de Belfast; su nombre, «roca del Fergus», recuerda la leyenda referente al rey escocés Fergus, que supuestamente murió ahogado en este lugar alrededor de 320.

Carrickfergus Castle: La estratégica fortificación marina fue edificada por el normando *Juan de Courcy,* el conquistador del Ulster, en 1180. En 1210 tomó posesión del castillo sin las tierras el rey Juan y, hasta 1928, continuó siendo propiedad inglesa. La caserna está flanqueada por dos torres en forma de media luna; cerca se halla un granero del siglo XVI. Entre el patio exterior e interior se encuentra el cementerio (Keep) de cinco pisos y muros de 2,7 m de grosor. La ciudadela, de 27 m de

Carrick-on-Suir. Vista panorámica

altura, en la que en la actualidad se alberga el Museo de la Patria, data de principios del siglo XIII. En el tercer piso se halla el *Fergus-Saal,* conservado excelentemente. Desde el terrado existe una maravillosa vista. También de interés, un pozo, de 12 m de profundidad y la prisión del castillo.

Otros lugares de interés: La iglesia parroquial de la ciudad, *St. Nicholas,* posee restos de una edificación románica y, en el crucero N, el increíble túmulo de la familia *Chichister.* Las ventanas S son de excepcional belleza, de estilo flamenco, del siglo XVI. La iglesia fue reedificada en 1606. De la antigua fortificación de la ciudad se conserva en el N un pórtico del siglo XVII.

Alrededores

Ballygalley (30 km N): El castillo data de 1625; el cementerio central, del s. XVI.

Glenarm (40 km N): Aquí se encuentra el castillo de los *Condes de Antrim* del siglo XVII; en el patio de la iglesia, restos de un monasterio franciscano del siglo XV.

Island Magee (12 km NE): En la península se encuentran las colinas de basalto *The Gobbelins* (77 m de altura), con cuevas y un dolmen prehistórico.

Larne (22 km N): Copia moderna de una torre circular (en el puerto) y restos del *Olderfleet Castle* (siglos XIII y XIV) con torre defensiva de tres pisos.

Carrick-on-Suir

Tipperary/Irlanda Pág. 330 □ D 13

Esta encantadora población junto al río *Suir* (5 000 hab.) fue fundada en los siglos XIII y XIV por la familia condal *Butler.*

Ormonde Castle: El castillo, en buen estado de conservación, fue fundado

Carrick-on-Suir. Ormonde Castle

por *Edmund Butler* en 1309 y ampliado en el siglo XVI en estilo isabelino. Aquí nació Ana Bolena (1507-1536), de la casa de *Ormonde*. En los salones interiores hermosos trabajos de estucado y chimeneas. También se conserva el cementerio, del siglo XV.

Otros lugares de interés: La iglesia parroquial católica (lado opuesto del río) posee restos de una torre y pared N de un convento franciscano del siglo XIV.

Alrededores

Ahenny (12 km N): Dos hermosísimas cruces del siglo VIII, decoradas con dibujos geométricos (espirales y trenzados). En los zócalos, imágenes de figuras. Cerca se encuentran tres de las llamadas *Kilkeran Crosses* (siglo X); especialmente bonita la cruz E, ricamente decorada.

Castletown House (3 km N): El bonito edificio fue edificado para el arzobispo de *Cashel* en 1770.

Cartmel
Cumbria/Inglaterra Pág. 328 □ H 11

Priory Church St. Mary: A partir de 1188 se renovó la instalación más antigua gracias a William Marshal, *Earl of Penbroke* y *Baron de Cartmel* para los señores del coro agustino. El período de construcción fue largo, hasta finales del siglo XV. En 1537, no obstante, fue disuelta durante la época de la Reforma inglesa, reinando Enrique VIII; posteriormente decayó. A principios del siglo XVII se comenzaron las restauraciones bajo el mando de George Preston of Holker y se renovaron las instalaciones interiores en estilo renacentista. *Construcción exterior:* Estilo del coro normando-románico, al igual que el crucero. La nave principal, en

Cartmel. Priory Church St. Mary

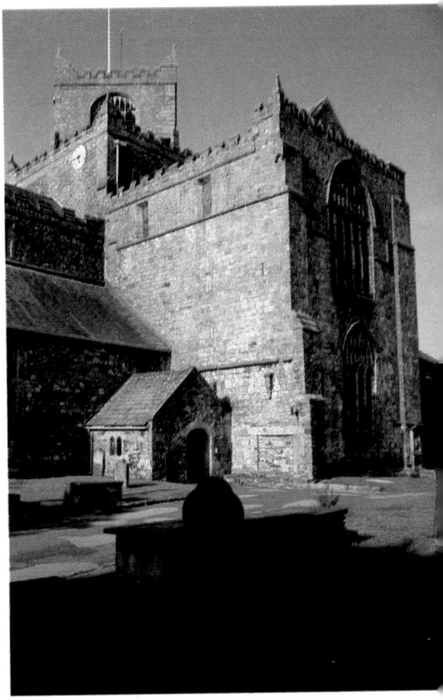

Exterior de la nave principal

estilo perpendicular del siglo XV; el transepto es, en su parte inferior, normando-románico; el castillo superior, construido en diagonal, es del siglo XV. *Espacio interior:* Planta en forma de cruz, vía de acceso a la nave principal por el hermoso pórtico S. Acceso al coro (parte más antigua de la iglesia) a través de la pared de coro del Renacimiento (siglo XVII, probablemente obra de un maestro flamenco); se pueden ver, en el mismo coro, los hermosos arcos que conducen a las capillas laterales, a la nave lateral del coro de estilo decorated (fue usada durante largo tiempo como iglesia parroquial) y a la sillería del coro. Las vidrieras E fueron añadidas en el siglo XV (en lugar de las viejas vidrieras policromadas que fueron trasladadas a la iglesia *St. Martin,* en Windermere). También de interés son las misericordias del coro y el monumento fúnebre, *Harrington,* del siglo XIV; enfrente se halla la tumba, todavía más antigua, de *William Walton,* el que fuera Prior de *Cartmel.*

Otros lugares de interés: Caserna de un monasterio del siglo XIV; cruz en el mercado del siglo XVIII.

Alrededores

Holker Hall (2 km O): Antigua residencia de los *Condes de Devonshire,* edificada en el siglo XVII y renovada después de un incendio en 1873. En el interior, hermosos trabajos en madera de artistas oriundos y exquisitos muebles de estilo.

Cashel

Tipperary/Irlanda Pág. 330 □ C 13

En el centro de la meseta *Tipperary* se eleva la inmensa roca de piedra calcárea de 100 m de altitud (Castell). El lugar da pie a infinidad de sagas. Ya en el siglo IV se convirtió en el centro fortificado de los reyes celtas de *Munster.* St. Patrick convirtió aquí, alrededor de 450, al entonces rey *Aenghus.* Desde entonces muchos reyes de Cashel fueron a su vez obispos. Aquí residió, alrededor del año 1000, el supremo rey *Brian Boru* que, en la batalla de «Clontraf», aniquiló a sus adversarios escandinavos en Dublín. En 1100 la fortaleza era dominada por la religión. Los obispos, en especial *Cormac MacCarthy* (siglo XII), convirtieron a Cashel en la principal fortaleza (Acrópolis) de creyentes irlandeses católicos. En el siglo XVIII empezó a decaer el poder de la fortaleza y la construcción empezó a desmoronarse. La sede episcopal católica fue trasladada a *Thurles;* en la actualidad, Cashel es sede episcopal protestante.

Cornac's Chapel: La iglesia, que fue edificada en 1134 por el obispo Cormac MacCarthy, es una de las mayores obras maestras de la época románica en Irlanda. El material de construcción es el ladrillo y la piedra. La nave principal es muy alta; tiene especial encanto el coro y las columnas arqueadas. De especial interés, es el pórtico N arqueado en la parte superior y, el igualmente trabajado, pórtico S (entrada actual). En el interior de la iglesia la decoración consiste especialmente en trabajos de escultura en piedra y ornamentos. En este lugar se encuentra el llamado *MarCarthy Sarkophag,* del siglo XII, con generosas decoraciones en relieve. Las dos torres laterales muestran numerosos restos de arte románico alemán; el obispo Cornac se dejó aconsejar por expertos de la abadía de *Dionysius de Regensburg.*

Cathedral: La enorme iglesia en forma de cruz procede del siglo XIII, unos cien años posterior a *Cornac's Chapel.* Está compuesta por la nave principal y el coro, un crucero S, otro N (1260) y un imponente transepto.
En el interior, hermosas bóvedas arqueadas ojivales, esculturas y monumentos fúnebres de los siglos XV y XVI. En la nave lateral N se encuentra una torre circular de 32 m de altura del siglo XI, sin duda, la edificación más antigua del «Rock of Cashel». La catedral fue incendiada en 1495 por el *Earl of Kildar.* En 1749, el arzobispo *Price* hizo desmontar el techo de ésta, ya

Cashel. Cormacs's Chapel

que supuestamente era demasiado pesado para la construcción. En el año 1763 se comenzó una nueva catedral abajo, en la ciudad.

Otros lugares de interés: El castillo, al O de la catedral, que fue edificado por el obispo *O'Hedigan* en el siglo XV sobre antiguos cimientos. En la entrada a la «Acrópolis de Irlanda» se encuentra la *Hall of the Vicar's Choral* del siglo XV, refugio de religiosos. Cerca, el célebre *St. Patrick's Cross,* de los siglos XI y XII, con imágenes en relieve (Cristo y St. Patrick). El zócalo de la cruz, con hermosa ornamentación, fue la pila bautismal del primer rey celta cristiano de 450. Más tarde fue utilizado como piedra de coronación. Debajo de la colina de la fortaleza (al O) se hallan los restos de la abadía cisterciense de 1272, *Hore Abbey* (abadía hermana de la Mellifont-Drogheda). Se conservan las ruinas de la iglesia, que consisten en tres naves (siglo XIII), atril y torre central del siglo XV, sala capitular y sacristía. En el lugar, restos del *Dominican Friary,* de 1243, Palacio Arzobispal en estilo georgiano de 1730 (en la actualidad hotel) y la catedral protestante de 1750-1758 (georgiana), con torre cubierta, de 1812. Del *Quinke's Castle*, del siglo XV, sólo se conserva una torre de defensa.

Alrededores

Athassel Abbey (8 km SO): Los restos del convento agustino datan de los siglos XII y XIII. Fue uno de los mayores conventos medievales de Irlanda. La iglesia se compone de dos cruceros, un transepto y una torre más pequeña NO. Merece especial atención el pórtico O, gótico, y un monumento fúnebre con imágenes de caballeros del siglo XIII (en el coro S).

Castle Acre
Norfolk/Inglaterra Pág. 328 □ L 13

En esta pequeña localidad, cerca del *Nar,* se encuentran numerosas iglesias y construcciones interesantes. Fue colonia ya en tiempos romanos, cuando pasaba por el lugar el *Peddars Way,* importante vía romana. En este lugar

Castle Acre. Priory, fachada de poniente

Castle Acre. Church of St. James

Púlpito gótico

se descubrió un cementerio sajón que data del siglo V.

Priory: William de Warenne, el *segundo Earl of Surrey,* fundó aquí, alrededor de 1090, un priorato cluniacense, del que quedan impresionantes restos. De especial interés, la fachada O, con sus hermosos arcos del siglo XII. También interesantes son la vivienda y la capilla del priorato, renovadas en el Renacimiento. Los muros todavía datan del siglo XIV; el techo de madera y la capilla datan de 1500. La caserna de esta singular edificación fue construida en el siglo XVI.

Castle: La fortaleza normanda descansa sobre cimientos que, probablemente, proceden de tiempos romanos. El castillo, al igual que el convento, también fue fundado por *William de Warenne,* hacia finales del siglo XI. En el siglo XIV quedó abandonada y el pueblo la utilizó como cantera. Se conserva de la época de construcción la caserna, construida en el siglo XIII, que posee dos torres circulares.

Church of St. James: Esta iglesia parroquial del siglo XIII se encuentra entre la fortaleza y el convento. Su forma actual data de los siglos XIV y XV. De especial interés son sus tallas pintadas, el púlpito y el coro, también decorados con pinturas del 1400. La pila bautismal es de construcción gótica y, en parte, se conservan los trabajos de pintura. En la sillería del coro existen fantásticas misericordias.

Alrededores

Narborough (8 km O): La *Church of All Saints* procede de la época normanda; posteriormente fue reformada y ampliada. Se conservan restos de las vidrieras policromadas

el siglo XV y numerosos monumentos fúne-
res procedentes del siglo XIV, dedicados a la familia *Spelman*. Especialmente bonito es el de *Clement Spelman* (fallecido en 1672), que posee la escultura yacente del finado sobre la tumba, con el atuendo típico de la época. El difunto expresó el deseo de que así se hiciera.

Oxburgh Hall (20 km SO): La construcción de la casa feudal fortificada fue comenzada por *Edmund Bedingfield*, en 1482. La casa, rodeada por un resistente muro, posee una enorme caserna construida en ladrillo del siglo XV que es considerada la mayor de toda Inglaterra. La construcción es, en la actualidad, propiedad de la familia del fundador; de esta manera se han conservado diversos objetos originales de la época. En la *Bedingfield Chapel*, cerca de la iglesia parroquial, se encuentran dos monumentos fúnebres de la familia fundadora, del siglo XVI, trabajados en terracota.

Swaffham (8 km S): Esta pequeña ciudad posee numerosas casas de la época georgiana. La hermosa rotonda, coronada con una figura de *Ceres*, fue edificada en 1783 por el *Earl of Oxford*. La *Chuch of SS. Peter and Paul*, del siglo XV, posee impresionantes claraboyas. La nave está provista de un impresionante techo de vigas, decorado con esculturas de ángeles.

Castledermot
Kildare/Irlanda Pág. 326 □ D 13

En este pequeño lugar, en el condado de *Kildare*, hay numerosas muestras de construcciones de la época temprano-cristiana. Alrededor de 812 fundó en este lugar el santo celta *Dermont* un monasterio fortificado: *Castledermont* (fortaleza de Dermont). Todavía se conserva la torre circular del siglo X y la portada románica de la iglesia.

Cruces celtas elevadas: Merecen especial atención las dos cruces que se conservan del siglo XIX, con bonitas imágenes de escenas bíblicas. *Cruz S* (South Cross): Cautiverio de Cristo, Crucifixión, Isaac, Adán y Eva y Daniel en la gruta de los leones. *Cruz N* (North Cross): Adán y Eva, Isaac, Daniel y asesinato de los infantes y, en el *lado E,* las bodas de Canaán.

Moone (Castledermot). High Cross

Otros lugares de interés: En la parte final S del pueblo están las ruinas de un convento franciscano de 1300. Al N, un *Pigeon's Tower* (palomar), del siglo XV, ocupando el lugar del convento de San Juan, del siglo XIII.

Alrededores

Baltinglass (14 km NE): Interesantes restos de la abadía cisterciense *Baltinglass Abbey*, fundada en 1148. Se conservan la nave y el coro del siglo XII, así como partes del crucero y del edificio monacal. Sobre la colina del pueblo, restos de una tumba megalítica.

Castle Howard

Moone (8 km N): La famosa cruz celta de la época cristiana data de los siglos VIII al IX. La cruz, de granito, sobre un zócalo triangular, tiene una altura de 5,50 m. Las placas de piedra están adornadas con motivos de: Los doce apóstoles, Las bodas de Caná y La huida a Egipto. Cerca se encuentran los restos de un convento franciscano erigido en el siglo III.

Castle Douglas

Dunfries and Galloway
Region/Escocia Pág. 328 □ G 10

Esta pequeña ciudad se llamó, en un principio, *Causewayend*, posteriormente *Carlingwark* y, en 1789, recibió finalmente su nombre actual.

Threave Castle: La fortaleza de los *Douglas-Clan* fue edificada por Archibald, *Earl of Douglas*, en 1369-1390. La torre, de cuatro pisos, fue la última de las fortalezas de *Douglas-Clan* que pudo conquistar Jaime II, en 1455, en su batalla contra el Douglas-Clan . No consiguió su propósito tras el emplazamiento del cañón «Mons Meg», que actualmente se encuentra en el castillo de *Edinburgh*. En 1640 irrumpieron los Covenanters en la fortaleza restaurada y destruyeron por completo su interior.

Threave Gardens: El parque alrededor de la casa *Threave* es famoso por su composición *Rhododendron*, su jardín de rocalla y de agua. En dirección al río *Dee* se encuentra una reserva de pájaros acuáticos.

Alrededores

Cardoness Castle (en Gatehouse of Fleet, 22 km SO): Ruinas de una torre de cuatro pi-

os. De especial interés, la bóveda del sóta-
o, la escalera de caracol, así como los ban-
os de piedra y las hermosas chimeneas. Des-
e la torre se goza de una hermosa vista sobre
a bahía *Fleet.*

)undrennan (25 km S): La abadía cistercien-
e, fundada en este lugar en 1142, es uno de
os conventos más importantes de Escocia.
'or desgracia se conservan pocos restos de
a sala capitular y del crucero gótico (ambos
lel siglo XIII).

Kirkcudbright (20 km SO): En el lugar existe
ɹn pintoresco y pequeño puerto y las ruinas
lel *MacLellan's Castle* de 1582.
El Ayuntamiento de la pequeña ciudad data
lel siglo XVI; la cruz del mercado es de 1610.
En el *Broughton House* se puede ver una in-
eresante colección de pinturas de E. A.
Hornel. El *Stewartry Museum* es el museo
principal de *Galloway.*

Castle Howard. Fuente

Castle Howard

North Yorkshire/Inglaterra Pág. 328 □ I 11

Uno de los castillos más hermosos de Inglaterra, comenzado en 1701 para el tercer *Earl of Carlisle,* obra maestra del arquitecto John Vanbrugh, que no pudo ver finalizada su obra (fallecido en 1726). Junto a él trabajó Nicholas Hawksmoore, discípulo de Christopher Wrens. Obra de Vanbrugh es, además de la casa principal, el «templo de los cuatro vientos», situado en el parque del castillo (en el interior, antiguas estatuas de mármol); obra de Hawksmoor es la pirámide y el mausoleo familiar (rodeado por una sala de columnas, cerca del templo). Las caballerizas son obra de John Carr de York (en el interior, colección de trajes típicos y disfraces). En el interior del edificio del castillo es de especial interés la *Great Hall* (25 m de altura; cúpula barroca), la imponente caja de escalera, la *Long Gallery* (más de 50 m de longitud) y la capilla del castillo (en el techo una pintura de Holbein de Londres). De la decoración merece especial atención la colección de porcelanas y la colección de objetos antiguos (entre otras cosas, el altar de Delphi), tapices del siglo XVIII y pinturas de grandes pintores europeos (entre otros, pintores ingleses como Gainsborough, Reynolds y Romney y artistas italianos, como Paolo Veronese).

Alrededores

Kirkham Priory (5 km S): Restos de un convento agustino de los siglos XIII al XIV. Se conserva la hermosa casa del pórtico en estilo decorated del siglo XIV, partes del Vía Crucis y escasos restos de la iglesia.

Malton (10 km N): Lugar de fortificación en tiempos romanos (hallazgos arqueológicos en el museo local); de especial interés, las dos iglesias, *St. Michael* y *St. Leonard,* ambas con partes de construcción normando-románicas.

Old Malton (11,5 km NE. Pertenece a Malton): De especial interés, la iglesia parroquial construida entre los restos de un priorato de 1150, del que todavía se conservan partes de dos torres.

Cavan

Cavan/Irlanda Pág. 326 □ D 11

La tranquila ciudad (3 000 hab.) está situada en el lado SE del lago *Lough Oughter,* donde se encuentran los restos de la torre medieval de los siglos XIV al XV, del mismo nombre, y la, casi derrumbada, torre circular *Drumlane* (con ruinas de la iglesia del siglo XIII). En Cavan se encuentra una catedral episcopal de 1942 y una iglesia parroquial de 1810.

Alrededores

Clones (20 km NE): En la localidad fronteriza se encuentran las ruinas de una iglesia del siglo XII, junto a una torre circular, como único resto de una fundación monacal (St. Tighernach, siglo VI). También de interés el *St. Tighernach's Shrine* (sarcófago de piedra) y una interesante cruz de los siglos X al XI que está compuesta de diversas piezas (bonitas imágenes).

Cootehill (20 km NE): En el SE, restos del cementerio prehistórico *Cohaw Court-Cairn,* con cinco cámaras y muros de piedra. Cerca, la pintoresca casa feudal *Bellamont Forest,* de Thomas Coote, con pórtico dórico (1730) y el *Dartrey Mausoleum,* realizado por J. Wyatt (1770).

Kilmore (7 km SO, en la parte S del lago Lough Oughter): Hermoso pórtico de iglesia del siglo XII en la moderna catedral de *St. Feidhlimidh.*

Monaghan (43 km NE): La ciudad del condado posee edificaciones de interés de los siglos XVIII y XIX; entre otros, el mercado, de 1791, y la catedral católica *St. Macartan* de 1861-1892, obra de J. J. MacCarthy.

Cheimsford

Essex/Inglaterra Pág. 332 □ L 15

Capital del condado de Essex se convirtió, en 1914, en sede episcopal; su iglesia parroquial fue consagrada como catedral.

Cathedral: La vieja iglesia parroquial *St. Mary* fue finalizada en el año 1424, de la construcción original sólo queda la torre O, ya que en 1800 se derrumbó la iglesia casi totalmente. Son detalles de interés de la iglesia actual, la entrada S y la aguja de la torre, finalizada en 1749. En la pared N de la sala del altar se encuentra un original arco doble de principios del siglo XV. Los monumentos fúnebres de más antigüedad, los *Mildmay,* datan de la segunda mitad del siglo XVI. La instalación interior es del siglo XIX.

Museum: Contiene antigüedades de todos los tiempos, entre ellas numerosos exponentes de la época romana. También de interés la *Tunstill Collection,* con vasos ingleses de todas las épocas.

Alrededores

Ingatestone (11 km SO): La casa feudal *Ingatestone Hall* fue edificada en 1540 para el ministro de estado Sir William Petrep. Desde 1953 la nave N ha sido convertida en archivo del condado de Essex, en el que se conservan más de tres millones de documentos, manuscritos y viejas fotografías. La construcción principal alberga muebles de los siglos XVIII y principios del XIX; la sala del jardín está decorada con enmaderados y muebles de estilo Tudor.

Margaretting (6 km NO): La iglesia gótica *St. Margaret* data de mitad del siglo XV. De la misma época procede la pila bautismal. De especial interés, la vidriera E, con la imagen del árbol genealógico de Jesé; la parte del centro representa al rey David tocando el ar-

Cheltenham. Church of St. Mary

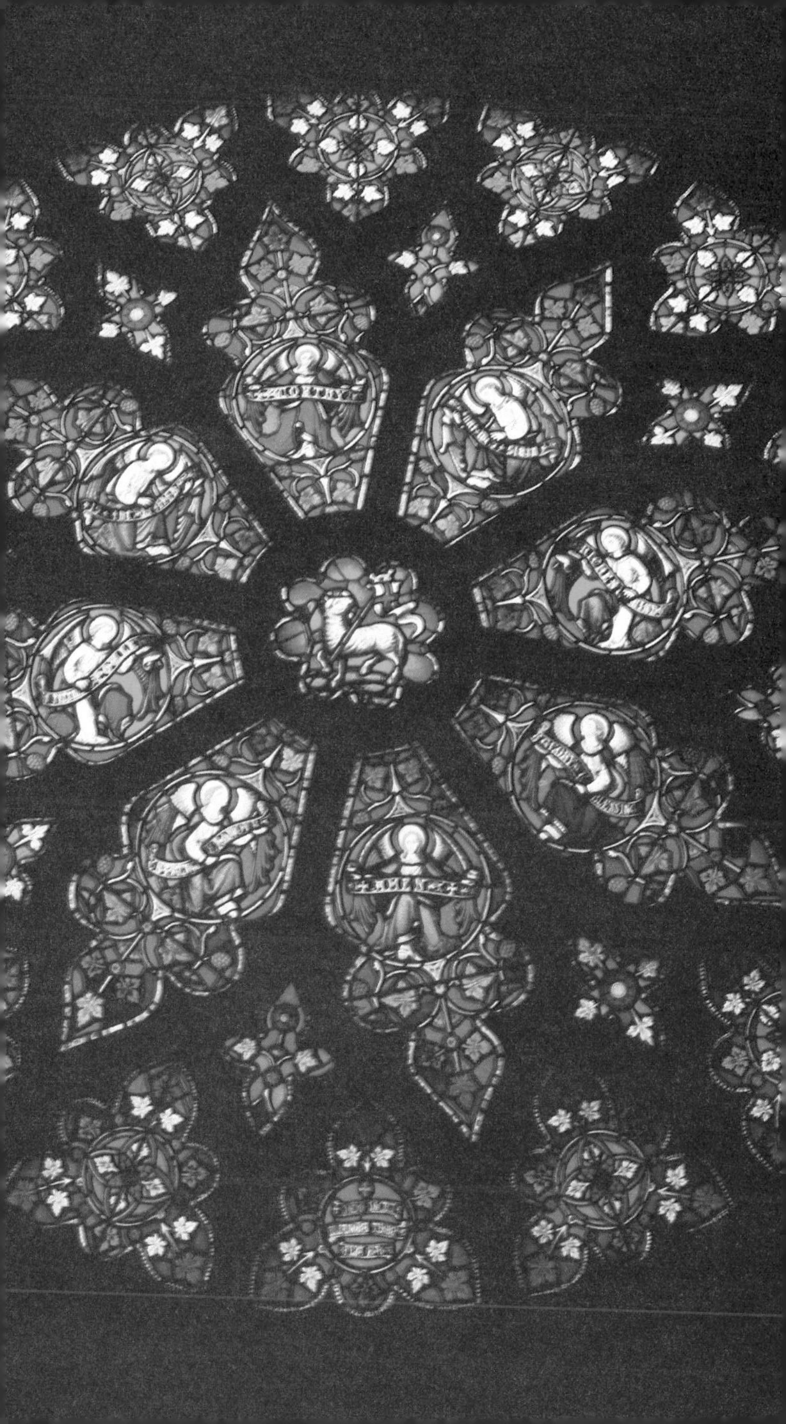

pa y al rey Salomón. Lo más curioso y digno de resaltar en estas vidrieras es que no era usual utilizar el color blanco en las obras de vidrio emplomado.

Rivenhall (25 km NE): La *Church of St. Mary and All Saints* se encuentra en el lugar que ocupaba una casa de campo románica y posee, gracias a una feliz coincidencia, las vidrieras emplomadas más hermosas de todo el condado. El párroco de esta iglesia tuvo oportunidad, en el año 1839, de conseguir la vidriera policromada, del siglo XII, en Francia y la hizo instalar en su iglesia. Alberga en su interior varios monumentos fúnebres del siglo XVII.

Cheltenham

Gloucestershire/Inglaterra Pág. 332 □ H 14

Esta ciudad, en el lado O de *Cotswold Hills,* procede de tiempos anglosajones. Consiguió su fama en 1718 al descubrirse allí unas fuentes de sales curativas. Las construcciones, de los siglos XVIII y XIX, se deben a las propiedades de estas aguas.

Church of St. Mary: Procede de la época normanda y ha sido reformada actualmente en profundidad. Su torre data del tiempo de transición del románico al gótico; la sala de entrada N es de finales del gótico. La lápida más antigua, en el lado N del altar, se halla fechada en 1513.

Museum and Art Gallery: El museo de la ciudad posee porcelanas chinas, cerámica inglesa y hallazgos arqueológicos, geológicos y de la historia natural de los alrededores. La galería de arte contiene, esencialmente, pinturas de artistas holandeses.

Alrededores

Bishop's Cleeve (6 km N): La *Church of St. Michael and All Angels* es de la época normanda. Es especialmente interesante la fachada E, adornada con pequeñas torres, y la sala de entrada S, de dos pisos. La imponente torre central fue renovada en 1700; el emporio data de la época jacobina. En la iglesia se encuentran diversos monumentos fúnebres, entre ellos el de *Richard de la Bere* y su familia, de 1636.

Hailes (15 km NE): *Hailes Abbey* fue una abadía cisterciense que fue famosa por una de sus reliquias de «La Santa Sangre». El fundador de esta abadía fue Richard *Earl of Cornwall.* En un pequeño museo se exponen objetos de la antigua abadía. La iglesia parroquial fue comenzada en 1140; posee numerosos frescos realizados en 1300, entre ellos el de *St. Cäcilie* y varios santos más, y símbolos heráldicos.

Winchcombe (12 km NE): La gótica *Church of St. Peter* fue edificada de 1456-1474 y es una de las típicas «iglesias de la lana» de los Costwolds. Son de especial interés las gárgolas, increíblemente trabajadas y, en el interior, el altar del siglo XVI. El *Sudeley Castle* procede del siglo XII y fue renovado en el año 1450. En la guerra civil fue uno de los cuarteles generales de Carlos I; en 1644 fue conquistado. La capilla, de 1450, alberga en su interior el monumento dedicado a *Catherine Parr,* sexta esposa de Enrique VIII. Después de su muerte, en 1547, se casó con su amante, *Lord Seymour of Sudeley,* pero falleció un año más tarde. En el castillo, reconstruido en el siglo XIX, se conservan recuerdos de Catherine Parr, valiosos muebles, así como pinturas de Rubens, Turner y Van Dyck.

Chepstow/Cas Gwent

Gwent/Gales Pág. 332 □ H 15

Esta pequeña ciudad se encuentra en la desembocadura del río fronterizo *Wye.* Fue fundada por el Conde normando *FitzOsborn,* alrededor de 1067, y, en la actualidad, conserva partes inglesas.

Tintern Abbey (Chepstow). Pórtico ▷

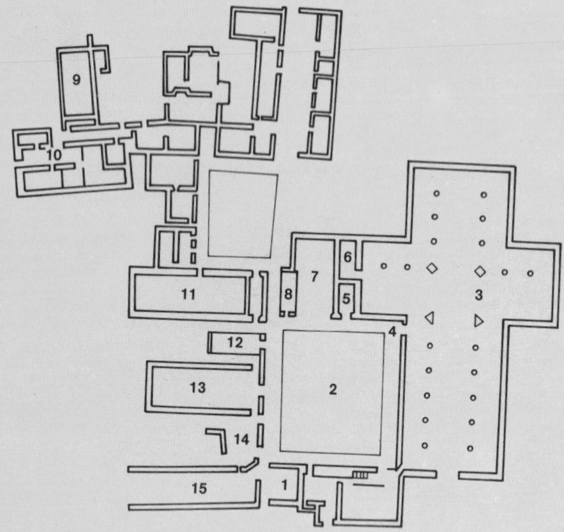

Tintern Abbey: 1. Parlatorium exterior. **2.** Vía Crucis. **3.** Iglesia. **4.** Pórtico normando. **5.** Biblioteca. **6.** Sacristía. **7.** Sala capitular. **8.** Parlatorium interior. **9.** Vivienda del prior. **10.** Sala del prior. **11.** Sala de novicias. **12.** Sala de monjes. **13.** Refectorio. **14.** Cocina. **15.** Refectorio de novicios.

Chepstow Castle: Esta increíble fortaleza normanda es una de las piezas de más interés de la ciudad; fue edificada por *William FitzOsborn* alrededor de 1070 y ampliada extensamente en el siglo XIII. A través de la caserna se accede al patio del fuerte (siglo XIII). El patio central es parte de la construcción original (normando) y conduce al *Donjon* (torre-vivienda, en ing. «Keep»). El *Keep* descansa sobre roca calcárea con muros de refuerzo en el E y S. La entrada, con su pórtico normando y la escalera (segundo piso), estaba en el SE; también se encontraba aquí la Sala de Caballeros en donde se encontraban los correspondientes camastros de piedra. En el siglo XIII se construyeron varias arcadas divisorias; la entrada actual se construyó muchísimo más tarde. Detrás del *Keep* se encuentra el patio superior, erigido en estilo normando, y que comunicaba con el patio central mediante una pasarela.

St. Mary's Church: Esta bonita iglesia fue un convento benedictino, fundado también por *FitzOsborn* en el año 1070. El pórtico E data de la época temprano-normanda. Merecen especial atención los arcos de medio punto y las cabezas de animales (grotescas) que se encuentran en la vieja sacristía. El interior de la iglesia fue extensamente reformado en 1891.

Fortificación de la ciudad: Se conserva en buen estado el pórtico O, del siglo XIV; de los muros más antiguos (siglo XIII) sólo se conservan restos. La muralla llegaba desde el puerto a la fortaleza.

Museum (Bridge Street): Esta pequeña

Chelmsford. Catedral, vista

Escultura exterior

colección está dedicada a la historia de la ciudad y a la patria *Chepstow*.

Alrededores

Caerwent (8 km SO): Son de especial interés los muros romanos de la ciudad. La colonia civil romana, sin fuerte, *Venta Silurum*, fue fundada 75 d. de J. C. y amurallada en el 200 d. de J. C. con un imponente muro de 2 km de longitud (en el siglo IV reforzado por bastiones). La actual calle principal sigue la ruta romana O-E; en ella se encontraban baños, un templo, el foro, tiendas y tabernas (no se conservan restos). Las calles laterales eran perpendiculares a la principal. En la entrada a la iglesia parroquial se pueden ver hallazgos de la época romana (otros exponentes de la época se exponen en los museos de Cardiff y Newport). La colonización decayó al ser abandonada por los romanos en los siglos IV al V.

Caldicot (12 km SO): En los alrededores se encuentra la interesante ruina de la fortaleza normanda del siglo XII. El cementerio, en la actualidad con un pequeño museo, y los restos del pórtico O datan de la época de construcción; el pórtico S, que posee una entrada moderna, data del siglo XIV. En la en parte excelentemente restaurada fortaleza, se realizan, en los meses de verano, «banquetes medievales».

Tintern Abbey (8 km N): Las interesantes ruinas de esta abadía cisterciense, fundada en 1131, se encuentran en un precioso paisaje en el valle del río *Wye*. Después de la Reforma en Gales, decretada por Enrique VIII, la abadía decayó. Los restos del edificio, no obstante, muestran la bonita estructura que tenían los monasterios campestres. Del «parlatorium exterior» (pórtico) se llega a la entrada NO de la antigua iglesia abacial, edificada en estilo gótico en 1270-1301. En 1536 fue retirado y fundido el techo de plomo; todavía se pueden ver ricas ornamentaciones y bonitas ventanas. Los monjes en-

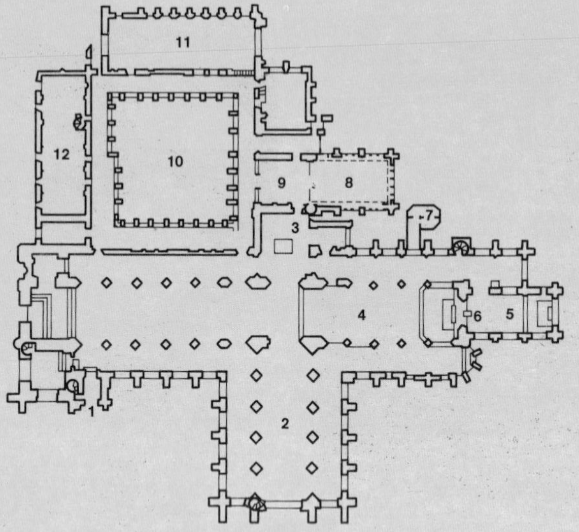

Chester Cathedral: **1.** Pórtico. **2.** Crucero S. **3.** Crucero N. **4.** Coro. **5.** Lady Chapel. **6.** Armario de St. Werburgh. **7.** Sacristía. **8.** Sala capitular. **9.** Vestíbulo. **10.** Claustro. **11.** Refectorio. **12.** Cripta normanda.

traban en la iglesia desde el Vía Crucis a través de un pórtico normando situado en el lado N. Inmediatamente después, se encuentran la biblioteca, la sacristía y la sala capitular, donde se conservan ocho bases de columnas. Después del «parlatorium interior» se pueden contemplar la sala de novicias con letrinas y, en el lado E, las salas para los monjes de la tercera edad y los enfermos; al lado se conservan varios restos de la vivienda del prior, hacia el NE. Al N. del Vía Crucis se halla la sala de monjes, que poseía una instalación de calefacción, el refectorio, con sus hermosas ventanas, la cocina y el refectorio de novicios.

En un considerable museo que se alberga en el interior se encuentran documentos y objetos de la antiquísima abadía. Cerca hay restos de las murallas del claustro con una fuente y su chafariz (en la hospedería).

Chester

Chestershire/Inglaterra Pág. 328 □ H 12

Esta bellísima ciudad, situada en la parte inferior del río *Dee,* contiene, junto a sus antiguas murallas, el barrio antiguo mejor conservado de Inglaterra. En esta población se encontraba el cuartel general de la famosa XX legión romana, la *Valeria Victrix.* Su *Castra Devana* (fosa defensiva que circundaba el campamento) era llamado por los galeses *Caerleon* y, por los anglosajones, *Legaceaster.* Después de la retirada de los romanos, alrededor del 380 después de J. C., daneses y anglosajones pugnaron por someterla bajo su dominio y propiedad y, en 908, *Ethelred of Mercia* reconstruyó la ciudad. Guillermo «El Conquistador» continuó la obra de reconstrucción en el año 1070.

Reinando Enrique III, el condado de

Chester. Catedral

Chester pasó a formar parte de las heredades de la Corona en el año 1237, siendo el último territorio normando anexionado a la misma. En 1541 Chester se convirtió en sede episcopal.

Castra Devana: La fosa de protección que circundaba el campamento romano era, en parte, paralela a los muros de la ciudad. Además de los numerosos restos de los muros en la parte antigua de la ciudad (muchas casas se construyeron sobre cimientos romanos), se conservan todavía algunos restos de torres, conducciones de agua e instalaciones de calefacción, basas de columnas y el anfiteatro romano. Donde mejor se pone de manifiesto la huella romana es en la parte SE de la ciudad, en la que se pueden contemplar los restos de los muros medievales. Se encuentran en este lugar los restos de una torre esquinera fechada entre el 74 y 96 d. de J. C. y el anfiteatro recuperado después de las excavaciones arqueológicas del año 1929. Data del 100 d. de J. C. y es el mayor edificio románico descubierto en Inglaterra. La arena tiene un diámetro de 55 m y la construcción que le rodea posee un largo de 95 m y un ancho total de 65 m. Podía albergar en su interior un total de 9 000 espectadores. Debajo de las piedras se descubrió una construcción anterior que había sido construida en madera. En el *Grosvenor Museum* se puede descubrir, a través de la amplísima documentación que en este museo se halla, el *modus vivendi* y estrategias de los campamentos romanos. También se expone una bellísima acuarela del siglo XIX en la que se pueden contemplar vistas de la ciudad.

Muros de la ciudad: Los muros que circundan la ciudad tienen la forma de un rectángulo irregular y se erigieron como protección y límite al núcleo antiguo de la ciudad. El material

Chester. Catedral, pórtico

de construcción de éstos es el ladrillo; tienen una longitud total de 3,5 km y la altura de sus paredes varía entre 4 y 10 m. En las partes N y E , y paralela al discurrir del muro, le sucede la fosa romana. El muro medieval contiene torres y pórticos de diversas épocas. La impresionante torre en la esquina NO fue edificada en 1322 por John de Helpston; la torre que se halla en la esquina NE, denominada *Phoenix Tower,* recibió su forma actual después de la reforma llevada a cabo en 1658. Existe en este lugar una exposición sobre la guerra civil.

Cathedral: Esta iglesia de ladrillo rojo está situada sobre una iglesia anterior del año 700, consagrada a *St. Werburgh.* Hugh Lupus, el *segundo Conde normando de Chester,* hizo añadir a la iglesia una abadía benedictina. Durante este tiempo se construyeron las partes más antiguas de la iglesia normanda (cara N). La parte E, con la *Lady Chapel,* data de 1250-1275. El coro procede de los siglos XIII al XIV, bajo el mando de Richard of Chester, constructor militar de Eduardo I. Las arcadas del crucero S y las de la nave principal datan de mitad del siglo XIV. El resto de la construcción fue finalizada hacia finales del siglo XV. En 1540 se disolvió la abadía; un año más tarde la iglesia pasó a ser Catedral de la diócesis de Chester. El exterior de la catedral no es demasiado convincente dada su diversidad de estilos, sobre todo en la parte normanda, en el lado N de la nave y en el crucero N. El paso hacia el edificio de la abadía data de 1100. La entrada al crucero N, sobre el que se encuentra un emporio de órgano de piedra, es la parte normanda de la iglesia; el techo y las vidrieras son góticas. El crucero, comenzado en el siglo XIV y finalizado en el siglo XV, tiene naves laterales propias; es de mayor tamaño que el coro y casi tan grande como la nave principal. Hasta 1881 fue utilizada como iglesia parroquial. Su enorme vidriera S fue creada por Blomfield en 1887. El coro gótico, de los siglos XIII al XIV, destaca por su impresionante triforio y por la sillería del coro de 1390. Las rejas de hierro del coro datan de 1560; son de estilo español. Detrás del Altar Mayor se encuentra, en la *Lady Chapel,* el armario de St. Werburgh de 1330, reconstruido de fragmentos. Los edificios de la abadía están asombrosamente bien conservados. La sala capitular, del siglo XIII, con su vestíbulo, es de especial interés por sus bóvedas. En el lado O del claustro se encuentra una gran cripta normanda, con dos naves recubiertas de bóvedas que, originalmente, debieron ser utilizadas como sótanos. Especialmente interesante es la capilla de *St. Anselm,* del siglo XII. El techo, recubierto de estucados, data del siglo XVII. En el refectorio, de estilo Early-English, se encuentra el atril de los monjes y la escalera, que está incrustada en la pared. Aparte de Beaulieu, no se encuentra un atril similar en ningún lugar de Inglaterra.

Chester. Catedral, arcadas

Techo

St. John's Church: Esta grandiosa iglesia normanda data del 1075 y está situada cerca del río *Dee*. Durante diez años fue la catedral de la diócesis de *Mercia,* antes de que la sede episcopal se trasladara a *Conventry*. Se conserva una parte de la nave principal, ya que la torre, edificada en el año 1523, se derrumbó cincuenta años después de su construcción, llevándose, asimismo, la parte O de la iglesia. En el interior de la iglesia impresionan los macizos arcos y columnas normandas de 1095. El triforio, con sus cuatro arcos y las naves laterales, muestran un estilo de transición y proceden de 1200. En la *Warburton Chapel* se halla el monumento fúnebre barroco de *Lady Warburton,* obra de E. Pierce. El artista lo creó después de 1693 y utilizó como modelo, imitando el estilo francés, un esqueleto sosteniendo su propio sudario.

Otros lugares de interés: Aparte de las diversas torres en los muros de la ciudad, el casco antiguo contiene numerosas construcciones medievales y fortalezas que datan desde el siglo XVII. El *Chester Military Museum,* en la esquina S del muro, se encuentra en la plaza en la que originalmente, en 1069, se encontraba una fortaleza. Enrique III hizo construir aquí un castillo que fue destruido en 1789. El museo militar contiene piezas de los diferentes regimientos de *Chesire*.

Chesterfield

Derbyshire/Inglaterra Pág. 328 □ I 12

St. Mary and All Saints: Esta iglesia fue edificada en 1350 en estilo decorated, a finales del gótico. De especial interés, la «torre torcida», de más de 70 m de altura (aguja de madera, recubierta de plomo; a lo largo de los siglos se ha separado 3 m de la vertical, torneándose). En el interior, de especial interés, los monumentos fúnebres de la familia Foljambe, *Earls of Liverpool.*

Otros lugares de interés: La iglesia *Holy Trinity,* con la tumba del famoso pionero del ferrocarril George Stephenson (1781-1848, constructor de la primera locomotora). *Revolution House Museum* (en Old Whittington, al N de la ciudad), antigua casa de huéspedes (Cock y Pyned), donde se reunieron en 1688 los causantes de la destitución del rey Jaime II.

Alrededores

Ashover (10 km S): La iglesia *All Saints,* de los siglos XIV al XV, es de estilo gótico. En el interior se conserva una hermosa pila bautismal; también interesante es la pared del coro, de 1500.

Ault Hucknell (12 km SE): La iglesia de *St. John the Baptist* fue, en su origen, románica; es posible que existan partes anglosajonas; en el interior, interesante monumento fúnebre del filósofo inglés y teórico del estado *Thomas Hobbes* (1588-1679).

Beeley (12 km SO): Hermoso pórtico románico en la iglesia del pueblo (probablemente procede de una construcción anterior).

Birchover (12 km SO): En el *Heathcote Museum* se exponen hallazgos de los alrededores, originarios de la Edad del Bronce, entre ellos los de *Stanton Moor.*

Bolsover (9 km E): Fortaleza edificada en el siglo XI, en tiempos de Guillermo «El Conquistador». A principios del siglo XVII se renovó por completo bajo Sir Charles Cavendish; alrededor de 1660, ampliaciones en estilo clásico.

Chatsworth House (12 km O): Es una de las casas feudales más interesantes de Inglaterra. Fue edificada entre 1687-1707 en estilo clásico (mezcla de Renacimiento y Barroco) por el Conde de Devonshire; en los siglos XVIII y XIX fue ampliada. En el interior es de especial interés la colección de obras pictóricas de artistas flamencos e ingleses, valiosos muebles de estilo y la biblioteca con impresos antiguos. También interesante, el maravilloso parque.

Eckington (10 km NE): Iglesia *SS. Peter and Paul* (gótica, de los siglos XIII al XV, renovada en estilo georgiano; coro gótico del siglo XIX).

Edensor (13 km O): Iglesia diseñada por Sir

Chester. Casas del casco antiguo

Chichester. Catedral

Gilbert Scott (antesala, algunas columnas y arcos, así como los ornamentos de los ventanales de la construcción anterior, han sido instalados en la nueva edificación).

Hardwick Hall (11 km SE): Casa feudal de la época isabelina, edificada en estilo Renacimiento, 1591-1597 (cuatro torres esquineras, grandes ventanales sobre la fachada principal; en el interior, de especial interés, muebles de estilo, tapices y hermosas pinturas).

Hathersage (18 km NO): Bonita iglesia gótica (torre de tres pisos con aguja octogonal). Cerca de la iglesia, la casa natal de «Little John», seguidor de Robin Hood.

Matlock (14 km SO): Cerca, la llamada *Rutland Cavern,* mina construida por los romanos en los siglos I al II de J. C. para la extracción del plomo. También de interés, el castillo de *Willersley,* propiedad de Sir Richard Arkwright, de 1788.

Stanton Moor (17 km SO): Amplia instalación de culto de la Edad del Bronce (en el N, el círculo de piedra «Nine Ladies»; al O, el círculo «Doll Tor»). Además, más de 70 tumbas de la Edad del Bronce.

Teversal (13 km SE): Iglesia *St. Catherine,* en su origen románica; posteriormente transformada; hermoso pórtico románico; interior de la iglesia del siglo XVII.

Chichester

West Sussex/Inglaterra Pág. 332 □ K 16

Esta ciudad fue fundada por los romanos; muestra de ello es la planificación de cuatro calles verticales que se unen en una plaza principal. En el siglo V se apropiaron de ella los sajones, cuyo regente, *Cissa,* le puso el nombre que actualmente posee.

Cathedral: La construcción existente fue comenzada por el obispo normando Ralph, siendo renovada extensamente en 1187, después de un devastador incendio. El campanario, independiente, único de su clase en Inglaterra, fue construido en el siglo XV. Domina el edificio, sin embargo, con su imponente torre central del siglo XIX. El interior muestra una especial rareza, ya que la nave principal está franqueada por cruceros dobles. Las ventanas son modernas: las originales fueron destrozadas por soldados de Cromwell. Las dos tallas de piedra del siglo XII, con escenas de la leyenda de Lázaro, en la nave S, probablemente proceden del mismo taller y, con seguridad, son las

Chichester. Palacio episcopal

más impresionantes de la época romana en el país.

Otros lugares de interés: El monumento bélico del *Royal Sussex Regiment* de la capilla de la nave lateral S, el monumento dedicado al poeta *Collins* en la torre NO y la sillería del coro del siglo XIV. Los retratos de obispos en el crucero N y los dibujos en el crucero S, datan del siglo XVI.

Palacio episcopal: El edificio, construido en el siglo XII, alberga una cocina medieval del siglo XIII; el comedor, del siglo XV, posee pinturas en el techo de Bernardis y una capilla de estilo Early-English. Hermoso patio interior.

St. Mary's Hospital: Desde 1562 se ha visto convertido en asilo de mujeres pobres; de especial interés, el refectorio, con enmaderados, y la capilla del siglo XIII.

Market Cross: La espléndida cruz fue creada en el siglo XV; posteriormente fue modificada. Es una de las más hermosas del país.

Otros lugares de interés: La biblioteca de la ciudad, del siglo XVII, y la moderna *Country Hall;* los medievales *North Walls,* seguramente edificados sobre cimientos romanos, así como el *Canon Gate,* del siglo XVI. Bonitas casas del siglo XVIII se encuentran en el *St. Martin's Square,* y en la *Pallant Area.*

Museos: El *Corps of Royal Military Police Museum* expone objetos militares. El *District Museum* posee colecciones sobre la historia del lugar, colecciones arqueológicas y documentación sobre el *Royal Sussex Regiment. Guildhall Museum* se encuentra en el viejo monasterio *Greyfriars,* en *Priory Park,* con excavaciones romanas.

Theatre: En el *Chichester Festival Theatre,* de 1962, se celebra anualmente un famoso festival en el que participan músicos clásicos y modernos de importancia internacional.

Alrededores

Bosham (7 km O): Pueblo pesquero con la iglesia *Holy Trinity,* de origen sajón. Aquí se encuentra la alfombra de Bayeux. Los arcos

Goodwood House (Chichester). Fachada

del coro y la torre son de procedencia sajona; la vidriera E data del siglo XIII; quedan fragmentos de las pinturas de las vidrieras. En el coro, el monumento dedicado a una muchacha, del siglo XIII.

Bow Hill (7 km NO): Túmulo de la Edad del Bronce, minas de pedernal de principios de la Edad de Piedra y otras reliquias de origen prehistórico.

Boxgrove (6 km NE): Iglesia *SS. Mary and Blaise.* Restos de una fundación normanda del siglo XII, con coro de finales del siglo XIII. Capilla *De-la-Warr* con objetos diversos del gótico y del Renacimiento.

Cowdray Park (14 km N): Ruinas de una casa de campo del *Earl of Southampton* (siglo XVI).

Fishbourne (3 km O): Restos de una inmensa villa romana.

Goodwood House (7 km N): Casa feudal jacobina, renovada a finales del siglo XVIII por James Wyatt. Expone pinturas de Canaletto, Van Dyck y otros artistas.

South Harting (14 km N): La *Church of St. Mary and Gabriel,* con planta en forma de cruz, data de tiempos sajones; no obstante, la construcción actual procede de los siglos XIV al XVI. De especial interés, la pila bautismal del siglo XIII y la escalera de caracol, así como algunos monumentos fúnebres.

Trotton (17 m N): Iglesia *St. George's* del siglo XIV, con frescos de la misma época y dos placas conmemorativas de *Lord Camoys* (siglo XV) y *Lady Camoys* (siglo XIV).

Uppark (12 km NO): Casa de situación muy agradable, de ladrillo, en estilo *wren* del siglo XVII, construida por William Talman; reformada en el siglo XVIII en estilo georgiano. Las instalaciones del interior son originales de la época.

Chipping Campden

Gloucestershire/Inglaterra Pág. 332 □ I 14

La ciudad fue, en su tiempo, el mayor centro industrial lanero de los *Cotswolds* en el interior. Muestra de ello son las numerosas casas de piedra de los ricos comerciantes.

Church of St. James: Esta iglesia gótica posee una proporcionada torre en el lado O, que data esencialmente del siglo XV. La nave principal fue construida en el siglo XIV. En ella se conservan numerosas lápidas y monumentos fúnebres. Entre ellos destaca principalmente el de *William Grevil* (fallecido en 1401), con la hermosa

Bosham (Chichester). Vista desde el río

Christchurch. Priory Church

inscripción «Flos mercatorum tocius Anglie». En la capilla S se encuentran los monumentos fúnebres de las familias *Hicks* y *Noel,* decorados con hermosas esculturas.

Woolstapler's Hall: Este almacén de lana, construido el año 1340, contiene actualmente en su interior una colección de diversos objetos antiguos.

Alrededores

Broadway (6 km O): Esta pequeña población es famosa por las numerosas casas de piedra que posee, en perfecto estado de conservación, de la época isabelina. La antigua casa feudal *Lygon Arms* sirvió como cuartel general de Carlos I y de Cromwell.

Hidcote Manor Gardens (5 km E): Esta instalación de jardines, poco usual en los *Cotswolds,* se construyó en el año 1907 cuando el americano Lawrence Johnston compró el terreno de este lugar e hizo instalar diversos jardines. Están rodeados de altos setos que protegen a las plantas del duro clima de la zona. Alberga en el interior plantas exóticas de todo el mundo.

Snowshill Manor (8 km SO): Esta casa feudal, erigida en los siglos XVI y XVII, contiene una amplia colección de relojes, instrumentos musicales, armas, instrumentos científicos y diversos utensilios utilizados por el cuerpo de bomberos.

Christchurch

Dorset/Inglaterra Pág. 332 □ I 16

Esta vieja ciudad portuaria, entre la desembocadura del *Avon* y del *Stour,* se llamó antiguamente *Twineham,* hasta que se la denominó con el nombre de su abadía.

Christchurch. Priory Church

Arcos normandos

Priory Church: Este priorato es obra de los agustinos, que fundaron aquí un convento en el año 1150 y modificaron la iglesia normanda ya existente, fundada por el obispo *Ralph Flambard de Durham* en el año 1093. Es la iglesia parroquial más larga de Inglaterra (100 metros). Desde su torre del siglo XV, de 40 m de altura, existe una hermosa panorámica sobre la «Riviera» inglesa. La abadía fue disuelta, al igual que las demás, por Enrique VIII; la fortaleza normanda también fue destruida en la guerra civil. No obstante, se conserva, casi intacta, la iglesia y se pueden ver en la fachada hermosos ornamentos. Columnas retorcidas y entrelazadas, arcos decorados con escenas en piedra y otras maravillas confirman la habilidad de los normandos. En el interior, de especial interés, la base del altar del coro con la imagen del árbol genealógico de Jesé. Esta escultura, originaria del año 1350, se eleva hasta el comienzo de la hermosa bóveda gótica. En la nave se puede ver la más hermosa arquitectura normanda de alrededor de 1100. El triforio está especialmente logrado. El coro data esencialmente del siglo XV; la sillería todavía conserva todas las misericordias realizadas en los siglos XIII al XV. Debajo de la torre E se encuentra el monumento fúnebre que conmemora al poeta *Shelley,* que falleció en el año 1822 en el mar Mediterráneo.

Red House Museum and Art Gallery: Casa edificada en 1760. Aquí se exponen objetos que muestran una visión general de la arqueología, geología e historia natural de la región.

Alrededores

Bournemouth (5 km O): Esta ciudad, de general reconocimiento por los bañistas, se encuentra en la pintoresca *Poole Bay* y en ella se conservan numerosas villas de origen victoriano. El *Rothesay Museum* contiene una amplia colección de muebles, pinturas y cerámica de los siglos XVI al XVII, así como numerosos y valiosos objetos procedentes de África, Nueva Zelanda y el Pacífico. El *Russel-Cotes Museum and Art Gallery* alberga en su interior un salón en el que se conmemora la vida y obra de Shakespeare, así como bellísimas pinturas y dibujos realizados por el genio creador de R. Wilson, Morland, entre las que destacan las de tiempos victorianos. Objetos procedentes de China, India, Japón, Ceilán y el Tíbet muestran la estrecha relación y el conocimiento que tuvo Sir Russel-Cotes con el E de Asia.

Poole (10 km O): La ciudad tiene un puerto natural que ya fue utilizado en la Edad del Bronce y merece especial atención por sus museos. En el *Guild Hall Museum* se expone cerámica y vidrio del siglo XIV; el museo también está dedicado a la historia natural y a la arqueología local. Pieza excepcional del museo es una barca de pescador, de la Edad del Hierro, de 10 m de largo, recuperada el año 1964 en unas excavaciones arqueológicas realizadas en el fondo del puerto. El *Maritime Museum* está dedicado a la evolución en el desarrollo de la navegación desde la Edad Media hasta la actualidad.

Wimborne Minster (15 km NO): La *Church of St. Cuthberga* es una iglesia sorprendentemente grande, con planta en forma de cruz, una torre central de transición y una torre finalizada en 1448. La vidriera E todavía conserva los emplomados originales del siglo XV, en las que se utilizó vidrio flamenco. Merecen atención, el monumento fúnebre al *Duke of Somerset,* de 1444, así como una campana del siglo XVI en la torre E.

Cirencester

Gloucestershire/Inglaterra Pág. 332 □ H 15

Esta pequeña ciudad comercial fue el *Corinium Dobunorum* del Imperio romano y, por lo tanto, el centro administrativo de la parte O de los territorios ocupados por los romanos. En el siglo II la ciudad fue la segunda colonia romana de las existentes en Inglaterra. Los restos de la época romana fueron destruidos por los anglosajones. Cuando los normandos tomaron el poder, William FitzOsborn edificó una fortaleza que fue destruida a finales de la Edad Media, al igual que una abadía erigida en 1539, en pleno florecimiento y auge.

Cirencester. St. John the Baptist

Detalle del pórtico

Church of St. John the Baptist: Esta grandiosa iglesia, con sus 60 m de longitud, pertenece a las mayores iglesias parroquiales de Inglaterra; su origen se remonta a tiempos normandos. Su forma actual procede, en esencia, del siglo XIV, cuando los ricos comerciantes de lana no escatimaron esfuerzos ni repararon en gastos para hacer de su iglesia parroquial la más bonita obra de arte. De esta manera surgió una de las más bellas iglesias parroquiales del S de Inglaterra. Posee una torre O de más de 40 m de altura y una sala de entrada de tres pisos, ricamente decorada. En el interior, impresionan, sobre todo, las claraboyas, una bellísima ventana sobre el arco del coro y los excelentes trabajos de labrado en piedra. El púlpito, fechado en 1515, es uno de los pocos que se conservan de antes de la Reforma. La bóveda de abanico en la *St. Catherine's Chapel* es de una belleza impresionante. En la *Trinity Chapel,* edificada en el año 1430, se encuentran numerosas lápidas. También en la *Lady Chapel* se pueden ver numerosos monumentos fúnebres; el más interesante es el esculpido por Joseph Nollekens, en el año 1776, para *Lord Bathurst.*

Corinium Museum: El Museo está dedicado a la colonización romana en Inglaterra y expone hallazgos de colonias romanas. Aquí podemos ver, entre otras cosas, esculturas, mosaicos, frescos, detalles arquitectónicos y objetos de la vida cotidiana.

Alrededores

Bibury (8 km N): La *Parish Church* data de la época anglosajona; fue reformada en el gótico y en tiempos normandos. En el siglo XIX, fue renovada por Sir Gilbert Scott. De especial interés son las lápidas anglosajonas. La *Arlington Row* es una fila de casas de piedra del siglo XVII en la orilla del *Colne. Arlington Mill* data del siglo XVII y, en la actualidad, es utilizado como museo de arte victoriano y de trajes típicos, así como de objetos campestres.

Chedworth (10 km N): La *Roman Villa* es la casa de campo romana mejor conservada de Inglaterra. Se conservan las paredes originales que fueron arregladas y recubiertas por tejados, de manera que el visitante puede hacerse una ideal muy real de las casas de campo de la época romana. Los hallazgos desen-

Cirencester. St. John the Baptist

Casa del casco antiguo

terrados cerca de la casa se exponen en un pequeño museo. La *Church of St. Andrew* data de tiempos normandos; su forma actual procede del gótico. En el interior, se conservan todavía en la nave N, las arcadas normandas, al igual que la pila bautismal. En el período gótico la nave recibió un nuevo tejado; en el interior se conserva un púlpito de piedra que data del siglo XV.

Daglingworth (4 km NO): La *Church of Holy Rood* data de tiempos sajones. La torre O fue añadida en el siglo XV; el coro fue renovado en el siglo XIX. Se encontraron en el siglo XIX tres esculturas que muestran la escena de la Crucifixión y a San Pedro. En la actualidad estas esculturas se encuentran instaladas en la nave principal.

Elkstone (14 km NO): La iglesia normanda, con su altísima torre en estilo perpendicular, es una de las mejores de la zona. En el interior, un interesante púlpito.

Fairford (10 km E): La *Church of St. Mary the Virgin* data de finales del siglo XV y posee una torre en el transepto. Esta iglesia, patrocinada por los comerciantes laneros, es la única que conserva todavía sus vidrieras policromadas emplomadas. Las 28 vidrieras fueron creadas de 1495 a 1505 y en ellas se puede ver la influencia flamenca. Los motivos son diversos: desde el diablo a profetas del Antiguo Testamento e imágenes referentes a la Última Cena.

North Cerney (6 km N): La *Church of All Saints* es de la época normanda y posee una torre E que procede del siglo XV.
Las vidrieras policromadas y el púlpito también datan del siglo XV. La pared exterior del crucero está decorada con una escultura grotesca que muestra un cuerpo de león con cabeza humana.

Oaksey (15 km S): La *Church of All Saints* fue comenzada en el siglo XIII y obtuvo su forma actual en los siglos XIV y XV. De sus claraboyas se deduce que fueron planeadas dos naves laterales; solamente se pudo construir una, la nave S. La reja del coro, así como la sillería son originarias del siglo XV. En el año 1933 se pintaron los frescos que representan a Cristo y a San Cristóbal. Se conservan todavía fragmentos de las ventanas del siglo XIV.

Rendcomb (8 km N): La gótica *Church of St. Peter* es de principios del siglo XVI y posee una torre O. Las rejas del pórtico principal datan del siglo XVI; se conservan fragmentos de las vidrieras emplomadas del Renaci-

Chedworth (Cirencester). Mosaico romano

miento. El cristal de la vidriera E procede del siglo XIX. La pila bautismal data de la época normanda y está decorada con esculturas de los 11 apóstoles. La figura de Judas no se llegó a realizar.

Clonmacnoise

Offaly/Irlanda Pág. 326 □ C 12

Este poblado monacal fue fundado por el santo celta *St. Ciaran* alrededor del 548. Es uno de los lugares de más interés de Irlanda. El nombre del solitario poblado, con sus numerosas ruinas, significa «prado de MacNoise». Los reyes celtas colmaron al poblado de riquezas. Fue saqueado en más de 50 ocasiones (en especial por los vikingos, normandos e ingleses). También fue reconstruido en diversas ocasiones. Desde 1647 el poblado, que en la Edad Media fue centro artístico y religioso de Europa, fue totalmente abandonado. Aquí nació el monje Alkuin, que introdujo en la Corte del emperador Carlomagno, en los siglos VIII al IX, el «renacentismo carolinista». Nacieron valiosos manuscritos, entre ellos el «Lebor nahUidre» (Book of the Dun Cow, siglo XII), los «Annals of Tighernach» (siglo XI) y el «Chronicon Scotorum». Los restos del poblado monacal, situado en la orilla izquierda del río *Shannon,* se compone en la actualidad de nueve iglesias, dos torres circulares, cinco cruces y un cementerio en el que se pueden constatar más de 200 importantes lápidas y monumentos fúnebres fechados en el transcurso de los siglos VIII al XII.

Cathedral: La iglesia principal, compuesta por una sola nave, fue edificada por el abad *Colman* en el año 910. Al O se puede contemplar un bello pórtico románico, un edificio de coro de tres partes en el E y una sacristía adicionada en el lado S.

Temple Doolin (Doolin Church): Es una de las iglesias más antiguas, del siglo IX, restaurada por E. Dowling en 1689

Clonmacnoise, poblado monarcal: 1. Entrada. **2.** South Cross. **3.** Temple Doolin. **4.** Temple Hurpan. **5.** Catedral. **6.** Sacristía. **7.** King Flann's Cross. **8.** O'Rourke Tower. **9.** North Cross. **10.** Temple Connor. **11.** Temple Finghin. **12.** Temple Kelly. **13.** Temple Kieran. **14.** Temple Ri.

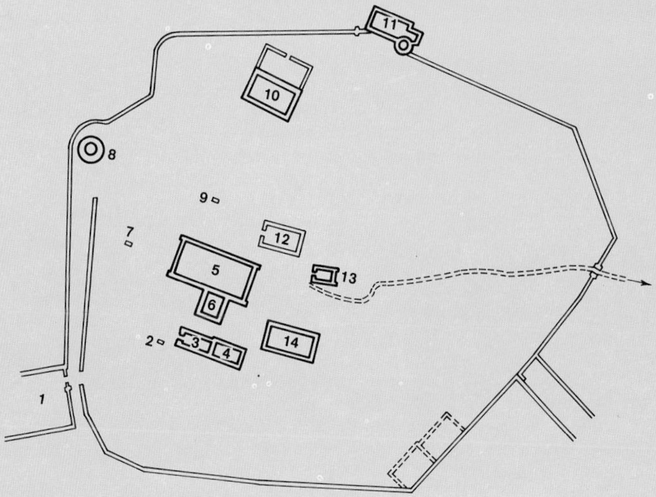

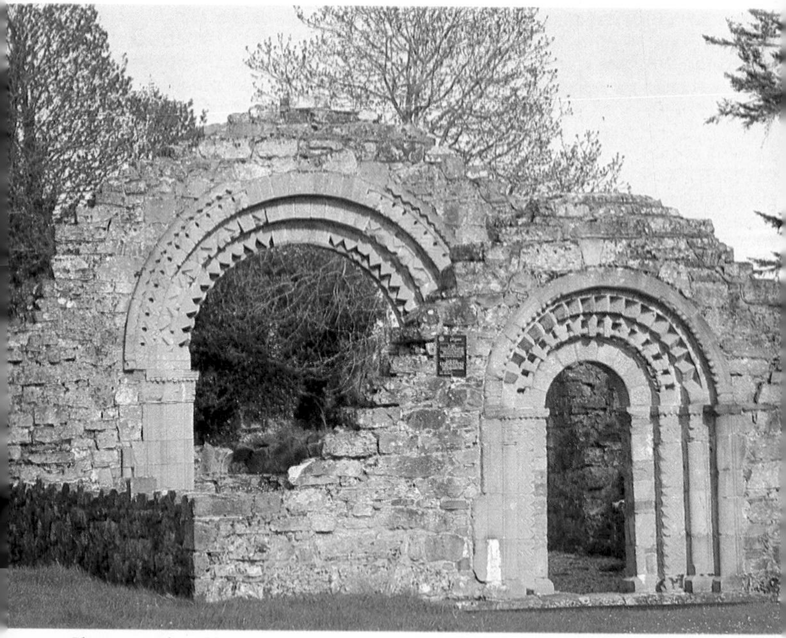

Clonmacnoise. Nun's Church

(de ahí el nombre). En el siglo XVII se añadió en la parte O la *Hurpain Church* (Temple Hurpan).

Temple Ri (Teampull Ri): La iglesia real (gaélico = Ri, latín = rex) fue edificada alrededor del 1200; ventanas lanceadas en el E, emporio O y entrada S del siglo XVI.

Temple Kieran (Ciaran's Church): Es la menor y la más antigua de las iglesias. Fue construida en el año 800. En el interior, la tumba del fundador, *St. Ciaran* (esquina NO).

Temple Connor (en el NO): Construido en 1010 por el rey *O'Connor,* se conserva el pórtico arqueado en el E. La iglesia fue restaurada para la *Church of Ireland.*

Temple Finghin: Construcción rectangular situada al N de la unión con el coro, fue erigida en el siglo XII (arco en el púlpito). La torre circular (SO) se construyó en el año 1124, tiene 17 m de altura y una aguja muy bien conservada.

Nun's Church: Esta iglesia de monjas, situada a unos 400 m al E del cementerio, es una bonita construcción normanda erigida en el 1166 (restaurada en el siglo XIX); el arco del púlpito y el pórtico E están decorados con cabezas de animales. A esta iglesia se retiró la hermosa *Dervorgilla,* causa por la que comenzó la invasión anglonormanda. Se supone que sus restos se encuentran enterrados en la iglesia.

King Flann's Cross: Al O de la catedral se eleva la famosa cruz (zócalo de 4 m) dedicada al rey Flann en el 913. También es llamada *The Cross of the Scriptures;* contiene bellísimas decoraciones en relieve con escenas bíblicas. La inscripción dice: «El abad Colman dedica esta cruz al rey Flann».

Otros lugares de interés: Existen cruces en el NO (North Cross, siglo IX) y en la zona S (South Cross con relieves, siglo IX). La famosa cruz *Cross of Clonmacnoise,* de los siglos IX y X, se encuentra en la actualidad en el museo de Dublín. La dañada torre circular *O'Rourke Tower* (al E) fue torre de vigilancia y refugio en el siglo X. Cerca, los restos del *Castle* (NO) de 1212 con ruinas de la torre, el patio de la fortaleza y el camino de acceso al pórtico.

Alrededores

Athlone (12 km N): La ciudad, de unos 10 000 hab., al S del encantador lago *Shannon Lough Ree,* posee los restos de una disputada fortaleza normanda (King's John Castle) de 1210. Se conservan el cementerio del siglo XIII y las torres esquineras del siglo XV; construcciones posteriores de los siglos XVII y XIX.

Clonmel
Tipperary/Irlanda

Pág. 330 □ C 13

La bien situada ciudad (11 000 hab.) está a orillas del río *Suir* y es la capital del condado *Tipperary*. Importante centro lechero. El nombre gaélico significa «prado de miel». El lugar fue sede de poderosos condes anglonormandos, los *Butler de Ormonde*. En 1848 fracasó en esta ciudad la «revolución irlandesa» de los partidarios de la «joven Irlanda».

Iglesia franciscana (Abbey Street): Quedan restos de un convento de 1269. Se conserva el coro del siglo XIII y la torre central del siglo XV, una pila bautismal de la Edad Media y el monumento fúnebre de la familia *Butler* del siglo XV. La iglesia fue restaurada en 1886.

St. Mary's Church: La iglesia protestante de 1857 fue construida sobre una iglesia medieval del mismo nombre. Aquí se conservan materiales de construcción de los siglos XIII al XV. Monumentos fúnebres de los siglos XVI al XVII. De especial interés, la torre octogonal y la hermosa ventana E.

Clonmacnoise. High Cross

Otros lugares de interés: De la vieja fortificación de la ciudad sólo quedan restos del *West Gate* en la calle principal. Aquí se encuentra también la *Main Guard* de 1674, con los escudos de la ciudad y del condado. En 1715 se edificó el *The Tolsel* (viejo Ayuntamiento). En el nuevo Ayuntamiento (Town Hall) existe documentación de la historia de la ciudad.

Alrededores

Ardfinnan (15 km O): Escasos restos de un castillo del siglo XIII.

Donaghmore (7 km N): Restos de un convento del siglo XIII y una hermosa cruz de madera tallada del siglo IX.

Clonmel. Vista panorámica

Fethard (14 km N): Ruinas de un convento agustino en la iglesia católica. La iglesia parroquial protestante, con nave principal, pórtico E y vidrieras del siglo XIV. También se conservan varios belvederes, un pórtico de entrada a la ciudad y restos de los muros (siglos XV al XVI).

Cockermouth

Cumbria/Inglaterra Pág. 328 □ G 10

Cockermouth fue la ciudad natal de William Wordsworth (1770-1850), importante lírico inglés. Su casa natal, en la *Main Street,* el llamado *Wordsworth House,* no está abierto al público en la actualidad. Fue edificada en 1745; en el interior se conserva en parte la instalación original con las escaleras, la chimenea y los hermosos enmaderados; también existe una exposición de objetos que recuerdan la vida de Wordsworth y de su hermana Dorothy. En la ciudad es también de interés la iglesia *All Saints,* la *Old Hall* y las ruinas de la fortaleza (edificada en el año 1134; fue lugar de refugio de la reina María Estuardo).

Alrededores

Bridekirk (3 km N): Este lugar posee una bella iglesia con dos pórticos normandos; en el interior se encuentra pila bautismal del siglo XII ricamente decorada.

Crosscanonby (11 km NO): La iglesia *St. John the Evangelist* fue, en su origen, normando-romana; posteriormente fue modificada (interesantes detalles anglosajones y románicos. Las tallas de madera que se conservan datan del siglo VIII).

Isel (5 km NE): La iglesia *St. Michael,* normando-románica, data del siglo XII. En el

Colchester. *Town Hall*

interior se conservan varias cruces anglosajonas procedentes del siglo X.

Maryport (10 km NO): Edificado en el lugar del fuerte romano *Aluna* (hallazgos de altares romanos). En la ciudad, de especial interés, el *Maritime Museum* (amplia colección de historia marina y objetos referentes a la historia local).

Moorland Close (2 km S): En esta típica casa de campo, nació en el año 1764 Flechter Christian, afamado escritor cuya obra literaria más importante y conocida es «Motín en la Bounty».

Workington (12 km O): Aquí se encuentran los escasos restos del fuerte romano *Gabrosentium* (sobre el puerto); cerca, la iglesia *St. Michael* del siglo XIX (en el interior, un hermoso arco románico y restos de crucifijos anglosajones del siglo XVIII) y la *Workington Hall* (en 1598 sirvió de residencia a María Estuardo). También interesante es el *Helena Thompson Museum*.

Colchester

Essex/Inglaterra Pág. 332 □ L 14

La ciudad en el lado S del *Colne*, ya estuvo colonizada en la Edad del Bronce y tiene una antigüedad de unos tres mil años. Su favorable posición estratégica motivó a *Cunobelin* (Cymbeline de Shakespeare) a situar aquí su capital. En 44 d. de J. C. *Claudius* conquistó la residencia y fundó la primera colonia romana, la Colonia *Camulodunum*, en Inglaterra. Dieciocho años más tarde *Boadicea*, reina británica, intentó expulsar al pueblo romano. Éstos fueron sucedidos por los sajones, que edificaron su *Colneceaster*. En los siglos IX y X la colonia fue saqueada en repetidas ocasiones por los daneses, hasta que en 1085 Guillermo «El Conquistador» edificó la, en aquel entonces, mayor fortaleza de Europa. Se pueden ver restos que delatan el bélico pasado del lugar.

City Walls: El muro romano se compone de un rectángulo de 3,5 km de largo. La muralla, de 6 m de altura, fue comenzada bajo Vespasiano. En el lado E, especialmente, se conservan numerosos restos.

Castle: La construcción normanda fue edificada en la segunda mitad del siglo XI con material de construcción románico. La imponente fortaleza (50 × 35 m) tenía muros de 4 m de espesor; el piso superior se derrumbó en 1683. El castillo fue edificado, sobre los restos del templo románico, por Claudio, en 50 d. de J. C. Los restos de la fortaleza albergan un museo dedicado a las épocas romana y celta. Destacan especialmente los objetos de la sección romana, tales como monedas, cerámica, vidrio y joyas, así como diversas estatuas de bronce y piedra. También se exponen maquetas y modelos procedentes de la colonia romana.

Holly Tress: Esta casa, erigida en estilo georgiano, fue edificada en el año 1718 y contiene, en la actualidad, una excelente colección de antigüedades, viejos trajes típicos y numerosas joyas antiguas.

Former Church of All Saints: En esta antigua y bellísima iglesia se alberga actualmente el museo de historia natural de la ciudad. Trata diversas ciencias, en especial la geología y la historia natural.

Minories: Esta casa de estilo georgiano data del año 1776 y contiene, aparte de hermosos muebles georgianos, una colección de hermosas pinturas y otra de interesantes relojes de todos los estilos del siglo XVIII.

Alrededores

Copford (10 km O): La *Church of the Holy Trinity* es, sin duda, de las más impresionantes del condado. La nave, la sala del altar y el ábside de la iglesia normanda edificada en 1150 se conservan exactamente igual que lo estaban en su estado original. La nave lateral S fue añadida en tiempos posteriores. Los frescos que antiguamente cubrían la casi totalidad de la superficie interior de la iglesia, están fechados en el siglo XII. Sólo quedan restos de su belleza original, pero dan al visitante una imagen bastante precisa del fantástico decorado que antiguamente poseía la iglesia .

Dedham (13 km NE): En el pueblo se encuentran numerosas casas del siglo XVI y de la época georgiana. De especial interés también es *Southfields,* cuartel de los tejedores, de 1500. En el *Castle House* vivió y falleció el célebre pintor Alfred Munnings. La casa está dedicada al pintor y contiene multitud de obras realizadas por él.

Layer Marney (16 km SO): La *Church of St. Mary the Virgin* fue edificada nuevamente en el siglo XVI por el *primer Lord of Marney.* La iglesia es especialmente interesante debido a dos de sus monumentos fúnebres. El más antiguo, del siglo XV, muestra a *Sir William Marney,* vestido con su armadura, siendo un ejemplo típico del esculpido en alabastro en Inglaterra. El otro monumento, dedicado a Enrique, *primer Lord Marney,* está esculpido en mármol negro. La escultura es obra de un artista italiano. *Layer Marney Towers* data de principios del siglo XVI y nunca fue terminado. Llama la atención la altura de la caserna, de ocho pisos, que contrasta con el pequeño tamaño de la casa principal adjunta. El edificio, construido por orden de los dos *Lord Marney* de 1510 a 1525, muestra en todas sus ornamentaciones elementos de principios del Renacimiento. Las preciosas decoraciones en terracota son obra de maestros italianos.

Coleraine

Londonderry/Irlanda del Norte Pág. 324 □ E 9

La ciudad, con puerto en la desembocadura del río *Bann* (15 000 hab.), es una de las más antiguas colonias inglesas (época Plantation) y actualmente es ciudad universitaria. Al S de la ciudad, el fuerte circular *Ring Fort,* de la Edad de Piedra (en el River Bann).

Colchester. Castle

Coleraine. Centro de la ciudad

Conwy. Conwy Castle

Alrededores

Ballycastle (25 km NE): Este encantador puerto pesquero (3 000 hab.) posee escasos restos del *Dunanymie Castle* (siglos XIV al XV) y del cercano convento franciscano *Bonamargy* del 1500, que conserva la cripta (mausoleo) de la familia fundadora *MacDonnel*. En el *Ballycastle* construyó el italiano Marconi, alrededor de 1898, la primera estación radiofónica sin cables, en comunicación con la *Rathlin Island* (allí, restos de un monasterio del siglo XI).

Downhill Castle (12 km NO): El castillo fue edificado por el *Earl of Bristol* (obispo de Derry) alrededor de 1770; se conserva la rotonda clásica *Mussenden Temple* (1783) a orillas del arrecife. Los mundialmente famosos hoteles «Bristol» deben su nombre a este prestigioso Conde.

Dunluce Castle (20 km NE): La imponente construcción fue patrocinada alrededor de 1300 por el Conde del Ulster, *Richard de Burgh,* al borde de un arrecife; se conservan dos enormes torres defensivas. Las construcciones posteriores (torres, frontón y caserna) datan del siglo XVI; los edificios, en el lado del acantilado, de 1639. Cerca (4 km N) se encuentran las interesantes formaciones de basalto *Giant's Caseway* (barranco de los gigantes) con columnas de basalto como restos de una erupción volcánica.

Cong

Mayo/Irlanda Pág. 326 □ B 11

Este pintoresco lugar está situado en medio de los lagos *Lough Corrib* (S) y *Lough Mask* (N). El nombre gaélico *Cong* significa «estrecho». En el mismo lugar de una antigua fundación del siglo VI edificaron los *O'Connors,* reyes de *Connacht,* una abadía agustina en el

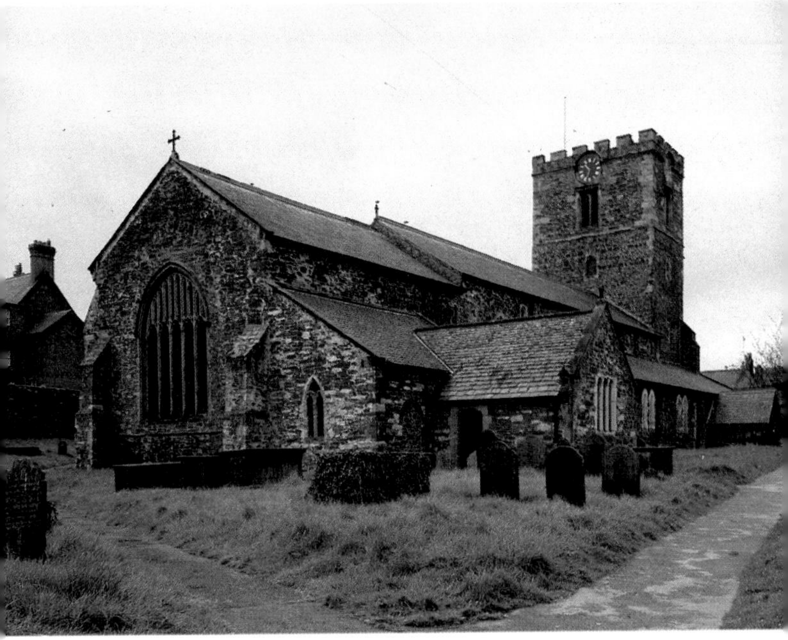

Conwy. St. Mary's

siglo XII, *Cong Abbey*. Aquí murió en 1198 el último rey supremo irlandés *Roderic O'Connor*. Ruinas de la iglesia romana y gótica; la caserna y el Vía Crucis, de 1200 (restaurado en el siglo XIX), se conservan en buen estado. Interesante es también el *Cong Cross*, trabajo de labrado en oro de 1123 (hoy en el Museo Nacional de Dublín), y otra cruz del siglo XIV (plaza del pueblo). En la parte E, el *Ashford Castle*, en estilo gótico victoriano del siglo XVIII, en el lugar que ocupaba una antigua fortaleza normanda.

Alrededores

Castle Kirk (15 km O): En la bahía NO del *Lough Corrib*, al SE de *Maam Bridge*, se encuentran las impresionantes ruinas de una fortaleza. Fue edificada en el siglo XIII por los *O'Connors*. El especial atractivo de los alrededores son los hermosos paisajes, sobre todo la parte de *Joyce's Country*, los *Seen* y la parte montañosa de la provincia de *Connemara* (entre Oughterard, en el Lough Corrib y Clifden, en la costa atlántica). En este lugar se pueden contemplar numerosas edificaciones procedentes de la Prehistoria, la Edad Media y la época cristiana. Los habitantes tienen fama de seguir antiquísimas tradiciones y costumbres galesas.

Inchagoill (8 km SO): Sobre la pequeña isla, en el *Lough Corrib*, se encuentran restos de un oratorio temprano-cristiano (casa de oración) del siglo IX y una iglesia románica del siglo XII que posee un pórtico bellamente decorado.

Inishmaine (7 km N): La pequeña isla en el *Lough Mask* (gaélico: Inish, Inch: «isla») posee restos de un convento agustino del siglo XIII. Se conservan partes de la iglesia con planta en forma de cruz, con hermosos trabajos de labrado en piedra y pórtico cristiano rectangular.

Conwy. St. Mary's, pila bautismal (s. XV)

Ross Abbey (12 km SE): La interesante abadía agustina, en excelente estado de conservación, cerca de *Headford,* fue edificada en 1351 y ampliada en el siglo XV. De especial interés es la iglesia, con el pórtico O, la ventana E, con los arcos de medio punto, la torre (1498) y restos del edificio de la abadía que fue habitada hasta 1765.

Conwy
Gwynedd/Gales Pág. 328 □ G 12

Esta pequeña ciudad, de 10 000 hab., se encuentra en la amplia e independiente desembocadura del río *Conwy,* en la bahía del mismo nombre, y sus reliquias están extraordinariamente bien conservadas.

Conwy Castle: Las impresionantes ruinas de la fortaleza de 1283 conservan los muros de 4,5 m de espesor y ocho torres circulares (esquineras). No se conserva la caserna. A través del camino del pórtico inglés se alcanza el patio de la fortaleza exterior (al E un segundo camino con una fuente con su chafariz). Aquí se encuentran los muros de la *Great Hall,* de una extensión de 38 × 12 m, con antiguos arcos de piedra, así como restos de la cocina y del pozo. Al patio interior le sigue la sala real y el receptorio, los muros de la sala de audiencias, el *Queen's Tower* al NE, con su pequeña capilla en el piso superior y la *King's Tower* al SE. El *Queen's Garden* es una pequeña y encantadora fortaleza sobre el río. El rey Eduardo hizo edificar esta fortaleza al mismo tiempo que la de *Caernaforn, Cricieth y Harlech* en el siglo XIII, en pleno auge de la arquitectura medieval.

Otros lugares de interés: La impresionante muralla de la ciudad, de 1,5 km de largo con sus 21 torres circulares, data del mismo tiempo que el castillo, siglo XIII. De especial interés, el camino circular a lo largo del muro. De los tres pórticos principales merece especial atención el *Upper Gate* (gaélico: Porth Uchaf), con sus construcciones de enfrente. La iglesia de la ciudad, *St. Maey's* (centro de la ciudad), posee un hermoso pórtico N del siglo XIII. En el crucero del siglo XIV, la pila bautismal y un bonito atril del siglo XV. La *Plas Mawr* (gran casa), en la *High Street,* está construida en el típico estilo isabelino (1585) y posee 365 ventanas y 52 puertas (en la actualidad es la sede de la Royal Cambrian Academy of Art, con exposiciones artísticas). El *Aberconwy-Haus* (esquina High Street/ Castle Street) es una casa de paredes entramadas erigida en el 1500 (actualmente, exposición de antigüedades). Cerca de *Porth Isaf* (pórtico a orillas del río) se encuentran la *Smallest House,* una pequeña casa de pescadores de los siglos XVIII al XIX. Asimismo, junto a los muros de la ciudad, se pueden ver pequeñas casas medievales. La iglesia del pueblo de *Gyffin* (al S) alberga una pila bautismal del siglo XIII y el pórtico de la

Conwy. Parte de las murallas

Corfe Castle. Vista del castillo

misma época; las pinturas y el techo son de los siglos XV al XVI.

Alrededores

Betws-y-Coed (capilla en el bosque, 25 km S): En este pueblo vacacional, rodeado de bosques, se encuentra un puente de piedra compuesto por cuatro arcos del siglo XV, *Pont-y-Pair* y una vieja iglesia con pila bautismal normanda y esculturas en los monumentos fúnebres, la *Waterloo-Bridge* (al S); data de 1815. Cerca (Ty-hall) los famosos *Swallow-Falls* (cataratas de las golondrinas).

Caerhun (8 km S): En este lugar, situado en el encantador valle *Conwy* (Vale of Conwy), se encuentran los escasos restos del castro romano *Conovium* (alrededor de la iglesia del pueblo).

Llandudno (20 000 hab., 6 km N): Es un lugar apreciado por los bañistas y se encuentra enfrente de *Conwy*, entre los acantilados de *Great Orme's Head* (al NO) y *Little Orme's Head* (al NE).

Sobre el *Great Orme* (207 m de altitud) se encuentra la iglesia *St. Tudno*, del siglo VII, nominada por un inmigrante de mismo nombre, al igual que la ciudad, Llandudno: St. Tudno. La iglesia, restaurada en 1855, data del siglo XV. Hay hermosos trabajos de madera tallada sobre el ábside (muro N de una construcción del siglo XII). Al SE, escasos restos de la medieval *Gogarth Abbey* (siglos XII al XIII). En el *Llandudno-Doll-Museum* se exponen muñecas de todo el mundo; en el *Rapallo House*, exposición de pinturas, viejas armas y armaduras. Al S de la ciudad, en el ancho *River Conwy*, restos de un castillo destruido en 1260.

Llanwrst (20 km de Conwy): La iglesia parroquial *St. Grwst* (Grust) data del siglo XV (estilo perpendicular, renovada en el siglo XVII). Hermoso atril y crucifijo. En la *Gwydir Chapel*, de 1633, hermosa decoración y monumentos fúnebres, entre ellos el sarcófago de *Llawelyns el Grande,* del siglo XIII. Cerca, a orillas del *Conway,* una vieja casa de juzgado del siglo XV (Ty Hwnt y'r Bont) y un viejo círculo de bardos (utilizado para realizar concursos de canto). El hermoso puente de tres arcos data de 1636. En la otra orilla está situado el *Gwydir Castle* del siglo XV, posteriormente restaurado en diversas ocasiones. En las afueras, a unos 3 km, la iglesia de *Llanrhychwyn* (Llewelyn's Old Church) del siglo XV, con una pila bautismal del siglo XII.

Corfe Castle

Dorset/Inglaterra Pág. 332 □ H 16

Estas interesantes ruinas, en el centro de la península *Purbeck,* son uno de los lugares históricos de más importancia en Inglaterra. Ya los anglosajones edificaron aquí una residencia real. En ella reinó en 978 la reina Elfrida, asesinada por Eduardo, hijo del rey Edgardo, a pesar de ser su cuñado. El motivo del asesinato era ofrecer el trono a su propio hijo Etelredo (978-1016). Guillermo «El Conquistador» (1066-1087) amplió la fortaleza. Para el rey Juan (1199-1216) el castillo no sólo fue su lugar de recreo preferido, sino también un tesoro. Aquí se encerraban presos políticos y se guardaban las joyas reales. Poco a poco la instalación fue ampliada y asegurada con grandiosos muros, fosas y bastiones. En el año 1643 Lady Bankes defendió la fortaleza contra el asedio mantenido por 600 soldados del partido del Parlamento. Después de tres años de asedio el castillo sucumbió, a causa de un traidor, y fue destruido.

Cork

Cork/Irlanda Pág. 330 □ C 14

La segunda ciudad mayor de Irlanda (135 000 hab.) se encuentra en la rami-

Cork. St. Finbar's Cathedral ▷

ficada bahía del río *Lee,* de ahí el nombre del lugar, «Corcaigh» (pantano).

Historia: El santo celta *St. Finbar* creó aquí, en los siglos VI al VII, un poblado monacal (SE de la ciudad). Alrededor de 917 se instalaron los vikingos y los piratas noruegos (primeras fortificaciones). En 1118 *Cork* se convirtió en capital de los reyes *MacCarthy de Munster,* del S, hasta que fue conquistado por los anglonormandos en 1180. A lo largo de las múltiples y duras batallas se destruyeron numerosos edificios medievales; en 1690 fueron destruidos los muros y las fortificaciones de la ciudad. En la guerra civil de 1920-1922 también sufrió serios daños. La imagen actual de la ciudad procede de los siglos XVII al XVIII, cuando Cork se convirtió en una importante ciudad portuaria, comercial e industrial (siglo XIX). Desde 1845 también es ciudad universitaria y sede episcopal protestante y católica.

St. Finbar's Cathedral (en el Southern Channel): En el lugar del antiguo poblado monacal *St. Finbar* (no quedan restos) se encuentra una imponente catedral de estilo francés neogótico. Posee tres torres (torre central, 80 m de altura), coro y ábside, mosaicos en paredes y suelos, así como un fantástico juego de campanas.

St. Anne's Church (Shandon Church): La iglesia protestante en la *Church Street* (al N del River Lee), fue edificada de 1722 a 1826 sobre otra iglesia más antigua. Es uno de los más hermosos edificios de la ciudad, con su torre central de ladrillo rojo; las campanas datan de 1750. El juego de campanas de *Shandon* es famoso en toda Inglaterra.

Otros lugares de interés: A orillas del río *Quay* se encuentra la iglesia dominicana *St. Mary,* de 1839, con su «milagrosa» estatua de la Madonna, del siglo XV. La *St. Mary's Cathedral* (al N del River Lee), con su torre gótica y juego de campanas compuesto de nueve partes, fue edificada sobre otra iglesia en el año 1808 (interior gótico).
En la unión de los afluentes del río *Lee* se encuentra la antigua *Custom House* (casa de aduanas), edificada de 1814 a 1818 en estilo clásico. El elegante *St. Patrick's Bridge* fue construido en 1859 y es el puente más bello de los que se pueden observar en *Cork.* Cerca se encuentra la Casa de la Ópera, finali-

Blarney Castle (Cork)

zada alrededor del año 1965. Cerca de *St. Finbar's Cathedral* se puede admirar la *Red Abbey Tower,* con los restos del monacato agustino fundado alrededor del 1300. El *Elizabeth Fort* (cerca de la Parliament Bridge) fue edificado en 1603 y, en el siglo XIX, fue utilizado como cárcel (se conservan los muros del siglo XVII). El *Court House* (Liberty Street) es un edificio de justicia, de estilo clásico, que posee un pórtico de origen corintio y un conjunto de estatuas de bronce (justicia, ley y bondad). La protestante *St. Peter's Church* (North Main Street) fue edificada alrededor del año 1785, en el lugar que ocupaba una antigua iglesia medieval. No lejos de allí el *Mercy's Hospital,* erigido en el año 1763, con hermosos techos estucados en la mansión adyacente, *Mansion House.* La *Holy Trinity Church,* en el *Southern Channel,* muestra su bello y puntiagudo campanario y sus hermosos ventanales, fue edificada en estilo neogótico en 1832. La *Crawford School of Art* (en el Coal Quay) posee una colección de copias de esculturas románicas y reproducciones del artista irlandés Hogan (1800-1858) e interesantes pinturas de varios artistas de la misma época.

Alrededores

Blarney Castle (9 km NO): Es una fortificación cuyas torres se hallan pintorescamente situadas, con un imponente cementerio y torres esquineras de 1446. La fortificación *MacCarthy* alberga en su interior la legendaria «piedra de Blarney». La leyenda dice que solamente con tocar la roca se adquieren grandes poderes.

Cloyne (26 km SO): La vieja ciudad episcopal procede de un poblado monacal del siglo VI. La iglesia, restaurada en 1856, data de 1250 y conserva partes de la construcción medieval. En el crucero S, la tumba del famoso obispo y filósofo *George Berkeley* (1685-1753); cerca de la iglesia se conserva una torre circular.

Cobh (20 km SO): La localidad fue en los siglos XVIII y XIX puerto principal de *Cork;* era llamado también «Queen's Town». Desde este lugar emigraron durante la carestía de 1845 cientos de miles de irlandeses hacia el N de América.

Cobh (Cork). Vista de la ciudad con la Catedral al fondo

Kilcrea Friary (20 km O): Monasterio franciscano, en parte restaurado, erigido en el año 1465, con interesante torre en buen estado de conservación.

Monkstown Castle (6 km SE): Se halla situado en la bahía, enfrente de *Cobn,* el que fuera casa fortificada, erigida en el año 1636, y que estaba defendida por cuatro macizas torres esquineras.

Coventry

West Midlands/Inglaterra Pág. 328 □ I 13/14

La ciudad posee poca industria. *Couentry,* como fue llamada antiguamente, ya poseía un pequeño convento y, en 1043, recibió de Leofric, *Earl of Mercia,* un priorato benedictino. De 1102 a 1185 la antigua iglesia benedictina sirvió de catedral a las diócesis de *Coventry* y *Lichfield.* A finales del siglo XIV la ciudad, junto a Londres, York y Bristol, fue una de las más importantes del país. Muestra de ello es la *St. Michael's Cathedral,* edificada en los siglos XIV al XV. En 1539 fue disuelto el priorato benedictino; la *St. Michael's Cathedral* sirvió de iglesia parroquial. A partir del siglo XVII la ciudad se fue convirtiendo en centro de la industria de la confección; más tarde llegó la mecánica de precisión y la industria pesada. En la noche del 14 de noviembre de 1940 la ciudad, al igual que el país entero, sufrió un despiadado bombardeo; la parte antigua. incluyendo la catedral, fue destruida por completo.

Old Cathedral: La catedral, finalizada en 1433, es un excelente ejemplo de la arquitectura gótica. La parte E, de forma pentagonal, era ejemplar, así como la gran torre O de 1394. En total, la torre alcanza una altura de 100 m y es una de las torres eclesiásticas más altas del país. La iglesia fue bombardeada, quedando solamente restos de los muros que la circundaban; la torre, no obstante, permaneció intacta. Los restos de los muros fueron utilizados para la nueva edificación de los años cincuenta.

New Cathedral: Fue erigida en el período que abarca de 1954 a 1962, según los planos de Sir Basil Spence. Se utilizó como material de construcción el ladrillo rojo trabajado de diversas maneras y en perfecta armonía con las vidrieras policromadas que se crearon para la edificación.
Al lado de la sala de comunicación, entre la antigua y la nueva catedral, se encuentra un muro exterior con la imagen de *St. Michael* venciendo al diablo. Las figuras de bronce, de una altura de 8 m, son obra de Epstein. El interior de la nave principal, que posee unas medidas de 90 m de largo y 27 m de ancho, tiene el suelo de mármol, alternando cuadrados blancos y negros, y el piso del altar está cubierto con un inmenso tapiz. Este hermoso tapiz de 26 m de alto por 11 m de ancho, es uno de los mayores tapices del mundo. Ha sido diseñado por Graham Sutherland; su elaboración llevó más de treinta mil horas de trabajo y está confeccionado en Francia con lana de origen australiano. Sobre un fondo verde se puede contemplar la imagen de Cristo con una persona a sus pies. El borde está formado por cuatro símbolos: el águila, el buey, el león y el hombre. Sobre el león vuelve a aparecer la imagen de *St. Michael* venciendo al diablo.
El espacio interior de la catedral está dividido en dos filas con siete estrechas columnas de latón en forma de costilla. Estas columnas forman un regular dibujo de rombos que llega hasta la sala del altar. La capilla bautismal, situada en el lado derecho, impresiona por su gigantesca vidriera policromada, que llega desde el suelo hasta el techo; es una obra realizada por John Piper y Patrick Reyntiens. Esta hermosa vidriera se compone de 200 piezas y simboliza un bautismo. La luz del Espíritu Santo ilumina el mundo uniendo el cielo y la Tierra. Las restantes vidrieras de la iglesia están construidas de manera que la luz ilumina directamente el Altar Mayor. Las diez vidrieras están construidas a pares; cada pareja tiene un color predominante. La primera pareja de vi-

Coventry. Catedral vieja con la moderna cubierta

New Cathedral

Ventana norte

drieras es de color verde, y simboliza *La Creación;* la segunda pareja es roja, y representa *La aparición de Dios en el mundo;* la tercera tiene varios colores, y simboliza *La contradicción;* la cuarta es azul y púrpura, y simboliza *La madurez;* la quinta es dorada y plateada, y representa *La liberación.* Estas hermosísimas vidrieras policromadas fueron diseñadas por Lawrence Lee, Geoffrey Clarke y Keith New. *La Chapel of Christ in Gethsemane* alberga en su interior un increíble mosaico realizado por Steven Sykes.

Church of the Holy Trinity: Esta bellísima iglesia, erigida en estilo gótico, fue edificada durante los siglos XV y XVI y tiene una altísima y bella torre de casi 80 m de altura.
De especial interés es el púlpito, ricamente decorado, creado en el siglo XV y la ventana O, obra del genio creador del maestro Hugh Easton (1955).

St. Mary's Hall: Esta casa, edificada en el año 1342 por un comerciante y ampliada en el transcurso del año 1394, soportó relativamente bien los devastadores bombardeos. En la *Great Hall,* en el primer piso, se encuentra el famoso *Coventry Gobelin,* de principios del siglo XVI, de Flandes. Se supone que fue realizado a raíz de una visita de Enrique VII e Isabel de York a *Coventry* (alrededor del 1500). En el lado S de la casa se encuentra la *Caesar's Tower,* del siglo XIII. Se supone que fue parte de una fortaleza destruida por los *Condes de Chester.* La torre fue destruida a causa de los intensos bombardeos, siendo reconstruida con los materiales originales. En el año 1569 estuvo aquí prisionera, en el primer piso, María Estuardo.

Herbert Art Gallery and Museum: Se exponen hallazgos arqueológicos que pertenecen a los muros de la ciudad. Entre ellos también se encuentran objetos anglosajones. En el museo también se exponen coches, motos y máquinas de todas las épocas.

Alrededores

Berkswell (5 km O): La *Church of St. John the Baptist* (finales del siglo XII) es con seguridad la iglesia normanda de más belleza del condado. De especial interés, la cripta, situada debajo de la sala del altar que, en parte, procede de tiempos anglosajones. No se ha encontrado una explicación lógica, hasta el momento, el que la planta tenga la forma octogonal.

Craigievar Castle

Grampian/Escocia Pág. 324 □ H 6

El más exótico y, a la vez, logrado *Tower House* de toda Escocia fue erigido de 1610 a 1626 y edificado por el

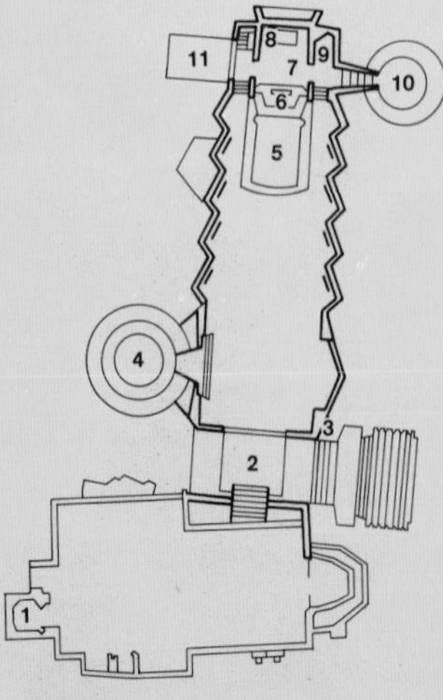

Coventry Old and New Cathedral: 1. Torre O de la Old Cathedral. **2.** Sala de comunicación entre la Old Cathedral y la New Cathedral. **3.** Escultura que representa la victoria de St. Michael sobre el diablo. **4.** Chapel of Unity. **5.** Coro. **6.** Altar. **7.** Lady Chapel. **8.** Tapiz sobre el altar. **9.** Chapel of Christ in Gethsemane. **10.** Chapel of Christ the Servant. **11.** Refectorio.

maestro de obras John Bell para el comerciante William Forbes; llamado «Danzing Willie», se conserva en perfecto estado. Parece obra del destino que el edificio no haya sido destruido ni durante la guerra civil ni durante los disturbios en tiempos de Cromwell, ni en los levantamientos jacobinos. El castillo es uno de los más significativos de Escocia. La torre-vivienda, de cinco pisos, tiene la planta en forma de L, contiene pequeñas salas (en total 19), con una decoración de muy buen gusto. La planta y las estrechas escaleras de caracol están diseñadas de manera que los intrusos solamente podían penetrar en el castillo de uno en uno, quedando a los defensores, siempre, una escalera por la que podían emprender la huida en caso de que fuese necesario. Las pequeñas torres, con sus divertidas agujas, fueron utilizadas en un principio como puntos de mira de las esquinas (torres esquineras). Poco a poco se fueron construyendo techos sobre las torres y, posteriormente, los espacios entre ellas fueron cerrados de manera que surgieron de esta manera habitaciones adicionales.

Alrededores

Crathes Castle (25 km SE): También este castillo es una rareza escocesa. En muchas cosas es parecido al *Craigievar Castle*. Sus torres cubiertas semejan conos. No obstante, también hay diferencias. *Crathes Castle* además de tener medio siglo más de antigüedad, le falta la elegancia en el exterior. La edificación fue comenzada por Alexander Burnet en 1553; finalizada en 1596; la instalación interior data de 1602. El castillo se hizo famoso por el gran valor demostrado en él. Son de especial interés los techos de madera, pintados con motivos bíblicos y que se conservan en la *Chamber of the Nine Muses* y en la *Chamber of the Nine Nobles*. En la galería del piso superior impresiona el increíble enmaderado de encina que posee. Es especialmente valioso el *Horn of Leys*. Le fue regalado a Alexander de Burnard en el año 1323 por el rey Roberto Bruce. El castillo se halla bajo la protección del *National Trust* desde el año 1951.

Kildrummy Castle (15 km NO): Las ruinas son buen ejemplo de una fortaleza medieval escocesa, como se deduce del total de su arquitectura. Es impresionante el muro que circunda el castillo, reforzado en las esquinas y en la entrada del pórtico. La fortaleza fue edificada en el período de años que va de 1214 a 1249 por Gilbert de Moravia, obispo de Caithness. La construcción que antecede y el puente fueron erigidos en el siglo XIV. El castillo fue finalizado en el siglo XVI. Hasta su destrucción en el año 1717, durante los levantamientos jacobinos, la fortaleza fue utilizada como residencia de los *Condes de Mar*.

Crichton
Lothian/Escocia Pág. 324 □ H 8

Crichton Castle: Este castillo se encuentra colgado literalmente en un barranco y es un ejemplo perfecto de la transformación de una torre que ha sido convertida en casa feudal a modo de palacio de los siglos XV al XVI. La antigua casa fue propiedad de *Sir William Crichton,* canciller de Jaime II. Alrededor del año 1585 la compró el *quinto Earl of Bothwell,* que había visitado Italia y estaba impresionado por el arte arquitectónico de este país. La torre fue transformada siguiendo el estilo del Palacio de Ferrara y fue convertida en un complejo de edificios de cuatro naves, concluyéndose en 1591.
Las ruinas del *Crichton Castle* se conservan en buen estado y contienen, en especial en la nave N, hermosas arcadas procedentes del Renacimiento. La fachada se halla dividida por enormes piedras que nacen de separación.

Otros lugares de interés: En Crichton se encuentra un fuerte de la Edad del Hierro circundado por un muro ovalado de 90 m de longitud y 60 m de ancho. La iglesia es del año 1449, utilizada en la actualidad como iglesia parroquial, posee una hermosa bóveda y una torre en perfecto estado de conservación.

Alrededores

Borthwick Castle (5 km S): El castillo data de 1430 y posee una de las torres más imponentes de Escocia. La torre circular de dos naves tiene muros de hasta 4 m de espesor y ha soportado, sin ser dañada seriamente, los diversos ataques de los que ha sido víctima, incluidos los de Cromwell en el año 1650. En 1566 vivió aquí María Estuardo, casada con Bothwell. Cuando el castillo se vio rodeado por los lords en rebelión, María Estuardo pudo escapar disfrazada de paje. Durante la última guerra el castillo sirvió de archivo principal de Gran Bretaña. El castillo se conserva intacto, hasta el punto de que está habitado en la actualidad.

Crickhowell

Powys/Gales Pág. 332 □ G 14

El pequeño poblado (1 500 hab.) se encuentra a unos 10 km NO de *Abergavenny,* en el encantador valle del río *Usk* y a las faldas de las *Black Mountains.* Las ruinas del castillo datan del siglo XIII (destruido alrededor de 1808). Sobre el *Usk* se encuentra un bonito puente que posee 13 arcos (fue reformado en el año 1808).
La iglesia parroquial, con su techo de pizarra, fue edificada en estilo decorated (gótico, siglo XIV). Todavía se conservan restos de los muros que circundaban la ciudad.

Alrededores

Cwmyoy (13 km NE): Iglesia de pueblo de origen medieval que posee una hermosa «torre inclinada».

Llanthony (24 km NE): Aquí se encuentran los interesantes restos de la vieja *Llanthony Priory,* fundada en 1108 y habitada posteriormente por monjes agustinos. De las ruinas estrictamente normandas se conservan restos de arcos, partes de las vidrieras, la sala capitular y un pasaje cubierto de bóvedas entrelazadas en forma de cruz. No lejos de este lugar se encuentra la actual iglesia *St.*

Chichton. Castle, ala norte

David's, también originaria del siglo XIII. Cerca de esta iglesia se encuentran los edificios del posterior *Llanthony Priory* (convento), fundación anglicana erigida en el año 1870. El edificio del convento fue vivienda de numerosos artistas mientras decayó la iglesia neogótica junto al fundador *Ignatius*.

Partrishow (gaélico: Merthyr Issui, unos 10 km NE): Interesante iglesia medieval dedicada al santo celta *Issui*. Fue fundada en el siglo XI; las partes visibles que se conservan datan del siglo XIII (con modificaciones posteriores; la última de 1908). A través de la caserna, del siglo XIV, se accede a la pila bautismal normanda con viejas inscripciones. En la pared O, hermosas pinturas (alegorías sobre la época); también se conserva un atril ricamente tallado y decorado (pared del coro) del siglo XV junto a dos altares (placas del siglo XIII). Es de especial belleza el arco entre la nave horizontal y el coro, el techo de la nave horizontal es originario del siglo XV, el campanario del siglo XIV y una vieja Biblia gaélica de 1620.

Tretower (7 km NO): En este lugar se encuentra una casa feudal en muy buen estado de conservación, fortificada y erigida en la Edad Media (Tretower Court). Cerca de la casa feudal con caserna están ubicados la *Great Hall* y el patio interior (todas las edificaciones datan de los siglos XIV al XV). Todavía quedan abundantes restos del normando *Castle,* del que se puede apreciar especialmente la torre circular.

Culross

Fife/Escocia Pág. 324 □ G 8

Idylle fue, en su día, importante ciudad portuaria, con actividades industriales y comerciales. A finales del siglo XVI podía concurrir con *Glasgow,* que ya, sin duda, estaba casi a la misma altura. En esta ciudad existieron salinas, minas de carbón y un sistema de minas que estaba construido por debajo del *Firth of Forth.* Sir George Bruce había construido una fosa que retenía la subida de la marea, por lo que el carbón podía ser trasladado directamente a los barcos. Al acabarse la actividad industrial, volvió a ser una encantadora, pequeña, ciudad de la época de 1600. En ningún lugar de Escocia se conserva de una manera tan pura e intacta la tradición constructora de los siglos XVI al XVII. Las hileras y grupos de casas son tan proporcionados como las mismas casas, observadas individualmente.
La relación entre las pequeñas ventanas cuadradas, con las pintorescas puertas, barandas y torres, es de una encantadora armonía. El *National Trust* se ha ocupado no sólo de conservar las casas en perfecto estado, sino de habitarlas. El concepto «Buy, Restore, Sell» (compre, restaure, venda) ha surtido un efecto positivo en la población. Las casas de más importancia que podemos citar son:

Palace: La casa de Sir George Bruce, el más importante ingeniero de Culross, fue comenzada en 1597 y finalizada en 1611. El atractivo especial de esta construcción consiste en la variedad de estilos mezclados que en ella se encuentran, destacando especialmente el estilo escocés y el holandés. Típicamente escocesas son las ventanas, compuestas de dos partes: en la parte superior poseen bellos emplomados y en la inferior contienen trabajos de madera. Es de notable interés la lograda combinación de los enmaderados techos, con sus vigas pintadas, al igual que las paredes, a la témpera.

Town House: El Ayuntamiento de la ciudad, con su doble escalera y la torre del reloj de 1783, fue construido en el año 1626. La sala del Ayuntamiento está decorada con un hermoso techo de madera pintado. Los sótanos fueron utilizados antiguamente como prisión. En determinadas ocasiones también la buhardilla se utilizó como prisión.

The Study: Este palacio se construyó hacia el año 1600 y debe su nombre al hecho de ser en él donde el obispo Leigthon pasaba algunas temporadas estudiando y meditando. En la actualidad se encuentra en el edificio el centro de información del *National Trust,* siendo utilizado, también, como museo local. En el *Culross Room* se halla recopilada multitud de documentación que ilustra la historia local de los últimos tres siglos. El interior de la casa alberga una hermosísima decoración complementada con valiosos muebles escoceses y holandeses del siglo VII. Especialmente valiosos son los enmaderados de madera escocesa realizados en el año 1633.

Abbey: El *Conde de Fife* fundó, alrededor del 1300, una abadía cisterciense. Sólo quedan escasísimos restos de la antigua edificación. El coro, reconstruido, es utilizado en la actualidad como iglesia parroquial.

Alrededores

Dunimarle Castle (al O de Culross): Este castillo es una construcción erigida en el siglo XIX; es especialmente interesante por su impresionante colección de pintura y el parque que alberga en su interior.

Crichton. Castle, detalle

Culzean Castle

Strathclyde/Escocia Pág. 326 □ F 9

El *Bank of Scotland,* en el que se puede apreciar el «adorno de la nota de cinco libras», es un claro ejemplo de la brillante arquitectura escocesa del siglo XVIII. El castillo fue erigido en el siglo XII; durante unos seiscientos años no fue más que una torre con planta en forma de L, propiedad del *Clan Kennedy.* En el año 1762 pasó a ser propiedad del *decimonoveno Earl of Cassillis,* cuyo hermano, Robert Adam, trece años más tarde, comenzó con la remodelación y ampliación de la torre.
Durante quince largos años se trabajó duramente sobre el acantilado, llevando a feliz término la terminación de la imponente fortaleza. El más importante arquitecto escocés dejó volar su imaginación y creó este hermoso castillo, cuyo exterior da la imagen de un castillo medieval con sus torres esquineras y sus torres albarranas, estrechas troneras y una balaustrada. La sencilla construcción exterior contrasta con las instalaciones interiores, que contienen delicados decorados y elegantes salones.
El arquitecto Adam tuvo un gusto exquisito y una honda preocupación por conseguir que todos los componentes de la decoración combinaran perfectamente, hasta en los más insignificantes detalles. La decoración es impresionante en todo el edificio, en especial en el famoso edificio ovalado, con su caja de escalera, su galería de dobles columnas y el «salón redondo», en el que se manifiesta claramente la increíble calidad artística del arquitecto. En este salón se encuentran en perfecta armonía guirnaldas, abanicos, urnas, zócalos y cornisas, todo ello combinado en suaves colores: azul y verde claro. En el año 1879 se añadió al castillo una nave E; en 1945 el edificio fue protegido por el *National Trust,* con excepción del piso superior, que está reservado al uso como residencia nacional para huéspedes

ilustres. El primer huésped que la visitó fue el general Eisenhower.

Alrededores

Crossraguel Abbey: Esta abadía es una fundación de Duncan, *Earl of Carrick*, y data de la segunda mitad del siglo XII. En 1214 los monjes de *Paisley* se instalaron en la abadía y la reconstruyeron generosamente. Durante la época de florecimiento de esta abadía, siglos XIV al XV, el abad, a su vez, era regente de los alrededores. La comunidad era independiente, ya que funcionaba con su propia moneda y leyes. La abadía fue la última construcción (siglo XVI) anterior a la Reforma. En 1592 huyeron los últimos monjes. Las ruinas datan del siglo XV. Se conserva la inmensa torre *Abbot's* al E, así como la imponente caserna en el E. Los cimientos de la sacristía datan, esencialmente, del siglo XII. Los muros del coro, la sacristía y la sala capitular, con hermosas bóvedas, son de estilo gótico. Se reconocen las distintas épocas de construcción por las partes edificadas con piedra virgen y las partes de piedra tallada.

Maybole (5 km E): El castillo data del siglo XVII. Fue, en la antigüedad, la residencia de los *Earls of Cassillis*. La casa de la torre, restaurada, contiene bonitas torres. La iglesia-colegiata data de 1317 y fue utilizada por los *Earls of Cassillis* como iglesia sepulcral. Sólo quedan restos de ella.

Bosque de Kirko (5 km S): *Souther Johnnie's Cottage* esta casa se conserva en su estado original; fue vivienda del zapatero John Davidson. El zapatero fue amigo de infancia de Robert Burns. La casa, del siglo XVIII, ha sido convertida en museo; aquí se exponen numerosos objetos que recuerdan la vida de Burn y del zapatero.

Crichton. Castle, detalle

D

Darlington

Durham/Inglaterra Pág. 328 □ I 10

St. Cuthbert: La iglesia parroquial de esta bella ciudad fue edificada entre el año 1190 y 1220, en estilo gótico Early-English. La torre del transepto y su aguja datan del siglo XIV. En el interior de la iglesia, de planta en forma cruceiforme, es de especial interés la bonita pared del coro, la base de la pila bautismal y la enorme vidriera policromada, obra realizada por Clayton & Bell, en el siglo XIX.

North Road Station Railway Museum: Museo del ferrocarril, erigido cerca de la vía ferroviaria (1825) mandada construir por Robert Stephenson y que está dedicado al transporte de pasajeros («Stockton & Darlington Railway»). En el interior del mismo se encuentra la primera locomotora de esta línea que, anteriormente, estuvo expuesta en la *Bank Top Station.*

Alrededores

Croft (4 km S): La iglesia *St. Peter* es, en su origen, normando-románica; fue posteriormente transformada. En el interior, es de especial interés, entre otras numerosas cosas, las misericordias del coro, ricamente decoradas, y los restos de una cruz de procedencia anglosajona.

Gainford (12 km O): La bella iglesia ha sido ampliamente restaurada con gran acierto. Su construcción primigenia data del siglo XIII.

Haughton-le-Skerne (1 km N): La hermosa iglesia *St. Andrew* data, con excepción de los brazos del crucero, de la época normanda. En el interior, de especial interés, las instalaciones del siglo XVII y la sillería del coro, el púlpito y la pila bautismal. También son interesantes los numerosos fragmentos de arquitectura anglosajona.

Hurworth (5 km S): Pueblo edificado mayormente en el siglo XVIII. Lugar natal del matemático William Emerson (siglo XVIII). La casa donde nació este ilustre personaje es *Emerson Arms Pub;* su tumba se encuentra en el cementerio del pueblo.

Piercebridge (8 km O): Se halla edificada sobre los restos de una fortificación romana que aseguraba el paso de la calle romana de *York* hacia *Corstopitum* (hoy Corbridge) sobre el río *Tee.*

Stanwick (8 km SO): Uno de los fuertes de mayor interés de Inglaterra edificado por los «Brigantes». El primer edificio «Tofts» fue erigido a principios del siglo I d. de J. C., fortificado con un sencillo muro y una fosa; cincuenta años después se continuó la construcción en el lado N (aquí se utilizó un muro sin fosa). Alrededor del año 72 d. de J. C. se realizaron ampliaciones en la parte S de la construcción.

Lullingstone-Villa (Dartford). Mosaico de la villa romana

Dartford

Kent/Inglaterra Pág. 332 □ K 15

Dartford es una de las ciudades industriales de más importancia de la región.

Holy Trinity: La iglesia parroquial de la ciudad data del siglo XI, muestra de ello es su torre de estilo normando. Durante las restauraciones en el siglo XIX se descubrieron pinturas murales realizadas en el siglo XI.

Otros lugares de interés: El *Royal Victoria and Bull Hotel* recuerda tiempos antiguos y florecientes. En el *Borough Museum* se exponen piezas de la historia local, desde los orígenes hasta la actualidad.

Alrededores

Gravesend (10,2 km E): La *St. George's Church* fue edificada por Charles Sloane en estilo georgiano; en el coro se encuentra la tumba de *Pocahontas,* la mujer india de John Rolfes, que falleció aquí en 1616.

Lullingstone (8,5 km S): Castillo de la época Tudor mandado edificar por la reina Ana (1702-1714).

Lullingstone-Villa (7,5 km S): Villa romana en buen estado de conservación, con posible capilla cristiana.

Sutton-at-Hone (4,5 km S): *St. John's Jerusalem,* antigua sede de caballeros del siglo XIII, con una conservada capilla del siglo XV. La gran encina en el jardín es, supuestamente, parte del árbol bajo el que murió Napoleón en la isla de Santa Elena.

Dartmouth

Devon/Inglaterra Pág. 332 □ G 17

Este puerto natural en el *Dart,* cuya entrada en la Edad Media estaba cerrada por una cadena de hierro, ha ofrecido a los navíos, desde tiempos inmemoriales, no sólo un seguro refugio, sino también un perfecto escondite debido a su forma. En el año 1147 se reunieron en este lugar los 146 navíos de los cruzados ingleses, franceses, alemanes y flamencos.

En 1190 se repitió la congregación y, en el verano de 1944, fueron 400 barcos de guerra los que se reunieron aquí, en el transcurso de la segunda guerra mundial, esperando el *D-Day*.

Entre 1488 y 1502 se edificaron, a ambos lados de la desembocadura, sendas fortificaciones y se dispusieron nueve barcos contra la Armada Española. Sesenta años antes del invento por Watt de la máquina a vapor, Thomas Newcomen, de Dartmouth, ya la utilizaba (1705).

Church of St. Savior: Esta iglesia gótica, reformada en 1630 en estilo gótico, contiene una hermosa reja de coro con filigranas; fue finalizada en 1500 utilizando como material de construcción la madera. El púlpito de piedra y las numerosas esculturas datan de la misma época. La galería de armas de los comerciantes fue erigida en 1633; el monumento fúnebre de 1408 muestra a *John Hawley,* alcalde de Dartmouth, entre sus dos mujeres. De especial interés son las ornamentaciones forjadas de la puerta en madera de encina, en el lado S, del siglo XIV. La escena representa dos leones que custodian el Árbol de la Vida.

Butterwalk: La casa, de paredes entramadas, descansa sobre 11 columnas de granito (1535-1540). La columnata fue seriamente dañada durante los devastadores bombardeos acaecidos durante la segunda guerra mundial (1943), siendo restaurada en el año 1954.

Museum: El museo se encuentra en una de las casas de los comerciantes, en el *Butterwalk*. La casa data del siglo XVII y fue visitada, en 1671, por Carlos II. Las colecciones hacen alusión a la historia marítima; se exponen numerosas maquetas de barcos famosos.

Alrededores

Torquay (20 km N): Esta ciudad, edificada sobre siete colinas en la bahía *Torbay,* es una de las más antiguas colonizaciones de las asentadas en Inglaterra. A partir del año 1823 fueron desenterradas en este lugar numerosas herramientas de la época paleolítica, así como interesantes fósiles de animales. La protegida bahía ha atraído en el transcurso de los tiempos a artistas y escritores, dado el agradable clima que ésta disfruta. En este lugar nació en 1890 Agatha Christie, la «Queen of the Crime». Cuando falleció, el 12 de enero de 1976, su última obra, titulada «Trampa de ratones», había sido representada 9 611 veces en el Teatro *St. Martin's* de Londres. Sus libros han alcanzado, entretanto, una tirada cercana a los 400 millones, con lo que la famosa escritora supera en ediciones al mismísimo Shakespeare. Al SO de la ciudad se encuentra *Torre Abbey,* ruinas de lo que otrora fuese una abadía premonstratense de 1196. Se conservan algunos arcos de la sala capitular (1200) y la caserna de 1320. El granero de la abadía fue utilizado como prisión para albergar en su interior a los más de 400 navegantes españoles hechos prisioneros después de ser derrotada estrepitosamente la Armada Invencible. La *Church of St. John* data del siglo pasado y es una creación de George Edmund Street. Las dos vidrieras policromadas, O y E, fueron debidas al genio creador de William Morris según diseño de Burne-Jones, del que también son los frescos localizados en la pared N y S del coro que representan la Familia Santa y a los Tres Reyes Magos.

Totnes (18 km NO): *La leyenda de Geoffrey of Mommouth,* escrita en 1136, cuenta que en este lugar aterrizó un día Brutus, nieto de Aeneas, y siendo el primer rey de Inglaterra dio nombre al país. La colonia data de tiempos normandos y, en la Edad Media, fue fortificada con un muro, la fosa correspondiente y cuatro casernas. La caserna E se conserva y ha podido ser restaurada.

La *Church of St. Mary* fue construida de 1432 a 1460 y contiene una torre O bien proporcionada. La pieza más espectacular de la iglesia es un atril de piedra de 1460. De la misma época data el bonito púlpito.

Dartmouth. Church of St. Savior, detalle de verja del coro

Escudos de armas

Rhuddlan (Denbigh). Ruinas del castillo

Denbigh/Dinbych
Clwyd/Gales Pág. 328 □ G 12

Castle: Esta fortaleza fue edificada en 1282 reinando Eduardo I. De especial interés es la caserna, de piedras de diferentes colores, con una estatua de Eduardo I sobre el arco del pórtico (torres octogonales).

Otros lugares de interés: En la parte vieja de la ciudad se encuentra la torre de la destruida *St. Hilary's Church* (Chapel) y los cimientos de una gran iglesia del siglo XVI que nunca pudo ser finalizada. De la fortificación de la ciudad se conserva la *Burgess Tower,* un antiguo pórtico de entrada a la ciudad. La iglesia *St. Marcella* se encuentra a 1 km E y tiene una torre del siglo XIII; la nave doble y los techos de vigas, del siglo XIV; el púlpito y la placa del altar, del siglo XVII. Se conservan diversos monumentos fúnebres de la Edad Media. Cerca, las ruinas de *Denbigh Friary,* convento carmelitano de 1289 (iglesia del siglo XIV).

Alrededores

Bodrhydan Hall (15 km NO): Sede Real del siglo XVII con interesante colección de armas, pinturas, y muebles antiguos.

Efenechdyd (18 km SE): Interesante iglesia del pueblo, medieval, con pila bautismal de madera, viejos pomos de puertas y hermoso atril.

Llanrhaeadr (Cimmerch, 4 km SE): La iglesia contiene un bonito pórtico medieval, trabajos de enmaderado (techo del salón del altar) y un interesante pórtico en el cementerio. De especial interés es la doble nave y la vidriera de Jesé (1533).

Rhuddlan (13 km NO): En la localidad, en la parte inferior del *Clwyd,* se encuentran las interesantes ruinas de una fortaleza del siglo XIII. El rey Eduardo I edificó el castillo inmediatamente después de subir al poder.

Derby. Catedral All Saints

Verjas de hierro fundido

Se encuentra cerca del castillo de *Flint,* su planta es cuadrada; tiene dos muros, dos casernas y seis torres. La iglesia con su torre (faro del antiguo puerto) y la doble nave, datan del siglo XV.

Rhyl (18 km NO): Este lugar, apreciado por bañistas, conserva los escasos restos de un castillo medieval.

Ruthin (13 km SE): En la ciudad se encuentran bonitas casas de paredes entramadas, entre ellas la *Old Court House* (Council House) de 1401, en la plaza principal (restaurada). En el O de la plaza (esquina Exmewe Hall) se encuentra la legendaria roca *Maen Huail,* antiguo lugar de ejecuciones. La *St. Peter's Church* (al N de la plaza principal) fue edificada en 1310. La torre es moderna; el viejo coro está casi totalmente derrumbado. De especial interés son las tallas de encina, en el techo N, y los pórticos de la iglesia (siglo XIII). El *Ruthin Castle* data del siglo XIII; en la actualidad una parte es usada como hotel, donde se organizan banquetes medievales.

St. Asaph (Llanelwy, 9 km N): En esta pequeña ciudad, de unos 3 000 hab., se encuentra una interesante catedral en estilo decorated de finales del siglo XIII. Con sus 55 m de longitud y 22 m de ancho, es una de las catedrales más pequeñas de Gales e Inglaterra. La torre, que goza de una bonita vista, fue restaurada, al igual que la iglesia, en el siglo XVIII. En el crucero S (sala capitular) se encuentra una amplia colección de viejas biblias (griegas y gaélicas); en la nave lateral S una estatua en posición horizontal de 1293, cuatro ángeles en el transepto y la sillería del coro tallada en madera del siglo XV. En el patio de la iglesia, un pequeño museo (entre otras cosas, hallazgos de la antigua iglesia normanda). También de interés, es la iglesia parroquial, en estilo perpendicular del siglo XV, la vieja casa de caridad *The Barrow,* de 1686, y el puente *Pont-Dafydd* de 1630, sobre el *River Clwyd.*

Derby

Derbyshire/Inglaterra Pág. 328 □ I 13

All Saints (Iron Gate): La catedral fue,

hasta 1927, iglesia parroquial de la ciudad; en la actualidad es sede episcopal. De la construcción medieval en el mismo lugar se conserva la maciza torre de unos 65 m de altura (estilo gótico-perpendicular); es la segunda mayor de Inglaterra. En el siglo XVIII destrucción de la iglesia y nueva edificación en estilo clásico inglés (mezcla de Barroco y Renacimiento), obra del alumno de Fontana James Gibbs; en 1725 fue finalizada la obra por Francis Smith. En el interior, de especial interés, los trabajos en forja del siglo XVIII (obra del artista oriundo Robert Bakewell); el púlpito y la sillería del coro datan del siglo XIX (proceden del Templo Moore) y el altar es obra de Sir Ninian Cimper. También interesantes monumentos fúnebres (entre ellos el de Bess of Hardwick, *Countess of Shrewsbury*, fallecida en 1607) y de escultores famosos de los siglos XVII y XVIII (Roubiliac, Noellekens, Rysbrack y otros).

Derby Museum and Corporation Art Gallery: Colecciones referentes a la historia local y del país. De especial interés, la habitación del *Prince-Charlie*, que recuerda la visita de *Bonnie Prince Charles* durante la rebelión del año 1745 (merece especial atención el enmaderado original en el Exeter House, en Derby, antigua vivienda del príncipe). Igualmente de interés, en el museo, la sección técnica, con un modelo de la *Midland Railway*. En la galería de arte se exponen hermosas pinturas y dibujos del pintor oriundo Joseph Wright (1734-1797).

Old Silk Mill Industrial Museum: El museo se encuentra sobre el terreno de la fábrica más antigua de Inglaterra, fundada en 1717 (se conservan los muros originales del edificio). De interés son: objetos referentes a la historia industrial de *Derbyshire;* entre otras, una colección de motores de aviación de la casa Rolls Royce, que se encuentra en Derby. En la entrada, un increíble pórtico forjado de 1728, trabajado por Rober Blakewell.

Otros lugares de interés: La iglesia *St. Werburgh* posee una interesante pila bautismal trabajada en hierro. *Bridge Chapel of St. Mary,* junto al viejo puente de *Derwent. County Hall,* erigida en el año 1660. *Royal Crown Derby China Factory,* manufactura de porcelana con pequeño museo.

Derby. Catedral All Saints, pórtico principal

Alrededores

Crich (20 km N): Contiene un museo único de tranvías (más de 40 ejemplares de 1873 a 1953, construidos en todo el mundo; todos funcionan todavía).
Dale Abbey (8 km E): La iglesia *All Saints* se encuentra en la actualidad adosada a una casa de campo; procede del siglo XII. En su origen fue capilla del hospital de la abadía *Dale,* hoy en ruinas. En el interior, interesantes instalaciones del siglo XVII.
Foremark (11 km S): Iglesia *St. Saviour;* construcción exterior en estilo tardío-perpendicular de 1662. El interior es de decoración renacentista del siglo XVII; de especial interés, entre otras cosas, el púlpito y las balaustradas del coro trabajadas en hierro que, probablemente, son obras de Robert Bakewell de Derby.
Kedleston Hall (6 km NO): Desde el siglo XII sede de la familia *Curzon;* construcción actual, edificada esencialmente en estilo clásico por Robert Adam. Merecen especial atención la *Great Hall,* el salón del comedor, la biblioteca y valiosas colecciones de muebles y obras de arte. También es interesante el «museo indio» y la vieja capilla del siglo XII.
Melbourne (13 km S): En la iglesia románica *St. Michael-St. Mary* se encuentra una hermosa vidriera románica en las claraboyas superiores. Casa feudal *Melbourne Hall* de los siglos XVI al XVIII. En el interior, importantes obras artísticas, muebles de estilo y un maravilloso parque.
Radbourne (6 km O): La iglesia *St. Andrew* data, en su mayor parte, del siglo XIV. La sillería del coro procede de la *Dale Abbey.*
Repton (10 km SO): La iglesia *St. Wystan* fue edificada en la época anglosajona. De la construcción se conservan la cripta y el coro. El resto de la iglesia es gótico, de los siglos XIII al XV. También de interés, el *Repton School Museum* (se encuentra en un viejo convento agustino), con objetos referentes a la historia local.
Shardlow (10 km SE): Merece especial atención el *Kanalmuseum,* en el «Clock Warehouse» (almacén de 1780).
Sudbury Hall (20 km O): Museo infantil con interesante colección de juguetes.
Wingfield (22 km NE): Casa feudal en la que estuvo prisionera, durante un tiempo, María Estuardo.

Dingle

Kerry/Irlanda Pág. 330 □ A 13

El puerto pesquero *Dingle,* en la península del mismo nombre, es el centro del

Ballynagall (Dingle). Casa paleocristiana

territorio galés (Gaeltacht). En toda la península se encuentran antiguas construcciones prehistóricas y tempranocristianas.

Alrededores

Ballynagall (también Ballynana, 21 km NO): En este lugar se encuentra el famoso *Gallarus Oratorium:* Casa de oraciones temprano-cristiana del siglo VII; está edificada al estilo de los *Clochans* prehistóricos. Tiene una base rectangular de 6,70 × 5,60 m. La parte superior tiene la forma de un barco volcado (cúpula de piedra calcárea). Posee una entrada que, al igual que la construcción, se estrecha en la parte superior y una ventana semicircular. En las cercanías se encuentran los restos del castillo de *Gallarus* y otros *Clochans* (restaurados), así como restos de un fuerte circular.

Dunquin (24 km O): Este lugar está habitado por los antiguos habitantes de la isla, que se encuentra enfrente de *Great Blasket,* instalándose en el lugar en 1953. Son famosos por su sistema de vida patriarcal, que no ha variado a lo largo de los siglos. De aquí se puede realizar una bonita excursión en bote a la isla *Blasket* (increíble reserva de pájaros).

Fahan (Glanfahan, 16 km O): Aquí se encuentra el famoso castillo prehistórico de *Dun Beag.* Se eleva delante de un imponente muro de piedra de 7 m de espesor sobre un acantilado (hermosa vista, especialmente del vecino lugar Slea Head). Por los alrededores se encuentran numerosos *Clochans* (cabañas) de la prehistoria.

Kilmalkedar (23 km NO): En el lugar se encuentran las ruinas de una iglesia románica del siglo XII con hermosos arcos y columnas; a la izquierda del coro una hermosa piedra con inscripciones (siglos XI al XII) y, sobre el patio de la iglesia, una vieja piedra *Ogham* del siglo V. Otros interesantes trabajos de labrado en piedra y restos de dólmenes cerca de este lugar. Desde la montaña *Brandon* (953 m de altitud), la segunda montaña más alta de Irlanda, hay una hermosísima vista. Obtuvo su nombre por el santo celta St. Brendan (en 483-576). La cima fue en la antigüedad meta de las rutas de *Brendan.*

Ventry (Harbour 8 km O): Entre el pueblo pesquero y las montañas *Slea Head* (17 km O) se encuentran infinidad de *Clochans,* también llamadas «cabañas de abejas» (beehive-huts). Estos pequeños habitáculos de la Edad del Bronce (posteriormente se edificaron edificios de oración de construcción similar) están edificados de las llamadas «piedras secas» (Dry Stones), apiladas unas sobre otras. En los alrededores de este pueblo existen más de 400 de estas cabañas, especialmente en *Fahan.*

Dolgellau

Gwynedd/Gales Pág. 328 □ G 13

Esta pequeña ciudad, situada en la desembocadura del *Afon Mawddach* (pron: Awon Mauthach), al N de la zona montañosa de *Cader Idris,* impresiona por sus casas construidas en piedra gris natural. La iglesia parroquial es medieval (transformada en 1716) contiene, aparte del interesante púlpito, el monumento fúnebre al caballero *Meurig ap Ynyr Fychan,* del siglo XIV.

Alrededores

Abergynolwyn (20 km S): En este lugar se encuentran los escasos restos de la fortaleza galesa *Castell-Y-Bere* de tiempos prenormandos. Fue transformada reinando Eduardo I (alrededor de 1270) y destruida en 1300.
Bala (30 km NE, al extremo N del Bala Lake): Famoso lugar vacacional que posee escasos restos de una fortaleza normanda del siglo XII (se conservan los muros).
Cymer Abbey (4 km N): Restos de una abadía cisterciense de 1200. Se conserva la iglesia con tres arcos ojivales (arcadas) en el lado E, una pila bautismal con un sitial, la torre de 1350, así como los muros del Vía Crucis.
Llandderfel (32 km N): En este lugar se encuentra una iglesia de 1500 con interesantes

Tywyn (Dolgellau). St. Cadfan ▷

Machynlleth (Dolgellau). Reloj victoriano

grotescas y un atril tallado en madera del siglo XVI.

Llanegryn (13 km SO): En la iglesia del pueblo existe un crucifijo y un atril con excelentes trabajos tallados en madera (ambos del siglo XV); interesante pila bautismal de origen normando.

Llangower (26 km NE, en la orilla S del Bala Lake): En este lugar se encuentra una iglesia con un viejo catafalco.

Llanuwchllyn (en la orilla S del Bala Lake, 25 km NE): En este lugar, en *Caer Gai,* una casa feudal del siglo XVII entre los escasos restos de la muralla fortificada romana.

Machynlleth (30 km S): El lugar, con su pintoresca torre de reloj, tuvo gran importancia en la Edad Media, cuando Owen Glendower (rebelde galés de 1400) introdujo aquí su «parlamento», alrededor de 1403.

Tal-y-Llyn (13 km S): La localidad, con el lago del mismo nombre, es punto de partida para emprender la subida a la cumbre del *Cader Idris* (891 m), uno de los miradores más bellos de Gales. El nombre de la montaña significa «sede de Idris» y conmemora al astrólogo celta Idris.

Tywyn (también Towyn, 15 km SO): En el pequeño pueblo costero se encuentra la iglesia de planta en forma de cruz *St. Cadfan,* con su nave normanda del siglo XII (restaurada), la pila bautismal y viejos monumentos fúnebres. De especial interés es el antiguo *St. Cadfan's Stone* (2 m de altura), que lleva en sus cuatro lados inscripciones de los siglos VII a VIII. Es el primer monumento con inscripciones cimíricas (Gales).

Doncaster

Souh Yorkshire/Inglaterra Pág. 328 □ I 12

Fue fundada en el siglo I d. de J. C., durante la conquista romana de *Britannia,* como castillo; posteriormente, como *Danum,* importante estación en la vía romana *Lincoln-York* y centro de fabricación de cerámica. Desde el año 1778 ha sido lugar de competiciones ecuestres.

Mansion House (High Street): De 1745 a 1748, sede del alcalde de *James Paine,* edificada en estilo georgiano (mezcla de Barroco y Renacimiento). Solamente en York y en Londres se encuentran edificios con esta función de residencia oficial. De especial interés es, en el interior, el impresionante *Ball Room,* con techos ricamente decorados, emporios para los músicos, hermosas chimeneas de mármol blanco y en las paredes bonitas y valiosas pinturas murales.

Museum and Art Gallery (Chequer Road): En la planta principal, amplia colección referente a la historia local y del país; en el primer piso, la galería de arte con una exposición permanente de artistas ingleses (de especial interés las esculturas de Jacob Epstein y de Henry Moore).

Otros lugares de interés: La iglesia parroquial *St. George* (St. Georgegate), edificada en el siglo XIX en el lugar de una iglesia románica destruida por un incendio. La *Christ Church,* con su hermosa torre octogonal; en el interior, increíbles trabajos de emplomado de las vidrieras policromadas belgas. *South Yorkshire Industrial Museum* (Cusworth Hall, en el lado N de la ciudad), con interesantes objetos referentes a la historia industrial de la región.

Alrededores

Campsall (12 km N): La iglesia *St. Mary Magdalene* fue, en su origen, románica; más tarde fue transformada. En el interior, de especial interés, la pared del coro y el monumento fúnebre, obra de John Flexman en el año 1803.

Conisbrough (8 km SO): En este lugar se encuentra una fortaleza normanda del siglo XII (de aquí la historia de Walter Scott, «Ivanhoe»). Se conserva, entre otras cosas, el cementerio, que alcanza una altura de 30 m (es cilíndrico; los muros tienen un espesor de 5 m; el exterior está fortificado con la construcción de seis torres; en una de ellas se encuentra la capilla de la fortaleza hexagonal). Igualmente de interés, la iglesia de la localidad (material de construcción esencialmente románico; se conservan fragmentos anglosajones); en el interior, de especial interés, una lápida normanda con las imágenes de Adán y Eva y escenas de los torneos.

Epworth (20 km E): La vieja casa parroquial, *Old Rectory,* casa natal de John Wesley (1703-1791), fundador del movimiento metodista. El edificio fue reconstruido en 1709 después de un incendio.

Fishlake (14 km NE): La iglesia *St. Cuthbert* fue originalmente románica; posteriormente fue modificada en estilo gótico. De especial interés, el pórtico S, ricamente decorado, y en el interior, entre otras cosas, una pila bautismal de la Edad Media.

Hatfield (11 km NE): Pintoresco pueblo en el *Hatfield Chase.* La iglesia data, en parte, del siglo XI.

High Melton (8 km O): La iglesia *St. James* fue en su origen románica; transformada posteriormente en estilo gótico; en el interior, pinturas sobre vidrio de la Edad Media.

Maltby (12 km S): De la construcción románica de la iglesia *St. Bartholomew* sólo se conserva la torre O; el resto fue renovado en 1859. En el interior de la *Holye Chapel,* bonitas pinturas sobre vidrio.

Roche Abbey (4 km O): Ruinas de un convento cisterciense; se conserva, entre otras cosas, el crucero gótico y la caserna decorada con hermosas bóvedas.

Sprotbrough (4 km O): La iglesia *St. Mary* data de los siglos XII al XV; su torre es de estilo decorated; en el interior, de especial interés, la sillería y la pared del coro.

Tickhill (12 km S): La iglesia *St. Mary* se comenzó en el siglo XIII y se acabó a finales del gótico; en el interior se encuentran restos de pintura sobre vidrio de la Edad Media.

Bere Regis (Dorchester). Church of John the Baptist

Donegal
Donegal/Irlanda

Pág. 326 □ C 10

La capital (1 500 hab.) del condado del mismo nombre, se encuentra situada en la desembocadura del río *Eske* a la *Donegal Bay.* Las imponentes ruinas del *Donegal Castle* datan del año 1505; la fortaleza se construyó sobre los cimientos de un fuerte anterior (Donegal: Fortaleza del río). Al cuadrado cementerio del siglo XVI se le añadió, alrededor de 1610, un edificio fortificado en estilo Tudor. En el lado O de Donegal se encuentran las ruinas de la franciscana *Donegal Abbey,* erigida en el año 1475. La abadía fue destruida casi totalmente en el año 1601, a causa de un bombardeo. Aquí se escribió, en el año 1632, la famosa obra histórica «Annals of the four Masters» (el libro se conserva en la actualidad en la ciudad de Dublín).

Alrededores

Glencolumbkille (30 km NO): En el pueblo pesquero y en los alrededores se encuentran diversos restos de tiempos prehistóricos y de principios del cristianismo. Entre otras cosas, túmulos megalíticos, fuertes circulares y «cabañas de abejas» (Clochans) columnas de piedra (Pillar Stones) y una cruz. Aquí vivió el santo celta *St. Columba* (siglos V al VI), cuya casa (St. Columba's House) se conserva con el oratorio, el pozo y la cama de piedra. En los alrededores (7 km del pueblo), los empinados acantilados de *Slieve League* (600 m de profundidad).

Station Island (10 km SE): Es uno de los lugares de peregrinaje de más antigüedad de Irlanda, el lago *Lough Derg,* con su isla en el centro, *Station Island.* Aquí, cuenta la leyenda, ayunó St. Patrick en el siglo V, desterrando de esta manera a los demonios. *St. Patrick's Purgatorium:* Se edificó en 1931 una

Donegal. Vista de la bahía

basílica octogonal de estilo neobizantino, punto de reunión de los numerosos peregrinos (más de 30 000). En la isla vecina *Saint's Island,* se encuentran las ruinas de un monasterio del siglo XII.

Dorchester

Dorset/Inglaterra Pág. 332 □ H 16

La capital del condado de *Dorset* data de la época normanda. Del año 70 a 400 d. de J. C. fue romana y se llamó *Durnovaria,* cuyos muros de fortificación fueron ampliados en el siglo XVIII («The Walks»). Los sajones colonizaron el lugar alrededor de 660; el rey Athelstan (925-939) hizo troquelar una nueva moneda con su imagen. En 1613 la ciudad se incendió por completo. Poco tiempo después los emigrantes puritanos abandonaron el lugar bajo, John

Bere Regis. Pila bautismal normanda

White, para fundar seguidamente *Dorchester Pendant,* en Massachusetts. En 1685 la famosa «ley de la sangre» de Jeffrey se cobró más de 300 víctimas en la ciudad.

Dorset County Museum: Las piezas expuestas de más antigüedad proceden de la Edad del Hierro. Los hallazgos de *Maiden Castle* datan del Neolítico. De la época romana se exponen diversas piezas, entre ellas un increíble mosaico de *Hinton St. Mary* sobre el que se encuentra la imagen de la cabeza de Cristo, así como numerosas monedas de plata (procedentes de un tesoro de más de 22 000 monedas). Una sección independiente contiene manuscritos, libros de apuntes y cartas del poeta Thomas Hardy (1840-1928).

Dorset Military Museum: Contiene armas, municiones, medallas y dibujos que documentan la historia militar de *Dorset* desde 1660.

Alrededores

Athelhampton (10 km N): La casa feudal, del siglo XV, fue sede de un alcalde londinense y es uno de los más bellos ejemplos de arquitectura gótica en *Dorset.* El techo de la inmensa sala está recubierto de fantásticos enmaderados con decoraciones heráldicas, y la inmensa sala Tudor muestra la increíble belleza de la construcción gótica no sólo en iglesias y catedrales.

Bere Regis (18 km NE): La *Church of St. John the Baptist* data del siglo XII y posee una torre gótica. Esta hermosa construcción sin techo es donativo del cardenal *Morton* (1480), arzobispo de Canterbury. Sus vigas se unen en un punto, formando figuras humanas de madera de encina en tamaño natural. Datan del siglo XV y representan a los 12 apóstoles. De interés son, igualmente, la pila bautismal normanda, hermosamente decorada, y los bancos del siglo XVI.

Cerne Abbas (20 km N): La *Church of St. Mary* posee una torre E y data esencialmente de los siglos XV y XVI. Algunos fragmentos de frescos y de las vidrieras datan todavía del siglo XIV. La reja del coro, trabajada en piedra, procede del siglo XV; el púlpito es de 1640. Cerca de la iglesia se encuentran las ruinas de una abadía benedictina fundada en 987. El *Cerne Giant* es una enorme figura (60 m), construida sobre la blanca roca, que representa a un hombre desnudo golpeando con una maza. No está fijada la época en la que fue creada la enorme figura; podría ser un *Priapus* prehistórico o quizá un Hércules romano.

Maiden Castle (3 km S): Esta es la más bella e impresionante fortificación prehistórica de Inglaterra. Se comenzó alrededor de 3 000 a. de J. C. por los colonizadores de la civilización *Windmill-Hill* y se utilizó hasta la aparición de los romanos, bajo Vespasiano, en el año 44 d. de J. C. La fortificación tiene una longitud total de 800 m y está rodeada por un muro protector con fosa cuádruple; el centro de la fortificación es de unos 30 m más alto que el resto de la construcción. Los objetos, incluidas las herramientas de trabajo procedentes del Neolítico, están expuestos en el *Dorset County Museum.*

Dornoch Firth

Highlands/Escocia — Pág. 324 □ G 5

Sobre la ría del *Shin* hubo, hasta el año 1811, un único transbordador capaz de transportar a unas cien personas. Esta fue la principal causa de construir un primer puente. Al final de la larga ría el Conde de Montrose (1650) realizó su última batalla antes de su huida al *Ardvreck Castle,* delatando a los Covenanters. A pocos kilómetros del lugar de la batalla, el *Shin* forma una catarata en la que se puede ver el continuo saltar de los salmones en verano.

Dunrobin Castle: El castillo está situado al S de *Brora* y estuvo habitado hasta 1963 por los *Condes de Sutherland.* Sus partes más antiguas datan del siglo XIII. La torre es del año 1400. Las

Bere Regis (Dorchester). Techumbre ▷

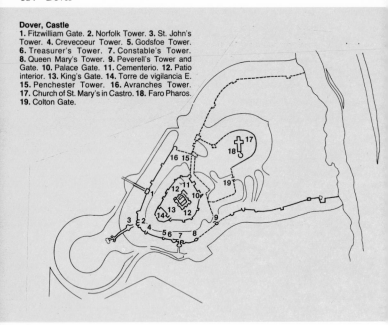

Dover, Castle
1. Fitzwilliam Gate. **2.** Norfolk Tower. **3.** St. John's Tower. **4.** Crevecoeur Tower. **5.** Godsfoe Tower. **6.** Treasurer's Tower. **7.** Constable's Tower. **8.** Queen Mary's Tower. **9.** Peverell's Tower and Gate. **10.** Palace Gate. **11.** Cementerio. **12.** Patio interior. **13.** King's Gate. **14.** Torre de vigilancia E. **15.** Penchester Tower. **16.** Avranches Tower. **17.** Church of St. Mary's in Castro. **18.** Faro Pharos. **19.** Colton Gate.

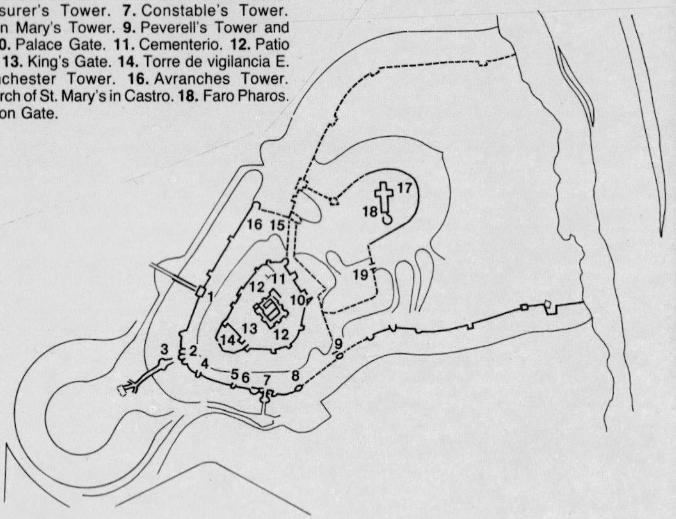

edificaciones añadidas en el siglo XIX fueron destruidas a causa de un incendio. A partir del año 1919 se comenzó a reconstruir la fortaleza, respetando la construcción anterior de los años 1835-1850. El antiguo arquitecto fue Sir James Barrie, el cual también hizo edificar el *House of Parliament* en *Westminster*. El intento de convertir el edificio de 1963 en colegio privado fracasó.

Dornoch: Esta pequeña ciudad fue, desde 1628, *Royal Burgh* del antiguo condado de *Sutherland*. Aquí se encuentra, probablemente, el más antiguo campo de golf de Escocia (el juego se practica desde el siglo XVII) y aquí tuvo lugar la última «quema de brujas» en Escocia. La pequeña catedral de los obispos de *Caithness* fue construida en 1150 sobre los restos de una iglesia anterior. En la iglesia se encuentran las esculturas de los 16 Condes de Sutherland; un grabado muestra la imagen de *Richard of Moravia,* hermano del progenitor de los Sutherland, que fue derrotado por los daneses en 1248.

Tain: Esta iglesia gótica con auditorio data del año 1371; el Ayuntamiento posee un juego de campanas que proceden del siglo XVII; la campana más antigua data de 1630.

Dover

Kent/Inglaterra Pág. 332 □ M 15

Llegando al mayor puerto del canal de Inglaterra, lo primero que se vislumbra son las famosas rocas de creta, los *White Cliffs of Dover*. Siendo uno de los cinco principales puertos del canal, la ciudad fue víctima de diversas invasiones. Primero se asentaron aquí las legiones de César; les siguieron los anglosajones y los jutlandeses. También fondearon aquí dos barcos de la Armada Española y, temiendo una invasión de Napoleón, la ciudadela fue fortifica-

Dover. Faro romano y castillo

da aún más. Durante las dos guerras mundiales Dover fue bombardeada en numerosas ocasiones.

Castle: La fortificación, situada sobre una colina dominando la ciudad, fue en el pasado parte importante de la pequeña ciudad portuaria. Los muros, en forma de anillo, fueron probablemente construidos siguiendo las fosas sajonas. Se conserva de la época romana el faro de luz *Pharos;* el resto de muros y edificios datan de los siglos XIII y XIV; posteriormente fueron modificados y ampliados en diversas ocasiones.

St. Edmund's Chapel: Esta es la capilla de menor tamaño de Inglaterra; fue construida en el siglo XIII; en el siglo XVI fue utilizada por un corto período como herrería.

Church of St. Mary's in Castro: Esta iglesia, edificada en el siglo XIX, es de origen normando. Se encuentra en el recinto de la fortaleza.

St. James Church: Después de sufrir un terrible bombardeo durante la segunda guerra mundial, la iglesia no fue reconstruida.

Maison Dieu House: Fue edificada en el siglo XVII, en estilo holandés; en la actualidad se alberga en este interesante edificio la biblioteca principal de la ciudad.

Town Hall (Biggin Street): El edificio fue construido en el siglo XIX sobre los cimientos de la *Maison Dieu* del siglo XIII. Las hermosas vidrieras policromadas emplomadas, representan las imágenes de escenas de la historia de la ciudad; en la planta baja se encuentra un museo de historia local.

Roman Painted House: Fue en la antigüedad propiedad de un comandante romano; en las paredes se pueden ver todavía pinturas murales, muy conservadas, del siglo II.

Dover. Castle

Alrededores

Deal Castle (12 km NE): Uno de los múltiples castillos de Enrique VIII, edificado como protección contra la invasión francesa. Tiene la peculiar forma de una «Rosa Tudor»: alrededor de un patio se agrupan seis bastiones semicirculares, a los que se unen seis potentes bastiones exteriores de la misma forma.

St. Margaret's at Cliffe (2,5 km E): Hermosa iglesia normanda con torre fortificada, pórtico delicadamente ornamentado y excelente decoración artística en el interior.

Walmer Castle (9 km NE): Al igual que *Deal*, se trata de una fortaleza de Enrique VIII. La fortaleza se agrupa, como una hoja de trébol de cuatro hojas, alrededor de una torre central de dos pisos. En el siglo XVIII fue residencia de *Lord Warden* (el práctico de los cinco puertos del canal). Aquí falleció William Pitt y el Duque de Wellington, que son recordados en un pequeño museo.

Downpatrick

Down/Irlanda del Norte Pág. 326 □ E 10

La capital del condado de *Down* (7 000 hab.) se encuentra al SO de la bahía cerrada de *Strangford Lough* (Lago Strangford). Su nombre significa «Ciudad de Patrick» (gaélico: Dun, «ciudad, fortificación»). Aquí ejerció de misionero *St. Patrick* en 432, sin llegar a ser nombrado oficialmente santo. En 1176 el anglo-normando John de Courcy conquistó la ciudad y edificó fortificaciones en el *Mount of Downpatrick* (apenas quedan restos) y en la ciudad (se conserva la torre E de defensa, del siglo XII, cerca de la iglesia parroquial).

St. Patrick's Cathedral: La construcción actual, de 1798-1812, conserva partes de la iglesia medieval que antecedió (ábside, arcos del coro). Debajo del altar principal, donde supuestamente St. Patrick edificó su primera iglesia de piedra, se encuentra la tumba del santo. Se conserva una pila bautismal celta del siglo II, una cruz del siglo X, un monumento fúnebre al gobernador, del siglo XVII (Eduardo Cromwell), y en el cementerio un monolito con la inscripción «Patrick» (probablemente su propia piedra fúnebre). Recuerdan también al santo la «fuente de los peregrinos» (Wells of Struell), con su pozo, restos de casas de baño del siglo XVII y una iglesia, también del siglo XVII.

Alrededores

Ardglass (12 km SE): En el antiguo puerto de *Down* se encuentran los restos de *Jordan's Castle,* del siglo XVI. Se conservan las torres defensivas y el almacén; igualmente la antigua iglesia parroquial *Ardtole Church,* del siglo XV, sobre el mar.

Ballynoe (2 km S): Círculo de piedra prehistórico con un diámetro de unos 30 m.

Castlewellan (17 km SO): Bonitos edificios del siglo XVIII (Market House de 1764) y un castillo del siglo XIX, con instalación de jardines. Cerca, hacia SE, se encuentra el fuerte de piedra prehistórico *Drumena,* y hacia el NE el megalítico *Leganny Dolmen,* con tres piedras de soporte y una enorme roca que corona la tumba (situado en la pendiente S del monte Slieve-Croob).

Dundrum (12 km SO): En el pueblecito pesquero, situado en la bahía del mismo nombre, se encuentran las ruinas del, antiguamente fortificado, *Dundrum Castle.* John Courcy hizo edificar el castillo, con su impresionante cementerio de gruesos muros, alrededor de 1240 (fue destruido por Cromwell en el año 1652).

Inch Abbey (5 km NO): De la abadía construida en 1187 por John Courcy sólo quedan las ruinas. Se conserva un hermoso ábside con altísimas ventanas en el E, partes de la nave principal, y restos de la abadía.

Kilclief (20 km E): La torre fue la residencia fortificada de un obispo del siglo XV, edificada por el obispo de Dow.

Killough (9 km SE): Las ruinas de la *St. John's Point Church* son originarias de los siglos X y XI.

Killyleagh Castle (11 km NE): Fue edificado en el siglo XVII sobre cimientos normandos más antiguos. En *Killyleagh* nació el famoso botánico Sloane (1660-1753), fundador del *Museo Británico.*

Saul (3 km NE): Aquí fundó *St. Patrick* en 440 su primer convento (se conservan escasos restos). Sobre la colina del pueblo, la actual *Memorial Church of St. Patrick,* con torre circular. La iglesia católica de St. Patrick se encuentra en la colina cercana, *Slieve Patrick* (estatua de granito del santo).

Strangford (15 km NE): A la entrada del *Lough Strangford* se encuentra la imponente casa feudal *Castleward House,* de 1763-1780. La diferencia de gustos entre Lord Bangor y su esposa ocasionaron que el edificio fuera construido, una mitad en estilo clásico (parte S), y, la otra mitad, en estilo neogótico (parte N). En el parque se encuentran unas antiguas torres fortificadas erigidas en el siglo XVI y el vecino *Audley's Castle* erigido (hacia el año 1500).

Drogheda

Louth/Irlanda Pág. 326 □ E 11

La ciudad portuaria (20 000 hab), en la desembocadura del *Boyne,* procede de una fundación vikinga del 911. En el siglo X ya fue un importante centro comercial. En la Edad Media fue, en diversas ocasiones, sede del Parlamento anglo-irlandés. Oliver Cromwell destruyó la fortificada ciudad y quemó a los supervivientes de la misma en la isla del Caribe, Barbados.
En la actualidad *Drogheda* es centro del nacionalismo irlandés. A pesar de haber sido destruida en gran medida, todavía se conservan numerosos edificios medievales.

Magdalene Tower: La torre de Magdalena, erigida en el siglo XV, es el único resto del convento dominicano *St.*

Mary Magdalene, fundado en el año 1224. Cerca se encuentra la interesan- te torre de un convento agustino del siglo XV (fundado en el año 1206).

St. Lawrence's Gate: Es el único de los diez pórticos de acceso a la ciudad que se conserva. Está decorado con orna- mentaciones de cinc y flanqueado por dos torres circulares y una construcción anterior del siglo XIII. Su nombre pro- cede del convento vecino *St. Lawrence* (no se conservan restos).

Otros lugares de interés: El viejo *Thol- sel* (Ayuntamiento) data del siglo XVII; en la actualidad se encuentra en el edificio un banco. La católica *St. Pe- ter's Church* fue fundada en 1681 y en ella se encuentra la cabeza del arzobis- po Oliver Plunket, en el crucero N (de- capitado por los ingleses en 1681). La protestante *St. Peter's Church* (William Street) fue edificada entre 1748-1792 sobre una construcción anterior de la Edad Media. En la orilla S del *Boyne* se encuentra la fortaleza normanda *Mill Mount,* con restos de tumbas prehistó- ricas. En la protestante *St. Mary's Church* se pueden ver restos de los mu- ros de la ciudad.

Alrededores

Brugh na Boinne (5 km O): En el valle del río *Boyne* se encuentra la importante y prehistó- rica *Nekropole.* En este lugar se pueden ad- mirar los interesantes restos de las tumbas megalíticas de la Edad del Bronce (2500- 1800 a. de J. C.), que en parte se parecen a las tumbas cupulares prehistóricas de *My- cene* (Grecia). Son de especial interés las tumbas de Dowth, Newgrange y Knowth.

Tumba megalítica de Dowth: Este túmulo funerario tiene un diámetro de unos 70 m, una longitud de 7 m (Dromos) y una cáma- ra central en la cual se puede apreciar una interesante bóveda cónica y nichos.

Tumba de Newgrange: Es una de las tumbas

Downpatrick. St. Patrick's Cathedral

Mellifont Abbey (Drogheda)

mejor conservadas (Passage Grave) de Eu- ropa. Tiene un diámetro de 85 m y una altura de 13 m. El túnel, de unos 18 m, conduce a una cámara central en forma de cruz (altura, 5,70 m) y a los nichos adornados con orna- mentos (dibujos en espiral y circulares). El monte estaba rodeado por un círculo megalí- tico (Menhires). Se conservan 12 de las pie- dras que componían este conjunto y se ha- llan ricamente decoradas.

Túmulo cupular de Knowth: En esta increí- ble tumba, que tiene unos 213 m de diáme- tro, se puede admirar, entre otras construc- ciones de notable interés, la cámara central y las cámaras laterales; se realizan en la ac- tualidad importantes excavaciones en este lugar.

Duleek (8 km SO): Vieja fundación con- ventual de *St. Patrick,* erigida en el siglo XV; también se pueden contemplar los res- tos de un priorato agustino del siglo XIII con torre del siglo XV. Cerca, viejos monu- mentos fúnebres y una cruz con ornamen- tos en relieve del siglo X. La *Dowdall*

Drumlanrig Castle

Cross muestra representaciones de santos y fue erigida en honor del Juez Real de la Corte *Dowdall*.

Mellifont Abbey (11 km NO): El primer y más importante convento cisterciense de Irlanda fue fundado en 1142 por *St. Malachy* (Malaquías) y monjes franceses del convento madre *Clairvaux* (Francia). «Melli-font» significa «fuente de miel». Como este convento se edificaron, dispersados por toda Irlanda, 38 conventos de la misma Orden. Se conservan numerosos restos de la iglesia del convento, con planta en forma de cruz y erigida en el año 1157, con varias de sus partes erigidas en el año 1225. El Vía Crucis S data de 1200; cerca se encuentra el «Lavabo» de dos pisos (sala de higiene); la sala capitular es originaria del siglo XIV, así como la caserna.

Monasterboice (12 km NO): El nombre de las ruinas del convento (Monasterboice significa «convento de Boice») se debe a su fundador, discípulo de St. Patrick Buithe. Del convento, bastante deteriorado, se conserva la torre circular (sin tejado), del siglo X, y dos iglesias sin importancia del siglo XIII. De especial interés, sin embargo, son sus famosas cruces; son de las más bonitas de Irlanda. La cruz *Muiredagh* (cruz S), del siglo X, se erigió en honor del abad Muiredagh (fallecido en 923). La cruz de ladrillo, de 4,50 m de altura, está adornada a ambos lados con hermosas escenas de la Biblia (Antiguo y Nuevo Testamento). También del siglo X data la increíblemente ornamentada cruz O y la cruz N (dañada; pilar de construcción moderno).

Naul (15 km S): Túmulo de *Fourknocks,* con cámara central y nicho. Data del año 1800 a. de J. C.

Termonfeckin (10 km NE): Ruinas de una casa con torre de tres pisos, con hermosas ventanas; en el cementerio de *St. Feckin's Church,* restos de un poblado monacal temprano-cristiano del 664. Cruz con escenas de la Crucifixión.

Durisdeer (Drumlanrig). Sepulcro

Manasterboice (Drogheda). High Cross

Drumlanrig Castle

Dumfries and Galloway/
Escocia

Pág. 324 □ G 9

El castillo, a pocos km al N de *Thornhill,* fue edificado en 1679-1689 para el primer *Duque de Queensberry.* El Duque, no obstante, sólo pasó una noche en este castillo. En 1810 el castillo pasó a ser propiedad de los *Scotts of Buccleuch* y, en la actualidad, lo sigue siendo. El arquitecto de esta obra de arte fue Sir William Bruce. Este castillo, que se conserva igual que hace trescientos años, es un buen ejemplo del paso de fortalezas a palacios. De las construcciones fortificadas proceden el patio interior y las imponentes torres esquineras; la fachada exterior es de una exquisita belleza, propia solamente de un palacio. Guillermo Bruce trabajaba con material renacentista, arcadas en la construcción inferior, pilastras corintias y filas de ventanas coronadas por ricas ornamentaciones. Las imponentes y contrastantes torres esquineras están adornadas con tres pequeñas torres circulares. Las torres de escalera del interior contienen cúpulas barrocas de plomo. El castillo representa la riqueza y el poder del conde, que poseía una de las fortunas más importantes del país. El interior es de una decoración igualmente valiosa. Las tallas de madera proceden de *Grinling Gibbons* y se reparten por el salón, sobre las torneadas vigas de encina, hasta la exquisita galería que contiene una amplia colección de valiosos cuadros (Van Dyck, Hans Holbein y Rembrand, así como Ramsay y Gainsborough).

Alrededores

Durisdeer (7 km NE): En esta pequeña iglesia del año 1699, se encuentra el monumento fúnebre al *segundo Duke of Queensberry.* Es obra de Van Nost de 1711.

Mennock (15 km NO): En este pequeño pueblo se encuentra, en un antiguo refugio de montaña, el museo *Scottish Lead Mining Industry*. Está documentado con escritos y documentación referentes a la historia y tecnología de la explotación del plomo.

Thornhill (4 km S): En este museo se albergan objetos pertenecientes a los Covenanters y a Robert Burns.

Dublin/Baile Atha Cliath

Dublin/Irlanda Pág. 326 □ E 12

Dublín (660 000 hab.) es la capital de la república independiente de Irlanda (Eire) y centro cultural e industrial del país. El nombre gaélico «Baile Atha Cliath» significa «ciudad a orillas del río», refiriéndose al río *Liffey* que atraviesa la ciudad para desembocar después en la *Dublin Bay*.

Historia: Se hallan restos de túmulos prehistóricos (en el Phoenix Park) que recuerdan las colonizaciones celtas (siglo II a. de J. C.). La verdadera fundación de la localidad fue obra de los vikingos (noruegos), en el siglo IX, que edificaron aquí una fortaleza. El rey Boru derrotó a los vikingos en la batalla de *Clontarf* (cerca de Dublín), alrededor de 1010; la ciudad, no obstante, permaneció noruega. El anglonormando Strongbow conquistó la ciudad en 1170; no obstante, el rey Enrique II, reclamó la Corona. Desde entonces, Dublín fue hasta 1921 el lugar más estratégico de Irlanda. Hasta el siglo XVII es una pequeña ciudad fortificada (9 000 hab.). En el siglo XVIII la ciudad se repuso de la destrucción causada por los ataques de Oliver Cromwell (alrededor de 1650) y floreció considerablemente en la época georgiana (siglos XVIII y XIX). Fue la segunda ciudad de Inglaterra, apodándola la «Atenas del Oeste» por la infinidad de bellos edificios georgianos que en ella se encuentran. Después de la terrible época de hambre (1845-1848; emigración de los habitantes a América) el nacionalismo irlandés se acentuó considerablemente; Dublín se convirtió en el centro de los separatistas (movimiento Sinn-Fein de 1905). En 1921 el Estado irlandés, con la capital en Dublín, se declaró independiente, y el 18 de abril de 1949 se proclamó en Dublín

Dublin. Four Courts

la soberana República de Eire (exclusión de la Commonwealth), cuya meta es la reconciliación pacífica en unión con el Norte de Irlanda. En Dublín nacieron numerosos escritores famosos, entre ellos Jonathan Swift (1667), Oscar Wilde (1854), George Bernard Shaw (1856), William Buttler Yeats (1865), Brendan Behan (1923) y James Joyce (1882), cuya novela más famosa, «Ulises», se desarrolla en Dublín.

Christ Church Cathedral (Winetavern Street): Esta vieja iglesia protestante fue fundada por el rey vikingo *Sigtrygg* y el primer obispo de Dublín, *Dunan*, alrededor de 1038. Después de una casi completa destrucción, el conde normando *Strongbow* hizo edificar, sobre los antiguos cimientos, en 1172 una nueva iglesia que fue ampliada en el siglo XIV y extensamente renovada en 1871. De la iglesia normanda se conserva en la nave la cripta, con numerosos fragmentos antiguos; los cruceros N y S fueron añadidos en estilo románico por Strongbow; en la nave principal y en el coro se encuentran las figuras del sarcófago, la supuesta tumba de Strongbow (siglo XIII) y lápidas de obispos y nobles de los siglos XIII al XVII.

St. Audoen's Church (High Street): Esta es la iglesia parroquial de más antigüedad de Dublín; se encuentra en la parte vieja de la ciudad y data del siglo XII. Merece especial atención el pórtico, de 1190; la nave principal, y la torre, con las campanas más antiguas de Irlanda (de 1423); también de interés, una pila bautismal normanda (1192) y diversas capillas laterales (en parte del siglo XV). Cerca del cementerio se encuentran los restos de la antigua fortificación de la ciudad (St. Audoen's Arch).

St. Mary's Church (Mary Street): La iglesia protestante, erigida en el año 1695, está construida sobre las ruinas de una antigua abadía (St. Mary's Abbey). En el interior se puede admirar un increíble órgano construido en el siglo XVIII y hermosas tallas de madera.

St. Michan's Church (Church Street): Esta iglesia, dedicada al santo de Dublín *St. Michan*, fue construida alrededor de 1685, en el lugar de una iglesia danesa de 1095. La planta tiene forma rectangular y la iglesia contiene una torre E. En el interior se encuentran

Leinster House

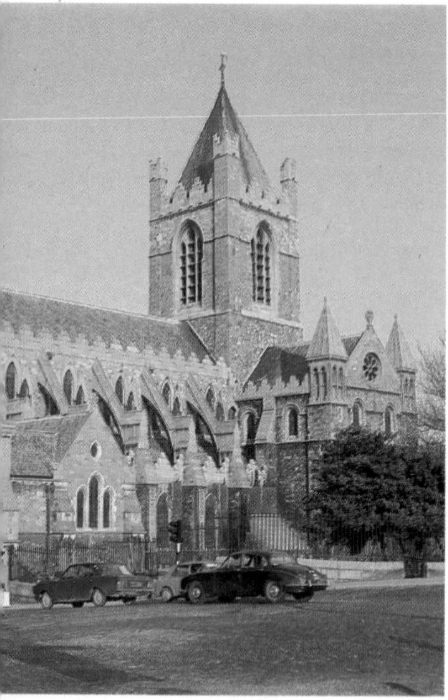

Christ Church Cathedral

Four Courts. Cúpula central

dos fantásticos órganos del siglo XVIII (probablemente «Órganos Mesías», de Haendel), un interesante «banco de penitencia» del siglo XVIII, y una tumba con torre del siglo XII (tumba del fundador). También de interés, el cementerio con nichos del siglo XVII, en el que todavía se conservan algunas momias.

St. Patrick's Cathedral (Patrick's Street): La iglesia catedral, en la actualidad protestante (desde 1213), fue construida con planta en forma de cruz en el año 1191 y ampliamente reformada en el siglo XIII en estilo Early-English. La capilla de María (Lady Chapel), al O, fue añadida en 1270, y la enorme torre cuadrada alrededor de 1381; el campanario (altura 76 m) data de 1794. Después de diversos ataques y devastaciones de las tropas de Cromwell, alrededor de 1650 (la iglesia fue utilizada como establo), la catedral fue restaurada por Th. Drew, con la financiación del «Cervero de Dublín», Sir Guiness. De especial interés son los monumentos fúnebres de importantes familias y personalidades, entre ellos la imponente tumba familiar de Richard Boyle, *Earl of Cork* (1631), y la lápida del famoso escritor y decano de St. Patrick, Jonatan Swift (1667-1745). El autor de «Los viajes de Gulliver» hizo imprimir inscripciones dictadas por él mismo: «Aquí descansa él, donde la ira no puede destrozar su corazón; camina, caminante, y sigue si te es posible, sigue al que luchó con todo su corazón por la libertad». En el salón del coro se encuentran banderas y armas de la orden de St. Patrick, fundada en 1783 (Knight of St. Patrick).. En la puerta hacia la sala capitular «El agujero de reconciliación», de 1491, donde se estrecharon las mano amigablemente, pero sin mirarse a la cara, los Condes de Osmond y de Kildare. Cerca, la iglesia, en la zona del parque de *St. Patrick,* se encuentra la importante *St.*

Marsh's Library (St. Patrick's Park)

Marsh's Library, edificada por el arzobispo Marsh alrededor del año 1707. Fue la primera biblioteca pública de Irlanda, con una importante colección de obras antiguas.

St. Werburgh's Church (Werburgh Street): La iglesia actual fue edificada sobre los restos de una antigua iglesia normanda (St. Martin) alrededor de 1715. Durante largo tiempo fue la iglesia del castillo, del *Dublin Castle.* En el interior (sala de entrada), el monumento fúnebre de la familia real *Purcell* y un bonito púlpito gótico. También de interés, las figuras en madera de santos (en los nichos) y una cripta recubierta de una bóveda (con la tumba del guerrero irlandés de los «United Irishmen», Lord FitzGerald, 1798).

Academy House (Dawson Street): El edificio, construido en 1770 por J. Ensor y ampliado en el año 1852, es sede de la *Royal Irish Academy.* En la biblioteca se encuentran valiosos manuscritos originales y la obra histórica «Annals of the Four Masters», del siglo XVII; el «Cathach-Psalter», de los siglos VI al VII; el «Book of the Dun Cow», del siglo XI, y el «Stowe Missal», del siglo IX.

Castle (Castle Street/Palace Street): Esta fortificación fue edificada por los normandos y finalizada por el rey Juan Sin Tierra, de 1208 a 1220; de la construcción se conserva únicamente la *Record Tower* en el SE. La *Birmingham Tower,* en el SO, data del siglo XIV; fue reconstruida alrededor de 1777 y utilizada, en parte, como prisión. Los demás edificios de alrededor de los dos patios del castillo datan de los siglos XVIII y XIX, de los tiempos cuando el castillo fue la residencia del odiado Lord inglés Liutenants. En el *Upper Castle Yard* (patio superior) se halla el *Office of Arms,* con el campanario y el museo de escudos y emblemas (Bedorf

Tower). También son de interés las salas del Estado (State Apartments), con el Salón del Trono (Throne Room) y la *St. Patrick's Hall;* hermosas tallas de madera del siglo XVII y monumentos alegóricos. En la *St. Patrick's Hall* se realiza cada siete años la nominación oficial, y en público, del Presidente de Estado (el primero fue: Douglas Hyde, 1938). De interés es también la Capilla Real de 1807, en el *Lower Yard* (patio inferior), con decoraciones de piedra y tallas de madera. En la actualidad es utilizada como capilla católica (Holy Trinity).

City Hall (Ayuntamiento, cerca del castillo): En el antiguo edificio cupular de la bolsa, cuya construcción ha sido realizada por Th. Cooley (alrededor de 1770), se encuentran en la actualidad numerosos documentos estatales (entre otros emblemas se destaca el de «la maza y el sable»).

Four Courts (Inn's Quay): El mayor Palacio de Justicia de Irlanda, con su frente de columnas de 137 m de largo, fue edificado en estilo clásico por J. Gandon. La nave O estaba ya construida por Th. Cooley en 1776-1784. La gran edificación cupular, con su altísimo pórtico corintio (con estatuas), está rodeado por «cuatro juzados». De especial interés, las alegorías en el frente, del escultor E. Smith: *Iustitia* (justicia). *Prudentia* (sabiduría), *Potentia* (poder) y *Gratia* (perdón). La edificación fue seriamente dañada en la guerra civil del año 1922 y reconstruida en su forma original.

Leinster House (Kildare Street): La casa feudal, construida en 1745 por R. Castle para el *Conde de Kildare* es, en la actualidad, Sede del Parlamento irlandés (gaélico: Dail Eireann). Fue el ejemplo de construcción para la Casa Blanca de Washington (EE.UU.), edificada por el irlandés J. Hoan. Cerca, hermosas casas georgianas, «viviendas holandesas» (Molesworth Street) del siglo XVIII, así como la famosa plaza *Merrion Square,* de tiempos georgianos. Los edificios vecinos al *Museo Nacional* (estilo neorrenacentista, de 1890), la *Biblioteca Nacional* (inaugurada en 1890) y la *Galería Nacional* (National Art Gallery), de 1864, también son considerados museos.

Old Parliament House (Westmoreland

Museo nacional

Street): El viejo edificio del Parlamento, enfrente del *Trinity College*, fue edificado de 1729 a 1793; la nave E data de 1785 y la nave O de 1794. Desde 1804 es sede del *Bank of Ireland*. La impresionante construcción clásica, con sus imponentes pasillos de columnas y pórticos, fue totalmente desvalijada después de la obligada disolución del Parlamento irlandés por el «Act of Union» de 1800. De especial interés son la Sala del Parlamento y la Sala de los Lords (House of Lords), con valiosas lámparas colgantes de Waterford (1788), tapices hugonotes del siglo XVIII y el martillo de plata del portavoz de la Cámara baja (1733). Sobre el vecino parque *College-Green* se encuentran situadas varias estatuas de oradores patrióticos y luchadores de la «Joven Irlanda» (1848).

Trinity College (College Street): La importante universidad de Dublín fue fundada reinando Isabel I, como baluarte del protestantismo anglo-irlandés, a la altura de la escuela elitista de Oxford. Los edificios que se conservan datan, en su mayor parte, de los siglos XVIII y XIX (época georgiana). A partir de 1873 se admitieron estudiantes católicos; las mujeres, a partir de 1904. La imponente fachada data de 1752 (Keene/Sanderson); la *Examination Hall*, en el *Parliament Square*, de 1790; la restaurada *Dining Hall* (retratos), de 1740, y la capilla, con techos estucados de Stapelton, datan de 1790. En el lugar del campanario, del siglo XIX, hubo un convento (Priory of All Hallows) de 1163.

En la *Library Square* (segundo patio) se encuentra la interesante biblioteca (Trinity College Library), de 1712-1732. Aquí se albergan tesoros de la literatura actual y también los más antiguos y valiosos manuscritos irlandeses:

1. El «Book of Durrow» (alrededor de 670) es el evangelio de más antigüedad y procede de la fundación *Durrow*, en Tullamore, con finas y estilizadas letras capitales irlandesas y otros motivos decorativos.

2. El famoso «Book of Kells», de los siglos VIII al IX, manuscrito de increíble ornamentación (motivos de animales, pájaros y serpientes), procede del convento escocés de la isla Iona, fundado por *St. Columban* alrededor del 563.

3. El «Book of Armagh» (alrededor del 807) es una extraña copia del Nuevo Testamento y de la «Confesión de St.

Trinity College

Custom House

Patrick». El pequeño libro está escrito con hermosas letras minúsculas.
4. El «Book of Leinster», del siglo XII, contiene el antiguo libro irlandés *Epos* «Tain Bo Cuailgne» («El robo de los toros»), que fue editado especialmente para el rey de Leinster (trata del duelo del celta CuCulahinn con su amigo de infancia, Ferdia). Merecen ser mencionados también el «Book of Dimma», del siglo VIII, de pequeño tamaño; el «Book of Mulling», del siglo VII al VIII, y un arpa irlandesa muy antigua. La moderna biblioteca vecina, con una bonita escultura de *Henry Moore,* fue edificada en 1967 en estilo moderno. Cerca de la universidad se encuentra la georgiana *Provost House,* de 1759, vivienda del rector.

Museos:

Municipal Gallery of Modern Art (Parnell Square): En la sede real de *Sir Hugh Lane,* edificada en 1762, se encuentra la galería de arte patrocinada por él mismo. Se exponen, ante todo, obras de importantes pintores: en el *Lane Room (sala 4),* P. A. Renoir (1841-1919), E. Monet (1840-1926), C. Corot (1796-1875), E. Degas (1834-1917) y G. Courbet (1819-1877), entre otros. En el *Stained Glass Room,* importantes piezas de vidrio soplado (Hone, Clark). En las salas *Yeats* (Yeats Rooms), pinturas de J. B. Yeats (1871-1957), hermano del famoso poeta.

National Museum (Kildare Street): La sección de antigüedades irlandesas desde la Edad de Piedra hasta principios de la Edad Media, es una de las más importantes de Europa. Merecen especial atención los trabajos en oro (horquillas de pelo, joyas) de la Edad del Bronce, de alrededor de 2000 a 600 a. de J. C. Antiguos utensilios de iglesia datan de principios de la Edad Media, entre ellos el cáliz, «Ardagh», de los siglos VIII al XIX, con filigranas y

Mansion House

decoración de vidrio; también, el broche «Tara», del siglo XVII, en bronce, ámbar y pequeñas piedras de vidrio; el relicario «Moylough» (de Sligo), con diversas ornamentaciones, pequeños objetos escandinavos (vikingos), cruces celtas (Lismore, Inisfallen, cruz de Cong y otras), de los siglos XI al XII, y relicarios (por ejemplo el de St. Patrick y la reliquia «Cathach»). En la entrada se encuentran copias de cruces celtas (de más importancia la de J. Fooley, de los siglos VII al XII). También, una colección de orfebrería del siglo XVIII en la *Art and Industrial Division.* La vecina *Biblioteca Nacional* (National Library), la mayor biblioteca de Irlanda, posee alrededor de un millón de libros: obras de botánica, zoología, arte y una colección de viejos impresos de Irlanda (Joly Collection).

National Art Gallery (Merrion Square): La *Galería Nacional,* fundada en 1874, es una donación del «rey del ferrocarril», Dargan, en colaboración con G. B. Shaw y Sir Lane. Con sus 2 000 obras maestras, ofrece en la actualidad una completa imagen del desarrollo de la pintura en la Europa de los siglos XIV al XX.
Las colecciones de más importancia son las de los maestros italianos de los siglos XV al XVIII (en los salones 35, 21, 9 y 36); debajo: Lippi, Mantegna, Pisano, Ucello *(salón 35);* Ghiberti, Fra Angélico y Ghirlandaio *(salón 21);* Tintoretto, Bellini, Tiziano, Veronés y Palmezzano *(salón 9);* Guardi, Canaletto y Tiepolo *(salón 36).* Pintura española *(salón 39):* El Greco, Murillo, Zurbarán, Ribera y Goya. Pintura holandesa y flamenca *(salones 16-20 y 47):* Ruisdale, Van Goyen, Claesz, Rembrandt, Witte Hals, Steen, Van der Weyden, Ysenbrandt, Brueghel, Jordaens, Van Dyck, Rubens y otros. Pintura alemana *(salón 15):* Cranach, Faber, Hubert y otros. También importantes obras de artistas ingleses

(Hogarth, Reynolds, Gainsborough), irlandeses (padre y hermano de W. B. Yeats) y franceses (Chardin, Lorena, Poussin, Clouet, Delacroix, Sisley, Monet, Corot y otros). Interesantes iconografías (Nowgorod) y esmaltes.

Otros lugares de interés: El *General Post Office* (O'Connell Street), en la actualidad Oficina Central de Correos, fue edificado de 1814 a 1818 (restaurado en el año 1929). Durante la liberación de Irlanda fue de suprema importancia. *Parnell Square:* Bonitas casas georgianas del siglo XVIII; estatuas de bronce (1971): «Liberación de Irlanda», en el «Jardín Recordatorio» (Garden of Rememberance), de 1966; cerca, el *Rotunda Hospital,* de 1764, y la reformada *Rotunda,* de 1786. El *Belvedere House* (Great Denmark Street) fue la casa feudal del *Conde de Belvedere,* y desde 1840 ha sido convertida en escuela jesuita (interesantes salones interiores: por ejemplo, Apollo Room, Diana Room, Venus Room). En la elegante y georgiana *Henrietta Street* se encuentra la hermosa construcción cupular de *King's Inn* (1795-1817). La *Mansion House,* edificada en 1705 en estilo *Queen Anne* (reina Ana), con el edificio adyacente victoriano es, desde 1715, vivienda del *Lord Mayors* (alcalde) de Dublín. Alrededor del vecino parque *St. Stephen's Green* se encuentran numerosas y pintorescas casas georgianas del siglo XVIII (también en Grafton Street). El *Custom House,* de 1781-1791, es uno de los más hermosos edificios del constructor James Gandon de Dublín (en el Beresford Castle, orilla derecha del río). De especial interés son las estatuas de E. Smith en la fachada S, las representaciones e imágenes de la Armada Irlandesa, las alegorías del Atlántico y la alegoría del comercio sobre la cúpula. Muy cerca, en la *Abbey Street,* a lo largo del río, se encuentra el *Abbey Theatre* (destruido por un incendio en 1915 y reconstruido nuevamente). En este teatro, fundado por W. B. Yeats y su concubina Lady Gregory, famoso por sus obras de literatura irlandesa actual, se representaron importantes obras de Yeats, Synge, O'Casey y otros. En las afueras de Dublín, hacia el NE, se encuentra el *Phoenix Park,* el mayor parque urbano de Europa, del siglo XVII, con el *Military Infirmary,* de 1787, y el obelisco de los Wellington, monumento de 68 m de altura. *Marino Casino* es una construcción magistral erigida en el siglo XVIII, edificada por W. Chambers para el *Conde de Charlemont.* Se encuentra en Marino.

Alrededores

Ballsbridge (3 km SE): Aquí se encuentra la interesante *Chester Beatty Library,* con interesantes monumentos orientales (tablas, papiros egipcios y griegos, biblias manuscritas, miniaturas, etc.). La colección perteneció al fallecido millonario *Chester Beatty.*

Dalkey (14 km SE): Las hermosas ruinas del *Archbold's Castle* (torre de granito de tres pisos), datan del siglo XVI. Sobre la isla *Dalkey,* situada enfrente (isla de roca), se encuentran los restos de una iglesia temprano-cristiana (con torre Martello). Al S de Dublín se encuentran diversos túmulos prehistóricos (cerca de Kilmashogue, Kitiernan, Tibradden).

Dun Laoghaire (11 km SE): Desde 1834 puerto de Dublín, con importantes combinaciones a Inglaterra. El nombre procede del rey irlandés *Loagheire,* que edificó aquí en el siglo V una fortaleza (no se conservan restos). En la costa, diversas torres *Martello* (torres de vigilancia), entre otras la del escritor James Joyce (en la actualidad museo dedicado al escritor). Cerca se encuentra el *Monkstown Castle,* con torre central de dos pisos, de los siglos XIII al XV.

Dunsoghly Castle (3 km NO): Con bonita torre central cuadrada (techo de madera de encina) y capilla del siglo XVI, fue edificado en el siglo XV por *Sir Plunkett.*

Finglas (3 km O): En este lugar se erigen tres cruces del siglo XII y los escasos restos del convento *St. Finian.*

Howth (16 km E): En este pequeño puerto,

Dumfries. Old Bridge

en la *Dublin Bay,* se encuentra una iglesia consagrada a la devoción mariana (St. Mary's Church) del siglo XIII (transformada en los siglos XIV al XV), con una bonita tumba de 1470 en la nave S. El medieval *Howth Castle* fue edificado alrededor de 1564, cerca de un cementerio más antiguo (transformado en el año 1738).

Dumfries
Dumfries and Galloway/
Escocia Pág. 324 □ G 9

La ciudad, en las cercanías de la desembocadura del *Nith,* ya fue en el siglo XII *Royal Burgh* y, posteriormente, fue disputada en diversas ocasiones. En 1301 fue conquistada por Eduardo I para Inglaterra; cinco años más tarde, Roberto Bruce dio orden en ella de sublevarse contra los ingleses, asesinando a *Comyn,* enviado del rey, en el altar del convento franciscano. En 1448, 1536 y 1570 vencieron de nuevo los ingleses; Carlos-Eduardo perdió su poder por completo. De 1791 a 1796 vivió en la ciudad *Roberto Burns;* de 1939 a 1945 fue Cuartel General noruego.

Burn's House: La casa en la que el poeta pasó sus tres últimos años de vida ha sido transformada en un pequeño museo. Aparte de las instalaciones interiores de la época de construcción, se conservan manuscritos y los efectos personales del poeta.

Mid Steeple: El viejo Ayuntamiento data de 1707 y fue utilizado, hasta 1867, como cárcel y Palacio de Justicia. Sobre una tabla de piedra se puede ver la imagen de *Dumfries,* de tiempos de Burns.

Old Bridge: Este puente peatonal, de seis arcos, fue edificado en 1431, sustituyendo un antiguo puente de madera de *Devorguilla Balliol,* del siglo XIII. En 1620 el puente de piedra fue destruido por la marea; fue reformado y reconstruido con las piedras originales. Después de la *Brig O'Balgownie* es el segundo puente más antiguo de Escocia.

Otros lugares de interés: La *St. Michael's Church* data de 1744-1754 y contiene, aparte de diversos monumentos fúnebres, el mausoleo de la familia *Burns*. El museo de la ciudad se encuentra en un molino de viento del siglo XVIII e ilustra la historia regional. *Lincluden Abbey* fue fundada como abadía benedictina en el siglo XII. En el siglo XV la pequeña abadía fue renovada; se conservan el coro y parte del crucero S. De especial interés es el monumento fúnebre, de 1430, de Margarita, *Condesa de Douglas,* hija de Roberto III.

Alrededores

Caerlaverock Castle (10 km S): En el lado E de la desembocadura del *Nith* se encuentra el castillo más peculiar de Escocia. La fortaleza, con la forma de un triángulo equilátero, data del año 1290. Dada su situación, en la orilla N del *Solway Firth,* alberga una intensa historia. En 1301 fue conquistado por Eduardo I para Inglaterra; sólo once años después fue conquistado nuevamente por el dirigente escocés Eustace Maxwell. En 1355 fue destruido completamente. En 1640 fue conquistado por los Covenanters, después de sitiar el castillo durante trece semanas. Las partes más antiguas son: la construcción inferior de la caserna y de la torre E, así como los cimientos de la torre S. El resto de la construcción data de 1425 en adelante. Se utilizaron en parte piezas originales.
El interior del extraño triángulo estaba instalado parcialmente como vivienda. En la parte interior del lado E y O se fueron edificando anexos que se utilizaban como vivienda. En el E, la casa feudal, edificada por orden del *Earl of Nithdale* en 1634, de cuatro pisos. La fachada es un excelente ejemplo del desarrollo del Renacimiento en Escocia. El tímpano está decorado con representaciones alegóricas y heráldicas; los salones del piso inferior de la construcción están recubiertos por hermosísimas bóvedas.

Glenkiln: A 10 km al NO se encuentran «The Moores in the moor». Las piezas fueron coleccionadas por Sir William Keswick y expuestas al aire libre. Esculturas de Henry

Caerlaverock Castle (Dumfries)

Moore, Epstein y Rodin. Pieza excepcional de la colección es la obra de Moore, «Rey y Reina», de 1952.

Ruthwell Cross: A 8 km al E de *Caerlaverock Castle* se encuentra una cruz de 5,5 m de altura que delata la influencia irlandesa. Data del siglo VIII; sus inscripciones son las más antiguas de la historia inglesa descubiertas hasta el momento.

Sweetheart Abbey: A 12 km al S se encuentran las ruinas de la abadía fundada por *Devorguilla Balliol* en 1273. La abadía obtuvo su nombre por su leal fundadora, la cual mantuvo embalsamado, durante dieciséis años, el corazón de su marido en un baúl de marfil para ser enterrado junto a ella el día de su muerte. La historia de la abadía cisterciense es menos romántica, ya que constantemente se encontraba disputada por ingleses y escoceses. En 1381 se incendió el conjunto de edificios y, finalmente, en 1547, la abadía fue tomada por el rey escocés que desterró al antiguo abad a Francia. En 1609 se encargó la Reforma de quemar en la plaza del mercado de Dumfries las pinturas, los libros y la documentación de la abadía. De los edificios de la abadía sólo se conserva el pórtico O, la pequeña iglesia de ladrillo de la que se conservan el coro, el crucero S y la nave lateral S (partes). También existen restos de la torre del transepto y el frente O.

Dunblane

Central/Escocia Pag. 324 □ G 8

Este lugar, famoso en el siglo pasado por sus aguas medicinales, contiene algunas casas erigidas en el siglo XVII; de interés, también, el puente de un solo arco sobre el *Allen,* procedente del siglo XVI.

Cathedral: Esta catedral, construida a partir de 1233, es una de las pocas iglesias de gran tamaño de Escocia; gracias a una amplia restauración en 1892-1914 se conserva en muy buen estado. La parte más antigua de la construcción es la torre cuadrada, que originalmente era independiente del resto de la edificación y cuya parte inferior procede del siglo XI, lo cual se deduce del estilo normando-románico. El constructor de la catedral fue el obispo Clemente; la edificó en el lugar de una anterior iglesia celta. Su planta es poco corriente: un coro sin naves laterales; no existe

Dunblane. Catedral

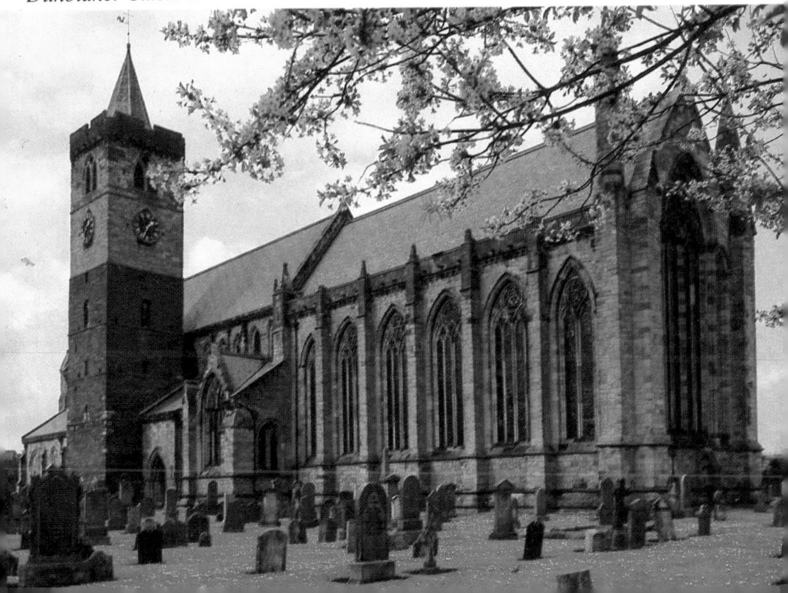

crucero; la nave principal contiene naves laterales y la vieja torre está integrada en el coro de la nave lateral S. Después de la Reforma sólo se utilizó el coro como iglesia parroquial; la nave principal fue abandonada; el techo se hundió a finales del siglo XVI. Se conservan, sin embargo, la fachada E, con el pórtico incrustado, y tres estrechas ventanas lanceoladas de estilo gótico. Encima se encuentra el famoso «Ruskin Window» que sólo se puede ver desde el exterior. Parece cuestión de suerte que siga casi intacta la sillería del coro, de principios del siglo XV. Es uno de los pocos ejemplos de construcción de sillerías en esta época. En el crucero N se erige una piedra con una cruz, probablemente del siglo IX. Tres lápidas decoradas con ornamentos azules recuerdan a la amante de Jaime IV, *Margarita Drummond,* y a sus dos hermanas; las tres mujeres, fueron encerradas y envenenadas en el castillo Drummond.

Alrededores

Ardoch Roman Camp (10 N): El castillo románico, del siglo XI, es una de las edificaciones románicas de mayor tamaño en Inglaterra y albergó, en su época de florecimiento, hasta 40 000 hombres. Se reconoce la sistemática de esta curiosa instalación gracias a los cimientos de piedra y a los muros que todavía se conservan.

Doune Castle (7 km O): Una de las mayores y mejor conservadas fortificaciones del siglo XIV. El castillo vivió su mejor época con el *Duke of Albany,* entre 1419 y 1424. En esta época se construyeron las viviendas instaladas en el patio interior. La gran torre alcanza una altura de 32 m. Después de la ejecución de Murdoch, *Duke of Albany,* el castillo fue confiscado por los Estuardo en 1425 y, durante algún tiempo, fue utilizado como residencia real. Carlos-Eduardo Estuardo usó el castillo como cárcel para los prisioneros de guerra; hasta 1833 estuvo deshabitado y decayó. Bajo el *14.° Earl of Moray* fue reedificado en 1883. Los *Doune Park Gardens* fueron adicionados por el *10.° Earl of Moray* en el siglo XIX. En el año 1860 el parque fue ampliado con un inmenso pinar.
También interesante es el *Doune Motor Museum,* que expone en su interior una interesante colección de coches antiguos pertenecientes al actual *Earl of Moray.*

Drummond Castle (16 km N): El castillo fue erigido en el siglo XV. De especial interés son los jardines creados por el *2.° Earl of Perth* y la torre bien conservada y recubierta completamente de cinc. Los jardines datan del siglo XVII; son una mezcla de estilo francés e italiano, con detalles barrocos sobre las interesantes terrazas. El parque es mundialmente famoso por los extraños árboles y la colección de plantas exóticas.
El reloj de sol que marca la hora de las diferentes capitales de Europa, es una creación del año 1630. A pocos km al E del castillo se encuentra el *Strathallan Air Museum,* donde se exponen colecciones de antiguos aviones civiles y militares. La mayoría de los aparatos funcionan y, eventualmente, se hacen interesantes demostraciones aéreas.

Dundalk

Louth/Irlanda Pág. 326 □ E 11

Esta alegre ciudad portuaria (25 000 hab.), situada en la bahía del mismo nombre, fue nominada por la fortificación de *Dun Dealgan* (al O) y su mítico fundador, el héroe celta *CuChulainn.* El legendario duelo sostenido entre el celta y su amigo de infancia, Ferdia, es el argumento básico del famoso Epos «Tain Bo Cuilgne» («El robo de los toros»). El monumento fúnebre de este legendario héroe se encuentra situado a unos 5 km al S de la ciudad. Los muros actuales de la fortificación *Dun Dealgan* proceden de una fundación normanda. El constructor fue Betram de Verdons, del siglo XII. En la ciudad, muy disputada durante la Edad Media, se encuentra la iglesia protestante *Church of St. Nicholas,* del siglo XIII, reformada durante el siglo XIX, una torre-campanario erigida en el siglo XV y un prebostazgo del siglo XII.

Dunblane. Catedral, interior

Cruz celta

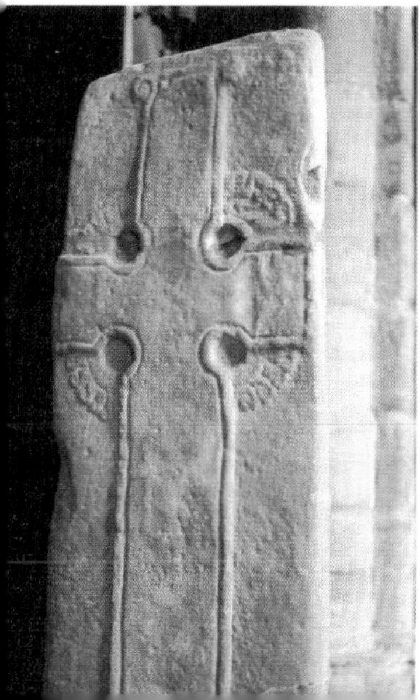

Sillería del coro

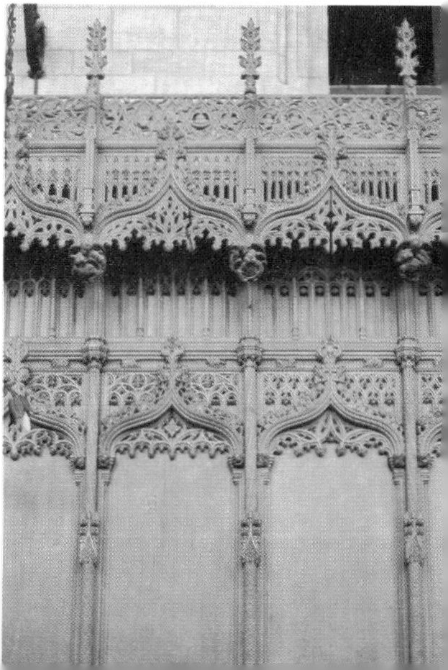

Alrededores

Aghnaskeagh Cairns (9 km N): Cementerio prehistórico.

Ardee (22 km SO): La pequeña ciudad, de 3 000 habitantes, posee las ruinas de dos fortalezas. El *Ardee Castle* fue edificado por el normando Roger de Peppard alrededor de 1207; ampliaciones del siglo XV. En la actualidad es utilizado como Palacio de Justicia (Court House). El *Hatch's Castle,* en la *Market Street,* es una vivienda fortificada del siglo XIII. En la *St. Mary's Church* se conservan restos de una iglesia medieval de los siglos XIII al XIV. Cerca, hacia el E, las ruinas de *Roodstown Castle,* torre de cuatro pisos bien conservada, con hermosas ventanas de los siglos XV y XVI.

Carlingford (22 km E): Este pequeño pueblo fue de gran importancia en la Edad Media. Muestra de ello son las ruinas del *King John's Castle,* con impresionantes instalaciones de fortificación del siglo XIII; también de interés, la casa de la torre *The Mint* (La Moneda), del siglo XV, con antiquísimas ventanas; el *Taaffe's Castle* (cementerio transformado del siglo XVI), el viejo Ayuntamiento *The Tholsel* (pórtico de la ciudad con habitación de torre), del siglo XVI, y los restos de una abadía dominicana fundada en 1305 y renovada en el siglo XVI, con la nave de la iglesia, coro y torre en el transepto.

Carrickmacross (21 km O): Al N del lugar se encuentran los restos del *Donaghmoyne Castle* (1193); se conservan los muros y las fosas.

Castlebellingham (12 km S): La torre circular de *Dromskin* es parte de un poblado del alumno de St. Patrick, *Lughaidh,* del siglo VI. Cerca se encuentran las ruinas de una iglesia de los siglos XIII al XV. Restos de una cruz en el lugar. Hacia el E, los restos de *Mansfieldstown Church,* de los siglos XV al XVII, y en el S, restos de un bastión normando, *Greenmount Motte.*

Inishkeen (8 km O): De un convento del siglo VII, fundado por el santo *Dega,* se conserva la torre circular del siglo XII.

Louth (10 km SO): En el lugar que lleva el mismo nombre que el condado, *St. Mochta* fundó un convento en el siglo VI; se conserva la pequeña *St. Mochta's Church,* del siglo XII, construcción simple de planta cuadrada (restaurada). Cerca, las ruinas de la *Louth Abbey,* de los siglos XIV al XV.

Proleek Dolmen (5 km NE): El monumento prehistórico se compone de tres piedras de soporte y una enorme piedra encima, de unas 40 toneladas de peso.

Roche Castle (Castleroche, 9 km NO): Las ruinas procedentes de 1236 corresponden a una vieja fortificación defensiva, fronteriza con la provincia vecina *Armagh* (hermoso patio interior).

Dundee

Tayside/Escocia Pág. 324 □ H 7

La cuarta ciudad de Escocia es una de las más antiguas colonizaciones del país; no obstante, no se conservan apenas restos de la construcción medieval, ya que la ciudad ha sido destruida en diversas ocasiones por los ingleses; la última vez fue en 1651, por el general Monck. Después de la segunda guerra mundial la ciudad fue totalmente reconstruida.

St. Mary's Tower: La torre de la iglesia, de una altura de 47 m, es el único resto existente del siglo XV; es una de las más bellas de Escocia. En 1651 el general Monck ocupó la ciudad; algunos habitantes de la ciudad, huyendo de una muerte segura, se refugiaron en la torre. El general hizo apilar los libros de la iglesia alrededor de la torre, incendiándolos seguidamente.

City Museum and Art Gallery: El museo posee muestras y objetos arqueológicos sobre el país, en general; entre ellos, un sextante de 1555. La galería adyacente contiene pinturas de artistas holandeses, franceses e ingleses.

Tay Rail Bridge: El puente sobre el *Firth of Tay,* de 3 km de longitud, es modelo de la historia británica en la construcción de puentes. Fue inaugurado el 31 de mayo de 1878; en aquel entonces fue el puente más largo del mundo. Durante los seis años de construcción, el joven Thomas Bouch hizo edificar 87 pilastras de ladrillo, sobre

Dundee. St. Mary's Tower

Dunfermline. Ruinas del claustro

las que se tendió una estructura de hierro, muy estética, pero poco resistente. Un año y medio después, el 28 de diciembre de 1879, se derrumbó el puente durante una fuerte tormenta, cobrándose 75 víctimas: el ingeniero no había calculado la fuerza de los vientos. El puente actual fue construido entre 1883 y 1888. Hasta el momento no ha habido más accidentes.

Alrededores

Claypotts Castle (5 km NE): Hermoso ejemplo de una torre escocesa del siglo XVI. La planta de la torre tiene forma de Z y en las esquinas exteriores contiene imponentes torres esquineras circulares. En la planta baja se han sustituido las ventanas por troneras. A finales del siglo XVII la torre fue residencia de James Graham of Claverhouse, llamado *Bonnie Dundee,* que falleció en la batalla de *Killiecrankie.*

Glamis Castle (20 km N): Es también un perfecto ejemplo de casa-torre con pequeñas torres edificadas sobre ménsulas y una torre con escalera propia, en el ángulo entre las dos naves. El castillo data del siglo XI. En este castillo falleció el rey Malcolm II en el año 1034. El castillo actual fue erigido durante los años 1675-1687 y es propiedad de la familia *Lyon* desde 1372. Los *Lords of Glamis* pasaron duras penas en este castillo: el 3 de diciembre de 1540 fue quemada por bruja, en Edimburgo, una *Lady Glamis* por orden del rey. En 1677 los Lords of Glamis recibieron el título de *Earl of Strathmore and Kinghorn.* El catorceavo Conde de esta línea fue el abuelo de la reina Isabel II. La madre y la hermana de la reina nacieron en este castillo. El interior de este interesante castillo es de especial interés por su valiosa decoración, así como por los bellos enmaderados y el techo pintado que se encuentra en la capilla del mismo.

Dunfermline

Five/Escocia Pág. 324 □ G 8

La ciudad, dedicada a la industria del lino, al N de *Firth of Forth,* fue durante seiscientos años la capital de Escocia. Aquí están enterrados diversos reyes escoceses. Nacieron en la capital: Jaime I, en 1934, y Carlos I, en 1600. Este es el lugar natal del archimillo-

Glamis Castle (Dundee)

Dunfermline. Bóveda con frescos

nario Andrey Carnegie (industrial del acero) (1835-1919), que no sólo fundó la *New Yorker Carnegie Hall,* sino que también donó 3 000 bibliotecas dispersas por todo el mundo.

Abbey: La abadía fue fundada por la reina Margarita en 1074 y floreció con los monjes benedictinos de Canterbury. En la actualidad se pueden ver todavía partes de una pequeña iglesia románica con ábside semicircular, edificada por el rey Malcolm III para su esposa y para la abadía. La iglesia, en su forma actual, está compuesta por dos partes. La parte O abarca la nave de la iglesia de la abadía medieval, edificada bajo el rey David I en la primera mitad del siglo XII e inaugurada en el año 1150. La parte E está construida sobre los cimientos de la iglesia medieval; data del año 1821. La parte E original fue destruida casi totalmente por los soldados del rey Eduardo I de Inglaterra en el año 1303. La construcción neogótica es obra de William Burn (1817-1821). A pesar de estar derruida la parte antigua es uno de los espacios interiores normandos de más belleza de Escocia. Las imponentes columnas románicas tienen un diámetro de 1,35 m y una altura de 9 m, y están ricamente decoradas. Las dos galerías, a ambos lados de la nave, estaban unidas originalmente por un pasillo. Los ornamentos de piedra en las naves laterales datan del siglo XIII, al igual que el pozo, en la segunda pilastra de la nave lateral S. En el crucero N existen pinturas en la bóveda del siglo XVI; entre otras imágenes destacan los apóstoles: Pedro, Juan y Andrés. La Reforma, lamentablemente, destruyó los 26 altares, así como las vidrieras policromadas, de las que se conservan algunos fragmentos. La fachada O, por encima del pórtico data, en su forma actual, del siglo XV. La torre principal, de 30 m de altura, reemplaza la anterior, que fue derrumbada en 1753. La importancia de la ciudad y de la iglesia se manifiesta claramente por la cantidad de tumbas de reyes que en ellas se encuentran. Aquí fueron enterrados: Malcolm III (1093), Duncan II (1094), Alejandro I (1124), David I (1153), Malcolm IV (1165), Alejandro III (1274), Roberto Bruce (1329) y Roberto III (1403). También descansan aquí St. Margarita (1093) y su hijo Eduardo (1093). Los edificios de la abadía fueron reconstruidos después de su destrucción, en 1303, y la sala de huéspedes fue transformada en casa feudal para el rey Jacobo VI y su esposa Ana; de todo esto sólo quedan algunas ruinas.

Alrededores

Aberdour Castle (10 km SE): En la costa se encuentran las ruinas del castillo, que data del siglo XIV, y tuvo su época de florecimiento en los siglos XVI al XVII.

Incholm Island: Sobre la pequeña isla se encuentran las mejores ruinas de Escocia. La abadía es fundación del rey Alejandro I (1078-1124) y fue ocupada por los monjes agustinos de *Seone.* De la abadía sólo quedan partes de la nave lateral S; la torre y los edificios, que datan del siglo XIII, están asombrosamente bien conservados, ya que fueron utilizados como centro comercial por la familia del hermanastro de María Estuardo, el *Earl of Moray.* No lejos de la abadía se encuentra la *St. Colm's Cell,* de principios de la Edad Media, la única celda de ermitaño que se conserva en Escocia.

Dungannon

Tyrone/Irlanda del Norte Pág. 326 □ D 10

La pequeña ciudad (7 500 hab.) fue, durante largo tiempo, Sede de los *Condes del Ulster.* El castillo fue destruido en el año 1602 y reedificado en 1790. La iglesia protestante data de la misma época.

Alrededores

Arboe (20 km NE): En la orilla E del *Lough Neagh,* se erige la famosa cruz de *Arboe* del siglo XIX. La cruz, de más de 5 m de altura (restaurada), está decorada con imágenes bíblicas.

Ardress House (13 km SE): La casa señorial, al E de *Moy,* con hermosa decoración en el interior de estilo georgiano (Drawing Room) y una importante colección pictórica, data del año 1660.

Beaghmore (25 km NO): Círculos de piedra prehistóricos (alrededor de 1800 a. de J. C.) con túmulos.

Castlecaulfield (5 km O): Restos de una casa feudal de 1619; iglesia de pueblo con pórtico de 1685.

Cookstown (17 km N): Al S de este lugar se encuentran restos del fuerte circular temprano-celta *Tullaghoge Fort,* con muros de protección y fosa. Aquí, a principios de la Edad Media, se encontraba el centro del «Ulster Clan» de los *Condes de O'Neil.*

Donaghmore (3 km NO): Se erige aquí una cruz del siglo XI; se deduce que existió en este lugar una abadía fundada por *St. Patrick* (no quedan restos).

Dungiven

Londonderry/Irlanda del Norte

Pág. 326 □ D 9

En este pequeño y hermoso pueblo situado excelentemente, se encuentran los restos del castillo de los *Condes de Derry O'Cahan,* del siglo XV; también los restos de los muros de una fortificación de los colonos londinenses de 1618. Al S se hallan las ruinas de la iglesia conventual del agustino *Dungiven Priory,* de alrededor del año 1100. A la iglesia, de una sola nave, se le añadió en el siglo XV un coro. De especial interés, el monumento fúnebre de un *Conde O'Cahan* de 1385 (al S del coro); el fallecido luce un traje irlandés; cerca, se conservan, en buen estado, seis estatuas de guerreros irlandeses.

Dunfermline. Abbey, pórtico ▷

Alrededores

Banagher (9 km SO): Ruinas de *Old Church,* del siglo XII, con hermoso pórtico románico del siglo X y ventanales gótico-románicos. La tumba del santo, originaria del siglo XII, en el cementerio, se asemeja a la de Bovevagh.

Bovevagh (3 km N): Restos de la medieval iglesia *Bovevagh Chuch,* de los siglos XIII al XIV, con interesante tumba de santo del siglo XII en forma de un oratorio celta.

Maghera (22 km SE): Restos de una iglesia parroquial de los.siglos XI al XII, en la que se puede admirar un interesante pórtico O (escenas de la Crucifixión).

Dunnottar Castle

Grampian/Escocia Pág. 324 □ I 7

Sobre el enorme peñasco que sobresale en la superficie del mar, al S de *Stonehaven* (50 m de altura), están las ruinas de una fundación celta que fue sede de los mariscales de Escocia. La roca estuvo fortificada bajo el rey Guillermo «The Lion» en 1165-1214 y, a finales del siglo XIII, el obispo Wishart consagró en este lugar una iglesia. En 1297 William Wallace, luchador por la libertad, conquistó el peñasco e incendió la iglesia junto a los ingleses que huyeron al lugar. El mariscal supremo Sir William Keith se disputaba el peñasco con el obispo de *St. Andrews,* querella que tuvo que ser interferida por el papa Benedicto XIII. En la primera mitad del siglo XVII la fortificación tuvo su mejor época, dado el poder político y económico de los mariscales de Escocia. En aquel entonces estaba construida la mayor parte de la superficie de la roca. *Dunnottar,* de 1652, fue la última construcción escocesa. En 1716 la fortaleza fue clausurada, ya que fueron vencidos los jacobinos después de la revuelta. Dos años más tarde se destruyó el castillo. En la actualidad, sólo queda erigido el *Drawing Room,* en el primer piso de la nave N, así como una interesante fila de bóvedas en el sótano de la fortificación.

Dunstable

Bedforshire/Inglaterra Pág. 332 □ K 14

Esta ciudad industrial, en el extremo S del condado de *Bedforshire,* pertenece a la jurisdicción de un priorato agustino fundado por Enrique I; la iglesia del convento todavía se conserva. La industria de la ciudad consistía en el procesamiento de la paja en el siglo XVIII.

Church of St. Peter: La nave y el gran pórtico datan de la época normanda; formaban parte de la iglesia del priorato agustino, edificada alrededor de 1150. La parte E de la iglesia, por desgracia, fue destruida en el siglo XVI; se conserva la fachada O, que es un bello ejemplo de la transición del románico al gótico. El pórtico NO, ricamente decorado, data del siglo XIII; las rejas del coro son del siglo XV. En 1533 el arzobispo Cranmer realizó aquí la separación legal de Enrique VIII y Catalina de Aragón, muy a pesar del papa que había prohibido la ceremonia terminantemente. Con este acto Enrique VIII se declaró Autoridad Suprema de la iglesia anglicana, independizándose de Roma por completo.

Alrededores

Edlesborough (8 km SO): La iglesia *Church of St. Mary,* sobre un montículo, data en sus partes más antiguas de los siglos XIII y XIV. En el siglo XV fue ampliada y reformada, y en tiempos victorianos fue restaurada. Los excelentes trabajos de madera datan de la época gótica; por ejemplo, el púlpito con su baldaquín, las rejas del coro o la sillería del coro, decorada con hermosas misericordias. Las pinturas en la iglesia también datan de la

época victoriana, así como las vidrieras policromadas, que son obra de Warde y Hughes.

Leighton Buzzard (15 km NO): La enorme *Church of All Saints,* con planta en forma de cruz, contiene una torre central y data del siglo XII. La pieza más antigua de la iglesia es la pila bautismal, de principios del siglo XIII. Las increíbles misericordias de la sillería del coro y el techo de madera son del siglo XV. Las filigranas en hierro en el pórtico O son obra de Thomas of Leighton, que también es autor de la reja del monumento fúnebre a la esposa de Eduardo I en *Westminster Abbey.* De especial interés son los *Sgraffiti,* de la Edad Media, en las columnas y paredes. Las vidrieras emplomadas de la iglesia son originarias del siglo XIX y fueron creadas por C. E. Kempel.

Wing (20 km O): La *Church of All Saints* es una de las más interesantes de tiempos anglosajones; aparte de esta iglesia sólo existen otras tres que contengan un ábside y una cripta sajona. El ábside tiene una terminación octogonal; la cripta, recubierta de una bóveda, contiene una torre central hexagonal, circundada por un pasillo.
También de la época sajona datan las arcadas de los cuatro yugos de la nave; el resto fue edificado en el siglo XIII. La torre E fue añadida en el siglo XIV y, al mismo tiempo, fue renovada la nave lateral S. Un siglo después fueron instalados los ventanales actuales. Las rejas del coro son una obra magistral del siglo XVI; el púlpito data de principios del siglo XVII. En la iglesia se encuentran numerosos monumentos fúnebres, entre ellos dos de especial interés por su exuberante belleza, de los años 1552 y 1590, de la familia *Dormer. Ascott House* es una construcción de paredes entramadas que servía como refugio de cacería y fue erigida en el año 1870; en la actualidad se puede ver una colección de pinturas, valiosos muebles y piezas de porcelana china antigua. La colección es propiedad de Anthony de Rotschild.

Woburn Abbey (20 km NO): La vieja abadía cisterciense fue disuelta en el año 1539 por Enrique VIII; la propiedad de John Russell fue vendida al *primer Earl of Bedford.* Reinando Guillermo III el conde se convirtió en *Duke of Bedford,* instalando su vivienda en Woburn. En el siglo XVIII fue renovado el edificio por John Sanderson y Henry Flitcroft; la fachada E fue reformada por Henry Holland. En la actualidad la casa contiene una valiosa colección de pinturas, con obras de Canaletto, Gainsborough, Holbein, Rembrandt, Reynolds, Van Dyck y Velázquez. Completan la colección valiosos muebles oriundos y franceses, al igual que piezas de plata de la misma época. El gran parque colindante al edificio funciona hoy como «Safari Park».

Durham

Durham/Inglaterra Pág. 328 □ I 10

Fundada en el siglo X por monjes anglosajones refugiados de *Lindisfarne;* fortificada en el siglo XI por el normando Guillermo «El Conquistador». Florece sobre todo desde el traslado de la sede episcopal de *Chester-Le-Street* en el año 995. Desarrollo industrial en la zona desde el siglo XIX, al dedicarse a la actividad carbonífera. Posee, después de Oxford y Cambridge, la tercera universidad más antigua del país, fundada en 1657 por Oliver Cromwell. En la actualidad es una de las ciudades más pintorescas de Inglaterra, gracias a sus numerosos monumentos arquitectónicos.

Cathedral (por encima del Wear): Es una de las más representativas y puras catedrales normandas en toda Inglaterra, construida sobre los restos de un convento benedictino. Las obras, comenzadas en 1093 por el obispo Carilef de Durham, fueron terminadas por el obispo Flambard en el año 1133. A finales del siglo XII fue ampliada con la capilla de Galileo; en el siglo XIII, construcción adosada a la capilla de los nueve altares (Chapel of the Nine Altars); en la segunda mitad del siglo XV, reconstrucción del campanario (altura, 70 m). En el pórtico N se conserva todavía una aldaba del siglo XII, representando una figura grotesca con un aro de hierro en la boca, en el que los delincuentes encontraban protección frente a las garras de la ley.

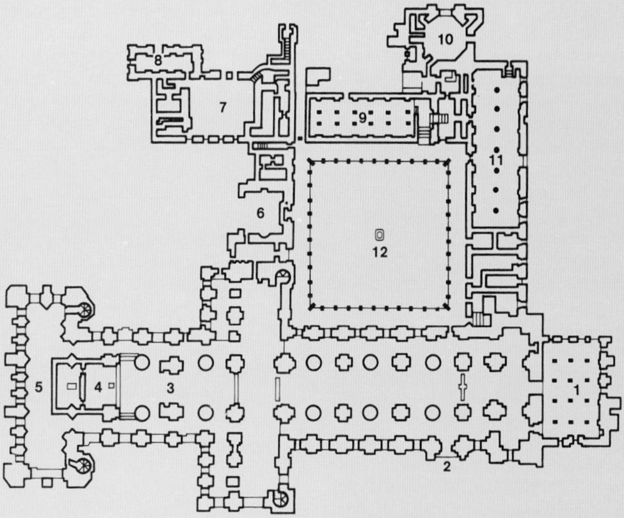

Durham Cathedral: **1.** Capilla de Galilee (antesala). **2.** Pórtico N (con aldaba del siglo XII). **3.** Trono episcopal. **4.** Altar Mayor. **5.** Capilla de los nueve altares. **6.** Sala capitular. **7.** Decanato. **8.** Cripta. **9.** Antigua biblioteca (en el antiguo refectorio). **10.** Cocina de la catedral. **11.** Biblioteca (en el antiguo dormitorio). **12.** Vía Crucis.

Espacio interior: En la nave principal, enormes pilastras con rica ornamentación, con formas en zigzag. El techo, recubierto de bóvedas en estilo temprano-gótico, es el más antiguo de este estilo conservado en Europa. En ambas naves laterales encontramos un techo de bóvedas arqueadas del más antiguo románico conocido. Toda la iglesia está decorada con preciosos lienzos de los siglos XII y XIII. De la decoración interior destacan: en el coro, la sillería, del siglo XVII; el trono episcopal, del siglo XIII; el monumento fúnebre del obispo *Hatfield,* al igual que la pared del altar, sobre el Altar Mayor, construida en 1380 por el arquitecto de la Westminster Abbey y de la catedral de *Canterbury,* Henry Yevele. Tras el Altar Mayor se encuentra el monumento fúnebre de *St. Cuthbert,* fallecido en el año 687, y el del primer obispo de Lindisfarne; lamentablemente destruido en 1540. En el crucero S, la *Prior Castell's Clock,* edificada alrededor de 1500. En la antesala (Galilee Chapel), el monumento fúnebre del «Venerable Bede» (673-735), el primer historiador inglés conocido.

Biblioteca de la Catedral (acceso desde el Vía Crucis en el lado S de la Catedral): Se encuentra en los salones de la antigua abadía benedictina (dormitorio y refectorio); contiene el tesoro de la catedral. De especial interés: Cruces de piedra anglosajonas de *Northumbria;* la biblia *Carlief* de dos tomos (siglo XI), que fue propiedad del fundador de la Catedral y está decorada con miniaturas; la estola del obispo de *Winchester,* del siglo X; el restaurado sarcófago en madera de *St. Cuthbert,* en el que fue transportado en el año 995 a Durham, así como el crucifijo y la estola del santo.

Durham Castle (frente a la Catedral): Fundado por los normandos en el 1072. Guillermo El Conquistador hizo construir, primeramente, el castillo con trincheras fortificadas; más tarde lo fortificó mejor y fue sede de los «Prince Bishops» de Durham, que dominaban desde él todo el territorio hasta la frontera escocesa.

En el interior de especial interés: *Great Hall,* del siglo XIII, en la actualidad *Mensa* de la universidad; capilla de la fortaleza, del año 1072, en estilo normando-románico; camino de acceso al pórtico, igualmente normando-románico, muy bien conservado y único en su especie en Inglaterra; casa de las escaleras del Renacimiento, del año 1662, que conducen a una galería del siglo XV. La fortaleza es utilizada desde 1832 como edificio principal de la universidad.

Gulbenkian Museum (Elvet Hill Road, en la universidad): Único museo en Inglaterra que se especializa en arte oriental y arqueología. Las colecciones contienen, entre otras cosas, porcelanas chinas, piezas de jade y marfil, pinturas y tejidos, esculturas y pinturas en diversos materiales del Japón; armas, colgaduras, cerámica de la cultura islámica: hallazgos arqueológicos posteriores al siglo XV a. J. C.

Durham Light Infantry Museum (acceso por la Framwell Gate Peth, al NO de la ciudad): Museo militar dedicado especialmente a la historia del Regimiento de Infantería de *Durham* (armas, uniformes, emblemas y documentación sobre batallas, entre otras cosas).

Otros lugares de interés: La *St. Oswald's Church* (Church Street) data de finales de la Edad Media; la plaza del mercado (Market Place), con la *St. Nicholas Church* y la *Towhall.* La ciudad también contiene interesantes puentes sobre el *Wear: Elvet Bridge,* del siglo XII; *Prebends Bridge,* con hermosa vista hacia la catedral. Al O de la ciudad se encuentra el *Neville's Cross,* que conmemora la batalla del año 1346, en la que fueron derrotados los invasores escoceses y hecho prisionero el rey de éstos, David II.

Alrededores

Brancepeth (8 km SO): De especial interés; al lado de la fortaleza, la iglesia *St. Brandon,* de los siglos XIII al XIV, con los monumentos fúnebres de la familia *Neville* (siglos XIV al XVI) y hermosas tallas de madera.

Chester-le-Street (10 km al N): Edificado en el lugar de una fortificación románica que desde 995 ha sido sede episcopal, trasladada después a *Durham.* De especial interés, la *Church of SS. Mary and Cuthbert,* de los siglos XIII al XIV (hermosa torre, celda individual adjunta; en la iglesia, 14 tumbas de la familia *Lumley,* casi todas de finales del siglo XVI). Al E de este lugar se encuentra el *Lumley Castle,* de finales del siglo XIV, en la actualidad utilizado por la Universidad de Durham.

Finchale Priory (6 km N): Abadía dominicana, fundada en 1196. En la actualidad sólo existen las ruinas de los siglos XIII y XIV, la vivienda del Prior, la cocina, el refectorio y la capilla.

Houghton-le-Spring (10 km NE): En la iglesia, de los siglos XIII al XIV, se encuentra el monumento fúnebre (1583) del fallecido *Bernard Gilpin,* el llamado «Apóstol del Norte».

Lanchester (13 km NO): De especial interés; la iglesia, de los siglos XII y XIII; arcadas en el lado N formadas por columnas románicas. En la antesala, altar románico. De la fortificación romana *Lengovitium* existen pocos restos cerca de la carretera en dirección a *Weardale.*

Sherburn Hospital (3 km E): La caserna, del siglo XIII, es un hospital edificado por el episcopado de Durham en 1181.

Durham. Pórtico de la Catedral

Aldaba del siglo XII

Tumba frente a la Catedral

E

Eastbourne

East Sussex/Inglaterra Pág. 332 □ L 16

Este lugar fue en tiempos anglosajones propiedad de la Corona; más tarde fue adquirido por tres familias del Condado de *Sussex*. A finales del siglo XVIII se transformó en balneario. La ciudad, vista desde el mar, ofrece un bello panorama: se eleva sobre *Beachy Head*, teniendo en la orilla, cerca de la costa, un bello faro. Merecen especial atención los llamados *Seven Sisters*, siete imponentes rocas calizas.

Parish Church St. Mary's: La iglesia existió en la época sajona y fue renovada por los normandos.

Church of All Souls: Iglesia edificada en el siglo XIX en estilo bizantino.

Lamb Inn: La casa, del siglo XIII, está comunicada con la *St. Mary's Church* por un pasadizo secreto.

Pilgrims Inn: Casa del siglo XIV cuyo material de construcción es, esencialmente, la madera. Durante las guerras napoleónicas se edificaron, a lo largo de la costa S, numerosos fuertes de defensa, de los que se conservan dos: el *Redoubt*, en el que se encuentra un «pueblo del tesoro», especialmente atractivo para los niños; también de notable interés, un acuario, una gruta («The Blue Temple») y el *Sussex Combined Services Museum*.

The Wish Tower fue una de las 74 *Martello Towers* construidas a lo largo de la costa y que alberga actualmente el museo denominada *Royal National Lifeboat Institution*.

Towner Art Gallery: El hermoso edificio data del siglo XVIII. Se exponen pinturas de artistas ingleses de los siglos XVIII y XIX, así como obras de Picasso y Henry Moore.

Otros lugares de interés:

Numerosos y bien acondicionados parques: Por ejemplo, *Gilgridge Park* y *Motcombe Park*, en *Eastbourne*.

Alrededores

Eastdean (4 km O): Iglesia con torre normanda.

Michelham Priory (10 km N): Convento agustino del siglo XIII, que posee un cementerio del siglo XIV. El edificio, convertido en el siglo XVI en casa señorial, contiene en la actualidad diversas colecciones de vidrio antiguo, trabajos en forja, muebles y numerosas herramientas.

Pevensey (5 km E): *Pevensey Castle* fue un

fuerte romano; ampliado por los normandos con la finalidad de proteger un puerto que, en la actualidad, ya no existe. En el siglo XII fue ocupado por Simon de Montfort; más tarde se derrumbó. *St. Nicholas Church,* del siglo XIII. *Court House,* antigua cárcel y Ayuntamiento, en la actualidad museo de historia local.

Ecclefechan

Dumfries and Galloway/
Escocia Pág. 324 □ H 9

El pueblo, allende de la frontera escocesa, fue el lugar natal de Thomas Carlyle (1759-1881), importante historiador, crítico literario y escritor. En el año 1865 fue nombrado rector de la Universidad de *Edinburgh.* Este moralista escocés escribió una biografía sobre Federico El Grande y tradujo la obra de Goethe titulada «William Meister». El mismo Goethe denominó al genio como «un poder moral de gran importancia». Guillermo II le envió una corona de flores en su centenario, organizando una sencilla ceremonia en su honor al pie de su tumba, que no se encuentra en *Westminster Abbey,* tal como estaba planeado en un principio, sino que sus restos fueron trasladados al cementerio del pueblo natal del escritor. Sobre la lápida figura una inscripción con una sola palabra: «Humilitate».

Alrededores

Gretna Green (6 km SE): Este lugar es famoso debido a la legislación escocesa del siglo XVIII. Existía una ley en virtud de la cual un matrimonio se consideraba celebrado cuando una pareja, de edad no inferior a dieciséis años, declaraba ante testigos su voluntad de contraer matrimonio. Para el casamiento no eran necesarios ni un párroco, ni un funcionario, ni siquiera el permiso de los padres. Se precisaba solamente la presencia de testigos. *Gretna Green* es el pueblo más al S de la frontera; esa fue la razón de que inmigraran todas las personas con dificultades a la hora de contraer matrimonio. Cualquier habitación podía servir para celebrar la ceremonia, desde el Ayuntamiento hasta una herrería, taller o patio. En 1856 *Westminster* puso freno a tal situación, imponiendo a las parejas

Eastbourne. Parish Church St. Mary's

Ecclefechan. Tumba de Thomas Carlyle

Edinburgh. Vista panorámica

un período de espera de tres semanas. Desde 1939 fue necesario también un párroco o un funcionario para celebrar la ceremonia. Cuando en el año 1969 se cambió la mayoría de edad, de veinte a dieciocho años, el pueblo perdió su atractivo para los inmigrantes. En la actualidad es interesante por su gracia histórica; merece la pena visitar las llamadas «herrerías de la suerte», que poseen antiquísima documentación.

Lockerbie (6 km NO): Al SE de este bellísimo lugar se encuentran las ruinas de un castillo románico con poderosas fortificaciones (se encuentra situado sobre el Birrenswark Hill).

Edinburgh

Lothian/Escocia — Pág. 324 □ H 8

La ciudad de los reyes, y la reina de las ciudades escocesas, tiene sus orígenes en la época prerromana. Los romanos construyeron en el castillo de la colina un asentamiento y, en el siglo V, se convirtió en una especie de campamento estratégico. El rey *Edwin de Northumberland* la amplió y le dio su nombre actual: *Edwin's Burgh.* La primera y verdaderamente importante fortaleza fue construida bajo el reinado de Malcolm III. El hijo de Duncan I, asesinado por Macbeth y último rey galés, se convirtió en fundador de la sucesión real escocesa. La esposa de este regio personaje, proclamada santa posteriormente, hizo edificar en el punto más alto de la colina del castillo una increíble capilla que, en la actualidad, es la edificación más antigua de la ciudad.
En la misma época se edificó la actual *High Street* como calle del mercado. En 1128 el rey David I trasladó a su residencia un reducido número de monjes agustinos y fundó *Holyrood Abbey.* Pasaron más de trescientos años antes de que Edinburgh, en el

Edinburgh. Colina del castillo

año 1437, sustituyera a *Perth* como capital de Escocia. Alrededor de 1500 se comenzó la construcción de *Holyrood Castle* y, en 1507, se instaló la primera imprenta de Escocia.

Después de la derrota de *Flodden Field* se construyó *Flodden Wall.* Los nuevos muros de la ciudad la circundarían durante doscientos cincuenta años; en la actualidad quedan restos en las cercanías de *Grassmarket.*

De 1544 a 1547 Enrique VIII destruyó la ciudad y el castillo por no poder convertir a María Estuardo en su cuñada. María huyó a Francia; en 1561 volvió de su exilio para pasar siete trágicos años en Escocia. Veintidós años más tarde fue creada la Universidad por el Consejo Supremo de la ciudad.

En 1603 el hijo de María Estuardo, Jaime VI, fue nombrado rey de Inglaterra, mudándose con toda su Corte a Londres. Cien años más tarde, a principios del año 1707, surgió la disolución del Parlamento escocés y, con ella, el fin de Edimburgo como capital de una Escocia independiente. Al mismo tiempo, no obstante, hubo un increíble auge en el comercio, ciencia y arte, de manera que la ciudad conservó su rango e importancia aun no siendo capital. Cincuenta y tres años más tarde fue secado el *Nor'Loch,* lago situado debajo de la montaña del castillo, y en 1767 se comenzó la construcción de la *New Town,* según los planos y el diseño de James Craig. En 1822 el rey Jorge IV visitó la ciudad para entablar relaciones amistosas entre Escocia e Inglaterra. Con el ferrocarril (en 1836) comenzó definitivamente la industrialización de Edimburgo.

Edinburgh Castle: El monte del castillo (135 m de altura), de piedra volcánica y arrecifes atrajo, por su mágica situa-

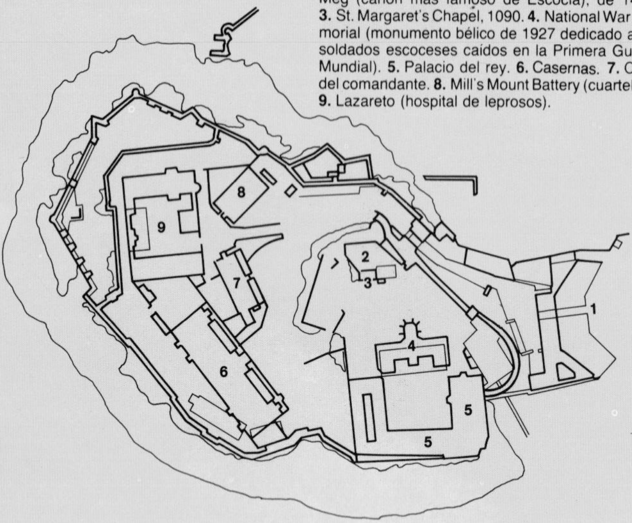

Edinburgh Castle: 1. Puente de entrada. **2.** Mons Meg (cañón más famoso de Escocia), de 1486. **3.** St. Margaret's Chapel, 1090. **4.** National War Memorial (monumento bélico de 1927 dedicado a los soldados escoceses caídos en la Primera Guerra Mundial). **5.** Palacio del rey. **6.** Casernas. **7.** Casa del comandante. **8.** Mill's Mount Battery (cuarteles). **9.** Lazareto (hospital de leprosos).

ción, a los constructores. Poseer esta roca casi era una cuestión de rango, lo cual explica por qué los reyes escoceses e ingleses intentaron siempre conquistar el castillo y la inmensa roca. La fortaleza fue conquistada por vez primera en 1174, cuando el rey Guillermo I tuvo que abrirle las puertas a Enrique II.

De 1296 a 1313 la fortaleza, de nuevo, estaba al mando de los ingleses, hasta que el *Earl of Moray* consiguió recuperar el castillo. En 1568 *Kirkcaldy of Grange* sitió la fortaleza durante cinco años, mientras María Estuardo estaba prisionera en Inglaterra. Cañones traídos de Gran Gretaña le obligaron a ceder el castillo.

En 1650 la fortaleza fue nuevamente conquistada por Cromwell; aunque Carlos-Eduardo Estuardo no quiso ceder, Cromwell se tuvo que conformar con el *Holyrood Castle.* El puente levadizo y los puestos de vigilancia adornan aún la entrada del castillo, pero, a pesar de los inmensos muros (5 m), no se puede disimular que todo es una reconstrucción del siglo XIX.

Argyll's Tower se encuentra en el mismo lugar en el que se encontraba *Constable's Tower* antes de la capitulación de 1573. En *Argyll's Tower* vivieron el *primer Marqués de Argyll* y su hijo, antes de ser ajusticiados y ejecutados. Desde *Argyll Battery* hay una excelente vista hacia la *Princes Street, New Town* y, por encima del fuerte, la península de *Five.* En el *Mill's Mount Battery,* se dispara cada día, desde 1861 (excepto domingos) a las 13 h, la *Time Gun.*

Detrás del *Foggy Gate* se encuentra, en el punto más alto de la roca, el lugar en el que se encontraba en anteriores tiempos la fortaleza del rey Malcolm III: *Canmore.* Aquí está el cañón

Edinburgh Castle

más famoso de Escocia, el *Mons Meg,* fabricado en Bélgica (Mons). De los tiempos del rey Malcolm sólo se conserva la capilla de su esposa: la *Lady Margaret's Chapel,* edificada alrededor de 1090. La capilla, de 9 m de longitud y unos 4 m de ancho, está recubierta por un techo de bóvedas y contiene un ábside semicircular. La nave se separa de la sala del altar por dos arcos románicos entrecruzados. Especialmente interesante es el frisado en zigzag en el arco doble del coro. Los ventanales son obra de Douglas Strachan, quien los creó en 1921. Hacia el S se encuentra el *National War Memorial,* monumento a los soldados escoceses caídos en la primera guerra mundial, creado por Robert Lorimer en 1927. Detrás se encuentra el Palacio Real; la parte E data del siglo XV; el resto fue edificado reinando la reina Ana, a principios del siglo XVIII. En la esquina S de la parte antigua se encuentra la pequeña habitación enmaderada donde María Estuardo dio a luz a su hijo Jaime VI. En el *Crown Room* se exponen los «Honorus of Scottland», las insignias del trono. Fueron descubiertas gracias a Walter Scott en el año 1818, ya que después de la disolución del Parlamento en 1707 fueron robadas. El cetro que Jaime VI recibió del papa Alejandro VI, la espada que le fue entregada por el papa Julio II en 1507 y la corona de oro decorada con más de 100 perlas y piedras preciosas de Jaime V, son las piezas fundamentales en los salones reales del castillo. La *Old Parliament Hall,* en el lado S del patio interior, fue la sala de reunión del Parlamento escocés. El viejo salón, decorado con armas, es utilizado en la actualidad para recepciones de estado.

St. Giles Cathedral: La catedral también es llamada *High Kirk of Edinburgh* y su aspecto exterior, con excepción de la corona de la torre, no llama en absoluto la atención. Parece una vivienda más en la *High Street* y nada en ella delata la historia que ha soportado a lo largo de los siglos.

La iglesia, de unos 65 m de largo y 35 m de ancho, data del siglo IX. Anterior a la catedral fue la iglesia normanda de 1120, destruida por el inglés Ricardo II en 1385. De esta iglesia todavía proceden las columnas octogonales que soportan la torre. El resto data de los años 1387 a 1495, cuando fue finalizada la torre. Con Jaime III, la iglesia, en el año 1466, recibió el rango de iglesia colegial. En aquellos tiempos poseía 44 altares, que conjuntamente con el resto de la instalación interior fueron destruidos cien años más tarde por la Reforma. Desde aquí empezó a actuar John Knox; en 1561 se celebró en la iglesia la primera misa reformada. De 1660 a 1668 *St. Giles* fue por última vez catedral episcopal, antes de ser dividida en cuatro fracciones independientes para cuatro cultos diferentes. El interior es tan insólito como el exterior. La nave principal contiene dos naves laterales, como era usual, y dos cruceros dividen la nave principal y el coro, ambos de igual longitud. Se conservan diversos restos de las diferentes épocas de construcción; han sido añadidas algunas partes; las naves laterales fueron separadas y utilizadas como capillas. El resultado es una iglesia fraccionada en estricto estilo gótico. La corona de la torre muestra el arte de los antiguos constructores. Está formada por ocho arcos, que soportan una estilizada aguja. A pesar de estar construida en piedra, la corona da la impresión de ser ligera, lo que es poco frecuente en las coronas escocesas.
De especial interés, en el interior, son los diversos monumentos fúnebres, entre ellos el del *Duque de Montrose,* sentenciado y ejecutado por el *Marqués de Argyll,* que corrió la misma suerte que el Duque poco más tarde y ahora yace en una de las sepulturas que alberga esta misma iglesia.
Las vidrieras de esta catedral datan de los siglos XIX y XX; las pilastras decoran las banderas de los regimientos más famosos de Escocia.

Edinburgh Castle. Puerta de entrada

La *Thistle Chapel* es un anexo del año 1909 diseñada por Sir Robert Lorimer imitando una construcción gótica. La capilla, decorada por un techo de bóvedas y sillería de encina, fue construida para el más antiguo y refinado orden de caballería escocesa, fundada por Jaime II (Order of the Thistel). Estaba compuesta por 16 miembros, entre ellos la reina; actualmente forma parte de esta Orden el Príncipe Carlos, heredero de la Corona británica.

Cannongate Church: Esta hermosísima iglesia fue edificada por James Smith en el año 1688, como iglesia comunal, ya que el rey Jaime VII había prohibido la entrada a los parroquianos en la *Holyrood Abbey,* sirviendo ésta para el culto parroquial.
En esta iglesia reposan los restos de Riccio, el que fuera amante de María Estuardo, que su marido había ordenado ejecutar.

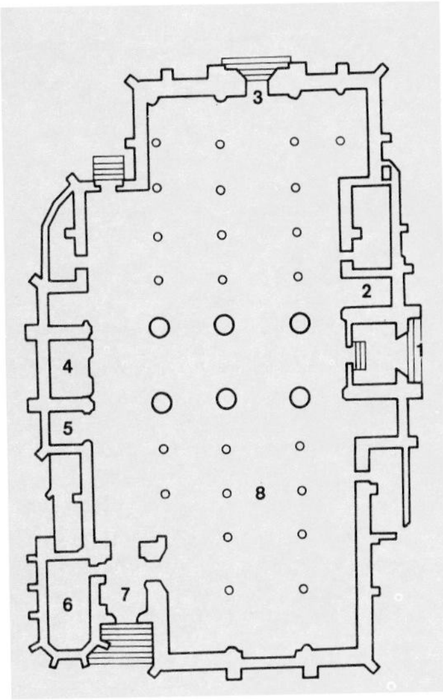

Edinburgh. St. Giles Cathedral: 1. Pórtico N. **2.** St. Eloi's Chapel, con el monumento fúnebre de Argyll. **3.** Pórtico O. **4.** Órgano. **5.** Monumento fúnebre del Marqués de Montrose. **6.** Thistle Chapel (1909). **7.** Pórtico SE. **8.** Coro.

La iglesia, restaurada en el año 1951, es interesante por su ornamentación heráldica.

En el cementerio, junto a la iglesia, están enterrados el gran filósofo y economista nacional Adam Smith (1723-1790), así como el poeta de Edimburgo, Robert Fergusson.

Greyfriars Church: La iglesia franciscana, en la *Candlemaker Road,* data de 1620. Formó parte de un convento franciscano del siglo XV.

El cementerio fue utilizado en 1679 como campo de concentración para 1 200 Covenanters durante la batalla en la *Bothwell Bridge.*

Holyrood Abbey: Sólo se conservan ruinas de la más hermosa e importante iglesia de Edimburgo. La iglesia de la abadía agustina fue fundada por el rey David I, hijo de *St. Margaret.*

Holyrood Palace

Las ruinas en la esquina NE de *Holyrood Palace* testifican, en la actualidad, el antiguo esplendor de la iglesia de la abadía.

La fachada O, de dos torres, contiene un pórtico esculpido y cubierto por una galería abierta. Las dos torres esquineras son obra maestra del gótico; datan del siglo XIII.

De tiempos normandos es el pórtico de procesión entre la iglesia y el antiguo Vía Crucis. En la iglesia fueron enterrados David II, Jaime II, Jaime V y Darnley.

Jaime II y Jaime V celebraron sus bodas en esta iglesia, y en 1633 se celebró aquí la Coronación de Carlos I. En 1768 se hundió el techo; después se desplomó por completo.

Magdalen Chapel: La capilla en la *Chambers Street* fue financiada en 1547 por Jenet Rynd, al igual que un asilo de ancianos con siete interinos que recibían manutención a cambio de rezar, día tras día, por él y su esposa. El último interino falleció en 1675; después, la capilla fue utilizada durante largo tiempo como velatorio.

De especial interés es la enorme vidriera emplomada. Es la única vidriera policromada en toda Escocia que data de antes de la Reforma y continúa en su lugar original.

Old St. Paul's Church: La iglesia en la *Carrubber's Close* se edificó en 1689 como iglesia parroquial de *St. Paul,* bajo los auspicios del obispo Rose. Abandonó con sus seguidores la *St. Giles Cathedral* cuando la Iglesia obispal escocesa se retiró del ámbito de las iglesias de estado. La parroquia, fiel a Estuardo, no reconocía la sucesión en el trono de Guillermo de Orange y construyó la *Episcopal Church of Scottland.* La iglesia actual se construyó en 1883, sustituyendo un almacén de algodón que se utilizaba como iglesia.

St. Mary's Episcopal Cathedral: La catedral fue construida en 1874, paralela a la de *St. Giles,* según los planos de Sir George Gilbert Scott. Es la mayor iglesia neogótica en Escocia desde la Edad Media, terminada en 1917, posee una torre de 84 m de altura.

Holyrood Palace: El palacio se edificó, como continuación de la casa de huéspedes del convento, en época de Jaime V, hijo de María Estuardo. De 1528 a 1532 hizo construir un torreón NO. En aquel entonces poseía cuatro torres circulares en las esquinas, así como almenas. Se le adosó una nave O. En el torreón descansan los restos de María Estuardo y Lord Darnley y la escalera secreta por la que penetraron los asesinos de Riccio. El Palacio dejó de ser residencia Real al emigrar, en el año 1603, Jaime VI a Inglaterra. En 1650 Cromwell ocupó las instalaciones que Carlos II reconstruyó de 1761 a 1679 y las amplió a sus dimensiones actuales. Los planos corrieron a cargo de Sir William Bruce; la construcción fue realizada por Robert Mylne.

La torre NO fue integrada y se reprodujo una réplica en el SO. Ambas torres se comunicaban por un tramo de dos pisos con balaustradas, cuyo pórtico está rodeado por columnas dóricas y una pequeña cúpula.

Las fachadas interiores muestran la clásica estructura triple y están adornadas con pilastras jónicas, dóricas y corintias.

Aunque Carlos II jamás habitó el Palacio, fue decorado con el mayor lujo de aquella época. El pintor holandés Jacob de Wet pintó las pinturas del techo; Jan Vansantvoort se encargó de los marcos de las puertas y de la decoración de la chimenea. Los tapices fueron traídos de París y Bruselas y los muebles eran proporcionados en su mayoría por artistas oriundos.

La galería de pinturas es, asimismo, obra de Jacob de Wet, que en tres años retrató a 111 monarcas escoceses, cuyo parecido indica poco rigor histórico, ya que el artista carecía de modelos. En otoño de 1745 el príncipe Carlos Eduardo Estuardo instaló su Corte en el Palacio, al haberle sido cerradas las puertas del castillo de Edimburgo. En la actualidad, el Palacio es la residencia oficial de la Reina durante su estancia en Edimburgo.

La instalación interior actual data, en parte, de la época de Carlos II. Los salones estatales fueron renovados en su totalidad por Jorge V. Están decorados actualmente con alfombras francesas y flamencas y muebles del siglo XVIII.

Durante la reconstrucción, reinando Carlos II, las habitaciones de Lord Darnley, en la vieja torre N, fueron acondicionadas (cuarto de audiencias, dormitorio y vestíbulo). Las habitaciones de María Estuardo (dormito-

Edinburgh Castle. Palacio Real ▷

John Knox' House

rio, sala de audiencia y vestíbulo) están distribuidas de manera similar y conservan únicamente los techos de encina de la época de la Reina.

Royal Mile: El Paseo Real une las dos joyas del viejo Edimburgo. En el extremo O se halla situado el castillo, símbolo del poder mundano ejercido por el Rey; en el extremo E se puede contemplar la abadía, símbolo del poder divino ejercido por la Iglesia. En el espacio comprendido entre estos dos bellísimos monumentos se establecían aquéllos que por su nombre y rango eran merecedores de tal honor.

Dado que vivir en esa zona se hizo tan importante, los pisos de edificios, llamados «Lands», aumentaron de número, en el siglo XVII, de 10 a 15. Con ello los Lands fueron los primeros edificios de pisos en Europa.

Después de haber transcurrido ochocientos años el curso de la *Royal Mile* no ha variado, a pesar de componerse, en la actualidad, de cuatro partes: *Castle Hill, Lawnmarket, High Street* y *Canongate.*

Los edificios más importantes de la *Royal Mile* son de O a E: *Riddle's Court,* al S de *Lawnmarket,* que perteneció en un principio a John MacMorran, un tesorero de la ciudad asesinado a tiros por un estudiante, en el año 1595, al intentar reducir un día las vacaciones de la *Royal High School.* Posteriormente habitó esta prestigiosa vivienda el afamado filósofo David Hume (1711-1776).

Inmediatamente sigue *Brodie's Close,* vivienda del párroco William Brodie. Durante el día trabajaba en la planificación de la ciudad; por la noche se ganaba un sobresueldo robando. Fue descubierto cuando intentaba saquear la caja del Estado y, en el año 1788,

Sarcófago

fue colgado en la horca que él mismo había presentado al Consejo de la ciudad. No le libró de la muerte el collar de hierro que se había puesto en la garganta con la esperanza de poder sobrevivir a la ejecución. El conocido escritor Robert Louis Stevenson lo eternizó como protagonista en su célebre novela «Dr. Jekyll».

Gladstone's Land, en el lado N de *Lawnmarket,* es un perfecto ejemplo de casa del siglo XVII en Edimburgo. La casa, con sus arcadas en la planta baja, la escalera exterior, las balaustradas y sus techos pintados, contiene, en su interior, muebles de la época de construcción. En la actualidad está protegida por el *National Trust.* Merece la pena admirar dos de las paredes exteriores. En el año 1617 uno de los miembros de la familia *Gladstone* la amplió considerablemente al construir una sencillísima, pero amplia, segunda pared con ventanas.

También de principios del siglo XVII data la *Lady Stair's House,* Casa Real construida en el año 1622. En la actualidad se puede admirar, en su interesante interior, diversas colecciones de manuscritos de destacados maestros en este género; entre otros: Robert Burns, Sir Walter Scott y Robert Louis Stevenson.

Cerca de la entrada O de *St. Giles Cathedral,* se puede admirar el hermoso *Heart of Midlothian,* que forma un dibujo en forma de corazón en el asfalto de la calle. La entrada del antiguo Ayuntamiento, edificado en 1466, lleva el nombre de *Old Tolbooth* en la novela de Walter Scott.

Detrás de la catedral se encuentra el *House of Parliament,* sede del Parlamento escocés hasta su disolución en el año 1706. Además del decorativo techo con el entramado del mismo a la vista, la sala de sesiones cuenta con notabilísimas pinturas. La gran vidriera policromada S efigia la apertura solemne de la *Court of Session* por Jaime V en el año 1532.

En la cara N de la *High Street* se encuentra *John's Knox House,* una pintoresca y prestigiosa antigua construcción de Edimburgo. La casa, edificada en 1490, fue vivienda de John Knox en el período de años de 1561 a 1572; posteriormente fue utilizada como parroquia. Desde aquí la Reforma comenzó lo que más tarde se denominaría «Country ruined by religion». La instalación interior de la casa, en estilo renacentista, se encuentra bastante completa. Son de especial interés las galerías de madera y un techo de encina con interesantes pinturas del año 1600.

Moray House, en el lado S de *Canongate,* data del año 1628. Aquí vivió el monarca Carlos I; Cromwell hizo del edificio una de sus posesiones. En el año 1707 se firmó en el jardín de esta edificación el acuerdo de paz entre Escocia e Inglaterra.

En la cara N de *Canongate* se encuentra ubicado *Canongate Tolbooth,* el viejo Ayuntamiento fundado por el monarca David I, en el año 1143, siendo, hasta el año 1856, parroquia independiente de *Canongate.* La casa, decorada con una torre de reloj y un campanario, data del año 1591; su gran salón se convertía, según las necesidades, en Ayuntamiento o Sala de Justicia; en el sótano de la construcción se encontraban las celdas de la prisión. En la actualidad es utilizado por la ciudad como museo.

White Horse Close se encuentra situado en el último confín de *Canongate,* antes de la plaza de *Holyrood.* El antiguo puesto de correos, del siglo XVII, sirvió como «estación de ferrocarril» de la línea férrea que unía esta ciudad con la de Londres. La instalación, increíblemente restaurada,

St. Giles Cathedral ▷

muestra en el grandioso patio interior varios edificios típicos de la época.

New Town: La ciudad satélite de Edimburgo es el resultado del concurso de 1766 para el plano de la mejor ciudad satélite. El premio lo ganó un año después James Craig, de veintiséis años, con una idea realmente sencilla: una carretera recta, vertical hacia la línea del monte de la fortaleza, con calles paralelas hacia N y S (George Street). En el O y E se construyeron dos plazas al aire libre con sus respectivas iglesias. Una de las iglesias, *St. Andrew,* la otra, *St. George,* como símbolo de la unión entre Escocia e Inglaterra. El mismo simbolismo existe en las calles, paralelas en el interior del gran rectángulo, la calle *Distel* y *Rose.* Las casas debían estar construidas hacia la parte exterior del monte, y la vista desde la *Princes Street* hacia el S de la fortaleza debía quedar libre, al igual que la de *Queen Street,* hacia el N, sobre el *Firth of Forth.* Es por esta razón que las construcciones en la *Princes Street* sólo se encuentran en el lado N. La ciudad satélite georgiana, con más de 300 habitantes, es el territorio con más monumentos de Gran Bretaña. Los edificios de más importancia en la New Town son: el *Register House,* en el extremo E de la Princes Street, fue edificado en 1774-1789, según los planos de Robert Adam. En 1827 fue finalizado por Robert Reid. En la casa se alberga el archivo general, con diplomas fechados a partir del siglo XIII. El *Scott Museum,* en la cara S de la Princes Street, data del año 1844, según el diseño de George Meikle Kemp. El monumento neogótico, de 60 m de altura, posee en el centro, una estatua de *Sir Walter Scott* con su perro. Los numerosos nichos contienen más de 60 figuras de las novelas y baladas de Scott. *Charlotte Square,* en el extremo O de la George Street, es la plaza más bonita en la New Town. El diseño de la plaza que se conserva en perfecto estado, es obra de Robert Adam (1791). El nombre de la plaza procede de la esposa de Jorge III. Todo está igual que lo diseñó el arquitecto: las fachadas clásicas, las aceras, los faroles, etc. El frente de esta calle está considerado como uno de los más bonitos de los existentes en Europa. El *National Trust* ha instalado aquí su cuartel general y, afortunadamente, la organización recuperó también la casa adjunta.

Museum of Childhood

Museos:

National Portrait Gallery of Scottland (en la calle Dublín): Esta interesantísima galería fue fundada en 1882 para dar una imagen completa de la historia escocesa. La galería contiene una interesante colección de retratos de escoceses importantes, dos del siglo XVI, hasta la actualidad. Entre los artistas se encuentran obras expuestas, entre otros, de Reynolds, Gainsborough, Epstein y Kokoschka.

National Museum of Antiquities: Se encuentra en la misma casa que la *National Portrait Gallery*. Presenta una excelente visión de la historia cultural de Escocia desde el Neolítico hasta la actualidad. El museo fue fundado en el año 1781.

Royal Scottish Museum (Chambers Street): En el museo se pueden ver esculturas de todo el mundo, así como colecciones arqueológicas, etnológicas, geológicas, tecnológicas y de historia natural. Las piezas están fechadas desde la época prehistórica hasta la actualidad, incluyendo la era espacial. Es el mayor museo británico dedicado a la ciencia y al arte.

National Gallery of Scottland (Mound Street): Aquí se expone esencialmente pintura escocesa. La *Galería Nacional de Escocia* se encuentra albergada en una construcción erigida por William Henry Playfair en el período 1845-1858. El interior está decorado en estilo griego-clásico; la galería es de las de más importancia en Europa. Aparte de contener amplia documentación sobre pintura escocesa, se puede contemplar en ella fabulosas obras de artistas ingleses, así como de los más importantes del continente europeo.

National Library of Scottland (en la Cowgate): Fue fundada por la Facultad de Justicia en 1682. La biblioteca contiene desde 1710 un ejemplar de cada edición británica. Su tesoro más valioso es una Biblia de Gutenberg de 1456.

Otros museos de interés:

El *Wax Museum* fue instalado en la High Street. Se exponen en él más de 100 esculturas de personalidades importantes.

El *Museum of Childhood* también se encuentra en la High Street, enfrente de la casa de John Knox. Posee una

Edinburgh Castle. Panoplia

St. Giles Cathedral. Escudo real

colección única de juguetes históricos, libros, dibujos y diversos objetos de diferentes siglos. Todos los objetos en él expuestos están dedicados, en especial, a la docencia y a la artesanía infantil.

El *Huntley House,* enfrente de la *Canongate Tolbooth,* data del siglo XVI y contiene importante documentación sobre la historia local.

La *Gallery of Modern Art* se encuentra en el recinto del Jardín Botánico. En la galería se pueden ver esculturas, pinturas y gráficas del siglo XX; básicamente está dedicado al arte moderno escocés.

Alrededores

Craigmillar Castle (6 km SE): Este castillo fue uno de los preferidos por María Estuardo. El centro de la fortaleza es el torreón con forma de L, de 1374, con una gran sala en el primer piso a la que se accedía por cuatro escaleras. En 1427 se construyó alrededor de la fortaleza un muro con torres esquineras circulares; ésta fue la primera fortificación de este tipo en Escocia. En 1544 el castillo fue destruido por los ingleses bajo Hertford; no obstante, fue reedificado posteriormente por los Estuardo. Las viviendas que no pertenecen al castillo fueron edificadas durante el siglo XVII.

Cramond (10 km NO): La pequeña ciudad costera fue fundada por los romanos, que le dieron el nombre de *Caer Almond.* El campamento, en la desembocadura del río *Almond,* fue levantado el 142 d. de J. C. por orden del emperador *Antonius Pius,* constructor del Muro de Antonino. En el año 208 fue utilizado por *Septimus Severus* como punto de partida de su expedición de castigo contra el NE de Escocia. Se conservan todavía los muros de 1,5 m de altura pertenecientes a una casa romana de la época.
En el *Huntley House Museum* se exponen monedas, vajillas y otras piezas. En el pueblo existen numerosas casas del siglo XVIII en muy buen estado de conservación.

Edinburgh. St. Margaret's Chapel

Dalmeny (15 km NO): En este lugar se encuentra la iglesia parroquial normando-románica mejor conservada de Escocia, en la actualidad todavía es utilizada como parroquia. La edificación data del siglo XII, exceptuando la torre (la anterior se derrumbó en el siglo XV) y el crucero. De especial interés es el pórtico S, ricamente decorado con una arcada de cinco arcos, ábside semicircular y dos arcos del coro con ornamentaciones en zigzag, así como las ventanas redondas.

Lauriston Castle (7 km NO): Desde el castillo hay una hermosa vista sobre el *Firth of Forth.* La parte más antigua, una torre con torres esquineras, procede de 1580 y fue construida para Archibald Napier, cuyo hijo John fue el descubridor de los logaritmos. Más tarde vivió en este lugar John Law (1671-1728), fundador del Banco de Francia. Fue ministro de finanzas francés.
Después de 1823 el castillo fue ampliado por Thomas Allan y decorado con el mobiliario que, en parte, todavía se puede ver en el castillo. También son de interés, en el interior, tapices de procedencia flamenca, vajillas y pinturas realizadas en los siglos XVII y XVIII.

Eilean Donan Castle

Highlands/Escocia Pág. 324 □ F 6

En el punto de encuentro de las tres bahías marinas (Loch Duich, Loch Long y Long Alsh) está situado este castillo, sobre una isla rocosa, con una excelente posición estratégica. Desde tierra el acceso sólo es posible por un puente de piedra. La fortaleza, del siglo XIII, arrastra una larga e interesante historia. Después de la caída del rey noruego Haakon (1263) la fortaleza pasó a ser propiedad del *Conde de Desmond;* posteriormente fue adquirida por el *Conde de Moray,* que tenía por costumbre decorar las almenas con las cabezas de sus enemigos decapitados. Durante dos siglos fue sede de los *MacKenzies* y, después, de la familia *Huntly.* En primavera del año 1719 tres barcos ingleses cañonearon la fortaleza, destruyéndola casi por completo. En el período de años comprendido entre 1912-1932 fue reconstruida siendo, en la actualidad, por su romántico y atractivo aspecto exterior, uno de los castillos más fotografiados del lugar.

Elgin

Grampian/Escocia Pág. 324 □ H 6

En esta pequeña ciudad no se puede adivinar actualmente la importancia que tuvo en la Edad Media. La capital, en el «Jardín de Moray», poseía una impresionante catedral en los tiempos que Alejandro Estuardo, hermano del rey Roberto III, comenzó con los disturbios en el NO de Escocia. Fue castigado por el obispo con la excomunión; la ira del «lobo de Badenoch» fue tal que no sólo destruyó el castillo, sino que incendió la ciudad entera. En el año 1452 la ciudad ardió nuevamente; más tarde, los fieles seguidores del reformista John Knox y las tropas de Cromwell volvieron a devastar el lugar. De la catedral sólo quedan algunas ruinas, como es de suponer, después de tanta destrucción.

Cathedral: Es una fundación del año 1224. En un principio no tenía las dos naves laterales, y el espacio de la iglesia sólo estaba recubierto por un entramado de vigas. Después del incendio del año 1270 fue reconstruida con gran esmero. Se construyeron naves laterales dobles, imitando el estilo francés; el coro y el presbiterio fueron alargados y se les añadieron naves laterales recubiertas por bóvedas de piedra. La sala capitular, de base octogonal, fue unida a la nave lateral N del coro, y el coro elevado fue cerrado por una hilera doble de ventanas lanceoladas. Un atril separaba el coro y la nave principal. Por encima se elevaba la *torre del transepto,* más alta que las agujas de las torres dobles de la fachada. La robusta torre central fue la causa de que, posteriormente, la catedral recibiera el nombre de «Faro del N». Una vez finalizada la

Eilean Donan Castle ▷

construcción comentó su obispo: «My church was the ornament of the realm, the glory of the kingdom, the delight of foreigners». Después del segundo incendio la catedral fue reconstruida nuevamente por completo y decorada ampliamente en el interior, especialmente con piezas procedentes de Francia y Flandes. De las maravillas, por desgracia, no quedan casi restos, ya que fueron destruidas por la Reforma. La catedral decayó definitivamente en 1567, cuando el *Conde de Moray* hizo desmontar el techo de plomo para pagar a sus soldados. La torre central se derrumbó el domingo de Pascua de 1711, llevándose consigo las paredes y las arcadas de la nave. Únicamente la sala capitular se mantuvo intacta, más o menos, a los destrozos sufridos a lo largo de los siglos.

Casa Obispal: Al SO de la catedral se encontró en su día la casa del obispo Moray, edificada en el año 1406. Se conservan los escudos del obispo Patrick Hepburn (1535-1573), de Robert Reid (1541-1558), obispo de Orkney y abad de Kinloss.

Spynie Palace: Al N de *Elgin* se encuentran los restos de la fortaleza feudal-episcopal, que delatan el poder que poseían los obispos en aquellos tiempos, en ocasiones consejeros del rey. De la construcción se conserva únicamente la torre de piedra erigida en el año 1470.

Alrededores

Craigellachie (12 km SE): Al N de este pequeño pueblo se encuentra ubicado un puente de increíble construcción, erigido en el siglo XIX. Es obra de Thomas Telford realizada en el año 1812.

Dufftown (16 km SE): En este hermosísimo y pintoresco lugar se puede ver «what it is that makes a Scotch man happy». No es una exageración cuando se dice que la capital del whisky de los Highlands «stands on seven stills».

Elgin. Catedral, ruinas

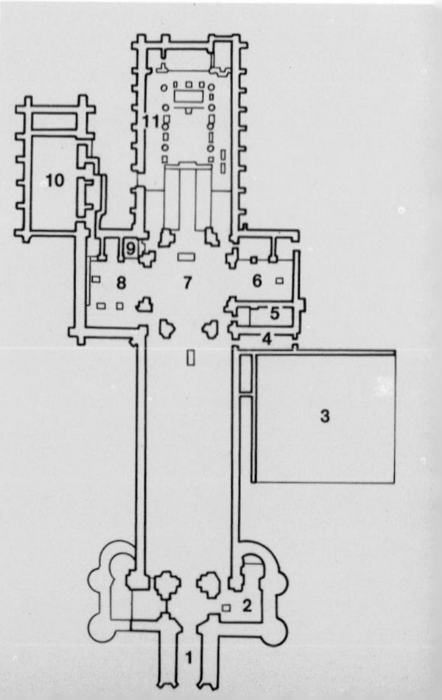

Ely Cathedral: 1. Pórtico O (Galilee Porch). **2.** Crucero SO. **3.** Antiguo claustro. **4.** Puerta de los Monjes (Monks Door). **5.** Sacristía. **6.** Crucero S. **7.** Octógono (sobre el transepto). **8.** Crucero N. **9.** St. Edmund's Chapel. **10.** Lady Chapel. **11.** Relicario de Santa Ethelreda.

El mejor ejemplo para el visitante: la destilería de *Grants Balvenie,* donde no sólo puede visitarse las instalaciones de la destilería moderna, sino también las instalaciones originales de la antigua destilería originaria del siglo XIX.

Ely

Cambridgeshire/Inglaterra Pág. 328 □ L 14

La ciudad, en la orilla O del *Ouse,* recibió su nombre por «el island» (isla de las Angulas). Se encuentra situado sobre un montículo de unos 15 km de largo, en medio de un terreno pantanoso que sólo podía ser atravesado con la ayuda de guías y a unas horas determinadas. En este estrecho territorio escondió *Hereward the Wake* a Guillermo «El Conquistador» y a los conquistadores normandos, hasta que, en el año 1071, les facilitó la fuga por un camino que había sido construido con balas de paja.

Cathedral: La historia de la catedral se inicia a partir del año 673, cuando la Santa Ethelreda de Northumbria fundó en este lugar un monasterio y se convirtió en su abadesa. La construcción de la iglesia actual fue comenzada en el año 1083 por el abad Simeon. La parte O y los dos cruceros fueron finalizados en el año 1106; tres años más tarde la iglesia pasó a ser Catedral.

Alrededor de 1190 también fue concluida la nave normanda. A principios del siglo XIII el obispo Eustace hizo edificar el pórtico O y la *Galilee Porch;* el obispo *Hugh of Northeold* alargó, a partir de 1229, el coro con tres travesaños neogóticos.

En 1322 se derrumbó la torre normanda del transepto, destruyendo partes del coro O. Alan de Walsingham lo sustituyó por un increíble octógono gótico y construyó los tres travesaños del coro actual en estilo gótico. Desde el exterior, la parte más bonita de la catedral, sin duda, es la fachada O, con la *Galilee Porch,* la torre O y el pequeño crucero SO. La torre del crucero es octogonal, siendo una obra maestra de la arquitectura medieval.

El interior da una impresión sobrecogedora, dada su magnitud majestuo-

Ely. Catedral

sa. La nave, con sus 12 travesaños normandos de 1106 y 1189, no da sensación de claustrofobia gracias a su altura. El techo, de madera del siglo XIX, sin ornamentaciones, es de una bella simpleza. Los ventanales de las naves laterales no son de la época original. En el lado N todavía se pueden ver ventanas rotas del gótico; en el lado S han sido reproducidas en su forma original. Se conservan de la época de construcción los diversos pórticos, como *Prior's Doorway* (1140), la entrada de los monjes y el pórtico S. Las partes más antiguas de la catedral son los brazos del crucero, edificados entre 1083-1107. En el crucero S todavía se conserva el techo pintado original: en la *St. Edmund's Chapel,* ubicada en el crucero N, decora el techo un fresco del siglo XII, que representa el martirio de *St. Edmund.*

La parte, sin duda, más bonita de la catedral es su famoso *Oktogon* sobre el transepto, formado por cuatro anchos arcos y cuatro arcos más delgados. El soporte de la cúpula (las encinas para las pilastras esquineras, de 20 m de altura, proceden de todo el país) es uno de los más bonitos de la arquitectura gótica en Inglaterra. Las bóvedas estrelladas sobre la cúpula dan la impresión de flotar en el aire. El coro está dividido al E por una reja coral realizada en el siglo XIX. Es de especial interés por sus numerosos monumentos fúnebres, fechados a partir del siglo XII. La construcción de la *Lady Chapel* fue comenzada en el año 1320, siendo finalizada en 1353. No está ubicada, como es usual, al lado de la iglesia, al O, sino en la esquina NE del crucero N.

King's School: La escuela, fundada por segunda vez en el año 1543, data de los tiempos en los que el rey Eduardo «El Confesor» (1042-1066) frecuentaba asiduamente la escuela del monasterio de *Ely.*

La escuela se encuentra entre los restos del antiguo edificio del convento, del claustro y del *Prior House* con el *Prior Grauden's Chapel,* en la cual se encuentra una interesante cripta del siglo XIII. *Ely Porta* es una caserna perteneciente a la escuela y que fue construida a partir de 1397.

La gran cuadra, del siglo XIV, es utilizada en la actualidad como comedor de la escuela. Incluso el rector habita un edificio del siglo XII, con un hermoso pórtico normando.

Ennis

Clare/Irlanda Pág. 326 □ B 12

La capital del condado, *Clare,* con aproximadamente 6 000 habitantes, se encuentra situada en la bahía N de *Shannon* (gaélico: Ennis = orilla). La ciudad conserva todavía, en gran medida, su aspecto antiguo, con sus estrechos callejones y edificios erigidos a partir del siglo XIX.

Ennis Abbey (Church Street): Las ruinas de este convento franciscano proceden del 1240 y fue fundado por el rey Juan Thomont. (Con ampliaciones posteriores.) Se conserva la iglesia, la alta torre sobre el crucero (ambas del siglo XV) y la hermosa ventana O con arcos ojivales del siglo XIII, distribuida en cinco partes; además, el Vía Crucis y buenas esculturas del siglo XV, sobre todo el monumento fúnebre real (MacMahon Tomb), con un relieve de la Pasión que data aproximadamente de 1470. En su apogeo, los siglos XIV y XV, el claustro era habitado por, aproximadamente, 600 alumnos y alrededor de 300 monjes.

Otros lugares de interés: El Palacio de Justicia, clásico, data de 1852. Daniel O'Connell, famoso independentista irlandés, sirvió en *Ennis* como diputado por Clare, de 1828 a 1831; existe una estatua, con un pilar central, dedicada a su persona.

Alrededores

Clare Abbey (también Killone Abbey, aproximadamente 2 km S): Ruinas de una abadía agustina con una torre bien conservada. El convento fue fundado alrededor de 1195 por el rey de *Munster,* Donald O'Brien.
Cliffs of Moher (aproximadamente 40 km NO): Los acantilados de *Moher* tienen una caída de más de 250 m; en la cima se encuentra la *O'Brian Tower,* de 1837, desde la cual se tiene una hermosa vista.
Corrofin (15 km NO): Al S del lugar se encuentran los interesantes restos de la abadía de *St. Tula* (también «Dysert O'Dea»), fundada en los siglos VII a VIII. La iglesia románica, del siglo XII, posee un hermoso pórtico adornado con esculturas al S, ventanas de vidrios emplomados de los siglos XIII al XIV y su dañada torre circular. De especial interés, la cruz del siglo XII, con ornamentación entrelazada y lineal.
Danganbrack (14 km SE): En este lugar se encuentra el *Knappouge Castle,* una fortificación con torre fundada por la familia *MacNamara,* con un hermoso cementerio de los siglos XVI al XVII. Aquí se organizan banquetes medievales en verano.
Dromoland Castle (10 km SE): Fue edificado en estilo neogótico en 1826 (en la actualidad, hotel) y se encuentra en el mismo lugar del anticastillo celta de la familia O'Brien.
Kilfenora (28 km NO): Restos de un antiguo monasterio (sede episcopal desde 1152), con las ruinas del *St. Fachtna Castle* del siglo XII. La nave está unida a una iglesia protestante; el salón del coro, carente de techo, está adornado con capiteles de esculturas, relieves de obispos y un monumento fúnebre de los siglos XIII al XV. De especial interés son las cruces erigidas del siglo XII en el patio de la iglesia, con ornamentaciones y figuras.
Leamaneh Castle (23 km NO): En las ruinas del castillo se encuentra un cementerio con troneras del siglo XV. Igualmente, una fortificación (torreón) con hermosas ventanas del siglo XV. La inscripción del pórtico, de 1643, menciona al señor del castillo, Sir Conor O'Brien, y a su legendaria esposa, Maire Ruadh («la roja María») en relación con el ataque de Cromwell de 1651.
Quin Abbey (10 km SE): El convento franciscano fue construido hacia 1400 sobre las ruinas de un castillo normando (siglo XIII). Con su hermoso Vía Crucis (arcadas) y sus bien conservadas murallas y torres, está considerado como uno de los mejores monasterios franciscanos de Irlanda. En la iglesia se hallan los monumentos funerarios del *Conde MacNamara.* Las ruinas de la iglesia *St. Finghin's Church,* datan del siglo XIII, y se encuentran en el otro lado del río.

Quin Abbey (Ennis)

Dromoland Castle (Ennis)

Tulla (10 km E): Frente al lugar, en *Magh Achair,* se encuentran los restos de una antigua plaza de coronación celta de los reyes de Thomond; posee muros y fosos.

Enniskillen
Fermanagh/Irlanda del Norte Pág. 326 □ D 10

Enniskillen, pintoresco lugar de veraneo y capital del condado de *Fermanagh,* con aproximadamente 8 000 habitantes; se encuentra junto al río *Erne,* canal de comunicación enre los lagos *Upper Lough Erne* y *Lower Lough Erne* (lago Erne, superior e inferior). Sigue siendo actualmente el centro de los «Planters» (colonos) angloprotestantes, que se establecieron aquí en el siglo XVII. Del castillo del *Conde Maguire* sólo se conserva un cementerio (siglo XV) y el *Water Gate* (pórtico con foso de agua), de 1580, con un museo.

La catedral protestante data de los siglos XVII y XVIII y alberga los estandartes de los famosos Regimientos Reales de *Enniskillen.* En el O de la ciudad se encuentra la tradicional *Portora Royal School* (fundada en 1608), con edificios de 1777, y *Portora Castle,* de 1615. Al S, a orillas del *Lough Coole* se encuentra la clásica casa señorial *Castle Coole,* construida en 1785 por J. Wyatt, con trabajos de estucado de especial interés y un hermoso parque en el castillo.

Alrededores

Caldragh (35 km NO): Sobre *Boa Island* se encuentran estas originales y curiosas esculturas pétreas (estatua de Janus) de los siglos V al VI (junto al cementerio del pueblo).

Crom Castle (35 km SE): El castillo, en la orilla E del *Upper Lough Erne,* data de la época de las plantaciones, hacia 1611; tras un incendio, se construyó, en el siglo XVIII, una nueva vivienda.

Florence Court (15 km SO): El castillo fue edificado hacia 1760 por los *Condes Cole* (de Enniskillen).

Killadeas (11 km N): En el cementerio, interesantes esculturas en piedra de los siglos VII yVIII; entre otros el *Bishop's Stone,* «piedra del obispo».

Tully Castle (25 km NO): Las ruinas, en la orilla O del *Louwer Lough Erne,* datan de la época de las plantaciones, hacia 1610. Cerca, en la isla *Inishmacsaint,* se hallan las ruinas de una iglesia de los siglos X al XII, junto a una sencilla cruz (sin rosario).

White Island (20 km NO): En la isla se encuentran las ruinas de una iglesia del siglo XII, con pórtico S románico e interesantes esculturas en piedra (santos, guerreros y animales de sacrificio) de los siglos VIII y IX, con imágenes en parte ateas. En la orilla O. ruinas del *Old Castle Archdale,* erigido en 1615, con ampliaciones de 1773.

Enniskorthy
Wexford/Irlanda Pág. 330 □ D 13

Esta vieja y hermosa ciudad comercial, de 6 000 habitantes, alberga imponen-

Enniskorthy. Vista panorámica

tes castillos de la época normanda (siglo XIII). De la antigua fortificación se conserva únicamente un cementerio cuadrangular, flanqueado por torres, en el que se halla un museo autóctono y de arte popular. Las demás construcciones datan de los siglos XVI al XIX. La *St. Aiden's Cathedral,* gótica, fue construida en 1843.

Alrededores

Ferns (12 km NE): Este pequeño lugar fue, antes de la llegada de los normandos, el centro de la provincia *Leinster.* Aquí fundó *St. Edan,* en el siglo VI, un convento, reconstruido hacia 1160, tras su destrucción, convirtiéndose en priorato agustino. Se observan todavía restos de la iglesia del convento, con un campanario cuadrangular que, posteriormente, fue finalizado en forma circular (hermosas ojivas). La catedral protestante de 1817 fue construida sobre una iglesia medieval normanda del siglo XIII, incendiada en 1577. Asimismo del siglo XIII es el normando *Ferns Castle,* erigido en el lugar que ocupara la vieja residencia real de *Leinster.* Existen partes del castillo, con un hermoso cementerio central y capilla, así como la torre SE y varias torres esquineras que se conservan aún en buen estado.

Evesham

Hereford and Worcester/
Inglaterra Pág. 332 □ H 14

Esta pequeña ciudad, en el valle del *Avon,* debe su origen a una rica y gran abadía benedictina fundada en el siglo VIII. De ella se conservan sólo los cimientos, del siglo XI, y el campanario, de 1533. La torre «aislada» es una excelente obra del gótico-tardío. Al N de la ciudad se produjo en 1265 la batalla en la que los realistas, bajo el príncipe

Eduardo, más tarde rey Eduardo I, derrotaron a Simon de Montford. Un obelisco levantado en 1845 conmemora la batalla, mientras que en el antiguo jardín de la abadía, en el lugar donde se encontraba el Altar Mayor, un monumento conmemorativo de piedra recuerda a Simon de Montford, enterrado en este lugar.

Almory Museum: El museo, instalado en una casa de paredes entramadas del siglo XIV, muestra hallazgos de la época romana, anglosajona y de la Edad Media.

Alrededores

Bredon (20 km SO): La *Church of St. Giles* data en su mayor parte del siglo XII y posee, como la mayoría de las iglesias normandas, una torre central. En el interior destacan sobre todo monumentos fúnebres medievales y restos de las ventanas emplomadas del siglo XV. Un monumento fúnebre, amplio y decorado con columnas, querubines, adornos heráldicos.

Pershore (17 km O): Los restos de la *Abbey Church* se utilizan en la actualidad como parroquia y está dedicada a la Santa Cruz. La iglesia se remonta a un convento benedictino de principios del siglo X, erigido seguramente y consagrado en honor de la Santa Eadburga. Eduardo «El Confesor» usurpó a la abadía gran parte de sus posesiones para apoyar la construcción de la *Westminster Abbey*. Se conserva todavía de la orgullosa iglesia: el claustro, el coro, el transepto con el enorme torreón central y el crucero S. *Lady Chapel* y la nave fueron destruidos tras la disolución conventual. El crucero N se derrumbó en el siglo XVII. El coro, en su apariencia actual, data de 1223; la bóveda, de principios del siglo XIV. La torre, con cuatro ventanas lanceoladas en el piso superior, gótico-temprana, data de 1330 y descansa sobre enormes arcos normandos. Las cuatro almenas de las esquinas son posteriores. En el interior impresionan las bóvedas de las naves laterales, el trifórium y las claraboyas, de 1239.

Wickhamford (3 km SE): En este lugar vencieron, en 1646, las tropas del partido del Parlamento, bajo el mando del coronel Henry Washington, a los realistas. El jefe pertenecía a la misma familia que George Washington, primer presidente de los Estados Unidos. El escudo de la familia Washington, con tres estrellas y dos barras, sirvió de modelo para la bandera americana. Este escudo se conserva sobre el monumento funerario de *Penelope Washington*, hija del jefe de las tropas parlamentarias, en la iglesia de Wickhamford.

Exeter

Devon/Inglaterra Pág. 332 □ G 16

La capital del condado de *Devon* fue fundada, hacia el año 50, por los romanos (Isca Dumoniorum); posteriormente fue capital del reino sajón del O bajo el nombre de *Escancestre*. Hacia el 680 ya existía un convento con un abad sajón y, en el 876, los daneses arrasaron por primera vez la ciudad. Esto ocurrió por segunda vez en 1003 y, en 1068, la ciudad, entretanto fortificada, tuvo que rendirse a Guillermo El Conquistador tras un prolongado sitio. En el año 1050 obtuvo *Exeter* la sede episcopal y, en 1205, su primer alcalde. En 1497 ocupó *Perkin Warbeck* la ciudad; durante la guerra civil tuvo diversos dueños. En 1688 fue coronado Guillermo III. En mayo de 1842 la mayor parte de esta ciudad medieval se hundió entre la ceniza y los escombros.

Cathedral: Fundada en 923 por *Athelstan* como convento dedicado a San Pedro. De 1112 a 1206 surgió en su lugar una primera gran construcción normanda, de la cual dos de sus enormes torres pasaron a formar parte de la nave central de la catedral actual. Los trabajos de reconstrucción y ampliación de la iglesia normanda comenzaron en el lado S hacia 1270, bajo el obispo *Bronescombe*. Justo cien años más tarde, hacia 1360, se concluyó la fachada O, con las esculturas interiores. Las esculturas superiores se crearon a finales del siglo XV, cuando fueron renovadas las partes superiores de las torres. Las filas de esculturas de la fachada O reflejan el esquema de ordenación medieval: alrededor de los reyes *Athelstan, Alfred, Athelbert* y *William* se colocaban los evangelistas, los apóstoles, los patriarcas y los profetas. En el interior resalta la sencillez de la construcción gótica. Las pilastras dan una sensación de espacio escalonado, muy cerca las unas de las otras; el techo de bóvedas en abanico y el atril de piedra datan de 1320. Enfrente de la entrada N impresiona la *Minstrel's Gallery,* edificada por el obispo Grandison, sobre la cual se conservan numerosas esculturas de ángeles tocando diversos instrumentos musicales. En la esquina SO se encuentra colgada en la pared la bandera del capitán *Scott* (1868-1912), el gran explorador de la Antártida. En el crucero N, la

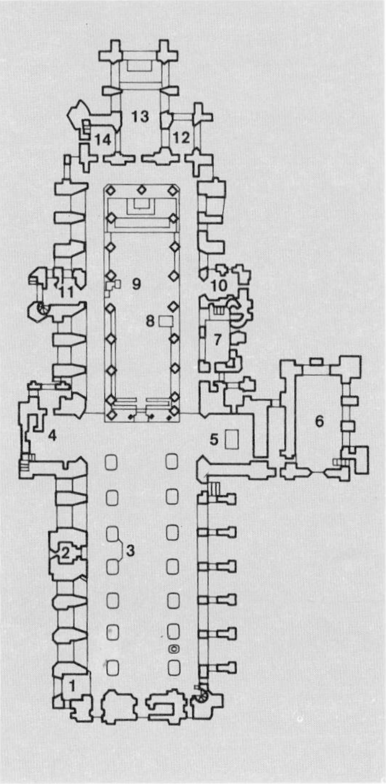

Exeter Cathedral: 1. St. Edmund's Chapel. **2.** Pórtico. **3.** Minstrel's Gallery. **4.** St. Paul's Tower, con crucero. **5.** St. John's Tower con crucero. **6.** Sala capitular. **7.** Sacristía. **8.** Trono obispal, de 1320. **9.** Coro. **10.** St. James Chapel. **11.** St. Andrew's Chapel. **12.** St. Gabriel's Chapel. **13.** Lady Chapel. **14.** St. John's Chapel (The Evangelist).

Exeter. Catedral, bóveda de abanico

planta baja de la torre normanda *St. Paul,* se encuentra un fresco del siglo XV que representa la imagen de la Resurrección. La estatua, realizada a tamaño natural, del pintor James Northcote (1746-1831), es obra del artista Chantrey.
La sala capitular, con su valioso techo de 1478, junto al crucero S, alberga la tumba de Hugh Gourtenay, *Earl of Devon,* fallecido en el año 1377. Los objetos más valiosos de la instalación interior de la iglesia se encuentran en el coro. La sillería del coro es victoriana; afortunadamente, se pudieron conservar las misericordias, que datan de 1250. Son las más antiguas de Inglaterra y muestran imágenes como, por ejemplo, la de un rey sentado en una olla de agua hirviendo. El trono obispal, de más de 18 m de altura, con tallas de cabezas humanas y de animales en madera de encina, es una obra magistral que fue finalizada en 1320. En el coro también se encuentran numerosos monumentos fúnebres de los más importantes obispos de Exeter. Asimismo, en la *Lady Chapel* existen varios monumentos; por ejemplo el del obispo *Bronescombe,* promotor de la nueva construcción de la catedral.
En una nave del Palacio Obispal, reedificado, se encuentra la biblioteca *Dom,* que contiene, aparte de manuscritos sajones, el «Codex Exoniensis» como objeto más valioso. Este manuscrito, de alrededor del año 950 a 1000, es la recopilación más completa que existe de la poesía inglesa de la época sajona. El valioso documento es un obsequio del obispo *Leofric.*

Priory of St. Nicholas: Se conservan la cripta, del año 1160; la cocina, del siglo XVIII; un salón de huéspedes con frescos en el techo y una torre del siglo XV. En el jardín se erige una cruz celta del siglo VII.

Guild Hall: Es la construcción pública de más antigüedad de Inglaterra, ya que es mencionada en un documento de 1160. Las partes más antiguas datan de 1330; la gran sala fue finalizada alrededor de 1464. Impresiona especialmente por sus soportes de piedra, increíblemente trabajados, y los trabajos de enmaderado de 1594.

Museos: El *Royal Albert Memorial Museum and Art Gallery* está dedicado a la historia natural y a la artesanía de la localidad: objetos diversos de plata, trajes típicos desde 1750. Las obras más importantes en la galería de pinturas son las de Reynolds y Turner. El *Rougemont House Museum* ilustra la historia del Condado. El *Maritim Museum* se alberga en una de las viejas casas a orillas del río y está dedicado a la historia marítima.

Alrededores

Crediton (14 NO): El lugar natal de San Bonifacio (673-754, apóstol de los alemanes, enterrado en Fulda) fue, desde 909 hasta 1050, sede episcopal de los condados de *Devon* y *Cornwall.* La *Church of the Holy Cross* data del siglo VIII y conserva en su interior una pila bautismal normanda. Datan del siglo XII partes del coro, el transepto y la torre central.
Cullompton (20 km NE): La *Church of St. Andrew* es una iglesia gótica con una imponente torre O de 1545. Son de especial interés los surtidores de agua y las pequeñas torres individuales. En el interior impresionan las claraboyas y el techo de bóvedas de la segunda nave lateral, donación de John Lane en 1525.
Tiverton (25 km N): Se conservan dos torres del primer castillo, edificado por el *Earl of Devon* alrededor de 1105. La imponente caserna en el lado O, data de principios del siglo XIV. La *Church of St. Georg* data del siglo XIV y fue restaurada ampliamente en el siglo XIX. En la *Greenway Chapel,* de 1517, valiosas decoraciones dan muestras de la riqueza que proporcionaba el comercio de la lana. El pórtico gótico S, de 1517, ricamente decorado, es una donación de John Greenway. La famosa *Blundell's School* es donación de un rico comerciante de telas (1604). A unos 3 km al N se encuentra *Knightshayes Court,* casa feudal edificada por el arquitecto inglés William Burges en 1870, con interesante colección de pinturas.

Exeter. Catedral, vidriera de poniente ▷

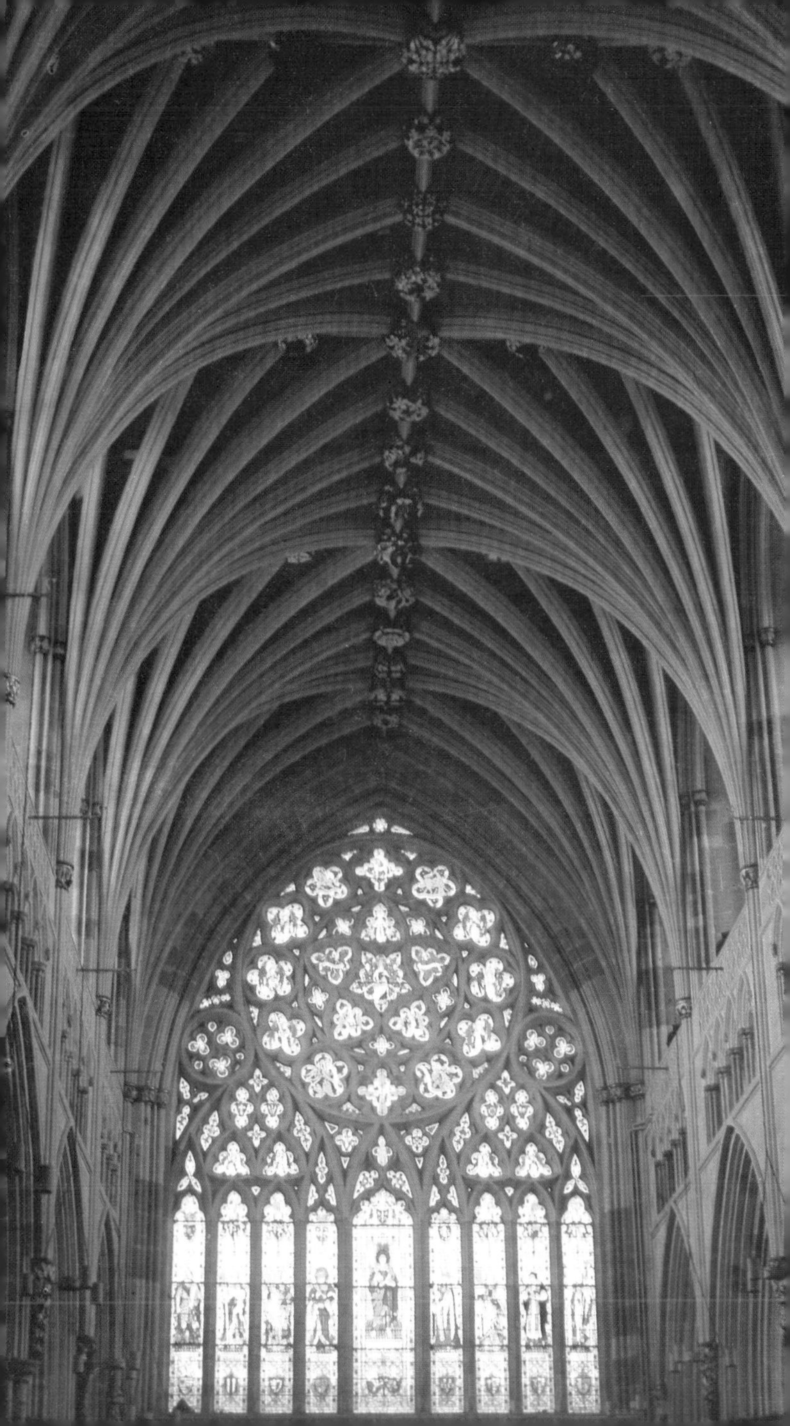

F

Falkland Palace
Fife/Escocia Pág. 324 □ H 8

El castillo de caza de los Estuardo fue edificado, en su mayor parte, bajo el reinado de Jaime III (1460-1488). Ésta ya era una construcción posterior a otra erigida anteriormente, como lo demuestra una piedra con un escudo del león rojo del *Earl of Fife* de la casa *MacDuff*. En este lugar existió una fortaleza alrededor de 1120. El león rojo de Escocia está representado en esta construcción por primera vez en la época que el rey Jaime II tomó posesión de la fortaleza. Después de diversas modificaciones la fortaleza obtuvo su construcción actual, de tres naves, entre 1530 y 1540. María Estuardo residió en ella en diversas ocasiones; Carlos II fue el último monarca que habitó en la fortaleza. Donó el palacio al *Marqués de Bute* para que éste lo administrara. La familia del marqués cedió el castillo al *National Trust* en 1952. El ala S, edificada por Jaime IV

Falkland Palace. Castillo de caza de los Estuardo

y transformada por su hijo, fue restaurada por el Marqués de Bute en el año 1887. Sus fachadas son buena muestra de la historia de la construcción: el frente que da a la calle está realizado en estilo gótico; la fachada alta, no obstante, imita el estilo francés del Renacimiento, con sus elegantes columnas. La *Royal Chapel* se encuentra igualmente en el ala S. Data de 1501-1512 y en el interior se pueden ver tapices de pared flamencos y el techo pintado en el año 1633. Es especialmente valiosa la sillería real, con sus delicadas columnas y arcadas, así como el fantástico enmaderado de encina de detrás del altar. El *King's bed Chamber,* en el centro del ala O, es el cuarto donde falleció el padre de María Estuardo. La habitación fue reconstruida en la época actual, respetando el diseño original de la época. La caserna, con sus dos torres circulares, parece más marcial de lo que en realidad es. Fue construida dos años más tarde que la pista de tenis del parque. Data ésta del año 1539 y es, junto al campo de tenis de *Hampton,* la más antigua del Reino. Los jardines del castillo son del siglo XV; su forma actual procede del año 1628.

Falkland Palace. Escudo real

Farnham

Surrey/Inglaterra Pág. 332 □ K 15

Esta floreciente y próspera ciudad fue fundada por el obispo del Winchester. En la *West Street* se conservan algunas viejas casas de estilo georgiano. Las más bonitas e interesantes de todas las existentes son: *Willmer House* (1718) y *Sandford House* (1757).

Farnham Castle: El cementerio romano fue comenzado por Henry de Blois, nieto de Guillermo El Conquistador, y hermano del rey, Esteban, en 1138, cuando fue nombrado obispo de Winchester. Sólo quedan de esta robusta torre restos de los cimientos, ya que Enrique II destruyó la fortaleza en 1155; en definitiva, hizo destruir todo lo que construyera Enrique de Blois. Alrededor de 1170 se comenzó la construcción definitiva del castillo. La gran sala fue finalizada en 1175 y renovada en 1677. Se conservan, al igual que el refectorio románico, la capilla y la cocina. La imponente *Fox's Tower* fue mandada edificar por William of Wayneflete en 1470 y es un precioso

Torreones de acceso

Farnham. Casa de entramado

Faversham. Guildhall

ejemplo de construcción realizada en ladrillo. El castillo fue nuevamente renovado en el siglo XVII, época esta en la que fueron instaladas la hermosa escalera y la no menos bella *Bishop's Chapel.*

Farnham Museum: El museo se encuentra en la casa *Willmer;* está construida en estilo georgiano y alberga en su interior una interesante colección de hallazgos arqueológicos, muebles de los siglos XVII y XVIII, así como numerosos objetos y otros exponentes referentes a la historia local.

Alrededores

Aldershot (5 km NE): La ciudad se hizo famosa en 1855, cuando tuvo una gran guarnición. Existen tres museos militares. El *Airborne Forces Museum* contiene exponentes referentes a las tropas aéreas de los últimos sesenta años. El *Royal Army Corps Museum* muestra el desarrollo de la medicina dental en el ejército desde 1620. En el *Royal Army Medical Corps Historical Museum* se expone todo lo referente a la medicina aplicada al campo militar.

Church Crookham (7 km N): Lord Harding fundó aquí, en 1974, el *Gurkha Museum.* Contiene piezas que recuerdan a los regimientos de *Curkha* de 1815.

Haslemere (20 km S): Aparte de algunas bonitas casas georgianas, es de interés el *Educational Museum.* Fue instalado en 1888 y se dedica esencialmente a la geología, zoología y a la historia. Merece la pena mencionar una hermosa colección de pájaros de Inglaterra. En el *Jesse's House* se encuentra una colección de viejos instrumentos de música de Arnold Dolmetch. En el festival anual celebrado en *Dolmetch* se puede oír música clásica de todas las épocas, tocada con instrumentos antiguos.

Waverley (4 km S): En este lugar fue creada,

Faversham. St. Mary of Charity

Fresco del siglo XIV

a partir del año 1128, con extrema sencillez, la primera abadía cisterciense de las existentes en Inglaterra. Sólo queda de la misma las ruinas del crucero. Las ruinas de esta abadía cisterciense no tienen nada que ver con las novelas de Sir Walter Scott.

Faversham

Kent/Inglaterra Pág. 332 □ L 15

Esta pintoresca y pequeña ciudad tiene sus orígenes en las colonizaciones romana y sajona.

St. Mary of Charity: Esta iglesia tiene planta en forma de cruz, con un campanario del siglo XVIII, arcadas normandas y ventanas en buen estado de conservación. En el interior se pueden ver todavía pinturas murales del siglo XIV; las valiosas tallas que posee han sido creadas en el siglo XV.

Ospringe Church: Esta pequeña iglesia, con su moderna torre, data del siglo XIII.

Otros lugares de interés: Las casas más hermosas de la ciudad se encuentran a ambos lados de la *Abbey Street* y en la plaza del mercado; son de la época Tudor y Estuardo. En la plaza del mercado también se encuentra la *Guildhall*, renovada en 1814. También es interesante el *Arden's House*, vivienda del alcalde James Arden que fue asesinado por su esposa y el amante de la misma. Cerca de *Judd's Folly Hill* se encontró en la antigüedad una colonización de origen romano. En la *Maison Dieu* (Ospringe) se halla en la actualidad un museo de historia.

Alrededores

Lynsted (3,5 km O): En este lugar se encuentra la *St. Peter and Paul Church*, de estilo perpendicular, con numerosos monumentos fúnebres; bonitas casas de estilo Tudor.

Otterden Place (8,5 km S): Casa no abierta al público (de la época de Enrique VIII).

Fishguard/Abergwaun
Dyfed/Gales Pág. 330 □ F 14

La pequeña ciudad portuaria, con unos 5 000 habitantes, en la bahía de *Fishguard,* es actualmente un importante puerto de enlace hacia Irlanda. La localidad, dividida en una parte superior y otra inferior, es una fundación noruega del siglo XI.

Alrededores

Dinas Head (8 km NE): Uno de los campos prehistóricos mejor conservados es el de *Dinas Head.* En el lugar llamado *Carn Ingli* se encuentran restos de murallas entre el terreno rocoso. Cerca de *Dinas* (dirección Newport) se encuentra *Cerrig-y-Gof,* interesante conjunto de cinco túmulos prehistóricos.

Llanychaer (5 km SE): Restos de tumbas megalíticas se encuentran en *Parc-y-Maerw.* Cerca, en lo alto de una colina, se puede gozar de una increíble vista sobre la bahía de Fishguard, Newport y la península de Dinas Head. Hacia el SE se encuentran las preciosas *Preseli Mountains* (gaélico: Y Foel Cwm Cerwyn).

Mynachlogddu (cerca de Maenclochog, 20 km SE): En la zona montanosa se encuentra el prehistórico cromlech de piedra de *Gors Fawr.* El círculo está compuesto por 16 piedras y dos rocas de enorme tamaño. Cerca de este lugar también se pueden admirar las interesantes ruinas de la famosa iglesia *St. Teilo Well* (gaélico: Llandeilo), con numerosas fuentes de aguas medicinales.

Nevern (3 km NE de Newport): La interesante iglesia del pueblo está dedicada a *St. Brynach,* de la misma época que *St. David* (siglo XVI). La torre de la iglesia es de procedencia normanda (siglo XII); la mayor parte de la construcción y los ventanales son de estilo perpendicular, del siglo XV, restaurado alrededor de 1864 y 1952; en la entrada al patio de la iglesia se puede ver el «Mountain Block», una terraza construida para los caballos; en la caserna se encuentra la piedra celta de *Vitalianus* del siglo V, con incripcio-

Nevern (Fishguard). Iglesia

nes en latín y ogham. Se erige aquí una cruz celta de 3,7 m de altura (alrededor de 1 000); adornada en todos sus lados con dibujos entrelazados que representan los símbolos de la eternidad. En la ventana del ábside, una piedra tallada con inscripciones en latín (fragmentos); en el frente E del crucero se encuentra una cruz del siglo VI, probablemente procedente de la antigua iglesia celta (camino de peregrinaje hacia St. David's). En el crucero S se encuentra la piedra de *Maglocunus,* del siglo V, con inscripciones en latín y ogham; cerca se puede contemplar una piedra plana con el relieve de una cruz y cenefas. Cerca de la iglesia (a unos 200 m al O) está grabada en una roca, en el camino de peregrinaje, una cruz que probablemente fue erigida en los siglos V ó VI.

Newport (gaélico: Trefdraeth, 15 km NE): La pequeña ciudad, en la desembocadura del río *Nevern* a la *Newport Bay,* fue fundada en 1100. Se conservan partes de un castillo del siglo XIII rodeado por una fosa: paseo de la torre con muro intermedio y torre circular cerca de un edificio moderno (1859).

Pen Caer: La península rocosa ya estaba habitada en tiempos prehistóricos. Se encuentran numerosos dólmenes, círculos de piedra (cromlechs) y muros alrededor de *Llawnda* (3 km NO) y *Goodwick* (2 km NO). En Goodwick también se encuentra una vieja y pequeña iglesia, con su patio de los siglos XIII y XIV. Una piedra en *Carreg Wastad Point* recuerda la última invasión francesa en el año 1797 (al NO de Llawnda), en la que los franceses se rindieron al tercer día al dirigente de los campesinos galeses. En la punta de la península, en *Strumble Head* (8 km NO), se encuentra *Gaer* (Gaer Fawr), una de las fortificaciones prehistóricas de más importancia en Gales, con muros, tumbas y restos de cuevas de piedra. También se encuentran restos de tumbas megalíticas en *Aber Castle* (10 km SO), en la costa O (cerca de Mathry). En el lugar llamado *Carreg Samson* se conservan tres piedras verticales que soportan una tercera e imponente piedra de 5 × 3 m (dolmen). Según la leyenda, cualquiera que trasnochase debajo de esta tumba se volvería loco o poeta.

Pentre Ifan (10 km E): Aquí se encuentra uno de los mayores y más bonitos dólmenes de Gales. La piedra horizontal, de 5 × 3 m, es sostenida por tres piedras de 2,20 m de altura. Al lado del dolmen se conserva todavía una de las piedras de entrada y partes del antepatio circular. Las 33 rocas (Stonehedge), en *Cornwall,* proceden probablemente de las *Presley Mountains.* En la cima de los *Presely*

Nevern (Fishguard). Cruz monumental

Fishguard

Hills se encuentra un estrecho camino que existe desde épocas antiquísimas, llamado *Ffordd Ffleming.*

Flint

Clwyd/Gales Pág. 328 □ G 12

La ciudad, dedicada a la industria del plomo y del carbón, situada en la bahía del río *Dee,* fue de gran importancia histórica en la época medieval (industria química).

Castle: El rey inglés Eduardo I (1272-1307) empezó aquí, con la construcción de la primera fortaleza, la lucha contra los galeses rebeldes. Posteriormente hizo edificar las fortalezas de *Ruddlan* (Denbigh), *Conwy, Beaumaris* (Anglesey), *Caernafon, Ciricieth* (península de Lleyn), *Harlech, Bere* y *Aberyswyth.* La planta de la fortaleza es cuadrangular, con gruesos muros dobles y una torre en cada esquina. La torre en el S está un poco distanciada (ciudadela), con protección del muro y puente para carruajes. El drama de Shakespeare «Richard II» se desarrolla en este lugar (el tercer acto).

Alrededores

Hawarden (10 km SE en dirección a Chester): Ruinas de un castillo de 1300 (época de Eduardo I), con un parque abierto al público. Cerca se halla el *Gladstone Castle,* de 1752, y una parroquia con un monumento dedicado a *Gladstone.* La *St. Deiniol's Library* alberga más de 60 000 ediciones (en parte viejos documentos). Cerca de *Hawarden,* las ruinas de *Ewloe Castle,* de 1257 (galés-normando).

Holywell (6 km NO): El lugar ya es, desde tiempos muy antiguos (siglos VI al VII), lugar de peregrinaje, y es llamado el «Lourdes de Gales». Aquí se conmemora al *St. Winfred,* que fue decapitado en este lugar en el siglo VII. La bonita iglesia *St. Winisfred's Chapel* data de finales del siglo XV y es de estilo tardío perpendicular (peregrinaje en junio y noviembre). Cerca, en dirección al mar (en Holywell Junction), se encuentran los restos de la vieja abadía cisterciense *Basingwerk Abbey,* de 1150, de estilo Early-English. Se conservan el pórtico S, el crucero y el ala, los Vía Crucis (con partes de los dormitorios), el refectorio y una caserna.

Mold (10 km S): La parroquia de *St. Mary* data del siglo XV y contiene un hermoso techo y esculturas de animales de la época (estilo perpendicular).

Northop (5 km S): La iglesia fue edificada por la madre de Enrique VII (torre de la iglesia en estilo somerset e interesantes monumentos fúnebres).

Whitford (13 km NE de Flint): En el pueblo se encuentra el *Maen Chwyfan* (también Achwyfan), la cruz de «rueda» más larga de Gran Bretaña. La cruz de piedra, que posee una altura de más de 3 m, fue erigida en los siglos X y XI y está increíblemente ornamentada.

Folkestone

Kent/Inglaterra Pág. 332 □ L 15-16

El pequeño pueblo pesquero y nido de traficantes consiguió, en el siglo XIX, una afamada reputación como lugar vacacional, con su puerto del canal. Recuerda al famoso médico oriundo William Harvey (1578-1657), descubridor de la circulación sanguínea, una ventana en la *St. Mary's Church* y una estatua.

SS. Mary and Eanswythe Church: Fue fundada por *Eanswythe,* nieta del primer rey cristiano de *Kent.* El edificio actual data del siglo XIII y alberga, en una capilla apropiada, las reliquias de la donante.

Christ Church: La casa de Dios, fundada en 1850, fue destruida por un ataque aéreo en 1942; la torre fue reedificada posteriormente.

Otros lugares de interés: A ambos lados del paseo *The Leas* se encuentran va-

Lympne Castle (Folkestone) ▷

rios hoteles victorianos y posadas; en el extremo O se encuentra el *East Kent and Folkestone Art Centre,* una galería privada, en la cual se organizan exposiciones de gran calidad. El edificio moderno de más belleza es el *Civic Centre.* Desde una colina situada al N, llamada *Cesar's Camp,* se goza de una increíble vista panorámica. Es pintoresca la parte vieja de la ciudad, alrededor del puerto.

Alrededores

Hythe (6 km SO): Este lugar fue en la antigüedad uno de los cinco puertos del canal; posteriormente fue utilizado como línea defensiva de Napoleón. *St. Leonard's Church,* la iglesia, que domina la ciudad por su situación, se destaca por el increíble coro que sobresale de la nave principal; debajo de la iglesia se encuentra una cripta con restos humanos de procedencia desconocida.

Lympne Castle (10 km O): Restos de un castillo medieval. Fuerte romano original llamado *Stutfall.*

Saltwood: Como a un kilómetro de *Hythe* se encuentran las ruinas del castillo normando del que partieron los cuatro caballeros que asesinaron a Thomas Becket.

Forth Bridges

Lothian/Fife/Escocia — Pág. 324 □ G 8

Queensferry, al S de *Firth of Forth,* se denomina así a la antiquísima combinación de transbordadores que fue utilizada ya en el siglo XI por la reina Margarita y dio al pequeño lugar su nombre actual. La vieja ruta del transbordador se encuentra justamente debajo del puente del ferrocarril. Muy cerca se halla el pintoresco *Haest Inn,* del siglo XVII. Se puede ver en viejas fotografías cómo fue edificado el viejo puente sobre un transbordador. Es también interesante la capilla carmelitana, fundada en 1330, cuya construcción actual está provista de una torre central y un techo de bóvedas fechados en el siglo XV. Es la única capilla carmelitana que ha sobrevivido a los disturbios de la época y se utiliza todavía como iglesia.

Forth Railway Bridge: Esta imponente construcción de acero está situada detrás del puente *Tay,* que se derrumbó dramáticamente el 28 de diciembre de 1879. El puente ferroviario, con una longitud total de 2 522 m, fue construi-

Folkestone. Christ Church, torre

Hythe. St. Leonard's Church

do entre 1883-1890 según los planos de los ingenieros Sir John Fowler y Sir Benjamin Baker. Los tres pilares principales tienen una altura de 108 m; la altura sobre el nivel del agua es de 45 m y la distancia entre los dos extremos es de 523 m. Durante la construcción de este puente se puso especial esmero en considerar todos los factores de seguridad para evitar una catástrofe, como ocurrió con el puente de Tay. Por esa razón se emplearon para los cimientos tubos de acero de un diámetro de 3,5 m. Ya que el accidente en el puente Tay fue causado principalmente por la falta de material de construcción, se puso especial atención a la calidad del acero utilizado. Hasta el momento no ha tenido que ser reemplazada ninguna de las piezas.

Street Bridge: Contrasta este puente en el *Firth of Forth,* construido en 1964, con el imponente puente ferroviario. El largo total es de 1 814 m, el arco de luz principal tiene una extensión de unos 1 000 m. El puente cuelga como una cinta de filigrana entre dos delgados pilares. Se puede advertir fácilmente el avance tecnológico habido en los últimos setenta años.

Fort William

Highlands/Escocia Pág. 324 □ F 7

Esta pequeña ciudad, en el río *Ben Nevis,* posee la montaña de mayor altitud de las Islas Británicas (1 340 m); es famosa por las actividades que en ella desarrolló Cromwell. En 1655 el general *Monck* hizo edificar una primera fortaleza cuyos muros de piedra se construyeron en 1689, reinando Guillermo de Orange. En 1715 el castillo fue fortificado de manera que a los jacobinos no les fue posible, en aquella época, conquistar la fortaleza. En el año 1864 el ferrocarril fue el encargado de vencer al inexpugnable castillo, ya que desde ese año ha sido transformado en taller de locomotoras. Se encuentran restos del fuerte cerca de la estación del ferrocarril.

Westhighland Museum: El museo es más que un excelente museo local; expone piezas de la época jacobina y una buena colección *Tartan.*

Inverlochy Castle: Data del siglo XIII. De la misma época data la *Comyn's Tower,* una torre circular con tres gruesos

Fort William. Inverlochy Castle

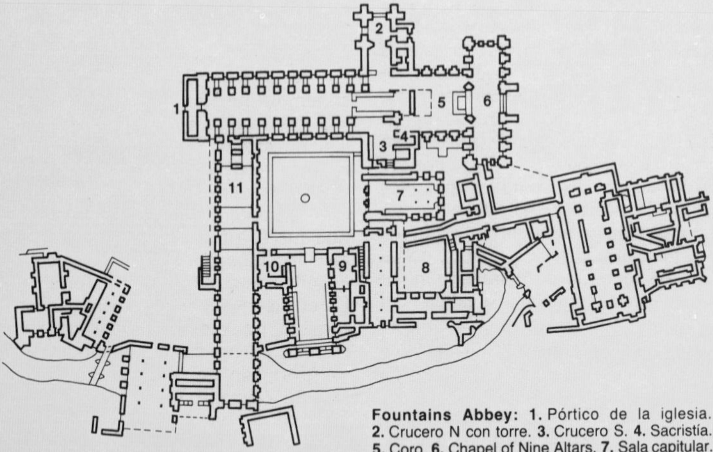

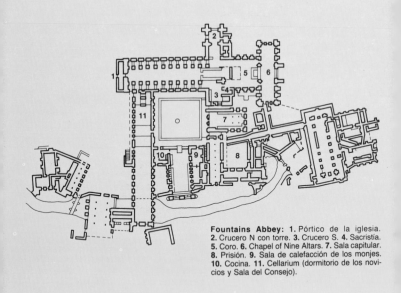

Fountains Abbey: **1.** Pórtico de la iglesia. **2.** Crucero N con torre. **3.** Crucero S. **4.** Sacristía. **5.** Coro. **6.** Chapel of Nine Altars. **7.** Sala capitular. **8.** Prisión. **9.** Sala de calefacción de los monjes. **10.** Cocina. **11.** Cellarium (dormitorio de los novicios y Sala del Consejo).

muros. La mayor parte de la instalación, no obstante, fue construida en el siglo XV. Cerca del castillo, los *Condes de Mar* y *Caithness* perdieron una batalla en 1431.

Neptune's Staircase: A 7 km NO, al final del *Caledonian Canal,* comienza la presa de ocho niveles, con la que se logra una diferencia de nivel entre el *Loch Linnhe* y el *Loch Lochy* de unos 20 m. El canal sigue la fosa tectónica llamada *Great Glen,* entre el *Loch Linnhe* y el *Mory Firth.* Estos lagos, ordenados como perlas en un collar (Loch Lochy, Loch Oich y Loch Ness), hicieron posible que, del total de la distancia de 97 km, sólo tuvieran que ser canalizados 32 km. La diferencia de altitud total es de 32 m, producto de 29 presas. Este canal, de una profundidad de 5 m y un ancho de 15 m fue comenzado por Thomas Telford en 1804 y se finalizó en 1822. Entre 1834-1847 fue ampliado, debido a la fuerte navegación que soportaba. En la actualidad el canal sólo tiene relativa importancia, ya que sólo se utiliza para la navegación deportiva. No obstante, son de especial interés las instalaciones técnicas que lo componen.

Fountains Abbey

North Yorkshire/Inglaterra Pág. 328 □ I 11

Fountains Abbey (situado en los «Royal Gardens» de Studley): Esta abadía fue fundada por los monjes de *St. Mary's Abbey* en York, en el año 1132, con el consentimiento del arzobispo de York. Se admitieron las reglas de la Orden cisterciense y la abadía recibió apoyo de Bernhard de Clairvaux. La abadía floreció con rapidez y ejerció gran influencia en los alrededores: cuando fue disuelta, en el año 1539, durante la separación de la Iglesia

Fountains Abbey. Ruinas del monasterio y de la iglesia

inglesa de Roma, reinando Enrique VIII, era una de las mayores y más ricas abadías de Inglaterra. El plan del rey Enrique VIII de convertir la abadía en iglesia obispal de una nueva diócesis de *Lancashire* fracasó. En el año 1611 se derrumbó parte de la abadía (parte del hospital) para utilizar los materiales en la construcción de *Fountains Hall.* Se conserva actualmente la iglesia (falta el tejado) y las ruinas de los numerosos edificios adyacentes; del hospital sólo quedan algunos restos.

Iglesia: Longitud total, 123 m; la planta está formada por una nave principal de tres construcciones y un largo coro. Las pilastras y las arcadas de la nave horizontal son románicas (estilo de transición); sobre el crucero S se encuentra la torre, de 55 m de altura, del siglo XV, en estilo perpendicular. Detrás del coro, de tres naves, erigida en estilo Early-English, se encuentra ubicada la *Chapel of Nine Altars,* construida en el período 1203-1247, igualmente en estilo Early-English; de especial interés en esta capilla, la ventana E.

Otros edificios de la abadía: al S de la nave horizontal se encuentra el Vía Crucis (40 m de longitud); en el lado E, cuatro bonitos arcos normando-románicos. De aquí, acceso al *Chapter House* (Sala capitular), de la que sólo quedan restos de las columnas de mármol; en el lado E del edificio, tumbas de diversos abades; al S de la sala capitular, restos del llamado *Base Court* y de los dormitorios de los monjes; detrás se encontraba antiguamente el hospital (sobre el río Skell).

Al S del Vía Crucis se encuentra, en primer lugar, la sala de calefacción de los monjes; detrás, el antiguo comedor (refectorio), edificado en estilo Early-English predominantemente.

Al O del Vía Crucis se encuentra el *Cellarium,* con unos 100 m de longitud, que fue utilizado en parte como dormitorio de los novicios y, en parte,

Fountains Abbey. Ruinas

como almacén de víveres. Al O, situadas en parte sobre el río *Skell,* se encuentran las habitaciones de la enfermería de los novicios y las habitaciones destinadas al hospedaje; es de especial interés el viejo puente.

Studley Royal Gardens: Amplio parque creado en el año 1727 (integrado en Fountains Abbey), con hermosas vistas. De las construcciones y monumentos que lo integran son de especial interés: *Octagon Tower* (torre octogonal), *Temple of Piety* (templo de la Piedad), una estatua de Neptuno en el *Moon Pond* (lago de la luna), *Temple of Fama,* delante del cual se encuentra ubicado un interesantísimo grupo de estatuas que representan la lucha de Heracles con el gigante Antaios.

Fountains Hall (O del parque): Casa feudal edificada en el año 1611 con los restos del hospital de la abadía, en estilo jacobino del Renacimiento. En el interior, bonitos muebles; en la capilla de la casa, una bonita escultura de *Salomón* y una antigua ventana con un escudo. En el museo adyacente, aparte de exponer viejas y valiosas piezas de la abadía, se puede contemplar también una detallada maqueta del total de las instalaciones de la abadía (creada en el año 1539).

Framlingham

Suffolk/Inglaterra Pág. 328 □ M 14

En esta pequeña ciudad campestre, con su plaza del mercado de forma triangular, se pueden ver algunas casas antiguas, como la *Crown Inn,* erigida en el siglo XVI, o el *Ancient House,* del siglo XVII.

Castle: Fue edificado por Roger Bigod, *2.º Earl of Norfolk,* en el año 1190, y en su época fue la fortificación más moderna de toda Inglaterra. La fortaleza estaba rodeada por un inmenso muro con torres cuadrangulares. En 1215 el castillo fue conquistado por el rey Juan sin ser destruido. En la época de Eduardo I (1272-1307) la fortaleza fue ampliada con un total de 13 robustas torres. En el año 1553 residió en este castillo María Tudor, hasta que su sucesión al trono estuvo definitivamente asegurada. Adosado a los viejos muros de las ruinas del castillo, se encuentra el *Poor House,* edificado por el *Pembroke College* de *Cambridge* en el año 1636.

Church of St. Michael: Obtuvo su forma actual en el siglo XV y es, esencialmente, gótica. De la iglesia tempranogótica que la antecedió, por desgracia no quedan restos. En la nave se puede ver un techo de vigas muy logrado. En la iglesia se encuentran numerosos monumentos fúnebres, entre ellos el de Enrique Howard, el *Earl of Surrey,* asesinado por Enrique VIII en 1547; también el monumento a *Thomas Howard,* el *tercer Duque de Norfolk,* y el de *Enrique Fitzroy,* que era hijo natu-

Framlingham. Castle

ral de Enrique VIII y su esposa, Lady Mary Howard.

Alrededores

Dennington (5 km N): La gótica *Church of St. Mary* contiene una sala de altar originaría de la iglesia anterior y una torre O. Los respaldos de la sillería están increíblemente tallados; el trabajo data del siglo XV. Las rejas del coro datan del siglo XVI, al igual que los vidrios emplomados. Los monumentos fúnebres que se encuentran en la iglesia proceden del siglo XV.

Saxtead Green (4 km O): Este molino de viento es un perfecto ejemplo de molino inglés con eje central. Los engranajes del molino se sitúan alrededor de un único eje. El molino, intacto, se encuentra sobre suelo histórico, ya que en este lugar ya hubo otro molino de importancia en 1309. El molino actual fue construido en 1796 y estuvo en funcionamiento hasta el año 1947.

Frome
Somerset/Inglaterra Pág. 332 □ H 15

Esta pequeña ciudad data de la época anglosajona y muestra un ambiente antiguo, con sus estrechas calles y viejas casas de piedra en buen estado de conservación. En 1685, después del levantamiento del *Duke of Monmouth,* se realizaron numerosas ejecuciones. La iglesia parroquial data del siglo XIII; no obstante, fue ampliada y renovada en el año 1886.

Alrededores

Longleat House (8 km SE): Esta increíble casa de campo fue edificada por Robert Symthson en 1568, por encargo de Sir John Thynne. Con Sir Geoffry Wyatville se añadió en 1807-1811 el *Stable Court* y se efectuaron cambios en el interior. El impresionante parque es obra de *Capability Brown.* Esta casa de campo está considerada como una de las más bonitas de Inglaterra; en su interior se encuentra una biblioteca que contiene varios borradores originales de obras de Shakespeare y una biblia de Fust y Schoeffer de 1462, cartas de Isabel I y un diploma de *Glastonbury Abbey* del año 681. En la fantástica instalación interior de la casa se encuentran valiosos muebles, entre ellos un escritorio de Talleyrand, sobre el que se firmó en 1815 el Tratado de Viena. Entre las valiosas pinturas se encuentra el retrato de «La Familia Santa», de Tiziano.

Furness Abbey
Cumbria/Inglaterra Pág. 328 □ G 11

Furness Abbey: Fue fundada en 1127 por los monjes de *Savigny,* en Normandía, por orden del rey normando Esteban de Inglaterra (1135-1154). En 1147, adoptó las reglas de la Orden cisterciense e infuenció, sobre todo, el territorio situado al N de la abadía (hasta Windermere). Después de *Fountains Abbey* fue la segunda abadía mayor de Inglaterra. La abadía fue disuelta durante la Reforma, siendo la de más importancia reinando Enrique VIII. Posteriormente decayó y, finalmente, se destruyó casi por completo debido a un incendio. Las ruinas que permanecen (sobre todo de la iglesia) dan un buen ejemplo del arte arquitectónico en los siglos XII al XV.

Frome. Longleat House

Iglesia (entrada principal por el crucero N): Longitud total de unos 95 m; planta en forma de cruz con nave central, crucero y coro; sobre el transepto se encontró originalmente una torre. La nave central es de estilo románico de transición, fue edificada entre 1145-1190; se conserva el muro S de la nave lateral S; se pueden ver los restos de las pilastras de la nave central (9 en el lado N, 5 en el lado S). En las paredes de separación las marcas todavía señalan la altura original del techo (crucero y laterales). En la nave lateral N, en el extremo E, originales lápidas esculpidas; en el extremo E de la nave central se nota todavía la pared del coro. Delante de la nave central, al O, una torre de estilo gótico perpendicular (hermoso ventanal O, también gótico; es posible ascender a la torre por una escalera). De los cuatro arcos ojivales originales que soportaban la torre del transepto sólo se conserva el del lado del coro. Los brazos del crucero, en la parte E, están adornados con bonitos arcos ojivales soportados por columnas entrelazadas; del ventanal de 10 m de altura del crucero N sólo se conserva la estructura; debajo se encuentra un hermoso pórtico normando escalonado. La parte mejor conservada de la iglesia es el coro: en el muro S se hallan las misericordias del coro, increíblemente trabajadas e incrustadas en la pared; al lado se encuentra un baldaquín de estilo decorated y la «piscina» donde se lavaban los utensilios de cocina. En el extremo E del coro existe otro ventanal de 17 m de altura (estilo gótico perpendicular); en la parte exterior del coro, dos figuras (probablemente del fundador de la iglesia, *Esteban,* y su esposa, *Maud,* según las estrictas reglas cistercienses debían estar prohibidas las esculturas en la iglesia de la abadía). En el coro son también de interés las demás ventanas. Del coro se accede a la sacristía (allí se encuentra también una vieja «piscina»).

Edificios de la abadía: De la nave lateral S se accede al antiguo Vía Crucis (escasos restos); en el lado E, los tres arcos románicos del estilo de transición soportados por columnas. Debajo del arco central se encontraban en la antigüedad armarios de libros (estanterías de piedra). El *Chapter House* (sala capitular), edificada alrededor de 1220-1240, en estilo gótico Early-English), única de su especie en Inglaterra. En las paredes de arcos, los capiteles están increíblemente bien trabajados; de las columnas que antiguamente eran soporte del tejado queda una sola (de las demás quedan escasos restos). A través de los arcos antes mencionados se accede al dormitorio de los monjes (dormitorium); en las paredes, bonitas ventanas lanceoladas; al S del Vía Crucis, el antiguo comedor de los monjes (refectorio); directamente detrás, el hospital (en la capilla del mismo se encuentran los retratos de dos caballeros vestidos con el atuendo típico de la época, siglo XII; éstas son las únicas obras de este tipo en Inglaterra). Al E de la capilla se encuentran los restos de la cocina octogonal; unos metros más allá se hallan las ruinas de la vivienda del abad. Al N de la abadía está la capilla, junto a la antigua entrada de ésta (pórtico románico en el interior y ventanas lanceoladas).

Alrededores

Dalton-in-Furness (2 km al N): Interesante torre del siglo XII.

Millom (8 km NO): Iglesia de la *Holy Trinity* (fundada en la época normanda, más tarde ampliada); en el interior, monumentos fúnebres de la familia *Huddleston;* el más antiguo está fechado en el año 1494, con hermoso trabajo en alabastro.

Furness Abbey. Vista de las ruinas

G

Gainsborough

Lincolnshire/Inglaterra Pág. 328 □ K 12

Old Hall: Casa feudal edificada en la Edad Media (lugar donde fue asesinado Sweyne, padre del rey danés Knut); en el transcurso de «La guerra de las Dos Rosas» fue destruida por las casas de York y Láncaster a finales del siglo XV; reedificada en el año 1500 (parte construida en ladrillo, parte en entramado), y, a finales del mismo siglo, lugar de reunión de los «Dissenters» (puritanos de los cuales surgieron posteriormente los «Pilger Fathers»). En el interior de la casa se encuentra un museo (entre otras cosas, contiene bonitos muebles de estilo, una colección de obras pictóricas, una colección de muñecas antiguas y trajes correspondientes a la época). Son de interés la decoración de los diferentes salones y las cocinas, que se conservan en su estado original.

Otros lugares de interés: *Church All Saints,* con torre gótica de estilo perpendicular, Iglesia de *John Robinson,* el congregacionalista, finalizada en el año 1897.

Alrededores

Blyborough (12 km NE): Iglesia *St. Alkmund,* de estilo temprano-gótico Early-English; data de la época de construcción el arco del coro. De especial interés, en el interior, una cruz gótica.

Coates-by-Stow (11 km SE): La iglesia *St. Edith* fue en su origen románica; no contiene naves laterales; de la época de construcción datan el pórtico S y la pila bautismal. La pared del coro se conserva en estilo tardío gótico-perpendicular, al igual que el emporio. También de interés, en el interior, restos de pinturas medievales sobre vidrio, el púlpito gótico del siglo XV y un monumento fúnebre de los tiempos de Cromwell.

Harpswell (9 km O): La torre de la iglesia *St. Chad* data de la época anglosajona; la nave lateral fue añadida en el siglo XIV. En el interior, de especial interés, la pila bautismal románica; en el lado N del coro, la lápida en la tumba de la familia *Whichcot,* con la imagen del caballero y su esposa.

Kirton in Lindsey (14 km NE): La iglesia *St. Andrew,* resturada en el siglo XIX, fue en sus orígenes románica; posteriormente fue modificada la torre O y el pórtico S, de estilo temprano-gótica y restos, en las paredes, de interés en el interior, el pórtico románico del coro.

Stow (10 km SE): La iglesia *St. Mary* fue edificada en la época anglosajona; la nave central fue transformada posteriormente en estilo románico, al igual que la torre del transepto. En el interior, de especial interés, el coro románico y los bonitos arcos románicos en la nave central así como la pila bautismal temprano-gótica y en las paredes restos de pinturas medievales en el crucero N con la imagen de Thomas Becket.

Galway
Galway/Irlanda Pág. 326 □ B 12

Esta activa ciudad portuaria y comercial, en la bahía de *Galway* (30 000 hab.), es la capital de Irlanda del O y del territorio gaélico. Posee una universidad (desde 1849) que es famosa por mantener vivos el idioma y la cultura gaélica.

Historia: La ciudad fue construida alrededor de la fortaleza del anglorromano *Richard de Burgh* (1323) y fue, en la Edad Media, baluarte en el territorio gaélico. Hasta el siglo XVII estaba dominada por 14 familias inglesas («The Tribes»). La ciudad perdió importancia desde la brutal destrucción por Cromwell alrededor de 1650 (esclavización del pueblo, destierro).

St. Nicholas Church (Shop Street/Market Street): La iglesia parroquial principal de la *Church of Ireland* fue edificada alrededor de 1320 y reformada en los siglos XV y XVI. De especial interés el pórtico O del siglo XV, el pórtico S del siglo XVI, la torre del año 1500, la capilla sacramental de 1538, el bonito altar del siglo XVI, un atril del siglo XV y diversos monumentos fúnebres de los siglos XV al XVII. El *Lynch Stone* (al N de la iglesia) recuerda al alcalde James Lynch (1493) el ejecutor de la «Justicia en Lynch». Se supone que, al no encontrar un verdugo para ejecutar a su propio hijo, efectuó la ejecución él mismo.

Lynch's Castle: El castillo reconstruido por completo (Shop Street) data del siglo XVI y, en la actualidad, es utilizado como banco. Fue sede de la familia *Lynch*. Posee bonitas ventanas, pórticos y, en el interior, se puede ver una exposición sobre la historia de la ciudad y la fortaleza. Son parte de la decoración exterior, las fuentes y los emblemas de los escudos de Enrique VIII.

Otros lugares de interés: El convento franciscano en la *Francis Street,* cuya iglesia, de edificación actual, data de 1848, fue construido cerca de los viejos muros de la ciudad en el siglo XIII. En la iglesia se encuentran esculturas del siglo XVII (monumento fúnebre de French); en el patio de la iglesia, otras tumbas de interés del siglo XVII. La

Gainsborough. Church All Saints

Galway. Lynch's Castle, escudo de armas

plaza de *Eyre Square* está dedicada al ex-presidente de los Estados Unidos de América J. F. Kennedy (de procedencia irlandesa), el cual fue recibido triunfalmente en el año 1963 en esta su patria natal. Es interesante el curioso monumento dedicado al poeta irlandés *Patrick O'Connor* (1882-1923). El *Spanish Arch* (dirección puerto) muestra las excelentes relaciones comerciales que hubo entre los dos países, así como otras casas (viviendas) españolas erigidas en el siglo XVII.

Alrededores

Annaghdown (13 km N): Los restos del convento fundado por *St. Brendan* en el siglo VI, en la orilla E del *Lough Corrib*, se componen de una catedral originaria del siglo XV (posee partes todavía más antiguas, ventanas y paseo del pórtico erigido en el año 1200) y un priorato fechado en 1195, con iglesia románica fortificada y un hermoso Vía Crucis.

Claregalway (10 km NE): Ruinas de un convento franciscano del año 1290, con ventanas conservadas en el coro, torre y crucero procedentes del siglo XV.

Glasgow

Strathclyde/Escocia Pág. 324 □ G 8

Esta ciudad, enclavada enfrente de la desembocadura del río *Clyde,* debe su origen a una fundación de *St. Mungo,* el cual edificó una pequeña pero hermosa iglesia en el lugar que ocupa la actual catedral. El nombre de la iglesia era, en gaélico, «Glas Cau» (Green Palace); la colonia que ocupaba fue denominada por este motivo con el mismo nombre. En el siglo XII se fundó en este bello paraje una iglesia de estilo románico, destruida posteriormente para edificar la catedral actual en el transcurso de los siglos XIII al XV. En el año 1451 *Glasgow* consiguió, por mediación del obispo William Tutnball, la segunda universidad del país. En el año 1611 fue derrotada María Estuardo cerca de *Queen's Park* recibiendo la ciudad, finalmente, el «status» de *Royal Burgh.* La Reforma decidió, por lo visto, dividir la ciudad en dos partes; la nueva religión fue aceptada, pero el obispo católico seguía residiendo en la ciudad. No obstante, en el año 1615 fue colgado el sacerdote *John Ogilvie,* declarado posteriormente santo en 1976, debido a las diferencias habidas entre los creyentes de ambas religiones. Cromwell dominó esta ciudad entre 1650 y 1651, mas no ocasionó demasiados destrozos; tampoco Carlos Eduardo Estuardo causó estragos en la ciudad. La población de Glasgow tenía que apoyarlo económicamente; posteriormente la ciudad cobraba unos intereses en Londres como recompensa a su buena conducta. El centro de la ciudad, que estaba edificado alrededor de la catedral, se trasladó hacia la *Glasgow Cross. George Square,* el centro actual de la ciudad, era en aquel entonces una enorme extensión de terreno sin edificar.

La ciudad creció con extrema rapidez durante el siglo XVIII. Se convirtió de esta manera, y muy rápidamente, en el principal centro comercial con Norteamérica y especialmente en todo lo referente al transporte e industria de las labores del tabaco. En aquel entonces dominaban la situación los «Tobacco Lords». En el año 1775 se encontraban anclados en *Clyde* más de 200 barcos mercantes. Los «Tobacco Lords» hicieron asfaltar una parte de la *Trongate* para dar así muestra de su inmenso poder. Los «Plainstanes» no sólo fueron las primeras aceras de la ciudad, sino que solamente podían ser utilizadas por los *lords,* que las habían financiado para su uso particular. En la ciudad, James Watt inventó la locomotora a vapor, comenzando así lo que más tarde se conocería mundialmente como la Revolución Industrial; también fue el ingeniero jefe en la obra de profundización y drenado del fondo

Glasgow. Cathedral of St. Mungo

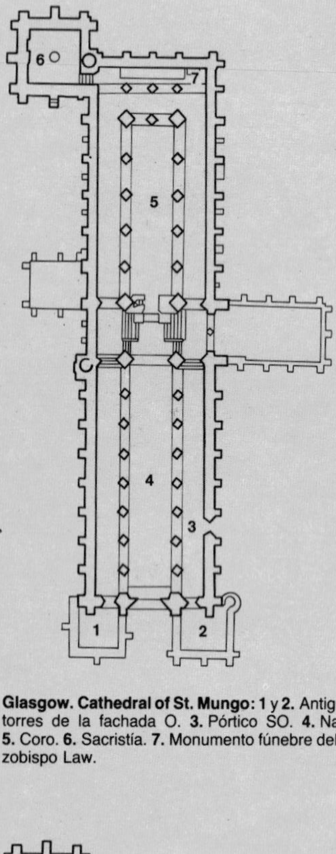

Glasgow. Cathedral of St. Mungo: 1 y **2.** Antiguas torres de la fachada O. **3.** Pórtico SO. **4.** Nave. **5.** Coro. **6.** Sacristía. **7.** Monumento fúnebre del arzobispo Law.

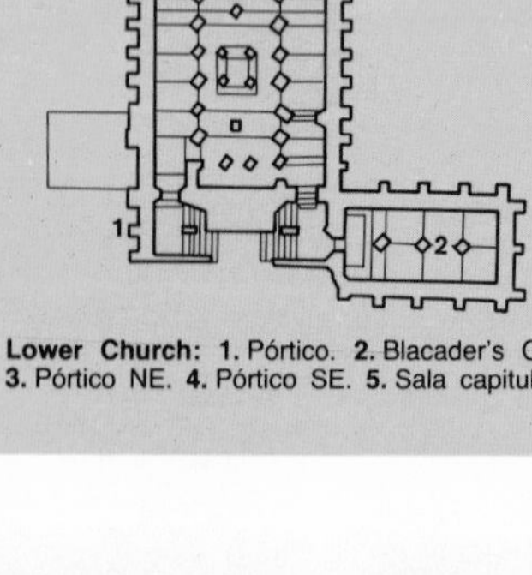

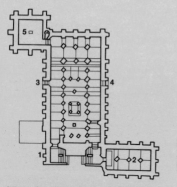

Lower Church: 1. Pórtico. **2.** Blacader's Crypt. **3.** Pórtico NE. **4.** Pórtico SE. **5.** Sala capitular.

del río, de 30 km de longitud, que facilitó a los navíos el acceso hacia Glasgow. Este fue en parte el motivo de que se construyera el astillero más importante del mundo en la ciudad de Glasgow. En el año 1812 se construyó el primer barco a vapor navegable, el «Comet». Todavía a mitad del siglo XIX un 80 por 100 de los barcos a vapor eran construidos en los astilleros del *Clyde*. En estos importantes astilleros se construía cualquier tipo de barco: en ellos se construyó desde el yate del zar Alejandro de Rusia hasta el «Queen Elizabeth», el último gran transatlántico de lujo que se ha construido en Glasgow.

Glasgow ha sido siempre una ciudad dedicada por completo al área comercial; en la actualidad se ha visto convertida en ciudad industrial, cuyo florecimiento depende menos de la política que de los negocios. A pesar de no haber sufrido ninguna destrucción en los devastadores bombardeos acaecidos durante la segunda guerra mundial, no se conservan prácticamente construcciones antiguas. Los viejos edificios han sido derrumbados en múltiples ocasiones para edificar construcciones mucho más modernas. Aún en nuestros días han sido demolidas zonas completas de la ciudad de gran interés artístico, sin considerar la enorme pérdida sufrida.

Cathedral St. Mungo: Después de considerar la enorme cantidad de edificaciones de interés histórico-artístico que han sido demolidas, con el paso del tiempo, en la ciudad de Glasgow para edificar sobre los terrenos que éstas ocupaban otros edificios más modernos, es extraño que todavía permanezca en pie esta increíble catedral que, aparte de la de *Kirwall,* es la única de este tipo que se conserva en Escocia y que no cayó en las garras de los reformistas ni de la Corona inglesa. No se conservan, no obstante, las dos torres de la fachada O. Fueron destruidas, ya que en el siglo pasado se decidió que artísticamente eran antiestéticas y arruinaban el conjunto de la construcción. Las torres eran com-

Cathedral of St. Mungo

pletamente diferentes la una de la otra; no coincidía ni su tamaño, ni su altura, ni el estilo en el que ambas estaban construidas. El plan original de sustituir las torres por otras de estilo neogótico no fue, finalmente, llevado a la práctica.

De esta manera, el total de la construcción se conserva en su estado original; la construcción fue erigida en el período de años comprendido entre 1197 y 1480. Está situada en el mismo lugar donde se ubicara la catedral fundada en el año 1336, por el rey David y el obispo Achaius y que fue destruida a causa de un grandioso y devastador incendio.

La nueva construcción fue comenzada por el obispo Jocelin; bajo el obispo Lauder se edificaron, hasta 1258, la cripta, el coro y la torre. El obispo Lauder añadió en el año 1425 la sala capitular, debajo de la sacristía; el obispo Cameron finalizó la misma en el año 1445. La nave central data esencialmente de los siglos XIII y XIV y fue definitivamente terminada en el año 1480. El entramado del techo en la nave central y en el coro sustituyen a un antiguo techo de bóvedas, ya que este último no podía ser soportado por las delgadas paredes laterales de apoyo. Hacia finales del siglo XV el obispo Balcader planeó realizar un gran crucero S, del que sólo se edificó la cripta (Balcader's Crypt). El último obispo católico-romano concluyó la obra (James Beaton). En el año 1560 consiguió trasladar el archivo y el tesoro de la catedral a Francia, antes de que cayeran en manos de los reformistas, los cuales destruyeron las valiosas instalaciones interiores de la catedral. La destrucción de la misma catedral fue evitada gracias a un rico comerciante; sin embargo, fue dividida en tres partes. Desde entonces el coro, la nave principal y la cripta son parroquias independientes. A pesar del largo período de construcción, unos doscientos ochenta y tres años, el edificio, de unos 100 m de largo, es de una homogeneidad asombrosa. Predomina el estilo neogótico, con las delgadas ventanas y los pórticos; en contraste, hay partes típicamente escocesas, como la torre y lo que la rodea. La nave y el coro no sólo son de igual longitud sino de igual tamaño, coincidencia no muy frecuente. Ambos están separados por una pared en el lado E del transepto; el coro sobrepasa la nave en un m. La nave impresiona por sus logradas proporciones, su triforio de dos arcos y su luminosidad. En las paredes se encuentran símbolos de regimientos. Los vidrios emplomados de la época victoriana fueron sustituidos por ventanas modernas en 1950-1958. El coro elevado, con la corona de la capilla, da la impresión de ser un segundo piso. Su acceso está formado por un excelente atril sobre cuyas pilastras están representados los siete pecados capitales. El triforio está construido con extrema delicadeza, los capiteles de las parejas de columnas están ornamentados con bellos motivos. El púlpito data de 1600 y, originalmente, debía estar instalado en la iglesia inferior. El coro está limitado por una pared vertical O dividida por cuatro delgadas y altísimas ventanas lanceoladas. En la capilla E del coro se encuentra el monumento fúnebre del arzobispo *Law,* de 1632; en el lado N está la sacristía, en la que parece reunida toda la belleza del gótico. La columna central de la sacristía está decorada con el escudo del fundador, el obispo Cameron. Al S del atril, una escalera conduce a la *Balcader's Crypt,* que está considerada como el último intento del constructor de proveer a la iglesia de un crucero.

Debajo del coro, con la misma planta, se encuentra la *Lower Church,* semejante a una cripta. Sin duda, es la parte más bonita de la catedral y obra maestra del neogótico escocés. Columnas entrelazadas con decorados capiteles, ventanas lanceadas, techo de bóvedas en abanico, de un colorido impresionante, crean un ambiente único. Igualmente trabajado con delicadeza es la sala capitular, junto a la esquina N de la iglesia inferior. El espacio, debajo de la sacristía, contiene una columna en el centro, con decoraciones heráldicas y pilastras ricamente decoradas.

Cathedral of St. Mungo. Balcader's Crypt, artesonado

Necrópolis: La «ciudad de los muertos», el mayor cementerio de Glasgow, en el *Fir Park Hill,* está justo detrás de la catedral. Data del siglo XVIII y en él se encuentran enterrados importantes comerciantes e industriales del siglo XIX. Aquí están reunidos todos los estilos posibles: griego, egipcio, hindú, chino y europeo. Desde el año 1825 se erige en el cementerio una columna dórica edificada por el reformista John Knox.

St. Andrew's Church: Esta iglesia, de 1739-1756, es una de las primeras de estilo clásico en Escocia. De especial interés es la sillería de Mahagoni, donada por el gremio de comerciantes.

St. Vincent Street Church: La iglesia construida en 1589, es obra de Alexander Thomson. El arquitecto era llamado «The Greek», ya que diseñaba todas sus construcciones, desde una villa a un campamento militar, en estilo griego. Así pues, la iglesia parece un templo griego. El exterior se caracteriza por los pilones egipcios que se ven sobrepasados por la altísima torre en forma de campana. También impresiona el exótico interior. La nave principal está circundada por un emporio sujetado por columnas de hierro, cuyos capiteles se ven decorados con motivos de palmeras. Los colores predominantes de la decoración son el azul, el rojo y el marrón. En la actualidad el conjunto más bien parece una extraña mezcla de componentes griegos, egipcios y clásicos.

City Chambers: Se puso la «primera piedra» para el nuevo ayuntamiento de la *George Square* en 1883. Cinco años más tarde la reina Victoria inauguraba la fantástica construcción de Willian Young. Las columnas gemelas, en la sala de entrada, son de piedra de granito de color rojo, pulidas a mano, con capiteles en mármol verde esmeralda, y las bóvedas del techo están decoradas con mosaico veneciano. En las escaleras fue sustituido el granito por mármol de Brescia y alabastro de Carrara; la usual madera de encina fue sustituida por Mahogani y palo de rosa. La sala de fiestas, con el techo de bóvedas escalonadas y pinturas murales de famosos artistas, ofrecen un perfecto ejemplo de la lujosa construcción y decoración de la época victoriana.

Cathedral of St. Mungo. Blasón de la sacristía

Tolbooth Steeple

St. Mungo. Interior de la cripta

Kibble Palace: El vivero en el jardín botánico es obra de Joseph Paxton, de 1873. El pequeño palacio de vidrio está provisto de columnas victorianas y arcos de hierro recubiertos de vidrio. El edificio circular, con su doble cúpula, fue utilizado en un principio como sala de reuniones o de conciertos; en la actualidad alberga una colección única de helechos tropicales.

Provand's Lordship: Está considerada como la casa de más antigüedad de Glasgow; fue erigida en el año 1471 y es el único resto del antiguo centro de la ciudad ubicado en *Cathedral Square*. La casa, típica de la ciudad del siglo XV, con sus macizos muros, ventanas irregulares y escaleras, fue construida para William Baillie, canónigo titular de la ciudad. En esta antigua casa se alberga en la actualidad un museo dedicado a la historia escocesa. El mobiliario que decora el interior de la casa data del siglo XVII.

Tolbooth Steeple: La torre del antiguo Ayuntamiento, situada en el cruce de *Trongate* y *High Street*, data del año 1626. En la cima de la torre, de siete pisos y 34 m de altura, se encuentran una interesante cruz y una balaustrada. La cruz de mercado situada enfrente de la torre es una imitación medieval.

Merchants' House: El edificio, erigido en el año 1874, es sede de la más antigua Cámara de Comercio e Industria de Inglaterra. La sala de fiestas, decorada al estilo victoriano, es de especial interés por sus vidrieras policromadas.

Museos:
Old Glasgow Museum: Se encuentra en el *People Palace*, palacio de 1898, en Glasgow Green, el enorme parque a orillas del *Clyde*. Ofrece una visión amplia de la evolución de Glasgow (ochocientos años).

Art Gallery and Museum

City Art Gallery and Museum: No solamente es el museo de más importancia de la ciudad, sino que se trata de la colección artística más completa de Gran Bretaña. El museo fue inaugurado en 1901 y adquirió importancia con la donación de Sir William Burrel en 1944. Éste donó al museo la mayor colección privada de todos los tiempos. El coleccionista había vendido en 1915 su flota mercante, dedicándose exclusivamente a la colección de obras de arte. Ésta se compone de obras holandesas y flamencas, así como de valiosas esculturas y relieves egipcios, alfombras persas y tapices flamencos, pinturas sobre vidrio y cerámicas, antigüedades persas, griegas y hasta mesopotámicas. En el museo, además, se encuentra una extensa colección de armas y una amplia muestra de la historia naval del *Clyde*.

Hunterian Museum: En este museo se albergan en su interior importantes colecciones arqueológicas, zoológicas y de anatomía humana. También se pueden admirar en este centro de cultura antiquísimos manuscritos e impresos, así como un famoso gabinete dedicado a la numismática. Entre las pinturas destacan las de los pintores de más prestigio, entre otros, las de Rembrandt, Rubens, Chardin y Whistler, así como pintura escocesa del siglo XIX y de principios del siglo XX.

Pollock House: Casa de campo edificada por William Adam en 1740 para la familia *Maxwell of Pollock;* Sir William Sterling Maxwell reunió aquí la colección más completa y valiosa de pintura española. Igualmente se pueden ver en este museo piezas de vidrio y de porcelana españolas y mobiliario oriental.

Museum of Transport: Se encuentra en la zona de *Pollockshields* y expone una colección de locomotoras a vapor escocesas, autobuses, tranvías, extintores y bicicletas.

Regimental Headquarter of the Royal Highland Fusiliers: En este interesantísimo museo se expone todo lo referente a la historia del famoso regimiento de Escocia, así como la del regimiento de infantería (Highland Light Infantry).

Glastonbury

Somerset/Inglaterra Pág. 332 □ H 15

En esta pequeña ciudad nada indica que éste fuese un lugar de intenso comercio ya en el año 2 a. de J. C. Ya que los romanos sólo causaron destrucción y no construyeron edificación alguna, no quedan huellas ni de ellos ni de sus antecesores. Sucede lo mismo con la parroquia de más antigüedad de Inglaterra. Se reunieron los miembros de la parroquia en el mismo lugar donde, en la actualidad, se encuentran los restos de una abadía de origen medieval.

Abbey: La abadía benedictina, saqueada por Enrique VIII, fue la instalación de mayor fama de Inglaterra y, en la actualidad, es la ruina de más importancia del país. Según la leyenda, José de Arimatea enterró en este lugar el cáliz de la Última Cena, en el cual se encontraba la sangre del crucificado. Alrededor de este grial el rey Arturo reunió su famosa «tabla redonda»: el grial está considerado como centro santo del reino. En este lugar se construyó en el siglo I *Vetusta Ecclesia,* la primera iglesia de Inglaterra. En el año 463 *St. Patrick* encontró aquí su última morada. La reina Ine, supuestamente, edificó en el 708 una gran iglesia; en 940 la iglesia se convirtió en abadía benedictina, cuyo primer abad fue *St. Dunstan.* La abadía, en poco tiempo, adquirió gran importancia, muestra de ello son los monumentos fúnebres de los reyes sajones *Edmund the Magnificent* (946), *Edgar* (975) y *Edmund Ironside* (1016). Hasta 1145 el abad de *Glastonbury* fue, a su vez, arzoabad de Inglaterra. En 1184 el conjunto fue destruido por un incendio. Para la financiación de la nueva edificación los monjes se valieron de un ingenioso engaño: anunciaron haber encontrado las tumbas de José de Arimatea y del rey Arturo, y encontraron su solución económica en los peregrinos que afluían de todas partes. Así pudo ser construida la mayor abadía de aquellos tiempos (la iglesia de la abadía tenía una longitud de 180 m). Fue finalizada la construcción en 1303. Finalmente, en 1539, Enrique VIII disolvió la abadía, la saqueó e hizo colgar a su último abad. El edificio cayó en ruinas. Se conservan en la actualidad parte de las pilastras del transepto E, parte de la pared exterior del coro al S y E, restos de una capilla del crucero N, así como del muro O, que linda con la capilla de María y con la de Galileo. La capilla de María es la edificación más antigua en la construcción moderna. Data de 1186; los arcos circulares son normandos, mientras las arcadas vecinas, con terminación en punta, son góticas. En ambos pórticos todavía se pueden ver las figuras que representan el nacimiento y la muerte de un niño. La delicadeza de esta escultura demuestra la vocación artística del fundador y arquitecto de la abadía.
La única construcción de la abadía que se conserva de la época original de construcción es la cocina (Abbot's Kitchen), de finales del siglo XIV. El espacio, de planta cuadrangular, con su techo piramidal, es uno de los mejor conservados de la Edad Media en Europa.

Lake Village Museum: En la prehistoria, Glastonbury fue una aldea lacustre, ya que el canal de Bristol se extendía hasta la población. Los hallazgos que se conservan de esta época se exponen en una casa del siglo XV.

Cathedral of St. Mungo. Vidriera de poniente

Glendalough
Wicklow/Irlanda Pág. 326 □ E 12

El «Delphi» de Irlanda está situado en un estrecho valle rodeado de extensos bosques, en las montañas de *Wicklow.* El nombre de la localidad, *Glen-dalough,* significa «valle de los lagos», refiriéndose a los dos pequeños lagos de montaña, *Upper and Lower Lake.* En este lugar el legendario celta St. Kevin edificó, alrededor del 600, su primera colonia, que fue sustituida poco después por una colonia de monjes. El ermitaño, descendiente de una casa real, es conocido, al igual que San Francisco, como místico y amante de los animales. Unos seiscientos años después la colonia de monjes adquirió importancia en el movimiento religioso de Irlanda. Se realizaron restauraciones en el siglo XIX y alrededor de 1912.

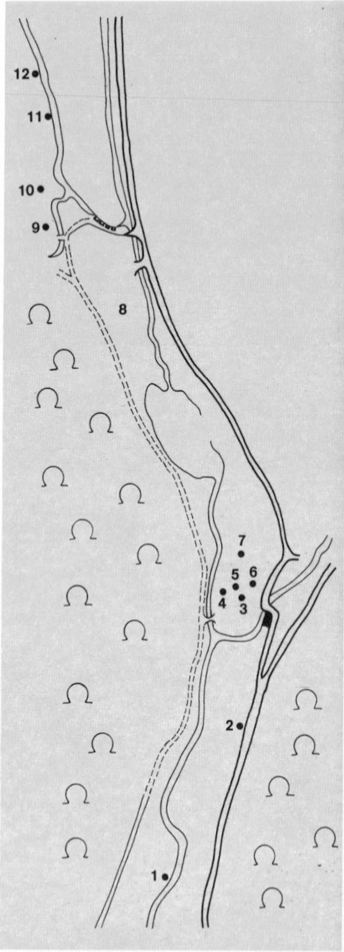

Glendalough. Colonización de monjes: 1. St. Saviour's Church. **2.** Trinity Church, de los siglos XI al XII. **3.** Catedral del siglo XI, con coro y sacristía del siglo XII. **4.** St. Kevin's Church, de los siglos XI al XII. **5.** Priest's House. **6.** Torre circular. **7.** St. Mary's Church, de los siglos X al XI. **8.** Plaza de aparcamiento. **9.** Reefert Church, siglo XI. **10.** St. Kevin's Cell, de los siglos IX al X. **11.** St. Kevin's Bed. **12.** Templena-Skelling, del siglo XI.

Parte inferior (en el Lower Lake): Impresionante iglesia, llamada *St. Kevin's Church,* de los siglos XI a XII. Una sola de las habitaciones (oratorio) posee un tejado de tejas sueltas sobrepuestas, semejando un barco volteado. En el interior se encuentra una cruz celta del siglo XII, con la imagen de un abad (probablemente del santo O'Toole) y ornamentación geométrica. Al ser añadida la torre O en el siglo XII (campanario circular) la iglesia recibió el nombre de *Kevin's Kitchen* (cocina de Kevin), ya que la torre parece una chimenea. Al lado se encuentra la llamada *catedral* del siglo XI, con el coro y la sacristía del siglo XII, así como un pórtico N románico del mismo siglo. En el interior de la iglesia (restaurada a principios del siglo XIX) se hallan varios monumentos fúnebres de antes del cristianismo; también de interés es la *Kevin's Cross,* del siglo XII, un monolito de granito de una altura de 3,35 m. Merece atención en *Glendalough,* en especial, la torre circular, del siglo XI (Round Tower). La entrada de esta torre, de 31 m de altura, se encuentra a 4 m por encima de la línea de tierra; en ella se pueden ver todavía las cuatro ventanas según las diferentes

Glendalough. Torre cilíndrica

Ruinas de la Reefert Church

direcciones del viento y el bonito techo cónico restaurado. La torre está rodeada de un cementerio, con interesantes monumentos fúnebres medievales y del cristianismo.
Cerca se encuentra el *Priest's House,* probablemente una capilla sepulcral del siglo XII, con un pórtico románico con increíbles relieves. *St. Mary's Church* (al lado de la torre circular) es una pequeña iglesia románica que data de los siglos X al XI, con coro y pórtico N. Al exterior del cementerio, rodeado por un muro (Cashel), se encuentra la iglesia románica *St. Saviour's,* con increíbles trabajos de escultura en piedra (arco del púlpito, ventana E). La pequeña iglesia fue edificada por el abad O'Toole en el siglo II; fue restaurada en el año 1875. Cerca del hotel, hacia el E, se encuentra la *Trinity Church* de los siglos XI al XII, con su antigua torre O y el pórtico S.

Parte superior (junto al Upper Lake): El primitivo emplazamiento de *St. Kevin* fue probablemente la orilla sur del Lago Superior, la de más difícil acceso. Se conservan restos de la iglesia románica de *Reefert* (siglo XI). El nombre Reefert (Tumba Real) procede del cementerio de la realeza galesa. La vecina *St. Kevin's Cell* es una «cabaña de abejas» derruida (beehive) de los siglos IX al X. Sobre el acantilado, a la orilla del lago, se encuentra la *St. Kevin's Bed,* donde supuestamente el santo practicaba sus ejercicios de meditación (igualmente St. Toole en el siglo XII). A la pequeña iglesia construida sobre una roca, *Temple-na-Skellig,* sólo se podía llegar en bote. En este lugar vivió durante un tiempo, como ermitaño, St. Kevin. La construcción es rectangular; tiene pequeñas ventanas en el E y data del siglo XI.

Glenfinnan Monument

Hlighlands/Escocia Pág. 324 □ F 7

El monumento, que recuerda el levantamiento jacobino del año 1745, fue edificado por MacDonald en el año 1815. Está situado en el mismo lugar en el que el *Marqués de Tullibardine* izó la bandera de Carlos Eduardo el 19 de agosto de 1745, incitando a los clans de los *Highlands* a tomar las armas. El monumento nacional escocés se ve desde lejos, y no es de una belleza espectacular. Sobre una columna se encuentra una escultura de un *Highland,* obra de Greenshield. Las inscripciones, en gaélico, latín y en lengua inglesa, recuerdan el acontecimiento.

Gloucester

Gloucestershire/Inglaterra Pág. 332 □ H 14

La capital del Condado de *Gloucester,* se encuentra en el lado E del *Severn.* Está comunicada con el mar a través de un canal. La vieja ciudad comercial se denominó antiguamente, en la época romana, *Glevum,* y en la época anglosajona *Caer Glow.* Éste era el último lugar por el que se podía atravesar el Severn, lo que contribuyó a dar importancia a la ciudad. La ciudad recibió su primera ordenación bajo Enrique II (1155) y el rey Juan Sin Tierra (1199-1216). Durante la guerra civil, la ciudad simpatizaba con el partido del Parlamento; los realistas no la pudieron doblegar en 1643.

Cathedral: La abadía de *St. Peter* sobrevivió hasta el año 1540, dando importancia a la ciudad. Desde el 681 al 790 fue un convento de mujeres y hombres; a partir del 823 fue un colegio para sacerdotes mundanos y, en 1022, se convirtió en convento benedictino. Se comenzó con la construcción de la iglesia del convento, y el conjunto fue ampliado hasta que Enrique VIII disolvió la fundación, la entregó a los sacerdotes y consagró la iglesia como catedral. El verdadero iniciador de la construcción de la iglesia fue el abad *Serlo;* en 1100 se pudo

Cathedral. Mausoleo de Eduardo II ▷

TOMB OF
EDWARD II

inaugurar el nuevo templo. En 1327 se instalaron en la iglesia los restos del rey Eduardo II, asesinado más tarde en el castillo de *Berkeley,* ya que no fueron aceptados ni en Bristol ni en Malmesbury. Su tumba, realizada en el año 1330, está decorada con una estilizada cabeza de alabastro, siendo meta de numerosos peregrinos animados por el rey Guillermo III. Gracias a los ingresos procedentes de estas peregrinaciones, los monjes tuvieron la oportunidad de dar un toque en estilo gótico a la iglesia y ampliar la abadía.

De 1337 a 1351 se construyeron las bóvedas del coro; de 1351 a 1412 se creó el Vía Crucis; de 1420 a 1437 se edificó la fachada E; y en 1450 fue sustituida la torre del siglo XIII por una nueva torre central de 70 m de altura. En 1498, finalmente, fue terminada la *Lady Chapel.* En la nave principal se puede observar la transición del románico al gótico. La nave lateral N es totalmente románica y tuvo que ser renovada, al igual que la nave lateral S (1318). En el lado S se instalaron las ventanas góticas. Especialmente impresionantes son las columnas cilíndricas, sobre las que descansa el tejado. El imponente órgano fue creado en 1663. Es el más antiguo de todas las catedrales inglesas. En el coro también se pueden ver las renovaciones de estilo gótico que se efectuaron. Esta transformación general no perjudicó la estética del conjunto, ya que a través de ella surgió una de las edificaciones neogóticas de más belleza y armonía de Inglaterra. El inmenso ventanal E, de 22 × 12 m, es obra de Lord Bradeston, de 1352, quien lo creó para conmemorar la batálla de *Crecy.* Para su instalación tuvo que ser abierto un trozo del ábside de tiempos normandos (se conserva el emplomado original). La sillería del coro, igualmente, data del siglo XIV; las misericordias con las que está decorada representan grotescas que extrañamente no fueron censuradas. En el coro se encuentran algunos monumentos fúnebres de interés. El de más

Catedral

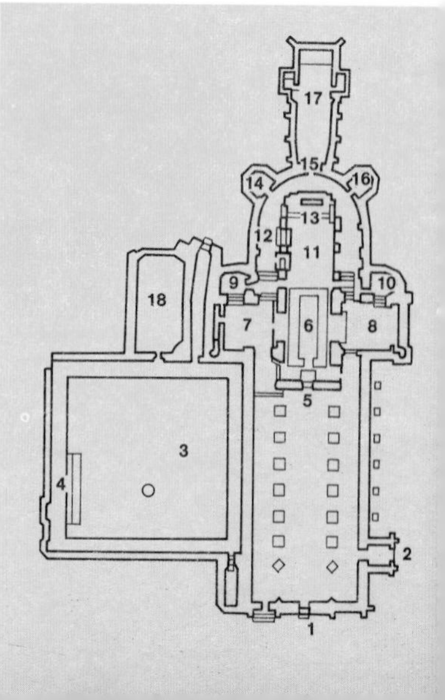

Gloucester Cathedral: **1.** Fachada O. **2.** Pórtico S. **3.** Vía Crucis. **4.** Lavatory. **5.** Altar. **6.** Coro. **7.** Crucero N. **8.** Crucero S. **9.** St. Paul's Chapel. **10.** St. Andrew's Chapel. **11.** Presbiterio. **12.** Monumento fúnebre de Eduardo. **13.** Altar Mayor. **14.** War Memorial Chapel. **15.** Ventana E. **16.** St. Stephen's Chapel. **17.** Lady Chapel. **18.** Sala capitular.

importancia, aparte del ocupado por los restos de *Eduardo II,* es el del rey *Osric,* fundador de la abadía. En la entrada al presbiterio se encuentra el monumento de *Robert Carthouse,* hijo mayor de Guillermo «El Conquistador», fallecido en el año 1134. Está decorado con una figura de encina.

La *Lady Chapel,* comenzada un año después de la instalación de la gran ventana E, debía de regirse por las proporciones de la misma. Así se creó la bonita capilla, un poco baja, con sus delicadas bóvedas, increíbles ventanas emplomadas y suelo de baldosa. También en la Lady Chapel se instaló una preciosa ventana E, que se conserva en perfecto estado y muestra la imagen del *árbol genealógico de Jesé.* En la gran torre central se encuentran 10 campanas, cuatro de ellas todavía datan de la época de antes de la Reforma, entre ellas «Great Peter» (1420).

El *Vía Crucis,* finalizado en 1312, impresiona por su belleza y su buen estado de conservación. Su techo de bóvedas en abanico es uno de los primeros de estilo en Inglaterra y se considera invención de los escultores de Gloucester. De especial interés en la parte N, el llamado *Lavatory* de los monjes. En el lado S estaba el *Scriptorium,* una especie de sala de estudio. En la biblioteca del convento se guarda esmeradamente una copia de la Biblia de *Coverdale,* de 1535, así como los restos de un manuscrito anglosajón del siglo X.

Church of Mary-de-Lode: Está construida sobre cimientos románicos y posee una sala de altar de poca alura y de procedencia normanda. Al N de la iglesia, cuatro arcos del siglo XI señalan el lugar donde estuvo la *St. Oswald Priory,* fundada en 909 y destruida en 1643.

City Museum: Se dedica en especial a la arqueología y a la historia natural de los alrededores, y contiene piezas tan valiosas como, por ejemplo, el espejo de bronce de *Birdlip,* de 25 a. de J. C., o bien varias esculturas románicas de 100 a 250 d. de J. C., esculpidas en Inglaterra. También se exponen en el museo diversas colecciones de cerámica, muebles, así como objetos de plata y vidrio.

Catedral. Detalle del sepulcro de Eduardo II

City Museum. Lápida de Rufo Sita

Sillería del coro de la Catedral

Bishop Hooper's Lodging: El obispo pasó aquí su última noche antes de morir como mártir. En la actualidad se alberga en el interior de la casa un museo de ciencia popular en el que, entre otras cosas, se muestran las diversas formas de pesca utilizadas en el *Severn.* También se pueden ver objetos y documentos sobre la historia del Regimiento de *Gloucestershire* desde su fundación, en el año 1694, hasta la actualidad.

Alrededores

Ashleworth (7 km N): La pequeña *Church of SS. Andrew and Bartholomew* data del siglo XIII. Su torre fue construida en el siglo XIV; la pila bautismal, octogonal, data del siglo XIV. La pila de agua bendita, en la entrada, es de antes de la época de la Reforma. Junto a la iglesia se encuentra la vieja cuadra, de casi 40 m, cubierta de piedra del siglo XV.

Elmore Court (6 km SO): La increíble casa de campo data de la época isabelina, pero existen partes de la época georgiana. La escalera, así como algunas chimeneas, son estrictamente isabelinas. En la casa se conserva una interesante colección de manuscritos antiguos.

Great Witcombe Villa (6 km SE): Esta casa de campo románica, con su increíble vista panorámica, se conserva en excelente estado. Las excavaciones arqueológicas realizadas en este lugar demostraron que los muros de la casa tenían más de 2 m de altura. Se encontraron también numerosos restos de mosaico romano, así como piezas de instalaciones de baños termales, también de origen romano.

Kempley (26 km NO): Esta pequeña iglesia normanda data de 1100 y en ella se conservan frescos de la misma época.

Westbury-on-Severn (18 km SO): *Westbury Court* contiene un hermosísimo y antiguo jardín que data del año 1700.

Catedral. Sepulcro de Roberto, Duque de Normandía

Gort
Galway/Irlanda Pág. 326 □ B 12

Desde este lugar, y a poca distancia, se pueden visitar numerosos lugares de interés turístico.

Alrededores

Ballylee Castle (2 km N): Este torreón del siglo XVI adquirió su fama debido al poeta W. B. Yeats (premio Nobel 1923), que habitó aquí de 1920 a 1929. En la actualidad se encuentra en el lugar un pequeño museo dedicado al poeta. No lejos se encuentra la vivienda de su compañera literaria, Lady Gregory, en el *Coole Park* (con su romántico lago del mismo nombre). Cerca se encuentran los restos de *Kiltartan Castle*, del siglo XIII, con sus muros defensivos hacia el E, así como *Tullira Castle*, hacia el N, un torreón del siglo XVII con reformas de 1882.

Fundación de Kilmacduagh (6 km SO): Esta fundación fue erigida por el rey Connacht en el siglo VII en honor al santo celta *Colman Macduagh;* su nombre gaélico significa «Iglesia (Kil) de Macduagh». Se conservan las ruinas de la catedral, de los siglos XI y XII, con hermosos pórticos de los siglos XII al XV; en el crucero N, bonitas esculturas del siglo XVII. Hacia el NE, la *Church of St. John* (probablemente del siglo XII), la *O'Heyne's Church*, de los siglos XIII al XV, y al E la *St. Mary's Church*, de 1200, con pórtico S del siglo XV. Merece atención la torre circular, de 34 m de altura (torre torcida, del siglo XII). Cerca se encuentra el *Glebe House*, residencia de un abad del siglo XIII («Abbot's House»).

Lough Cutra Castle (5 km S): Este encantador castillo se halla situado a orillas del lago del que lleva su mismo nombre (Lough Cultra); fue edificado por John Nash en el año 1820. En el interior del castillo se pueden contemplar bonitos muebles de los siglos XVII al XIX. El castillo está construido en estilo neogótico.

Grantham. St. Wulfram, pila bautismal

Cripta

Grantham
Lincolnshire/Inglaterra Pág. 328 □ K 13

St. Wulfram: Esta iglesia fue edificada esencialmente en el siglo XIV, en estilo decorated (la nave lateral N data de tiempos anteriores). La torre, de unos 93 m de altura, es también de finales del gótico y es una pieza ejemplar en la ciudad. Debajo de la *Lady Chapel* se encuentra una cripta doble de 1340 (techo de bóvedas dobles); igualmente de interés, la antesala S, con su decoración gótica. En el interior, la *Chantry Chapel* en la nave lateral N, con representaciones de escenas bíblicas y pila bautismal gótica.

Angel and Royal Hotel: Posada edificada en el siglo XIV. Bonita fachada de dos pisos, con entrada de arcos en el centro, flanqueada por dos ventanas arqueadas (marcos posteriores a la época de construcción).

Grantham House: Casa feudal de origen gótico de finales del siglo XIV, ampliada alrededor de 1570 en estilo isabelino renacentista y en el siglo XVIII nuevas ampliaciones en estilo georgiano. En 1503 fue vivienda de Margarita, hija de Enrique VII y esposa del rey Jaime IV.

Museum: Contiene interesantes objetos referentes a la historia y arqueología de la ciudad desde el siglo II a. de J. C. De especial interés, la exposición dedicada al gran físico Isaac Newton (1642-1727), que nació en la parte S de la ciudad (Woolsthorpe Manor).

Otros lugares de interés: La *Guildhall;* enfrente, una estatua de Newton. *Grammar School,* del siglo XVI, en la que estudió Newton. *Beehive Inn,* una

Guildhall

de las viejas posadas de la ciudad con un letrero en la entrada que indica que es un «auténtico panal de abejas».

Alrededores

Ancaster (10 km NE): Este lugar se denominó, en la época romana, *Causennae Station*, en la calle *London-Lincoln* (restos desenterrados de la vieja fortificación de la ciudad).
Belton (4 km N): La iglesia *SS. Peter and Paul* fue en su origen románica; ha sido reformada en múltiples ocasiones; la última transformación fue en 1816, cuando se instaló una capilla diseñada por J. Wyattville. También de interés, *Belton House*, casa feudal edificada por el arquitecto renacentista Cristopher Wren en 1685-1688. En el interior, hermosos pueblos de estilo y valiosa colección de obras pictóricas, así como el «dormitorio chino». En los antiguos establos se halla actualmente un museo dedicado a los caballos.
Belvoir Castle (10 km O): Castillo de los *Condes de Rutland;* en un principio fue una fortaleza del siglo XVII; se han efectuado, a lo largo de los años, numerosas modificaciones. En el interior, una interesantísima colección de pinturas; entre otras, obras de Rembrandt, Rubens, Holbein y maestros ingleses del siglo XVII.
Boothby Pagnell (6 km SE): Casa feudal edificada en 1178; de especial interés es la sala del sótano cubierta de bóvedas.
Bottesford (12 km NO): La iglesia *St. Mary* fue edificada en el siglo XIII; posteriormente fue transformada; en el interior destacan algunos monumentos fúnebres originarios de la Edad Media.
Caythorpe (12 km N): La iglesia *St. Vincent* es una edificación de estilo gótico del siglo XIII, con torre en el transepto; en el interior, de interés, los arcos ojivales de la nave principal y restos de pinturas murales realizadas en la Edad Media.
Folkingham (16 km E): La iglesia *St. Andrew* es de origen románico; más tarde fue reformada; el coro es de estilo neogótico Early-English. La torre es gótica. En el interior, de especial interés, las ventanas góticas.

Angel and Royal Hotel

Honington Camp (8 km N): Restos de un fuerte de la Edad del Hierro sobre una colina (uno de los pocos en Lincolnshire; se conservan los muros de defensa y las fosas).
Hough-on-the-Hill (11 km N): En la iglesia *All Saints* se puede ver una preciosa torre anglosajona; de especial interés, igualmente, la pequeña torre escalonada; en el interior, columnas tempranogóticas en las naves laterales y, en la parte N del coro, arcos ojivales.
Irnham (14 km SE): Iglesia *St. Andrew*, de origen románico; posteriormente fue transformada al gótico. En el interior, la lápida de *Sir Andrew Luttrell*, fallecido en 1390.
Osbourny (16 km E): La iglesia *SS. Peter and Paul* fue edificada en el siglo XIII, esencialmente en estilo decorated-gótico; en el interior, una bonita pila bautismal románica; también, bonitas tallas de madera de la Edad Media.
Sempringham (17 km E): La iglesia *St. Andrew* es de origen románico; de la misma época datan las arcadas en la nave principal y los pórticos. El coro fue adicionado en el siglo XIX.

Woolsthorpe Manor (10 km S): Casa natal del físico Isaac Newton.

Great Malvern

Hereford and Worcester/
Inglaterra Pág. 328 □ H 14

La ciudad, compuesta de siete partes, está situada en medio de un precioso valle de colinas, a una altitud de unos 450 m. Desde el monte más alto (452 m), el *Worcestershire Beacon*, se pueden ver tres catedrales: la de *Worcester*, *Hereford* y *Gloucester*.

Priory Church: La iglesia es una construcción normanda del siglo XI. En el interior de la iglesia se pueden ver todavía huellas de su procedencia; las arcadas románicas datan del siglo XII. El resto de la edificación data del siglo XV y es de estilo gótico.

Great Malvern. Priory Church, detalle de las vidrieras

La torre es una imitación de la de la catedral de *Gloucester*. La iglesia es famosa por sus preciosas ventanas del siglo XV y XVI. En especial, el increíble ventanal, de 6 m de altura, en el coro, y el de la *St. Anne's Chapel*, son excelentes trabajos. El ventanal en el crucero N representa la imagen del príncipe Arturo, hijo de Enrique VII.

Church of St. Giles: La iglesia se encuentra en *Little Malvern;* en el siglo XII formó parte de un convento benedictino. De la iglesia, reformada en el siglo XIV, sólo se conserva la torre central y la parte E. El ventanal policromado de la fachada E data del siglo XV y representa la imagen de Eduardo IV con su familia.

Alrededores

Eastnor (15 km S): La *Church of St. John the Baptist* data del siglo XII; contiene una torre del siglo XIV y fue ampliamente renovada por Sir Gilbert Scott en 1852, en estilo neogótico. El ventanal en la pared E es obra de E. Kempe. El *Eastnor Castle* fue edificado alrededor de 1810 por Sir Robert Smirke, constructor del *British Museum*. La construcción es neogótica, con imponentes torres circulares en las esquinas, y almenas que dan al castillo apariencia normanda. Al igual que las demás torres de la fortaleza, son obra del siglo pasado. El salón principal, de 18 m de altura y 20 m de longitud, fue diseñado por Sir Gilbert Scott. La biblioteca es obra de George Fox. En el castillo se puede ver actualmente una extensa colección de armas, así como valiosos tapices y pinturas.

Herefordshire Beacon (4 km S): Esta fortificación data de la Edad de Hierro e impresiona la magnitud de sus muros y fosas. Los romanos construyeron en este lugar un puesto de vigilancia; en la época normanda existió en el mismo lugar un castillo.

Ledbury (16 km SO): La *Church of St. Mi-*

Great Malvern. Priory Church, detalle de las vidrieras

chael and All Angels data del siglo XI; lo que queda de la construcción en la actualidad, no obstante, data de finales del siglo XIII y de principios del siglo XIV. La torre fue construida (parte inferior) en el siglo XIII y, en el año 1734, fue renovada la parte superior. Los ventanales datan de 1895-1904 y son obra de C. E. Kempe. La pieza más valiosa de la iglesia es una estatua que representa a un sacerdote, creada en la segunda mitad del siglo XII.

Great Yarmouth

Norfolk/Inglaterra Pág. 328 □ M 13

Este importante puerto ya fue utilizado por los romanos; en la actualidad la ciudad es el lugar vacacional de más afluencia turística de *Norfolk*. Se encuentra sobre una larga península, formada en parte por el lago y, en parte, por la desembocadura de los ríos *Bure, Yare* y *Waveney*. En las estrechas calles de la parte antigua de la ciudad todavía se conservan algunas casas viejas (hasta del siglo XIV). La zona más bonita de la ciudad se denomina *The Rows* y está situada entre *Hall Quay* y *Market Place*.

Church of St. Nicholas: La enorme iglesia parroquial, de 80 m de longitud, se incendió en 1942, de manera que actualmente sólo se conserva de la época de su construcción (siglo XII) el exterior del edificio. De esta época data la parte inferior de la torre; la fachada O fue construida en el gótico. De 1957 a 1961 la iglesia fue reformada ampliamente por Stephen Dykes Bower que redujo las arcadas en la nave e introdujo otras nuevas en el coro. La pila bautismal, normanda, y el púlpito, georgiano, proceden de otras iglesias. Los vidrios emplomados son obra de Brian Thomas; la reja del coro fue creada por Stephen Dykes Bower.

Greenhead. Hadrian's Wall

Town Wall: En los siglos XIII y XIV la ciudad fue rodeada por un imponente muro de defensa, con más de 16 torres y 10 pórticos. Parte de esta fortificación, que se conservó intacta hasta el siglo XVII, se pueden ver en la *Black friar's Road.*

Elizabethan Museum: Se encuentra en una casa isabelina con fachada georgiana. Sus habitaciones contienen preciosos trabajos de enmaderado y muebles del siglo XVI, así como diversos objetos domésticos de los siglos XVII al XIX. También expone una extensa colección de piezas de vidrio y cristal.

Tolhouse (Middlegate Street): En la antigua prisión de la ciudad, del siglo XIV, restaurada después de un devastador bombardeo en la segunda guerra mundial (1961), se encuentra actualmente el museo de la ciudad *Great Yarmouth.* Está dedicado exclusivamente a la historia de la ciudad.

Alrededores

Burgh Castle (5 km O): La fortificación románica fue construida alrededor del 300 para controlar el puerto natural en la encrucijada de los ríos *Yare* y *Waveney.* Se conservan de la fortificación tres muros que han sobrevivido al paso de los siglos de manera asombrosa. En la zona S los normandos edificaron una fortaleza de la que solamente quedan algunos restos.

Caister-on-Sea (6 km N): En este lugar existió una colonia romana fundada en el siglo II. De las piezas halladas se encuentran partes de un pórtico, una sección de un muro, así como partes del edificio principal. Los sajones destruyeron la colonia; no obstante, más tarde la habitaron. Después de una nueva destrucción por los daneses, los normandos reedificaron el edificio. El castillo es una impresionante ruina de una fortaleza edificada entre 1432-1435

Hadrian's Wall

por Sir John Fastolf («Falstaff» de Shakespeare). En este pintoresco lugar se encuentra actualmente un interesante museo dedicado al mundo de los motores.

Fritton (12 km O): La *Church of St. Edmund* fue fundada en la época sajona. El suelo de la sala del altar data del año 750, la torre circular fue erigida en el siglo XI y la pila bautismal es del siglo XV. En el ábside de la iglesia, con techo de paja, se descubrieron frescos del siglo XII.

Greenhead/Hadrian's Wall

Northumberland/Inglaterra Pág. 328 □ H 10

Hadrian's Wall: Edificación de la época romana, de gran importancia para Inglaterra; es, también, el ejemplo en mejor estado de conservación de una fortificación fronteriza romana. Fue edificada bajo orden del emperador Hadrian, de 122 a 130 d. de J. C., en la línea defensiva del territorio romano. La longitud total entre *Walls-end-on-Tyne* y *Bowness-on-Solway* es de 120 km; en la parte E la edificación es de piedra (altura unos 6 m); al O es de barro (4 m de altura); en la parte N existe una fosa paralela de 9 m de ancho y una profundidad de 3 m. En el lado S, el llamado *Vallum,* otra fosa de 6 m de ancho y 3 m de profundidad. Entre el muro y el *Vallum* existe un camino militar de 6 m de ancho. A una distancia de 8 m se encontraba, alternativamente, un fuerte (en total 17) y, entre ellos, a 1,5 km de distancia, se encontraban diversos puestos de vigilancia, que estaban comunicados por varias torres de vigilancia. En los siglos II y III hubo una primera destrucción debida a la invasión de los celtas; después de ser reedificado el largo «muro», volvió a ser definitivamente destruido en el año 383 d. de J. C. En el año 1745 se utilizó una parte de la fortificación para la construcción de la carretera *Newcastle Carlisle.* Las primeras excavaciones e investigaciones corrieron a cargo de William Carden, en el año 1586. Los hallazgos arqueológicos descubiertos se encuentran expuestos al público en los museos de *Carlisle, Newcastle, Housesteads, Chesters Fort* y en las zonas de las excavaciones.

Alrededores

Birdoswald (3 km O): Restos de la fortificación de frontera romana *Camboglanna* (mayor fortificación en la Hadrian's Wall); se conservan partes de los muros de fortificación, de los pórticos y de las torres; también se erige todavía un fragmento de la misma *Hadrian's Wall.*

Gilsland (2 km NO): Restos de la *Hadrian's Wall* y de dos altares románicos con varias inscripciones.

Haltwhistle (5 km SE): La iglesia *Holy Cross* fue fundada en el siglo XIII, sobre una construcción anterior de 1178; de especial interés

Hadrian's Wall. Puesto de vigilancia ▷

Lanercost Priory (Greenhead)

en el interior: bonitas lápidas, una pila bautismal sexagonal del siglo XVII y en el coro una misericordia compuesta por tres partes. La ventana E es obra de William Morris.

Lanercost Priory (11 km O): Fue edificada a mediados del siglo XII por Robert Vaux para los señores del coro agustino (utilización de material de la Hadrian's Wall); de esta época data el altar de «Júpiter» (en el interior). En 1740 la nave principal y la nave lateral S fueron transformadas en parroquia. En el interior se conservan hermosas arcadas de la época de construcción y bonitas ventanas de Sir Edward-Burne-Jones. Cerca de la iglesia existe un puente sobre el río *Irthing* de la época Tudor (siglo XV).

Over Denton (4 km O): Pequeña iglesia normando-románica que, probablemente, fue edificada en la época anglosajona (se conservan algunos restos) con material de la *Hadrian's Wall.*

Vindolanda Roman Escavations (10 km E): Restos de una fortificación fronteriza, románica, y de edificios civiles. En la zona de excavación, se reconstruyeron varias partes de la *Hadrian's Wall.* En el *Chesterholm Museum* se exponen interesantes hallazgos arqueológicos (entre otra variedad de cosas, trabajos realizados en cuero, piezas de vestir, de abrigo y objetos de la vida cotidiana).

Greenock

Strathclyde/Escocia Pág. 324 □ F 8

En esta ciudad comercial e industrial, situada a orillas del *Clyde,* nació James Watt (1736-1819), inventor de la locomotora a vapor. El astillero de mayor antigüedad en el Clyde fue fundado en el año 1711. De 1940 a 1945 fue la base principal de la flota aliada francesa. Una gran cruz de granito sobre el monte de *Lyle* fue erigida en memoria a

los navegantes franceses que perdieron la vida en las batallas navales del océano Atlántico.

Old West Kirk: La iglesia, fundada en 1591, fue la primera construcción después de la Reforma y la primera iglesia de los presbiterianos admitida oficialmente por el Parlamento. La iglesia, originalmente, se encontraba en otro lugar. En 1920 tuvo que ser retirada, ya que se ampliaba la zona industrial. Fue edificada nuevamente con el mismo material de construcción. En la iglesia se pueden ver ventanas de vidrio emplomado realizadas por Burne-Jones, Morris y Rossetti.

James Watt Memorial Building: Este edificio, edificado por William Blore en el año 1835, contiene piezas alusivas a James Watt, una galería de arte y el Museo de *MacClean,* con maquetas de barcos y distintas especies de ciencias naturales.

Alrededores

Port Glasgow (5 km E): Esta ciudad albergó hasta el siglo XVIII, el puerto de Glasgow. Entre dos astilleros se encuentra *Newark Castle,* la edificación más antigua de la ciudad. Esta edificación fue construida en el año 1597, sobre los cimientos de una edificación más antigua del siglo XV. El castillo es propiedad de Maxwell. Se encuentra en perfecto estado de conservación, siendo un perfecto ejemplo de construcción en estilo baronal escocés de finales del siglo XVI y principios del siglo XVII.

Grimsby

Humberside/Inglaterra — Pág. 328 □ K 12

St. James: La iglesia parroquial de esta ciudad fue edificada en el siglo XIII en estilo decorated-neogótico; más tarde fue ampliamente reformada (torre reedificada en estilo perpendicular en el año 1365; coro renovado a finales del siglo XIX).

Doughty Museum (o bien Welholme Galeries, en el Ayuntamiento de la ciudad): Es de especial interés la colección de más de 60 modelos de barcos de los siglos XVIII al XIX (en parte construidos por presidiarios franceses de las guerras contra Napoleón). La *Doughty Collection* expone porcelanas chinas y una pequeña muestra de lienzos con panorámicas de este bello lugar.

Otros lugares de interés: El mercado del pescado (Grimsby es en la actualidad el puerto pesquero de más importancia en Inglaterra).

Alrededores

Caistor (18 km SO): Esta fortaleza fue edificada sobre los cimientos de un castillo románico (se conservan restos de la fortificación). Merece especial atención la iglesia parroquial de *SS. Peter and Paul* (torre O de la época normanda; hermosos arcos del gótico en estilo decorated del siglo XIII). En el interior destacan las figuras en piedra de la Edad Media, de los siglos XIII y XIV, y pinturas sobre vidrio del siglo XIX de C. E. Kempe. **Cleethorpes** (junto al Grimsby): En este lugar se encuentra la iglesia *Old Clee* (Church of the Holy Trinity and St. Mary). La torre O y las arcadas de las columnas proceden de la construcción original anglosajona. En el interior, una bonita pila bautismal románica y una inscripción de 1192 en una columna. **Rothwell** (16 km SO): La iglesia *St. Mary Magdalene* contiene una torre O prerrománica; en el interior, bonitas columnas románicas y arcos ricamente decorados.

Guildford

Surrey/Inglaterra Pág. 332 □ K 15

La capital del Condado de *Surrey* se menciona históricamente por vez primera, como comunidad, en el año 1131, pero ya con anterioridad (antes del 900) era un poblado situado en el vado sobre el *Wey,* en tiempos del rey Alfredo. En la *High Street* se pueden ver todavía numerosas casas antiguas que testifican este hecho.

Royal King Edward VI. Grammar School: Fue fundada en 1557 y, actualmente, es utilizada como gimnasio de *Guildford.* La biblioteca de la escuela fue fundada por el obispo Parkhurst en el año 1573. Contiene 89 antiquísimos libros de la *Chained Library,* protegidos contra robos, dado su gran valor.

Cathedral: Fue diseñada, en 1927, por Sir Edward Maufe para la Diócesis de Guildford; la construcción fue comenzada en 1936. Fue inaugurada en el año 1961 y finalizada la obra por completo en 1964. El interior está decorado en estilo estrictamente gótico; las esculturas son obra de Eric Gill, Vernon Hill y Alan Collins; los ventanales de vidrio emplomado fueron creados por Moira Forsyth y Rosemary Rutherford.

Church of the Holy Trinity: Fue ampliamente renovada a mediados del siglo XVIII, después del derrumbamiento de la torre que ocasionó la destrucción casi completa de la catedral. Se conserva el monumento fúnebre del arzobispo *Abbot* (fallecido en 1633), así como el del orador *Onslow* (fallecido en el año 1768).

Archbishop Abbot's Hospital: Esa casa

Guildford. High Street

jacobina, construida en ladrillo en un extremo de la *High Street,* fue un obsequio del arzobispo de Canterbury para los habitantes pobres de su ciudad natal. El edificio está formado por una caserna de cuatro torres y un patio alrededor del cual se encuentran las viviendas. El hospicio, originalmente, era organizado por un dirigente, 12 monjes y 10 monjas. Actualmente la instalación es utilizada como asilo de ancianos, en el que los hombres lucen con orgullo en su cabeza la boina plana de estilo Tudor y el escudo plateado del arzobispo sobre sus abrigos. En la capilla del hospicio, edificada en 1621, se pueden ver bonitas ventanas de vidrio emplomado, así como retratos de Calvin, Wyclif y Foxe.

Museum: En una casa de ladrillo del siglo XVII se encuentran los utensilios utilizados por Lewis Carroll, el autor de «Alicia en el país de las maravillas». El poeta y escritor de fantásticos cuentos fue en realidad sacerdote; su nombre real fue Charles Lutwidge Dodgson. Falleció durante una visita a la ciudad de Guildford y está enterrado en el cementerio de la localidad.

Women's Royal Army Corps Museum: Entre los objetos expuestos se encuentran uniformes, piezas recordatorias y emblemas de la primera y segunda guerras mundiales.

Alrededores

Clandon Park (3 km E): Esta casa, de estilo clásico, edificada por el arquitecto veneciano Giacomo Leoni, de 1731 a 1735, para el segundo Lord Onslow, impresiona realmente poco por su aspecto exterior, sin embargo, es asombrosa la decoración interior de la edificación. La sala de entrada contiene dobles columnas corintias y techos ricamente estucados con figuras de ángeles y esclavos. Las chimeneas, en perfecta coordinación con la decoración general, son obra de Rysbrack, que incluyó relieves de Diana y Bacchus. Los tapices y estucados datan de la época de construcción de la casa; el valioso mobiliario, los gobelinos, espejos y porcelanas proceden de la casa de campo de *Little Trent Park,* en Hertfordshire. Es especialmente valiosa la colección de pájaros chinos de porcelana de los siglos XVII al XVIII.

Compton (5 km SO): La *Church of St. Nicholas* data de la época normanda. Es una de las iglesias de más antigüedad del condado, con su torre cubierta de pizarra de procedencia anglosajona y el techo cubierto al estilo normando. La iglesia es de especial interés por su santuario de dos pisos en el coro, de extraña construcción. La sala del altar está recubierta por un techo de bóvedas y, sobre ella, se encuentra una capilla abierta que conduce hacia el coro. La baranda circular que la rodea, de madera de encina, data de 1180. La *Watts Mortuary Chapel* es una pequeña iglesia cupular bizantina, con pórtico estucado y ángeles modernistas. La construcción fue comenzada en 1896, o sea en la época cuando el pintor inglés de más popularidad, George Frederic Watts, disfrutaría todavía de ocho años de vida. La capilla fue edificada gracias a la esposa del pintor, que, junto a sus alumnos de la escuela de cerámica, hizo con sus propias manos hasta los ladrillos de la iglesia. La decoración del interior de la rotonda es de estilo *art nouveau.* Los increíbles ángeles en el coro y el árbol genealógico que decora el centro son obra de Frederic Watts. En la *Watt's Gallery* se exponen más de 150 obras del maestro.

Godalming (6 km S): La pequeña ciudad es el lugar natal del poeta Aldous Huxley (1894-1963). La enorme *Church of St. Peter and Paul* data de la época normanda. Gran parte de la construcción data del siglo XIII. El *Borough Museum* se encuentra en la *Humdred House,* edificación que data del año 1814. Se encuentra en el lugar desde donde, durante más de mil años, se gestionó la documentación estatal del condado. Los objetos expuestos en el museo están dedicados a la historia de la ciudad y del condado, así como a la arqueología.

Loseley House (2 km S): Esta casa de campo, de estilo Tudor, fue edificada por Sir William More entre 1561-1569 con los restos de las ruinas de la abadía de *Waverley.* Se conserva la nave N, con su enorme sala, en la cual es de especial interés el trabajo de enmaderado con decoraciones grotescas y *Trompe l'œil.*

H

Haddington

Lothian/Escocia

Pág. 324 □ H 8

La pequeña ciudad, una de las más interesantes de Escocia, fue fundada por David I en el siglo XII. Aquí nació Alejandro II en el año 1198, al igual que el reformador John Knox en el año 1505. Actualmente la mayor atracción de la ciudad son las numerosas casas de los siglos XVII y XVIII. Aquí se encuentran 129 construcciones de gran importancia arquitectónica o histórica.

St. Mary's Church: La iglesia, con planta en forma de cruz latina, contiene una torre central del siglo XIV. La nave es utilizada como parroquia; fueron restauradas partes del coro y de la torre. En el cementerio, junto a la iglesia, se encuentran interesantes lápidas barrocas.

Abbey Church: Esta abadía, también con planta en forma de cruz, con su

Haddington. St. Mary's Church, fachada principal

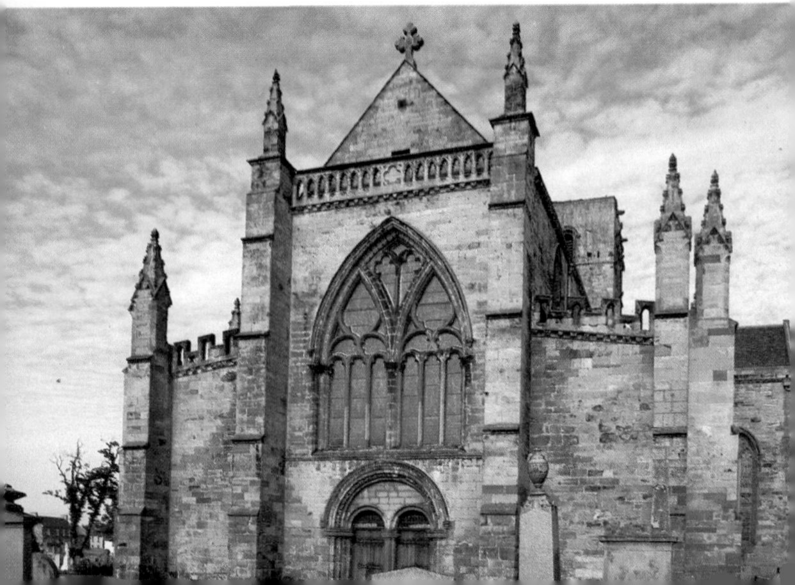

torre central, data del siglo XVI. La fachada O impresiona por el arco doble del pórtico. En el coro de la iglesia yace *Jane Welsh Carlyle,* la esposa del escritor Thomas Carlyle.

Haddington House: Este edificio, de finales del siglo XVII, es la vivienda de más antigüedad que se conserva en la pequeña ciudad. Actualmente se encuentra albergado en esta casa el museo de la ciudad.

Tow House: El Ayuntamiento es obra de William Adam. La construcción data del año 1748 y es un buen ejemplo del clasismo popular de la época. La torre, de 52 m de altura, fue erigida en el año 1831 y es obra de Gillespie Graham.

Otros lugares de interés: La *High Street* es especialmente atractiva por el conjunto artístico que representa. En este lugar fueron restauradas numerosas casas en el año 1962. El *Poldrate Mill* es un molino de trigo de tres pisos con una rueda del siglo XVIII, que, en la actualidad está aún en funcionamiento. *Mitchell's Close* es un ejemplo perfecto de la excelente restauración llevada a cabo en las casas erigidas en el siglo XVIII. Las barandas de las escaleras de la casa y los *Pantile roofs* se reconstruyeron en su forma primigenia.

Alrededores

Dunbar Castle (15 km E): El castillo, de extrema importancia en las guerras de la independencia, se encuentra en ruinas. Fue edificado en el siglo XIII. En 1339 soportó un sitio de seis semanas de duración por los comandos de los *Black Agnes,* dirigidos por la Condesa de March y Dunbar; en 1544 el *Earl of Hertford* pudo conquistar la ciudad, pero no el castillo. En 1570 el *Earl of Moray* consiguió destruir la fortaleza; en 1650 tuvo lugar en este lugar la batalla decisiva entre Cromwell y los Covenanters, de los que fueron asesinados más de 3 000 y apresados unos 10 000.

Hailes Castle (5 km E): Las ruinas de este interesantísimo castillo proceden del siglo XIII. En el año 1567 vivió en él durante una temporada María Estuardo, con Bothwell; en el año 1650 el castillo fue destruido por las tropas de Cromwell. Son de gran interés los estrechos y sendos calabozos en las torres de la fortaleza, a los que se puede descender, para hacerse una idea de los sistemas de cautiverio y tortura empleados en la Edad Media, por unas escaleras.

Tantallon Castle (10 km NE): La fortaleza del clan de los *Douglas* fue edificada en el año 1375 sobre la colina de una península. Los amos de la casa mantenían relaciones políticas con Escocia e Inglaterra; la fortaleza fue sitiada en algunas ocasiones por el rey escocés: en 1491, por Jaime IV, y, en 1528, por Jaime V. A partir del año 1529 la fortaleza fue ampliada y fortificada; en 1651, no obstante, fue bombardeada por el general Monck durante doce días, causándole graves destrozos. A pesar de todos los percances, las ruinas, en la actualidad, siguen siendo imponentes. El muro de defensa, de 15 m de altura y 4 m de ancho, tiene adosadas en el centro y a ambos lados grandiosas torres que tenían cinco pisos en los lados E y O. Las partes que daban al mar estaban protegidas por empinadas colinas de más de 30 m de desnivel. Desde el muro

Tantallon Castle (Haddington)

Haddington. St. Mary's Church

de defensa a tierra disponía de varios sistemas de seguridad compuestos por triples fosas vadeadas por pequeños puentes.

Halifax
West Yorkshire/Inglaterra Pág. 328 □ I 12

Halifax data de la época anglosajona; fue fundada como colonia y, desde 1275, la ciudad está dedicada al proceso de la lana. Halifax es conocida desde el siglo XIV por el llamado «Gibbet», antecesor de la guillotina, con el cual eran decapitados los ladrones de lana. De ahí surgió también el famoso dicho: «From Hell, Hull and Halifax - good Lord deliver us» (Buen dios, protégenos del infierno, Hull y Halifax). Actualmente Halifax es una activa ciudad industrial.

St. John the Baptist: Iglesia parroquial de la ciudad; data, en su mayor parte, del siglo XV; bonita torre en estilo perpendicular. De especial interés en el pórtico O, la *Old Tristram,* figura de madera de un mendigo (la estatua data del siglo XVII).

Piece Hall: Antiguo mercado de paños de la ciudad, fue finalizada su construcción en 1779. Se compone de tres pisos edificados alrededor de un patio; en total existen 325 salones. Actualmente el edificio está ocupado por empresas dedicadas al comercio.

Wainhouse's Tower: Torre de unos 90 m de altura; en un principio se destinó como chimenea de una fábrica, pero nunca fue puesta en funcionamiento; desde la terraza, en la cima, hay una bonita vista sobre la ciudad y alrededores. La torre fue construida en el siglo XIX para evitar la contaminación ambiental. Su constructor, y propietario de una tintorería

Haddington. St. Mary's Church, estela funeraria barroca (izq.) Pórtico (dcha.)

(teñiduría), quería proteger a los habitantes de los alrededores de los nocivos gases de la fábrica.

Shibden Hall: Casa feudal con paredes entramadas de los siglos XV al XVII; actualmente es un interesante museo popular. En la casa principal y en los edificios laterales se encuentran diversos talleres antiguos (herrería, guarnicionería, carretería, herrería de clavos y herraduras), así como una farmacia y una cervecería reconstruidas. En un edificio anexo se conservan viejos carruajes y otros medios de transporte.

Otros lugares de interés: *Town Hall,* el Ayuntamiento de la ciudad, del siglo XIX, en estilo del renacimiento italiano (torre de reloj de una altura de 60 m). *Old Cock Hall,* del siglo XVI; en el interior, bonitos muebles de madera de encina y ventanas pintadas. *Bankfield Museum:* se exponen viejas máquinas relacionadas con la industria textil y, entre otras cosas, la «cuchilla» original de la anteriormente mencionada «Gibbet».

Alrededores

Brighouse (5 km E): Interesante *Art Gallery;* una de las salas está especialmente dedicada al tallador de madera H. P. Jackson, nacido en la localidad.

Hepton Stall (10 km NO): Bonito pueblo antiguo. De especial interés, la *Northgate,* capilla del año 1764; la vieja escuela del siglo XVII ha sido convertida actualmente en museo. De la vieja iglesia del siglo XV sólo quedan restos de los muros de 1854.

Huddersfield (10 km SE): De especial interés es el *Tolson Memorial Museum.* Su construcción es de estilo clásico, con ocho columnas en la fachada principal. Se encuentra en el *Ravensknowle Park,* cerca de la estación de ferrocarril. Aquí se exponen hallazgos arqueológicos de la época romana y una extensa colección sobre la industria textil. En la *Art Gallery* (Princess Alexandra Walk) se expone una importante colección de esculturas modernas (entre otros, Epstein y Moore).

Kirkburton (20 km SE): Bonita iglesia que data, en parte, del siglo XII.

Mirfield (10 km E): En la *Kirklees Hall* se encuentra, según cuentan viejas leyendas, la tumba del héroe *Robin Hood.*

Todmorden (15 km O): En la *Todmorden Hall,* de más de trescientos años de antigüedad, se encuentra actualmente la oficina principal de correos. En la fachada del *Town Hall* existen figuras alegóricas de *Yorkshire* y *Lancashire* (la frontera entre los dos condados pasaba antiguamente por el lugar en el que se halla enclavado este edificio).

Halstead

Essex/Inglaterra Pág. 332 □ L 14

Esta pequeña ciudad, en la parte superior del *Colne,* ha podido conservar su confortable carácter y alguna casa antigua.

Church of St. Andrew: Data de los siglos XIV y XV; en el siglo XIX, no obstante, fue ampliamente reformada. Las tablas del altar son obra de Sir Arthur Blomfield y datan del año 1893. En la iglesia se encuentran diversos monumentos fúnebres en especial de la familia *Bourchier.*

Blue Bridge House: La casa, de la época de la reina Ana (Queen Anne) fue edificada en 1713 por encargo de John Morley, respetando una casa de más antigüedad. Contiene una bonita colección de lienzos de pájaros de los siglos XVIII y XIX.

Alrededores

Castle Hedingham (9 km NO): Esta pequeña ciudad se edificó alrededor de una antigua fortaleza normanda que hicieron edificar los *Earl of Oxford* en 1130. Del castillo se conserva el imponente cementerio de cuatro pisos. Sus muros, de un ancho de 4 m, están decorados en el interior con arcos ornamentados en zigzag. Sobre la fosa del cementerio existe un puente del siglo XV. La *Church of St. Nicholas* data igualmente de la época normanda; las claraboyas fueron construidas posteriormente.

Halifax. Town Hall

Detalle de la puerta

La torre data de 1616; los dos pórticos S y el pórtico N son normandos también. La nave está decorada en el interior con un doble techo de vigas. Las rejas del coro y la sillería, con hermosas misericordias, datan del siglo XIV.

Great Bardfield (20 km O): La *Church of St. Mary the Virgin* data del siglo XIV; la torre O y la sala del altar datan de la época normanda. Son de especial interés restos de los vidrios emplomados del siglo XIV y las rejas del coro esculpidas en piedra de la misma época.

Little Maplestead (6 km NE): La *Church of St. John the Baptist* es la más moderna y pequeña de las cuatro iglesias circulares inglesas de la Edad Media. Su nave circular tiene tan sólo 10 m de diámetro. Fue edificada por los *Knights Hospitaller* en 1340. La sala del altar está construida en forma de ábside, en el lado E, y fue erigida en la misma época.

Wethersfield (13 km O): La *Church of St. Mary Magdalen* data del siglo XIII; fue reformada y transformada en los siglos XIV y XV. Datan del siglo XV la nave y las claraboyas de proporciones extraordinarias. En la iglesia se pueden ver restos de los vidrios emplomados del gótico e interesantes monumentos fúnebres que también datan del siglo XV.

Harlech

Gwynedd/Gales Pág. 328 □ G 13

Harlech (1 200 hab.): Es la ciudad histórica del nacionalismo galés. Ciudad predominantemente medieval, posee las imponentes ruinas de una interesante fortaleza.

Castle: El conquistador Eduardo I fundó aquí un castillo cerca del mar, en una excelente situación contra los ataques galeses, en 1283. La fortaleza, cuadrangular, con torres esquineras, está protegida por una ancha fosa que la rodea. El mar, mejor dicho, un canal, llegaba directamente hasta los muros del castillo. La vista desde los muros es excelente; están en casi perfecto estado de conservación el pórtico (al S), el patio interior y los muros de la sala principal.

Alrededores

Llanaber (18 km S): En este pequeño pueblo costero se encuentra la iglesia del Mar:

Halstead. Church of St. Andrew, Altar Mayor

La *Church of St. Mary* data del siglo XIII; es de estilo Early English (neogótico), con increíble ornamentación en el paseo de entrada y las columnas. La ventana E se compone de un solo arco ojival. En las cercanías, en especial en *Carneddan Hengwm,* se hallan varios monumentos prehistóricos y hallazgos celtas.

Llanddwyne (10 km S): En el pueblo se encuentra una iglesia de estilo perpendicular del año 1593, con un cementerio circular y una capilla de 1615. En las cercanías, la casa feudal *Cors-y-Gedol,* de 1576. A las afueras de este lugar, en *Dyffryn* (Burial Chamber), se encuentra el túmulo circular neolítico con dos cámaras en bastante buen estado de conservación.

Maentwrog (15 km NE): Su nombre le viene del santo celta *St. Twrog* (siglos VI a VII), sepultado en el cementerio de esta localidad.

Portmeirion (8 km N): En la pequeña península, en la bahía de *Thraeth Bach,* se encuentra un «paraíso aristocrático» con un aire italiano (campanas, casas de colores, restaurantes).

Tomen-y-mur (15 km NE): Cerca del lago de *Trawsfynydd* se encuentran importantes ruinas romanas (del 78 al 135), aparte de muros celtas y normandos.

Harris and Lewis (I)

Escocia — Pág. 322 □ E 4/5

Harris y *Lewis* son una sola isla que está dividida por una cadena montañosa de 12 km de ancho. Culturalmente se han desarrollado de manera independiente. El idioma también tiene una fonética diferente. Procede de *Harris,* el mundialmente famoso *Tweed* de la lana de oveja.

Rodel: En el pueblo pesquero, en la punta S de *Harris,* se encuentra la única iglesia medieval de planta en forma de cruz. *St. Clemens Church* data de 1500; aquí fue sepultado el dirigente del clan Alastair, *Crotach MacLeod* (1528). Elemento especialmente arcaico son las esculturas de la fertilidad, en la torre de la iglesia. Son las únicas de este estilo en Escocia.

Carloway: Esta fortaleza, a 3 km al S del pueblo, es una de las mejor conservadas de Escocia. Fue edificada en el año 2 a. de J. C.; el patio interior tiene un diámetro de 7,5 m. Los muros exteriores conservan su altura original de 9 m.

Callanish: Los *Standing Stones* son tan importantes como el *Stonehenge* en Escocia. Se encuentran aquí, desde hace tres mil quinientos años, en el suelo pantanoso. La cámara interior está formada por un círculo de unos 12 m de ancho, alrededor de un monolito de unos 5 m de altura. Existe un paso que tiene unos 83 m de largo y 8 m de ancho y que conduce a la cámara central. El círculo está formado por 13 menhires.

Otros lugares de interés: A 4 km de *Barvas* se halla una típica casa de las islas Hébridas (Black House), conservada en perfecto estado y convertida en la actualidad en museo. En *Shawbost* se reunieron en un museo interesantes exponentes sobre la historia de la población y alrededores.

Harrogate

North Yorkshire/Inglaterra — Pág. 328 □ I 11

La época de florecimiento de la ciudad comenzó con el descubrimiento de las aguas termales curativas (88 fuentes, principalmente de azufre y hierro). Actualmente son las más importantes de Inglaterra. La ciudad es un importante centro turístico y en ella se celebran importantes conferencias. Goza de increíble belleza gracias a sus numerosos parques (Britanin's Floral Resort). Merece especial atención el edificio *Royal Báths,* donde antiguamente se efectuaban curaciones y tratamientos; actualmente es utilizado para la celebración de conferencias y como sala de exposiciones.

Harlech, Castle

En el *Royal Pump Room,* junto a la mayor fuente de aguas sulfurosas (cantina), se encuentra un pequeño museo dedicado a la historia del lugar, el *Museum of Local Antiquities.*

Alrededores

Cowthorpe (12 km E): Interesante iglesia edificada con los restos de una edificación de más antigüedad; la torre posee originales arcos ojivales.
Fewston (15 km O): Iglesia del siglo XIII; construcción actual en estilo jacobino (estilo Renacimiento de la época Estuardo). Cerca, en *Swinsty Hall,* se localiza un bonito edificio del siglo XVI.
Hilltop Hall (15 km S): Antiguo albergue para monjes, situado en el camino que conduce a *Fountains Abbey,* edificado en un estilo mezclado; siglo XV.
Knaresborough (6 km NE): En esta ciudad, situada en el valle *Nidd,* se pueden ver numerosos lugares de interés turístico; la iglesia *St. John the Baptist* fue mencionada por vez primera en 1114; la nave principal y las naves laterales datan del siglo XV; la torre y las capillas adjuntas, de estilo Early English, fueron edificadas en el siglo XII; en la sacristía se pueden ver dos pinturas sobre madera, en tamaño natural, de Moisés y Aarón, del siglo XV. La *Chapel of our Lady of the Crag,* excavada en la montaña sobre el río *Nidd,* única en su estilo en Inglaterra, data del siglo XV. El castillo, del siglo XIV, fue destruido durante la guerra civil en el siglo XVII; se conserva de la construcción, que estaba formada por 11 torres fortificadas, solamente el cementerio cuadrangular (longitud, unos 17 m) y restos del pórtico principal. *Manon House,* casa feudal del siglo XIII; en el interior se encuentra una cama en la cual durmió Oliver Cromwell. *St. Robert's Cave,* cueva del santo anacoreta San Roberto (1160-1218).
Nun Monkton (10 km E): Hermosa iglesia con estilo mezclado románico, transicional y Early English. De especial interés, el pórtico románico.

Pannal (3 km S): De especial interés, la iglesia *St. Robert of Knaresborough,* del siglo XII; las partes más antiguas son el coro y la torre; en el interior, interesantes monumentos fúnebres de la familia *Bentley;* en la primera ventana, en la fachada S, un maravilloso trabajo de emplomado que muestra la prioría de *St. Robert Knaresborough,* que formó parte de la iglesia en 1348.

Ripley (6 km N): Iglesia *All Saints,* del siglo XV; en el interior, interesantes monumentos fúnebres de la familia *Ingilby;* en la esquina NE de la iglesia, el atuendo medieval de color negro de un caballero, con un escudo. *Rippley Castle,* desde 1350 sede de la familia Ingilby, edificado en estilo Tudor (el pórtico y la torre datan de los siglos XV y XVI); excelentes instalaciones interiores.

Rudding Park (5 km SE): Hermoso jardín con casa feudal en estilo Regency de finales del siglo XVIII.

Spofforth Castle (8 km SE): Casa feudal fortificada del siglo XIV, edificada sobre otra casa de la época anglosajona. Aquí nació el famoso Harry Hotspur, de la familia *Percy.* Después de numerosas reformas y modificaciones fue destruida definitivamente en 1604. En la *Great Hall* se pueden ver interesantes ventanas arqueadas ojivales. También de interés en este lugar es la iglesia *Spofforth,* edificada en estilo tardío normando transicional; en el interior, restos de una antiquísima cruz de término.

Wetherby (15 km SE): La localidad ya fue colonizada en la época romana; se pueden ver restos de una fortaleza de la época de Enrique I (1100-1135) y un puente.

Hartlebury Castle

Hereford and Worcester/
Inglaterra — Pág. 328 □ H 14

El obispado de *Worcester* posee en este lugar una residencia desde hace más de mil años. La increíble casa fue construida, en 1675, cerca de un castillo protegido por un inmenso muro y una fosa. La entrada de la residencia está decorada con una galería de retratos y un salón de estilo rococó. En el castillo se conserva la biblioteca de *Richard Hurd* (1720-1808) y el museo del Condado.

Alrededores

Bromsgrove (20 km E): La *Church of St. John the Baptist* tiene una torre del siglo XIV y numerosos monumentos fúnebres de los siglos XV y XVI. La mayoría son esculturas de alabastro de miembros de las familias *Talbot* y *Stafford.*

Chaddesley Corbett (9 km NE): La *Church of St. Cassian* conserva todavía la nave normanda; el resto de la edificación data del siglo XIV. De especial interés, la pila bautismal prerrománica decorada con serpientes, dragones y gusanos; también merecen atención algunos monumentos fúnebres que datan de principios del siglo XIV.

Great Witley (17 km SO): La *Church of St. Michael and All Saints* formaba parte en la antigüedad de *Withley Court,* residencia principal de Lord Foley. A principios del siglo XVIII la construcción medieval fue derrumbada y se edificó sobre los cimientos una construcción de estilo barroco. La extraña planta de la iglesia incluye en el extremo E, a la altura del altar, dos pequeños cruceros; la torre se eleva en el extremo O sobre la entrada. La increíble decoración procede sólo en parte de la zona donde está ubicada la iglesia. Los increíbles ventanales, diseñados por el veneciano Francesco Sleter y elaborados por Joshua Price en 1719, fueron adquiridos por Lord Foley, heredero del *Duque de Chandos.* Del mismo origen proceden los preciosos lienzos de Antonio Belucci, al igual que el órgano. Los ricos estucados se conservan laminados en oro, al igual que el altar. En el crucero S se puede admirar el monumento fúnebre del *primer Lord Foley,* obra de Michael Rysbrack realizada en la primera mitad del siglo XVIII.

Hastings

East Sussex/Inglaterra — Pág. 332 □ L 16

Hastings, al igual que *St. Leonards,* está compuesto principalmente por viviendas y es, actualmente, un lugar

Battle (Hastings). Abbey ▷

Bateman's (Hastings). Casa del escritor Rudyard Kipling

turístico; antiguamente fue un idílico pueblecito de pesca. Muestra de ello es la parte antigua de la localidad, con sus estrechas calles y bonitas casas de paredes entramadas del siglo XVI. Durante su época de florecimiento, en la Edad Media, Hastings fue uno de los cinco puertos del canal de la Flota Real; sufrió diversos ataques franceses, en especial en la guerra de los Cien Años (1337-1453). El decaimiento del puerto ocasionó también el de la localidad.

Church of St. Clement's and All Saints: Hermosa iglesia medieval en estilo perpendicular, siglo XIV.

Castle: En la parte alta de la zona antigua de la ciudad se encuentran las ruinas de una fortaleza edificada por Guillermo El Conquistador, después de una batalla en Hastings en el año 1066. Éste fue el primer castillo de este estilo construido en Inglaterra.

St. Clement's Caves: Estas cuevas penetran en *West Hill* unos 20 m.

Fisherman's Museum: La casa, edificada cerca del pueblo en el siglo XIX, debía ser, según el proyecto principal, una capilla. Actualmente se exponen, entre otras cosas, el «Enterprise», el último barco pesquero construido en Hastings, sobre cuya cubierta se continúa bautizando a los hijos de los pescadores según la tradición.

Museum and Art Gallery: En este museo, en la *Cambridge Road,* se expone la colección de los mares del S, de Lord Brassey.

White Rock Pavillon: Increíble tapiz, confeccionado en la *Royal Needlework School,* novecientos años antes de la *batalla de Hastings.* El diseño muestra hechos históricos desde 1066; el dibujo de la alfombra bordada es similar al del tapiz de Bayeux.

Bodiam Castle (Hastings)

Otros lugares de interés: *Bottle Alley,* es el paseo del puerto en el que las paredes están decoradas con pedazos de vidrio. El *Conqueror's Stone,* erigido en conmemoración a Guillermo «El Conquistador», que supuestamente desayunó, en cierta ocasión, sobre esta piedra.

Es también interesante el puerto pesquero, con sus botes descansando boca abajo sobre la arena y las redes de pesca secándose al sol, apiladas sobre pintorescas torres. Fueron construidas en el siglo XVI, ya que los pescadores alquilaban el terreno del puerto a un altísimo precio. A lo largo del paseo marítimo, en dirección a *St. Leonard's,* existen hileras de bonitas casas georgianas del siglo XVIII y de estilo royal del siglo XIX. Es de especial interés el «reloj de flores», compuesto de más de 30 000 plantas; en el *White Rock Garden* se expone un pueblo en miniatura, una reproducción de un pueblo de estilo Tudor.

Alrededores

Bateman's (17 km NO): Aquí se encuentra la casa edificada en 1634, en la que habitó el escritor Ruyard Kipling de 1902 a 1936.

Battle (9 km NO): En este pintoresco lugar, en el que se hallan algunas casas de los siglos XIII y XIV, tuvo lugar en 1066 la *batalla de Hastings,* la lucha por Inglaterra en la que el rey sajón Harald II fue derrotado por su adversario normando, William. Éste había jurado edificar aquí una iglesia en caso de obtener la victoria, de la cual no se conservan restos en la actualidad. El *Harold's Stone* está situado en el lugar de la antigua iglesia en la que falleció Harald II. Posteriormente se edificó un convento benedictino alrededor de la antigua iglesia, del que se conserva el imponente pórtico de entrada que indica el centro de la ciudad. También de interés es la *St. Mary's Church,* edificación normanda del siglo XII y el *Battle Historical Society's Museum,* que ofrece una extensa colección sobre la historia de Sussex desde sus orígenes hasta la actualidad.

Bodiam Castle (15 km N): Pintoresco castillo del siglo XIV, de planta cuadrangular, rodeado por una profunda fosa y bonitas torres cubiertas de almenas. La fortaleza no ha sido nunca expugnada a lo largo de la historia, por lo que ofrece una perfecta muestra de la construcción de la época, en la cual se comenzaba a dar más importancia al confort en las viviendas.

Brede Place (8,5 km NE): Edificio semejante a un castillo del siglo XIV. Actualmente, alberga en su interior una colección de armas de la época de construcción y obras de la escultora Claire Sheriden. También de interés, la capilla.

Burwash (18 km NE): *Rampyndene*, típica casa de paredes entramadas con un techo y una chimenea muy grande (siglo XVII).

Fairlight (2 km E): Hermosa excursión por los *Firehills* al encantador pueblo.

Haverfordwest/Hwlfford

Dyfed/Gales Pág. 330 □ F 14

La ciudad, con unos 9 000 habitantes, en la desembocadura del *Western Cleddau*, en la estirada bahía de *Milford Haven*, fue fundada por los vikingos. Los normandos fundaron aquí una fortaleza en el siglo XII para defender la «línea Landsker» (frontera de las lenguas inglesa-gaélica), que fue alargada en el siglo XIII. El castillo fue arrasado en el año 1648 por Oliver Cromwell. En las ruinas de la fortaleza se encuentra un pequeño museo dedicado a la historia de la ciudad (el edificio data del siglo XIX).

St. Mary's Church: La parte de más antigüedad de la iglesia de María, la nave principal, data del año 1170 (arcadas de 1240). En los capiteles se pueden ver fantásticas grotescas, figuras y cabezas humanas. Por ejemplo: un mono tocando un arpa, un cordero mordido en la cabeza por una serpiente (victoria de la bondad sobre la maldad), un monje con una jarra de cerveza sobre su cabeza y otras fantásticas figuras. También interesante es el techo de madera de encina y los ventanales de estilo perpendicular en la nave principal, las tallas en la sillería del coro del siglo XV (Mayor's Bench) y el hermoso pórtico S de estilo Early English; igualmente, una lápida funeraria con la figura de un pe-

Haverfordwest. St. Mary's Church, capitel

regrino (alrededor 1450), cerca de la ventana SO. Quedan escasos restos de un antiguo convento benedictino (cerca del hospital).

Alrededores

Dale (20 km SO): En el extremo S de la península se encuentra un pueblo pesquero, encantador y romántico, que posee un castillo restaurado de gran belleza (la nave S es original de la época de construcción). En la zona montañosa, al S, a unos 3 km de *Dale*, una hermosa vista a mar abierto y la bahía *Milford Haven Bay* (faros).

Llawhaden (13 km NE): En el idílico valle del *Eastern Cleddau* se encuentran las ruinas de una vieja fortaleza episcopal. Los obispos de *St. David* edificaron el castillo en el siglo XIII para proteger sus tierras. Se conservan el precioso paseo del pórtico con delgadas torres y la casa con dependencias para la guardia, la pared S con dos torres y la capilla. Detrás del viejo puente *Cleddau* se encuentra la iglesia parroquial, que data del siglo XIII (reformada en el siglo XIV), con hermoso púlpito y una torre antigua y otra moderna. En las cercanías se encuentra *Blackpool Mill* (hacia el S), único molino de esta época (1813) en Inglaterra.

Marloes (Marloes Rath, 15 km SO): En este lugar se hallan los restos de un castillo prehistórico con tres imponentes filas de muros y fosas. Los nombres de las islas enfrente del castillo, *Skomer, Skokholm* (de Stockholm) y *Grassholm,* proceden de la colonización vikinga del siglo XI. En ellas se pueden ver infinidad de diferenes pájaros (estación de aves en Skokholm).

Milford Haven (10 km S): La pequeña ciudad (15 000 hab.), fundada por emigrantes americanos (los cuáqueros) en el siglo XVIII, está situada en la imponente bahía del mismo nombre. *Milford Haven* es un inmenso valle inundado, de unos 3 km de ancho y 32 km de largo. Las aguas albergan infinidad de secretos e historias. Se compone de cinco grandes bahías, 16 bahías más pequeñas y más de 15 rutas de navegación.

Narberth (14 km E): En la parte S de la localidad se encuentran restos de un castillo de planta cuadrangular con torres esquineras (se conserva en bastante mal estado). Según la leyenda aquí habitó el príncipe celta *Pwyll* (pron. Puyll), que en su tiempo intercambió la regencia con el rey de los muertos, *Arawn* (pron. Araun).

Picton Castle (7 km E): El castillo, con su hermoso parque en buen estado de conservación, data del siglo XIII; las decoraciones en el interior, de estilo georgiano, son de

Haverfordwest. St. Mary's Church

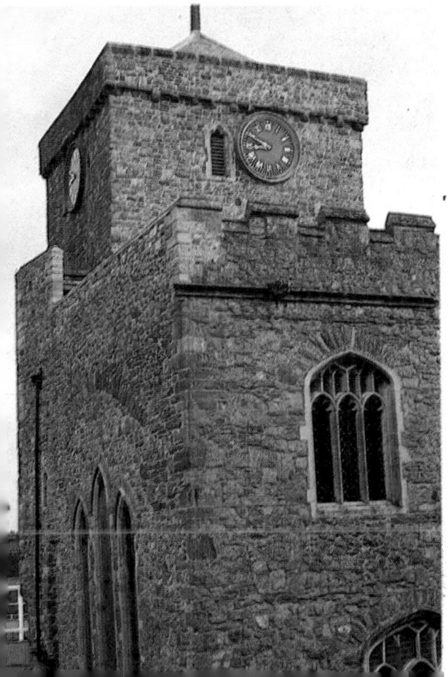

Artesonado de roble

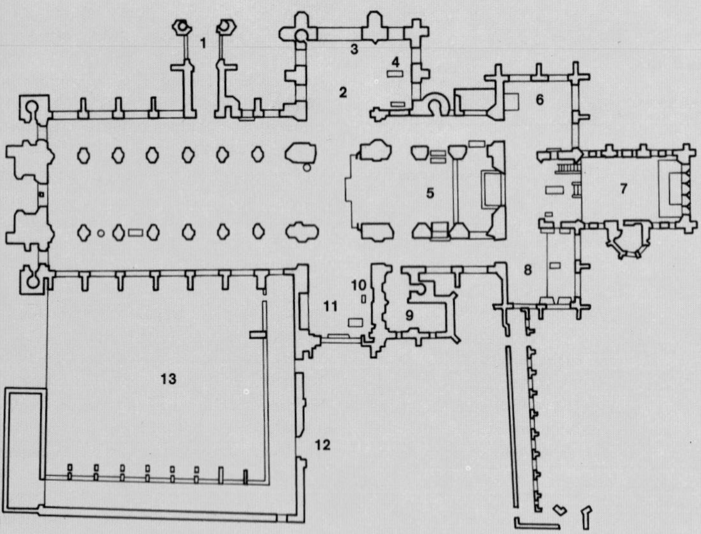

Hereford Cathedral: 1. Bishop Booth's Portal. **2.** Crucero N. **3.** Monumento fúnebre del obispo Thomas Charlton. **4.** Monumento fúnebre del obispo Thomas Cantelupe. **5.** Coro. **6.** Crucero NE. **7.** Lady Chapel. **8.** Crucero SE. **9.** Sacristía. **10.** Altar. **11.** Crucero S. **12.** Ruinas de la sala capitular. **13.** Claustro episcopal.

1740; interesante galería de lienzos de Graham Sutherland.

Roch Castle (10 km NO): La fortaleza, del siglo XIII, está situada en la carretera a *St. David's* y es, en la actualidad, vivienda de Lord Kehswood.

Hereford/Hereford and Worcester

Inglaterra Pág. 332 □ H 14

Esta vieja ciudad, en la orilla izquierda del *Wye,* ya fue en el año 672 residencia de un obispo de *Lichtfield.* En la Edad Media ya existió aquí un castillo fortificado con numerosas torres a orillas del río, mas no queda ningún resto de la construcción.

Cathedral: La iglesia, de unos 110 m de longitud, está consagrada a la devoción de los santos *Ethelbert* y *María.* La catedral fue construida gracias a una milagrosa aparición. El ánima de *St. Ethelbert,* asesinado por Offa de Mercia en 794, exigió al asesino la construcción de la iglesia para pagar tan grave pecado. Así se edificó la iglesia en 825 sobre la tumba del santo, siendo la primera iglesia de piedra de los alrededores. Con la aparición de los galeses en 1056, se incendiaron la iglesia y la ciudad; el obispo normando Robert de Losinga hizo reconstruir la iglesia en 1079. De la construcción circular y simple, su sucesor, Reynelm (1107-1115), construyó la primera iglesia, de una nave. La construcción de la *Lady Chapel* fue comenzada bajo la regencia de William de Vere (1186-1199) y fue finalizada en 1220. El gran crucero N se concluyó en 1260. La enorme torre central (55 m de altura), encima del

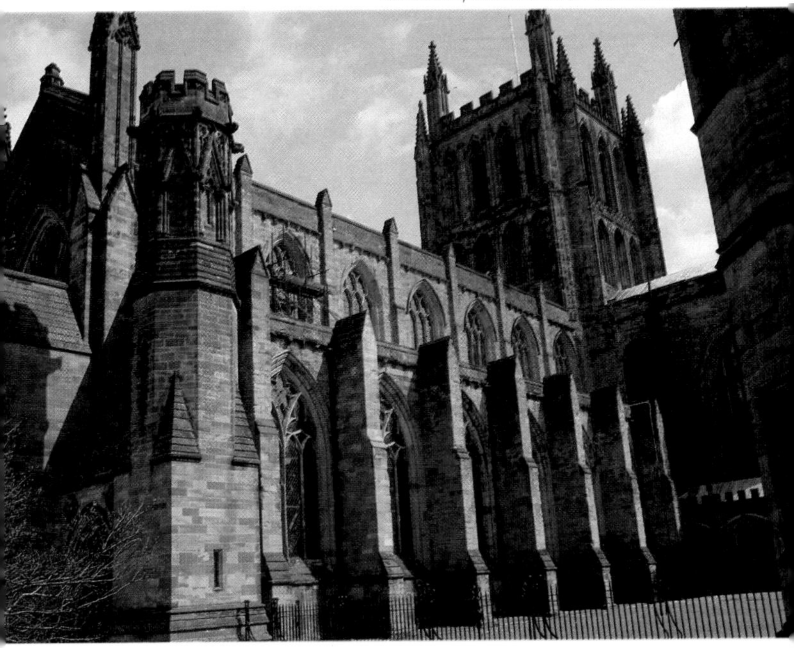

Hereford. Catedral

transepto normando, fue construida gracias al obispo Adam of Orleton (1312-1327), al igual que la sala capitular, de la que sólo quedan ruinas. En 1786 se derrumbó la torre O, llevándose consigo partes de la de estilo normando. La ocasión fue aprovechada para reconstruir la nave y el frente O en estilo neogótico. A pesar de las numerosas construcciones habidas en la iglesia a lo largo de los siglos, la planta de la misma es asombrosamente clara, en forma de doble cruz. La nave y el coro contienen dos naves laterales, respectivamente; entre el coro y la *Lady Chapel* se encuentran dos cruceros de menor tamaño; a la altura del transepto, junto con los impresionantes arcos que soportan la torre, se encuentra, en el lado N, un imponente crucero y, en el lado S, otro crucero algo reducido por la sacristía, la *St. Ethelbert's Chapel.* La nave, a pesar de las numerosas modificaciones habidas en la reconstrucción es, en la parte O, impresionante ya que se conserva la construcción normanda. Las inmensas pilastras, los arcos con sus ricas ornamentaciones, y la construcción en general, dan una idea de cómo estaba construida la iglesia en sus orígenes.

En las naves laterales, no obstante, se observa una fuerte influencia gótica; el púlpito, de madera de encina, data de 1610. El gran crucero N es también temprano-gótico y conserva algunas ventanas del siglo XV. Aquí se encuentra enterrado el obispo de *Cantelupe* (1282); su tumba ha atraído a infinidad de peregrinos. En ella se pueden ver bonitas esculturas de caballeros de la época. También los restos del obispo *Thomas Charlton* descansan en esta iglesia. El crucero S conserva su carácter normando; en la pared E se puede ver un tríptico de 1530. El coro, del siglo XIII, impresiona por su triforio y las claraboyas de estilo Early English, que datan, al

Hereford. Catedral, nave

igual que el techo de bóvedas del siglo XIII. El trono obispal y la sillería del coro datan del siglo XIV. La *Lady Chapel,* de estilo Early English, finalizada en 1220, impresiona por sus cinco ventanas lanceoladas en la pared E. Algunas de las ventanas de la capilla todavía conservan el emplomado original del siglo XIV. Aparte de las numerosas tumbas de obispos, la iglesia ofrece otras maravillas, como, por ejemplo, el mapa mundi de *Richard of Haldingham's.* Este mapa medieval no sólo es el mayor, sino también el mejor hecho de Europa; fue pintado sobre pergamino en 1275, en Lincoln. En el centro del mapa está representada Jerusalén y, alrededor de la ciudad bíblica, el mundo según se imaginaba en la Edad Media. También merece especial atención la biblioteca «de cadenas»; es la mayor de su especie en el mundo. Más de 1 500 libros, en parte manuscritos y documentación muy antigua, están alineados en estantes y encadenados a los mismos, de manera que puedan ser leídos sin posibilidad de robo. El estante de la biblioteca de «cadenas» data de 1611; más de 70 de estos libros fueron impresos antes del año 1500.

City Museum and Art Gallery: En el museo se encuentran objetos de la Edad del Bronce, la Edad del Hierro y del *Castra Magna* romano (situado a 8 km NO). Aparte de los hallazgos geológicos y biológicos de los alrededores, se pueden ver algunas piezas de cerámica y vidrio, así como acuarelas de pintores oriundos.

Alrededores

Kilpeck (8 km SO): Aquí se encuentra una iglesia única en su estilo. Es pequeña; no obstante, la edificación normanda de 1145 impresiona por su exuberante ornamentación, que no corresponde en absoluto con la ornamentación usual de la época en Normandía. Sin embargo, se encuentra similitud con la catedral de Santiago de Compostela, en el N de España. No ha sido descubierto el origen exacto de este tipo de decoración exterior. Impresiona el pórtico S, cuyas columnas (a la derecha columna doble) y arcos entrecortados muestran infinidad de figuras independientes entrelazadas (plantas, flores, frutos, serpientes y dragones). El coro está decorado de manera similar y también es de una gran belleza.

Hermitage Castle

Borders/Escocia Pág. 324 □ H 9

La fortaleza, en el antiguo y salvaje territorio fronterizo *Liddisdale,* data del siglo XIII y formó parte en su día del *Soulis-Clan.* En 1320 Roberto Bruce se apoderó de la fortaleza; posteriormente pasó a ser propiedad de William Douglas, el «Knight of Liddisdale». A los dirigentes de este poderoso clan del territorio fronterizo, no pareció importarles que el castillo pasara de manos escocesas a inglesas. Hasta 1491 les pareció conveniente mantener esta política. Las partes más antiguas del castillo proceden de la época en la que fue su dueño William Douglas: un torreón con planta en forma de L y un edificio de comercio en un estrecho patio interior. Alrededor de 1400 la fortaleza fue ampliada; hacia el E y O se construyeron una especie de naves (alas) en cuyas cuatro esquinas, respectivamente, fueron fortificadas robustas torres esquineras edificando, a media altura de las mismas, muros que las unían entre sí para asegurar la fortaleza. En la torre SE se excavó un nuevo pozo y en la torre SO se instalaron la cocina y la panadería. En 1491 Jaime IV terminó con esta política de intercambio: el *Douglas Clan* se vio obligado a entregar la fortaleza a Patrick Hepburn, *Earl of Bothwell*. Al relacionarse éste con Inglaterra el castillo pasó a ser propiedad de la Corona en 1540. A partir del siglo XVII el castillo comenzó a decaer, hasta que, en 1820, fue restaurado por el *Duke of Buccleuch*.

Alrededores

Hawick (15 km N): En el museo de la ciudad se expone una colección de gran interés sobre la historia regional de la zona fronteriza.

Hertford

Hertfordshire/Inglaterra Pág. 332 □ K 14

Esta vieja ciudad, junto al *Lee*, conserva en el centro numerosas casas de los siglos XVI y XVII. En la *Fore Street* se pueden ver estucados de gran belleza en las fachadas de las casas.

Hertford Castle: La edificación fue comenzada en 1100; hasta el reinado de Isabel I fue propiedad de la Corona y el castillo fue utilizado de muy diversas maneras. Eduardo III hizo velar el cuerpo de su madre, la reina Isabel, en el interior del castillo. Habitó aquí el rey de Escocia, David Bruce, así como el rey Juan, de Francia, después de la batalla de *Poitiers* y Enrique Bolingbroke, *Duke of Lancaster*. Con Jaime I el castillo pasó a ser propiedad de William Cecil, el *Earl of Salisbury*, cuya familia es propietaria de la fortaleza actualmente. De la construcción del siglo XII sólo quedan restos de los muros de fortificación y una torre octogonal. La caserna, del año 1465, fue renovada en el siglo XVIII.

Hereford. Catedral, tríptico

Museum: En una vieja casa de paredes entramadas del siglo XVII se encuentra el museo, en el que se exponen colecciones arqueológicas y geológicas, así como artesanía y piezas referentes a la historia del Regimiento de *Hertfordshire*.

Alrededores

Broxbourne (10 km SE): La *Church of St. Augustine* data del siglo XV. En el interior se encuentra una pila bautismal octogonal de la época normanda. Es extraño que la nave y la sala del altar no estén unidas por un arco, como era usual en la época. En la iglesia se pueden ver numerosos monumentos fúnebres y lápidas conmemorativas.

Waltham Abbey (20 km SE): La *Abbey Church of the Holy Cross* es el resto de una fundación normanda erigida por Harold en el año 1060. De la construcción normanda se conservan la nave principal y las naves laterales. La *South Chapel* data del siglo XIV; la torre O fue edificada en el siglo XVI. El techo pintado de la nave principal es una fantástica obra de E. J. Pointer. La ventana triangular E fue renovada en 1861, según el diseño de Sir Edward Burne Jones. Muestra la increíble imagen del árbol genealógico de Jesé.

Ware (5 km NE): La ciudad conserva en el centro su aspecto antiguo. Todavía se pueden ver numerosas casas de paredes entramadas de los siglos XVI y XVII. En *Bluecoat Yard* se hallan algunas casas del siglo XV, en las que se encontraba, de 1674 a 1761, el colegio de *Bluecoat.* Enfrente se erigen las viviendas de las puericultoras y los niños. En el elegante *Amwell House,* de ladrillo rojo, habitó John Scott, el poeta de los cuáqueros. El *Council Office* está ubicado en los restos de un priorato franciscano fundado por Thomas Wake en 1338.

Hexham

Northumberland/Inglaterra Pág. 324 □ I 10

Hexham fue desde 678, con el nombre anglosajón *Hagulstald,* sede episcopal; en el año 810 fue completamente destruida por los daneses. En 1464 venció aquí, durante «La guerra de las Dos Rosas», Eduardo IV, con sus tropas de York, a los aliados de Lancashire bajo Enrique VI.

Hexham Abbey (también Priory Church of St. Andrew Church): En el año 678 se fundó en este lugar una fundación anglosajona por *St. Wilfrid,* que, a mediados del siglo IX, fue destruida. En el año 1113 fue reconstruida por el arzobispo de York para los señores del coro agustino; en 1180 se comenzó con la construcción de la iglesia actual en estilo Early English (los entendidos en la materia denominan la construcción «textbook of Early English architecture»); en 1296 se destruyó la nave principal; los causantes fueron los soldados de las poderosas tropas escocesas; en el año 1908 la iglesia fue nuevamente reconstruida. La fachada E data del siglo XIX.

En el interior, de especial interés: En el crucero S, la vieja escalera, en combinación directa con el dormitorio de los monjes (los monjes podían descender a la iglesia para practicar sus oraciones nocturnas); una vieja lápida y una cruz anglosajona del siglo VIII. En el impresionante coro se encuentra el trono obispal «Wilfrid's Throne», procedente de la primera iglesia del antiguo convento. De interés, igualmente, el «frith stool» (silla de la paz), de la misma época, y las paredes del coro, del siglo XV. Debajo de la iglesia, la cripta original de la antigua iglesia anglosajona (Wilfrid's Crypt), en la que se encuentran materiales de construcción románicos.

Otros lugares de interés: *Moot Hall,* del siglo XIV, antigua casa oficial de los supremos arzobispos de York. *Manor Office,* también del siglo XIV, utilizado como prisión, es único en su estilo en Inglaterra. *Shambles,* edificio de mercado construido sobre columnas, del año 1766.

Alrededores

Blanchland (14 km S): Pequeño pueblo edificado entre los restos de un convento premonstratense de 1165, en el siglo XVIII (coro y nave del antiguo convento forman actualmente la iglesia parroquial *St. Mary the Virgin;* la vieja casa con dependencias para la guardia, y el edificio del «consejo», se han visto convertidos en casa de huéspedes).

Carrawburgh (16 km NO): Restos de un

Hexham. Vista panorámica

castillo romano, *Brocolitia* (en 1950 se descubrió en este lugar un templo *Mithra* del siglo III d. J. C.).

Chollerford (10 km N): Excavaciones del campo romano *Cilurium* (Chesters Fort), en la *Hadrianswall;* se conserva, entre otras cosas, una torre de vigilancia casi en perfecto estado; a orillas del río *North Tyne,* se hallan las instalaciones termales mejor conservadas de Inglaterra y los restos del puente sobre el río *North Tyne.* En el museo se puede admirar una amplia colección de piezas que fueron halladas en las excavaciones arqueológicas.

Chollerton (12 km N): Interesante iglesia (nave principal soportada por columnas; la pila bautismal fue un altar románico).

Corbridge (4 km E): En el siglo XVIII fue capital del reinado *Northumbria;* iglesia parroquial del siglo XIII (torre anglosajona; en el interior, restos románicos); casa parroquial fortificada del siglo XIV. A 1,5 km del lugar, la colonia militar romana *Corstopitum,* del siglo I d. J. C., fue erigida como fortificación de frontera; en el siglo III d. J. C. fue transformado como parte principal de la *Hadrianswall.*
En el museo, interesantes hallazgos arqueológicos; entre otras cosas, inscripciones y el famoso «león de Corbridge».

Housesteads (19 km NO): Interesantes restos del castillo fronterizo romano *Vercovicium* (ocupa unas dos ha; fue construido para albergar 1 000 hombres; se conserva el granero y los dormitorios de los soldados). En el museo se conservan interesantes hallazgos arqueológicos.

Langley Castle (11 km O): Casa fortificada del siglo XIV.

Simonburn (12 km NO): La iglesia *St. Mungo* fue edificada en el siglo XIII; el coro fue restaurado en el año 1863 por el famoso arquitecto Anthony Salvin. Interesantes restos de una cruz anglosajona.

Warden (3 km NO): Interesante iglesia (torre de la época anglosajona; en ella está integrado un bonito arco románico).

Hitchin

Hertfordshire/Inglaterra Pág. 332 □ K 14

En esta vieja ciudad comercial todavía se encuentran algunas casas de los siglos XVI y XVII. Aquí nació, en 1559, George Chapman, el famoso traductor de «Homero».

Church of St. Mary: La gran iglesia parroquial data esencialmente de los siglos XIV y XV; su torre O (la parte inferior) todavía data del siglo XII. La reja del coro y la pila bautismal proceden del siglo XV; los monumentos fúnebres están fechados a finales del siglo XV; una lápida especialmente bonita es del año 1478. Uno de los monumentos de 1697 probablemente es el de *William Stanton of Holborn.*

Alrededores

Ashwell (19 km NE): La pequeña ciudad impresiona por sus numerosas casas de paredes entramadas que datan, en parte, del siglo XIV. La *Church of St. Mary* fue edificada en el siglo XIV. En la parte interior de uno de los muros de la torre se puede ver un gráfico que representa la *St. Paul's Cathedral.* Dos hermosos tapices son obra de Percy Sheldrich. La colección del *Ashwell Village Museum* fue comenzada por dos colegiales en el siglo XVI. En este museo se puede ver la evolución del pueblo desde la prehistoria hasta nuestros tiempos.

Knebworth (13 km S): La *Church of St. Mary* fue construida en la época normanda; posteriormente fue ampliada. De especial interés en el interior son los monumentos fúnebres, entre ellos dos de *Edward Stanton,* del año 1700, y uno con la figura de *Lytton,* obra de Thomas Green of Camberwell, de 1710. El *Knebworth House* fue comenzado en 1492 por Sir Robert Lytton. En 1812 la casa fue parcialmente destruida; no obstante, se conserva gran parte de la construcción antigua.

Especialmente bonita es la gran sala en estilo Tudor; se conserva casi en perfecto estado. En 1843 el *primer Lord of Lytton* renovó la parte exterior de la casa en estilo gótico. Se pueden ver en el interior de la casa valiosos muebles de los siglos XVII y XVIII, una amplia colección de retratos, así como piezas antiguas y manuscritos del romancero Sir Edward Bulwer Lytton, autor de la obra literaria «Los últimos días de Pompeya».

Howden

Humberside/Inglaterra Pág. 328 □ K 11

Munster St. Peter: Antigua iglesia colegial construida, en su mayor parte, en el siglo XIV. Su planta tiene forma cruciforme, con una imponente torre en el transepto. El coro se encuentra en ruinas desde finales del siglo XVII; en el interior, de especial interés, algunos monumentos fúnebres de la

Housesteads (Hexham). Restos del castillo fronterizo de Vercovicium

Edad Media. Al S de la iglesia se encuentran los restos de la sala capitular, de planta octogonal.

Alrededores

Carlton Towers (13 km SO): El castillo de los Condes de *Norfolk*, construido en el año 1614, fue transformado en el siglo XIX en estilo neogótico-victoriano.

Eastrington (6 km NE): La iglesia *St. Michael* fue edificada en tiempos prenormandos; fue transformada posteriormente en estilo románico; en el interior se puede ver el interesante monumento fúnebre de un juez fallecido en 1546 (figura con armadura).

Goole (4 km S): Desde el siglo XIX, puerto de mar en la parte S del *River Ouse.* Aquí se encuentra la iglesia *St. John,* edificada en 1843 por la *Aire and Calder Navigation Company* (en el interior, placas conmemorativas de barcos hundidos y sus tripulaciones). También reviste especial interés el *Lowther Hotel,* en la *Aire-Street* (estilo georgiano-renacentista del siglo XVIII).

Rawcliffe (8 km SO): En este lugar nació y murió el famoso, en sus tiempos, y excéntrico Jimmy Hurst, que intentó, en la época de Jorge III, volar con unas alas construidas por él mismo.

Huntingdon

Cambridgeshire/Inglaterra Pág. 328 □ K 14

La ciudad natal de Oliver Cromwell, con su ciudad satélite *Godmanchester,* data de la época romana. Fueron desenterrados los pórticos E y O, así como las instalaciones termales.

Church of St. Mary the Virgin (Godmanchester): La iglesia data del siglo

XIII; la torre de piedra fue construida en el siglo XVII. En el siglo XIV fue ampliada y transformada; las claraboyas datan del siglo XV, al igual que la sillería del coro, que posee hermosas misericordias talladas en la madera de encina.

Church of All Saints: En esta iglesia gótica, en la que se realizan importantes trabajos de restauración, se encuentra el registro de bautizos procedente de la *St. John's Church,* que incluye el bautizo de Oliver Cromwell.

Hinchingbrooke House: Procede de una fundación benedictina del siglo XIII. Después de la disolución de conventos, pasó a ser propiedad de la familia *Cromwell.* Sir Richard Cromwell, abuelo de Oliver, transformó la edificación, convirtiendo la casa en una construcción del Renacimiento en estilo Tudor. En el año 1564 fue recibida en esta casa la reina Isabel I; en el año 1627 la propiedad fue vendida a Sir Sidney Montagu. En la actualidad el edificio ha sido convertido en escuela y puede ser visitado públicamente.

Cromwell Museum: Se encuentra en la casa donde Cromwell asistió al colegio. La casa data del siglo XII; formó parte del *Hospital of St. John,* fundado por David I de Escocia; en 1565 el edificio fue convertido en escuela de la ciudad. Actualmente se pueden ver en el interior numerosas piezas alusivas a Oliver Cromwell.

Alrededores

Buckden (8 km SO): La *Church of St. Mary* se encuentra cerca del antiguo Palacio Episcopal; data del gótico y posee una torre con una aguja extremadamente fina. En la parte S existe una sala de entrada de dos pisos. De especial interés son: el púlpito, del siglo XVII, y los vidrios emplomados, de la Edad Media. *Buckden Palace:* Este palacio fue residencia episcopal de los obispos de Lincoln desde principios de la Edad Media hasta el año 1838. Las partes más antiguas conservadas son la gran torre y la casa con dependencias para la guardia; proceden de la construcción del obispo de Rotherham, y fueron erigidas en el siglo XV. La instalación fue finalizada, después de largo tiempo, por el obispo Russell.
En la época comprendida entre 1534 y 1535 vivió en este palacio Catalina de Aragón, en su destierro, antes de ser llevada a *Kimbolton Castle.*

Kimbolton Castle (16 km O): Esta fortaleza medieval fue utilizada por Enrique VIII como prisión para su esposa Catalina de Aragón hasta el día de su fallecimiento. En 1707 se derrumbaron varias partes de la fortaleza; la reconstrucción fue ordenada al *primer Duque de Manchester,* John Vanbrugh. Construyó hasta 1714 el edificio cuadrangular, con su patio interior. Robert Adam añadió, en 1766, la caserna.

Papworth St. Agnes (12 km SE): El *Manor House* data, en su mayor parte, de la época isabelina. El constructor fue William Malory. En el año 1660 el edificio fue nuevamente reedificado.

St. Ives (11 km E): Las ruinas proceden de una fundación paralela a la de *Ramsey,* de 969. Alrededor de 1050 se convirtió en un pequeño priorato para el obispo persa *San Ivo.* Sólo se conservan algunos restos de los muros y el maravilloso puente de seis arcos sobre el río *Ouse,* construido en 1415.

IJ

Inveraray Castle

Strathclyde/Escocia Pág. 324 □ F 8

Inveraray es la vieja capital del condado de *Argyll.* El castillo es sede de los *Condes de Argyll,* dirigentes del clan de los *Campbell.* En la época de los levantamientos jacobinos tomaron partido por Inglaterra para conseguir la legitimación de su lucha en contra de sus enemigos herederos, el *MacDonald Clan.* La enemistad contra los Estuardo comenzó cuando el Marqués de Montrose incendió *Inveraray* en el año 1645. Los Estuardo ejecutaron a dos miembros de la familia Argyll en la ciudad de Edimburgo (Edinburgh) en el período de años comprendido entre 1681 y 1685.

Inveraray es uno de los extraños casos en Escocia en los que el castillo resistió el paso del tiempo y no fue destruido por las guerras, sino por orden de su propietario. A mitad del siglo XVIII Archibald, *Duque de Argyll,* decidió que estaba cansado de la fortaleza ubicada en el *Loch Fyne.* Por

Inveraray Castle

Inverness. Inverness Castle

este motivo hizo destruir la misma junto con todo el pueblo, ordenando posteriormente, a Robert Mylne, reconstruir el pueblo algo más alejado del lugar en el que había estado enclavado el antiguo castillo. De esta manera *Inveraray* se convirtió en el primer pueblo planificado de Escocia. La clásica iglesia, finalizada en el año 1795, fue dividida en dos partes por un muro: una parte estaba dedicada para realizar la misa en inglés; la otra, para realizarla en gaélico.
El castillo clásico, con elementos medievales, es un diseño realizado por Roger Morris en el año 1744. Constructor y arquitecto del interior fue Robert Mylne. Son obra de él, el increíble tapiz y la sala del comedor, ambos del año 1780. Fueron llamados decoradores franceses para la decoración del techo, lo cual demuestra que los constructores no reparaban mucho en gastos. Las esculturas de Grisaille son obra de Guinand; Girardy creó las guirnaldas de flores y los arabescos. Los tapices de Beauvais datan dèl año 1785. Las valiosas pinturas fueron realizadas, entre otros, por Gainsborough, Ramsay y Raeburn. También se puede admirar en el interior de la fortaleza una amplia colección de documentos referentes a la historia de la familia fechados a partir del año 820.

Inverewe Gardens

Highlands/Escocia Pág. 324 □ F 5

En 1862, *Osgood Mackenzie,* comenzó un increíble jardín tropical en una pendiente rocosa completamente árida. Plantó sobre fértil humus plantas subtropicales, palmeras y vegetación variada procedente de todo el *Empire,* protegiendo su hermoso jardín con espesos bosques de pinos. Desarrolló especialmente el cultivo de las horten-

Vista panorámica

sias y las magnolias, consiguiendo resultados maravillosos. Mackenzie, como buen escocés, demostró de lo que era capaz, utilizando grandes dosis de empeño e inteligencia.
Actualmente el parque está protegido por la *National Trust* y es uno de los lugares naturales de mayor interés de toda Escocia.

Inverness
Highland/Escocia Pág. 324 □ G 6

Al final del *Great Glen* existió en el siglo VI lo que fuera capital del reino *Picto*. En el año 565 el rey picto Brude fue visitado en este lugar por el santo Columba. En el siglo XII el rey Macbeth estableció en este lugar su residencia. La primera fortaleza fue edificada por el rey David I alrededor del año 1141. En el año 1180 Guillermo «El León» la circundó con un muro. Cromwell hizo edificar entre 1652-1657 su *Sconce Fort,* para controlar mejor la zona montañosa. En el año 1715 se proclamó rey, en este castillo, al príncipe Jaime Francisco Eduardo como Jaime VIII, lo cual no era aprobado por él mismo ni por los jacobinos. En el período comprendido entre 1745 y 1746 la fortaleza volvió a ser jacobina por un año, hasta que el *Conde de Cumberland* hizo incendiar la ciudad, según la tradición escocesa, en el año 1746, después de la batalla de *Culloden*.

Alrededores de la ciudad: La casa más antigua de la ciudad, el *Abertarff House,* data del año 1592 y conserva una extraña escalera de caracol en la parte exterior. Actualmente es utilizada por la *Highland Association* para la conservación del idioma y la cultura gaélica. El Ayuntamiento, edificado en 1878-1882, es de estilo victoriano. De especial interés, la cruz de término con la

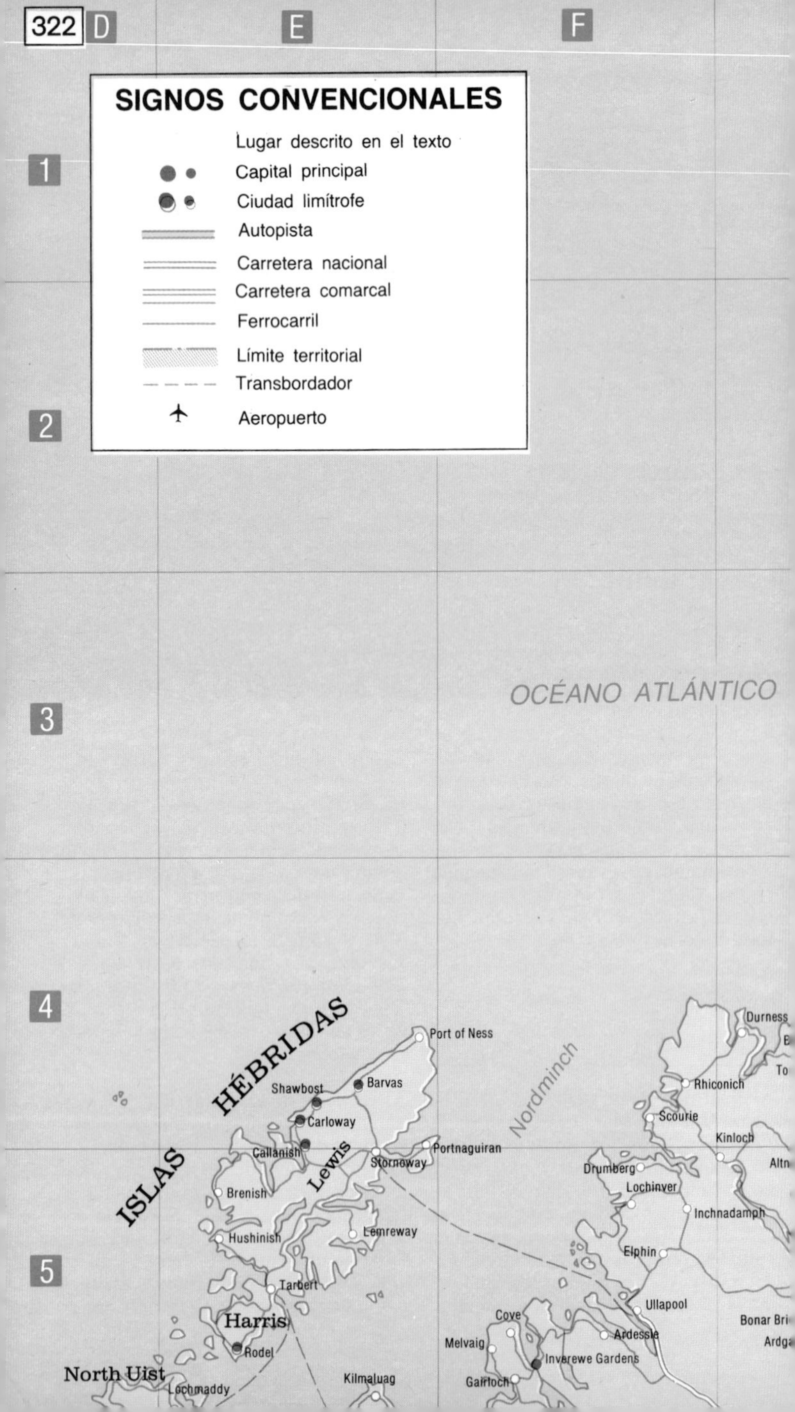
D
E
F
1
2
3
4
5
SIGNOS CONVENCIONALES
Lugar descrito en el texto
Capital principal
Ciudad limítrofe
Autopista
Carretera nacional
Carretera comarcal
Ferrocarril
Límite territorial
Transbordador
Aeropuerto
OCÉANO ATLÁNTICO
ISLAS HÉBRIDAS
Nordminch
Port of Ness
Barvas
Shawbost
Carloway
Callanish
Lewis
Stornoway
Portnaguiran
Brenish
Hushinish
Lemreway
Tarbert
Harris
Rodel
North Uist
Lochmaddy
Kilmaluag
Durness
Rhiconich
Scourie
Kinloch
Drumberg
Lochinver
Inchnadamph
Elphin
Ullapool
Cove
Melvaig
Ardessie
Inverewe Gardens
Gairloch
Bonar Bri
Ardga
To
Altn

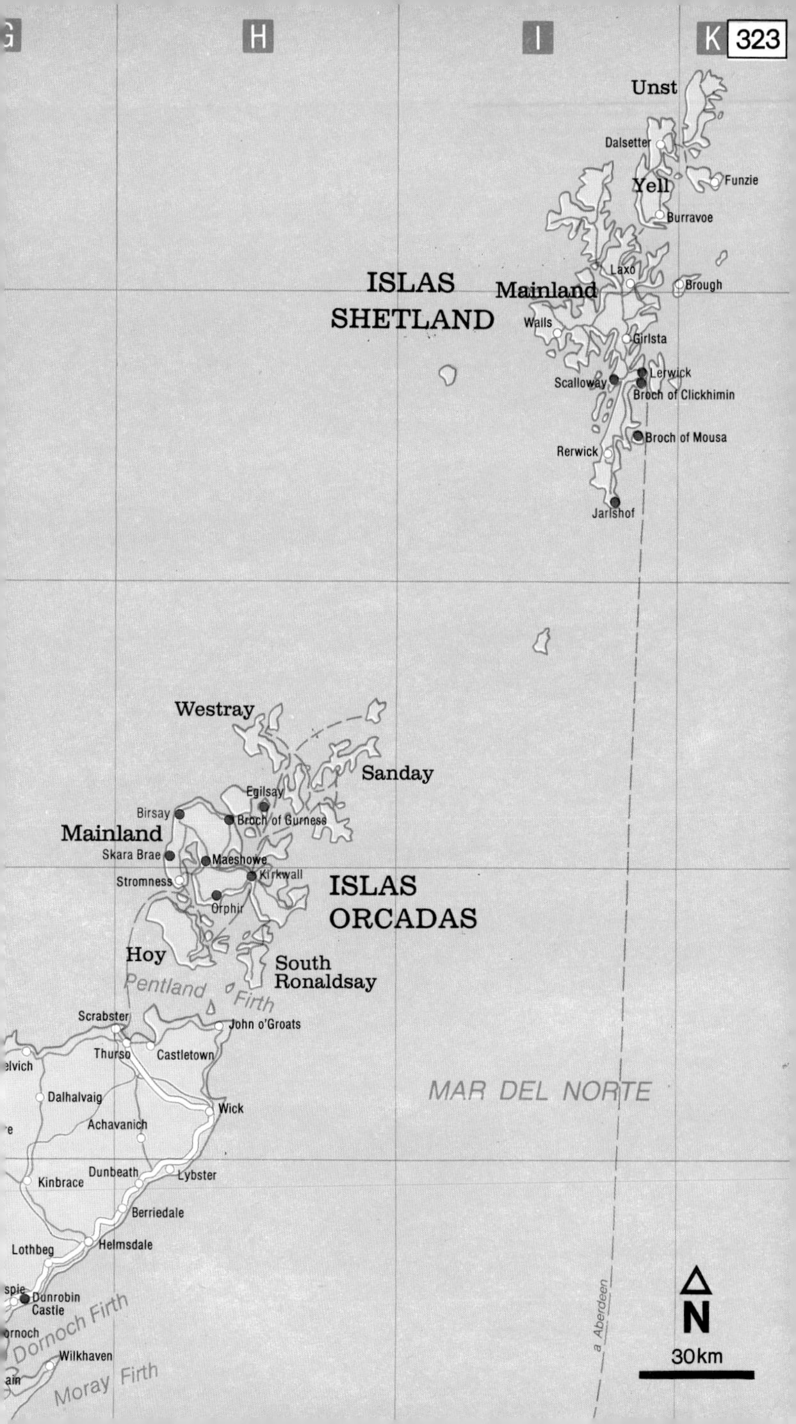
G
H
I
K
Unst
Dalsetter
Yell
Funzie
Burravoe
Laxo
Brough
ISLAS
SHETLAND
Mainland
Walls
Girlsta
Lerwick
Scalloway
Broch of Clickhimin
Broch of Mousa
Rerwick
Jarlshof
Westray
Sanday
Egilsay
Birsay
Broch of Gurness
Mainland
Skara Brae
Maeshowe
Kirkwall
Stromness
Orphir
ISLAS
ORCADAS
Hoy
South
Ronaldsay
Pentland Firth
Scrabster
John o'Groats
Thurso
Castletown
Dalhalvaig
Wick
Achavanich
Dunbeath
Lybster
Kinbrace
Berriedale
Helmsdale
Lothbeg
Dunrobin
Castle
Dornoch Firth
Wilkhaven
Moray Firth
MAR DEL NORTE
a Aberdeen
N
30km

D
E
F
5
6
7
8
9
10
Tarbert
Harris
Ullapool
Cove
Ardessie
Melvaig
Inverewe Gardens
Gairloch
Menor
Minch
HÉBRIDAS EXTERIORES
North Uist
Lochmaddy
Kilmaluag
Uig
Dunvegan
Portree
Skye
Inner Sound
Howmore
South Uist
Daliburgh
Kyle of Lochalsh
Eilean Donan Castle
S c h
HÉBRIDAS INTERIORES
Mallaig
Glenfinnan Monument
Fort Willi
Tobermory
Mull
Aros Castle
Loch Linnhe
Lismore
Ardchattan Priory
Duart Castle
Dunstaffnage Castle
Oban
Iona
Moy Castle
An Cala Gardens
OCÉANO ATLÁNTICO
Inveraray Castle
Jura
Greenoc
Port Glasg
Rothesay Castle
Kilba
La
Great Cur
Islay
Kintyre
Arran
Sal
Kil
Brodick Castle
Firth of Clyde
Canal del Norte
Culzean Castle
Kirkoswald
Crossraguel Abl
a Liverpool
Carndonagh
Carrowmore
Buncrana
Greencastle
Dunluce Castle
Creeslough
Rathmullan
Fahan
Coleraine
Ballycastle
Downhill Castle
Grianan of Aileach
Letterkenny
Irlanda del Norte
Londonderry / Derry
Conwal Church
Bovevagh
Dungiven
Glenarm
Raphoe
Banagher
Maghera
Ballygalley
Lochnaw Castle
Larne
Island Magee
Stranraer
Glenluce Abbe
Randalstown
Antrim
Beaghmore
Templepatrick

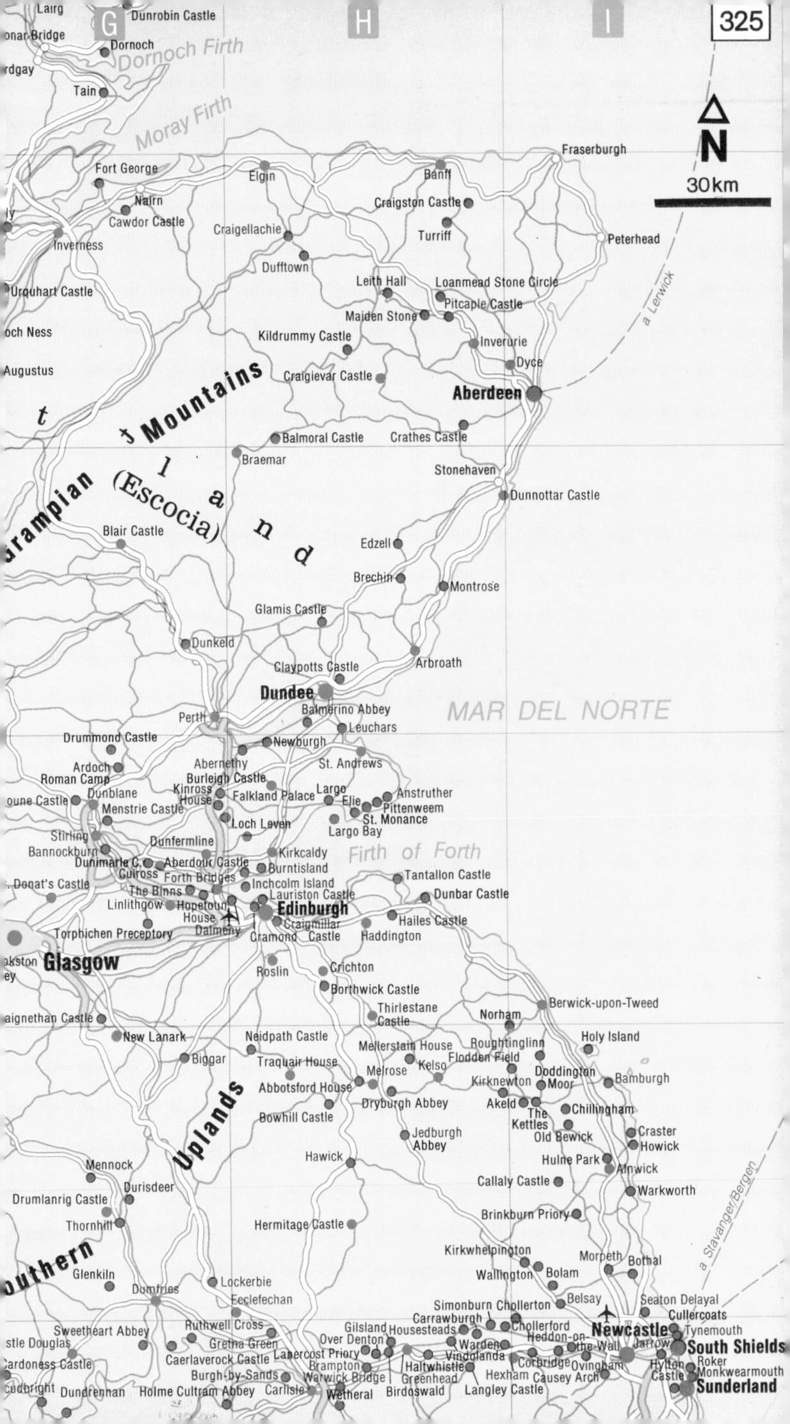
G
H
I
N
30km
Lairg
Dunrobin Castle
Bonar Bridge
Dornoch
Dornoch Firth
Tain
Moray Firth
Fort George
Nairn
Cawdor Castle
Inverness
Urquhart Castle
Loch Ness
Augustus
Elgin
Craigellachie
Dufftown
Banff
Fraserburgh
Craigston Castle
Turriff
Peterhead
Leith Hall
Loanmead Stone Circle
Pitcaple Castle
Maiden Stone
Kildrummy Castle
Inverurie
Dyce
Craigievar Castle
Aberdeen
a Lerwick
Mountains
Grampian
t
l
a
n
d
(Escocia)
Balmoral Castle
Crathes Castle
Braemar
Stonehaven
Dunnottar Castle
Blair Castle
Edzell
Brechin
Montrose
Glamis Castle
Dunkeld
Arbroath
Claypotts Castle
Dundee
MAR DEL NORTE
Balmerino Abbey
Perth
Leuchars
Drummond Castle
Newburgh
Abernethy
St. Andrews
Ardoch
Roman Camp
Burleigh Castle
Kinross House
Falkland Palace
Largo
Elie
Anstruther
Pittenweem
St. Monance
Doune Castle
Dunblane
Menstrie Castle
Loch Leven
Largo Bay
Stirling
Bannockburn
Dunfermline
Kirkcaldy
Firth of Forth
Dunimarle C.
Aberdour Castle
Burntisland
Culross
Forth Bridges
Tantallon Castle
St. Donat's Castle
The Binns
Inchcolm Island
Lauriston Castle
Dunbar Castle
Linlithgow
Hopetoun House
Edinburgh
Craigmillar Castle
Hailes Castle
Torphichen Preceptory
Dalmeny
Cramond
Haddington
Glasgow
Roslin
Crichton
Borthwick Castle
Thirlestane Castle
Berwick-upon-Tweed
Norham
Craignethan Castle
New Lanark
Neidpath Castle
Mellerstain House
Roughtinglinn
Holy Island
Biggar
Traquair House
Kelso
Flodden Field
Melrose
Kirknewton
Doddington Moor
Bamburgh
Abbotsford House
Dryburgh Abbey
Akeld
The Kettles
Chillingham
Uplands
Bowhill Castle
Old Bewick
Craster
Jedburgh Abbey
Howick
Hawick
Hulne Park
Alnwick
Mennock
Callaly Castle
Warkworth
Durisdeer
Drumlanrig Castle
Brinkburn Priory
a Stavanger/Bergen
Thornhill
Hermitage Castle
Southern
Kirkwhelpington
Morpeth
Bothal
Glenkiln
Wallington
Bolam
Dumfries
Lockerbie
Ecclefechan
Belsay
Simonburn
Chollerton
Seaton Delaval
Carrawburgh
Cullercoats
Sweetheart Abbey
Ruthwell Cross
Gilsland
Housesteads
Chollerford
Newcastle
Tynemouth
Castle Douglas
Gretna Green
Over Denton
Warden
Heddon-on-the-Wall
Jarrow
South Shields
Cardoness Castle
Caerlaverock Castle
Lanercost Priory
Vindolanda
Corbridge
Ovingham
Roker
Brampton
Haltwhistle
Hylton Castle
Monkwearmouth
Burgh-by-Sands
Warwick Bridge
Greenhead
Hexham
Causey Arch
Kirkcudbright
Dundrennan
Holme Cultram Abbey
Carlisle
Wetheral
Birdoswald
Langley Castle
Sunderland

A
B
C
8
9
10
11
12
13
N
30 km
OCÉANO ATLÁNTICO
Glencolumbkille
Doneg
Donegal Bay
Inishmurray
Cliffony
Drumcliff
Sligo
Knocknarea
Deerpark
Carrowmore
Park's Cast
Ballysadare
Dromahair
Rathfran Friary
Killala
Moyne Friary
Rosserk Abbey
Ballina
Errew Abbey
Ballymote Castle
Ballinafad
Ballindoon Fri
Achill Island
Newport
Bellavary
Boyle
Clare Island
Castlebar
Westport
Croagh Patrick
Ballintober Abbey
I r l
Tulsk
Castlerea
Lough Mask
Moore Hall
Ballymoe
Inishmaine
Dunmore
Roscommon
Cong
Feartagar Castle
Castle Kirk
Kilbennan
Athleague
Inchagoill
Ross Abbey
Tuam
Lough Ree
Annaghdown
Knockmoy Abbey
Lough Corrib
Claregalway
Athlone
Galway
Kilconnell Friary
Athenry
Clonmacnois
Ballinasloe
Inishmore
Galway Bay
Turoe Stone
Kilcolgan
Clontuskert Abbey
Clonfert
Aran Islands
Ballyvaghan
Kinvarra
Loughrea
Inishmaan
Corcomroe Abbey
Eyrecourt
Inisheer
Ballylee Castle
R. Shannon
Kilmacduagh
Gort
Portumna
Cliffs of Moher
Kilfenora
Lough Cutra Castle
Bir
Leamaneh Castle
Lough Derg
Corrofin
Tulla
Inis Cealtra
Roscrea
Ennis
Tuamgraney
Nenagh
Clare Abbey
Danganbrack
Mona Inc
Quin Abbey
Dromoland Castle
Killaloe
River Shannon
Bunratty Castle
Scattery Island
Carrigogunnel Castle
Limerick
Abington
Thur
Askeaton
Ballylongford
Glin
Patrickswell
Holy Cross Abbey
Garranboy Castle
Adare
Kilcooly A
Monasternenagh
Ballyduff
Newcastle West
Rathkeale
Lough Gur
Athassel Abbey
Ardfert
Bruff
Ballygrennan Castle
Cashel

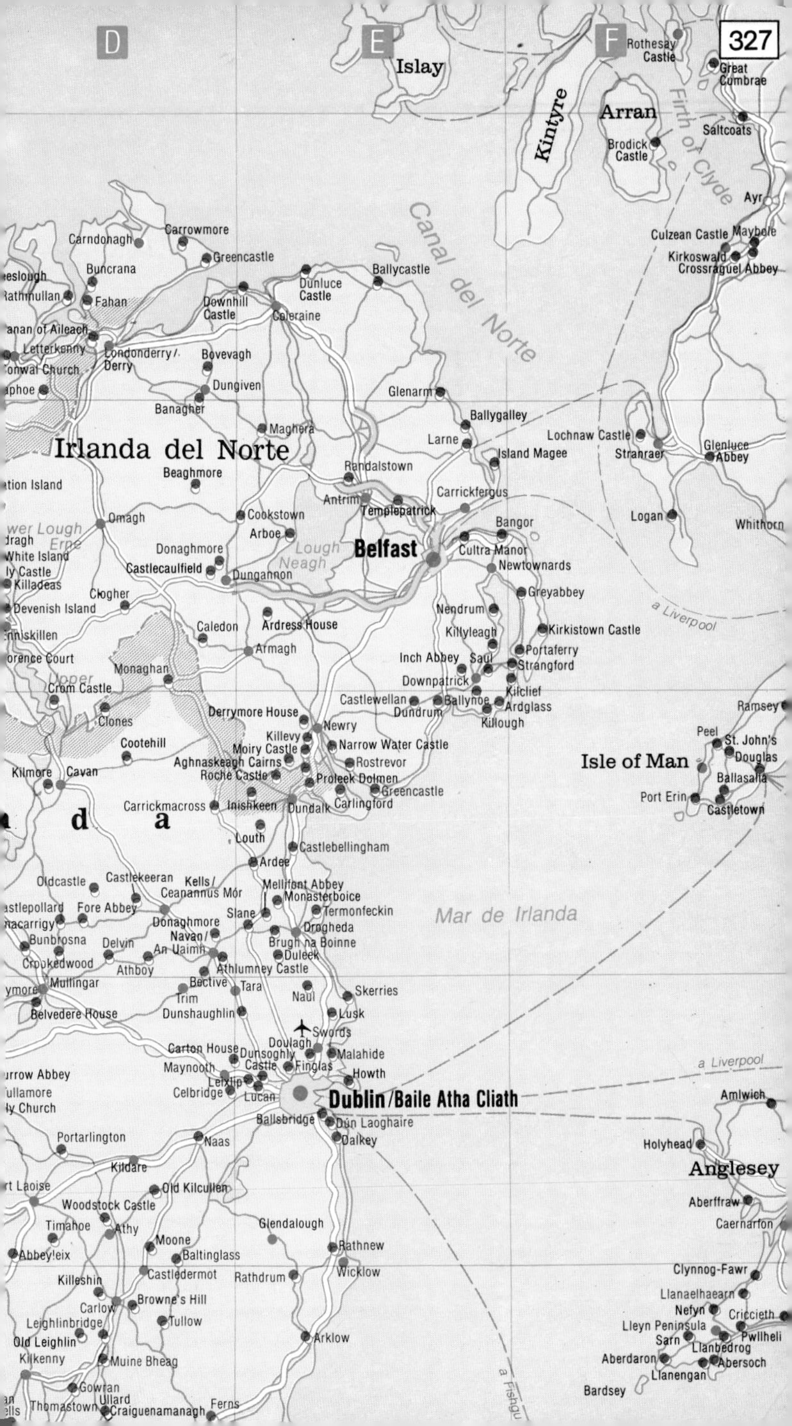
D
E
F
Islay
Kintyre
Arran
Rothesay Castle
Great Cumbrae
Firth of Clyde
Brodick Castle
Saltcoats
Ayr
Canal del Norte
Culzean Castle
Maybole
Kirkoswald
Crossraguel Abbey
Carndonagh
Carrowmore
Greencastle
Buncrana
Fahan
Dunluce Castle
Ballycastle
Downhill Castle
Coleraine
Letterkenny
Londonderry / Derry
Bovevagh
Dungiven
Banagher
Glenarm
Ballygalley
Maghera
Larne
Lochnaw Castle
Stranraer
Island Magee
Glenluce Abbey
Irlanda del Norte
Beaghmore
Randalstown
Carrickfergus
Antrim
Templepatrick
Logan
Whithorn
Omagh
Cookstown
Arboe
Bangor
Lough Neagh
Belfast
Cultra Manor
Newtownards
Donaghmore
Castlecaulfield
Dungannon
Greyabbey
Clogher
Nendrum
Devenish Island
Ardress House
Caledon
Killyleagh
Kirkistown Castle
a Liverpool
Armagh
Portaferry
Inch Abbey
Saul
Strangford
Monaghan
Downpatrick
Kilclief
Crom Castle
Castlewellan
Dundrum
Ballynoe
Ardglass
Killough
Clones
Derrymore House
Newry
Ramsey
Killevy
Narrow Water Castle
Peel
St. John's
Cootehill
Moiry Castle
Douglas
Aghnaskeagh Cairns
Rostrevor
Isle of Man
Kilmore
Cavan
Roche Castle
Proleek Dolmen
Ballasalla
Greencastle
Port Erin
Castletown
Carrickmacross
Inishkeen
Dundalk
Carlingford
Louth
Castlebellingham
Ardee
Oldcastle
Castlekeeran
Kells / Ceanannus Mór
Mellifont Abbey
Monasterboice
Fore Abbey
Slane
Termonfeckin
Mar de Irlanda
Donaghmore
Drogheda
Navan / An Uaimh
Bunbrosna
Delvin
Brugh na Boinne
Crookedwood
Athboy
Duleek
Athlumney Castle
Mullingar
Bective
Tara
Trim
Naul
Skerries
Belvedere House
Dunshaughlin
Lusk
Swords
Doulagh
Carton House
Dunsoghly Castle
Malahide
Maynooth
Finglas
Howth
a Liverpool
Leixlip
Celbridge
Lucan
Dublin / Baile Atha Cliath
Amlwch
Ballsbridge
Dún Laoghaire
Portarlington
Naas
Dalkey
Holyhead
Kildare
Anglesey
Old Kilcullen
Woodstock Castle
Aberffraw
Timahoe
Athy
Glendalough
Caernarfon
Moone
Rathnew
Abbeyleix
Baltinglass
Castledermot
Rathdrum
Wicklow
Clynnog-Fawr
Killeshin
Llanaelhaearn
Carlow
Browne's Hill
Nefyn
Criccieth
Leighlinbridge
Tullow
Lleyn Peninsula
Pwllheli
Old Leighlin
Sarn
Llanbedrog
Arklow
Kilkenny
Muine Bheag
Aberdaron
Abersoch
Llanengan
a Fishgu
Gowran
Bardsey
Ullard
Thomastown
Craiguenamanagh
Ferns

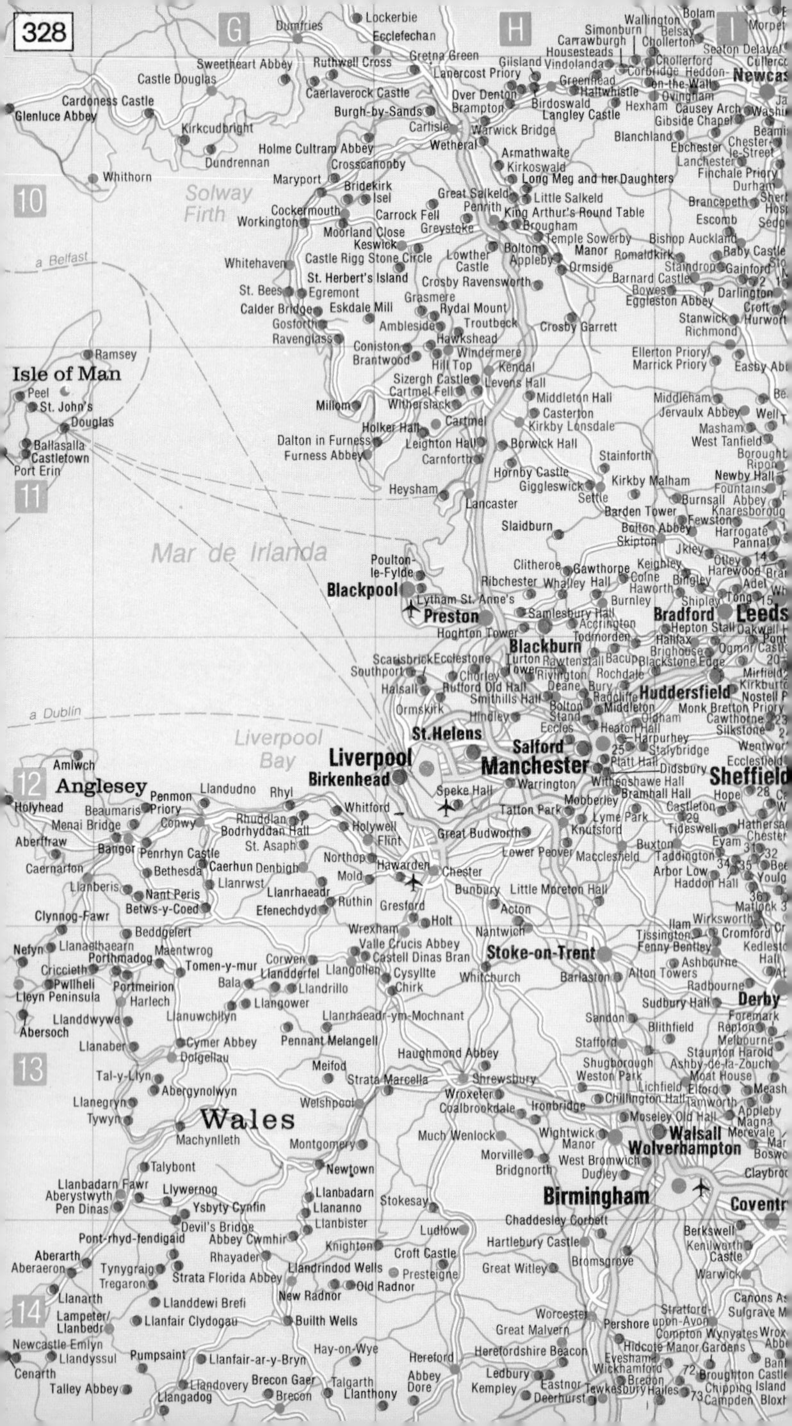
G
H
I
10
11
12
13
14
Dumfries
Lockerbie
Ecclefechan
Wallington
Bolam
Morpeth
Belsay
Simonburn
Carrawburgh
Chollerton
Housesteads
Seaton Delaval
Gretna Green
Sweetheart Abbey
Ruthwell Cross
Gilsland
Vindolanda
Chollerford
Corbridge
Heddon-on-the-Wall
Newcastle
Castle Douglas
Caerlaverock Castle
Lanercost Priory
Greenhead
Haltwhistle
Ovingham
Over Denton
Cardoness Castle
Brampton
Birdoswald
Hexham
Causey Arch
Glenluce Abbey
Burgh-by-Sands
Langley Castle
Gibside Chapel
Kirkcudbright
Carlisle
Warwick Bridge
Blanchland
Beamish
Chester-le-Street
Ebchester
Holme Cultram Abbey
Wetheral
Armathwaite
Lanchester
Dundrennan
Crosscanonby
Kirkoswald
Finchale Priory
Whithorn
Maryport
Long Meg and her Daughters
Durham
Bridekirk
Solway Firth
Isel
Great Salkeld
Little Salkeld
Brancepeth
Penrith
Cockermouth
Carrock Fell
King Arthur's Round Table
Workington
Greystoke
Brougham
Escomb
Moorland Close
Temple Sowerby
Bishop Auckland
Keswick
Bolton
Manor
Romaldkirk
Raby Castle
a Belfast
Whitehaven
Castle Rigg Stone Circle
Lowther Castle
Appleby
Ormside
Staindrop
Gainford
St. Herbert's Island
Barnard Castle
St. Bees
Egremont
Crosby Ravensworth
Bowes
Darlington
Grasmere
Eggleston Abbey
Calder Bridge
Eskdale Mill
Rydal Mount
Croft
Gosforth
Ambleside
Troutbeck
Stanwick
Hurworth
Ravenglass
Hawkshead
Crosby Garrett
Richmond
Ramsey
Coniston
Windermere
Ellerton Priory/ Marrick Priory
Brantwood
Hill Top
Kendal
Isle of Man
Easby Abbey
Peel
Sizergh Castle
Levens Hall
St. John's
Cartmel Fell
Middleton Hall
Middleham
Witherslack
Millom
Jervaulx Abbey
Douglas
Casterton
Cartmel
Kirkby Lonsdale
Masham
Holker Hall
Ballasalla
Dalton in Furness
Leighton Hall
Borwick Hall
West Tanfield
Castletown
Furness Abbey
Carnforth
Stainforth
Boroughbridge
Ripon
Port Erin
Hornby Castle
Newby Hall
Giggleswick
Kirkby Malham
Fountains
Heysham
Settle
Burnsall
Abbey
Lancaster
Barden Tower
Knaresborough
Fewston
Slaidburn
Bolton Abbey
Harrogate
Skipton
Pannal
Mar de Irlanda
Ilkley
Otley
Poulton-le-Fylde
Clitheroe
Gawthorpe Hall
Keighley
Harewood
Bingley
Whalley
Colne
Ribchester
Haworth
Adel
Blackpool
Lytham St. Anne's
Burnley
Shipley
Tong
Preston
Samlesbury Hall
Bradford
Leeds
Accrington
Hoghton Tower
Hepton Stall
Oakwell Hall
Todmorden
Halifax
Blackburn
Brighouse
Ogmor Castle
Scarisbrick
Eccleston
Turton Tower
Rawtenstall
Bacup
Blackstone Edge
Southport
Chorley
Rivington
Rochdale
Mirfield
Halsall
Rufford Old Hall
Deane
Bury
Radcliffe
Huddersfield
Kirkburton
Smithills Hall
Nostell Priory
a Dublín
Ormskirk
Bolton
Middleton
Monk Bretton Priory
Hindley
Stand
Oldham
Cawthorne
Eccles
Heaton Hall
Silkstone
Liverpool Bay
St. Helens
Harpurhey
Wentworth
Salford
Stalybridge
Liverpool
Manchester
Platt Hall
Didsbury
Ecclesfield
Amlwch
Birkenhead
Sheffield
Anglesey
Warrington
Withenshawe Hall
Speke Hall
Llandudno
Penmon Priory
Rhyl
Bramhall Hall
Hope
Mobberley
Holyhead
Beaumaris
Whitford
Tatton Park
Castleton
Rhuddlan
Lyme Park
Hathersage
Menai Bridge
Conwy
Bodrhyddan Hall
Holywell
Knutsford
Tideswell
Chesterfield
Great Budworth
Aberffraw
St. Asaph
Flint
Buxton
Eyam
Bangor
Penrhyn Castle
Lower Peover
Macclesfield
Taddington
Northop
Caerhun
Denbigh
Hawarden
Caernarfon
Bethesda
Chester
Arbor Low
Mold
Haddon Hall
Llanrwst
Llanberis
Bunbury
Little Moreton Hall
Nant Peris
Llanrhaeadr
Ruthin
Betws-y-Coed
Gresford
Acton
Efenechdyd
Matlock
Clynnog-Fawr
Holt
Wrexham
Wirksworth
Nantwich
Beddgelert
Ilam
Cromford
Tissington
Llanaelhaearn
Nefyn
Valle Crucis Abbey
Fenny Bentley
Kedleston Hall
Porthmadog
Maentwrog
Stoke-on-Trent
Castell Dinas Bran
Corwen
Ashbourne
Criccieth
Tomen-y-mur
Llandderfel
Llangollen
Cysyllte
Alton Towers
Pwllheli
Portmeirion
Barlaston
Whitchurch
Bala
Llandrillo
Chirk
Radbourne
Lleyn Peninsula
Harlech
Derby
Llangower
Sudbury Hall
Llanuwchllyn
Llanrhaeadr-ym-Mochnant
Foremark
Llanddwywe
Sandon
Blithfield
Repton
Abersoch
Melbourne
Pennant Melangell
Cymer Abbey
Stafford
Llanaber
Staunton Harold
Haughmond Abbey
Dolgellau
Ashby-de-la-Zouch
Shugborough
Meifod
Weston Park
Moat House
Tal-y-Llyn
Strata Marcella
Shrewsbury
Lichfield
Elford
Measham
Abergynolwyn
Wroxeter
Chillington Hall
Tamworth
Llanegryn
Welshpool
Coalbrookdale
Ironbridge
Appleby Magna
Moseley Old Hall
Tywyn
Wales
Wightwick Manor
Walsall
Merevale
Much Wenlock
Machynlleth
Montgomery
Wolverhampton
Morville
West Bromwich
Bosworth
Talybont
Newtown
Bridgnorth
Dudley
Claybrooke
Llanbadarn Fawr
Llywernog
Llanbadarn
Aberystwyth
Stokesay
Birmingham
Ysbyty Cynfin
Llananno
Pen Dinas
Coventry
Devil's Bridge
Llanbister
Chaddesley Corbett
Pont-rhyd-fendigaid
Abbey Cwmhir
Ludlow
Berkswell
Hartlebury Castle
Kenilworth Castle
Knighton
Aberarth
Croft Castle
Rhayader
Aberaeron
Llandrindod Wells
Bromsgrove
Tynygraig
Presteigne
Great Witley
Warwick
Tregaron
Strata Florida Abbey
Old Radnor
New Radnor
Llanarth
Canons Ashby
Llanddewi Brefi
Sulgrave Manor
Stratford-upon-Avon
Worcester
Lampeter/ Llanbedr
Builth Wells
Llanfair Clydogau
Pershore
Great Malvern
Compton Wynyates
Newcastle Emlyn
Hay-on-Wye
Hidcote Manor Gardens
Herefordshire Beacon
Llandyssul
Pumpsaint
Llanfair-ar-y-Bryn
Hereford
Evesham
Cenarth
Wickhamford
Ledbury
Eastnor
Broughton Castle
Talley Abbey
Llandovery
Brecon Gaer
Talgarth
Abbey Dore
Bredon
Chipping Campden
Kempley
Tewkesbury
Hailes
Brecon
Llanthony
Llangadog
Deerhurst

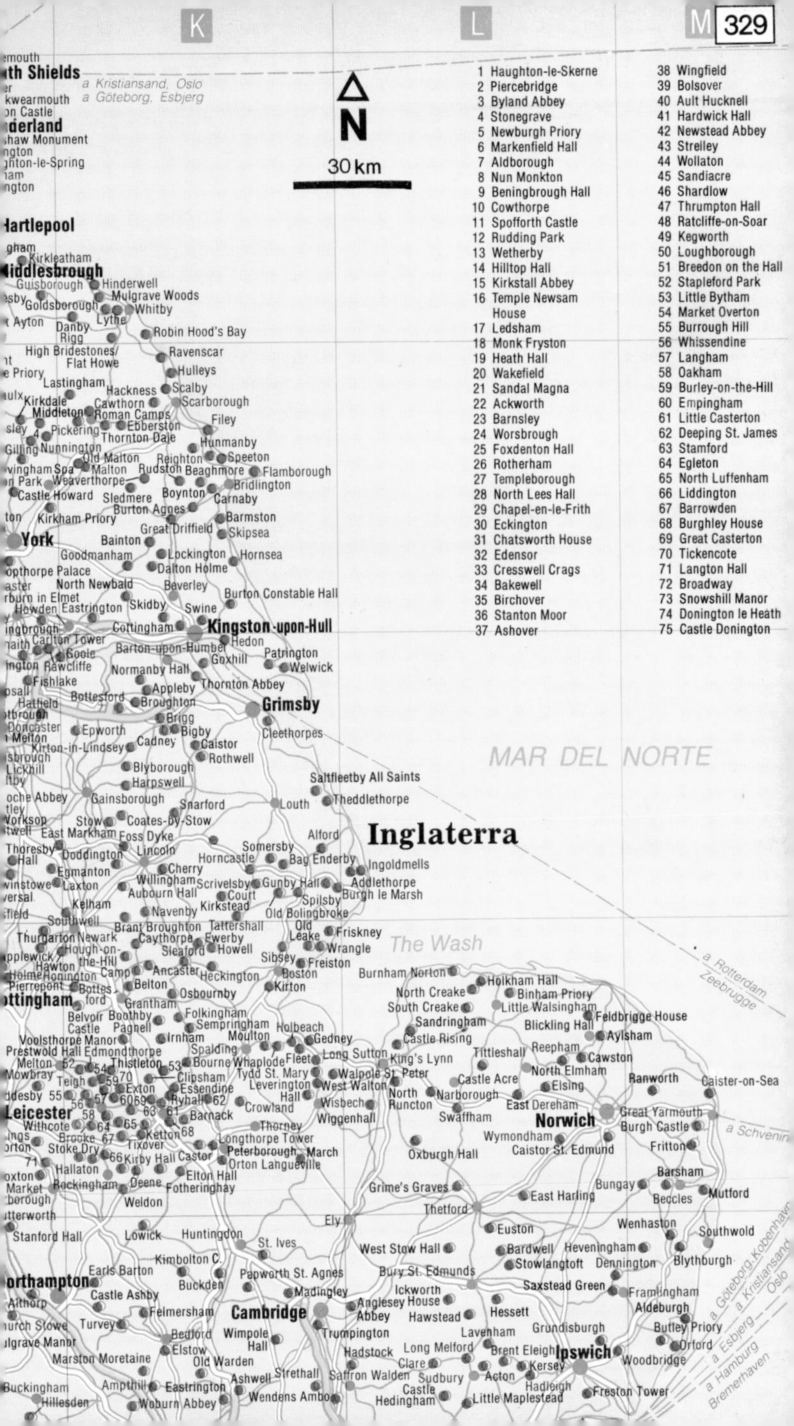
K
L
M
N
30 km
1 Haughton-le-Skerne
2 Piercebridge
3 Byland Abbey
4 Stonegrave
5 Newburgh Priory
6 Markenfield Hall
7 Aldborough
8 Nun Monkton
9 Beningbrough Hall
10 Cowthorpe
11 Spofforth Castle
12 Rudding Park
13 Wetherby
14 Hilltop Hall
15 Kirkstall Abbey
16 Temple Newsam House
17 Ledsham
18 Monk Fryston
19 Heath Hall
20 Wakefield
21 Sandal Magna
22 Ackworth
23 Barnsley
24 Worsbrough
25 Foxdenton Hall
26 Rotherham
27 Templeborough
28 North Lees Hall
29 Chapel-en-le-Frith
30 Eckington
31 Chatsworth House
32 Edensor
33 Cresswell Crags
34 Bakewell
35 Birchover
36 Stanton Moor
37 Ashover
38 Wingfield
39 Bolsover
40 Ault Hucknell
41 Hardwick Hall
42 Newstead Abbey
43 Strelley
44 Wollaton
45 Sandiacre
46 Shardlow
47 Thrumpton Hall
48 Ratcliffe-on-Soar
49 Kegworth
50 Loughborough
51 Breedon on the Hall
52 Stapleford Park
53 Little Bytham
54 Market Overton
55 Burrough Hill
56 Whissendine
57 Langham
58 Oakham
59 Burley-on-the-Hill
60 Empingham
61 Little Casterton
62 Deeping St. James
63 Stamford
64 Egleton
65 North Luffenham
66 Liddington
67 Barrowden
68 Burghley House
69 Great Casterton
70 Tickencote
71 Langton Hall
72 Broadway
73 Snowshill Manor
74 Donington le Heath
75 Castle Donington
a Kristiansand, Oslo
a Göteborg, Esbjerg
Hartlepool
Middlesbrough
Hinderwell
Mulgrave Woods
Whitby
Robin Hood's Bay
Ravenscar
Hulleys
Scalby
Scarborough
Filey
Hunmanby
Speeton
Flamborough
Bridlington
Barmston
Skipsea
Hornsea
York
Beverley
Burton Constable Hall
Kingston-upon-Hull
Hedon
Patrington
Welwick
Thornton Abbey
Grimsby
Cleethorpes
MAR DEL NORTE
Saltfleetby All Saints
Theddlethorpe
Louth
Inglaterra
Lincoln
Alford
Ingoldmells
Addlethorpe
Burgh le Marsh
Friskney
Wrangle
The Wash
Boston
Freiston
a Rotterdam
Zeebrugge
Burnham Norton
Holkham Hall
Binham Priory
Little Walsingham
Feldbrigge House
Aylsham
Blickling Hall
Sandringham
Castle Rising
King's Lynn
Cawston
North Elmham
Ranworth
Caister-on-Sea
Norwich
Great Yarmouth
Burgh Castle
a Schvenin
Fritton
Barsham
Beccles
Mutford
Bungay
Thetford
Ely
Wenhaston
Southwold
Blythburgh
Peterborough
Cambridge
Bury St. Edmunds
Framlingham
Aldeburgh
Ipswich
Woodbridge
Orford
Felixstowe
Freston Tower
a Göteborg, Kobenhavn
a Kristiansand
Oslo
a Esbjerg
a Hamburg
Bremerhaven
Nottingham
Leicester
Northampton
Bedford
Huntingdon
Lavenham
Sudbury
Saffron Walden

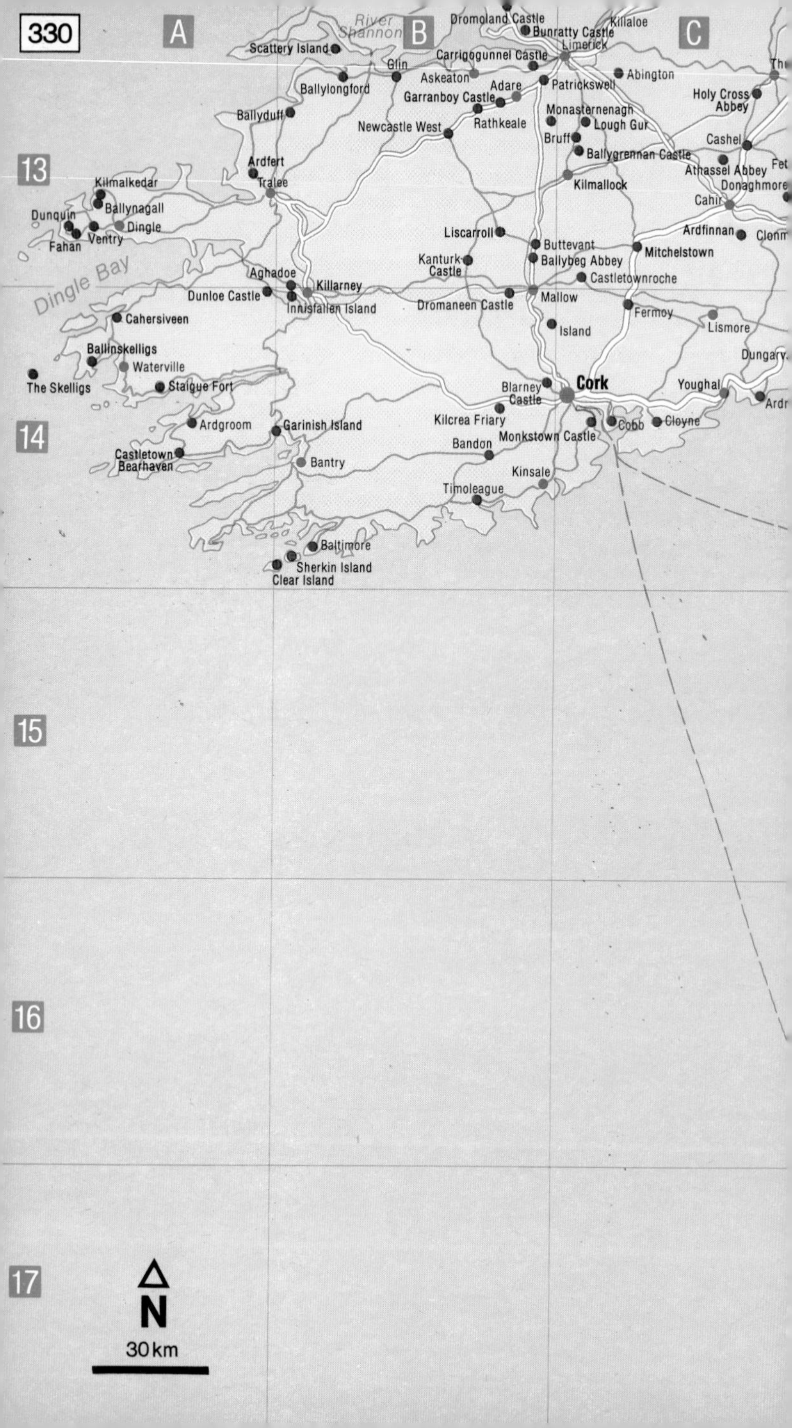
A
B
C
13
14
15
16
17
River Shannon
Dromoland Castle
Bunratty Castle
Killaloe
Limerick
Scattery Island
Carrigogunnel Castle
Glin
Askeaton
Abington
Ballylongford
Adare
Patrickswell
Holy Cross Abbey
Garranboy Castle
Ballyduff
Monasternenagh
Newcastle West
Rathkeale
Lough Gur
Bruff
Cashel
Ballygrennan Castle
Ardfert
Athassel Abbey
Kilmallock
Donaghmore
Kilmalkedar
Tralee
Ballynagall
Cahir
Dunquin
Dingle
Ventry
Fahan
Ardfinnan
Clonm
Liscarroll
Buttevant
Mitchelstown
Dingle Bay
Kanturk Castle
Ballybeg Abbey
Aghadoe
Castletownroche
Killarney
Dunloe Castle
Innisfallen Island
Dromaneen Castle
Mallow
Fermoy
Cahersiveen
Lismore
Island
Ballinskelligs
Waterville
Dungarv
The Skelligs
Staigue Fort
Blarney Castle
Cork
Youghal
Ardr
Kilcrea Friary
Ardgroom
Garinish Island
Cobh
Cloyne
Monkstown Castle
Bandon
Castletown Bearhaven
Bantry
Kinsale
Timoleague
Baltimore
Sherkin Island
Clear Island
N
30 km

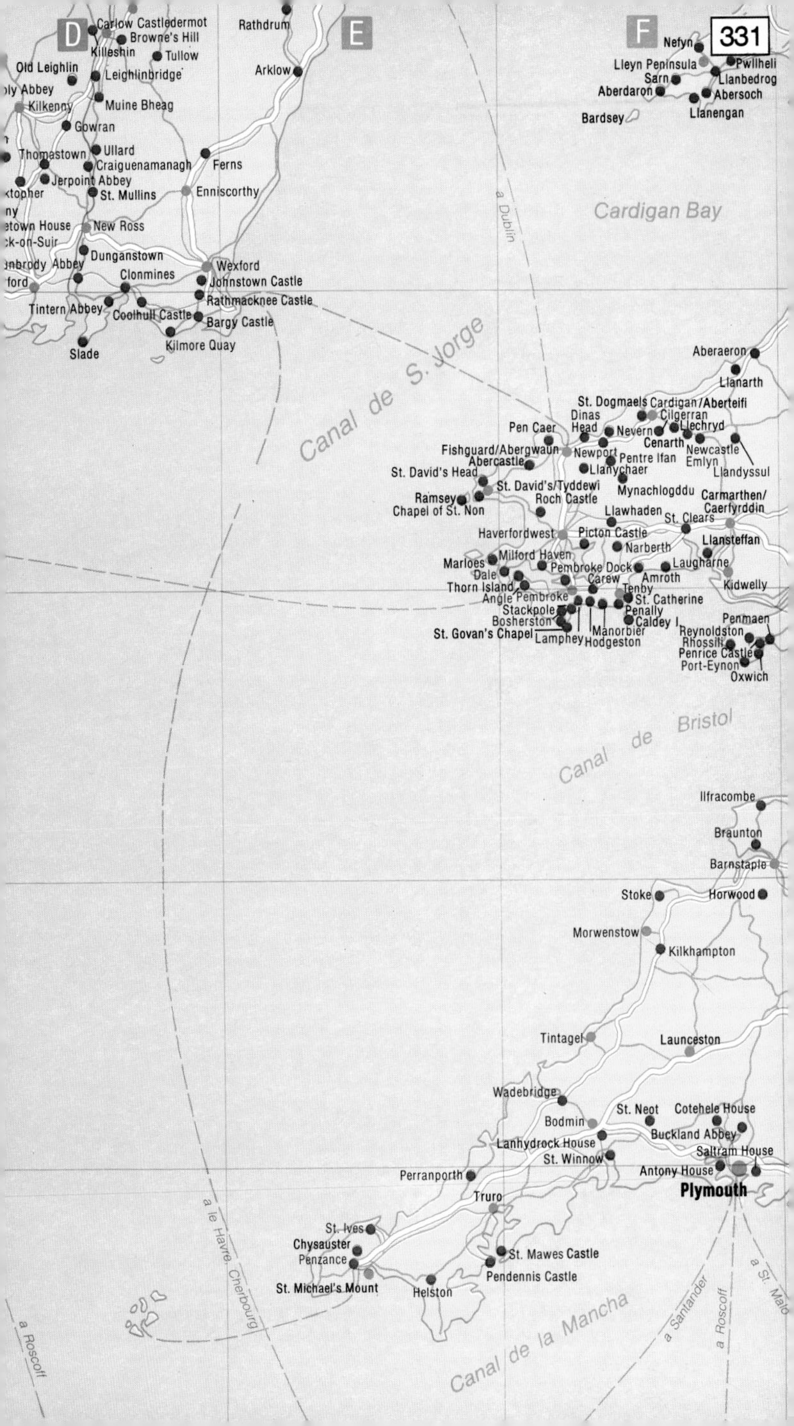
D
E
F
Carlow
Castledermot
Browne's Hill
Killeshin
Tullow
Rathdrum
Old Leighlin
Leighlinbridge
Arklow
Kilkenny
Muine Bheag
Gowran
Thomastown
Ullard
Craiguenamanagh
Ferns
Jerpoint Abbey
St. Mullins
Enniscorthy
New Ross
Dunganstown
Wexford
Clonmines
Johnstown Castle
Tintern Abbey
Rathmacknee Castle
Coolhull Castle
Bargy Castle
Kilmore Quay
Slade
Nefyn
Lleyn Peninsula
Pwllheli
Sarn
Llanbedrog
Aberdaron
Abersoch
Bardsey
Llanengan
Cardigan Bay
a Dublin
Canal de S. Jorge
Aberaeron
Llanarth
St. Dogmaels
Cardigan/Aberteifi
Dinas Head
Cilgerran
Pen Caer
Nevern
Llechryd
Cenarth
Fishguard/Abergwaun
Newport
Newcastle Emlyn
Abercastle
Pentre Ifan
Llanychaer
Llandyssul
St. David's Head
St. David's/Tyddewi
Mynachlogddu
Ramsey
Chapel of St. Non
Roch Castle
Carmarthen/Caerfyrddin
Llawhaden
St. Clears
Haverfordwest
Picton Castle
Llansteffan
Narberth
Milford Haven
Marloes
Pembroke Dock
Laugharne
Dale
Carew
Amroth
Kidwelly
Thorn Island
Tenby
Angle
Pembroke
St. Catherine
Stackpole
Penally
Bosherston
Caldey I.
Penmaen
St. Govan's Chapel
Manorbier
Reynoldston
Lamphey
Hodgeston
Rhossili
Penrice Castle
Port-Eynon
Oxwich
Canal de Bristol
Ilfracombe
Braunton
Barnstaple
Stoke
Horwood
Morwenstow
Kilkhampton
Tintagel
Launceston
Wadebridge
St. Neot
Cotehele House
Bodmin
Buckland Abbey
Lanhydrock House
Saltram House
St. Winnow
Antony House
Perranporth
Plymouth
Truro
St. Ives
Chysauster
Penzance
St. Mawes Castle
Pendennis Castle
St. Michael's Mount
Helston
a le Havre, Cherbourg
a Roscoff
Canal de la Mancha
a Santander
a Roscoff
a St. Malo

1 Compton Wynyates
2 Hidcote Manor Gardens
3 Wickhamford
4 Broadway
5 Winchcombe
6 Castle Ashby
7 Felmersham
8 Great Witcombe Villa
9 Mapledurham House
10 Compton
11 Quebec House
12 Combe Bank
13 Sevenoaks
14 Kit's Coty House
15 Chatham
16 Old Soar Manor
17 Allington Castle
18 Maidstone
19 Boughton Monchelsea Place
20 Chilham
22 Julieberrie's Grave
23 Harrow Hill
24 Boxgrove
25 Cissbury Ring
26 Highdown Hill
27 Broadwater
28 Mount Caburn
29 Firle Place
30 Alfriston
31 Wilmington
32 Berwick
33 Michelham Priory
34 Witney

K
L
M
Northampton
Turvey
Gayhurst
Bedford
Chicheley
Elstow
Marston Moretaine
Buckingham
Ampthill
Hillesden
Leighton Buzzard
Woburn Abbey
Eastrington
Luton
Claydon House
Dunstable
Wing
Waddesdon M.
Flamstead
Edlesborough
Hemel Hempstead
Thame
Bledlow
West Wycombe
High Wycombe
Penn
Rotherfield Greys
Dorney
Court
Maidenhead
Eton
Windsor
Shottesbrooke
Warfield
St. Albans
Madingley
Cambridge
Papworth
St. Agnes
Trumpington
Hadstock
Old Warden
Ashwell
Strethall
Saffron Walden
Wendens Ambo
Newport
Hitchin
Luton Hoo
Much Hadham
Knebworth
Hertford
Hatfield
Ware
Broxbourne
Waltham Abbey
Bishop's Stortford
Sawbridgeworth
Hatfield Broad Oak
Thaxted
Finchingfield
Castle Hedingham
Wethersfield
Ickworth Hs.
Hawstead
Long Melford
Clare
Bury St. Edmunds
Lavenham
Brent Eleigh
Kersey
Acton
Sudbury
Hadleigh
Little Maplestead
Halstead
Great Bardfield
Framlingham
Saxstead Green
Grundisburgh
Aldeburgh
Butley Priory
Orford
Woodbridge
Ipswich
Freston Tower
Dedham
Colchester
Rivenhall
Copford
Layer Marney
Tolleshunt
St. Osyth
Maldon
Chelmsford
Margaretting
Ingatestone
Bradwell-on-Sea
Laindon
Southend-on-Sea
a Esbjerg
a Bremerhaven Hamburg
a Hoek van Holland
a Zeebrugge
LONDRES
Thames
Dartford
Gravesend
Cliffe
a Vlissingen
Sutton-at-Hone
Cobham
Rochester
Sittingbourne
Sheppey
Reculver
Birchington
Broadstairs
Ramsgate
Luddesdown
Faversham
Minster
Lynsted
Canterbury
Richborough
Sandwich
Deal
Walmer Castle
St. Margaret's at Cliffe
Dover
a Dunkerque
a Oostende Zeebrugge
a Dunkerque, Oostende
Walton-on-the-Hill
Sundridge
Old Hall
Lullingstone
Westerham
Knole
Aylesford
Otham
Otterden Place
Patrixbourne
Adisham
Barfreston
Leeds Castle
Charing
Ashford
Folkestone
Mersham
Saltwood
Hythe
Lympne Castle
Yardhurst
Godington Park
Ightham
Chartwell
Bletchingley
Reigate
Church Crookham
Aldershot
Basing
Farnham
Clandon Park
Guildford
Loseley House
Waverley
Godalming
Haslemere
Hever
Chiddingstone
Penshurst
Tonbridge
Owl House
Sissinghurst
Hollye
Withyham
Royal Tunbridge Wells
Scotney Castle
Rotherfield
Bodiam Castle
Great Dixter
Burwash
Bateman's
Brede Place
Rye
Camber
East Guildford
Dungeness
Winchelsea
Fairlight
Hastings
Battle
Hestmonceux Castle
Penhurst
Ashburnham
Arlington
Pevensey
Bexhill
Charleston Manor
Eastbourne
Eastdean
Bishopstone
Brighton
Falmer
Lewes
Glynde
Danny
Hollingbury
Chanctonbury
Steyning
Bramber
Hove
Shoreham by Sea
Worthing
Sompting
Arundel
Amberley
Parham
Bignor
Cowdray Park
Chichester
Fishbourne
Bosham
Reading
Estrecho de Dover
Calais
Boulogne
Canal de la Mancha
Dieppe
Francia
Le Havre
Rouen
Caen
Normandie
N
30 km

Inverness. Casa consistorial victoriana

piedra (Clach-na-Cudainn) que era utilizada para apoyar los cubos de agua. Al lado del moderno castillo del siglo XIX se encuentra el museo, en el cual se exponen hallazgos arqueológicos, piezas jacobinas, diversos objetos de arte y armas de los *Highlands*. La *St. Andrew's Cathedral* data de 1866-1871. La pila bautismal es una copia de la famosa pila, en forma de ángel, de Copenhague. Al E de la ciudad se encuentra el campo de batalla de *Culloden*, sobre el que se disputaron las últimas esperanzas de una Escocia independiente. En un centro de información de la *National Trust* se puede obtener una visión completa de la batalla. Las pirámides de piedra, colocadas a modo de lápidas a ambos lados de la carretera por los familiares de los distintos clanes, señalan las numerosas tumbas. Como símbolo de unidad, para los muertos del Conde de Cumberland sólo se erigió una piedra con la inscripción «The English were buried here».

Alrededores

Beauly (10 km O): En este lugar residió la familia del «Frasers of Lovat», de descendencia normanda. En el siglo XII introdujeron en su territorio el anglonormando (dialecto francés antiguo), creando así un nuevo dialecto gaélico dentro de la península. En el año 1230 fue fundado por Sir John Bissit of Lovat una fundación para la Orden de los vasculianos. La iglesia de dicha fundación fue edificada entre los siglos XIV y XVI; la fachada data del año 1530.

Cawdor Castle (12 km NE): Según Shakespeare, Macbeth tenía el título de un *Thane of Cawdor*. Según la historia, se podría pensar que el asesinato de Duncan (1040) fue en el castillo de *Cawdor*. No obstante, esto no es posible, ya que el castillo fue edificado en 1454. De especial interés es el puente y la torre central. El castillo lo habita, en la actualidad, el *Conde Campbell of Cawdor*, pero puede ser visitado.

Leith Hall (Inverurie)

Maiden Stone (Inverurie)

Fort George (15 km NE): El fuerte fue construido después de la batalla de *Culloden* y es uno de los mejores ejemplos en Europa de fortificaciones de artillería y arquitectura militar del siglo XVIII. El nombre del fuerte procede de Jorge II, de la casa de *Hannover* (que, entre otras cosas, también ha fundado la universidad de Göttingen). La fortificación se conserva excelentemente; en el interior se puede visitar el museo del Regimiento de la *Queen's Own Highlanders.*

Inverurie

Grampian/Escocia Pág. 324 □ H 6

Alrededor de la pequeña ciudad, en la confluencia de los ríos *Urie* y *Don,* se encuentran dispersos diversos restos, en especial de la Edad Media. En el centro se encuentra *Brandsbutt Stone,* una imponente piedra con inscripciones *ogham* y símbolos pictóricos. También es interesante el museo local.

Alrededores

Leith Hall (15 km NO): Las partes más antiguas datan de 1650; las naves E y S fueron construidas alrededor de 1756. El edificio del coro, con fachada del Renacimiento, data de 1868. *Leith Hall* fue durante trescientos años la vivienda de la familia Leith y actualmente es conservada por el *National Trust.*

Loanmead Stone Circle (8 km NO): El círculo de piedra data de 1800 a 1600 a. de J. C.; en el centro se encuentra un túmulo circular.

Maiden Stone (6 km O): El famoso monumento precristiano de *Aberdeenshire* se encuentra en el terreno de la *Drundurno Farm.* En un lado, la piedra está decorada con símbolos y ornamentos celtas; en el opuesto se pueden ver símbolos pictóricos.

Pitcaple Castle (5 km NO): El pequeño castillo, con planta en forma de Z, data en sus partes más antiguas de la segunda mitad del siglo XV. En este castillo vivieron tres reyes escoceses: Jaime IV, María Estuardo y Carlos II. La edificación está ocupada actualmente por la familia propietaria; no obstante, está abierto al público.

Iona (I)

Strathclyde/Escocia Pág. 324 □ E 7

Esta pequeñísima isla, enfrente de la punta SO de la isla *Mull,* fue cuna del cristianismo y, durante siglos, centro religioso y de retiro de diversos reyes escoceses. En el año 563 estuvo en este lugar *St. Columba,* un príncipe inglés encubierto bajo el hábito de penitencia que, con doce hombres, propagó el cristianismo entre la población. Cuando falleció dejó una iglesia de madera y barro cuyos restos no han podido ser localizados hasta el momento, ya que el paso del tiempo ha sido extremadamente duro con *Iona.* De 794 a 801 los vikingos destruyeron el convento iroescocés y, en 806, asesinaron en la *Martyr's Bay* a 68 monjes. El sarcófago de St. Columba fue transportado al convento de *Kells,* en su país natal, Irlanda. De 825 a 986 los vikingos volvieron a causar estragos en la isla. En 1093, finalmente, el rey noruego Magnus Baarefoot se apoderó de la isla; en el año 1266 volvió a pasar a manos escocesas. Desde 1561, cuando el Parlamento escocés disolvió las fundaciones, hasta 1938, entró en acción la *Iona Community,* que ejercía todo tipo de actividades espirituales en la isla. Al igual que hace cuatrocientos años, actualmente es un importante centro de reunión de celebridades; muestra de ello es la excelente restauración efectuada en la abadía.

Benedictine Nunnery: Se trata de una donación de *Reginald MacDonald of Islay.* Del convento que existió entre los años 1202 a 1561 sólo quedan partes del refectorio y del Vía Crucis, así como restos del coro, de la iglesia del claustro y de la sacristía. La *Mac Lean's Cross* está decorada con ornamentos irlandeses y fue erigida en el siglo XV. El convento ha sido construido por o para un *Mac Lean of Duart.*

Reilig Odhrain: El cementerio de los reyes es el cementerio cristiano de más antigüedad. En él reposan los restos mortales de 48 reyes escoceses, cuatro irlandeses y ocho noruegos. *Kenneth MacAlpine,* que fuera el unificador de Escocia, está enterrado en este lugar, al igual que el rey Duncan y su asesino, Macbeth. Cuando en la obra de Shakespeare se habla de *Icolmkill,* el osario de los antepasados, no se refiere a otra cosa que la isla donde sufrió prisión Columba, o sea, el nombre gaélico de la isla. Desde el siglo XI los reyes fueron coronados en *Dumfermline Abbey.* Las viejas lápidas muestran los lugares donde yacen los restos de algunos reyes de los siglos XIII y XIV.

St. Oran Chapel: La capilla-cementerio data, posiblemente, del siglo VIII. Obtuvo su forma actual con la reina Margarita, en el año 1080. Según los escritos que se conservan, la capilla se encuentra en el mismo lugar en el que se encontró la que construyera *St. Columba.* Esto, no obstante, no ha podido ser demostrado.

Benedictine Abbey: La entrada al recinto es fantástica. Desde la bahía *Marty,* hasta la abadía, fue utilizado en otros tiempos por la *Street of the Dead* como itinerario fúnebre en los enterramientos. En la orilla de dicho camino se encuentra la imponente *St. Martin's Cross,* erigida en el siglo XII. Enfrente de la cruz, de unos 4,5 m de altura, decorada con escenas bíblicas y ornamentos irlandeses, oraban antiguamente los sacerdotes. Junto con la cruz de *Kildalton,* en *Islay,* esta es la única cruz celta conservada en Escocia. Surgió de la combinación del crucifijo cristiano y el círculo, símbolo del druida dios del Sol. La cruz de *St. John* es una imitación más moderna. La construcción de la catedral se co-

Iona. Abadía benedictina

menzó en el siglo XII. Está compuesta por elementos románicos y neogóticos. La torre del transepto, soportada por cuatro arcos románicos, tiene una altura de 21,3 m; es tan alta como larga la nave de la iglesia. A partir de 1561 la iglesia decayó, al igual que el resto de la construcción. Cuando el *octavo Duque de Argyll* obsequió el edificio en 1899 a la *Church of Scotland*, la catedral fue reconstruida. Se está trabajando en la restauración del edificio de la fundación desde el año 1938.

Ipswich

Suffok/Inglaterra Pág. 332 □ L 14

La capital del condado de *Suffolk*, en la desembocadura del *Orwell*, ya estuvo colonizada en la prehistoria. Los anglosajones la llamaron *Gipeswic;* los daneses la saquearon en los años 991 y 1000. En el año 1199 el rey Juan edificó su primera fortaleza. La época de mayor florecimiento de la ciudad fue durante el siglo XVI, ya que se convirtió en uno de los puertos de más importancia dedicados al comercio de la lana. En el año 1475 nació en este lugar el cardenal *Wolsey;* también vivió en la ciudad el pintor Thomas Gainsborough (1727-1788).

Church of St. Mary-le-Tower: La iglesia parroquial de la ciudad fue renovada en la segunda mitad del siglo XIX. Impresiona su torre, de unos 60 m de altura.

Church of St. Margaret: La iglesia gótica obtuvo su forma actual en el siglo XV. Impresiona en ella su doble techo de vigas y las claraboyas (también del siglo XV).

Christchurch Mansion: La casa de campo, de estilo Tudor, fue edificada en los años 1548-1550, en el lugar de un priorato agustino del siglo XII; después de un incendio fue renovada, en 1675. Actualmente la casa es utilizada como museo; reúne en sus 36 salones una amplísima colección de muebles, antigüedades y lienzos, especialmente de artistas del condado de *Suffolk*. La colección contiene obras de varios artistas: Churchyard, Constable, Gainsborough, Munnings y Steer.

Ipswich Museum: Contiene una interesante colección referente a la historia natural del condado. Los exponentes abarcan la prehistoria, la época romana en *East Anglia* y la Edad Media. También se puede visitar en el museo una interesante colección de pájaros de la zona y tropicales.

Alrededores

Aldeburgh (30 km NE): Esta localidad es famosa por las fiestas musicales que en ella se realizan. En la antigüedad fue una importante ciudad portuaria. De esta época todavía se conservan numerosas casas en excelente estado de conservación; entre ellas, *Moot Hall*, casa de paredes entramadas, del siglo XVI. La *Church of SS. Peter and Paul* fue edificada en el siglo XVI en estilo perpendicular. La torre O y la pila bautismal, en el interior, datan del siglo XIV.
Butley Priory (25 km N): La *Gate House* data del siglo XIV y antiguamente formó parte de un priorato agustino fundado por *Ranulf de Glanville* en 1172. El pórtico es especialmente interesante por los escudos heráldicos grabados en la piedra, entre ellos los de Inglaterra y Francia, así como las tres coronas de *East Anglia*. También se pueden ver los diferentes escudos de armas de numerosas familias poderosas de East Anglia.
Freston Tower (8 km S): El torreón de seis pisos, construido con ladrillo, con su escalera de caracol, fue construido en 1550.
Grundisburgh (13 km NE): La *Church of St. Mary*, de estilo neogótico, posee en la nave central, en la lateral S y en la capilla, excelentes techos de vigas, decorados con infinidad de ángeles. De especial interés, un fresco de *St. Cristophorus*, que data del siglo XIII.
Hadleigh (17 km O): La pequeña ciudad fue antiguamente un importante centro comercial lanero. En ella se encuentran todavía viejas casas de los siglos XV y XVI, así como de la época georgiana. La *Church of St. Mary* data del siglo XIV; la torre puntiaguda fue construida en el siglo XV. La pila bautismal es del siglo XIV. Las rejas del coro y la sillería tallada datan del siglo XV. El revestimiento del órgano procede de principios del siglo XVIII. La *Deanery Tower* fue edificada en 1495 como casa de vigilancia (caserna) del palacio del arzobispo *Pykenham*. En el interior se conserva una sala de rezos, octogonal, con techo de bóvedas en ladrillo.
Kersey (20 km O): Este precioso y antiguo pueblo de tejedores conserva numerosas casas de paredes entramadas. La *Church of St. Mary* posee una torre O del siglo XV. La iglesia fue ampliamente renovada en el siglo XIX. La pieza de más antigüedad en el interior es una pila bautismal de la época gótica, decorada con esculturas de ángeles. En un fresco se puede ver a *St. Georg* con el dragón.
Orford (35 km E): El castillo fue edificado por Enrique II de 1165 a 1173. Se conserva la fortaleza interior y un polígono de 18 lados con tres torres esquineras integradas. Los muros exteriores y las instalaciones de defensa, junto a los fosos, han sido destruidos a lo largo de los siglos.
Woodbridge (15 km NE): En este lugar se conservan numerosas casas antiguas procedentes de los siglos XV y XVI. La *Church of St. Mary* data de principios del gótico; la torre, de aspecto macizo, ha sido erigida en el siglo XV. De la misma época data la pila bautismal, con los símbolos de los siete sacramentos. Del siglo XVII procede un monumento fúnebre que está decorado con hermosas figuras de una familia de la ciudad.

Jersey (I)

Jersey/Inglaterra Pág. 332 □ H 18

La mayor de las islas normandas es, a la vez, la más sureña de las islas del canal de Inglaterra en la costa francesa. La isla era propiedad de los normandos en la Edad Media y formaba parte de la

Ipswich. Church of St Margaret ▷

Jervaulx Abbey. Ruinas

Normandía; no obstante, permaneció, con otras islas del canal, al lado de Inglaterra en la época que Normandía se hizo francesa. Debido a su pasado histórico, las islas, a pesar de depender de Inglaterra, tienen un carácter propio e independiente. El idioma oficial es el francés.

St. Helier: En el lugar principal de la isla de Jersey se encuentra el *Jersey Museum*. Este museo está dedicado a la arqueología, la historia y a la artesanía. En él se puede apreciar el desarrollo de las islas desde sus orígenes hasta los tiempos actuales. Se incluye una galería de arte que contiene obras de los artistas oriundos.

Hougue Bie: Este túmulo con cámara data de la prehistoria; fue edificado alrededor del 2000 a. de J. C. Está compuesto por enormes piedras agrupadas artísticamente y procedentes de la cercana costa. El acceso a la cámara central es posible a través de varias cámaras laterales. La construcción fue recubierta con tierra y piedras, formando un alto montículo. Cuando la cámara, en el año 1924, fue descubierta por los arqueólogos, éstos confirmaron que, por desgracia, ya había sido saqueada. Sobre el montículo se encuentra la *Church of Notre Dame de la Clarté*. Data del siglo XII y, probablemente, fue edificada para conmemorar la victoria del cristianismo sobre el ateísmo. La *Jerusalem Chapel* fue construida en el año 1520 por encargo de *Dean Mabon*, después de volver de un peregrinaje a Jerusalén. En la cripta de la capilla se encuentra una fiel reproducción de la tumba de Cristo de la Santa Iglesia de la ciudad de Jerusalén.

En el *German Occupation Museum* se pueden ver objetos representativos de la época de ocupación de los nacionalistas en la segunda guerra mundial.

En el *Agricultural Museum* se puede seguir la evolución agrícola de la isla.

Jervaulx Abbey

North Yorkshire/Inglaterra Pág. 328 □ I 11

Abadía cisterciense: Fue fundada en 1156 y dominó en su época de florecimiento la parte alta del valle *Ure;* los monjes de la abadía eran famosos por su habilidad en la cría de caballos. Después de la disolución, la abadía decayó rápidamente; su último abad, *Adam Sedburgh,* fue ahorcado en 1537 por ser partícipe del llamado «Pilgrimage of Grace», en *Tyburn.* Hasta el año 1805, cuando se comenzaron las excavaciones, era desconocida hasta la situación de la abadía. Los restos de la abadía que quedaban en la superficie fueron utilizados durante siglos como cantera. De la antigua iglesia, de unos 86 m originales de longitud, sólo quedan las partes bajas de los muros exteriores, dos altares, algunas bases de pilastras y la plaza del altar elevado; de la sala capitular, edificada en el siglo XII en estilo Early-English, es de especial interés el pórtico, con sus dos bonitas ventanas arqueadas a ambos lados. En el conjunto de las ruinas se pueden ver 15 muestras de picapedreo diferentes.

Jervaulx Abbey. Bases de columnas

Alrededores

Bedale (10 km E): De especial interés es la iglesia de los siglos XIII al XIV *St. Gregory,* con su imponente torre, que antiguamente fue utilizada como defensa. En la *Bedale Hall* se encuentra actualmente un museo dedicado a la artesanía del lugar. El edificio data del siglo XVIII y es de estilo georgiano.

Masham (8 km SE): En el lugar se encuentra una interesante iglesia de los siglos XII al XIV (torre normanda en su parte inferior y techo octogonal); en el interior, sobre el arco que conduce al coro, se encuentra una pintura que formó parte de una obra incinerada en 1816, de *Reynolds* «Nativity»: Nacimiento del Señor).

Middleham (6 km NO): Iglesia *St. Mary and St. Alkelda.* Fue construida por vez primera alrededor de 1280; posteriormente fue ampliada; posee hermosos ventanales en las naves laterales creados en el siglo XV. También de interés, el *Middleham Castle,* fundado por los normandos; en el año 1469 sirvió de prisión al rey Eduardo IV, hecho prisionero por la familia *Neville.* Fue propietario de la fortaleza desde el siglo XIII. En el año 1646 fue destruida por los republicanos en la guerra civil. Se conservan el cementerio, la capilla y la *Great Hall.*

Well (9 km SE): El lugar es conocido por sus termas romanas (son lás más grandes después de las de *Bath,* en Inglaterra); en la iglesia, interesantes monumentos fúnebres.

West Tanfield (12 km SE): Restos de una fortaleza (se conserva el pórtico de una torre del siglo XV con bonito ventanal en estilo perpendicular, posteriormente reedificado en estilo gótico); interesante iglesia (de origen normando, más tarde reformada en estilo perpendicular de finales del gótico); en el interior, los monumentos fúnebres de los *Marmion;* en el siglo XIX fueron restaurados con muy mal gusto.

K

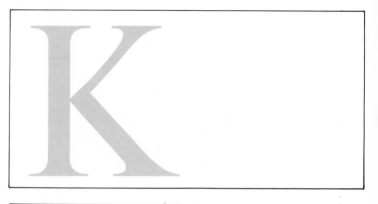

Kells/Ceanannus Mór

Meath/Irlanda Pág. 326 □ D 11

Este pequeño lugar procede de una fundación conventual del santo Columba (St. Colmcille), del siglo VI. Aquí se pueden ver infinidad de cosas interesantes de la Edad Media.

St. Columba's House: Este interesante oratorio de piedra, del siglo IX, con planta rectangular y techo en forma de bóveda, es una construcción típica de la arquitectura sacra de la Irlanda antigua. La pequeña construcción fue en parte renovada.

Torre circular: Formó parte del antiguo convento y data del siglo XI. Esta torre, refugio en forma de minarete, tiene cinco ventanas (troneras) de defensa y una altura de unos 28 m. Su punta cónica se ha perdido, desgraciadamente. El famoso libro evangelista «Book of Kells», de los siglos VIII al IX, procede del convento de *Kells* y se encuentra actualmente en el *Trinity College,* en Dublín.

Cruces: La cruz del S (South Cross), cerca de la torre circular, data de los siglos IX al X y está dedicada a los santos *Patrick* y *Columba.* La cruz, de 3,30 m de altura, está decorada con hermosas escenas bíblicas (pecado original, Abel, infierno, Daniel, Abraham, David, bodas de Caná, apocalipsis y varias escenas más).

En el cementerio se encuentran otras tres cruces de los siglos X al XII, entre ellas la *East Cross,* con la Crucifixión. La cruz de término, del siglo X, en el interior de la localidad, está ricamente decorada (frisados con caballeros y soldados de a pie, escenas bíblicas).

Alrededores

Castlekeeran (5 km NO): Escasos restos de una fundación erigida por *St. Ciaran* en el siglo VI (St. Ciaran Chapel), con diversas cruces celtas decoradas con numerosos ornamentos (al lado de las ruinas de la iglesia). Cerca, se encuentra una piedra con inscripciones *Ogham,* probablemente del siglo VII. El pozo de *St. Ciaran* (St. Ciaran's Well) es todavía, en la actualidad, meta de numerosos peregrinos (en agosto).

Oldcastle (22 km NO): Al SE del lugar se encuentra un cementerio prehistórico que posee unos 30 túmulos con pasadizos de las cámaras principales a las anexas de los siglos III a I a. de J. C. El monte de *Slieve na Calliagh* (Loughcrew Hills) es una de las necrópolis de más interés de Irlanda (muros circulares, piedras verticales y túmulos excavados).

Kelso

Borders/Escocia Pág. 324 □ H 9

La pequeña ciudad, en la confluencia

Kelso. Floors Castle ▷

de los ríos *Teviot* y *Tweed,* es una de las colonias más bonitas de *Borders.* El afamado novelista Walter Scott consideró a la localidad como «el pueblo más romántico de Escocia». En los años 1522, 1544 y 1545 la ciudad estuvo ocupada por los ingleses.

Kelso Abbey: La más rica y antigua abadía del país fronterizo es una fundación del rey David I (1084-1153). Reunió 1 116 monjes tironenses de Francia y se instaló primeramente en *Selkirk.* Doce años más tarde se trasladaron a Kelso, cuando David I fundó aquí una nueva abadía. Durante siglos la abadía creció y floreció sin altercados; su influencia llegó a ser tan fuerte que hasta sus abades compitieron con los de la abadía de *St. Andrews.* En el año 1460 Jaime III fue coronado en ella. Después de la muerte de Jaime IV en la batalla de *Flodden Field,* terminó la paz para la abadía. Los emperadores lucharon por ella; en 1532 los ingleses incendiaron el edificio; en 1545 fue utilizada como fortaleza de retiro; los últimos 102 defensores fueron sacados violentamente de la torre principal y decapitados.
La importancia de la abadía se manifiesta en sus proporciones. A ambos extremos de la nave principal se encontraban naves laterales, según el diseño típico de las iglesias románicas del Rin (Worms). La planta tiene forma de doble cruz, con sendas torres esquineras en los extremos O y E de la edificación. Se conserva una parte de la fachada O, del crucero O y de la torre O, así como restos de la torre principal. Es especialmente interesante la fachada O, de 800 años, con sus ventanas normandas de doble escalón, la aguja de la torre principal y dos pequeñas torres laterales. La torre grande era soportada por cuatro arcos ojivales de 15 m de altura, de los que se conservan dos. A pesar de que el conjunto no tiene un estilo concreto, la fachada revela influencia lombarda. De las edificaciones de la abadía no quedan actualmente restos.

Floors Castle: Los constructores de este castillo fueron Sir John Vanburgh y William Adam. Fue edificado a partir de 1718 para el *primer Duque de Roxburghe.* De 1838 a 1849 fue transformado por William Henry Playfair en estilo romántico-Tudor, copiando el diseño del *Herio's Hospital,* de 1616. En esa época fueron construidas sus 365 ventanas, una por cada día del año. La decoración interior procede en gran parte de la dote de la esposa del *octavo Duque de Roxburghe.* Según se cuenta, en el parque existe un tejo de quinientos años, al lado del cual falleció el rey Jaime II en el año 1460 al explotar un cañón.

Otros lugares de interés: El *Cross Keys Hotel* es un perfecto ejemplo de parada de postas (correo) del siglo XVIII. En el *Ednam House,* construido en 1761, se puede ver un hermoso techo rococó italiano. El *Rennie Bridge,* de cinco arcos, fue edificado por John Rennie en 1800-1803. Su diseño inspiró el *Waterloo Bridge,* en Londres, que fue demolido en el año 1934.

Alrededores

Mellerstain House (12 km NO): Este pequeño castillo es un buen ejemplo de una casa feudal escocesa del siglo XVIII. La construcción fue comenzada por William Adam alrededor de 1725. Robert Adam la finalizó de 1770 a 1778. En el interior se conservan intactos los estucados y las pinturas; la decoración procede de la época de construcción. También es interesante el parque adyacente al castillo.

Kendal

Cumbria/Inglaterra Pág. 328 □ H 11

Holy Trinity: Esta iglesia fue edificada en el siglo XIII; la edificación actual es predominantemente de arquitectura temprano-gótica Early English; la parte más antigua está en el SE de la construcción. En el interior se encuentran

Kelso. Paisaje

dos naves laterales de igual longitud que la nave principal. Son de especial interés los frescos medievales y cuatro capillas con hermosas tallas de madera; el techo de encina de la iglesia está restaurado por completo, exceptuando algunos detalles. En el extremo E de la nave lateral N se pueden ver las banderas del Regimiento de *Westmoreland* de 1755 a 1881; también es de interés el casco y la espada de «Robin the Devil», miembro de la familia *Philipson,* que se hizo famoso en las guerras del Parlamento, en el siglo XVII.

Castle: Fue edificado en el siglo XII; en la actualidad sólo se conservan ruinas (entre otras cosas, restos del muro de la fortaleza y de la fosa, una torre circular y restos de otras dos torres). La fortaleza, probablemente, fue el lugar natal de Katherine Parr, la última esposa de Enrique VIII (1509-1547).

Abbot Hall: Casa feudal edificada por el arquitecto John Carr de York en estilo georgiano (mezcla de Barroco y Renacimiento). En la planta principal conserva la instalación interior, original de la época de construcción (hermosos muebles de estilo); en el piso superior se expone una colección de pinturas y esculturas contemporáneas. En las antiguas caballerizas se encuentra el *Museum of Lakeland Life and Industry,* en el que se pueden ver colecciones referentes a la historia de la industria y a la artesanía de la zona.

Otros lugares de interés: *Castle Dairy,* antigua vaquería de la fortaleza, fue edificada en el año 1564 en estilo Tudor renacentista. En la *Town Hall* se pueden ver lienzos del pintor George Romney (1734-1802) y el libro de rezos de Katherine Parr. El *Kendal Museum* expone numerosos objetos arqueológicos y referentes a la historia natural del lugar.

Levens Hall (Kendal). Jardines del palacio

Alrededores

Cartmel Fell (12 km SO): Iglesia *St. Anthony,* de principios del siglo XVI; en el interior, de especial interés, el púlpito de tres pisos y bonitas pinturas sobre vidrio.

Crosby Garrett (15 km NE en Ravenstondale): Restos de tres colonias de la Edad del Hierro (colonizadas hasta la llegada de los romanos); se conservan los muros principales de cabañas rectangulares y el muro que rodea toda la instalación.

Levens Hall (8 km S): Imponente casa feudal del siglo XI, de estilo isabelino; en el centro, una torre-vivienda fortificada del siglo XIII. En el interior se pueden ver bonitos muebles de estilo y enmaderados en las paredes del siglo XVII. En el increíble parque del castillo (creado por el arquitecto francés de jardines Beaumont en 1689) se expone una colección de locomotoras a vapor (demostraciones).

Sizergh Castle (5 km S): Desde 1239 es sede de la familia *Strickland.* La construcción actual posee un torreón de defensa del siglo XIV y edificaciones anexas de épocas posteriores (especialmente de los siglos XV, XVI y XVIII). En el interior se conservan bonitos enmaderados y hermosos techos.

Witherslack (15 km SO): Iglesia *St. Paul,* edificada en 1669 en estilo gótico, fue reformada en los siglos XVIII y XIX. En el interior se pueden ver bonitas tallas de madera y pinturas sobre vidrio de la época de la construcción.

Keswick

Cumbria/Inglaterra Pág. 328 □ H 10

Church of St. Kentigern (en Crosthwaite): Iglesia parroquial de la comunidad, edificada a principios del siglo XVI en estilo gótico perpendicular sobre una construcción anterior de la época prenormanda (el patrón es un obispo de Glasgow del siglo VI, Keswick, que formó parte de su diócesis); en el año 1845 la iglesia fue restaurada por el famoso Sir Gilbert Scott. En el interior, interesante pila bautismal de 1390 (con el escudo de Eduardo III en sus ocho lados, en parte símbolos y escrituras no descifradas). De interés son también las ventanas (en el lado izquierdo, San Antonio, con una cruz en forma de T griega); también, un monumento dedicado al poeta inglés *Robert Southey,* y en el coro el sarcófago de Sir *John Radcliffe* y su esposa.

Otros lugares de interés: *Moot Hall* (en la plaza del mercado, de 1813). *Greta Hall,* vivienda de Robert Southley de 1803 a 1843. *Fitz Park Museum,* con un interesante modelo del *Lake District* y valiosas piezas conmemorativas de los poetas *Woodsworth, Southey* y *Ruskin* (entre ellas, cartas originales).

Alrededores

Carrock Fell (16 km NE): Restos en un montículo de un fuerte de la Edad del Hierro. Se

Keswick. Church of St. Kentigern

Tumba de Sir John Radcliffe y esposa

conserva el muro circular, que rodea por el lado E algunas piedras piramidales construidas sobre la tumba en la Edad del Bronce.

Castle Rigg Stone Circle (3 km E): Complejo de círculos de piedra de unos cuatro mil a cinco mil años de antigüedad, de un diámetro de unos 30 m; 38 de las piedras están todavía en posición vertical. La construcción fue utilizada como lugar de culto.

St. Herbert's Island (en el Derwent Water, al S de Kerwick): Restos de una colonia de la Edad Media (siglo VII), en la cual habitó *Herbert,* contemporáneo de *St. Cuthbert.*

Kidwelly/Cydweli

Dyfed/Gales Pág. 332 □ F 14

Esta antigua población medieval posee las ruinas de un puerto en la desembocadura del *Gwendreath River* con la *Carmarthen Bay;* es una de las fundaciones normandas más antiguas de Gales.

Castle: La fortaleza fue edificada en 1100 con materiales de madera y muros de tierra. En los siglos XIII y XIV fue reformada en diversas ocasiones. La fortificación contiene una imponente casa de vigilancia hacia el patio exterior. El patio interior, edificado alrededor de 1280, es cuadrangular y contiene cuatro enormes torres esquineras circulares. En la pared S se encontraba el pórtico principal; en la pared N, otro pórtico más pequeño (puerta basculante). En el piso superior de una torre, una bonita capilla. Se pueden ver todavía los restos de la *Great Hall,* al igual que la cocina. Entre la fortaleza y el puente medieval sobre el río (siglo XIV) se encuentran, en el agua, los muros de un antiguo molino de origen medieval.

Otros lugares de interés: La iglesia parroquial, de los siglos XIII y XIV (reformada en el siglo XIX), formó parte de una abadía benedictina. Su planta es en forma de cruz (english type), con una torre. En el interior, una bonita pila bautismal con base de piedra. En esta iglesia se conserva el sarcófago de la dueña del castillo (siglo XIII). Cerca se encuentra el *Prior's House* (Causeway Street), restos de la prioría reformada en numerosas ocasiones.

Kildare

Kildare/Irlanda

Pág. 326 □ D 12

Esta pequeña ciudad de campo (a unos 55 km de Dublín, SO) procede de una fundación conventual erigida por el celta irlandés y santo nacional *St. Brigid* (Brigitta).

St. Brigid's Cathedral: *Brigid*, la virgen de los galeses, hizo edificar aquí una fundación, alrededor de 480, sobre un lugar de culto pagano. Después de la destrucción por los vikingos se edificó en 1200, una iglesia gótica. En 1686 fue renovado el coro y, alrededor de 1875, fue restaurada toda la edificación. La iglesia, en forma de cruz, posee bonitos arcos ojivales y monumentos fúnebres de los siglos XIII al XVI. La torre circular, de 33 m de altura, tiene un pórtico románico. Las almenas datan del siglo XVIII. En el cementerio se pueden ver una cruz visigoda y restos de una antigua «casa de fuego» (Fire House) erigida para albergar la «luz eterna» de la fundación.

Otros lugares de interés: A la salida del lugar (dirección Nurney) se encuentran las ruinas del antiguo convento franciscano *Grey Abbey*, de 1260. No se conservan casi restos del *Kildare Castle*, de los siglos XI y XII. En *Tully*, a 2 km, está la famosa cuadra *National Stud*, con los hermosos *Japanese Gardens*.

Alrededores

Naas (20 km NE): La «ciudad ecuestre» fue antiguamente capital de los reyes de *Leinster*. Se conserva el cementerio y partes del castillo normando, del siglo XII.

Old Kilcullen (12 km E): Aquí se encuentran los restos de una vieja fundación conventual; restos de una *Round Tower* y partes de tres cruces de granito del siglo IX, decoradas con

Kilkenny. Kilkenny Castle, vestíbulo

esculturas. Cerca, el monte sepulcral prehistórico de *Dun Ailinne*, sede de los primeros reyes de *Leinster*.

Kilkenny

Kilkenny/Irlanda Pág. 330 □ D 13

Esta pequeña ciudad industrial, con unos 17 000 habitantes, en el valle del río *Nore*, es el centro del condado del mismo nombre. Conserva su carácter medieval y es una de las ciudades más encantadoras de Irlanda. Lleva el nombre de «ciudad de mármol», ya que en ella se conservan numerosas edificaciones de este preciado material.

Historia: En el siglo VI el santo celta *St. Canice* (gaélico: Choinningh) edificó un convento, lo cual explica el nombre de la ciudad, *Cill Chainningh*. Los conquistadores anglonormandos dirigidos por el *Conde Strongbow*, edificaron una fortaleza junto al río en 1172, la cual fue ampliada con William the Marshall en el año 1204. Con el *Conde Butler* (alrededor de 1391), Kilkenny dominaba casi todo el S de Irlanda y se convirtió en capital de la región. La ciudad fue en diversas ocasiones sede de los parlamentos irlandeses. Aquí se creó en 1366 la llamada «ley de la separación», la cual prohibía al pueblo anglorromano, bajo pena de muerte, contraer matrimonio con un o una irlandés-a o hablar el idioma gaélico. Los irlandeses, que huyeron de la parte vieja de la ciudad después de un arrasador incendio, se instalaron en *Irishtown*. De 1642 a 1648 ejerció su actividad el parlamento irlandés de los «Confederates» (confederación), una especie de parlamento nacional irlandés, que fue uno de los primeros. El propósito era conseguir la libertad de religión para los irlandeses católicos y acabar con la política de colonización inglesa. Cromwell acabó en 1650 con este nuevo e histórico Parlamento.

St. Canice's Cathedral: La iglesia está situada en *Irishtown* y es una de las catedrales más bonitas y mejor conservadas de Irlanda. Fue edificada entre los años 1251-1286 en el lugar de la primera fundación conventual de *St. Canice*, en estilo gótico-decorated. La torre central fue reconstruida en 1332, des-

Kilkenny Castle. Fachada principal

pués de un serio derrumbamiento. Son de especial interés los muros de defensa, con almenas, y las ventanas treboladas, así como la vieja torre circular, al S, de unos 30 m de altura, con el tejado renovado. En el interior de la iglesia se pueden ver bonitos monumentos y tumbas. La tumba del obispo está situada debajo del altar principal; en el crucero S se encuentran los monumentos fúnebres de los *Condes de Ormande,* de los siglos XVI y XVII. Es interesante también la pila bautismal de mármol negro, del siglo XII, el siglo de *St. Kieran's,* y las bóvedas escalonadas en el Vía Crucis, de 1465. Al lado de la catedral se halla la *St. Canice's Library,* con importantes colecciones. Destaca el «Red Book of Ossory» y otras valiosas ediciones de los siglos XVI y XVII.

Black Abbey (Abbey Street): La abadía dominicana, con la *Black Friars Church,* fue fundada por William the Marshall en 1225. En la iglesia, renovada en el siglo XIX, se conservan la nave del siglo XIII, el crucero S, del siglo XIV, y la torre del transepto, añadida en el año 1517. En el interior, una estatua de alabastro del siglo XV y una estatua de madera de *St. Dominicanus;* en el viejo cementerio, sarcófagos de los siglos XV al XVII.

Franciscan Friary: Del convento de los franciscanos del siglo XII sólo se conserva el coro. Fue ampliado en el siglo XV y se instalaron hermosas ventanas. La altísima torre del transepto, de 1350, es una de las primeras torres franciscanas en Irlanda.

Kilkenny Castle: El castillo está situado en el lugar que ocupara una fortificación anterior (Strongbow), del año 1172, en la *High Town.* Conserva su carácter medieval, a pesar de las múltiples reformas y restauraciones (en especial por W. Robertson, 1826).
Tres de las imponentes torres centrales datan del siglo XIII; el hermoso paseo del pórtico, es de estilo clásico de finales del siglo XVII. El castillo fue propiedad de la familia real *Butler* de 1397 a 1967. El famoso *Butler Archiv* (biblioteca del castillo) se conserva actualmente en la *National Library,* en Dublín. Cerca se encuentran las edificaciones anexas y los establos, del siglo XVIII; en el *Kilkenny Design Workshop* se exponen joyas y tejidos.

Rothe House (James Street): La impresionante casa del comerciante *Rothe,* de 1592, en estilo Tudor, es el edificio más hermoso de la ciudad. Está compuesto de tres edificios paralelos, con patios interiores y entramados del siglo XVI. Desde 1966 es sede del *Museum of Archeological Society,* con colecciones alusivas a la historia local.

Otros lugares de interés: El *Kilkenny College* fue fundado en el año 1666. El edificio posee una torre circular de 30 m de altura en la parte S de la iglesia, que data de 1782. El *Shee's Hospital,* con su pequeña capilla, fue edificado en 1581 como refugio de los católicos perseguidos. El seminario de sacerdotes católicos *St. Kieran's College* alberga un pequeño museo con hallazgos medievales de la diócesis de *Ossory.* El Ayuntamiento (Tholsel) fue edificado originalmente como bolsa. En el piso superior existe un Salón de Asambleas en buen estado de conservación y una colección de documentos históricos referentes a la historia de la ciudad (entre otros, el «Liber primus», del siglo XIII). *Kyteler's Inn,* de 1324, es una antigua vivienda y, después de ser restaurada, es utilizada como posada. Su propietaria, *Alice Kyteler,* fue incinerada por bruja en el siglo XIV.

Alrededores

Callan (15 km SO): Restos de la *St. Mary's Church,* de 1460 (se conserva la torre O), y restos de un convento agustino de 1462. El monte *Slievenamon Hill,* de 710 m de altitud, aparece en la antigua saga celta sobre el rey *Finn MacCool* (rey Arturo) y el héroe *Dermont* (comparable a la saga de Siegfried).
Gowran (12 km E): En este lugar se encuentra una iglesia, en la actualidad protestante,

Jerpoint Abbey (Kilkenny) ▷

Killarney. Catedral

de 1275, con elementos de construcción de la Edad Media y tumbas.

Jerpoint Abbey (20 km SE): Una de las ruinas conventuales de más belleza en Irlanda. La abadía cisterciense fue fundada por *Lord of Ossory* en 1180. El coro y la nave, en forma de cruz, son de estilo románico y están decorados con hermosos capiteles; la nave procede de tiempos posteriores. La impresionante torre del transepto, con almenas, y los Vía Crucis, con fragmentos de arcadas, datan del siglo XV (columnas dobles ricamente decoradas). En el interior, interesantes monumentos fúnebres; entre otros, en la parte N del coro, la tumba de un obispo, de 1275 (figuras de caballeros). Al E del Vía Crucis se encontraron en la antigüedad la sacristía, la sala capitular, los dormitorios, el refectorio y la cocina.

Kells (12 km S): En el pueblo se encuentran las ruinas de un convento agustino fortificado, de 1192. Se conserva la *Lady Chapel* de la iglesia del convento en el segundo patio interior. Muy cerca, hacia el S, se encuentra una torre circular medieval (sin techo), al lado de los restos de la iglesia, y una cruz decorada con motivos geométricos, del siglo IX.

Knocktopher (24 km S): En este lugar se puede ver una torre medieval, un pórtico románico y tumbas de los siglos XV al XVII, en la vieja iglesia del pueblo, que se conserva en buen estado (gótica).

Thomastown (16 km SE): Este lugar fue fundado por el Conde normando *Thomas* (Fitz Anthony) en el siglo XIII. Se conseran las torres en el puente *Nore* y restos de una iglesia protestante del siglo XIII con construcciones anexas modernas. El altar de piedra, en la iglesia católica vecina, procede de la *Jerpoint Abbey*.

Killarney

Kerry/Irlanda Pág. 330 □ B 14

Este apreciado lugar vacacional (7 000 hab.) se encuentra en medio de un encantador paisaje, en el *Lough Leane,* lago a las faldas de la cordillera

Vacaciones en Killarney

mayor de Irlanda, *Macgillycuddy's Reeks* (con el monte *Carrantuohill,* de 1 040 m de altitud).

Muckross Abbey (a 4 km S del centro de la ciudad): El convento franciscano fue fundado en 1340 por *MacCarthys* (ampliaciones en el siglo XIV). Son de especial interés la imponente torre cuadrangular, la ventana E y las ruinas de la iglesia, así como el Vía Crucis, con arcos ojivales y de medio punto. En el salón del coro se encuentran los monumentos fúnebres de los *MacCarthys* y otras familias reales. Cerca se encuentra el *Muckross House,* de 1843, edificado en estilo isabelino. En el interior, interesantes colecciones de muebles de estilo, lienzos y artesanía, así como un múseo popular.

Ross Castle (3 km SO del centro de la ciudad): Las ruinas de la fortaleza se encuentran sobre la península *Ross Island,* junto al *Lough Leane.* El castillo data de los siglos XIV y XV. Desde el cementerio, en buen estado de conservación, existe una hermosa vista sobre el lago. También se conservan las construcciones exteriores, con torres esquineras.

Cathedral: La catedral católica (New Street) fue construida por el famoso arquitecto *Pugin,* en imponente estilo neogótico, entre 1846-1855. Es una de las iglesias católicas más bonitas de su tipo de las existentes en Irlanda.

Alrededores

Aghadoe (6 km NO): En este pueblo costero se encuentran los restos de una iglesia conventual edificada en los siglos XII y XIII. Se conserva la torre circular, el pórtico y la ventana de la pared del coro O. Cerca, las ruinas del castillo de *Parkavonear,* del siglo XIII, presunta residencia episcopal.
Dunloe Castle (10 km NO, en el extremo NO

del lago Lough Leane): La fortaleza data del año 1215, siendo renovada y convertida en hotel. En el parque del castillo existen partes de ruinas medievales y un conjunto de piedras *Ogham* de los siglos V al VI.

Innisfallen Island (4 km SO): Sobre la isla, en el *Lough Leane,* de impresionante vegetación, se encuentran los restos de la *Innisfallen Abbey,* fundada por *St. Finian* en los siglos VII y VIII. Se conservan partes del edificio del siglo XIII; entre otras, la parte O, y la iglesia conventual, con su hermoso pórtico O. Cerca de la orilla se conserva todavía un pequeño oratorio (casa de rezos de principios de la Edad Media) del siglo XII, en el cual se puede admirar un bello pórtico de estilo románico (decoración de cabezas de animales).

Kilmallock

Limerick/Irlanda Pág. 330 □ C 13

La antiguamente bien fortificada pequeña ciudad fue fundada por la familia *FitzGerald* y fue, hasta el siglo XVI, sede de los llamados «caballeros blancos» (White Knights), de los *Earls of Desmond.*

Dominican Church (iglesia dominicana): El convento y la iglesia fueron fundados por los *FitzGeralds* y ampliados en los siglos XIV y XV. De especial interés, las ruinas de la iglesia, de los siglos XIII al XIV, con una bonita ventana de cinco arcos; el crucero S; la torre, en parte derrumbada; restos del *Vía Crucis* y de las viviendas, y el monumento fúnebre del último «caballero blanco», *Fitz Gibbon,* de 1608

Otros lugares de interés: La antigua iglesia parroquial *St. Peter and Paul* (Colegiate Church) data de los siglos XIII al XV. Se conservan restos de una torre circular y el pórtico S, del siglo XV. De la antigua fortificación de la ciudad permanecen la *Blossom Gate* (pórtico de ciudad), partes de los muros, con dos edificaciones defensivas, y el cementerio del *King's Castle,* destruido por Cromwell, del siglo XV.

Alrededores

Ballygrennan Castle (5 km N): Castillo en buen estado de conservación, con torre central del siglo XVI (ampliaciones en el siglo XVII).

Bruff (6 km N): Impresionantes hallazgos prehistóricos al N del lugar, a orillas del pequeño lago *Lough Gut.* Entre otras cosas, dólmenes, túmulos megalíticos, círculos de piedra, restos de tumbas y cimientos de varias viviendas.

King's Lynn

Norfolk/Inglaterra Pág. 328 □ L 13

Este antiguo puerto, enclavado en el gran río *Ouse,* se llamó originalmente *Bishop's Lynn* y fue una ciudad rodeada por gruesos muros, de los cuales se conservan algunos restos, como, por ejemplo, el pórtico.

Chapel of St. Nicholas: Fue fundada por el obispo *Turbus* en 1146 a unos 1 000 m al N de la *Church of St. Margaret,* ya que el obispo quería fundar en este lugar el centro de una ciudad. Las casas más antiguas del conjunto datan del siglo XIV. La capilla obtuvo su forma actual a mediados del siglo XV; su torre SO es más antigua. La aguja fue construida en 1869. De especial interés, el pórtico gótico y el techo, increíblemente trabajados.

Church of St. Margaret: Fue fundada en 1100 por el obispo *Losinga.* Ambas torres datan del siglo XII; en el siglo XIII se renovó parcialmente. Hasta 1745 fue nuevamente renovada por *Matthew Brettingham.* La reja del coro, partes de la sillería del coro y las fantásticas misericordias datan del siglo XIV. El púlpito procede de la época tempranocristiana; el órgano data del año 1754. En el interior, dos lápidas, que cuentan entre las mejor trabajadas en Inglaterra, proceden de Holanda o de Alemania. La más antigua, destinada para *Adam de Walsoken,* fallecido en

1349, destaca por la hermosa corona con escenas cotidianas talladas sobre ella. La segunda lápida está dedicada a *Robert Braunche,* fallecido en el año 1364, y es llamada «Peacock Brass» (mesa de pavo) por la escena de un banquete ofrecido por Braunche al rey Eduardo III representada en ella.

Guildhall of the Holy Trinity: La casa, construida con piedra de diferentes colores formando un dibujo geométrico cuadriculado, data de 1421. En la época isabelina se construyó el primer anexo. En 1895 se edificó su *Great Hall.* El tesoro de la casa está compuesto por numerosas piezas de valor, entre ellas el *John's Cup* del siglo XIV. Es el cáliz de más antigüedad que se conserva en el mundo. El recipiente está decorado con esmalte y escenas de caza. También de valor son la espada de John, una bonita cadena de 1512 y el *Nuremberg Cup,* de 1600.

Lynn Museum: Se exponen colecciones referentes a la geología, arqueología e historia local.

Museum of Social History: El museo está dedicado a la artesanía local.

Alrededores

Castle Rising (7 km NE): El pueblo de más interés del condado fue, en la antigüedad, un puerto de gran importancia cuando estuvo situado directamente a orillas del mar. El castillo demuestra la importancia que tenía el lugar para los normandos. Se encuentra sobre un vallado de 20 m de altura, uno de los muros de tierra más imponentes de Inglaterra. Su origen no ha sido aclarado todavía con exactitud; no obstante, se demostró que hubo aquí una colonia en la época romana. Alrededor de 1150 William de Albini, *Earl of Sussex,* casado con la viuda de Enrique I, edificó una fortaleza sobre los cimientos existentes. Alrededor de 1330 el castillo fue vivienda de la reina Isabel, la madre de Eduardo III. En el año 1544 la edificación pasó a ser propiedad de Thomas Howard, *Duke of Norfolk.* Su familia sigue siendo en la actualidad la propietaria. El *Trinity Hospital* fue fundado por Henry Howard, *Earl of Northampton* bajo la regencia de Jaime I, en el siglo XVII. La edificación, de estilo jacobino, se compone de nueve construcciones alrededor de un patio, una sala común y una capilla. El hospital fue construido como asilo de ancianos, que todavía en nuestros días llevan el traje típico de la época de construcción.

Castle Rising (King's Lynn)

King's Lynn. Church of St. Margaret

North Runcton (5 km S): La *Church of All Saints* es una de las iglesias de principios del siglo XVIII más bonitas del condado. El diseño es obra de Henry Bell; fue finalizada en el año 1713. En el interior predominan las columnas jónicas; su decoración es también obra del diseñador Henry Bell.

Sandringham (12 km NE): *Sandringham House,* casa de campo de la *Queen,* fue edificada de 1867 a 1870, reinando Eduardo VII. Se encuentra en un parque con bonitos jardines (Rose Garden, Water Garden); en verano las instalaciones están abiertas al público, exceptuando las ocasiones en las que se encuentra la reina en la casa. En el parque también se puede ver una pequeña iglesia y el monumento fúnebre de Eduardo VII (hermoso altar de plata).

Wiggenhall (12 km SO): La *Church of St. Magdalen* data del siglo XIII. De esta época data también su torre; la iglesia actual fue transformada al gótico en el siglo XIV. Se conservan fragmentos de los vidrios emplomados del siglo XV; el púlpito data de principios del siglo XVII. La sillería del coro, los trabajos de enmaderado y las rejas pintadas proceden de la época jacobina.

Kingston-upon-Hull

Humberside/Inglaterra Pág. 328 □ K 11

Esta ciudad, llamada comúnmente «Hull», fue denominada hasta 1293 «Wyke-upon-Hull». Desde 1299 es una ciudad reconocida y, en el siglo XIV, fue fortificada. La riqueza de la localidad procede, en su mayor parte, de la pesca y la construcción de barcos; *Hull* es actualmente uno de los puertos más importantes de Inglaterra.

Holy Trinity (Market Place): Esta iglesia fue edificada principalmente en los siglos XIV y XV en estilo gótico-perpendicular; en 1492 fue terminada. Es una de las mayores iglesias parroquiales de Inglaterra. Su planta tiene forma de cruz y posee una imponente torre en el transepto. La atracción de la iglesia son las inmensas ventanas góticas en todas las fachadas. El trabajo de emplomado es de una calidad excepcional.

Maister's House (High Street): Vivienda edificada en 1744 en estilo tardío del Renacimiento influido por el estilo Palladio. La casa es propiedad de la familia del comerciante *Maister.* En el interior, de especial interés, el salón de entrada, que se conserva en estilo Palladio, y la escalera; también los trabajos de herrería de Robert Bakewell.

Trinity House (Trinity House Lane): Originalmente fue edificada en 1369 como sede de la comunidad de los *Humber-Lotsen.* La construcción actual es de 1753; alberga la *Navigation School,* de 1787 (escuela marítima de más antigüedad en el mundo), en la que los cadetes todavía llevan el histórico uniforme marino inglés del siglo XVIII.

Wilberforce House (High Street): Casa de un comerciante edificada en el siglo XVII en estilo isabelino renacentista; en ella nació William Wilberforce (1759-1833), el cual acabó con la esclavitud oficialmente en 1807, a través del llamado «Act of Slavery». La casa, en la cual se conservan en parte muebles de estilo, ha sido convertida en museo. Está dedico a la historia de la esclavitud y contiene colecciones de muñecas y juguetes.

Forens Art Gallery (Queen Victoria Square): Galería de arte inaugurada en 1928. Aparte de una extensa colección de pintores europeos (entre otros: Canaletto, Guardi, Hals, Maffei), así como obras de escultores y pintores ingleses (entre otros: Henry Moore). También de interés son las pinturas de los «Marine Painters», del siglo XIX (motivos marinos).

Town Docks Museum (también Maritime Museum, Hessle Road): Museo instalado, desde 1975, en la antigua *Dock Office* de Hull. Está dedicado a la

Kingston-upon-Hull. Holy Trinity (Santísima Trinidad) ▷

power
for
thou

pesca de altura (en especial la pesca de ballenas) y a la construcción de barcos.

Transport and Archaeological Museum (High Street): En la sección de vehículos se encuentra una interesante colección de modelos antiguos (entre otros: automóviles, bicicletas y tranvías). La *Mortimer Archaeological Collection* está compuesta por material referente a la pesca de ballenas y excelentes mosaicos románicos del siglo IV d. de J. C. (proceden de Rudston, al O de Bridlington, y de Brantingham).

También de interés: La iglesia *St. Mary,* de estilo gótico tardío (esquina Lowgate/Chapel Lane), siglos XIV y XV. *Charter House Hospital,* de 1384, reconstruido tras su destrucción durante la guerra civil de 1870. *Guild Hall* (A. Gelder Street), edificio del Ayuntamiento, con magnífica fachada (en el interior una valiosa colección de documentos antiguos referentes a la historia de la ciudad). El *Wilberforce Monument* (frente al Technical College) en memoria de William Wilberforce (columna de 30 m de altura). *«King Billy»* (al S de la Market Place), nombre popular de la estatua ecuestre dorada de Guillermo de Orani (finales del siglo XVII). *Robinson Crusoe Plaque* (en el Queen's Gardens), en memoria del protagonista de la novela de Daniel Defoe (su viaje se inició en Hull). *Humber Bridge* (al O del centro de la ciudad), puente colgante sobre el *Humber,* inaugurado en 1981 (sin pilares intermedios, con una longitud de más de 1 400 m, es el más largo del mundo en su género).

Alrededores

Burton Constable Hall (12 km NE): Casa feudal de 1570 edificada en estilo del renacimiento; a lo largo del siglo XVIII fue reformada por Robert Adam. En esta casa se alberga un museo con colecciones de muñecas y viejos medios de transporte.

Cottingham (2 km NO): Iglesia gótica *St. Mary Virgin,* de los siglos XIII al XV.

Hedon (8 km E): Iglesia *St. Augustine,* también llamada «King of Holderness». La nave principal data del siglo XIV; el coro, del siglo XIII. En el interior, bonitas ventanas góticas y una pila bautismal ricamente decorada, del siglo XIV.

Timoleague (Kinsale). Priorato de San Francisco

Patrington (22 km SE): Iglesia *St. Patrick,* llamada también «Queen of Holderness». Data del siglo XIV; la torre del transepto es de especial belleza. En el interior, de especial interés, en la pared N del coro, la tumba de pascua.

Skidby (8 km NO): Museo agrícola instalado en un viejo molino de viento.

Swine (8 km NO): La iglesia *St. Mary* fue el antiguo coro de una fundación cisterciense del siglo XII. En el interior se conserva una bonita ventana gótica de 1531.

Welwick (25 km SE): Iglesia *St. Mary,* de origen románico; en el siglo XIV fue renovada en estilo gótico; en la nave lateral S, de especial interés, un monumento fúnebre de la Edad Media.

Kinsale

Cork/Irlanda Pág. 330 □ B 14

La pequeña y pintoresca ciudad portuaria de Kinsale, en la desembocadura del *Bandon River,* desempeñó un papel importante en los siglos XVII-XVIII como base de la marina inglesa. En 1601 fueron vencidos en este lugar por los ingleses (Lord Mountjoy) los aliados hispano-irlandeses.

St. Multose Church: La iglesia protestante, de planta cruciforme, data del siglo XIII y conserva una robusta torre NO que fue restaurada en los siglos XVIII-XIX. Interesantes son también la pila bautismal medieval y varias tumbas de los siglos XVI-XVII.

Otros lugares de interés: En el siglo XVI se erigió el *Desmond Castle* o *French Prison.* La Casa Consistorial, utilizada en parte como prisión, posee hermosos ventanales, puertas y escudos. La *Almshouse,* con pórtico de ladrillo, fue construida en 1682 y la antigua *Court House* (Tribunal de Justicia) en 1706, en estilo «holandés», albergando actualmente un pequeño museo municipal y regional. Numerosos edificios de estilo georgiano del siglo XVIII se alzan en las tortuosas calles.

Alrededores

Bandon (19 km NO): Esta localidad, junto al río del mismo nombre, fue fundada por el aventurero, y más tarde *Earl of Cork,* Richard Boyle, en 1608. La *Kilbrogan Church* de 1610, es una de las iglesias protestantes de más antigüedad de Irlanda. Se conservan partes del muro de la ciudad, del siglo XVII.

Timoleague (20 km NO): El nombre significa «casa de St. Molaga» y procede de una fundación conventual del siglo VI. De la prioría franciscana se conservan las ruinas de la iglesia, sin techo, con arcadas S, y la delgada torre (siglos XIII y XIV).

Kinvarra

Galway/Irlanda Pág. 326 □ B 12

Enfrente del pequeño pueblo portuario, al SE de la *Galway Bay,* se encuentra el *Dungory Castle* (Dunguaire Castle). En el torreón se celebran banquetes medievales en verano. En el pueblo, las ruinas de una iglesia parroquial de la Edad Media (siglo XIV).

Timoleague (Kinsale)

Alrededores

Ballyvaghan (25 km O): En este lugar costero, de vegetación seca y árida, se encuentran numerosos dólmenes y túmulos megalíticos que confirman que el lugar fue colonizado en la prehistoria. De interés en la zona, el *Newton Castle,* torreón del siglo XVI.

Corcomroe Abbey (7 km O): De la antigua abadía cisterciense del siglo XII se conservan las ruinas de la iglesia, con una ventana E de cinco arcos; la torre, del siglo XV, y el paseo del pórtico. También de interés, en el interior, la tumba real de *Conor O'Brien,* con bonitas esculturas sobre la lápida (1267).

Kilcolgan (9 km NE): Merecen atención en este lugar las ruinas del *Tyrone House,* de 1779, y la *Drumacoo Church,* con partes del siglo XIII. Hacia el SE, las ruinas de la iglesia fundacional prenormanda *Kiltiernan,* con enorme muro circular del siglo XI.

Kirkby Lonsdale

Cumbria/Inglaterra Pág. 328 □ H 11

St. Mary the Virgin: Esta iglesia fue edificada reinando el rey normando *Stephan* (1135-1154); posteriormente fue modificada. En el interior, de especial interés, en el lado N de la nave principal, tres columnas ricamente decoradas de la época de construcción, que se alternan con las pilastras entrelazadas. También de interés es el púlpito hexagonal, del siglo XVII, y las pinturas murales, del siglo XVIII. Desde el cementerio hay una hermosa vista.

Otros lugares de interés: El *Devil's Bridge,* sobre el río *Lune,* con partes de construcción del siglo XIII. *Manor House,* del siglo XVII, y *Fountain House,* del siglo XVIII.

Alrededores

Casterton (1,5 km N): Al N de la localidad, un círculo de piedra prehistórico (se conservan en posición vertical 20 piedras).

Middleton Hall (8 km N): Casa feudal edificada a finales del siglo XIV (en el siglo XV fue ampliada y provista de un muro de defensa y un patio interior). Muy cerca de la casa, en medio de un campo, se encuentra una piedra miliar románica descubierta en 1836, «N.º 53 (LIII)», en la carretera hacia *Carlisle.* También cerca se puede ver una vieja cruz llamada «The Standing Stone of Whilprigg».

Kinvarra. Dungory Castle

Kirkcaldy
Fife/Escocia Pág. 324 □ H 8

Royal Burgh es el lugar de nacimiento de Robert Adam, el arquitecto, y de Adam Smith, economista nacional (ambos en 1450). Junto al puerto, y entre las callejuelas, se encuentran numerosas y pintorescas casas del siglo XVII; actualmente son custodiadas y mantenidas por el *National Trust*. La torre de la iglesia parroquial data del siglo XIII. Merecen especial atención los tres museos de la ciudad: el *Museo Principal,* con galería de arte anexa; el *John McDoual Stuart Museum* y, el especialmente interesante, *Industrial Museum*.

Ravenscraig Castle: Hacia el NE de *Kirkcaldy* se encuentran las impresionantes ruinas del *Ravenscraig Castle*. El castillo, edificado por el rey Jaime II en los años 1460-1463, está protegido por un muro excavado en la roca. Es impresionante cómo están esculpidas las piedras que componen los muros. Presuntamente esta es la primera fortaleza en Inglaterra que estaba provista y preparada para tener armas de fuego. El castillo fue propiedad y lugar de residencia de la familia *Sinclair* y de los *Condes de Orkney*.

Alrededores

Burntisland (10 km SO): Es especialmente interesante la iglesia, bendecida por *St. Columba*. Fue edificada en 1592 como copia de la vieja iglesia del N de Amsterdam. Las galerías, con los símbolos de los gremios, datan del siglo XVII. En el año 1611 se celebró en *St. Columba* una reunión general de la iglesia escocesa y fue aceptada la «Authoritzed Version of the Bible». El rey Jaime I de Inglaterra declaró esta edición aceptable y la aprobó.

Knutsford
Cheshire/Inglaterra Pág. 328 □ H 12

Esta pequeña ciudad, en la orilla NE de la salina de *Cheshire,* conserva numerosas casas antiguas, entre ellas algunas

Kirkcaldy. Ravenscraig Castle

en muy buen estado de conservación de las épocas georgiana y victoriana.

Church of St. John the Baptist: Esta iglesia de ladrillo, edificada de 1740 a 1744 en estilo clásico, se encuentra sobre los cimientos de una iglesia anterior erigida en el año 1581. La torre O está decorada en cada una de sus esquinas con urnas.

Alrededores

Great Budworth (12 km O): La *Church of St. Mary and All Saints* data, junto a su imponente torre, de los siglos XIV al XV. La sillería del coro y la pila bautismal son del siglo XV. Aquí están enterrados Sir Peter Leycester (1678) y Sir John Warburton (1575).

Lower Peover (5 km S): La *Church of St. Oswald* es una construcción de madera; la torre es de ladrillo, del siglo XIII. El interior impresiona por las bonitas columnas de madera, arcos y las vigas descubiertas del techo. La oscura madera de encina contrasta con el brillante blanco de las paredes. La pila bautismal y el púlpito son de estilo gótico.

Mobberley (4 km E): La *Church of St. Wilfrid* data del siglo XIII; no obstante, su construcción fue finalizada en el siglo XV. Es impresionante el techo de la nave, del siglo XV; de la misma época son los restos de las vidrieras policromadas y el bonito atril. En un fresco se puede ver la imagen de *St. Cristophorus*. La parte más antigua de la iglesia es la torre, de 1683.

Tatton Park (4 km N): Antigua sede de *Lord Egerton*. Estuvo compuesta antiguamente por una pequeña casa de la época de Carlos II y su tamaño actual es de finales del siglo XVIII y se debe a *Samuel Wyatt*. La instalación del jardín es obra de Joseh Paxton, cuyo proyecto de incluir un lago artificial en el parque no se llevó a cabo. En él se encuentra un naranjal, así como un jardín japonés, con un templo original *Shinto* de 1910 importado del Japón y edificado por trabajadores japoneses. Los jardines están situados en la fachada S de la casa, que está definida por cuatro imponentes columnas clásicas. En el interior de la casa existe una amplia colección de muebles victorianos, así como pinturas de gran valor, entre otras, de Canaletto y Van Dyck.

Mobberley (Knutsford). St. Wilfrid

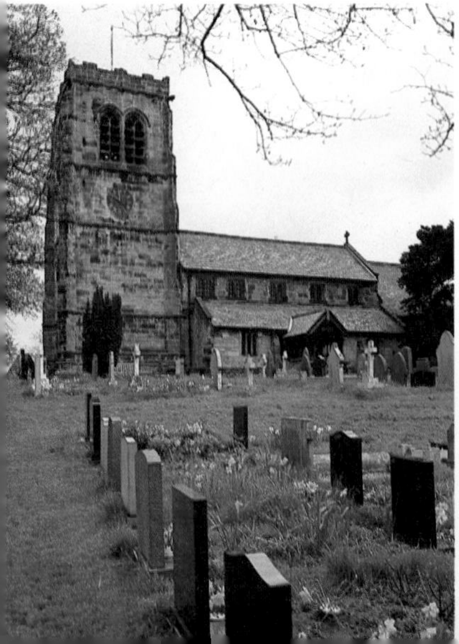

Artesonado

L

Lampeter/Llanbedr

Dyfed/Gales Pág. 328 □ G 14

Esta pequeña localidad en el valle del río *Teifi* (gaélico: Llan-bedr = St. Peter), posee, desde 1822, el *St. David's College* con status de universidad, fundado por el obispo de *St. David's* como escuela superior de la Iglesia. Los interesantes edificios del colegio neogótico de *Cockerell* (1827) recuerdan a la universidad de Oxford. El lugar es conocido también por el mercado ecuestre anual (mayo). Desde aquí se recomienda la excursión por el impresionante pantano de la zona montañosa del centro de Gales (ext., 1 300 km^2).

Alrededores

Llanddewi Brefi (12 km NE): En este lugar se encuentra una iglesia de los siglos XII al XIII (renovado su interior en el siglo XIX). En ella se celebró en el siglo VI un importante sínodo contra la doctrina de *Pelagius,* en el que tomó parte el santo nacional de Gales, *St. David,* como orador. De esta época precristiana datan las lápidas y las cruces esculpidas, en parte, con inscripciones, que se encuentran en el patio de la iglesia; una de ellas, situada en el centro, lleva el nombre de «St. Davids Staff».

Llanfair Clydogau (5 km NE, en el valle de Teifi): En este lugar se encuentran unas antiguas minas de plata. En la iglesia del pueblo se puede ver una bonita y antigua pila bautismal del siglo XIV.

Pont-rhyd-fendigaid (21 km NE): Se conserva un viejo puente de un arco sobre el *Teifi,* del siglo XVII.

Pumpsaint (10 km SE): En la carretera principal hacia *Llandeilo* se encuentran los restos de antiguos yacimientos de oro (galerías de la mina) que fueron explotados por los romanos (Dolaucothi).

Strata Florida Abbey (20 km NE): Aquí se encuentran, en el encantador valle de las *Flores* (gaélico: Ystrad Fflur), las ruinas de uno de los centros de peregrinación de más importancia de Gales. La antigua y poderosa abadía cisterciense fue fundada alrededor de 1164 y, en los siglos XII y XIII, fue centro político, religioso y educacional.

Los restos de más importancia de la abadía, de estilo Early English (neogótico), son el pórtico arqueado en la antigua fachada O, las viejas baldosas del siglo XIV en el crucero S (antiguamente en el presbiterio), las capillas del crucero (tres en cada lado), con esculturas, así como el *Vía Crucis* al S de la iglesia, del siglo XV; también, la sala capitular y la sacristía, del siglo XIII. En el cementerio se conservan algunas lápidas, entre ellas la del bardo Gales *Dafydd ap Gwilym,* originaria del siglo XIV.

Tregaron (18 km NE): Pequeña ciudad comercial y punto de salida de las excursiones al pantano de la zona montañosa (direc. *Abergwesyn* hacia el E).

Tynygraig (24 km NE): En la iglesia se encuentra una vieja piedra fúnebre celta y una bonita cruz en buen estado de conservación, con inscripciones.

Lancaster
Lancashire/Inglaterra Pág. 328 □ H 11

Priory Church St. Mary: La primera edificación data de la época anglosajona (pórtico de la fachada O de la iglesia); en los siglos XIV y XV se efectuaron numerosas ampliaciones y reformas en estilo gótico-perpendicular; en 1759, edificación de la torre. En el interior, de especial interés, la sillería del coro, ricamente decorada en madera de encina (1340), y el púlpito, de finales del Renacimiento (estilo jacobino). También es interesante una obra del escultor francés Louis Roubiliac.

Castle: La primera fortificación de este lugar fue edificada por las tropas romanas; a principios de la Edad Media fue tomada por los anglosajones; en 1102 los normandos derrumbaron la torre de madera para construir una nueva de piedra. Reinando el rey Juan (1199-1216) se construyeron muros, torres circulares y una imponente caserna; más tarde se reformó el interior (sala de banquetes). En la guerra civil inglesa del siglo XVII fue fortificación de las tropas del Parlamento y se utilizó como prisión; en el siglo XVIII fue sede de un juzgado real. Las partes más interesantes del castillo son el cementerio (muros de 3 m de ancho) y la *Shire Hall,* así como el faro «John Gaunt's Chair», desde el que fue descubierta la Armada Española en 1588.

Lancaster City Museum: Se encuentra en la *Old Town Hall,* edificada en 1781 y renovada en 1873 (antiguo Ayuntamiento). De especial interés, la sección de arqueología e historia (inscripciones romanas, hallazgos de excavaciones de la prehistoria y una colección de maquetas de barcos) y la galería de arte (cerámica, porcelana, muebles de estilo, pinturas y dibujos). En el museo se pueden ver también numerosos exponentes sobre el *King's Own Royal Lancaster Regiment.*

Otros lugares de interés: *St. John's Church,* edificada en 1734 en estilo georgiano. *Friend's Meeting Hall,* de 1690, lugar de reunión de la comunidad de los cuáqueros, fundada por *George Fox* en el siglo XVII. Se denominaban ellos mismos «Friends». *Custom House,* vieja casa fronteriza de la anti-

Lancaster. Priory Church St. Mary

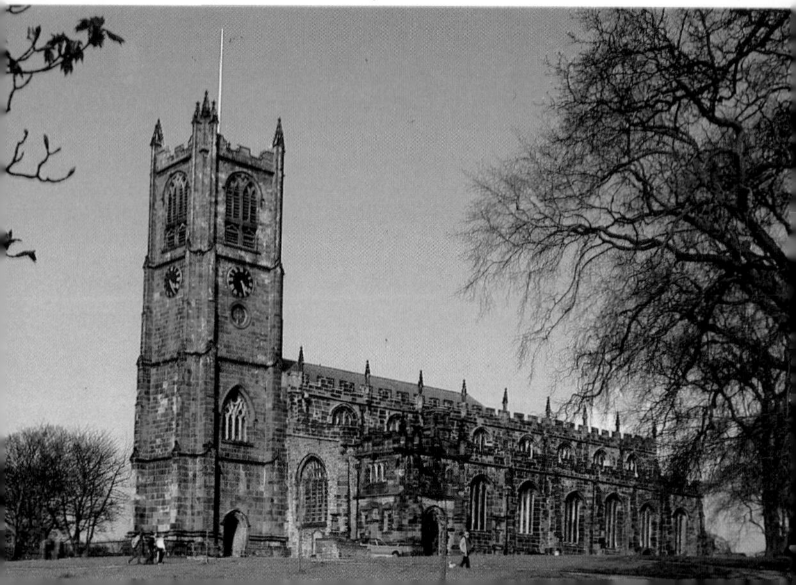

gua ciudad portuaria de Lancaster, edificada en el siglo XVIII (en la fachada, columnas jónicas esculpidas con monolitos). *Skerton Bridge,* sobre el *River Lune,* de 1787-1788.

Alrededores

Borwick Hall (12 km N): Edificada en el año 1595 en estilo isabelino del Renacimiento. Fue construida sobre una edificación anterior; desde entonces no ha sido modificada; bonito parque.

Carnforth (11 km N): Aquí se encuentra el *Steamtown Railway Museum,* dedicado a la historia del ferrocarril, con más de 30 locomotoras originales de procedencia inglesa y extranjera. Se hacen demostraciones en días festivos y en verano.

Heysham (6 km O): La iglesia *St. Peter* data, en parte, de la época anglosajona; los normandos y sus demás ocupantes, hasta el siglo XVII, realizaron numerosas reformas. De especial interés, una piedra del siglo X, decorada con figuras humanas y de animales. En el cementerio adyacente, la base de una cruz medieval, increíblemente trabajada, del siglo IX, y un sarcófago de piedra, probablemente de los siglos XI al XIII. Al O de la iglesia, las ruinas de la *St. Patrick's Chapel,* edificada en el siglo V por misioneros irlandeses. Cerca (al O) se pueden contemplar seis tumbas excavadas en la troca.

Hornby Castle (14 km NE): Fortaleza medieval con torre en buen estado de conservación, del siglo XIII.

Leighton Hall (13 km N): Casa feudal edificada originalmente en estilo clásico de los siglos XVI al XVII; en el año 1800 se construyó una excelente fachada de estilo neogótico. En el interior de la casa se conservan bonitos muebles de estilo.

Largo Bay

Fife/Escocia Pág. 324 □ H 8

En la costa S del condado de *Fife* los pueblecitos pesqueros se alinean como perlas en un collar.

Largo: En el centro de la mayor bahía se encuentra *Lower Largo,* con el puerto y la estatua de *Robinson Crusoe.* Existió en este lugar un castillo erigi-

Priory Church St. Mary. Sillería del coro

Lancaster. Castle

do en el siglo XVI, del que sólo queda la torre de forma circular con techo cónico. En *Upper Largo,* junto al río del *Largo Law,* a 300 m de altitud (hermosa vista), existe una iglesia con la torre y la sala del altar del siglo XVI. Cerca de la entrada del cementerio se erige una antigua cruz de origen celta.

Elie: En la playa, debajo del acantilado, se pueden encontrar granadas. El *Gillespie House* se destacaba por su fabulosa entrada construida en el año 1682, decorada por columnas. La iglesia parroquial data del siglo XVII, al igual que algunas pintorescas *Little Houses* (pequeñas casas).

St. Monance: Es el pueblo más pintoresco de la costa de *Fife.* Su atractivo especial son las numerosas «Little Houses», construidas muy cerca del agua o sobre acantilados.
De especial interés, en este encantador pueblo, es la iglesia gótica de *St. Monan,* edificada por el rey David II alrededor del año 1362. Su torre es compacta y de forma cuadrada; la construcción del techo es octogonal. La pequeña iglesia es una ofrenda del rey, que sanó de una herida al tocar el sarcófago que contiene las reliquias del santo.

Pittenweem: En este pintoresco lugar también se pueden contemplar numerosas «Little Houses» alrededor del pueblo. El nombre gaélico del pueblo procede de una cueva cercana al puerto. En ella, monjes iro-escoceses instalaron, en el siglo XII, un altar consagrado a *St. Fillan.* En el año 1411 se construyó un priorato que se comunicaba con la cueva. La torre cuadrangular de la iglesia parroquial se destaca por poseer una hermosa balaustrada creada en el año 1591.

Largs

Strathclyde/Escocia Pág. 324 □ F 8

Esta pequeña ciudad, situada en la orilla O del *Firth of Clyde,* ha vivido épocas terribles. En el año 1263 tuvo lugar aquí la decisiva batalla contra los noruegos, en la que Haakon perdió *Las Hébridas* y la *Isle of Man.* La batalla duró dos días, desarrollándose en parte sobre los barcos, en el *Clyde,*

Largo Bay. Upper Largo, iglesia

y continuando en tierra, hasta que Alejandro III consiguió arrebatar el dominio a los noruegos. Una torre circular, al S de la ciudad (Bowen Craig), conmemora esta importante y decisiva batalla.

Skelmorlie Aisle: La nave lateral de la vieja iglesia parroquial *St. Columba* fue convertida, en 1636, en mausoleo para *Sir Robert Montgomerie* y su esposa. En esta ocasión se construyó un techo de madera que, posteriormente, fue pintado. Este mausoleo es una de las obras maestras del Renacimiento en Escocia. También son interesantes los monumentos fúnebres de la familia *Boyle of Kelburne.*

Otros lugares de interés: El museo de la comunidad histórica expone objetos referentes a la historia local.

Alrededores

Great Cumbrae (1 km O): Enfrente de *Largs* se encuentra la isla *Great Cumbrae. Millport* es la ciudad principal de la isla. En este lugar se puede visitar el museo, dedicado a la isla, y el *Marine Biological Station,* con su bonito acuario.

Saltcoast (12 km S): Merece la pena visitar el *Harbour and Maritime Museum,* donde cuando hay marea baja se pueden ver 25 troncos fosilizados.

Launceston

Cornwall/Inglaterra Pág. 331 □ F 16

La antigua capital de *Cornwall* se llamó *Dunheved.* En una de las montañas que rodean la ciudad se encuentran las ruinas de una fortaleza normanda, de la cual se conserva el impresionante cementerio circular. En este castillo estuvo encarcelado George Fox (fundador de la Society of Friends), durante medio año, en 1656, ya que la población desaprobaba su doctrina.

Church of St. Mary Magdalene: La parte más antigua de la iglesia es la torre SO, con sus hermosas piedras esculpidas del siglo XIV. La iglesia fue edificada de 1511 a 1524, con *Sir Henry Trecarrel.* Llama la atención por los muros ornamentados, de estilo gótico, con símbolos heráldicos. En la pared E está representada la patrona de la iglesia, rodeada de ángeles y músicos. La pieza de más valor en el interior es el púlpito, con delicadas filigranas talladas; es uno de los pocos púlpitos que han sobrevivido a la Reforma.

Leeds

West Yorkshire/Inglaterra Pág. 328 □ I 11

En la época romana existió aquí un paso sobre el *River Aire.* En el siglo XVIII se fundó la ciudad, que se convirtió en centro del comercio textil. En el año 1758 se inauguró el primer ferrocarril del mundo (transporte de carbón de *Middleston* a *Leeds;* en 1812 se sustituyeron los caballos de carga por dos locomotoras a vapor). *Leeds,* con más de 500 000 habitantes, es la sexta ciu-

Launceston. Ruinas del castillo

dad de Inglaterra y centro de producción en la confección textil.

Church of St. Peter (Kirkgate): Iglesia parroquial de la ciudad; la construcción actual data del año 1841 (primera construcción anterior mencionada en el «Domesday Book», del siglo XI). En el interior, de especial interés: en el altar elevado, una bonita placa de alabastro (Cristo con los 12 apóstoles); en el coro (en el lado E), un bonito ventanal; interesantes monumentos fúnebres de personalidades de Leeds.

St. John's Church (New Briggate): La iglesia fue financiada por el rico comerciante y miembro del Ayuntamiento *John Harrison,* de *Leeds.* En la iglesia se puede ver un lienzo en el que se representa al donante entregando al rey inglés Carlos I, en aquel entonces prisionero en *Leeds,* un recipiente con monedas de oro. La edificación es de estilo gótico, influido por el estilo Tudor renacentista. En el interior, bonita sillería de la iglesia y un atril del Renacimiento.

Town Hall (The Headrow): Ayuntamiento de la ciudad; fue edificado a finales del siglo XIX en estilo neogótico victoriano. El frente, de columnas, se ve sobrepasado por una torre de reloj de 60 m de altura; la escalera de entrada está flanqueada por leones. En la entrada existe una placa de bronce con el nombre de *Joseph Aspdin,* inventor del cemento de Portland.

Civic Hall: Se encuentra detrás de la *Town Hall,* siendo inaugurada en 1933. En sus dos torres se pueden ver esculturas de búhos, el animal resentado en el escudo de *Leeds.* En el interior se pueden ver los monumentos de diversas personalidades de *Leeds* y *Yorkshire.*

City Art Gallery (enfrente del Ayuntamiento): Galería de pinturas con obras de pintores ingleses como Constable y Gainsborough. La colección de esculturas está compuesta por obras de Jacob Epstein y Henry Moore (alumno de la Leeds School of Art).

Otros lugares de interés: *St. Anne's Cathedral* (Cookridge Street), de estilo católico-románico. *St. Aidan's Church* (Roundhay Road), de 1894, con hermosos mosaicos (escenas de la vida de St. Aidan). *St. George's Church* (cerca de Park Street), edificada en estilo gótico. *Holy Trinity Church* (Boar Lane), edificada alrededor de 1720 en estilo georgiano (mezcla de Renacimiento y Barroco). Esta es la única iglesia de este estilo que se conserva en Leeds. En el interior existen bonitas tallas realizadas en madera. *St. Matthew's Church* (Holbeck), donde se puede admirar el obelisco que conmemora a *Matthew Murray,* inventor de la primera locomotora a vapor para la línea Middleton-Leeds. *Mill Hill Chapel* (cerca de City Square), fue renovada en el año 1847; en el período de años comprendido entre 1767 y 1778 ejerció aquí Joseph Priestley, descubridor del oxígeno. *Corn Exchange* (bolsa del trigo, Kirkgate), edificio de estilo victoriano erigido en el siglo XIX. *City Varieties* (Headrow), es la sala de música más antigua de las existentes en Inglaterra (en esta sala actuó Charles Chaplin en su juventud). *Leeds Library* (Commercial Street), fundada en el año 1768, es la biblioteca más antigua de su estilo en Inglaterra. *Brotherton Library* (en la universidad, acceso por el Woodhouse Lane), conserva en su interior una extensa colección de libros raros y autógrafos (cartas de la familia Brontë). También revisten un especial interés algunas calles principales del centro de Leeds, con bonitos arcos (Thornton's Arcade, Queen's Arcade, Country Arcade, Grand Arcade, Market Arcade).

Alrededores

Adel (10 km NO): Es una de las iglesias normando-románicas más bonitas de *Yorkshire,* siglo XII. El pórtico está ricamente ornamentado; en el interior, un fantástico arco románico en la entrada al coro.

Leeds. Town Hall, fachada principal

Civic Hall

Civic Hall. Reloj

Bramham (14 km NE): Bonita iglesia del siglo XIII y casa feudal. En el *Bramham Park,* edificada a principios del siglo XVIII en el estilo de la época de *Queen Anne.* En el interior, lienzos de Reynolds y otros artistas. El parque es similar al de Versalles.

Harewood (13 km N): Iglesia *All Saints,* con interesantes sarcófagos de alabastro. También interesante es *Harewood House,* casa feudal de 1759-1767, edificada en estilo neocorintio. En el interior, bonita decoración de las diferentes salas: en la sala de música, muebles Chippendale y pinturas en el techo de Angelika Kauffmann; en la galería, valiosos lienzos de los pintores Gainsborough y Reynolds; en el *Green Drawing Room, y en el Rose Drawing Room,* colección de maestros italianos. En el parque quedan restos de una caserna del siglo XIV.

Kirkstall Abbey (5 km O): Abadía cisterciense de 1181 de estilo normando-románico (fundación paralela a Fountain's Abbey). En el año 1540 fue disuelta; a partir de 1890 se efectuaron trabajos de restauración. Se distingue a la perfección la planta típica de una fundación medieval. Al O del *Vía Crucis,* los dormitorios de los novicios, la cocina y el comedor; al E, el dormitorio de los monjes y la sala capitular; detrás se encuentra el hospital y la vivienda del abad. La iglesia se conserva en bastante buen estado (faltan partes del techo y de la torre) y está edificada en estilo cisterciense, sin filigranas y decoraciones en el exterior. En el siglo XV se efectuaron ampliaciones en las almenas en estilo perpendicular; en el siglo XVI se elevó la tore. La antigua portería se encuentra actualmente en *Abbey House Museum,* que contiene parte de los objetos hallados en las excavaciones de la abadía, así como amplia información sobre *Leeds* y los alrededores.

Oakwell Hall (12 km SO): Casa feudal de la época Tudor (siglo XVI, finales del gótico-renacimiento); en el interior se puede ver aún una vieja escalera de encina que conduce a la galería.

Otley (18 km NO): Metrópolis del *Wharfedale;* desde 1222, derechos de mercadeo. Merece especial atención la iglesia *All Saints,* fundada en el siglo VII; el coro es normando; el resto data del siglo XV; restos de tres cruces anglosajonas e interesantes monumentos fúnebres, entre ellos el del primer *Lord Fairfax* y su esposa. Otley es la ciudad natal del famoso tallista y artista Thomas Chippendale (1711-1799), cuyo nombre dio origen a un nuevo estilo de muebles.

Tadcaster (22 km NE): Fue colonizado en tiempos prerromanos; los romanos denominaron el lugar *Calcaria.* De interés, la iglesia, del siglo XV, con bonita torre decorada con almenas; en el interior, un arco normando-románico en la entrada al coro, y el *Ark Museum,* cerca de la iglesia, en una casa de la Edad Media, colecciones referentes a la historia de la arquitectura.

Leicester

Leicestershire/Inglaterra Pág. 328 □ I 13

Es una de las ciudades más antiguas de Inglaterra. En la época romana era la

Leeds. Holy Trinity Church (Iglesia de la Santísima Trinidad)

capital de los *Corintanos* (Batae Coritanorum, puerta principal). En la Edad Media sirvió como importante fortaleza normanda; en el siglo XIV fue, a menudo, residencia de reyes ingleses.

Jewry Wall (St. Nicholas Circle): El «muro judío», de 6 m de altura, es el último resto del Leicester romano (parte de una instalación termal en el foro de la antigua ciudad o bien un templo). En el *Museum of Archaeology,* hallazgos de excavaciones (en especial, mosaicos y adoquines, así como restos arqueológicos hallados en Leicestershire, del siglo XV).

St. Martin Cathedral (High Street): Es de origen románico; en el siglo XIV fue reformada en estilo gótico; las últimas modificaciones datan del siglo XIX y fueron efectuadas por David Brandon, G. F. Bodley y G. E. Street. En el interior, de especial interés, un monumento fúnebre creado y rubricado en 1656, por *Joshua Marshall.*

St. Margaret (St. Margaret's Way): Antigua iglesia que formó parte de la prebenda del obispo de *Lincoln.* De la construcción original, del siglo XIII, quedan el arco S de la nave principal y el pórtico S. El resto de la iglesia es de estilo gótico, de los siglos XIV y XV. Fue restaurada en el siglo XIX por Gilbert Scott, y más tarde, por G. E. Street. Las pinturas sobre vidrio, de 1840, son obra de Thomas Willement.

St. Mary de Castro (Castle Street): Iglesia edificada ya en el año 1150 como capilla de una fortaleza normanda; en el siglo XIII fue ampliada en estilo gótico, Early English; posee una bonita torre puntiaguada. El rey Enrique recibió en esta capilla la acolada (1422-1461).

St. Nicholas (St. Nicholas Street): Esta

es la iglesia más antigua de la ciudad. Fue edificada en la época anglosajona con material de construcción romano (ladrillo); fue modificada por los normandos en estilo románico. El coro es de estilo Early English y la torre prerománica. En el siglo XIX el conjunto fue reformado extensamente.

Guildhall (Guildhall Lane): Casa gremial utilizada como Ayuntamiento desde el siglo XVII. En el año 1340 se comenzó la construcción de entramados; entre los siglos XV y XVI fue reformada la edificación en estilo Tudor de principios del renacimiento inglés. En el interior, de especial interés, la *Great Hall,* la biblioteca de la ciudad, que existe desde 1587 y que posee, junto al «Codex Leicestrensis», un valioso manuscrito griego del Nuevo Testamento, del siglo XV.

Museos: *Belgrave Hall Museum* (Thurcaston Road): Se encuentra en una casa de campo del siglo XVIII, estilo *Queen Anne;* interesante colección de carruajes antiguos y herramientas agrícolas. *The Magazine* (The Newarke): Puesto de vigilancia del siglo XIV, actualmente museo del *Royal Leicester Regiment. Newarke Houses Museum* (The Newarke): Museo de la ciudad de Leicester, con objetos referentes a la historia de la ciudad desde 1500 (tejidos, juguetes, relojes, instrumentos musicales). *Leicester Museum and Art Gallery* (New Walk): Exposición de pintura inglesa (motivos deportivos); también, cerámica, vidrio y plata. Interesante sección de historia natural y geología de Leicester. *Leicestershire Museum of Technology* (Corporation Road): Museo técnico, con locomotoras de finales del siglo XIX; colección de carros de caballos y motocicletas. *Roger Wygston's House* (St. Nicholas Circle): Edificado en el siglo XV; fachada del siglo XVIII; actualmente museos de trajes típicos.

Otros lugares de interés: Iglesia *All Saints* (High Cross Street). Fachada del siglo XIII con hermoso pórtico O. La capilla del *Trinity Hospital,* fundado en 1131 (The Newarke). Restos de una fortaleza (junto al río Soar se conserva la sala restaurada; en la zona se puede ver una estatua de Ricardo III, vencido en la ciudad en 1485). *Abbey Park* (St. Margaret's Way): Se distingue la planta de la abadía, fundada en 1143, «hermanos grises»; quedan algunos restos de los muros. En esta abadía falleció, en 1530, el cardenal Wolsey. *Clock Tower,* de 1866, situada en el centro de la ciudad (estatuas de cinco personalidades de Leicester).

Alrededores

Gaddesby (12 km NE): Iglesia *St. Luke,* de finales del siglo XIV. En el interior, hermosa sillería de madera de encina de la época de construcción.

Kings Norton (10 km SE): La iglesia de *St. John the Baptist,* fue erigida entre los años 1760-1775 por John Wing de Leicester, en estilo neogótico.

Loughborough (16 km N): Famoso por sus fundiciones de campanas; en el *War Memorial Tower* se encuentra un juego de campanas compuesto por 47 piezas.

Market Bosworth: Aquí tuvo lugar en 1485 la batalla entre Ricardo III y Enrique Tudor (señales informativas; caminos señalizados hasta el lugar de la batalla).

Prestwold Hall (17 km N): Casa feudal edificada en el siglo XIX, con bonitos trabajos de mármol en el interior.

Letterkenny

Donegal/Irlanda Pág. 326 □ D 9

La localidad mayor de Donegal (5 000 hab.) se encuentra sobre la alargada bahía *Lough Swilly* y en la desembocadura del río *Swilly*. En este centro agrícola se puede visitar la increíble catedral católica *St. Eunan* (ladrillo), de alrededor de 1890.

Alrededores

Buncrana (35 km NE): Casa feudal *Buncrana Castle,* en buen estado de conservación, de alrededor de 1716. Torreón de defensa de tres pisos *O'Doherty's Keep,* junto al puente de Crana. La torre, del siglo XIV, formó parte de una fortaleza normanda.

Conwal Church (3 km SO): Iglesia medieval con interesates lápidas (relieves de crucifijos) de la época precristiana.

Creeslough (35 km NO): El *Doe Castle* fue edificado en el siglo XVI y ampliamente restaurado en los siglos XVIII y XIX.

Grianan of Aileach (18 km NE): Sede real de los antiguos Condes del Ulster, los *O'Neil.* Se encuentra en la entrada de la península *Inishowen* (cerca del actual lugar fronterizo Bridge-End) y data de los primeros siglos a. de J. C. (V-XII). Esta fortaleza concéntrica, con tres muros de defensa, llamada *Aileachs Palace,* fue destruida alrededor del año 1000 por el rey *Brian Boru de Munster.* El castillo, con hermosísima vista, fue restaurado por el doctor Bernard of Derry en 1870 (prácticamente reconstruido).

Fahan (30 km NE): *St. Mura* fundó aquí un convento en el siglo VII. Se conserva la lápida de *Fahan Mura* de los siglos VII al VIII (Cross Slab). La lápida, elevada (en el lugar de la tumba), muestra la imagen de una cruz con ornamentos entrelazados e inscripciones griegas. Es un perfecto ejemplo de la transición de las lápidas en forma de cruz a las cruces elevadas.

Raphoe (15 km SE): Iglesia protestante *St. Eunan Cathedral,* reedificada alrededor de 1700 con viejos fragmentos de piedras románicas del siglo X y otros materiales de construcción de los siglos XV al XVII. Las ruinas del castillo vecino, con torres esquineras, datan de 1636. Cerca, hacia el S, se conserva un círculo de piedra prehistórico sobre una colina (más de 60 piedras).

Rathmullan (20 km NE): En la orilla O del *Lough Swilly* se encuentran los restos de un convento carmelitano (Carmelite Friary) del siglo XV, fundado por *MacSweeny.*

Lewes

East Sussex/Inglaterra Pág. 332 □ K 16

La mejor manera de llegar a este pueblo es a pie, ya que sus calles son estrechas y empinadas. En el año 1262 tuvo lugar aquí la batalla de *Lewes,* en la que el rey Enrique III venció a sus barones bajo Simon de Montfort, comenzando después de este acontecimiento el parlamentarismo en Inglaterra. Durante la regencia de la reina María (1553-1558) el lugar fue bastión de los protestantes perseguidos.

St. Anne's Church: Fue edificada en el siglo XII; contiene un altar y el púlpito del siglo XVII. Hermosa pila bautismal normanda.

Church of St. John the Baptist: Los materiales de construcción datan de los siglos XII al XVIII. La iglesia contiene hermosísimas ventanas de vidrio emplomado.

St. Michael's Church: Iglesia reedificada en el siglo XVIII, con torre circular del siglo XIII. También posee fantásticas ventanas.

Castle: Sólo quedan restos de la fortaleza normanda; se conservan las barbacanas y partes de los muros.

Otros lugares de interés: En la ciudad se conservan numerosas y hermosísimas casitas de estilo georgiano, de las que algunas merecen especial atención. La *Anne of Cleve's House* se edificó en el siglo XVI y fue residencia de Anne of Cleve después de su separación de Enrique VIII. En la actualidad es utilizada como museo, en el que se pueden ver piezas de la época y una colección muy extensa de artesanía en forja. El *Barbican House,* de estilo isabelino, es, en la actualidad, el *Museum of Sussex Archaeological Society,* en el que se pueden admirar piezas y objetos románicos, sajones y medievales, así como numerosas pinturas y dibujos. En la casa *Southover Grange* vivió durante algún tiempo John Evelin. De especial interés es una chimenea creada en el siglo XVI. En la hermosísima casa *The Bull,* construida en el siglo XV, vivió y trabajó John Paine (1768-1774). Actualmente ha sido transformada en un restaurante.

Alrededores

Firle Place (8,5 km SE): La casa de la familia *Gage,* de la que desciende el general Gage que luchó por la independencia americana, fue restaurada en el siglo XVIII en original estilo Tudor; actualmente es un museo donde se exponen muebles (Louis XV), porcelanas y lienzos de famosos pintores.

Glynde (3,5 km E): *St. Mary's Church,* del siglo XVIII. Las vidrieras datan de los siglos XVII y XIX. *Glynde Place* es una casa restaurada del siglo XVII. En la galería enmaderada se encuentran esculturas de bronce y pinturas de Rubens y Lely, así como hermosísimos bordados.

Mount Caburn (4,5 km SE): Aquí se encuentra una fortificación que fue comenzada en la Edad del Hierro, siendo finalizada por los normandos.

Lichfield

Staffordshire/Inglaterra Pág. 328 □ I 13

El lugar natal de Samuel Johnson fue sede episcopal, en el año 672, época en la que estuvo aquí *St. Chad of Repton.* La tumba del santo se convirtió en centro de peregrinación; con los ingresos que proporcionaban los numerosos creyentes se pudo costear la construcción de la catedral. La ciudad, floreciente en la Edad Media, recibió seis salvoconductos reales, el primero en el año 1378 por Ricardo II.

Cathedral: La iglesia de *St. Chad* y *St. Mary* es una de las catedrales más pequeñas de Inglaterra; no obstante, es una de las más hermosas. Es la única que posee tres enormes torres. Fue construida entre 1195-1325 en el mismo lugar que ocupaban dos iglesias anteriores. La primera fue edificada por el obispo *Hedda* alrededor del 700; la época de construcción de la segunda no ha podido ser determinada. Las partes más antiguas de la catedral actual son los tres yugos de la parte O del coro y la sacristía, finalizada en el

Lewes Castle

año 1208. Hasta 1250 fueron edificados el resto del coro, los cruceros y la sala capitular, todo ello en estilo Early-English. En el año 1325 concluyeron las obras de la nave tempranogótica y de la *Lady Chapel.*
En el año 1643 el partido del Parlamento derrotó, con Lord Brooke, a los realistas; tres años después las tropas de Cromwell destrozaron la torre principal y parte del interior. Cuando la monarquía recuperó el poder, comenzaron las restauraciones de la catedral (1660) bajo el obispo John Hackett (1662-1669).
El exterior de la catedral, construida con ladrillo rojo, impresiona especialmente por la fachada O. Alrededor de los tres pórticos (encima, entre y a los lados) se pueden ver, sobre cuatro galerías, las esculturas de 113 santos esculpidos en piedra. La inmensa ventana principal está dividida en seis ventanas lanceoladas, que, al igual que las esculturas, son reproducciones modernas.
El interior se destaca por su evidente planta en forma de cruz. El coro y la nave contienen dos naves laterales, respectivamente. La nave es 10 m más corta que el coro. El crucero es un poco más ancho que el transepto; la sacristía se encuentra al SE; la sala capitular está en la esquina NE. Aun siendo la nave la parte más pequeña, no se ve dominada por el coro. Ya que entre la nave y el coro no hay una separación visible, se puede ver hasta el ventanal de la *Lady Chapel.* Los capiteles, increíblemente decorados, el hermoso triforio y los emplomados, marcan la extraordinaria belleza de los principios del gótico. El crucero, enfrente de la nave principal, tenía anteriormente un techo más alto. Las bóvedas de piedra fueron instaladas a finales del siglo XV; como consecuencia, el ventanal del aguilón S sólo se puede ver desde el exterior. El resto de las ventanas son de estilo neogótico; en parte del gótico. El coro, de estilo Early English, no lleva la misma dirección de la nave, cuyo eje gira unos 10 grados hacia el O. En la pared S del coro se conservan los emplomados góticos originales; el resto fue restaurado en los siglos XVIII y XIX. De especial

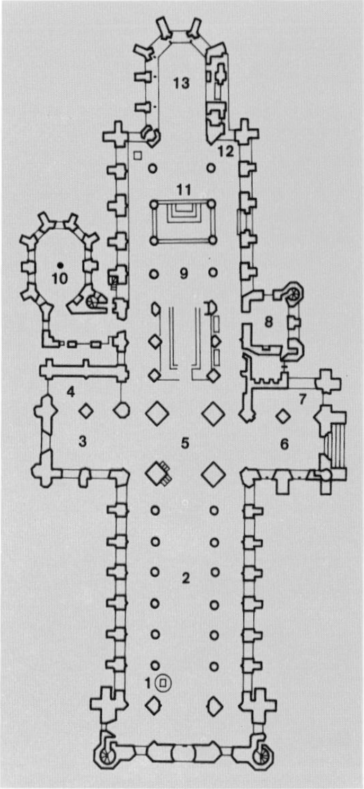

Lichfield Cathedral: 1. Pila bautismal. **2.** Nave. **3.** Crucero N. **4.** St. Stephen's Chapel. **5.** Transepto. **6.** Crucero S. **7.** St. Michael's Chapel. **8.** Sacristía. **9.** Coro. **10.** Sala Capitular. **11.** Altar Mayor. **12.** Monumento «Sleeping Children» de Chantrey (1817). **13.** Lady Chapel.

interés es la pared E de la nave lateral S del coro, donde se puede ver la imagen de los «Sleeping Children», obra de Chantrey, de 1817; también interesante es el emplomado original flamenco que representa a la Trinidad. La *Lady Chapel,* con sus nueve altísimos ventanales y el ábside poligonal, son un excelente ejemplo del neogótico. Los vidrios fueron creados en el año 1535 y proceden de la abadía cisterciense *Herkenrode,* en *Lüttich;* fueron adquiridos en 1802 para la restauración de la *Lady Chapel.* Repartidos en el interior de la iglesia se encuentran los monumentos fúnebres de sus obispos más importantes. La sala capitular, finalizada en 1249, tiene planta octogonal, impresionantes suelos y ménsulas. En el piso superior se encuentra la biblioteca, cuyo tesoro está compuesto por un evangelio irlandés del siglo VII y antiquísimas biblias.

Museos: El *Johnson Museum* se encuentra en la casa natal del gran lexicógrafo Samuel Johnson (1709-1784). El primer diccionario enciclopédico de la lengua inglesa de importancia lo finalizó en 1755, después de ocho años de duro trabajo. En el museo se exponen recuerdos del lexicógrafo y una importante colección de literatura sobre Johnson. En el *Staffordshire Regimental Museum* se pueden ver, entre otros objetos, uniformes, escudos, medallas, documentos, dibujos y trofeos de batallas de los regimientos del condado. Existe material referente a la Guerra de Secesión americana.

Alrededores

Elford (7 km E): La *Church of St. Peter* conserva su torre del siglo XVI; la iglesia fue restaurada por A. Salvin y G. W. Street en 1848 y 1870. Su atractivo especial son los numerosos monumentos fúnebres decorados con figuras, entre ellos la de un joven que lleva una pelota en la mano y señala con la otra su cabeza (siglo XV).

Merevale (20 km SE): La *Church of St. Mary* fue antiguamente la «capella ante portas» de la abadía cisterciense del siglo XII. La iglesia fue edificada en el siglo XIII; el material de construcción actual data de los siglos XIV y XV. Las piezas más espectaculares son: un ventanal policromado, del siglo XIV, con el árbol genealógico de Jesé; un monumento fúnebre (figura esculpida), construido en el siglo XIII, y un órgano medieval de la abadía destruida.

Tamworth (10 km SE): La ciudad era sumamente importante en la época anglosajona. El rey Offa tuvo aquí, en el siglo VIII, un palacio real. Hizo troquelar la moneda con su imagen. La primera fortaleza del lugar fue edificada probablemente por una hermana de Alfredo El Grande, *Ethelfleda*, alrededor de 910. La parte más antigua de la construcción actual es la sala de fiestas, de la época de Enrique VIII; el resto es de estilo jacobino. En el museo del castillo existe documenta-

Lichfield. Catedral, pórtico

Nave mayor

ción sobre la historia local. De interés son algunas monedas inglesas de la época del rey Offa, troqueladas en Tamworth. La *Church of St. Editha*, data del siglo XVI. En ella se pueden ver interesantes monumentos fúnebres y ventanas prerrafaélicas.

Limerick

Limerick/Irlanda Pág. 326 □ C 13

La ciudad, de unos 100 000 habitantes, está situada en la desembocadura del río *Shannon* a la bahía de igual nombre. A 22 km O de Limerick está el aeropuerto «Shannon Airport», de gran importancia en el tráfico internacional. El nombre de la ciudad se hizo famoso por los poemas de cinco versos (poemas de Limerick), de contenido sarcástico-grotesco; uno de los maestros de los «Nonsens Poetry» fue el poeta y pintor inglés E. Lear (1812-1888).

Historia: Este lugar y sus alrededores ya estuvieron colonizados en la Edad del Bronce (en Lough Gur). Los vikingos se instalaron en el siglos IX. En el siglo X se convirtió en sede de los reyes *O'Brian* de *Munster.* Desde la conquista anglo-romana (alrededor de 1200) hasta el siglo XVIII, Limerick fue baluarte inglés. Actualmente todavía existen dos partes bien diferenciadas: la *English Town* (al N, con castillo) y la *Irish Town* (al S), separadas por el *Abbey River.*

St. Mary's Cathedral (English Town): Esta iglesia protestante fue fundada por el rey de *Munster O'Brian,* alrededor de 1180. De la edificación, con planta en forma de cruz, se conservan el pórtico O, la nave principal y partes de las naves laterales y el crucero. El coro, la torre O, las capillas S del crucero y el pórtico S fueron añadidos en los siglos XIV y XV (restauraciones en los siglos XVII al XIX). En el interior se pueden ver interesantes monumentos fúnebres de los siglos XV al XVIII y la hermosa sillería del coro tallada con misericordias del siglo XV. Desde el campanario de la catedral, erigido en el siglo XV, con campanas también del año 1678, se goza de una excelente visión.

King John's Castle (Irish Town): La imponente fortaleza del río, a orillas

Limerick. King John's Castle

del *Sannon,* fue construida alrededor de 1200 por los anglo-romanos para el rey Juan Sin Patria (King John). Del castillo, casi cuadrado, con cuatro torres esquineras, se conserva el pórtico principal, con torres a ambos lados; la torre esquinera NO y SO, y partes de los muros. Cerca, hacia el E, los restos de un convento dominicano fundado en 1230 (renovado en el siglo XV). Al otro lado del río (sobre Thomond Bridge), el llamado *Treaty Stone* (piedra de la reconciliación) como pieza recordatoria del «Tratado de Limerick», acaecido el año 1691, que no se cumplió, consistente en ampliar, en gran medida, los derechos irlandeses.

Otros lugares de interés: El *Custom House* (casa de aduana), en la desembocadura del *Abbey River* (Irish Town), fue edificado en estilo georgiano en 1769; es especialmente bonita la fachada. El *Town Hall* (Ayuntamiento), en *Irish Town,* data del año 1805; el material de construcción es el ladrillo. La iglesia medieval *Kilrush Church* (Barrington's Pier), del siglo XIII, es una pequeña construcción cuadrangular con interesante pórtico O y ventana E. *Fanning's Castle* (Barrington's Quay) fue edificado en los siglos XVI y XVII, como casa feudal del rico comerciante Fanning. En *St. John's Square* se encuentra la católica *Cathedral of St. John,* edificación neogótica de 1856-1861, con una torre de 84 m de altura. En el interior, una Madonna de mármol de Benzoni (santuario) y un valioso cetro episcopal del siglo XV. La parte S de la ciudad, *Newtown Pery,* fue construida por orden de un rico comerciante (político) llamado Pery, en el siglo XVIII, en estilo georgiano. Aquí se encuentra la *Dominican Church,* iglesia neogótica de 1860; en el interior, una estatua de María del siglo XII. Cerca, el *People's Park,* del siglo XVIII. En el *Museum of People's Park* se pueden ver antigüedades de la zona, así como documentación sobre la historia de la ciudad y hallazgos prehistóricos. En la vecina galería de arte (Art Gallery) se puede admirar una colección de pintores anglo-irlandeses.

Alrededores

Abington (15 km SE): Restos de la pequeña *Clonkeen Church,* del siglo XII, con pórtico O hermosamente decorado y bella ventana circular.

Bunratty Castle (18 km NO): Antigua sede de la familia de *O'Brian of Thomond,* del siglo XV, restaurada en 1960. Está compuesta por cuatro torres esquineras, una amplia sala de banquetes, la sala de caballeros en el piso superior, la capilla del castillo y los dormitorios, con muebles y objetos decorativos de los siglos XIV al XVII. En verano se organizan aquí banquetes medievales. Cerca se encuentra un «Folk-Park» reconstruido, en el que se han renovado viejas cajas típicas de la localidad de *Clare.*

Carrigogunnel Castle (12 km O): Esta pintoresca fortaleza, situada en la bahía de *Shannon* (hermosa vista), fue erigida en el siglo XV. Conserva dos torres que tienen varios pisos de altura y construcciones defensivas levantadas en el siglo XVI.

Lough Gur (19 km S): Junto a la orilla S y N del pequeño lago se encuentra la extensa colonia prehistórica que contiene hallazgos históricos y culturales: círculos de piedra, tumbas megalíticas y restos de viviendas de alrededor del 2000 a. de J. C. (al igual que Kilmallock).

Monasternenagh (20 km S): El antiguo convento cisterciense fue fundado por *Mellifont Abbey* (Drogheda) alrededor de 1150. Los reyes de Limerick, *O'Brian,* financiaron la obra. En la iglesia del convento se conservan hermosos capiteles de columnas. En el año 1541 el convento fue disuelto y, posteriormente, destruido.

Patrickswell (9 km SO): Aquí se encuentran las ruinas de una fundación conventual precristiana, *Mungret Abbey,* fundada por St. Nessan (alrededor del 550), saqueada en diversas ocasiones. Se conservan dos pequeñas iglesias, originarias de los siglos XI y XII, que poseen sencillos pórticos O, estrechas ventanas y una torre O.

Lincoln

Lincolnshire/Inglaterra Pág. 328 □ K 12

Tiene sus orígenes en una fundación prerrománica denominada *Lindum*. Floreció en la Edad Media gracias al comercio de la lana (hasta en Escandinavia se encuentran monedas troqueladas en Lincoln). En el siglo XIX la ciudad volvió a florecer con la industrialización.

Newport Arch (Bailgate): Antiguo pórtico N de la ciudad romana; es el único ejemplar de este estilo que se conserva en Inglaterra. Fue construido en el siglo II d. de J. C. La parte interior (S) se conserva en su estado original; el resto de la edificación fue renovado en la Edad Media. El suelo primigenio se halla 2,40 m por debajo del nivel del suelo actual.

Cathedral: Es una de las iglesias góticas de más importancia en Europa. La edificación fue comenzada por los normandos en 1072, después de instalarse la sede episcopal en la ciudad (de esta construcción data la fachada O). En el año 1141 sufrió un devastador incendio; en 1185, un terremoto. La construcción actual data de 1192, bajo el obispo Hugo of Lincoln. La iglesia fue finalizada en 1280; en 1311 se concluyeron las obras de la torre del transepto; posteriormente se edificaron varios anexos y se hicieron numerosas y amplias reformas.

Construcción exterior: Plano en forma de cruz lorenesa (la nave se compone de dos cruceros y coro). Increíble frente O con tres pórticos románicos; encima, un frisado de esculturas de 1145 y dos torres de estilo gótico-decorated de 65 m de altura. La torre del transepto tiene una altura de 85 m; originalmen-

Lincoln Cathedral: **1.** Frente O con tres pórticos románicos. **2.** Morning Chapel. **3.** Pila bautismal románica. **4.** Crucero NO. **5.** St. Michael's Chapel. **6.** St. Andrew's Chapel. **7.** St. George's Chapel. **8.** Transepto con torre de 85 m de altura de 1311. **9.** Crucero SO. **10.** St. Edward's Chapel. **11.** St. John's Chapel. **12.** St. Anne's Chapel. **13.** Pórtico de Galilee. **14.** Coro. **15.** Crucero SE. **16.** Chapel of SS. Peter and Paul. **17.** Sacristía. **18.** Pórtico S. **19.** Monumento fúnebre de la reina Eleonore (1290). **20.** Coro de los ángeles (Ángel Choir, 1254-1280). **21.** Monumento de St. Hugo. **22.** Pórtico NE. **23.** Tumba de pascua (Easter Sepulchre). **24.** Monumento fúnebre de Catherine Swynford y su hija (1403). **25.** Crucero NE. **26.** Medicine Chapel. **27.** Sala capitular (1260). **28.** Vía Crucis. **29.** Biblioteca (1674-1685).

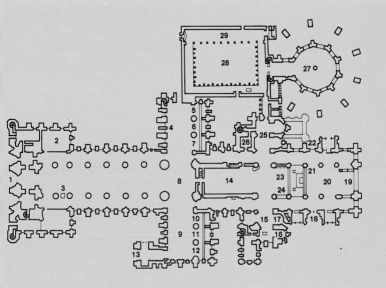

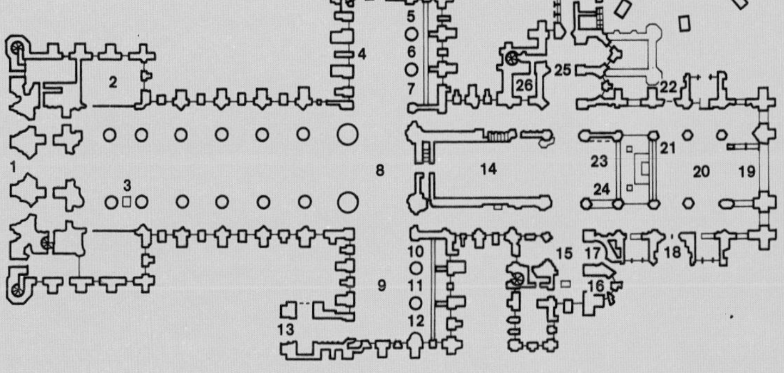

te tenía una aguja de madera y contiene una campana que pesa 5,5 t, la «Great Tom of Lincoln». Los cruceros O, de 1200-1235, están construidos en estilo decorated; las naves E, en estilo Early English; el *Ángel Choir,* denominado así por los 30 ángeles en el triforio, fue edificado entre 1254-1280. En la parte S de la iglesia, el *Presbytery Portal* (representación de la Última Cena); en la fachada, bonitas gárgolas.

Espacio interior: Son de especial interés los rosetones de los ventanales de los cruceros O (S, Bishop's Eye, del siglo XIV; N, Dean's Eye, de 1225, ambos con bonitos emplomados del siglo XIII). En el coro (estilo puro Early English), una excelente sillería de madera de encina de 1380. A la izquierda del altar elevado, un interesante sepulcro de pascua «Easter Sepulchre»; a la derecha de éste, la tumba de *Catherine Swynford* y su hija, de 1403. En el coro de los ángeles, junto a las ya mencionadas esculturas, junto al atril, se encuentra la tumba de *St. Hugo* y la majestuosa ventana E (la más antigua y característica de Inglaterra); debajo, la tumba de la reina *Eleonore,* de 1290. Igualmente de interés, la pila bautismal, románica, hecha en mármol, y situada a la derecha del pórtico principal.

Lincoln. Catedral, torre

En la nave lateral N del coro, en la *Medicine Chapel,* se encuentra desde 1960 la cámara del tesoro; las piezas de más valor, un ejemplar original de la «Magna Charta», de 1215, y el diploma fundacional de la catedral, de Guillermo «El Conquistador». Por el crucero N se accede al *Vía Crucis* (bonito techo de 1300; en la parte N, la biblioteca edificada por Sir Christopher Wren en los años 1674-1675); a continuación se accede a la sala capitular de 10 esquinas, de 1250 (es la edificación gótica más antigua de Inglaterra debido a sus características); imponente techo soportado por una viga central.

Lincoln Castle (Castle Hill): Fue edificado en 1068 por Guillermo El Conquistador, posteriormente fue extensamente modificado. Se conserva el pórtico románico E (fachada del siglo XV; en el interior, bonito techo de bóvedas), así como tres hermosísimas torres (Lucy Tower, de 1200; Cobb Hall, de 1400, y Observatory Tower, construida en el siglo XIX para la observación de las estrellas). La cárcel de la fortaleza es, actualmente, el archivo histórico de la ciudad.

Jew's Houses: Grupo de casas románicas del siglo XII, construidas por judíos oriundos y banqueros. Entre ellas, la casa del judío *Aarón* (Steep Hill, supuestamente la casa habitada de más antigüedad en Inglaterra), la *Jew's House,* de 1170 (The Strait) y, muy cerca, el *Jew's Court.*

Museos: *Greyfriars City and County Museum* (Broadgate): En la antigua iglesia de los «hermanos grises», del siglo XIII, se encuentra el museo de la ciudad y del condado, con piezas de las excavaciones del Lincoln románico, colección de armas y una sección de ciencias naturales.
Museum of Lincolnshire Life (Burton Road): Objetos de uso corriente en la vida cotidiana de la ciudad y el país desde la época de Isabel I.
Usher Gallery (Linden Road): Colec-

ción de pinturas (en especial obras de Peter de Wint), viejos relojes, artesanía. Una sala está dedicada exclusivamente al poeta *Lord Tennyson* (1809-1892), con manuscritos, impresos y piezas diversas de uso personal.

Otros lugares de interés: Las iglesias del siglo XII *St. Benedict* (Newland), *St. Mary-le-Wigford* (al S del río Witham) y *St. Peter-at-Gawts*. *Stonebow* (cerca del río Witham), pórtico S de la ciudad, edificado en el siglo XVI sobre un pórtico románico; cerca, la *Guild Hall,* construcción de paredes entramadas (sobre el techo, la llamada «Mote Bell», campana de 1371; actualmente todavía suena para congregar al consejo). *High Bridge* (sobre el río Witham), del siglo XII, la iglesia más antigua, edificada con viviendas, de Inglaterra. *Cardinal's Hat* (Grantham/High Street), impresionante casa de finales del gótico, nominada por el cardenal Wolsey. *Priory Gate* y *Potter Gate,* dos antiguos pórticos de la ciudad en la Pottergate. *Brayford Pool,* restos de un puerto fluvial románico; en la Edad Media fue puerto principal en el comercio de la lana.

Alrededores

Aubourn Hall (11 km SO): Casa feual edificada en el siglo XVI (construcción de ladrillo; en el interior, de interés, la escalera y los enmaderados en las paredes).

Cherry Willingham (6 km E): Iglesia *SS. Peter and Paul,* del siglo XVIII; en la parte O, bonita lámpara octogonal.

Doddington (8 km SO): Casa feudal edificada entre 1593-1600, en estilo isabelino del Renacimiento (bonita fachada; en el interior, muebles de estilo y una amplia colección de porcelana china).

Foss Dyke (6 km O): Canal de comunicación entre los ríos *Trent* y *Witham,* construido por los romanos en el siglo I d. de J. C. (se conserva el antiguo camino de sirga).

Kirkstead (22 km SE): Iglesia *St. Leonhard,* del siglo XIII; formó parte de una abadía cisterciense, derrumbada en la actualidad, del siglo XII.

Navenby (14 km S): Iglesia *St. Peter,* de especial interés, una bonita ventana gótica E; en el interior, tumba de pascua ricamente ornamentada en la parte N del coro.

Snarford (4 km NE): Iglesia *St. Lawrence,* del siglo XII; en el interior, tres monumentos fúnebres de los siglos XVI y XVII.

Lincoln. Catedral

Jew's House

Linlithgow

Lothian/Escocia

Pág. 324 □ G 8

La pequeña ciudad, en la orilla S del *Firth of Forth,* ya fue en el siglo XII *Royal Burgh.* Eduardo I de Inglaterra hizo edificar en este lugar una torre fortificada en 1302, que fue conquistada por los escoceses en 1313. Jaime I (1394-1437) sustituyó la vieja fortaleza por un confortable castillo después de vivir diecinueve años de prisión en Inglaterra. En el año 1504 llegó al lugar Margarita Tudor, la prometida de Jaime IV, fallecido en el campo de batalla de *Flodden Field.* En el año 1542 nació en este lugar María Estuardo. Poco después murió su padre, Jaime V, lo que motivó a Enrique VIII a pedir la mano de la futura reina de Escocia para su hijo de, tan sólo, cinco años. Al no poder conseguir su propósito dio orden, en el año 1544, de incendiar Edimburgo, después de saquear la ciudad. En 1633 Carlos I abandonó la fortaleza, siendo el último monarca. De 1651 a 1659 ocuparon este castillo las tropas de Cromwell. En 1746 los soldados del *Conde de Cumberland* incendiaron su propio cuartel en un lamentable descuido.

Linlithgow Palace: Las ruinas del viejo palacio real, mezcla de fortaleza y residencia, impresionan por su especial belleza. La edificación está compuesta por cuatro naves (alas) con un patio interior cuadrangular y cuatro macizas torres esquineras. Del esplendor de la decoración interior no queda huella prácticamente. Sólo quedan referencias escritas de que había en el castillo increíbles tapices, enmaderados de encina, estucados y frescos. Los escudos, con las insignias de la Orden de *St. Michael* y *Distel,* así como los de *St. Vlies,* sólo dan una ligera imagen del antiguo esplendor. El pozo, situado en el patio interior, de unos 6 m de altura, está decorado con esculturas del Renacimiento y ornamentos góticos, da una perfecta imagen del tipo de vida que se llevó aquí en otro tiempo. Las pinturas reales se encontraban en el primer piso; en el ala E, la *Great Hall,* de unos 30 m de longitud, con su techo entramado abierto y la chimenea de 7 m de ancho; en el ala S, la capilla del castillo, con cinco ventanas lanceoladas, de 1490; en el ala O, la sala de audiencias y las habitaciones privadas. Hay escaleras de caracol en todas las esquinas del patio interior, así como en la fachada N.

Church of St. Michael: Consagrada ya en 1242, es la iglesia de mayores dimensiones de la época anterior a la Reforma. A consecuencia del incendio del castillo en 1424 quedó parcialmente destruida, siendo reconstruida posteriormente. La parte más antigua que se conserva es la nave (1497). La torre y el ábside fueron construidos en 1531. Hasta 1821 adornaba la torre una corona almenada en piedra que, en 1964, fue reemplazada por otra construcción, más moderna.

Alrededores

Hopetoun House (5 km E): La edificación es llamada el «Versalles de Escocia». Su centro cuadrangular fue edificado por Guillermo Bruce en 1696; el resto de la construcción es obra de William Adams y de sus hijos John y Robert. Edificaron entre 1721 y 1754 un monumental palacio en estilo barroco para el Conde de Hopetoun. Dividieron la fachada con pilastras corintias; edificaron un ático con balaustradas y floreros de piedra ricamente ornamentados. A derecha e izquierda construyeron pabellones. Los salones fueron decorados por los hermanos Adams con estucados dorados, muebles imitando el estilo del siglo XVIII y damascos. La casa es especialmente interesante por la decoración interior.

The Binns (3 km E): La edificación no parece una casa feudal, según su aspecto exterior. Fue construida en 1478; los estucados del techo datan del siglo XVII. El ocupan-

Linlithgow. Linlithgow Palace

te más famoso de la vivienda fue el general Tam Dalyell (1599-1685), el cual huyó de la torre de Londres, sirvió al Zar en Rusia, derrotó a los Covenanters y, finalmente, según la leyenda, se lo llevó el diablo. La decoración, del siglo XVII, es lo que hace la casa especialmente atractiva.

Torphichen Preceptory (10 km SO): Ruinas de una iglesia normando-románica del siglo XII, edificada por la Orden del Temple. Se conserva el arco de la sala del altar. Las naves laterales datan del siglo XIII; en el siglo XVI se construyó una nueva edificación sobre los cimientos de la primera nave. La torre data del siglo XV. Justo detrás de la iglesia se encuentra *Cairn-papple Hill,* uno de los santuarios neolíticos de más importancia en Escocia. Se distinguen varias capas, hecho no muy usual. En la Edad del Bronce se ampliaron las tumbas subterráneas (cámaras); en 1500 a. J. C., no obstante, fueron saqueadas y se edificó una nueva tumba que, posteriormente, también fue ampliada.

Lismore

Waterford/Irlanda Pág. 330 □ C 14

Esta encantadora pequeña ciudad, situada junto al *Blackwater River,* tiene sus orígenes en una abadía fundada por *St. Cartach* en el siglo VII. A principios de la Edad Media fue famosa por su escuela conventual (St. Colman) y las numerosas iglesias, hasta que fue destruida por los daneses y los normandos.

Cathedral of St. Carthage: La antigua catedral del siglo XII fue reedificada como iglesia protestante (1633) después de su destrucción alrededor de 1600. Se conservan partes de la construcción antigua de la iglesia, como, por ejemplo, el arco del coro, el crucero S y las ventanas.

Lismore Castle: Esta fortificación de

río fue edificada por el rey Juan Sin Patria en 1185. Ha sido destruida y reedificada en numerosas ocasiones.

En el siglo XIX fue transformada por J. Paxton en un «castillo de cuento» (actualmente es propiedad del Conde de Devonshire). El techo (bóvedas) y la iglesia del castillo datan del siglo XII; se conservan partes de la residencia episcopal, de los siglos XV y XVI. Aquí se descubrió el famoso «Book of Lismore», colección de leyendas de santos irlandeses del siglo XV; también, la «Barra torcida de Lismore», de los siglos XI y XII, que se encuentra actualmente en el *National Museum of Dublin.*

Alrededores

Dungarvan (5 000 hab., 12 km E): En este lugar se pueden visitar los restos de un castillo anglo-romano de 1185, edificado por el rey Juan. Impresiona el cementerio y los muros coronados de almenas.
En *Abbeyside* se encuentran restos de una antigua abadía (torre cuadrada), integrados en una iglesia parroquial victoriana.

Liverpool

Merseyside/Inglaterra Pág. 328 □ H 12

Fue fundada en el siglo X; se considera ciudad desde 1207. Durante los siglos XVI y XVII adquirió importancia como ciudad portuaria. En el siglo XVIII experimentó un auge industrial durante la Revolución Industrial. La ciudad se enriqueció con la trata de esclavos y la floreciente industria lanera de *Lancashire.* Actualmente es una de las ciudades de más importancia en Inglaterra.

Metropolitan Cathedral of Christ the King (Mount Pleasant): Catedral católico-romànica de la ciudad. La construcción fue comenzada en 1933, en estilo neobizantino, con el propósito de construir la mayor iglesia de Europa. En 1939 se finalizó la cripta; durante la guerra se interrumpieron las obras, las cuales se reanudaron a partir de 1962 en estilo moderno. La catedral se inauguró en 1967, sin estar acabada por completo. Impresiona, en especial, la composición del edificio, semejante a una gran carpa cubierta de un cilindro de cristal (altura

Liverpool. Anglican Cathedral

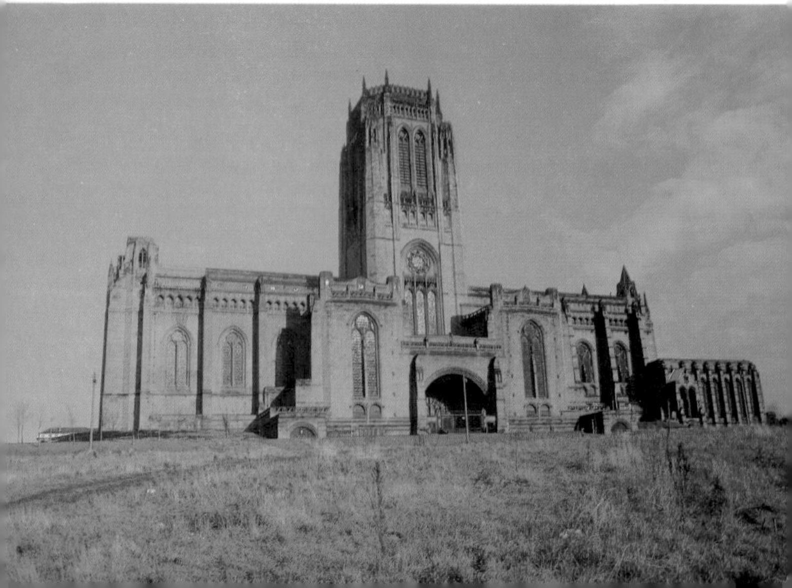

total, unos 100 m). En el interior merecen especial atención las numerosas vidrieras policromadas (en especial en el techo). La catedral es una de las construcciones modernas de más interés en Gran Bretaña, dada su frialdad arquitectónica.

Anglican Cathedral (St. James Road): Se denomina también *Liverpool Cathedral.* La construcción comenzó en 1904, en estilo neogótico, según los planos de Sir Giles Gilbert Scott, que continuó con la obra hasta su muerte en 1960. La inauguración fue celebrada en el año 1971, aun no estando completamente finalizada la iglesia anglicana más grande de Inglaterra. El plano es peculiar; está compuesto por una nave principal, los brazos del crucero y el coro; la torre tiene una altura de unos 110 m. En el interior, de especial interés, el órgano, en el coro, que está considerado como el mayor del mundo (9 700 tubos); la *War Memorial Chapel* y los ventanales coloreados. En el cementerio adyacente de *St. James* se encuentra la tumba de William Huskisson, de 1830; que fue la primera víctima de la historia en accidente ferroviario.

Church of our Lady and St. Nicholas (Chapel Street): Iglesia de más antigüedad en Liverpool. Fue edificada en 1360 y destruida por las bombas en la segunda guerra mundial; posteriormente fue reedificada. En el interior, hermosas tallas de madera.

Town Hall (Dale Street): Ayuntamiento de Liverpool edificado entre 1754-1755 en estilo clásico. Sobre la torre cupular se puede ver una estatua de la diosa *Minerva.* La construcción de la entrada está decorada con columnas corintias. El frisado, alrededor del edificio, es obra realizada por prisioneros franceses en la época de las guerras napoleónicas. En el interior, colecciones referentes a la historia de la ciudad (abierto en agosto).

St. Georges Hall (Brown Street): Fue edificada entre 1838-1854 en estilo clásico. Imponente fachada de unos 160 m de ancho; la parte central está decorada con columnas corintias de unos 20 m de altura. La sala central puede albergar unas 1 750 personas; actualmente es utilizada para conciertos, en especial de órgano. En las demás salas se hallan instituciones públicas (juzgados, consulados).

Metropolitan Cathedral of Christ the King

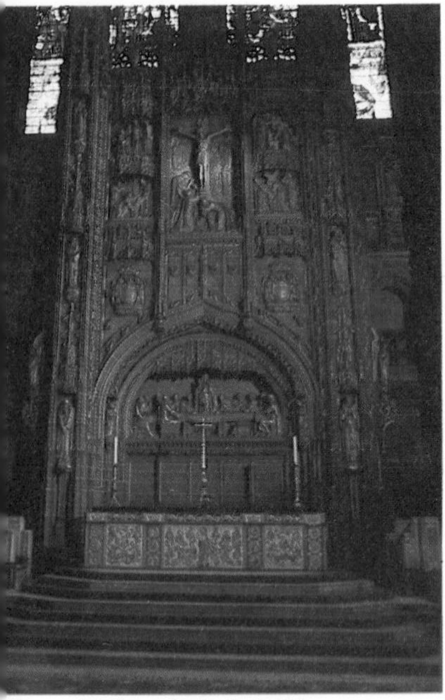

Anglican Cathedral. Altar

St. John's Shopping Centre and Market (cerca estación ferroviaria principal): Zona peatonal de la ciudad de construcción moderna y techada; centro comercial. En el centro se halla la *St. John's Beacon,* torre de unos 150 m de altura; desde una terraza se goza de una excelente visión de la ciudad.

Walker Art Gallery (W. Brown Street): Se puede admirar la colección de pinturas más grande de Inglaterra, exceptuando Londres. Contiene lienzos de todas las épocas de Europa, desde el siglo XIV hasta la actualidad. Las colecciones están ordenadas por orden cronológico (pintores italianos del siglo XIV, flamencos, italianos de los siglos XV y XVI, etc.). Merecen especial atención «La Virgen con Niño», de Rubens, y el autorretrato de Rembrandt, de 1629. Importante colección de impresionistas franceses. Entre las esculturas, obras de Rodin y Moore.

Museo de la ciudad (City of Liverpool Museum, cerca de Walker Gallery): Fue edificado en el siglo XIX, destruido en la segunda guerra mundial y reedificado. Contiene una sección de historia cultural (colección arqueológica con piezas egipcias, griegas y romanas; joyas anglosajonas, piezas de marfil, porcelanas, armas, viejos instrumentos musicales, etc.). También, colecciones de historia natural (acuario, reproducciones de casas de todo el mundo, etc.). En la planta baja, un museo dedicado a medios de transporte (viejas locomotoras) y una sección dedicada a la marina. En el tercer piso, un planetario y una sección de historia de la astronáutica.

Otros lugares de interés: *Playhouse* (Williamson Square) es el teatro de más antigüedad en Inglaterra. La construcción actual data de 1911. *Central Libraries* (junto al Liverpool Museum): Importantes colecciones de viejos manuscritos, impresos e incunables de los siglos XV y XVI. *Suddley Art Gallery* (Mossley Hill): Interesante colección de pintores ingleses de los siglos XVIII y XIX. *Pier Head* (junto al río Mersey): Hermosa vista sobre el puerto y la ciudad. *Queensway Tunnel* (Dale Street): Abierto en 1934; primer túnel de carretera bajo el río Mersey, con una longitud de 4 km está considerado como el más largo del mundo.

Alrededores

Rufford Old Hall (29 km N): Construcción de entramados de los siglos XV al XVII, con muebles originales de encina del siglo XVII. Actualmente se encuentra aquí un museo popular (artículos domésticos, armas, porcelana, colección de muñecas).

Speke Hall (13 km SE): Construcción de paredes entramadas del siglo XV, con instalaciones interiores de la época (de especial interés los estucados, las tallas en madera y la cocina).

St. Helens (25 km NE): En este lugar es de

importancia la industria del vidrio; en la *Prescot Road,* se halla un mueso que muestra el desarrollo de la industria del vidrio.

Warrington (16 km E): El lugar está situado en el antiguo paso romano sobre el *Mersey*. En este lugar se encuentran dos iglesias excelentemente renovadas (Holy Trinity y St. Elphins).

Llandeilo

Dyfed/Gales Pág. 332 □ G 14

Esta pequeña ciudad comercial, situada en el valle de *Towy* (Tywi), al igual que las fortalezas que la rodean, tiene una vieja historia céltico-galesa. En la ciudad y sus alrededores se encontró la residencia familiar de los *Condes de Rhys,* de Gales del S. Bajo la regencia de Enrique II (1154-1189) el galés *Rhys ap Gruffydd* fue reconocido como rey de Gales del S. De esta época apenas quedan restos. Una de las excepciones es la iglesia parroquial medieval, renovada en 1850.

Alrededores

Carreg-Cennen Castle (8 km SE): A través de los pueblos *Ffair-Fach* y *Trap* se accede a las ruinas de esta fortaleza. Data del siglo XIII y es el castillo de más antigüedad de la familia *Rhys.* Está situada sobre una roca calcárea de 100 m de altitud, desde cuya cima se puede contemplar una hermosa vista sobre el *Brecon Beacon Park,* al E. Es de especial interés el paso subterráneo de 45 m de longitud que era utilizado para huir; las ruinas de los muros y las torres, del siglo XV, todavía son impresionantes a pesar de la destrucción habida.

Dynevor Castle (3 km O): En un parque al O de la ciudad se encuentra la sede moderna (desde 1856) de la familia *Rhys* (Lord Dynevor), que residió en este lugar en el siglo IX, desde la época de *Rhodri Mawr* (Roderico «el Grande»). Las ruinas del viejo castillo, sobre una roca junto al río, están compuestas por una ciudadela circular y un cementerio poligonal al E. También se conservan partes del frente N y varios muros excavados en la roca.

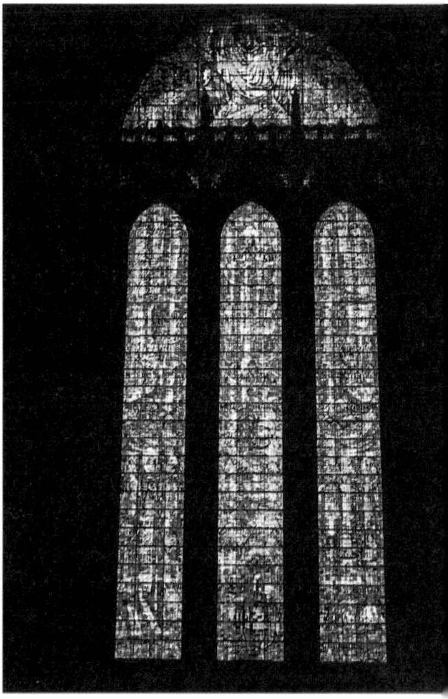

Cathedral. Vidriera de poniente

Llandovery (20 km NE): La bonita ciudad de *Towy,* ubicada en la desembocadura del *Gwydderig* y *Bran,* posee los restos de un antiguo castillo erigido en el siglo XIII (detrás de Castle Car Park).
En este lugar se encuentra también una de las dos escuelas de docencia en idioma gaélico (Public Schools). El edificio es de estilo victoriano y data de 1848.

Llanfair-ar-y-Bryn (15 km NE): Iglesia *St. Mary,* de los siglos XIII al XIV. Fue edificada con ladrillo de un antiguo fuerte romano situado en el mismo lugar.

Llangadog (15 km NE): Antes de la localidad de *Llanwrda* (17 km NE); el legendario refugio del mago Merlín, se encuentra en esta pintoresca y pequeña ciudad, en la que se encuentran los restos de una colonización prehistórica.

Llangathen (10 km O): En este lugar se encuentran las ruinas de otra fortaleza de los *Condes de Rhys,* al igual que una iglesia del siglo XIII con torre fortificada. La fortaleza de *Dryslwyn Castle* (3 km SO) está prácticamente derruida; estuvo construida sobre una colonización prehistórica (hermosa vista al valle de Towy).

Talley Abbey (15 km N): Ruinas de una abadía premonstratense de los siglos XII y XIII. Se conservan partes de la torre central del transepto y de los muros de los cimientos. Éste fue el único convento premonstratense en Gales.

Llandrindod Wells

Powys/Gales Pág. 328 □ G 14

Este lugar, con 4 000 habitantes, es uno de los baños termales de más popularidad en Gales. Contiene 30 fuentes ricas en contenido de hierro y azufre. En el museo de la localidad (Temple Street) se pueden ver interesantes hallazgos arqueológicos.

Alrededores

Abbey Cwmhir (10 km N): Restos de un antiguo convento cisterciense de 1143, con muros de una iglesia abacial de unos 74 m de longitud.

Builth Wells (10 km S): En la pequeña ciudad, junto al río *Wye,* se encuentran los restos de un castillo; cerca del mismo, un puente de seis arcos sobre el río, de 1779.

Llanbister (10 km N), **Llananno** (12 km N) y **Llanbadarn** (14 km N): En estos pueblos se encuentran viejas iglesias con atriles, pilas bautismales y crucifijos realizados en los siglos XV y XVI.

Rhayader (catarata; 14 km NO): En la iglesia comunal del siglo XIV se halla una pila bautismal de los siglos XII y XIII.

Llangollen

Clwyd/Gales Pág. 328 □ G 13

Llangollen (pron: Chlan-Góchlen), con 3 000 habitantes, está situado en un encantador paisaje, junto a un manantial (River Dee), en el valle de *Llangollen*. La localidad es mundialmene famosa por los concursos anuales de folclore internacional que en ella se celebran.

St. Collen's Church: La iglesia comunal fue construida en el siglo XIV (nave principal, nave lateral N). La torre data de 1749; la nave lateral S, el presbiterio y las capillas laterales fueron añadidas en 1863. Merece especial atención el techo tallado en madera de encina (ángeles, pájaros, flores y varias figuras grotescas).

Otros lugares de interés: La vivienda *Plas Newydd* (lugar nuevo), en el *Butler Hill,* es curiosa por su construcción de entramados en blanco y negro. La casa está ricamente ornamentada y contiene un hermoso parque del siglo XVIII. La casa fue decorada en el siglo XVIII con dos vírgenes (tallas de encina, enmaderados, tapices de cuero, ventanas medievales, etc.).

Alrededores

Castell Dinas Bran (5 km NO): Junto a la orilla N del *River Dee* se elevan las ruinas de esta fortaleza. Fue edificada en el siglo XIII (alrededor de 1270) por el príncipe galés *Gruffyd ap Madoc;* decayó rápidamente (hermosa vista).

Chirk (16 km O): En la pequeña ciudad se encuentra una iglesia parroquial del siglo XV (torre, techo, monumentos fúnebres), y hacia el O los restos del *Chirk Castle.* La fortaleza, del siglo XIII (numerosas reformas), es de planta cuadrangular, con cuatro torres esquineras y una torre de tambor; los salones, en el interior, son de extraordinaria belleza; la decoración (muebles) data de los siglos XVII al XIX.

Corwen (16 km O): En la ciudad se encuentra una iglesia parroquial; en el interior se conserva una pila bautismal normanda y varios monumentos fúnebres de la Edad Media. Cerca se encuentra el muro de piedra prehistórico de *Caer Drewyn* (al N del río Dee).

Cysyllte (6,5 km E): En este lugar se encuentra un imponente viaducto de 18 arcos (de 1800) y otro viaducto ferroviario de 19 arcos, construidos con ladrillo (siglo XIX), sobre el río *Dee*.

Llandrillo (20 km SO): Restos de un círculo de piedra de la Edad del Bronce, situado detrás de *Tyfos Farm* (piedras verticales).

Valle Crucis Abbey (2,5 km NO): Restos de un convento cisterciense. La abadía fue financiada por el príncipe *Madoc* y ampliada en el siglo XIV. Es una de las ruinas conventuales de más importancia en el N da en el siglo XIV. Es una de las ruinas red O, de estilo Early English, con pórtico ricamente decorado, tres ventanas lanceoladas, la sala capitular en el Vía Crucis E y el pórtico; al N se encuentra la sacristía, del siglo XIV, y partes de los dormitorios. Cerca del claustro se puede admirar la interesante columna de piedra *Eliseg's Pillat,* que, en la antigüedad, fue soporte de una cruz. La misteriosa columna, de unos 2 m de altura, con inscripciones celtas, data, con probabilidad, del siglo IX.

Lleyn Peninsula

Gwynedd/Gales Pág. 326 □ F 13

La península *Lleyn* está situada al NO de Gales, entre *Cardigan Bay* (al S) y *Caernarfon Bay* (al N). El idioma predominante es el gaélico y en el lugar se siguen conservando antiguas tradiciones.

Pwlheli (4 000 hab.): La capital de *Lleyn* es un lugar muy apreciado por los bañistas y es estación terminal de una línea ferroviaria.

Alrededores: En *Llanbedrog* (6 km SO) se encuentra una bonita iglesia medieval con un hermoso atril (pared del coro); en la costa, una casa de pescadores, *Foxhole Cottage,* del siglo XVII.

Abersoch (11 km SO): En frente del lugar se encuentran las pequeñas islas de *St. Tudwal's,* nominadas por el obispo celta Tudwal (siglo VI); con restos de una capilla del siglo XII.

Llanengan (13 km SO): En el pueblo, en la costa S, se puede ver la iglesia, en la cual se encuentra un atril de madera de encina hermosamente tallado, del siglo XVI, y la bonita sillería también tallada.
Cerca, en el pueblo *Llangian* (bonitas casas Cottage), se encuentra la casa feudal *Plas-yn-Rhiw,* edificada en los siglos XVI al XVIII, en estilo renacentista-Tudor. Los cimientos datan del siglo X.

Clynnog-Fawr (Lleyn Peninsula). Iglesia

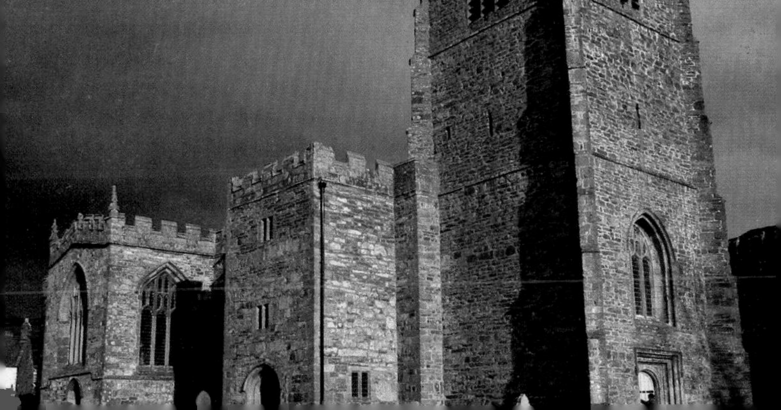

Aberdaron: En el pequeño pueblo pesquero, de unos 1 200 habitantes, situado en la punta SO, se encuentra la bonita iglesia *St. Hywyn's* (junto al mar), con pórtico normando, arcos interiores del siglo XV y una ventana, de estilo perpendicular. El histórico ayuntamiento *Y Gegin Fawr* data del año 1300 y fue construido para los peregrinos que llegaban a *Bardsey Island.*

Alrededores: Bardsey Island (4 km antes de Aberdaron): En la pequeña isla se encuentran los escasos restos de la *St. Mary's Abbey,* erigida en el siglo XIII. Fue fundada por el santo celta *St. Cadfan* (516) y es denominada «la isla de los 20 000 santos».
Sarn (11 km NE): En este pueblo interior se puede ver, junto al *Cefnamlwch-Dolmen,* la cámara sepulcral neolítica mejor conservada de la península. Cerca (dirección costa O) se encuentra, en el pueblo *Llangwnnadl,* una original iglesia del siglo XV.

Nefyn (2 000 hab.): Esta pequeña localidad, en la costa O, ya tuvo gran importancia en la Edad Media (desde el año 1355 posee derechos de ciudad). Hacia el S se encuentran los escasos restos de la fortificación prehistórica *Garn Bodfuan.*

Alrededores: Llanaelhaearn (10 km NE): En la parte E de la cima del *Yr Eifl* (The Rivals), a una altitud de 535 m, se encuentran los restos de la importante colonia prehistórica *Tre'r Ceiri,* con más de 100 círculos de piedra (Cytiau) y un imponente muro de piedra (increíble vista desde la cima).

Clynnog-Fawr (costa NO): Interesante iglesia de pueblo de 1536, en estilo perpendicular, con antesala, techo de madera tallado, atril, crucifijo y sillería. Está bendecida por el monje celta St. Beuno, del siglo VI, el cual fundó aquí un convento. La pequeña capilla, al SO de la iglesia, está supuestamente situada sobre la tumba de St. Beuno. Cerca se halla la fuente de aguas curativas (St. Beuno's Well).

Criccieth (1 800 hab.): Este idílico lugar, muy apreciado por los bañistas y situado al N de la *Tremadog Bay,* se erige encima de las ruinas de un castillo. La fortaleza ya existió en la época del príncipe galés *Llywelyn Mawr* (el Grande), alrededor de 1200. Con Eduardo I fue ampliada. Se conserva la imponente casa con dependencias para la guardia, dos torres, el patio interior y la doble fosa, así como los restos de los muros exteriores de la *Engine Tower* (torre de defensa) y del cementerio.

Alrededores: Porthmadog (6 km NE): Supuestamente zarpó de este lugar el descubridor de América, el galés *Madog ap Owain Gwynedd,* alrededor del año 1150. Parece ser que logró llegar al territorio que actualmente ocupa Florida. La *Tre-Madig Bay* lleva el nombre de este aventurero.

Loch Leven

Tayside/Escocia — Pág. 324 □ H 8

El gran lago, en medio de la península *Fife,* obtuvo triste fama debido al cautiverio que sufrió María Estuardo en un castillo situado sobre la pequeña isla, en el extremo O del lago, donde estuvo prisionera entre oscuros muros, a partir del 16 de junio de 1567, durante un período de once meses. En febrero del mismo año fue asesinado su esposo; tres meses después la reina se casó con el presunto asesino de su marido, enemistándose de esta manera con sus Lords. En Edimburgo el pueblo estaba indignado, marchando por las calles y gritando sin cesar: «quemad a la prostituta»; la reina tuvo que firmar una carta el 24 de julio de 1567 renunciando al trono. La situación no pudo ser más dramática en aquellos momentos. Su hijo, de un año de edad, fue declarado rey, Jaime VI, en *Stirling Castle;* su hermanastro, protestante, el *Earl of Moray,* se hizo proclamar también rey. Bajo su protección, John Knox se apoderó del infante, arrebatándoselo a su desgraciada madre. Mas la reina, de sólo veinticuatro años de edad, no se dio por vencida. El 2 de mayo de 1568 el joven Lord George Douglas, que era el hijo del dueño del castillo, le

Loch Leven. Kinross House

facilitó la huida. Un paje le permitió la salida de sus aposentos, tiró la llave y la llevó a tierra firme en un bote. Allí, en la orilla, la esperaba George Douglas, que la condujo a la fortaleza de los Hamiltons, a *Niddry Castle.* Once días después de su huida del castillo, declaró la guerra a su hermanastro en *Langside,* Glasgow. La batalla entre hermanos fue dura y despiadada; finalmente salió victorioso de la batalla el hermanastro. El 16 de mayo de 1568 un bote la llevó hacia Inglaterra por el *Solway Firth.* Nunca más pudo volver a su patria, ya que su cautiverio, bajo la reina Isabel, duró más de veinte años.

Loch Leven Castle: Este castillo data en su mayor parte de 1335. Los muros que rodean la fortaleza y el cementerio cuadrangular, de tres pisos, datan del siglo XIV; la torre circular, en la esquina SE de la muralla circundante, fue edificada en el siglo XIV.

Kinross House: Entre la pequeña ciudad *Kinross* y la isla del castillo, justamente en dirección al *Loch Leven Castle,* Guillermo Bruce hizo edificar una fortaleza barroca en los años 1685-1693. Como simpatizante del partido de los Estuardo recibió de Carlos II, en el año 1671, el cargo de constructor oficial de la Corte; así, trabajó como arquitecto en las ampliaciones de *Holyrood Palace.* Dada su alta posición, su propio castillo debía ser ejemplo de la mayor perfección y belleza arquitectónica. Daniel Defoe denominó al edificio el más hermoso y mejor acabado de toda Escocia y, probablemente, de todos los existentes en Inglaterra.
El parque alrededor de *Kinross House* fue diseñado por el mismo arquitecto; el *Fish Gate,* situado en la entrada del parque, ha sido realizado por escultores flamencos.

Burleigh Castle: Las ruinas, a 3 km NE de *Kinross,* son el resto de un torreón edificado en el año 1582. Antiguamente este castillo sirvió de sede a los *Balfours of Burleigh.*

Loch Ness

Highlands/Escocia

Pág. 324 □ G 6

Este lago es el de mayor extensión de todo el *Great Glen* y es famoso desde el siglo VII cuando St. Columba narró la historia de un monstruo que vivía en el lago. Desde que el santo contó la leyenda, la bestia emerge una vez al año sin que nadie pueda verla. El que la verdadera prueba de la existencia o inexistencia del presunto monstruo no haya sido posible hasta ahora depende, en gran medida, de las características del propio lago. Este es un lago muy especial: tiene 1,5 km de ancho y su profundidad alcanza 325 m. En más de dos terceras partes de su longitud total, 36 km, tiene una profundidad de más de 200 m. Sus aguas pantanosas son de color marrón oscuro, como la mayoría de los lagos de los *Highlands,* en los que los buceadores apenas pueden ver. La situación estratégica del lago fue, durante siglos, con seguridad, más importante que su monstruoso habitante; muestra de ello son los restos de dos fortalezas erigidas en las cercanías.

Fort Augustus: Esta fortaleza situada en el extremo S del lago, al igual que *Fort Willam,* fue edificada por los británicos para defenderse de los clanes de los Highlands. El castillo data del año 715 y fue nominado por el Conde de Cumberland. En 1730 el general Wade amplió el fuerte e hizo construir una carretera bordeando el lado S del lago. En 1744 Carlos Eduardo Estuardo consiguió conquistar la fortaleza en la batalla de *Culloden.* En el año 1876, finalmente, el castillo se convirtió en abadía benedictina.

Urquhart Castle: Este castillo está construido en un punto estratégico, justo en el lugar donde desembocan

Loch Ness, Urquhart Castle

el *Glen Urquhart* y el *Glen Convinth,* en la orilla N del lago. Fue edificado alrededor del 1200. En 1230 Allen Doward controlaba desde este lugar el tráfico de barcos y botes del *Great Glen.* En 1296 la fortaleza estuvo en manos inglesas; en 1313 volvió a ser escocesa, ya que fue expugnada por Roberto Bruce.
Doscientos años después el príncipe hébrido *Donald Macdonald of Lochals* se apoderó del castillo y ejercía el control en los alrededores. Para que la fortaleza no cayera en manos de los jacobinos fue destruida en su mayor parte en el año 1691. No obstante, los restos de la edificación que todavía se pueden admirar son impresionantes.
Se conservan los pisos inferiores de la casa, los cuales poseen dependencias para la guardia, con increíbles techos, y una torre erigida en el lado NE, cuya planta viene a tener una extensión de unos 10 000 m^2...

London Pág. 332 □ K/L 15

Resumen:

HISTORIA Y DESARROLLO

Ya en la época celta (alrededor del 800 a. de J. C.) el territorio situado en los alrededores de Londres estaba colonizado, hecho demostrado por los numerosos objetos y hallazgos encontrados en las excavaciones arqueológicas practicadas en este lugar.

En el año 55 a. de J. C. las legiones de César ocuparon toda la isla. De los años 10 a. de J. C. a 54 d. de J. C., las tropas del emperador Claudius conquistaron el SE de *Britannia* y fundaron, a orillas del río Támesis, en un punto considerado estratégicamente óptimo, un campamento militar, denominado *Londinium,* que se desarrolló rápidamente, convirtiéndose en un importante centro portuario y lugar de intercambio comercial. La zona, fortificada por los romanos con un imponente muro, corresponde más o menos al territorio ocupado por el Londres actual.

Alrededor del 61 d. de J. C. los romanos se enemistaron con *Boadicea,* la reina del E de *Anglia,* que consiguió apoderarse de la ciudad.
A partir del 240 Londres se convirtió

en la capital de la cuatro provincias insulares del emperador Diocleciano (240-313/16).

A principios del siglo V los romanos se retiraron de *Britannia* y la zona fue colonizada por anglos, sajones y jutlandeses; la importancia de Londres disminuyó considerablemente y la ciudad sufrió ataques constantes de daneses y vikingos.

El rey anglosajón Alfredo «El Grande» (848-849 y 899-901), que aportó importantes traducciones y obras literarias a la literatura inglesa, salvó al país del dominio danés (878, victoria en Edington), convirtiéndose en el 886 en emperador de la ciudad.

Knut «El Grande» (995-1035) y Eduardo «El Confesor» (1003-1066) tenían residencia en *Westminster;* Guillermo «El Conquistador» (1027-1087) fue coronado en *Westminster Abbey* en 1066, después de la victoria de *Hastings;* colmó a la ciudad de todo tipo de privilegios y comenzó con la construcción de *White Tower,* residencia real que fue finalizada por sus sucesores.

Con Enrique I (1068-1135) Londres se separó definitivamente de la vieja capital *Winchester.* A partir de 1157 la ciudad empezó a florecer con el comercio, enriqueciéndose y ganando importancia. El comercio era controlado por un «alcalde superior» (Lord Mayor).

En el siglo XVI Londres era, con sus 500 000 habitantes, la ciudad más grande de Inglaterra. La fundación de las primeras compañías de comercio y de la primera bolsa de mercancías (1567) aumentaron el bienestar económico de la ciudad.

Durante la regencia de Isabel I (1533-1603; reina desde 1558) Inglaterra se lanzó a los mares del mundo (victoria sobre la Armada Española, 1588), comenzando a formarse, con la ayuda de los productos y frutos de las conquistas de las primeras colonias de ultramar, lo que más tarde se denominaría el *Empire.* Con esta reina comenzó la época isabelina, en la cual la cultura, el arte y la literatura (Wil-

London. Houses of Parliament ▷

liam Shakespeare, 1564-1616), hicieron florecer la ciudad de Londres considerablemente.

En el año 1665 una terrible epidemia de peste disminuyó trágicamente la población de la ciudad a 70 000 habitantes y, en 1666, un enorme incendio devastó cuatro quintas partes de la misma, lo cual interrumpió relativamente el constante crecimiento que venía experimentando la localidad.

A lo largo de los siglos Londres se fue convirtiendo en el centro del creciente *Empire;* la época victoriana, llamada así en honor a la *reina Victoria* (1819-1901), fue también de suma importancia. La ciudad volvió a florecer cultural y artísticamente, adquiriendo cada vez más poder y tamaño; la industria aumentó considerablemente y el comercio exterior se practicaba a nivel mundial.

A principios del siglo XIX el puerto de Londres era el mayor del país. En la primera guerra mundial los ataques aéreos alemanes destruyeron gran parte de la ciudad; en la segunda guerra mundial la destrucción fue casi total. Actualmente, en Londres y en sus alrededores viven unos nueve millones de personas. La ciudad está dividida en 32 distritos; con sus 1 600 km^2 es una de las ciudades de mayor superficie del mundo. La extensión es tan amplia debido a la predilección del pueblo inglés de construir casas pequeñas rodeadas por un jardín. Así, en la capital no viven más de 5 000 personas; la gente acude al trabajo cotidiano (medio millón de personas aproximadamente) desde las afueras.

Londres es la actual capital de Inglaterra, del N de Irlanda y del *Commonwealth;* sede de la casa real, del obispo anglicano y del arzobispo católico; del parlamento, de los supremos jueces, de las organizaciones más importantes y de las instituciones científicas de más importancia.

Después de 1945 inmigraron ciudadanos de toda la *Commonwealth,* de manera que la población es variada en costumbres y culturas. En la ciudad se pueden admirar numerosas construcciones sacras y profanas, de las cuales destacan especialmente las de *Ch. Wren* (1632-1723), «el constructor de Londres».

Multitud de museos y galerías reúnen obras y hallazgos del mundo entero de todas las épocas. Las instituciones artísticas son múltiples en esta ciudad. En Londres existen dos grandes salas de ópera, un teatro nacional con tres elencos artísticos diferentes y varios escenarios, así como 30 teatros repartidos por la ciudad para satisfacer todos los gustos artísticos.

También existen encantadores rincones y callejuelas tan queridas por el escritor *Ch. Dickens* (1812-1870), así como lujosos barrios y zonas con viviendas modestas y sencillas y calles dedicadas al comercio; en definitiva, esta es una ciudad variopinta e interesante para todo tipo de visitante.

Transitados cruces de calles cerca de frondosos parques; por doquier se pueden admirar monumentos que delatan la riqueza de otras épocas, antiguas tradiciones, a veces ridiculizadas por las gentes extranjeras; fiestas organizadas y orquestas callejeras hacen a esta ciudad especialmente atractiva.

CONSTRUCCIONES SACRAS

Westminster Abbey: *Historia:* Este lugar, junto al río, situado en la parte superior de la ciudad de Londres en el que se encuentra la abadía actualmente, ya estuvo colonizado en la época de los romanos. La primera iglesia data de los siglos II al VIII. Eduardo «El Confesor» comenzó en 1050-1060 con la construcción nueva, de la que se conservan actualmente algunos fragmentos.

Enrique III comenzó en 1245 con la construcción de la iglesia actual, que debería ser utilizada para albergar los restos de su antecesor, declarado santo, y como lugar de coronación y reposo de reyes. Los monumentos erigidos a Enrique y su esposa son los mayores tesoros que alberga la abadía.

Los planos del primer arquitecto, Henry of Reyns, de 1245-1253, delatan influencia francesa: una nave exageradamente alta con dos filas de pilastras y, en el extremo E, un ábside poligonal

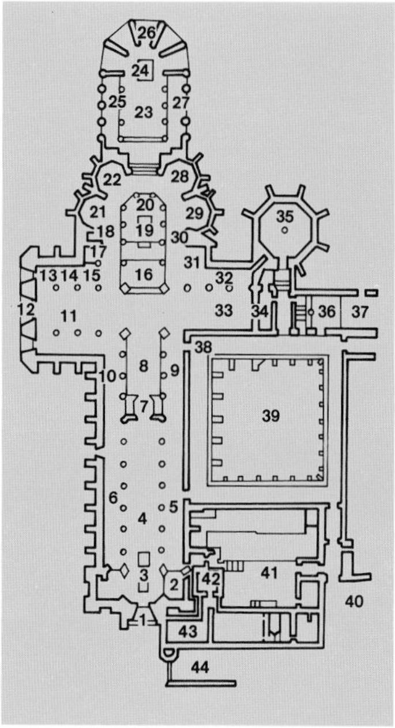

London. Westminster Abbey: 1. Pórtico O. **2.** St. George's Chapel, antiguo baptisterio, actualmente dedicado a los caídos durante la Primera Guerra Mundial. **3.** Monumento al soldado desconocido (caídos en la Primera Guerra Mundial) y lápida conmemorativa a Sir Winston Churchill. **4.** Nave principal, con numerosos monumentos fúnebres, entre ellos el de David Livingstone, Robert Stephenson y Neville Chamberlain. **5.** Nave lateral S. **6.** Nave lateral N. **7.** Emporio del órgano. **8.** Coro con monumentos a Sir Isaac Newton y Earl Stanhope. **9.** Nave lateral del coro S. **10.** Nave lateral del coro N. **11.** Crucero N, llamado también Statesmen's Aisle, con numerosos monumentos. **12.** Pórtico N. **13.** St. Andrew's Chapel. **14.** St. Michael's Chapel. **15.** Chapel of St. John the Evangelist. **16.** Sala del altar, con altar elevado; pared separatoria con escenas de la Vida de Cristo; sobre el altar mosaico moderno de la Última Cena, de Salvati. **17.** Islip Chapel; el recinto, de dos pisos, está dedicado al abad y maestro constructor Islip (fallecido en 1532). **18.** Galería N. **19.** St. Edward's Chapel (sobre el ábside de la antigua iglesia), con la tumba de Edward y otros reyes. **20.** Henry V Chapel. **21.** Chapel of St. John the Baptist, con la tumba de mármol de Thomas Cecil, Earl of Exeter (fallecido en 1623) y su esposa. **22.** St. Paul's Chapel, con monumentos de dignatarios de la época de Enrique V y Carlos I. **23.** Henry VII Chapel, obra maestra de la arquitectura gótica, con la tumba del financiador **24,** así como de su esposa. **25.** Tumba de Isabel I, al lado de la de su hermana María (Bloody Mary). **26.** Capilla de la Royal Air Force, con el Battle of Britain Memorial Window y la tumba del «padre» de la R. A. F., Viscount Trenchard (fallecido en 1956). **27.** Tumba de María Estuardo. **28.** Nicholas Chapel, con tumba de mármol de Sir John Villiers (fallecido en 1606) y el maravilloso monumento de Isabel, princesa de Northumberland (fallecida en 1676); de Robert Adam y Nicholas Read. **29.** St. Edmund's Chapel, con numerosos monumentos fúnebres, entre los que destaca el de William de Valence (fallecido en 1496), con una excelente escultura del finado. **30.** Galería S, con la capilla de Enrique V. **31.** St. Benedict's Chapel, con tumba de alabastro de Simon Langham (fallecido en 1376), arzobispo de Canterbury. **32.** Poets' Corner, con el monumento de mármol de Geoffrey Chaucer (fallecido en 1400), las tumbas de Brownings (fallecido en 1889) y Tennysons (fallecido en 1892), así como bustos de Drydens (fallecido en 1700) y Longefellows (fallecido en 1882). **33.** Crucero S, con las tumbas de D. Garrick, el historiador Macaulay, Barrow y Händel. **34.** St. Faith's Chapel, con dos hermosos tapices de pared de Bruselas del siglo XVI. **35.** Sala capitular. **36.** Chapel of the Pyx, antigua sacrisía con el altar de más antigüedad de la iglesia; aquí se guardaba un cofrecillo, el Pyx, en el que se conservaban los troqueles de monedas y sellos reales. **37.** Museo-cripta; antigua sala de reunión de los monjes. **38.** Pórtico hacia el Vía Crucis. **39.** Vía Crucis; en un arco exterior una fila de esculturas forman el árbol genealógico de Jesé; otro arco pórtico conduce al antiguo dormitorio; actual biblioteca. **40.** Patio del decano. **41.** Decanato (no está abierto al público). **42.** Jericho Parlour (no está abierto al público). **43.** Cámara de Jerusalén (no está abierto al público). **44.** Librería.

con Vía Crucis y capillas alrededor según el diseño de la catedral de Reims. En el plazo de diez años se finalizaron las obras del coro, el crucero y la parte más antigua de la nave principal. A finales de siglo se había construido hasta el cuarto transepto de la nave; todavía se conservaban los restos del antecesor de estilo normando.

A mediados del siglo XIV se comenzó de nuevo con la construcción; en 1360 estaba al mando de la obra H. Yevele. Finalizó la parte O de la nave, conservando estrictamente el estilo de la construcción comenzada un siglo antes. La *Chapel Henry VII,* ejemplo fantástico de estilo perpendicular, data del año 1503 y fue edificada en el lugar de la *Lady Chapel de Henry III.* Durante la Reforma la abadía fue secularizada; los edificios, por fortuna, no fueron dañados seriamente. La iglesia fue colmada de increíbles monumentos fúnebres, algunos de ellos de gran belleza; no obstante, son tan numerosos que deforman la belleza arquitectónica natural de la iglesia.

Las torres O, relativamente pequeñas, datan del año 1730, según los planos de N. Hawksmoors. En el siglo XIX se efectuaron amplísimas restauraciones que deformaron la imagen exterior del conjunto; el interior, no obstante, conserva su aspecto antiguo y original más que cualquiera de las catedrales de Inglaterra. La abadía es una obra maestra del arte inglés.

Exterior: Las partes de más antigüedad se encuentran en la parte E. La sala capitular (1245-1250), con el impresionante arco del siglo XIV, que estuvo cubierto antiguamente, en el siglo XIX ha sido convertido en un techo de forma piramidal. Las pilastras arqueadas en la *Henry VII Chapel* están decoradas con pequeñas torres y cúpulas Tudor provistas de esculturas de cangrejos y animales de diversos tipos. Las ventanas entre las torrecitas están alineadas en zigzag. En el lado N de la nave principal se distingue la discrepancia entre la pared sin ornamentación y las decoraciones existentes en las naves laterales, el estilo del siglo XIII y la obra de Yeveles.

Interior: La nave principal impresiona por la armonía que forman las partes de los siglos XIII y XIV y por su enorme altura. Las pilastras son de mármol oscuro; en las paredes del crucero se puede admirar, debajo del rosetón (moderno), la belleza de las diversas figuras esculpidas. La *Henry VII Chapel* es una de las obras maestras de finales de la época, construida en estilo perpendicular. El techo de bóvedas en abanico, con inmensos colgantes decorativos, cubre las naves laterales y las capillas. La nave está cubierta por un fantástico techo de abanico que finaliza sobre el ábside en forma de bóvedas poligonales.

Monumentos: St. Edward the Confessor Chapel. Enrique III hizo construir el sarcófago de Eduardo antes de la edificación de la iglesia, en 1241. La parte alta inferior, en la que se encuentra la tumba, es obra de Cosmati de 1270. Durante la Reforma fue robada la lápida que cubría el monumento, ricamente decorada con piedras preciosas; posteriormente fue sustituida por una de madera. Cerca de la tumba se encuentra el sillón de coronación y las tumbas de los dirigentes de la casa de *Plantagenet.* El trono es obra de Walter (1300-1301) y en él se puede admirar la maravillosa «Stone of Scone» (piedra del destino), robada por Eduardo I a los escoceses. El sillón se encuentra delante de una pared de piedra del siglo XIII (pared trasera del altar), decorada con un frisado que representa imágenes de la vida de Eduardo El Confesor. Muy cerca se encuentra la tumba de Eduardo I († 1307), un sarcófago sencillo de mármol *Purbeck* sin mucha ornamentación. Una estatua de bronce dorada recuerda a su esposa, Eleonor de Castilla. Es, al igual que la figura de su cuñado *Enrique III* († 1212), obra de W. Torels. Junto a la pared S de la capilla se encuentran otros monumentos fúnebres reales. Sobre el sarcófago de Eduardo III, obra de Yevele, descansa una escultura de bronce con baño de oro, con largos cabellos y barba. La figura realista de su esposa, *Philippa de Hainault* († 1369), fue esculpida por Hannequin de Liege en mármol. Los sarcófagos de la doble tumba de Ricardo II y su esposa, Anna de Böhmen, fueron creados por Yevele y St. Lot (1394-1395); las figuras son obra de N. Broker y G. Prest. En el extremo E se encuentra la *Henry V Chapel* (finalizada alrededor del año 1460). De la tumba del rey (1422-1430) sólo queda actualmente el zócalo, con forma de figura, tallado en madera.

Sala del altar: El suelo es un trabajo Cosmati de 1268; sobre los asientos de madera de los religiosos, en el extremo S (alrededor de 1308), se conservan inmensos cuadros de santos y reyes. En el lado N, tres grandes monumentos fúnebres del hermano de Eduardo I, Edmund Crouchback, *Earl of Lancaster* († 1296), su esposa, *Aveline* († 1272), y el primo real, *Aymer de Valence* († 1324). Las esculturas están recu-

Big Ben (Houses of Parliament) ▷

Westminster Abbey. Entrada

biertas por baldaquines y las tumbas están decoradas con delicadas esculturas. El más antiguo de los monumentos que aquí se pueden admirar es de estilo típico decorated, ricamente decorado con numerosas esculturas y hermosas joyas.

Galería: Los retablos al SE, con grandes esculturas de Cristo y de santos, datan del siglo XIII, así como los delicados enmaderados estrellados que proceden, con probabilidad, de un altar elevado. El color, algo palidecido, demuestra una gran calidad. En la capilla se pueden ver numerosas lápidas y tumbas de los siglos XIII al XVIII. Es de especial interés la imagen de *William de Valence* († 1296) y la elegante tumba representando una escultura realizada en alabastro y que representa a *John of Eltham* († 1337), en la *St. Edmund's Chapel,* al SO. En la *Chapel of St. John the Baptist* se encuentra el impresionante monumento fúnebre, de 11 m de altura, que recuerda a *Lord Hunsdown* y su esposa.

Henry VII Chapel: En la sala principal se encuentra la tumba del rey y su esposa, *Elizabeth of York,* obra de P. Torrigiani, de 1518. Las esculturas de bronce con baño de oro son de la época del Renacimiento y ofrecen un encantador contraste con el resto de las esculturas de la capilla. Las imágenes de los reyes son extremadamente realistas; las esquinas de las tumbas están decoradas con fantásticas figuras de ángeles. La sillería del coro, decorada ampliamente, cubierta por un alto baldaquín, data del año 1520. En el crucero N descansa una figura realista de Isabel I († 1603), sobre el discreto sarcófago, obra de M. Colt. En la *Inocent's Corner* están enterradas las dos hijas mayores de Jaime I. La tumba de *Lady Margaret Beaufort,* madre de Enrique VII, en el crucero S, es obra de Torrigiani, de 1513; es una de las obras maestras del Renacimiento en Inglaterra. C. Cure fue el creador del monumento dedicado a *María Estuardo,* madre de Jaime I. Data de 1607-1712; sobre el sarcófago yace la figura de la hermosa y desgraciada reina de Escocia. Los impresionantes y alegóricos epitafios, localizados en las capillas laterales, son obra de Hubert de Sueurs. Están dedicados al *Duke of Lennox and Richmond* († 1624), primo de Jaime I, y a su esposa (al SO), así como en el NO al favorito del rey, George Villiers, *Duke of Buckingham* († 1628).

Crucero y naves laterales: De los numerosos monumentos edificados en la pared son de especial interés: la llamada *Poets' Corner,* en la nave lateral E y el crucero S, en la cual se pueden admirar lápidas dedicadas a grandes científicos y literatos, como por ejemplo, la de John, *Duke of Argyll and Greenwich* (1748-1749, de Roubillac); para *Federico Händel* (1761, también de Roubillac), y para el actor *David Garrick* (1779, de H. Webber). La pared S, en la nave lateral S, está decorada con pinturas de 2,7 m de altura, del siglo XIII, que representan a *St. Cristopho-*

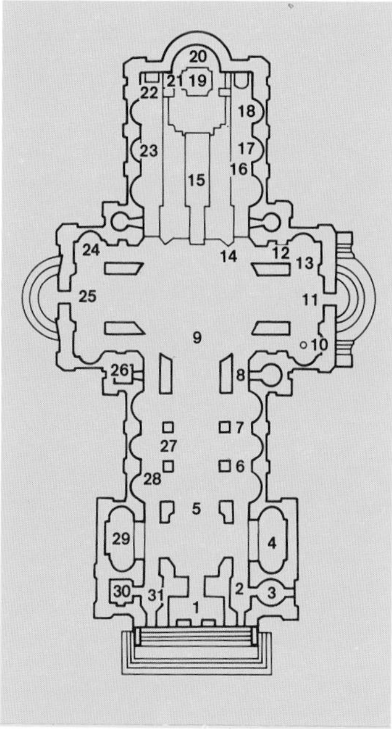

London. St. Paul's Cathedral: 1. Gran pórtico O. **2.** Pórtico SO. **3.** Escalera del decano; escalera de caracol con una fantástica reja de hierro de Tijou (no abierta al público). **4.** Chapel of St. Michael and St. George, desde 1906 capilla de la orden de igual nombre (fundada en 1818). **5.** Nave principal. **6.** Nave lateral S. **7.** «The Light of the World», Cristo con un farol como símbolo de la luz de la Tierra, obra del maestro W. Holman Hunt, copia de su propia obra que se encuentra en Oxford (1900). **8.** Acceso a la biblioteca, galería de susurros (bóvedas con eco; una palabra susurrada se puede escuchar a 30 m de distancia) y cúpula. **9.** Cúpula con los llamados Thornhill Cartoons, ocho escenas de la vida de St. Paul. **10.** Pila bautismal de Francis Bird (1727). **11.** Crucero S. **12.** Entrada a la cripta, supuestamente la mayor de Europa; aquí se encuentran, entre otros, los monumentos de Wren, Nelson, Wellington y W. H. Hunt. **13.** Capilla de la orden del «British Empire» O. B. E. **14.** Púlpito de G. Gibbons. **15.** Coro. **16.** Paseo lateral del coro S. **17.** Monumento Donne. **18.** Lady Chapel. **19.** Altar elevado de mármol siciliano; sobre la artística escultura de Cristo, cuatro ángeles dorados. **20.** American Memorial Chapel, dedicada a los 28 000 americanos que se encontraban en las Islas Británicas durante la Segunda Guerra Mundial y cayeron en el continente; sus nombres están escritos sobre el llamado rollo de honor, enfrente del altar. Las tres ventanas muestran escenas de la vida de Cristo, que alaban el servicio, el sacrificio y la salvación del soldado cristiano. **21.** Rejas de hierro Tijou. **22.** Chapel of Modern Martyrs (1961), dedicada a los mártires de la iglesia anglicana desde 1850. **23.** Paseo del coro N, con tallas de madera de Gibbons. **24.** Capilla N del crucero. **25.** Crucero N. **26.** Sacristía Lord Mayor. **27.** Monumento de Wellington, cuyas figuras representan la virtud, la cobardía, la verdad y la mentira. **28.** Nave lateral N, en la que se encuentran, entre otros monumentos, el del general Charles Gordon, caído en el Sudán, en la revuelta de Mahdia, en 1885. **29.** St. Dunstian Chapel, esencialmente utilizada para la comunión cotidiana y los rezos particulares. **30.** All Souls Chapel, con el monumento fúnebre erigido a Lord Kitchener, uno de los caballeros de más importancia en el campo de batalla en el siglo XIX. **31.** Pórtico NO.

rus con el impío Thomas. En la nave lateral N se puede ver, sobre una placa de mármol, la escultura de *Sir Francis Vere,* con su armadura, apoyado sobre cuatro caballeros arrodillados. El monumento data de 1609 y es obra de Colt. También merece atención el famoso *Nightingale Monument* (1761, de Roubillac). La imagen representa a *Joseph Nightingale* intentando apartar la amenazadora lanza de la muerte de su joven esposa. Al O de la nave lateral N se encuentra el monumento dedicado a *Charles James Fox* (1810-1815, realizado por Westmacott), sobre el que se pueden ver alegorías a la paz y la libertad de un negro orando. En la pilastra situada en la nave principal (al SO), se puede admirar un retrato de Ricardo II fechado entre 1385-1390; en la pilastra NE se encuentra el monumento conmemorativo de *Isaac Newton,* creado por Kent y Rysbrack en 1731.

Vía Crucis: Data esencialmente del siglo XIV y fue comenzado bajo Enrique II. Conduce hacia la *Chapel of Pyx,* resto de una antigua abadía (siglo XI); a través de dos cámaras recubiertas con techo de bóvedas se encuentra el acceso a la sala capitular, edificada entre 1245-1250. El techo arqueado de este espacio octogonal, que, de los siglos XIV al XVI, fue utilizado como sala de reunión del parlamento, nace en una sola y delgada columna central. La luz penetra por ventanas situadas en los seis lados de la sala y que se encuentran a una altura de unos 12 m.
Las baldosas del suelo son originales de

la época de construcción; algunas de ellas están ornamentadas con rosetones. En la *Jerusalem Chamber* se pueden admirar tapices de pared y siete medallones de cristal del siglo XIII. Museo en la cripta románica: aquí se conservan diversas tallas de madera y cera que antiguamente se llevaban en las procesiones funerarias. Es de especial interés una escultura de Eduardo II y una imagen de cera de Carlos II, así como un hermoso capitel de columna del siglo XI; la parte inferior está decorada con la escultura que representa la sentencia de Salomón

St. Paul's Cathedral: *Historia:* La construcción de la primera iglesia en este lugar data del año 604. La edificación anterior a la iglesia actual se erigió en el siglo XI; en los siglos XIV y XV fue ampliada y renovada. Hasta su destrucción durante el gran incendio de 1666, la vieja iglesia *St. Paul* fue una de las mayores iglesias del cristianismo. Su longitud era de 178 m y la torre se elevaba a 149 m. La iglesia decayó hasta principios del siglo XVII. En 1634 I. Jones añadió una antesala en la parte O, con columnas de 15 m de altura. Ch. Wren propuso en mayo de 1666 una nueva cúpula en el transepto. La destrucción por el fuego, que duró del 2 al 7 de septiembre, fue tal que se tuvieron que crear planos completamente nuevos, después de varios intentos de restauración. Los primeros planos fueron denegados y el mismo arquitecto hizo reformas en el diseño definitivo durante la construcción. En el año 1675 se puso «la primera piedra» y, en 1771, la iglesia medía 175 m de longitud y 111 m de altura.

Características: La parte más atractiva de la catedral es la sobresaliente cúpula, construida magistralmente por Wren; forma, al igual que la planta de la iglesia, la imagen de una cruz latina. La iglesia sigue la forma tradicional de las catedrales inglesas: una nave principal flanqueada por naves laterales con techos de bóvedas soportados por pilastras y grandes entradas de luz (claraboyas), crucero rodeado de paseos, un coro y una torre en el transepto que, en este caso, fue sustituida, por Wren, por la cúpula que une la nave principal con las naves laterales, y dos torres O. Para ajustar las proporciones de la cúpula al resto del edificio Wren elevó los muros ex-

St. Paul's Cathedral. Decoración de la bóveda, mosaico

teriores, como si fueran paredes del transepto, a la altura del techo de la nave lateral. Así desaparecieron las pilastras, las cuales no tenían lugar en los planos clásicos. De esta manera el conjunto de la construcción obtuvo una apariencia uniforme e imponente. La cúpula fue construida de manera que, desde abajo, parece una media esfera terminada en forma cónica. El «cono» está compuesto de una base sencilla; le sigue un impresionante conjunto de columnas con ocho potentes pilastras para la cúpula; finalmente, una pared con altas ventanas hasta la cornisa; el conjunto está coronado con una lámpara que tiene una bola de oro y un crucifijo. El aspecto exterior de la cúpula no delata su gran belleza en la parte interior. Vista desde abajo da la impresión de una maciza cúpula de piedra que nace por debajo de las columnas exteriores y cuyas paredes interiores no alcanzan la base de la cúpula exterior. Un gigantesco cono de piedra ocupa el espacio existente entre las dos cúpulas y sirve de apoyo a la estructura de vigas, forrada por placas de plomo.

Exterior: Los muros exteriores están compuestos por dos partes que están sobrepuestas. Las torres O, situadas a ambos lados de la nave principal, flanquean la antesala decorada por un aguilón que tiene dos filas de columnas paralelas. Las torres son las más logradas de las construidas en estilo barroco en la ciudad de Londres. Las salas semicirculares, en el crucero, son de construcción similar y crean una perfecta armonía con la forma de la cúpula y el ábside E.

Espacio interior: La nave principal, las laterales y el crucero, así como en el coro, están coronadas en el techo con cúpulas planas en forma de plato. La cúpula principal se apoya sobre ocho arcos. En contra de los deseos de Wren, Thornhill decoró el interior de las cúpulas con frescos; los mosaicos datan del siglo XIX. El techo de bóvedas se encuentra situado a 30 m sobre el suelo, al pie de la cúpula interior (la galería exterior, de piedra, sobre el techo de columnas, y la Golden Galerie, pueden ser visitadas). En la sala del altar se puede admirar el increíble trabajo de madera tallada de G. Gibbons (frutos, flores, hojas y cabezas de ángeles). El plan original de separar el coro con el órgano mediante una pared divisoria, fue desechado. La caja del órgano está dividida y se encuentra, al igual que la sillería, a ambos lados del coro. Las rejas de hierro, fantásticamente trabajadas y bañadas en oro, son obra de J. Tijou; la posición de las mismas también fue modificada. El altar elevado y el baldaquín son modernos, ya que los originales victorianos fueron destruidos durante la guerra. En la capilla lateral del coro se encuentra el interesante monumento fúnebre dedicado a *John Donnes,* es obra de N. Stone y data de 1631; muestra la escultura del poeta, en posición vertical, amortajada con una sábana. También se pueden admirar otros monumentos, la mayoría de ellos están dedicados a los héroes de las guerras napoleónicas. En el transepto, en todos los grupos de pilastras, se pueden admirar diversos monumentos dedicados a los bene-

St. Paul's Cathedral. Torre O

factores nacionales. En la nave principal se encuentra el impresionante monumento fúnebre de Wellington (1857-1912), de A. Stevens. El monumento de *Lord Nelson* (1808-1818) está decorado con un retrato realista del almirante J. Flaxman. Debajo de las torres O existen varias capillas con paredes divisorias creadas por Jonathan Maines (1698). Sobre la capilla SO se halla la biblioteca, a la que se accede por una escalera; aquí se puede admirar el increíble trabajo de enmaderado y los valiosos armarios. En el llamado *Trophy Room,* sobre la capilla NO, se pueden ver maquetas de iglesias diseñadas por Wren y variado material histórico referente a la antigua iglesia. En la cripta se encuentra el sarcófago, realizado en mármol negro, de *Nelson,* obra de Benedetto da Ravezzano (1524-1529) para la tumba de *Wolsey,* en Windsor.

Southwark Cathedral (Borough High Street, SE 1): Antigua iglesia del convento benedictino *St. Mary Overie,* erigido en los siglos XIII y XIV. El estilo Early-English se conserva esencialmente en el transepto, en el que masivas pilastras soportan la torre, al igual que en el coro y en el coro trasero de cuatro naves. La nave principal fue renovada en el siglo XIX; la torre del transepto data de los siglos XIV y XV; las reformas posteriores corrieron a cargo de H. Yevele. El dibujo cuadriculado de la balaustrada data de la época original y ha sido, en parte, restaurado. De los numerosos monumentos fúnebres existentes, son de especial interés: el de *John Gowe* († 1408), cuya cabeza descansa sobre tres de sus libros; el de *Alberman Humble* y su esposa (1616), ambos arrodillados debajo del baldaquín; también interesante es el de Joyce Austin, *Lady Clarke* (1633), en el que se pueden ver alegorías sobre el cultivo del huerto, y dos muchachas campesinas dormidas después de haber realizado la cosecha.

Westminster Cathedral (Ashley Place, SW 1): La catedral, coronada por una cúpula, fue edificada por J. Bentley en el período de años comprendido entre 1895-1903, en estilo bizantino; utilizó como material de construcción ladrillo rojo, con filas de piedras blancas. El revestimiento de mármol en el interior no fue acabado y proporciona al edificio una atmósfera misteriosa y oscura. Las estaciones del *Vía Crucis* son obra de E. Gill (1913-1918); gran parte de las decoraciones datan de los años treinta de nuestro siglo.

All Hallows (London Wall, EC 2): La iglesia, edificada por G. Dance en el período 1765-1767, posee un espacio interior sencillo, con un techo de bóvedas soportado por columnas jónicas.

All Saints (Margaret Street, W 1): Con seguridad, esta es la iglesia de más belleza del resurgimiento del gótico en Londres. Data de los años 1849-1859; su constructor fue W. Butterfield. Las paredes exteriores están compuestas por ladrillos de colores; el edificio está coronado por una torre, también de ladrillo, y por otra torre puntiaguda cubierta de pizarra. También en el interior el ladrillo de colores da una nota alegre a la iglesia, al igual que los frescos, los vidrios emplomados, el alabastro y el mármol. La pared trasera del altar, de madera tallada, es una obra de W. Dyce.

Chapel of St. John. Tower. Véase la página 422.

Christ Church (Newgate Street EC 1): Esta torre delgada y cuadrangular es una de las obras maestras de Wren. La iglesia, edificada en el lugar del antiguo monasterio *Greyfiars,* está bastante derruida; en su lugar se encuentra actualmente un parque.

Christ Church (Spital Fields, Commercial Street, E 1): La imponente iglesia es obra de Hawksmoors, de los años 1714-1719. Unas escaleras acceden a la barroca fachada O. La antesala, con una bóveda de cañón abierta, es el elemento más bajo en una composición de arcos triunfales superpuestos que culmina en una maciza torre en piedra edificada en el siglo XIX. Unas enormes columnas corintias, situadas sobre altos basales y provistas de ricos capiteles, separan la nave central de las naves laterales y del coro. En la parte O de la iglesia se encuentra la galería y la caja del órgano, que está tallada en madera y que ha sido realizada en el año 1730.

Holy Trinity (Sloane Street): Esta iglesia, construida en el período 1888-1890 por J. D. Sedding, es una destacada creación del «Arts and Craft Movement», utilizando como material mármol de colores, rica ornamentación de Sedding y sus contemporáneos, así como vidrieras realizadas por Burne Jones.

Methodist Chapel (Fournier Street, E 1): El templo, construido en el año 1743 como capilla, fue transformado, al cambiar la población de la barriada, en sinagoga y, actualmente, subsiste como mezquita. En su parte interior descansan las galerías sobre columnatas de estilo toscano.

Old Church (Old Church Street): La iglesia fue restaurada ampliamente tras su destrucción en 1941. Original es aún la «More Chapel», con el monumento fúnebre de *Thomas More* († 1532), así como de otros famosos.

Queen's Chapel (Marlborough Place, cerca de Pall Mall, SW 1): La iglesia, obra maestra de I. Jones, fue construida en 1623-1627 como capilla privada de la reina Enriqueta María, la esposa católica de Carlos I. El interior, provisto de una bóveda artesonada en blanco y oro, y, en el E, la ventana de estilo veneciano abarca la anchura entera del edificio. Su rica decoración data de la segunda mitad del siglo XVII.

St. Andrew (Holborn, EC 1): A pesar de que la iglesia resistió un devastador incendio, fue renovada por Wren en 1686-1687 (la torre, sin embargo, se concluyó en 1704). Dado que el templo fue consumido por las llamas en el año 1941, se restauró y decoró con elementos del *Foundling Hospital:* piedra bautismal, púlpito, órgano (donación de Händel), así como el monumento fúnebre del fundador del hospital, *Thomas Coram* († 1751).

Southwark Cathedral. Nave mayor

All Hallows

St. Anne and St. Agnes (Gresham Street, EC 2): La iglesia, construida en 1677-1680 por Wren, es una de las mejores en cuanto a la composición de su espacio interior. Su planta muestra un cuadrado dentro de una cruz, cuyos brazos de bóvedas en cañón se unen a una bóveda cruzada soportada por columnas corintias. Se conserva original la pared posterior de madera del altar.

St. Anne Limehouse (Three Colt Street, EC 2): Hawksmoor construyó la iglesia de 1714 a 1724; la torre es una adaptación clásica al estilo perpendicular (como se encuentra en Boston/Lincolnshire). P. C. Hardwick restauró en el año 1853 el interior y el ábside del lado O.

St. Bartholomew-the-Great (West Smithfield, EC 1): La iglesia se compone del coro y las naves laterales de la antigua iglesia conventual de 1123. La galería de bóvedas cruzadas y los columnares circulares, soportando la galería superior, son el más hermoso ejemplo de la arquitectura normanda en Londres. Los ventanales pertenecen al siglo XIV tardío; la ventana del mirador, en el lado S del coro, data de 1520.

St. Bartholomew-the-Great

Al N del altar descansa el sarcófago (hacia 1500) de *Rahere* († 1143), ornado con una pintura y cubierto por un baldaquín; Rahere fue el fundador del convento y del vecino *St. Bartholomew's Hospital.*

St. Benet, Paul's Wharf (Upper Thames Street, EC 4): Esta iglesia, de 1677-1685, edificada por Wren, contiene uno de los espacios interiores más bellos creados por el maestro. En ella se pueden admirar increíbles y numerosas tallas de madera originales de la época de construcción. Como, por ejemplo, la galería sobre las columnas corintias, los increíbles marcos de las puertas al O, los bancos y la sillería del coro, el atril y el púlpito, una reja de comunión exquisitamente trabajada, la mesa del altar y la pared trasera del mismo. El exterior es de construcción simple de ladrillo y piedra; la torre está provista de una delicada cúpula de plomo y una estrecha torre puntiaguda.

St. Bride (Fleet Street, EC 4): Esta iglesia, edificada en 1670-1684, que fue víctima de un incendio en 1940, siendo reedificada posteriormente, contiene la torre más famosa erigida por el arquitecto Wren. La torre tiene una altura de 68,9 m. También admirable es la aguja de la torre de la iglesia, de 1701-1703, con cuatro octógonos traspasados por delicadas arcadas y coronada por un obelisco.

St. Clement Danes (The Strand, WC 2): Wren renovó la iglesia en los años 1680-1682 y Gibbs finalizó la torre en 1719. El interior, con el techo de bóvedas estucado y el púlpito de *Gibbons,* fue restaurado en 1941.

St. Cyprian (Clarence Gate, Glenworth Street, NW 1): El increíble espacio interior, de 1903, es el ejemplo mejor conservado de las fantasiosas creaciones de Sir N. Compers durante la época de la Reforma. El atril perforado, las vidrieras policromadas, la tapa de la pila bautismal y los numerosos y diversos adornos son obra de este maestro.

St. Dunstan-in-the-West (Fleet Street, EC 2): La iglesia octogonal fue edificada en 1829-1833 por J. Shaw. En el interior, el techo es de bóvedas estrelladas; fue restaurada después de los destrozos que sufrió en 1944. La construcción exterior está coronada por una lámpara quebrada (obra de Harris, 1617); en el reloj, dos gigantes marcan los cuartos de hora. Sobre, y en la antesala se encuentran estatuas de Lud Gate: *Queen Elizabeth I* (1586) y el legendario *Rey Lud y sus hijos.*

St. George (Bloomsbury Way, WC 1): Hawksmoor construyó la iglesia de 1716 a 1727, con una maciza antesala corintia y una torre, reconstrucción del mausoleo de *Halikarnassos,* así como una estatua de *Jorge I* (que ascendió al trono en el año 1714). El interior, semejante a un teatro, está decorado con infinidad de estucados y su planta tiene forma cuadrangular.

St. George (Hanover Square, St. George's Street, W 1): La iglesia data casi de la misma época que la iglesia *St. George de Hawksmoor.* Fue obra de J. James, de 1712 a 1714. También posee una antesala corintia (la más antigua de esta especie), con un aguilón decorativo sobre el cual debía encontrarse una estatua de *Jorge I.* El interior, muy luminoso, se divide en nave principal y naves laterales, con galerías laterales. En la pared E se puede admirar una ventana veneciana de vidrio flamenco.

St. Helen (Bishop's Gate, Great St. Helen's EC 3): La iglesia conventual benedictina *St. Helen,* data de finales del siglo XIII y está compuesta por dos naves paralelas, de las que una estaba reservada para las monjas y, la otra, formaba parte de la vieja iglesia parroquial. En la pared N se encuentra la escalera de las monjas (1475); en la pared N del coro de monjas, la tumba de un santo. En la iglesia se puede admirar un increíble púlpito jacobino y numerosas e impresionantes lápidas y monumentos fúnebres. De especial interés son: El de *Sir John Crosby* († 1476), benefactor de la iglesia y constructor de la *Crosby Hall,* Chelsea; el de *Sir Thomas Gresham* († 1579), fundador del *Royal Exchange;* el del alcalde, realizado en el año 1594, *Sir John Spencer* († 1605), y su esposa; el monumento fúnebre dedicado a *Martin*

St. Bartholomew-the-Great. Altar

St. Helen

Bonds († 1643) muestra la escultura del finado en una tienda de campaña. La tumba del juez *Sir Julius Caesar* († 1636) es una obra realizada por N. Stone.

St. James Garlickhythe (Garlickhill, EC 4): Esta iglesia, reedificada por *Wren* en los 1674-1687, posee una delicada torre puntiaguda que fue edificada en 1713 sobre otra torre cuadrangular decorada con balaustradas. En el interior se pueden admirar fantásticas tallas, en especial en el púlpito, la galería O y en el órgano de *Father Schmidt*. También de notable interés son las bonitas fundas forjadas utilizadas para envainar sables.

St. James (Picadilly, W 1): La iglesia fue también edificada por Wren en los años 1681-1684, en la época en que los alrededores de *St. James* comenzaron a desarrollarse. Según su punto de vista, ésta era la iglesia protestante ideal; la decoración es poco suntuosa y sencilla; la iglesia tiene un aforo para unos 2 000 creyentes. El exterior está construido con ladrillo y relleno de piedra; en el interior (derrumbado en 1941 y posteriormente restaurado) se pueden admirar hermosas tallas realizadas por G. Gibbons; la pila bautismal tiene representada la imagen de Adán y Eva y los tres sabios; la pared trasera del altar (trasaltar), también está decorada con numerosas tallas.

St. James-the-Less (Thorndike Street, Vauxhall Bridge Road, SW 1): Esta iglesia, construida con ladrillo rojo y negro, de 1860-1861, es una de las obras más originales de G. E. Street. La imponente torre se eleva sobre la antesala y está separada de la iglesia. El interior está decorado con columnas de granito rojo, con capiteles decorados con hojas y paredes de ladrillo de colores. El púlpito está ricamente decorado y en la iglesia se pueden admirar hermosas ventanas policromadas. El fresco sobre el arco del coro (Juicio Final) es obra de G. F. Watts.

St. John (Smith Square, SW 1): Esta bellísima iglesia, edificada por Th. Archer de 1714 a 1728, es una de las construcciones barrocas más bellas de Londres. Las salas de entrada a la misma se hallan flanqueadas por cuatro elegantes torres coronadas con aguilones de fantasía. En el interior de la fábrica se conservan cuatro inmensas columnas corintias que soportan el maravilloso techo. En el año 1941 el espacio interior fue destruido por un devastador incendio, siendo restaurado posteriormente como sala de conciertos.

St. John Clerkenwell (St. John's Square, EC 1): La iglesia, al igual que *St. John's Gate*, es el único resto de la inmensa fundación de la Orden de *St. John* que fue disuelta por Enrique VIII en 1540. La cripa, con techo nervado, data del siglo XII, y en ella se encuentra la tumba de *Juan Ruyz de Vergara* († 1575). Sobre el sarcófago se puede admirar la escultura del fallecido junto a la de su paje.

St. John's Parish Church (Hamstead): La iglesia, edificada de 1744 a 1747 y ampliada en el siglo XI, está situada en el extremo de la *Church Row,* detrás de unas maravillosas rejas forjadas que proceden de la casa del *Duke of Chandos* en *Canon,* Edgware. En el interior de la iglesia se puede contemplar una hermosa galería con columnas y un bonito púlpito fechado en el siglo XVIII.

St. Katherine Cree (Leadenhall Street, EC 3): El coro, que fue construido al ser finalizada en 1628-1631 la *Queen's Chapel* de estilo renacentista, conserva su techo gótico con nervaduras. La ventana E (Katherine's Wheel), que asemeja ser una rosa enmarcada en un cuadrado, procede de la vieja iglesia *St. Paul.*

St. Luke's Church (The Vinage): Esta sencilla iglesia de ladrillo fue comenzada alrededor de 1630 y ampliada a finales del siglo XIX. Posee una antesala coronada por un frontón, escudos del siglo XVII y monumentos fúnebres, entre los que se encuentra el del jefe de cocina de Isabel I, *Edward Wilkinson* († 1568).

St. Magnus the Martyr (Lower Thames Street, EC 3): La iglesia, edificada por Wren de 1671 a 1685, posee uno de los espacios interiores de más belleza de la ciudad de Londres, con exquisitas tallas de madera, como, por ejemplo, en la galería O y en la caja del órgano (de Jordan; 1712), en los marcos de las puertas y en la pared de detrás del altar; también son admirables los trabajos de herrería, como la reja de comunión (1683) y las panoplias con espadas (1708). La aguja de la torre, finalizada en 1705, se eleva 56 m por encima del cuadrado campanario.

St. Margaret (Lothbury, EC 2): Esta iglesia, edificada por Wren en 1686-1695, posee una interesante torre puntiaguada y una instalación interior especialmente esmerada, compuesta esencialmente de piezas de iglesias del

St. Martin-in-the-Fields

siglo XIX del mismo arquitecto. Merecen especial atención la pared divisoria del coro, realizada en el año 1689, de *All Hallows Dowgate,* diseño del maestro, el púlpito y la pila bautismal, obra de Gibbons, procedentes de *St. Olave's Jewry.*

St. Margaret Pattens (Eastcheap, EC 3): La iglesia también es obra de Ch. Wren; posee una torre de 60 m de altura. En esta iglesia se pueden admirar numerosas tallas, en especial en la pared de la parte trasera del altar (trasaltar) y en la reja de comunión, así como en la pared divisoria O, decorada con escudos reales.

St. Margaret (Westminster, Parliament Square, SW 1): La mayor parte de la iglesia, originalmente parroquia de la antigua abadía, data de la primera cuarta parte del siglo XVI, y en el siglo XIX fue ampliamente restaurada. En los años 1735-1737, J. James renovó la torre en estilo gótico. La ventana E, instalada en la iglesia en 1758, procede de Holanda, como recuerdo de la boda de Catalina de Aragón y el príncipe Arturo, hijo mayor de Enrique VII. Al morir Arturo la princesa española se convirtió en la primera esposa de su hermano, Enrique VIII. En la iglesia se pueden admirar numerosos monumentos fúnebres de la época de Isabel I y Jaime I.

St. Martin-in-the-Fields (Trafalgar Square, WC 2): La estrecha y puntiaguda torre de la iglesia, edificada por J. Gibbs, se eleva detrás de una antesala corintia desde el techo, construcción criticada en un principio; más tarde, no obstante, este tipo de construcción se convirtió en modelo para muchas iglesias inglesas. Las capillas laterales del espacio interior de la iglesia están separadas por inmensas columnas. Soportan el techo de bóvedas hermosamente decoradas con estucados creados por los italianos Artari y Bagutti.

St. Mary Abchurch (Abchurch Lane, EC 4): La iglesia, erigida según la creación de Ch. Wren de 1681 a 1686, es de construcción sencilla en el exterior y alberga un hermosísimo espacio interior, cuya cúpula descansa sobre tres inmensos arcos. La pintura sobre la cúpula es, probablemente, de J. Thornhill (1708); la pared situada en la parte trasera del altar (trasaltar) es una obra maestra de G. Gibbons, de 1686. El púlpito y la placa que cubre la pila bautismal datan de la misma época y son obra de W. Gray.

St. Mary Abchurch. Trasaltar

St. Mary Aldermary (Queen Victoria Street, EC 4): La iglesia fue renovada en estilo gótico en los años 1681 y 1682 por Ch. Wren. La torre, con cuatro agujas, data de 1702-1704. En el interior se pueden admirar numerosas tallas de una gran calidad.

St. Mary-at-Hill (Great Tower Street, EC 3): Esta iglesia, reformada entre los años 1670 y 1676 por Wren, fue transformada en diversas ocasiones. El techo de bóvedas descansa sobre cuatro columnas de superficie cuadrangular. Se conservan los maravillosos estucados de 1787-1788 y las hermosas tallas en madera de los siglos XVII y XVIII. Los seis soportes (panoplias) de espadas esmaltados y dorados son, con seguridad, los más hermosos de Londres.

St. Mary-le-Bow (Cheapside, EC 2): La iglesia, reedificada por Wren en el período de 1670 a 1677, es famosa por su torre puntiaguda. En 1941 se incendió y fue nuevamente construida con exactitud su forma original. Se conserva la cripta normanda.

St. Mary-le-Strand (WC 2): Esta iglesia fue edificada por J. Gibbs entre los años 1714 y 1717 y muestra una clara influencia italiana, en especial en la antesala de columnas semicirculares O. La torre, de cuatro pisos, es típica del tipo de construcción de Wren y no forma parte de la edificación principal.

St. Mary Woolnoth (King William Street, EC 4): Esta es la única iglesia realizada por N. Hawksmoor en la ciudad de Londres (1716-1727). En ella se demuestra la originalidad y sencillez del genial arquitecto. En la fachada, el formidable trabajo de picapedreo rodea las ventanas y la amplia torre doble. La parte más interesante, en el interior, es la parte central, que posee cuatro grupos de triples columnas corintias y un techo ricamente estucado. Se conservan la mayoría de las antiguas tallas de madera, en especial en la pared trasera del altar (trasaltar) y en la caja del órgano, obra de Schmidt.

St. Pancras Parish Church (Upper Woburn Place, WC 1): La iglesia, edificada entre 1818 y 1822 por H. W. y W. Inwood, es un ejemplo admirable del renacimiento griego en Inglaterra. La torre, de forma octogonal, recuerda la torre de los vientos de Atenas. El frente jónico del templo y las sacristías, situadas a ambos lados del mismo, son de bellísima construcción griega. Las partes laterales de las ventanas y los marcos de las puertas se unen en aguilones. En el interior de la fábrica se pueden admirar las columnas con capiteles decorados con flores de loto que soportan la galería, cuya decoración es muy bella y muestra numerosos rasgos de la antigüedad griega.

St. Paul (Covent Garden, WC 2): La iglesia fue reedificada, después de un devastador incendio acaecido en el año 1795. Se mantuvo su forma original, que había sido creada por I. Jones en 1631-1638. La iglesia *St. Paul* tiene forma de templo con amplio alero.

St. Peter ad Vincula. Tower. Véase la página 422.

St. Peter upon Cornhill (EC 3): La iglesia, erigida según el diseño original de Ch. Wren, entre 1677-1687, posee una bonita torre finalizada en forma de cúpula. En el interior son de especial interés las tallas de madera, como, por ejemplo, una pared divisoria de Wren que se encuentra entre la nave principal y las dos naves laterales.

St. Peter (Vere Street, WC 1): El exterior de la edificación, de oscuro ladrillo con postes esquineros de piedra, es una obra de Gibbs y data de 1721-1724. Es una construcción sencilla en comparación con el interior de la iglesia. Altísimas columnas corintias sobre elegantes bases y los techos estucados, realizados por los artistas italianos Artari y Bagutti, forman un hermoso conjunto. Las vidrieras policromadas, que datan de 1871-1889, y una de las pinturas en el altar, han sido realizadas por Burne Jones.

St. Sepulchre (Holborn Viaduct, EC 1): El centro de esta iglesia fue renovado de 1670 a 1677, según el diseño realizado por Ch. Wren. Las restauraciones de este espacioso salón interior y de la torre, del siglo XV, se efectuaron en el siglo XIX. Se conservan algunas piezas de la época de construcción, como, por ejemplo, la galería de madera y la caja del órgano.

St. Stephen (Walbrook, EC 4): El interior de la iglesia, de 1672-1679, es una de las más bellas obras de Wren en Londres. Una cúpula cubre el espacio

St. Mary-le-Strand

cuadrangular con una construcción anexa al O. Dicha cúpula descansa sobre arcos que, a su vez, están soportados por columnas corintias y vigas. En esta iglesia también se pueden admirar fantásticas tallas realizadas en madera; por ejemplo, en el púlpito, la tapa de la pila bautismal, el emporio y la caja del órgano.

St. Stephen's Chapel. Houses of Parliament. Véase la página 416.

St. Vedast (Foster Lane, EC 2): Ch. Wren edificó esta iglesia en los años 1670-1673. La elegante torre, con los pisos alternativamente cóncavos y convexos, fue edificada alrededor de 1694 y delata la influencia de Borromini. El interior tuvo que ser restaurado después de un devastador incendio; en esa época se añadió un techo estucado. La instalación interior procede de otras iglesias del maestro.

Sinagoga española y portuguesa (Bevis Marks, EC 3): El interior del edificio, construido en 1700-1701, se parece a otras iglesias y capillas de esta época. Está ricamente decorado con tallas de madera y siete maravillosos faroles realizados en latón.

Temple Church (EC 4): Se accede a la nave circular neogótica de la iglesia de la orden de *St. John* (1185) a través de una antesala normanda semicircular. La nave está rodeada de arcos ojivales que surgen de estrechas pilastras de mármol de *Purbeck*. El coro, cuadrado, de perfectas proporciones, data de los años 1220-1240, y es de tan gran belleza que convierte a la iglesia en uno de los más bellos edificios de esta época. En 1941 sufrió terribles destrozos; no obstante, fue restaurada con especial esmero copiando el diseño original. Entre los numerosos monumentos fúnebres de mármol se conserva en perfecto estado el de *Rober de Ros,* fechado en 1227. La pared del trasaltar data del año 1692 y es obra de Wren.

Wesley's Chapel (City Road, EC 1): Esta sencilla capilla fue fundada por John Wesley en 1777. Se conservan algunas piezas de la instalación original.

CONSTRUCCIONES PROFANAS

Apothecaries' Hall (Blackfriar's Lane, EC 4): El gremio de farmacéuticos, fundado en 1617, mantuvo durante largo tiempo el monopolio de venta de productos farmacéuticos en la ciudad de Londres. En la entrada del edificio, de 1670, restaurado un siglo después, se puede ver el escudo. En el interior, bonitos enmaderados en las paredes y pinturas.

Bank of England (Threadneedle Street, EC 2): El edificio, en el que se encuentran las oficinas de «la guardia de los valores británicos», así como las reservas áureas de la nación, fue edificado a partir de 1788 y ampliado por Sir H. Baker de 1924 a 1939. La fachada, obra de Soane, quedó intacta, así como las columnas corintias que soportan un balcón y varias esculturas de piedra. Está abierta al público sólo la sala de entrada.

Banqueting House (Whitehall, SW 1): Este edificio, construido por I. Jones en estilo Palladio, es el resto del palacio de *Whitehall.* Las pinturas en el techo de la *Banqueting Hall,* con columnas corintias, y las pilastras de la pared, con balaustradas circundantes, son obra de P. P. Rubens, el cual fue homenajeado por Carlos I gracias a este gran trabajo. Nueve de las pinturas con marco de oro representan a otros tantos miembros de la familia Estuardo.

Buckingham Palace: Al extremo de la *Mall* se eleva la fachada clásica, dividida por pilastras de pared corintias, culminada por una balaustrada (obra de A. Webb de 1913) del palacio. El edificio fue construido por el Conde de Buckingham en 1703; desde 1761 es propiedad de la Corona; de 1826 a 1830 fue renovado por J. Nash y, desde 1837, es

la residencia de la familia Real (por esta razón no está abierto al público).

Carlyle's House (Cheyne Row, SW 3): La casa fue edificada de 1834 a 1865; fue habitada por Thomas Carlyle y es un ejemplo típico de una vivienda de esta época en Londres. Se conservan diversos objetos que recuerdan la vida del poeta.

Charlton House (Charlton Road): Es la única casa de estilo jacobino en los límites de la ciudad de Londres; data de los años 1607-1712. Su planta tiene forma de E y el edificio está construido con ladrillo rojo formando dibujos; posee dos torres laterales. La antesala central, de tres pisos, es de construcción muy artística y poco usual. En el interior, una sala de dos pisos; la baranda de la escalera está increíblemente tallada; posee chimeneas del siglo XVII y estucados de la época de construcción en la galería y en el salón.

The Charterhouse (Charterhouse Square, EC 1): Después de la segunda guerra mundial se desenterraron los cimientos del convento cartujano, fundado en 1371 y disuelto en 1573. La edificación más antigua es el *Washhouse Court.* El conjunto restaurado es, en la actualidad, un asilo de ancianos. Sólo puede ser visitado previa cita.

Chelsea Royal Hospital (Royal Hospital Road, SW 3): El edificio, donado por Carlos II como asilo para los veteranos de guerra, fue construido por Ch. Wren en los años 1682-1692, en el lado S del Támesis. J. Soane lo amplió en el siglo XIX en estilo neoclásico; el exterior es de construcción sencilla, formando dibujos con ladrillo rojo. En el centro existe una antesala con columnas toscanas. Después del pórtico se encuentra un vestíbulo octogonal, coronado con una lámpara, que conduce a la capilla y a la sala. Las paredes del vestíbulo están enmaderadas y la decoración es de la época original (pared del altar, caja del órgano). En el ábside se encuentra el refectorio, de *S. Ricci* (1710-1715). Enfrente, en el lado O del pasillo central, se halla una sencilla sala, cuya pared, al fondo, está decorada con un retrato de Carlos II, realizado por Verrio. En los años 1692-1694 se abrió la *Royal Avenue* como combinación al *Kensington Palace;* sólo se pudieron finalizar las obras al S de la *Kensington Road.*

Chiswick House (Burlington Lane, W 4): La villa data de 1725-1729. Fue diseñada por el *Earl of Burlington* en el estilo que él introdujo en Londres, el Palladio. Sobre una planta principal de poca altura se eleva el segundo piso, a cuyo pórtico, flanqueado por columnas, se accede por dos escaleras laterales. La decoración interior corrió a cargo de W. Kent. Merece especial atención la sala principal, recubierta de una cúpula, y la galería, decorada en blanco y oro con frescos en el techo.

Clarence House (The Mall, SW 1): Junto al *St. James's Palace* se encuentra el edificio construido por J. Nash, decorado con estucados, en el que habita, en la actualidad, la madre de la reina del Reino Unido.

Crosby Hall (Cheyne Walk, SW 3): El edificio fue construido en los años 1466-1475, en la *Bishop's Gate* (ciudad de Londres), como parte de la residencia del rico comerciante de lana Sir John Crosby. En el siglo XVII hubo un devastador incendio del cual sólo se pudo salvar el *Hall,* que ha sido trasladado a la ciudad de Chelsea. Merece especial atención el gran ventanal y el maravilloso techo de madera.

Custom House (Lower Thames Street, EC 3): El edificio, construido en el siglo XIX, con su fachada neoclásica, es el edificio principal de aduanas del puerto londinense y puede ser visitado mediante cita previa.

George Inn Borough High Street, SE I): Esta pintoresca casa de huéspedes fue construida en el año 1677 y,

Green Park. Recuerdos

Guardia de caballería

antiguamente, era un importante puesto de correos.

Gray's Inn (High Holborn, WC 1): Es una de las cuatro escuelas de derecho de la ciudad en la que vivió durante cincuenta años Sir Francis Bacon (1561-1626) y donde tuvo lugar el estreno de la obra de Shakespeare «Comedy of Errors». La impresionante sala puede ser visitada con cita previa.

Guildhall (EC 2): El Ayuntamiento de la ciudad de Londres se erigió en 1411. Fue seriamente dañado por el incendio de la ciudad en 1666 y las bombas de la segunda guerra mundial, de manera que sólo quedaron los muros de la *Great Hall* y la cripta del siglo XV (restaurado con bóvedas en cruz). En la antesala se puede ver el escudo de la ciudad, compuesto con ladrillos. En la *Great Hall,* una inmensa sala de festejos donde discuten los miembros del Consejo con sus atuendos tradicionales. Aquí, en el día de San Juan, según la tradición, es elegido el sheriff, y, anualmente, en junio, el alcalde. El techo, de madera, fue restaurado en 1952 por G. Scott. En los emporios se pueden ver artísticas balaustradas de madera de encina. También, estatuas de los gigantes *Gog* y *Magog,* de *Churchill, Nelson, Pitt* y *Wellington,* y el cofre de madera de encina con la espada y el cetro de la ciudad. La ventana S, del siglo XV, es de una gran belleza. *Guildhall Library:* En la biblioteca se conservan folios de obras de Shakespeare, un documento firmado por el escritor referente a la compra de una casa, un mapa de Londres de 1593 y más de 150 000 libros sobre la historia de la ciudad. Referencia en la página 430 (The Clocmaker's Company Museum) y en la página 432 (Guildhall Art Gallery).

Guy's Hospital (St. Thomas Street, SE 1): El comerciante de libros Tho-

Houses of Parliament. Salón de sesiones

mas Guy (su tumba es obra de Scheemaker, 1733) donó este hospital en el año 1721. Desde finales del siglo XVIII el edificio no ha sido modificado prácticamente. En la Escuela de Medicina, fundada en el año 1769, estudió, entre otras personalidades, John Keats (1814-1816).

Hogarth's House (Hogarth Lane, W 4): En esta casa, reconstruida después de la segunda guerra mundial, se pueden ver obras de W. Hogarth, que vivió en ella en el período de 1749 a 1764.

Horse Guards (Whitheall, SW 1): El edificio es obra de W. Kent y data de 1753; su estilo recuerda al Renacimiento italiano y, en la actualidad, es sede de la Administración.

Houses of Parliament (Parliament Square, SW 1): Eduardo «El Confesor» (1003-1066) hizo edificar el palacio de *Westminster,* Guillermo «El Conquistador» (1027-1087) lo hizo ampliar y con William Rufus se añadió la *Westminster Hall* en 1097. Ésta sobrevivió, junto a la *St. Stephen's Chapel* del siglo XIV, a un incendio. En el año 1567 se instaló el Parlamento en el antiguo Palacio Real (hasta 1529). La «House of Lords» (casa superior) ocupó una sala en el extremo S; la «House of Commons» (casa inferior), que se encuentra en la *St. Stephen's Chapel.* En el año 1605 los revolucionarios católicos de Guy Fawke intentaron volar el Parlamento en el llamado «Gunpowder Plot». Desde aquel entonces, anualmente, antes de la apertura oficial del Parlamento, hombres con uniformes históricos registran los sótanos para detectar cualquier objeto explosivo.
En 1834 hubo un nuevo incendio, al cual sobrevivieron la *Westminster Hall,* la cripta y algunas partes de los restantes edificios. Así edificó Sir Ch. Barry, en los años 1840-1888, el complejo de edificios existentes en estilo neogótico, en armonía con la *Westminster Abbey.* Su fachada, decorada con pequeñas torres, almenas y otros detalles, con torres bajas esquineras y dos torres centrales parecidas, dominan la orilla del Támesis. El Campanario está situado al N (Big Ben) y sobrepasa en altura a la torre que se encuentra sobre la sala, en el centro. El edificio completo fue restaurado después de ser destruido en la segunda guerra mundial. Es posible asistir a las asambleas del Parlamento solicitando una tarjeta de visita, previamente, en la *St. Stephen's Gate.* Sólo se permiten las visitas a los maravillosos salones interiores cuando no hay reuniones (sábados).

Imperial Institute Tower (Prince Consort Road, SW 7): El edificio fue construido en 1887 por T. E. Collcutt, con motivo del cincuenta aniversario del reinado de la reina Victoria. Del *Imperial Institute* se conserva la alta torre, cubierta de cobre, construida con piedras blancas.

Johnson's House (Gough Square, EC 4): En esta casa, edificada en el

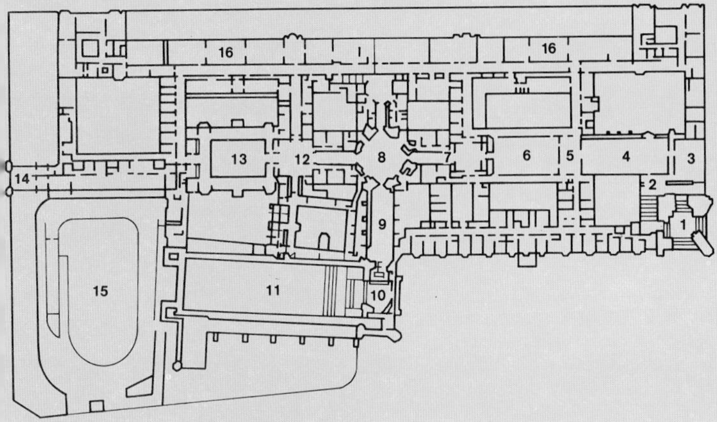

London. Houses of Parliament: 1. Victoria Tower, con entrada para visitantes y pórtico real. **2.** Norman Porch, con increíbles ventanas, techo decorado con escudos, bustos de Wellington y de dos ministros, tallas en madera de Pugins. La Royal Staircase conduce al: **3.** Robing Room, habitación en la que se vestía el rey, con increíble techo, chimenea de mármol, tallas de Pugins, frescos de W. Dyce sobre el rey Arturo, retratos de emperadores y símbolos y escenas de las vidas de los reyes; el trono real de la reina Victoria (1856) se encuentra delante de un maravilloso escudo real, con increíbles bordados. **4.** Royal Galery, con un increíble techo, ventanas decoradas con escudos, debajo de los cuales se encuentran los escudos reales. Dos grandes pinturas de Machise (Muerte de Nelson y El encuentro de Wellington con Blücher hacia Waterloo); retratos de emperadores. **5.** Prince Chamber. Las pinturas representan a Enrique VIII y a sus esposas; retratos de otros emperadores de la época Tudor (siglo XVI). Los relieves de bronce proceden de Theeds y son referentes a la historia Tudor. Chimeneas de Pugin; increíble estatua de la reina Victoria, obra de J. Gibson. **6.** House of Lords Chamber, con los tradicionales bancos rojos, increíble techo escalonado y enmaderado de las paredes. Entre las ventanas decoradas con escudos de Peer de 1360-1900 y las pinturas en la pared, con escenas de la historia del país, se encuentran estatuas alegóricas que representan a los barones que participaron en el Tratado de la Magna Carta (1215). Detrás del trono, una pared ricamente ornamentada con escudos, estatuas y decoraciones góticas. Sobre el llamado Woolsack se encuentra la estatua del Lord canciller. **7.** Peers Lobby and Corridor; salones góticos con bonitos suelos. **8.** Central Lobby, con increíble techo, mosaicos de los cuatro santos nacionales, estatuas de emperadores y figuras de grandes hombres de Estado del siglo XIX. **9.** St. Stephen's Hall; reconstrucción de la antigua sala gótica realizada por Barry (1834). En las ventanas se pueden ver escudos y mosaicos de los fundadores de la antigua St. Stephen's Chapel. Estatuas de emperadores y personalidades del Estado. **10.** St. Stephen's Porch. **11.** Westminster Hall; espléndido techo de vigas; en este salón fueron juzgados, entre otros, Thomas More, Guy Fawkes y Charles II. Debajo se encuentra la fantástica St. Stephen's Crypt, de estilo gótico, y el baptisterio. **12.** Commons Corridor and Lobby; salones góticos con estatuas de hombres de Estado del siglo XX. **13.** House of Commons; salón reformado por Sir G. Scott después de la segunda guerra mundial, con bancos en el color tradicional, el verde, cuya sencilla elegancia delata la majestuosidad de tiempos pasados. En el centro, el sillón del orador, procedente de Australia; al lado, el banco de regentes. Una línea roja entre los bancos de la oposición y el partido regente sirve de separación y no puede ser pisada bajo ningún concepto en las reuniones de las asambleas. Las dos cajas procedentes de Nueva Zelanda (Dispatch Boxes) contienen el Antiguo y el Nuevo Testamento y las fórmulas utilizadas en el juramento de los diputados. **14.** Clock Tower, con el sobrenombre «Big Ben»; la campana fue donada por Sir Benjamin Hall en el año 1859; el tono de ésta se hizo famoso, ya que fue utilizado por la BBC como señal de pausa. **15.** New Palace Yard. **16.** Salas de la biblioteca, separadas para Peers y Commons.

siglo XVII, vivió y trabajó el escritor Samuel Johnson (1709-1784). Se pueden contemplar en esta casa los objetos personales del escritor y una primera edición del «Diccionary of the English Language» de 1755.

Keats' House (Keats Grove, Hampstead, NW 3): En la casa, edificada en 1815, el poeta John Keats creó sus mejores obras románticas. El poeta vivió de 1795 a 1821; en esta casa se pueden contemplar algunos de sus objetos personales.

Kensington Palace (Kensington Gardens, W 8): Este sencillo edificio de ladrillo, rodeado de preciosos jardines, fue adquirido por el rey Guillermo III en 1689; posteriormente fue renovado por Ch. Wren y, posteriormente, por Kent. La casa fue residencia de la familia Real. Los salones oficiales son los decorados por Wren con tallas de Gibbons; una gran suite, con pinturas y decoraciones de Kent, que en ocasiones se vio apoyado en el trabajo por C. Campbell. En los salones victorianos se conservan numerosos recuerdos de la exposición mundial de 1851. En la *King William's Gallery* se pueden ver dibujos con vistas de Londres de los siglos XVIII y XIX. También interesantes son los salones con muebles originales y piezas alusivas a varios emperadores.

Kenwood House (Hampstead, NW 3): El edificio, construido a principios del siglo XVIII, fue reedificado por R. Adam en los años 1764-1773; también fue ampliado. El jardín de la hermosa casa y el lago artificial, con un falso puente, se fusionan con la pradera colindante. El interior está decorado al estilo de Adam (cuadros de Zucchi y A. Kaufmann). La biblioteca, con las columnas corintias que soportan el fantástico techo de vigas con espacios laterales en las esquinas, es una de sus mejores obras. Entre la amplia colección de obras pictóricas se encuentran lienzos de Rembrandt, «Autorretrato en la tercera edad»; de Vermeer, «Guitarrista»; de Stubss, «Whistlejacket»; algunas de Gainsborough, y numerosas obras realizadas por las escuelas holandesa e inglesa.

Lambeth Palace (Lambeth Road, SE 1): Esta encantadora residencia londinense de los arzobispos de Canterbury ha mantenido, a pesar de numerosas reformas y modificaciones, el aspecto de una maciza fortaleza. La parte de más antigüedad es la cripta, de 1200, con pilastras de mármol. La capilla data de 1230; las ventanas son modernas. Los edificios restantes datan de los siglos XV y XVI. En la sala construida entre 1660-1663 se ecelebra cada diez años la conferencia anglicana de obispos. Es de especial interés la biblioteca.

Lancaster House (Stable Yard, SW 1): Este edificio victoriano, comenzado por Wyatt en 1825 y finalizado por Barry en 1840, es utilizado en la actualidad para banquetes y recepciones de Estado. En el interior se pueden admirar los increíbles salones.

Leighton House (Holland Park Road W 14): La casa fue encargada por el pintor F. Leighton, en 1865, a G. Aitchinson. Contiene una fantástica sala árabe, con baldosas islámicas y un friso de mosaico realizado por W. Cranes. Se conserva el taller del pintor en el ático, en el que se pueden admirar algunas de sus mejores obras y las de otros pintores de su época (por ejemplo, de Morgan).

Lincoln's Inn (EC 4): El edificio renacentista fue construido por G. Dance d. Ä. La parte de entrada está soportada por columnas corintias y un aguilón decorado con frisos. El edificio es utilizado por el alcalde de la ciudad de Londres como oficina y puede ser visitado con cita previa. Son de especial interés la llamada sala egipcia y la sala de conferencias, con su hermosísimo techo estucado.

Marlborough House (The Mall, SW 1):

Houses of Parliament. St. James Park

Ch. Wren fue el autor de esta construcción de ladrillo, en el año 1709, para el gran general John Churchill, *Earl of Marlborough* (1650-1722). En el interior se pueden contemplar valiosos muebles e importantes pinturas realizadas por L. Laguerre que glorifican las hazañas militares del general.

Mayflower Inn (Rotherhithe Street, SE 16): Esta casa de huéspedes, de encantadora situación, se llama «Mayflower», al igual que la embarcación que transportó, en el año 1620, a los «Pilger fathers» hasta los Estados Unidos de América.

Middlesex Guildhall (Broad Sanctuary, SW 1): En el edificio del juzgado, del siglo XX, se celebraron durante la segunda guerra mundial asambleas de los juzgados aliados.

Old Bailey (EC 4): «Central Criminal Courts» se encuentra en el edificio que sirvió antiguamente como prisión en *Newgate*. En el edificio, de estilo renacentista, de tres pisos, dividido por pilastras, con una bonita balaustrada en el techo, se celebran los juicios de más importancia en Londres. Se puede asistir a los juicios solicitando permiso en la entrada del edificio. La cúpula de la torre está coronada por una estatua de la Justicia.

Post Office Tower (Maple Street, W 1): Esta torre de televisión, de 178 m de altura, fue finalizada en el año 1966. En ella hay un restaurante giratorio, un bar y terrazas desde las que se goza de una bonita visión de la ciudad.

Queen Elizabeth's Hunting Lodge (Rangers Road, E 4): Este edificio, construido en estilo Tudor del siglo XVI, fue en la antigüedad lugar de reunión y de organización de cacerías. Actualmente se pueden ver en este lugar plantas y animales típicos de la región.

Royal Albert Hall (Kensington Gore, SW 7): H. Scott finalizó en el año 1871 esta gran sala, de planta ovaloide, dividida por galerías circundantes y frisados de terracota debajo del techo cupular de vidrio y metal. En este lugar se celebran en la actualidad multitud de acontecimientos de todo tipo.

Johnson's House (casa del escritor Samuel Johnson)

Royal Courts of Justice (Strand, WC 2): Este edificio fue construido en los años 1868-1882, imitando el estilo gótico, con tres torres y su fachada que está decorada y orientada hacia la playa. El centro de la construcción forma una gran sala.

Royal Exchange (EC 3): Sir Thomas Gresham, rico comerciante y hombre de finanzas, fundó en 1566 la Bolsa, que se incendió en 1666 y 1838. El edificio existente, de estilo clásico, es obra de W. Tite, de 1844. Es de especial interés el pórtico corintio de ocho columnas, cuyo aguilón está decorado con un relieve de R. Westmacotts (alegorías sobre el comercio). También son interesantes las escenas representadas sobre la historia británica. Enfrente del edificio se halla la estatua de *Wellington* y un monumento conmemorativo de la guerra.

Royal Festival Hall (South Bank, SE 1): Esta sala de conciertos fue construida en los años 1951-1965. El conjunto, con dos salas de conciertos, cines y el Teatro Nacional (compuesto de varios teatros), así como la *Hayward Gallery* (pág. 432), forman un importante centro artístico.

Royal Opera House (Covent Garden, WC 2): El edificio fue construido en 1858 por E. M. Barry.

St. Bartholomew Hospital (West Smithfield, EC 1): El hospital fue fundado en 1123 junto a la vecina iglesia parroquial *St. Bartholomew the Great* y un convento agustino profanado. En el año 1546, reinando Enrique VIII, se convirtió en propiedad de la ciudad de Londres (representación sobre una ventana en la gran sala, diseño de Gibbs del siglo XVIII). Son también de Gibbs los planos del diseño de la construcción moderna del hospital. La iglesia hospital *St. Bartholomew the Less* fue transformada en los siglos XVIII y XIX. También de notable interés son dos pinturas murales realizadas por W. Hoarth y retratos de médicos famosos.

St. Jame's Palace (The Mall, SW 1): Esta edificación, construida reinando Enrique VIII en el lugar de un hospital de lepra del siglo XII, forma, conjuntamente con el *Clarence House* y el *Lancaster House,* un encantador complejo de construcciones. Durante algún tiempo fue vivienda del rey y, actualmente, se acreditan aquí, en el «patio de St. James», los diplomáticos extranjeros. De la construcción Tudor se conservan la casa con dependencias para la guardia y la *Royal Chapel,* del siglo XVI, posteriormente modificada, con su especial techo escalonado y la hermosa sillería. En este lugar se celebraron numerosas bodas reales. En el palacio habitan miembros de la familia real y de la guardia personal del rey.

Somerset House (Strand, WC 2): El constructor de la edificación actual fue W. Chambers, en 1775. Anteriormente existió en este mismo lugar una edificación del siglo XVI. La fachada está orientada hacia el río Támesis. Los salones del interior son utilizados como oficinas administrativas y, en ocasiones, también para exposiciones. En el ala E, que fue edificada en el

Kensington Palace

siglo XIX, al igual que el ala O, se encuentra el *King's College*.

Staple Inn (Holborn, WC 1): El edificio, antigua casa de huéspedes y lugar de distribución y peso de lana, data del siglo XIV. La fachada, de paredes entramadas, data del siglo XVI, y es una de las más bellas de Londres, con sus aguilones sobresalientes; en el siglo XX fue ampliamente restaurada.

Stock Exchange (Throgmorton Street, EC 2): En esta edificación de granito, de 1854, se encuentra la Bolsa de valores londinense.

The Temple (EC 4): En este edificio, de estilo georgiano, situado en medio de un encantador parque, se encuentran actualmente varias cancillerías y dos de las cuatro grandes escuelas de abogacía en Londres: *Middle Temple* e *Inner Temple,* así como la *Temple Church* (pág. 412). Originalmente la zona pertenecía a la Orden del Temple; posteriormente pasó a ser propiedad de la Corona. Eduardo III fundó aquí, en el siglo XV, un colegio de abogados. La *Middle Temple* conserva, a pesar de las destrucciones y los daños causados por los bombardeos, los maravillosos enmaderados de su época de construcción, 1576; el resto fue restaurado. La *Inner Temple Hall,* con una cripta del siglo XIV, tuvo que ser completamente renovada después de la segunda guerra mundial.

Tower of London (Tower Hill, EC 3): Una leyenda cuenta que el fundador de esta torre fue César. Según la historia, no obstante, Guillermo El Conquistador construyó la parte más antigua, la *White Tower,* ya que necesitaba una vivienda fortificada y un puesto de vigilancia para la navegación. Su sucesor, Guillermo II, la acabó en el siglo XII. En el siglo XIII la edificación fue fortificada y ampliada y obtuvo su forma actual. Otra leyenda cuenta que la fortaleza, a menudo ocupada, pero nunca conquistada, se mantendría en pie mientras los cuervos habitaran en sus muros. Así pues, los negros pájaros son cuidados con cariño y la torre es uno de los edificios de su época en mejor estado de conservación en el país. A lo largo de su historia fue Palacio Real (hasta el siglo XV), prisión (hecho que se deduce de las numerosas inscripciones hechas por los prisioneros en los muros) y

Tower of London

lugar de ejecuciones. La víctima de mayor importancia fue Sir Thomas More; también fueron ejecutados aquí Anne Boleyn y Catherin Howard, ambas esposas de Enrique VIII, y Lady Jane Grey. Isabel I estuvo prisionera en la fortaleza hasta que fue proclamada reina. Durante la segunda guerra mundial fueron ejecutados varios espías en la torre. Aquí se encuentra la iglesia de más antigüedad de Londres, la *Chapel of St. John the Evangelist* (1080), así como la *Royal Chapel St. Peter and Vincula,* del siglo XII, restaurada en 1512. Actualmente la histórica construcción es utilizada como museo. En el *Royal Fusilier's Museum* se pueden ver uniformes y condecoraciones del regimiento de fusilamiento; en la *White Tower* se expone una amplia colección de armaduras y armas del arsenal de Enrique VIII. La colección

London. Tower: 1. Entrada. **2.** Middle Tower, del siglo XIV. **3.** Fosa. **4.** Casamata. **5.** Queen's Stair, escalera hacia el Támesis. **6.** Byward Tower del siglo XIII con rejas, casa de vigilancia y pinturas murales del siglo XIV. **7.** Traitor's Gate (pórtico de traidores), antigua entrada por la cual se hacía pasar a los condenados. **8.** St. Thomas Tower, del siglo XIII, con capilla Becket. **9.** Cradle Tower. **10.** Well Tower. **11.** Develin Tower. **12.** Brass Mount. **13.** Legge's Mount. **14.** Bell Tower, del siglo XII, en la cual estuvieron prisioneros, entre otros, Thomas More y la princesa Isabel. **15.** Bloody Tower, del siglo XIII (torre de sangre); aquí se asesinó al príncipe en 1483; mazmorras. **16.** Wakefield Tower, del siglo XIII, con un cuarto de techo de bóveda. **17.** Lanthorn Tower. **18.** Salt Tower, del siglo XII, torre de sal con numerosas inscripciones de prisioneros. **19.** Broad Arrow Tower. **20.** Constable Tower. **21.** Martin Tower, del siglo XIII, posteriormente modernizada; en esta torre intentó, en 1671, el general Blood robar las joyas de la Corona, probablemente por orden del rey Carlos II, que se encontraba con problemas económicos. **22.** Brick Tower. **23.** Bowyer Tower, con cámara de tortura. **24.** Flint Tower. **25.** Devereux Tower. **26.** Beauchamp Tower, del siglo XIII; aquí se custodiaban los presos importantes, como muestran las inscripciones en la pared. **27.** Queen's House (casa de reinas), encantadora construcción de paredes entramadas del siglo XVI, actual vivienda del comandante; no está abierta al público; está situada al N de la casa del vigilante de la prisión. **28.** New Armouries, del siglo XVII, con armas de los siglos XVIII y XIX, así como armas y armaduras de África, Asia y Japón. **29.** Hospital. **30.** Royal Fusilier's Museum. **31.** Waterloo Barracks, del siglo XIX, antigua caserna del *Royal Fusiliers.* **32.** Jewel House (joyas de la Corona). **33.** Chapel of St. Peter and Vincula. **34.** Bloque, antiguo lugar de ejecuciones. **35.** Tower Green (Anger). **36.** Wardrobe Tower, torre situada sobre el antiguo muro romano. **37.** Write Tower, con oficina de archivo (entre otras cosas de interés, la espada de Napoleón y de Wellington), exposición de armas pequeñas, cuarto de espadas, cuarto de armas, cámara de caballeros (exponentes referentes a la historia británica), sala de cañones. **38.** Chapel of St. John (1066-1100), con decoración original de los capiteles de las columnas, cripta y cripta subterránea. **39.** Tower Wharf; desde aquí se dispara en ocasiones muy especiales.

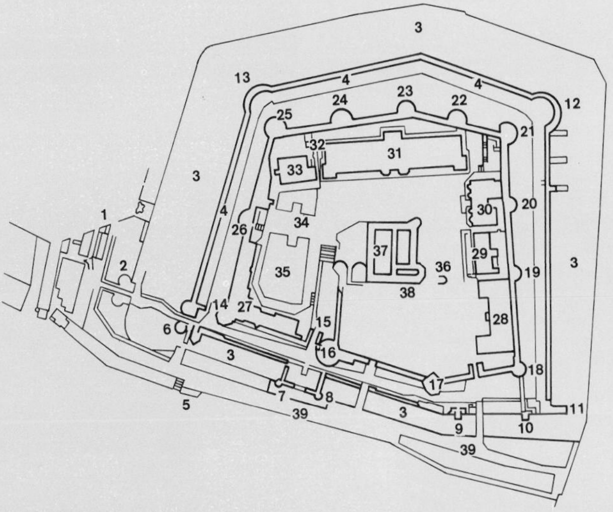

ilustra las armas y los uniformes hasta la primera guerra mundial. En el *Jewel House* se hallan los tesoros de más valor de la nación, entre ellos las joyas y piedras preciosas de la Corona, estrictamente vigiladas. De éstas son de especial interés: la corona de *St. Edward,* de 1660; la corona británica; la *Imperial State Crown,* creada para la coronación de la reina Victoria, con el rubí con el que fue obsequiado *Edward the Black Prince de Castilla* y uno de los dos diamantes de *Cullinan* (el mayor que ha sido hallado), tallado como las «Estrellas de África» (el segundo diamante adorna el cetro); la corona es utilizada en la ceremonia de apertura del Parlamento y en otros eventos de importancia. También merece especial atención la corona imperial india, de la esposa de Jorge VI (Elizabeth Crown), con el diamante *Kohinoor.*

MONUMENTOS Y PUENTES

Admiralty Arch (The Mall, WC 2): Arco de triunfo edificado en honor a la reina Victoria entre *Trafalgar Square* y *The Mall.*

Albert Bridge (Battersea/Chelsea): El puente colgante de más antigüedad de Londres fue construido por R. W. Ordish en el año 1873.

Albert Memorial (Kensington Gardens, W 8): Este maravilloso monumento fue diseñado por G. G. Scott en 1861, después de la muerte de la esposa del príncipe: las esquinas de las escaleras circundantes están decoradas con esculturas de mármol, con alegorías alusivas a las diversas partes de la Tierra. En el elevado zócalo se encuentran figuras en relieve de artistas famosos y de científicos en las esquinas, figuras que simbolizan comerciantes. Debajo de un baldaquín, soportado por grupos de columnas semejantes a una casa sacramental gótica con aguilones decorados con frisados, pequeñas torres y una alta torre central con una figura de Alberto, sentado, con un catálogo de la exposición mundial.

Boadicea (Victoria Embankment): Estatua de la legendaria reina Victoria en su carruaje, obra de *Th. Thornicroft* del año 1902.

The Cenotaph (Whitehall, SW 1): La

Albert Memorial

Peter Pan. Kensington Gardens

llamada «tumba vacía», de 1920, en mármol, con símbolos militares y la inscripción «To the Glorious Dead»; fue diseñada por Sir E. Lutyens y conmemora actualmente a los caídos en las dos guerras mundiales.

Estatua de Charles I (Charing Cross, WC 2): Imagen del rey sobre su caballo, creada en 1649. El rey fue ejecutado por Cromwell.

Estatua de Charles II (Chelsea Hospital, SW 3): La escultura realizada en bronce por G. Gibbons muestra al fundador del *Chelsea Royal Hospital* (pág. 414).

Cleopatra's Needle (Victoria Embankment, SW 1): Este obelisco de granito, del siglo XV a. de J. C., construido en Heliópolis para *Thutmosis,* fue un obsequio del vicerrey egipcio a la ciudad de Londres. La pareja se encuentra en Nueva York.

Pozo de Eros (Picadilly Circus, W 1): Pozo vaciado por Sir A. Gilbert, con figuras de ángeles para el *Earl of Shaftesbury.*

Hammersmith Bridge (W 6): Este puente colgante, construido por Sir J. Bazalguette en 1887, descansa sobre fuertes pilastras de hierro, con grandes volutas en los extremos y pabellones. Actualmente es uno de los accesos más importantes de la ciudad.

London Bridge (King William Street, EC 3): La construcción existente data de 1973. El puente se hizo famoso por la canción «London Bridge is falling down». Fue construido en el siglo XII y tuvo que ser sustituido por otro puente en el siglo XIX, ya que el tráfico era excesivo.

Machine Gun Corps Memorial (Hyde Park Corner, SW 1): Figura del rey *David* creada por T. D. Wood.

Marble Arch (W 1): El arco de triunfo, semejante al arco romano de *Constantino,* fue edificado por J. Nash en el año 1851 en el lugar donde se encuentra actualmente. Está situado a la entrada del *Buckingham Palace.* Cerca se encuentra una pequeña placa que indica el lugar denominado *Tyburn Tree,* 1196-1783, donde se efectuaban las ejecuciones públicas en Londres.

Vista del Tower Bridge

The Monument (Fish Street Hill, EC 3): El obelisco, edificado de 1671 a 1677 por Ch. Wren, coronado por una esfera de llamas, recuerda el devastador incendio de 1666, que comenzó en el cercano *Puddin Lane*. Inscripciones latinas narran la historia; un relieve de C. G. Cibbers muestra al rey Carlos II. En el interior, una escalera de caracol conduce a la terraza, desde la que se goza de una bonita vista.

Nelson's Column (Trafalgar Square, SW 1): Es el centro de una increíble plaza, con una hermosa fuente; esta alta columna corintia fue realizada por W. Railton y está coronada con la estatua del vencedor de Trafalgar (1805). La base está decorada con relieves de las batallas navales en las que intervino Nelson. En las esquinas del conjunto se pueden ver cuatro leones de bronce, obra de Sir E. Landseer (1968).

Peter Pan (Kensington Gardens, W 2): Estatua del simpático personaje, realizada por *Sir G. Frampton.*

Estatua de Richard I (Parliament Square): Estatua ecuestre de Ricardo Corazón de León (1157-1199).

Roosevelt Memorial (Grosvenor Square, W 1): Estatua del presidente norteamericano (1882-1945) erigida en 1948 cerca de la embajada U.S.A. Proyecto de Sir W. Reid.

Royal Artillery War Memorial (Hyde Park Corner, SW 1): Monumento erigido, con forma de cañón, en memoria de los artilleros caídos en la primera guerra mundial, obra de *Jagger.*

Monumento de Shakespeare (Leicester Square): Sobre un alto obelisco se encuentra, dominando la panorámica de la ciudad, la escultura del famoso escritor y poeta dramático.

Temple Bar Memorial (Fleet Street): En el lugar del pórtico *Hertfordshire,* transportado al recinto Temple de Ch. Wren, se encuentra una columna

Tower Bridge

que marca la frontera entre la ciudad de Londres y la de Westminster.

Tower Bridge (E 1): Este puente, inaugurado en el año 1894, con sus imponentes torres neogóticas, es una de las obras más admirables de la ciudad de Londres. El puente puede ser elevado, al abrirse en dos partes, una para cada lado, y facilitar así el paso de los barcos.

Victoria Monument (The Mall, WC 2): Arco de triunfo ideado por Sir Th. Brock en 1911, que muestra a la emperatriz rodeada de figuras alegóricas.

Wellington Arch (Hyde Park Corner, SW 1): Arco de triunfo ideado por D. Burden, con cuádriga, de 1825. Al lado se encuentra el *monumento a Wellington,* estatua ecuestre de Sir E. Boelm, con cuatro soldados británicos de diferentes regimientos.

Whittington Memorial (Highgate Hill, N 19): Monumento erigido en memoria de Sir Richard Wellington, el legendario alcalde de Londres.

Estatua del rey William III (St. James Square, W 1): Imagen del rey a caballo, de J. Bacon, del año 1834.

Duke of York Statue (The Mall): Estatua del *Duque de York* (1834) que, posteriormente, sería proclamado Rey Guillermo I.

CALLES, PLAZAS Y PARQUES

Bedford Park (W 4): Primera ciudad satélite de Londres, con zonas verdes, del siglo XIX y edificios de N. Shaw y E. Godwin.

Belgrave Square (Hyde Park Corner, W 1): Casas georgianas de principios del siglo XIX en la plaza más lujosa de la ciudad, ocupadas en su mayoría por embajadas extranjeras.

Bond Street (W 1): La calle comercial más cara y lujosa de la ciudad.

Brompton Road (W 1): Los famosos almacenes *Harrod's* ofrecen «de todo para todos en todas partes».

Burlington Arcade (Picadilly, W 1): Pasaje dedicado exclusivamente al comercio, construido en el año 1819 y cubierto con vidrio.

Downing Street (Westminster, W 1): En una de las casas de esta calle, del siglo XVII, diseñada por G. Downing habita, desde el siglo XVIII, bajo constante vigilancia de un «Bobby», el primer ministro.

Eaton Square (SW 1): En las casas georgianas del siglo XIX vivieron

Bedford Park

Hyde Park. Monumento a Aquiles

importantes personalidades, como muestran las placas indicativas.

Fleet Street: En los edificios situados a ambos lados de la calle se imprimen casi todos los diarios londinenses.

Hyde Park (SW 1): Enrique VIII convirtió en 1537 este parque, propiedad de la *Westminster Abbey,* en un parque natural; con Carlos I el parque se convirtió en público en el año 1635. En el año 1730 la reina Carolina hizo instalar un lago artificial ideado por R. Westbourne, *The Serpentine.* El puente que conduce a los *Kensington Gardens* es obra de G. Rennie, de 1826. Existe un lugar, *Speaker's Corner,* desde 1872, en el que cualquier persona puede expresar sus ideas, exceptuando temas referentes al rey o a la reina. El arco de entrada es obra de D. Burton; J. Henning y sus hijos hicieron el artístico frisado, copia de la *Elgin Marbles,* en Atenas (British Museum).

Kensington Gardens: Estos jardines, junto al *Hyde Park,* formaban parte originalmente del *Kensington Palace;* a finales del siglo XIX fueron declarados públicos. Aquí se encuentra la estatua de *Peter Pan* y el naranjal de *Queen Anne* (reina Ana).

Lombard Street: Este es el centro bancario de Londres. Son de especial interés los viejos escudos de diversos bancos en los edificios de los siglos XIX y XX.

The Mall (WC 2): Fantástica calle del siglo XVII; conduce desde el *Admiralty Arch* hasta el *Buckingham Palace.* En la calle se pueden admirar el maravilloso *Charlton House,* el *Marlborough House, St. James Palace* y el parque, así como el hermoso *Lancaster House.*

Picadilly Circus (W 1): Aquí se unen tres carreteras principales. La plaza

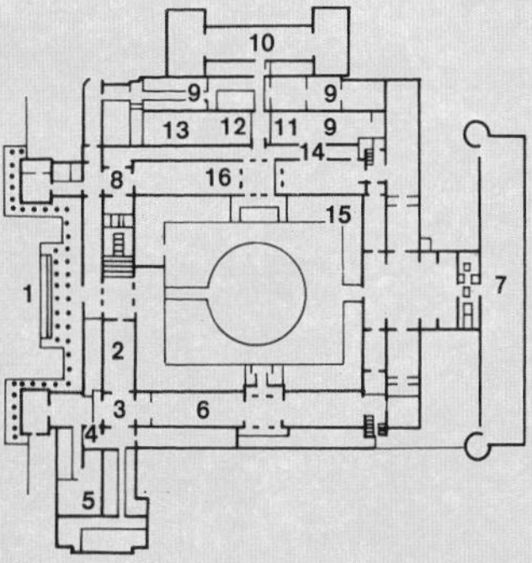

London. British Museum, piso inferior: 1. Sala de entrada. **2.** Biblioteca de Grenville. **3.** Sala de manuscritos (original de la Magna Carta). **4.** Sala de biblias (primera biblia inglesa, de 1525). **5.** Salas de lectura. **6.** King's Library. **7.** King Edward VII Galery, con objetos orientales. **8.** Assyrian Transept. **9.** Objetos griegos. **10.** Elgin Marbles, esculturas del Partenón de Atenas traídas a Londres por Lord Elgin. **11.** Objetos romanos. **12.** Objetos asirios. **13.** Objetos de Nimrod. **14.** Objetos de Nínive. **15.** Antigua Palestina. **16.** Esculturas egipcias.

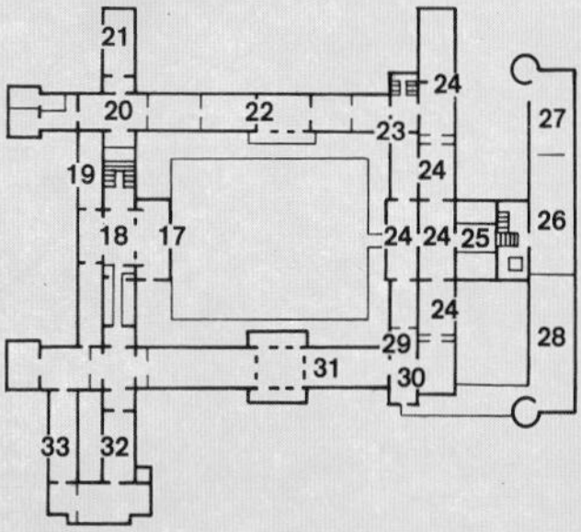

Piso superior: 17. Historia del hombre. **18.** Britannia prehistórica romana. **19.** Terracotas griegas y romanas. **20.** Objetos útiles griegos y romanos. **21.** Monedas y medallas. **22.** Recipientes griegos y romanos. **23.** Objetos sirios, persas y árabes. **24.** Galería egipcia, con momias, recipientes, papiros, ofrendas de tumbas, esculturas, etc. **25.** Objetos coptos. **26.** Dibujos e impresos. **27.** Objetos orientales. **28.** Objetos suméricos y babilónicos. **29.** Historia de la caligrafía. **30.** Objetos asiáticos. **31.** Sección de historia popular. **32.** Objetos asiáticos: arte de la Europa medieval. **33.** Hallazgos de la Edad del Hierro; una exacta orientación es posible a través de planos que están a la venta en la sala de entrada.

es considerada por los ingleses como el centro del mundo. El lugar está siempre muy transitado y es uno de los mayores centros de diversión de Londres. En el centro se encuentra el pozo de *Eros.*

Regent's Park (NW 1): Instalación de parques creada por J. Nash en el siglo XIX, con lago artificial, instalaciones deportivas y un pequeño zoo (al N), rodeado del *Outer Circle,* consistente en casas de estilo clásico edificadas escalonadamente.

St. James's Park (The Mall, SW 1): Encantador parque de J. Nash, con lago artificial.

Whitehall (WC 2): En estos viejos y hermosos edificios se encuentran la mayoría de los diferentes ministerios.

MUSEOS

Battle of Britain Museum (Aerodrome Road, NW 9): Aquí se pueden ver objetos de la batalla aérea habida para conquistar Inglaterra.

Bethnal Gree Museum (Cambridge Heath, E 2): El museo, que se encuentra en este lugar desde 1872, expone muñecas y juguetes, así como objetos artísticos varios.

British Museum (Great Russel Street, WC 1): Fue inaugurado en el año 1753 con las colecciones privadas de Sir Hans Sloanes, Robert y Edward Harley, así como la de Robert Cotton. En los años 1823-1857 R. y S. Smith reconstruyeron su edificio actual, construcción clásica de tres alas con una galería de fachada soportada por imponentes columnas jónicas y aguilón central decorado con frisados. Las colecciones artísticas que se exponen son de las más valiosas del mundo y están compuestas por piezas de varias culturas (asiria, babilónica, egipcia, griega, románica, asiática y

Kensington Gardens. Escultura de Moore

de Europa). Son también valiosos y de gran interés los libros asiáticos y europeos, así como numerosos manuscritos de la *British Library*. La colección es una de las más extensas y completas de Europa.

British Museum of Natural History (Cromwell Road, SW 1): En este edificio, finalizado por A. Waterhouse en estilo bizantino, se puede ver el desarrollo de animales, plantas y minerales desde la creación hasta nuestros tiempos. De especial interés: una enorme ballena azul.

Broomfield House Museum (Broomfield Park, N 13): En este edificio, de finales del siglo XVII, con techo y paredes pintadas por G. Lanscroons (siglo XVII), se pueden ver exponentes referentes a la historia local y natural.

The Clockmaker's Company Museum (Guildhall, EC 2): Interesante colección de relojes (más de 700), desde sus comienzos hasta la actualidad.

Commonwealth Institute (Kensington High Street, W 8): Resumen sobre la historia de los países de la *Commonwealth,* con valiosos exponentes, biblioteca y pase de películas.

Courtauld Institute Galleries (Woburn Square, WC 1): El *Courtauld Institute of Arts* fue fundado en 1932 por el Viscount Lee of Fareham y Samuel Courtauld, que donaron su colección artística a la Universidad de Londres. A ésta se añadieron otras colecciones. La colección *Courtauld* se compone esencialmente de impresionistas y sus sucesores. La colección *Lee,* se compone de obras de Bellini, Botticelli, Goya, Van Dyck, Rubens, Tintoretto y Gainsborough. La *Gambier Perry Collection* está compuesta por obras italianas de los siglos XIV y XV, así como de vidrio y cerámica de principios del siglo XVI. Obras del siglo XX forman parte de la colección *Fry*.

Dulwich Picture Gallery (College Road, SE 2): La construcción de la primera galería oficial de Londres corrió a cargo de J. Soane, que la finalizó en 1814. Los lienzos son obras realizadas por pintores holandeses, ingleses, franceses, italianos y españoles.

Fenton House (Hampstead, NW 3): El edificio de ladrillo rojo, edificado en 1693, muestra la típica decoración sencilla de estilo *William and Mary,* influenciado por el estilo holandés. Se encuentra en el centro de un sencillo parque rodeado de un muro con pórticos de hierro Tijou (1707). En el interior se puede admirar una bonita colección de porcelanas inglesas y de instrumentos antiguos.

Foundling Hospital Museum (Brunswick Square, WC 1): En el año 1739 Thomas Coram fundó aquí un orfanato de niños abandonados. La institución de la *Coram Foundation for Children* se mudó a Berkhampstead. En el edificio se albergan en la actualidad obras de famosos artistas, como Hogarth (retrato de Coram), Gainsborough, Reynolds y Ramsay, También de interés, un órgano y un manuscrito del «Mesías».

Geffrye Museum (Kingsland Road, E 2): Aposentos ingleses de los siglos XVI-XX en el edificio construido en 1713; antiguo asilo de pobres.

Geological Museum (Exhibition Road, SW 7): Increíble colección de piedras preciosas, así como de minerales y fósiles. Exposición referente a la historia de la Tierra, con simulacros de terremotos y de erupciones volcánicas. También de interés, un globo terráqueo girando sobre su eje.

Goldsmith's Hall (Foster Lane, EC 3): En el museo se pueden ver antiguas vajillas de plata y la más hermosa colec-

British Museum. Sarcófago egipcio ▷

ción de joyas modernas y de plata existentes en el país.

Guildhall Art Gallery (Guildhall, EC 2): En la galería de arte, inaugurada en el año 1886, se exponen alternativamente obras de grupos de artistas londinenses.

Hayward Gallery (Belvedere Road, EC SE 1): Exposiciones de la comunidad de *Arts Council of Great Britain.*

Hermian Museum (London Road, SE 23): Edificación modernista diseñada por C. H. Townsends (1901), con exponentes de la historia natural y popular e instrumentos musicales.

Imperial War Museum (Lambeth Road, SE 1): En este edificio, construido en 1815, se pueden ver objetos sobre las dos guerras mundiales y sobre eventos militares del imperio británico y de la *Commonwealth,* desde 1914. Obras de artistas famosos británicos. Junto al museo se ha instalado el crucero HMS Belfast (Pool of London).

Jewish Museum (Woburn House, WC 1): Objetos rituales y sobre la historia de los judíos.

Jewel Tower (Old Palace Yard, SW 1): Palacio de *Westminster* (1365-1366) con objetos de su historia.

London Dungeon (Tooley Street, SE 1): Este «terrorífico» museo muestra pinturas inglesas de la Edad Media, de gran realismo, hasta el siglo XVII, los sistemas de tortura y los métodos de ejecución utilizados durante esa época, así como una recopilación de actos históricos macabros.

Madame Tussaud's (Marlylebone Road, NW 1): En este gabinete de figuras de cera, instalado en el año 1835 por la francesa huida a Inglaterra en 1802, se pueden ver grandes personalidades de la historia mundial (Grand Hall), famosas escenas históricas (The Tableaux), héroes (Heroes Live), todos los monarcas ingleses (The Hall of Kings), una reproducción exacta de la batalla de *Trafalgar,* famosos delincuentes, historias sobre víctimas y sobre el horror (Chamber of Horrors), *The Arcade* (laberintos, máquinas de juego), *The Battle of Britain* y sus héroes, así como un planetario.

Mall Galleries (The Mall, SW 1): Exposiciones de arte alternativas.

Madame Tussaud's. The Beatles, Ringo Starr (izq.) – National Gallery (dcha.)

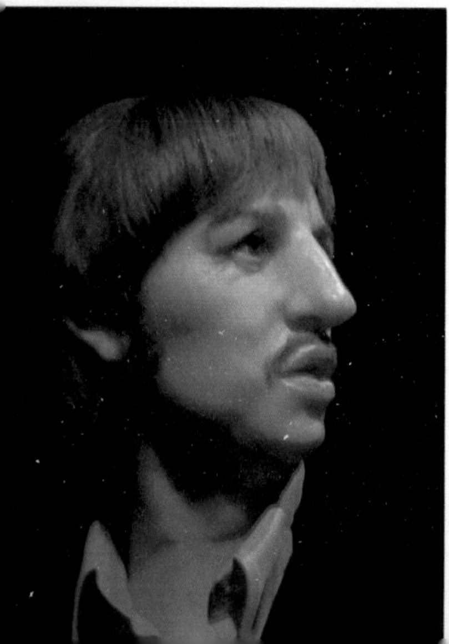

London Transport Museum (Covent Garden, WC 2): Colección de viejas locomotoras, vías de tren y otros medios de transporte.

Museum of Leathercraft (Basinghall Street, EC 2): Trabajos de cuero, desde la época romana hasta la actualidad.

Museum of London (London Wall, EC 1): Objetos referentes a la historia de la ciudad, desde la época romana hasta la actualidad.

Museum of Chartered Insurance Institute (Aldermanbury, EC 2): Exposición sobre la historia de las compañías aseguradoras y la lucha contra los incendios.

Museum of Mankind (Burlington Gardens, W 1): Aquí se expone principalmente materia sobre el desarrollo de antiguas poblaciones.

National Army Museum (Royal Hospital Road, SW 3): El museo inaugurado en 1971 ilustra la historia de las fuerzas armadas británicas desde el siglo XV, al igual que la de la Armada India y otras tropas del Imperio británico hasta la independencia de sus respectivos países. También se exponen pinturas de guerra y uniformes.

National Gallery (Trafalgar Square, WC 2): En este edificio, construido por W. Wilkins en los años 1834-1838, con su enorme pórtico de columnas, se puede ver una amplísima colección de pinturas de todo el mundo, con obras de los más importantes artistas europeos y de escuelas de importancia hasta el siglo XIX.

National Portrait Gallery (St. Martin's Place, WC 2): La extensa colección de retratos, ampliada en el siglo XX con fotografías, muestra personalidades famosas de Gran Bretaña desde el siglo XVI.

National Postal Museum (King Edward Street, EC 1): Contiene una de las más interesantes colecciones filatélicas del mundo, con sellos y documentos, así como una gran biblioteca. También existe documentación sobre la historia del correo en Inglaterra.

Passmore Edwards Museum (Rumford Road, E 15): Original edificio finaliza-

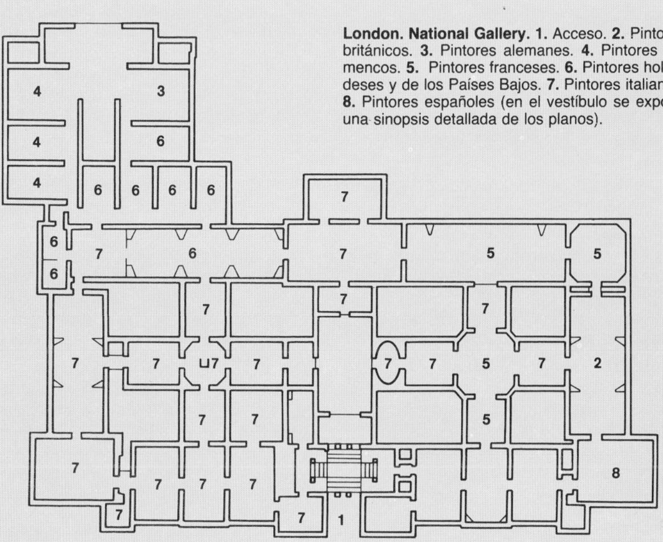

London. National Gallery. 1. Acceso. **2.** Pintores británicos. **3.** Pintores alemanes. **4.** Pintores flamencos. **5.** Pintores franceses. **6.** Pintores holandeses y de los Países Bajos. **7.** Pintores italianos. **8.** Pintores españoles (en el vestíbulo se expone una sinopsis detallada de los planos).

Pollock's Toy Museum

do alrededor de 1900, con hallazgos arqueológicos, geológicos e históricos de Essex y el territorio circundante de Londres. También existe un acuario y un pequeño zoológico.

Percival David Foundation of Chinese Art (Gordon Square, WC 1): Valiosas porcelanas chinas y cerámica de diversos siglos.

Pharmaceutical Society's Museum (Bloomsbury Square, WC 1): El museo, abierto al público, expone la historia de las farmacias desde el siglo XVII.

Pollock's Toy Museum (Scala Street, W 1): Muñecas y juguetes de diversos países y siglos; teatro de muñecas.

Public Record Office (Chancery Lane, WC 2): El edificio, neogótico, fue construido por Sir J. Penetthrone en los años 1851-1871; Sir J. Taylor añadió en 1892-1895 el ala que da a *Chancery Lane*. El archivo de la ciudad, que data desde la conquista normanda de Inglaterra, es visitado exclusivamente por científicos. En el museo se pueden ver, aparte de otros documentos, el «Domesday Book», así como el testamento de Shakespeare y el libro del almirante Nelson, «Victory».

Queen's Gallery (Buckingham Palace, SW 1): Exposición con piezas de la colección real.

Royal Academy (Picadilly, W 1): En el edificio de la academia, fundada en 1768, se celebran exposiciones de un año de duración.

Royal College of Music (Prince Consort Road, SW 1): En este museo, abierto al público, se puede ver una interesante colección de instrumentos musicales londinenses (entre otros, el piano de Haydn y el clavicordio de Händel).

También se puede visitar la amplia biblioteca.

Royal College of Surgeons (Lincoln's Inn Fields, WC 2): La colección puede ser visitada públicamente e ilustra los experimentos del médico John Hunter (1728-1793).

Royal Fusiliers' Museum (EC 3): Torre de Londres, pág. 423.

Royal Geographical Society (Kensington Gore, SW 1): En esta casa, fundada en el año 1830 por miembros de la co munidad geográfica, se encuentra una biblioteca con una amplia colección cartográfica.

Royal Mews (Buckingham Palace, SW 1): La pieza más bonita de esta colección estatal de carruajes es la «Gold State Coach», de 1762, con dibujos del florentino Cipriani, utilizada desde 1820 en todas las marchas de coronación.

Science Museum (South Kensington, SW 1): En este museo se muestra la historia del desarrollo de las ciencias naturales, desde modelos del telescopio de Galileo, la «Rocket» de Stephenson o los satélites espaciales.

Soane Museum (Lincoln's Inn Fields, WC 2): Esta vieja vivienda, construida por el arquitecto real Sir J. Soane, alberga valiosas y originales colecciones de arte y antigüedades; la interesante decoración interior ha sido ejecutada por él mismo. Es de especial interés la secuencia de dibujos de Hogart, «The Rake's Progress».

South London Art Gallery (Peckham Road, SE 5): En la galería, abierta al público, se pueden ver pinturas victorianas, así como obras de artistas británicos del siglo XX.

Tate Gallery (Millbank, SW 1): En el edificio, de estilo clásico, de S. R. J. Smiths, ampliado en varias ocasiones, el principal donante y creador de la galería fue Henry Tate. Sólo se pueden

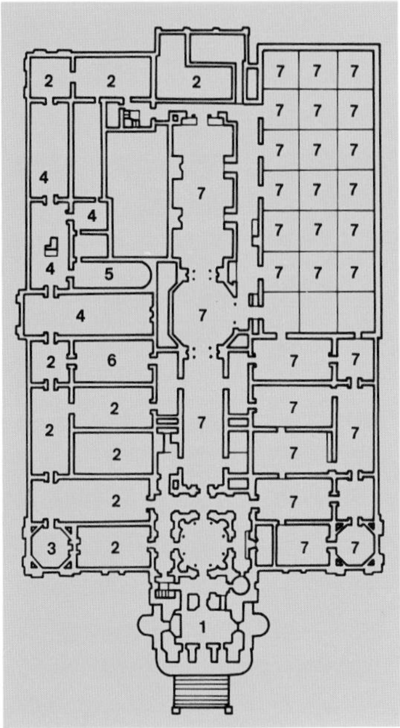

London. Tate Gallery: 1. Acceso. **2.** British Collection. **3.** William Hogart (1697-1764). **4.** William Turner (1775-1851). **5.** John Constable (1776-1837). **6.** William Blake (1757-1827). **7.** Modern Collection. Varios planos expuestos en el vestíbulo proporcionan una detallada visión del conjunto.

ver parte de las numerosísimas obras de todos los pintores británicos (British Collection), así como de artistas franceses (Modern Collection).

Victoria and Albert Museum (Cromwell Road, SW 7): El museo ofrece una amplia visión sobre el arte y la artesanía en Europa y en el cercano y lejano Oriente. Homenajea especialmente la obra del famoso paisajista J. Constable (1776-1837).

Wallace Collection (Manchester Square, W 1): Dos generaciones de la familia del Marqués de Hertfort donaron esta exquisita colección privada de los siglos XVII y XVIII. Su sucesor, Sir

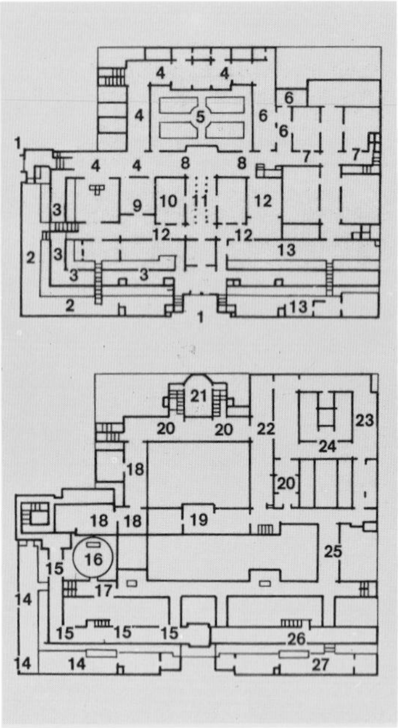

London. Victoria and Albert Museum, piso inferior: **1.** Entrada. **2.** Muebles y arte inglés de los siglos XVII al XVIII. **3.** Arte europeo de los siglos XVII al XVIII. **4.** Renacimiento italiano. **5.** Jardín. **6.** Renacimiento europeo. **7.** Alfombras y tapices. **8.** Gótico. **9.** Arte hindú. **10.** Arte islámico. **11.** Arte de principios de la Edad Media. **12.** Arte asiático. **13.** Esculturas de Inglaterra y del continente. **Piso superior: 14.** Arte inglés de los siglos XVIII al XIX. **15.** Vajillas, porcelana y loza fina. **16.** Colección de instrumentos de música. **17.** Artesanía de forja. **18.** Historia de la imprenta. **19.** Biblioteca. **20.** Joyas, oro y piedras preciosas. **21.** Sala de audiencia. **22.** Artesanía en metal. **23.** Artesanía textil. **24.** Obras de John Constable. **25.** Artesanía del vidrio. **26.** Arte del lejano Oriente. **27.** Vajilla.

Richard Wallace, llevó gran parte de ella a Inglaterra en 1871 y su viuda la donó en 1897 al Estado. Forman parte de la valiosa colección de pinturas obras de Rembrandt, Rubens, Van Dyck, Hals, Watteau, Boucher, Fragonard, Velázquez, Tiziano, Murillo, Gainsborough, Romney, Reynolds y otros artistas de importancia. Los muebles, mayormente del siglo XVIII, fueron creados por maestros franceses.

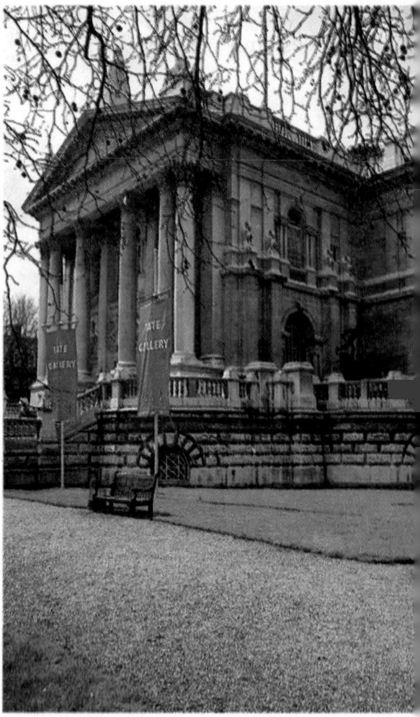

Tate Gallery

También alberga porcelana, cerámica (en especial de Italia), trabajos de bronce y de oro fechados en los siglos XVI al XVIII, armas europeas orientales y otras bellas piezas.

Wellcome Institute for the History of Medicine (Euston Road, NW 3): Muestras y objetos de todo el mundo referentes a la historia de la medicina desde las antiguas culturas hasta la actualidad. Extensa biblioteca.

Wellington Museum (Apsley House, Hyde Park Corner, W 1): La casa, edificada a finales del siglo XVIII, fue ampliada por B. Wyatt después de ser adquirida por el Duque de Wellington en 1817. El museo muestra objetos personales, valiosos cuadros y colecciones de porcelana. Detrás de la casa se halla una estatua de *Achilles* (Aquiles).

William Morris Gallery (Forest Road, E 17): La casa, de estilo georgiano, conservada en su estado original, contiene actualmente obras del famoso artesano y escritor (1834-1896).

EVENTOS Y CEREMONIAS

Changing the Guard: Diariamente, a las 10,30, se efectúa, delante del *Buckingham Palace,* el cambio de guardia de los «Foot Guards», con sus altos gorros de piel de oso. Una banda de música acompaña a los vigilantes de retorno a la caserna y hacia el puesto de vigilancia del palacio.

Ceremony of the Keys: Todas las noches, a las 22,00, el mayor de los *Yeomen of the Wards,* conocidos también por el nombre «Beefeaters», con su fantástico uniforme del siglo XV, cierra las puertas de la *Tower* con espléndida ceremonia.

Lord Mayor Show: En el segundo sábado de noviembre, el nuevo alcalde de la ciudad de Londres participa en una pomposa procesión desde la *Guildhall* a las *Law Courts.*

Mounting the Guard: Diariamente, a las 11,00, y el domingo, a las 10,00, se realiza, enfrente de los «Horse Guards», el cambio de guardia de los «Life Guards» (vigilantes a caballo con gorros de blancas plumas y falda roja).

Opening of Parliament: A principios de noviembre la reina se dirige en una pomposa ceremonia hacia los *Houses of Parliament,* para inaugurar en la «Cámara de los Lores» la apertura del Parlamento.

Quit Rent Ceremony: El 26 de octubre, durante una ceremonia pública, un representante del Estado entrega a la reina en las *Law Courts* un hacha, un cuchillo de cocina, seis herraduras y clavos como arrendamiento formal de las propiedades rurales en *Shropshire.*

Royal Tournament: Anualmente, en julio, se organiza en *Earl's Court* una revista de tropas.

Trooping the Colour: En el segundo domingo de julio se celebra oficialmente el cumpleaños de la reina y se organiza un fantástico desfile militar que, partiendo de *Buckingham Palace,* a través de *The Mall,* se da por finalizado al llegar a los «Horse Guards».

Alrededores y ciudades satélites - Greater London

Barking: *Eastbury House,* casa de estilo Tudor del siglo XVI en una zona de viviendas modernas. *Valence House,* museo con valiosas muestras sobre la historia local.

Battersea: Zona situada al S del Támesis, básicamente industrial. Destaca la central eléctrica de G. G. Scott (1932-1934); existe el proyecto de transformar la planta en museo industrial. También de interés, el mercado de frutas y verduras *Covent Garden.* Al O se encuentra el *Battersea Park,* con una interesante colección de esculturas (por ejemplo, de Henry Moore: «Tres mujeres», 1947-1948). En la *Georgian Parish Church* (Battersea Church Road) se pueden ver monumentos del siglo XVII. Cerca, en *Old Battersea House* (1699), lienzos prerrafaélicos y una colección que ha sido donada por William de Morgans.

Beddington Park: *Church of St. Mary the Virgin,* iglesia del siglo XV, con pila bautismal normanda y bonitas lápidas funerarias.

Brentford: *National Piano Museum,* con interesante colección de instrumentos.

Deptford: En este importante centro de navegación de Londres Enrique VII edificó diques en el año 1485. En la casa *John Evelyns,* actualmente destruida, vivió Pedro El Grande en el año 1698, durante el período que trabajó en el puerto. En la *Albury Street,* cerca de *St. Paul's,* se pueden ver unas filas de casas de las más hermosas y en mejor estado de conservación de principios del siglo XVIII. En la *St. Nicholas Church,* reedificada después de la segunda guerra mundial, una interesante pared de altar tallada por Gibbons. Thomas Archer construyó su obra maestra en Londres, la iglesia *St. Paul's.* La iglesia posee al N y al S increíbles escaleras, una antesala semicircular coronada por una torre redonda al O y en el E un ábside. En el interior, cubierto por un fantástico techo de estucados, columnas corintias separan la nave principal de las naves laterales, circundadas por galerías.

Downe: En la *Downe House* vivió y trabajó Charles Darwin (1809-1892). Aquí se pueden ver muestras y objetos alusivos al explorador y biólogo.

East Ham: Iglesia *St. Mary Magdalene,* posteriormente modificada, de procedencia normanda, con interesantes monumentos fúnebres del siglo XVII.

Eltham: Pueblo integrado en la actualidad en la zona SE de Londres. Aquí se conservan partes de tres edificios especialmente interesantes: *Well Hall* (Well Hall Road): restos de una casa de campo fortificada a principios del siglo XVI, con una fila de edificios construidos con ladrillo rojo de 1568. *Eltham Lodge* (Off Court Road), único edificio conocido finalizado por H. May (1663-1665). La casa posee una escalera increíblemente trabajada; actualmente es el edificio de la sede de un club de golf, *Eltham Palace:* Del antiguo y encantador castillo se conserva la gran sala de Enrique IV (1470-1480). Se destaca por el techo maravillosamente formado con vigas y los exquisitos ornamentos en las pilastras de contención.

Enfield: Iglesia parroquial *St. Andrew,* de los siglos XIII al XIV, con interesantes monumentos fúnebres. *Forty Hall:* Este encantador edificio fue construido para Sir Nicholas Rayton en el año 1632, que en aquel entonces era alcalde de Londres. Actualmente ha sido convertido en museo. Encantadoras casas antiguas en la *Gentlemen's Row.*

Fulham: En el mismo lugar del viejo mercado se encuentra actualmente una zona densamente edificada. Cerca de la iglesia, interesantes monumentos fúnebres, entre los que destaca el de *M. Legh* († 1605); la finaa está sentada con sus dos hijos de corta edad en los brazos. Encantadoras casas de pobres en *Seddon* (1869). De las antiguas y numerosas casas feudales a orillas del río se conserva, aparte de *Hurlingham House,* el *Fullham Palace.* La sede de los obispos de Londres data, esencialmente, del siglo XVI y fue modificada en diversas ocasiones. En el patio (1500-1520), bonito mosaico de rombos. Sobre la pintoresca sala de entrada, una bonita ventana con balcón. La casa y las colecciones que en ella se encuentran serán abiertas al público.

Greenwich: Este pequeño pueblo pesquero fue de gran importancia en el siglo XV. En aquel tiempo se construyó un palacio real que posteriormente fue ampliado; este era uno de los lugares preferidos de Enrique VIII, el cual, al igual que las reinas María I e Isabel I, era nativo del lugar. En el siglo XVII se sustituyeron los edificios de los Tudor por la morada de la reina y el *Naval Hospital.* Con el

Ham House (London)

tiempo adquirió Greenwich mayor independencia de Londres que ningún otro distrito. Sus calles datan de los siglos XVII y XVIII. Además del hospital se conservan dos construcciones importantes de Wren: el *Moderne College* (fundado en 1695) y un grupo de *casas de la caridad,* que son un ejemplo de la arquitectura doméstica de Wren. La sección central del *Royal Observatory* (observatorio) fue construida en 1675-1676 para el astrólogo real. Aquí se exhibe hoy una muestra de instrumentos científicos. Los edificios más interesantes de Greenwich se encuentran en *Croom's Hill* o en sus proximidades. Junto a otras pintorescas construcciones georgianas citamos: El *Presbyterium,* un edificio bien conservado de 1630; *The Grange* (siglos XVII al XVIII), y una mansión señorial de 1700. Al O del hospital se encuentra *Vanbrugh's Castle,* construido de 1717 a 1726 por el arquitecto J. Vanburgh para su uso personal. *The Paragon* (Blackheath) es una encantadora construcción en forma de media luna del siglo XVIII. El Ayuntamiento es un perfecto ejemplo de la arquitectura en ladrillo; data del año 1939 y es de construcción moderna; el estilo del edificio está influenciado por el estilo holandés. *Parish Church of St. Alfrege:* Esta impresionante construcción fue edificada por Haksmoor y James en los años 1711-1714. La torre data de 1730. El increíble interior está recubierto por un bonito techo estucado. *Queen's House* (actualmente National Maritim Museum): El edificio fue construido por I. Jones en los años 1616-1637 y es una obra maestra de la arquitectura inglesa; en la época en que se construyó el edificio se introducía en Inglaterra el estilo Palladio. En el interior una sala totalmente cúbica. La escalera principal (también llamada, por la forma de la barandilla, Tulip Stair Case) es de recorrido circular hasta el techo. El museo expone material sobre la marina inglesa. *Royal Naval Hospital* (actualmente Royal Naval College): Una parte de la construcción fue edificada en 1664 por J. Webb, después de la demolición de los edificios Tudor. A finales del siglo XVII María II edificó aquí una construcción paralela al *Chelsea Royal Hospital,* un asilo para marinos retirados. Ch. Wren también contribuyó en la construcción; con la ayuda de Hawksmoor y Vanburgh comenzó, en 1968, este fantástico conjunto. Está compuesto por dos alas muy separadas en el lado del río y otras dos más juntas en la parte trasera; dos pabellones recubiertos de cúpulas concluyen la construcción. La *Painted Hall,* de 1703, con el gran fresco en el techo de J. Thornhills, que honra a *Guillermo* y *María,* es una de las salas barrocas de mayor belleza en Inglaterra. El espacio de la capilla fue renovado por Sr. y

Hampton Court (London). Vista del parque

Hampton Court (London). Tudor-Tor

W. Newton en el año 1779, en estilo griego, después de un devastador incendio; la construcción también es una muestra ejemplar de la arquitectura de la época. *The Ranger's House:* La casa, construida a principios del siglo XVIII y ampliada en 1750 por el *Earl of Chesterfield,* alberga una suite con tres grandes salas de baile en la parte S, una galería y una maravillosa escalera. También de interés, en el interior, una colección de retratos (obras de W. Larkins y otros).

Ham House: El *Duke of Lauderdale,* favorito de Carlos II, hizo reedificar el edificio a finales del siglo XVII, convirtiéndolo, con la ayuda de arquitectos de renombre, en una auténtica joya del barroco (alrededor de 1610). Actualmente, en el *Victoria and Albert Museum* se pueden admirar obras de las escuelas flamenca, holandesa e italiana. También se puede admirar una increíble colección de miniaturas, valiosos trajes, tapices y mobiliario.

Hampton Court: El cardenal Thomas Wolsey (1475-1530) hizo edificar este encantador castillo como residencia particular a partir del año 1514. Posteriormente obsequió a Enrique VIII la construcción para conseguir favores. El rey hizo ampliar la casa señorial en los años 1531-1536, recubriendo la *Great Hall* de estucados, ampliando la decoración de la capilla e instalando un campo de tenis. El reloj astronómico en el *Clock Yard,* data de 1540. Es un claro ejemplo de la riqueza de la época la fachada O, que se conserva en estilo Tudor. A partir de 1689 Ch. Wren se convirtió en arquitecto real, renovó la parte E en estilo renacentista, creó la *Fountain Court* y la *Cartoon Gallery,* renovó las instalaciones de la capilla, en la que G. Gibbons se encargó de las fantásticas tallas de madera. También acondicionó los gabinetes del Estado, en los que se exponen en la actualidad lienzos de Thornhills y Laguerre, así como obras de Gibbons, Cibber y Nost. Los exquisitos trabajos de forja fueron realizados por el francés Tijou. En el castillo se pueden ver maravillosos tapices de pared, relojes, mobiliario y otros interesantes objetos decorativos. Merece la pena dar

Kew (London). Jardín botánico

un paseo por el «jardín-laberinto», a través de los bonitos jardines.

Harefield: En este lugar se encuentra la *Church of St. Mary*, con increíbles monumentos fúnebres del siglo XVII, entre ellos el de *G. Gibbons* y *J. Bacon* y el de la *Countess of Derby*, que financió el asilo que se encuentra cerca de la iglesia.

Harlington: Iglesia *St. Peter and Paul*, con materiales de construcción procedentes de los siglos XII al XV.

Harrow: *Church of St. Mary*, de los siglos XI al XV, con bonitos monumentos fúnebres, entre ellos el de J. Flaxman, de 1815, para *John Lyon*, fundador de la escuela adyacente.

Hendon: *Hendon Hall* fue, en la antigüedad, vivienda del célebre representante de las obras del dramático Shakespeare, David Garrick (1717-1779).

Hillingdon: La *Church of St. John the Baptist* data del siglo XIV; la construcción fue transformada por Scott en el siglo XIX; contiene interesantes monumentos fúnebres.

Islington: Esta población se desarrolló rápidamente por encontrarse cerca de la ciudad de Londres; no obstante, decayó con rapidez y, en la actualidad, es una zona residencial de lujo. Se conservan numerosas terrazas de bonitas casas y palacios del siglo XVIII y principios del XIX, como, por ejemplo, *Coolebrooke Row*, del siglo XVIII; el elegante *Canonbury Square*, bonito edificio de 1770, así como su original ejemplo de estucado Tudor de R. C. Carpenter (1842-1845) en el *Lonsdale Square Canonbury Tower;* la torre y los edificios vecinos son restos de un viejo convento reedificado por Sir John Spencer, alcalde de Londres de finales del siglo XVI, para ser utilizado como vivienda. En el interior, salones con enmaderados isabelinos y bonitos estucados.

Kew: La iglesia parroquial y las casas de los alrededores datan del siglo XVIII. En el año 1759 la princesa Augusta hizo instalar jardines realizados por C. Brown (Botanic Gardens). Éstos fueron abiertos al público en el año 1841 y, actualmente, es el mayor jardín botánico de Londres, con más de 45 000 variedades de plantas. En el jardín botánico se realizan algunos experimentos científicos. También se puede visitar una colección de maderas, un herbario y una extensa biblioteca especializada. En el año 1761 W. Chamber construyó la torre china, los restantes pabellones y pequeños templos. El *Palm House* es una bonita construcción de cristal, obra de D. Burton (1844-1848). El *Dutch House,* con su instalación interior original del siglo XVII, fue lugar favorito de Jorge III; la reina Victoria adoraba el hermoso *Queen's Cottage,* del siglo XVIII.

Kingston upon Thames: Sobre el *Coronation Stone,* delante del edificio del Ayuntamiento, del siglo XX, fueron coronados numerosos reyes sajones.

Osterley Park House: En el siglo XVI Sir Thomas Gresham (1519-1579), fundador de la *Royal Exchange,* hizo edificar una casa. El edificio actual, con pórtico de columnas jónicas, al que se accede por una escalera libre con torres esquineras y balaustradas en la parte superior, fue construido por R. Adam en los años 1761-1780, el cual también creó los fascinantes estucados en el interior. Se conservan la mayoría de los muebles, en parte obras maestras de la época del neoclasicismo, numerosos lienzos y hermosos tapices y alfombras del siglo XVIII.

Paddington: Exceptuando la pequeña iglesia de *Paddington Green,* cerca de la autovía (estación terminal de la primera línea de autobuses londinenses), no quedan restos de este pueblo del siglo XVIII, que se encontró antiguamente sobre este terreno. La autovía, el ferrocarril (la Paddington Station, construida por J. K. Brunel en 1850, fue estación terminal de la Great Western Railway) y el canal favorecieron la construcción de bonitas casas estucadas de estilo victoriano (por ejemplo, Little Venice, en la Blomfield Road, junto al canal), en las que antiguamente habitaron miembros de la alta sociedad. Con el tiempo, no obstante, han decaído mucho; a menudo fueron sustituidas por casas de madera. De las numerosas iglesias del siglo XIX, dos son de especial interés. *St. Augustine* (Kilburn Park Road): El exterior de la iglesia, construido con ladrillo rojo por J. L. Pearson en los años 1870-1880, es dominado por la torre de 75 m de altura. El espacio interior está decorado con un inmejorable buen gusto. Las naves adyacentes contienen una galería y en el crucero los techos son nervados. Una gran verja con un crucifijo separa el coro y el corredor de rezos de la nave principal. Aquí se pueden admirar numerosas pinturas murales; por ejemplo, en el crucero N, pinturas de los artistas renacentistas italianos Crivelli, Filippo Lippi, Tiziano y otros. *St. Mary Magdalene* (Woodchester Street): G. E. Street edificó esta iglesia con mosaico de ladrillo y

Richmond upon Thames (London). Parque de Richmond

piedra, y su encantadora torre y el ábside poligonal. En el interior, altas claraboyas y el techo enmaderado. En la cripta, bonitas tallas policromadas de Compers.

Petersham: Pueblo georgiano con encantadoras casas de los siglos XVII y XVIII y una iglesia con material de construcción de los siglos XIII, XVIII y XIX.

Richmond upon Thames: Del palacio en el que falleció Isabel I, en el año 1603, sólo quedan unos pocos restos. En la *Maids of Honor Row* se encuentran bonitas casas del siglo XVIII, donde habitaban nobles. *Richmond Park* fue erigido en el siglo XVII por Carlos I como parque natural; es uno de los más hermosos del país, con antiquísimos árboles, lagos y casas señoriales.

Roehampton: Hasta hace poco tiempo *Roehampton* ha mantenido su aspectos rústico. Sus casas y villas georgianas fueron transformadas en edificios públicos. Actualmente *Roehampton Lane* es una de las más importantes carreteras de paso dominada desde *Roehampton Estate* (1955-1960) Modernos bloques de viviendas se elevan sobre el *Richmond Park* y están situados en medio de zonas verdes. De las antiguas villas se conservan *Manresa House* (1750, de Chambers), el antiguo colegio jesuita, de estilo Palladio, con techos estucados y capilla; en la actualidad el edificio es utilizado como escuela. *Mount Clare,* villa de estilo Palladio de 1722-1780, con escalera arqueada que conduce al pórtico dórico, *Devonshire House* (actualmente Garnett College), casa de ladrillo rojo edificada por Bettingham alrededor de 1770, con un bonito jardín y casita adjunta. *Roehampton House,* de 1710-1712, construida por Archer, ampliada posteriormente por Lutyens, actualmente es el *Queen Mary Hospital.* Otras tres casas georgianas son utilizadas por el *Instituto Froebel.*

Syon House: Este edificio, construido en 1415, fue transformado en el siglo XVII por I. Jones; la decoración interior de los salones es obra de R. Adam. Aquí se pueden admirar increíbles muebles antiguos y una interesante colección de pinturas. Los jardines alrededor del edificio son obra de Capability Brown.

Twickenham: En la localidad donde falleció el poeta Alexander Pope (1688-1744) se conservan encantadoras casas de los siglos XVII y XVIII. La bonita vivienda neogótica sobre el *Strawberry Hill* fue edificada, a partir de 1748, por orden del escritor Horace Walpole (1717-1797).

Wimbledon Common: Este lugar es mundialmente conocido por los campeonatos de tenis que aquí se celebran; aquí se halla la fortificación conocida por el nombre de *Cesar's Camp* que data, supuestamente, de la Edad del Hierro.

Woolwich: Enrique VIII hizo instalar aquí un punto estratégico de la marina; *Woolwich* fue durante un largo período base militar con el *Royal Dockyard,* el gran arsenal (cerrado desde 1963), edificado en parte por Vanburg. También se encuentra aquí la *Royal Artillery Academy* y la *Royal Artillery Barracks,* con un frente de 300 m de longitud. Dos importantes construcciones nuevas son *el Thames Barrage* (1872-1884), que salvaguarda a Londres de posibles inundaciones, y la nueva ciudad *Thames-mead* (comenzada en 1972), que puede albergar a unos 50 000 habitantes. *The Rotunda* es una construcción en forma de circo, con «techo chino». La erigió J. Nash en el *St. James' Park* para celebrar, prematuramente, la victoria de los aliados sobre Napoleón. Fue instalada de nuevo en *Woolwich* en 1819; se exponen en el «circo» piezas del *Royal Artillery Museum:* el resto de objetos se halla en la *Royal Military Academy.*

Syon House (London).

Londonderry/Derry

Londonderry/Irlanda del N. Pág. 326 □ D 9

Esta importante ciudad industrial y portuaria, situada en la desembocadura del río *Foyle* a la bahía del mismo nombre (Lough Foyle), es la segunda ciudad más grande del Norte de Irlanda (unos 55 000 hab.).

Historia: La colonia celta *Derry* se creó alrededor de una antigua fundación conventual erigida por St. Columba (St. Columbkill) en el 546. En los siglos IX y X sufrió numerosos ataques vikingos. Jaime I denominó a la ciudad «London Derry», en 1613. De esta época datan las fortificaciones, que se conservan en bastante buen estado; algunas de ellas soportaron los ataques de Jaime II en 1688. Sobre una placa de 1633, existente en la catedral de *St. Columba,* están inscritas estas palabras: «Si las piedras hablaran, alabarían a Londres por permitir que se levantasen esta ciudad y esta catedral». Del eterno conflicto entre los fundadores irlandeses y los «Planters» anglo-escoceses se originaron duras batallas y las tiranteces mantenidas hasta la actualidad en la ciudad.

St. Columb's Cathedral: La iglesia protestante data de los años 1628-1633; es del mismo estilo gótico que la «Planter's Gothic», aunque posee algunos elementos renacentistas. A la iglesia, de una sola nave, se le añadió en 1885-1887 un coro. En la sala capitular se pueden ver objetos alusivos a la historia de la ciudad.

Muros de la ciudad: La fortificación posee numerosos pórticos, en buen estado de conservación, circundantes al núcleo antiguo de la ciudad, junto al monte del río *Foyle;* fue financiada por el consejo de la ciudad londinense en el siglo XVII. Son de especial interés los cuatro viejos pórticos: *Butcher's Gate, Ferryquay Gate, Shipquay Gate* (el más bonito) y el *Bishop's Gate,* también, los muros al N, el *Double Bastion,* con protección de artillería, de 1642 (Roaring Meg), y el *Royal Bastion,* con el monumento al defensor de la ciudad, de 1688, *George Walker* (Walker Monument).

Otros lugares de interés: La iglesia católica *St. Columba* fue edificada en el año 1873 en estilo neogótico. En este lugar se erigió otra iglesia en 1164 (destruida en 1566), cerca de «Kalvarienberg», donde existía una roca supuestamente utilizada por Columba para orar. No lejos de la plaza central *Diamond,* con un imponente monumento bélico de 1962, se encuentra el Palacio de Justicia, de estilo clásico (Court House, de 1813), y la neogótica *Guild Hall,* de 1912, con un bonito «salón de reuniones» (ventanas decoradas). La *Magee University,* junto al río *Foyle,* es de estilo neogótico (1865).

Loughrea

Galway/Irlanda Pág. 326 □ C 12

Esta pequeña localidad, situada junto al lago del mismo nombre, *Lough Rea,* posee las ruinas de una abadía carmelitana fundada alrededor de 1300. En una vieja torre (town gate) del siglo XV (cerca de la catedral) se encuentra un museo dedicado al arte sacro (Edad Media). Es interesante la *St. Brendan's Cathedral,* de estilo neogótico, edificada alrededor de 1900, con importantes piezas del arte sacro irlandés (artesanía en vidrio).

Alrededores

Athenry (15 km NO): Este lugar, que en gaélico significa «camino de reyes» (Ath-an-Riogh), contiene interesantes restos: el *Athenry Castle,* con cementerio y muros exteriores (camino del pórtico gótico), data del siglo XIII. También se conservan partes de los muros de la ciudad (cinco torres y el pórtico principal), de alrededor de 1312. Las ruinas de la iglesia del antiguo convento dominicano (Dominican Friary), con numerosos monumentos fúnebres de interés de los siglos XIII al XV, datan del año 1241. La iglesia parroquial protestante fue construida sobre la iglesia medieval *St. Mary Church,* del siglo XIII.

Turoe Stone (6 km NE): Esta famosa piedra está decorada con ornamentaciones y data de la época temprano-céltica, la Edad del Hierro La-Téne (300 a. de J. C.).

Louth

Linconshire/Inglaterra Pág. 328 □ K 12

St. James: Esta iglesia fue renovada en el siglo XV en estilo tardío gótico; en el siglo XIX fue restaurada por J. Fowler; es de especial interés la famosa torre puntiaguda (1509; altura, 100 m). En el interior, bonitas tallas de madera.

Otros lugares de interés: Ruinas de la abadía cisterciense, de 1139 (Louth Park). *Cromwell House,* de 1600. *Mansion House,* de finales del siglo XVIII. *Thorpe Hall,* de 1584 (reformada en el siglo XVIII; bonitas terrazas del Renacimiento). Viejos almacenes al final del canal de navegación del lago (desemboca en Grimsby al mar). Núcleo de la ciudad antigua, con bonitas casas del Renacimiento.

Alrededores

Addlethorpe (27 km SE): Iglesia *St. Nicholas,* del siglo XV. En el interior, bonitos restos de ventanas de vidrio emplomado e interesantes tallas de madera.

Alford (17 km SE): Iglesia *St. Wilfrid,* del siglo XIV, restaurada por Sir Gilbert Scott. De especial interés es la antesala S.

Bag Enderby (15 km S): Iglesia *St Margaret* (en esencia de estilo gótico, del siglo IV; en el siglo XV fue ampliada; bonita pila bautismal gótica, con la representación de la Pietá).

Burgh-le-Marsh (28 km SE): En el museo de molinos de este lugar se puede ver un antiguo molino en funcionamiento.

Gunby Hall (24 km SE): Casa feudal edificada en 1700 con ladrillo de estilo renacentista. En el interior, de especial interés, la caja de la escalera, finos enmaderados y valiosas pinturas, entre ellas obras de Reynolds.

Horncastle (20 km SO): Este lugar se encuentra en el antiguo *Banovallum* románico (se conservan restos de los muros), con centro en la antigua villa, en buen estado de conservación; en la iglesia *St. Mary* son de especial interés los monumentos fúnebres de la familia *Dymoke.*

Ingoldmells (28 km SE): Iglesia *SS. Peter and Paul,* con bonita antesala gótica; en el interior, un monumento fúnebre del siglo XVI.

Old Bolingbroke (25 km S): Lugar natal de Enrique IV (1367-1413); restos del castillo del *Conde de Lincoln;* también de especial interés, la iglesia parroquial.

Saltfleetby All Saints (12 km NE): Aquí se encuentra la iglesia *All Saints* (en su origen románica, posteriormente fue transformada); la torre es neogótica, con punta del siglo XV. En el interior es de interés, entre otras cosas, el púlpito del Renacimiento.

Scrivelsby Court (22 km SO): Antigua sede de la saga *Dymoke* (poseía el cargo de «Champion of England»); se conserva la *Lion Gate.*

Somersby (14 km S): Señorío edificado como fortaleza, según planos de John Vanburgh, en el año 1722.

Splisby (25 km SE): Lugar natal del descubridor John Franklin (su estatua se encuentra en la plaza del mercado); en el interior de la iglesia *St. James,* interesantes monumentos fúnebres de la familia *Willoughby,* de los siglos XIV al XVII.

Theddlethorpe (15 km E): Iglesia *All Saints,* de finales del siglo XIV (se conservan restos de la antigua arquitectura); en el interior, bonitas ventanas góticas y restos de pinturas sobre vidrio; también una pared divisoria del coro de finales del gótico.

Ludlow

Salop/Inglaterra Pág. 328 □ H 14

Esta pequeña ciudad, enclavada en el punto donde afluyen los ríos *Teme* y *Corve,* creció en el siglo XII alrededor de una fortaleza normanda. El lugar jamás sufrió destrozos importantes; así, se conservan numerosas casas antiguas (hasta del Renacimiento).

Church of St. Laurence: La gran iglesia parroquial fue comenzada en el año

1199; fue finalizada en el siglo XIV. En el siglo XIX fue ampliamente restaurada por Sir Gilbert Scott y Sir Arthur Bloomfield; no obstante, se conservan muchas piezas de la época original de construcción. Es de especial interés la vidriera policromada de la pared E, del siglo XV, así como otro gran ventanal en la *Lady Chapel,* del siglo XIV, con el árbol genealógico de Jesé. Las misericordias son de especial belleza, así como las partes talladas de la sillería del coro y las sillas plegables. Al encontrarse éstas cubiertas, los artesanos trabajaron con más libertad, tallando otros motivos que los usuales eclesiásticos; datan, al igual que la sillería, del siglo XIV.

Ludlow Castle: Fue edificado a partir de 1085 por Robert de Lacy como fortificación fronteriza contra los galeses. En los siglos XIII y XIV la edificación fue ampliada, convirtiéndose en un espectacular castillo. A principios del siglo XIV la fortaleza fue propiedad de Roger Mortimer, el cual ayudó a su amante, la reina Isabel, a asesinar a su esposo, el rey Eduardo II (1327). En el año 1646 el edificio fue conquistado por el partido del Parlamento; a partir del siglo XVIII decayó. Se conserva la capilla circular *St. Magdalene,* de estilo normando, así como algunas salas góticas de los siglos XIII y XIV. La parte más antigua del castillo que se conserva es la torre de vigilancia normanda, de unos 20 m de altura. La *Mortimer's Tower* data del siglo XIII. En ella estuvo prisionero *Hugh de Mortimer,* enemigo de Enrique II. Al NO se encuentra la habitación donde falleció el príncipe Arturo, hermano mayor de Enrique VIII, que falleció en 1502, sólo un año después de su boda con Catalina de Aragón. Su corazón fue enterrado en la iglesia *St. Laurence.*

Otros lugares de interés: *Reader's House* es un bonito ejemplo de la arquitectura de principios del Renacimiento; la entrada es de la época jacobina. Antiguamente la casa, del siglo XIV, era denominada *Church House* de los «Palmers' Guild» y era utilizada como centro de reunión. *Feathers Hotel* data del siglo XV e impresiona por los techos picapedreados, los enmaderados tallados y las excelentes pinturas murales. El *Geological Museum* expone una gran colección de fósiles y piedras de *Salop,* así como de otros condados.

Ludlow. Castle, torre defensiva

Alrededores

Croft Castle (16 km SO): La residencia de la familia *Croft of Domesday* (hasta 1957) se edificó alrededor de 1400 con cuatro torres esquineras de piedra rojiza. A mediados del siglo XVII fue modificado, con excepción de las torres esquineras; el interior es interesante (siglos XVII y XVIII).

Stokesay (15 km NO): La *Church of St. John the Baptist* data de la época normanda; fue renovada en el siglo XVII, después de su casi total destrucción en la guerra civil. *Stokesay Castel* es una bonita casa fortificada con muro y fosa. En el siglo XII fue propiedad de la familia *Saye;* en 1281 se apoderó de ella *Laurence de Ludlow,* cuya familia es la actual propietaria. De 1627 a 1869 fue propiedad de los *Lords of Graven;* desde entonces es la residencia de los *Allcrofts*. Las partes más antiguas son dos torres (1115 y 1291) y la sala principal de 1284.

Luton

Bedforshire/Inglaterra Pág. 332 ⊡ K 14

Esta ciudad industrial, al S del Condado, produce ropa y sombreros.

Church of St. Mary: La iglesia, con planta en forma de cruz, del siglo XIII, parece desfasada en medio de la zona industrial de la localidad. La torre de la iglesia gótica fue edificada en el siglo XIV; en el siglo XV el edificio fue ampliado. El interior impresiona por la pureza de su estilo y las valiosas y bonitas piezas. La más antigua es una pila bautismal del siglo XIII; la más hermosa, una pila del siglo XIV, octogonal, trabajada en piedra de una sola pieza, y donada por Philippa of Hainault. La *Wenlock Chapel* fue edificada en el año 1461. Esta capilla posee una bonita reja de coro de madera tallada y un doble arco de triunfo. El monumento fúnebre con los restos mortales de William Wenlock († 1392) fue trasladado de la iglesia a la capilla cuando ésta estuvo finalizada. En el año 1492 se construyó, en la parte S del presbiterio, la pequeña capilla *Barnard.*

Museum and Art Gallery: Se encuentra en una casa victoriana y contiene colecciones alusivas a la historia local, al arte en general y a la población, así como a la moda. Otra colección ilustra la historia referente al procesado de la paja.

Ludlow. Castle, capilla circular

Alrededores

Flamstead (7 km S): La *Church of St. Leonard* es normanda y fue edificada a mediados del siglo XII. Las arcadas normandas descansan sobre los bellísimos capiteles. Los frescos restaurados, originarios de los siglos XII y XV, muestran a Cristo triunfante, la Santísima Trinidad y escenas de la Pasión. Las pinturas son obra de William Stauton y John Flaxman.

Luton Hoo (4 km S): La casa se encuentra en un gran parque creado por *Capability Brown.* Fue construida por Robert Adam en los años 1767-1774 y finalizada en 1816 por Smirke. En 1843 un incendio destruyó el edificio casi por completo; fue reedificado en los años 1903-1907. Actualmente alberga la colección *Wernher,* con sus exóticos tesoros, pinturas, tapices, porcelanas, trabajos de bronce de la Edad Media y artesanía de marfil, así como valiosos objetos de oro de diversos siglos (figuras de porcelana de *Chelsza,* del siglo XVIII y un armario relicadio de finales del siglo XV). La antigua capilla de la casa se convirtió en galería, en la que se pueden admirar actualmente obras de Tiziano, así como el famoso *St. Michael,* de Bartolomé Bermejo, del año 1470.

Lyme Regis. The Cobb

Lyme Regis

Dorset/Inglaterra Pág. 332 □ G-H 16

Este romántico pueblecito de pescadores es de predominante estilo Regency. En el viejo muelle de piedra, llamado «The Cobb» atracó en su época (1685) el Duke of Monmouth. En este lugar se suicidó Louisa de Musgrove, tirándose al agua (1818), en la famosa historia de amor de Jane Austens, «Persuasión».

Church of St. Michael: De la iglesia, originalmente normanda, quedan pocos restos. Se conserva la parte S de la nave, que actualmene forma la entrada O. La actual iglesia data de alrededor de 1500 y sus paredes están decoradas con numerosos monumentos fúnebres. El hermoso púlpito data de 1613; un impresionante tapiz del siglo XVI recuerda la boda del príncipe Arturo y Catalina de Aragón.

Philpot Museum: En este museo se exponen piezas referentes a la historia local y geológicas.

Alrededores

Forde Abbey (20 km N): Esta abadía fue fundada por los monjes cistercienses de *Waverley,* en 1138. Su último abad, Thomas Chard, la había transformado en residencia en la época que Enrique VIII hizo disolver los conventos. En el año 1649 el funcionario general del Estado de Cromwell, Sir Edmund Prideaux, adquirió la construcción y la hizo ampliar. Del primer convento se conservan la sala capitular (del siglo XII, en la que Thomas Chard hizo construir una capilla), así como el dormitorio y la cripta que se encuentran debajo (ambos del siglo XIII). La torre en la entrada, la *Abbot's Hall,* así como el *Vía Crucis,* son de finales del gótico y fueron edificados por Thomas Chard. Las piezas más valiosas de la instalación interior son los tapices, que fueron tejidos en tiempos de Carlos I, según diseños de Raffael, en Bruselas.

M

Macclesfield

Cheshire/Inglaterra Pág. 328 □ H 12

Macclesfield es la capital inglesa de la industria de la seda.

Church of St. Michael: Esta iglesia fue renovada en 1738 y, posteriormente, en los años 1898-1901; sigue siendo muy interesante por sus monumentos fúnebres decorados con imágenes; los más antiguos datan del siglo XV. Uno de los más bonitos es el de Thomas, *Earl Rivers of Rock Savage.* El monumento barroco data de 1696 y contiene, sobre la figura del Conde, un baldaquín de mármol en forma de cortina, que es soportado por columnas corintias. Sobre una placa de mármol, inscripciones que resumen las propiedades del Conde y de sus dos esposas.

West Park Museum: Este museo, edificado en el año 1898, alberga en su interior una amplia colección de antigüedades egipcias, pintura victoriana, así como hallazgos y muestras referentes a la historia local.

Alrededores

Lyme Park (15 km NE): El conjunto, propiedad de la familia *Legh* de 1397 a 1947, tiene como centro una villa isabelina, la cual fue modificada por Giacomo Leoni en 1720. Únicamente la gran galería no fue transformada. En el interior, bonitas tallas de madera, tapices y sillas *Chippendale.* La casa está rodeada por un precioso jardín y un gran parque.

Maidenhead

Berkshire/Inglaterra Pág. 332 □ K 15

El antiguo puesto de correos, junto al Támesis, fue un apreciado lugar vacacional de la población londinense. El puente del ferrocarril, finalizado en el año 1838, tiene varios arcos con una luz de unos 40 metros. Éstos son los arcos de mayor tamaño construidos con ladrillo.

Henry Reitlinger Bequest: Esta casa, típicamente eduardiana, contiene una interesante y amplia colección de porcelana oriental.

Alrededores

Shottesbrook (8 km SO): La *Church of St. John the Baptist* es de estilo temprano-gótico y su planta tiene forma de cruz, con torre central. En el crucero N se encuentran dos monumentos fúnebres del siglo XIV; debajo, el de *Sir William Trusell,* el fundador de la iglesia. Se conservan restos de vidrios emplomados del siglo XIV. La pila bautismal también data del siglo XIV.

Dorney Court (4 km E): La *Church of St. James* data de la época normanda. La torre O fue edificada durante el Renacimiento en estilo Tudor y la sala de entrada data de 1661. La sillería del coro es, en parte, del siglo XVI; el púlpito, de 1650; la pila bautismal, del siglo XII. El monumento fúnebre de *Sir William Garrard* y su esposa es de alabastro y fue creado en 1607.

Maidstone

Kent/Inglaterra Pág. 332 □ L 15

La ciudad fue, primeramente, colonización romana; posteriormente fue sajona. Es mencionada en el «Domesday Book». El habitante más famoso de la localidad, actualmente todavía en plena creación, fue el ensayista y crítico William Hazlitt (1778-1830).

All Saints Church: Fue edificada en el siglo XIV con piedra de grava en estilo perpendicular decorated; la pila bautismal es jacobina y en el interior de la iglesia se encuentran algunos interesantes monumentos fúnebres del siglo XIX, así como hermosísimas ventanas del siglo XVIII. Una placa conmemorativa en la entrada recuerda a *Laurence Washington*, tío-abuelo de George Washington; la tumba se encuentra en el cementerio adyacente.

Maidstone. All Saints Church

Palacio arzobispal: El palacio está al lado de la *All Saints Church*. Fue propiedad arzobispal de *Canterbury* hasta el reinado de Enrique VIII y data del siglo XIV. Las naves fueron edificadas en la época Tudor; es de especial interés la *Banqueting Hall,* con preciosos enmaderados.

St. Peter's Chapel: Capilla de peregrinos creada en el siglo XIII y de original construcción.

Chillington Manor: Casa de la época Tudor. Se pueden contemplar en esta casa exponentes sobre la historia de Kent, entre ellos el modelo de la villa romana de *Lullingstone;* también se halla aquí el museo del Regimiento del O de Kent.

Tyrwitt Drake Museum of Carriages: En *Tithe Barn,* del siglo XIV, se encuentra el mayor museo de carruajes y medios de transporte de Inglaterra.

Otros lugares de interés: En la ciudad se pueden visitar numerosos parques, como, por ejemplo, *Mote Park,* con un gran lago, y la *Mote House,* del siglo XVIII. Los edificios modernos más bonitos son el longitudinal *County Hall* y el *Kent County Council Library,* de doce pisos.

Alrededores

Allington Castle (3 km NE): Esta fantástica fortaleza data del siglo XIII y fue propiedad de Sir James Wyatt y de su familia hasta la guerra; actualmente ha sido convertida en convento carmelitano. En la capilla, algunas bellas esculturas. En el castillo, una amplia colección de cuadros religiosos e iconos.

Aylesford (5 km NO): Fundación del siglo XIII, con Vía Crucis edificado posteriormente y numerosas esculturas y cerámicas.
Boughton Monchelsea Place (5 km S): Casa de estilo Tudor, de 1570, con bonitos tapices murales.
Kit's Coty House (5,2 km N): Restos de un interesante túmulo encontrado en Kent de principios de la Edad de Piedra. Las cámaras sepulcrales se hallan excavadas en el montículo.
Leeds Castle (10,5 km SE): El «castillo más hermoso del mundo» está situado en un lugar encantador en medio de un lago y fue edificado en el siglo XII.
Loose (3,5 km S): *Wool House* es una casa de paredes entramadas del siglo XVI.
Old Soar Manor (14 km O): Restos de un señorío medieval.
Otham (3 km S): *Stoneacre*, casa de campo típica de finales del siglo XV, situada en un precioso paisaje.

Maldon

Essex/Inglaterra Pág. 332 □ L 15

Esta pequeña ciudad portuaria, junto al *Blackwater*, data del siglo XII e impresiona actualmente por sus pintorescas casas, como, por ejemplo, el *Boar Hotel*, del siglo XV.

Church of All Saints: Data del siglo XIII; en los siglos posteriores fue modificada y ampliada en numerosas ocasiones. De interés, la torre tempranogótica, con punta sexagonal, y la cripta. La nave lateral S data del siglo XIV; la nave principal, de estilo gótico, fue finalizada en el año 1728 (construcción de ladrillo). Diversos monumentos fúnebres datan del siglo XVII.
Existe una bonita ventana policromada dedicada al tatarabuelo de George Washington. El emplomado data del año 1928.

Beeleigh Abbey: Esta abadía fue fundada en 1180 por los monjes premonstratenses. Después de la disolución conventual la edificación pasó a ser propiedad privada. Fueron construidos nuevos edificios y se demolió la iglesia conventual. Se conserva la sala capitular, las bóvedas en el sótano y los dormitorios edificados en el año 1250 y que contienen bonitas columnas de mármol Purbeck. Las ventanas de ambos edificios son originarias del siglo XV.

Maidstone. All Saints, vidriera O.

Detalle de los frescos

Moot Hall: Edificio de ladrillo del año 1435, denominado por su constructor *D'Arcy Tower*. Es de especial interés la torre de la escalera, así como la torre de defensa. La sala de entrada está decorada con columnas (siglo XIX).

Plume Library: Fue fundada por el doctor Plume, arzodecano de Rochester, en el año 1704, sobre los restos de la *St. Peter's Church*. La torre de la antigua iglesia es, en la actualidad, la entrada de la biblioteca.

Alrededores

Bradwell-on-Sea (33 km E): La *Church of St. Peter's-on-the-Wall* fue fundada por *St. Cedd,* obispo del E de Sajonia, y es una de las iglesias más antiguas de Inglaterra. Fue construida sobre las ruinas del campamento romano *Othona,* utilizando ladrillos romanos. Actualmente no se conserva la sala del altar, pero sí la nave, cuyo pórtico y ventanal O han sobrevivido al paso de los siglos sin percances

Tolleshunt (15 km NE): La *Church of St. Nicholas* data del siglo XV; la torre O está decorada con almenas y fue renovada parcialmente en el siglo XIX. Es de especial interés la colección de placas en el lado N de la capilla. La *Becklingham Hall* es interesante por su extraño muro de ladrillo, que rodea la casa de paredes entramadas del siglo XVI. En todas las esquinas del muro se encuentran pequeñas torres, al igual que en la caserna. El enmaderado de la *Great Hall* data del año 1546 y se encuentra actualmente en el *Victoria and Albert Museum,* en Londres.

Mallow

Cork/Irlanda Pág. 330 □ B 14

Esta pequeña ciudad agrícola (unos 5 500 hab.), junto al *Blackwater River,* posee bonitas casas y fortalezas de los siglos XVIII al XIX, época en la que la localidad era balneario. El *Mallow Castle,* de 1600, es una construcción rectangular con torres esquineras poligonales al N.

Alrededores

Ballybeg Abbey (10 km N): Ruinas del convento agustino, con preciosas ventanas en la parte O, que datan de 1229.

Buttevant (12 km N): Este convento franciscano fue edificado en el año 1251; se conservan las ruinas de la iglesia, con bonitas ventanas en el coro S.

Castletownroche (13 km E): Restos del convento agustino *Bridgetown Abbey,* del siglo XIII, y de la fortificación medieval *Castle Widenham.*

Dromaneen Castle: Las ruinas (alrededor de 1600) se encuentran a 4 km al O, junto al *Blackwater River* (edificación de defensa con torre).

Fermoy (29 km E): En la pequeña ciudad fundada por el escocés John Anderson en 1789 (iglesia de 1802), se encuentra el encantador *Castle Hyde,* del siglo XVIII; hacia el NO, el inmenso túmulo megalítico de *Labbacallee* y otros restos preshistóricos al S, en *Carntighernagh.*

Island (14 km S): A mitad de camino hacia *Cork,* la tumba megalítica, en buen estado de conservación, de *Island* (Gallery Grave). Data del siglo II a. de J. C.

Kanturk Castle (20 km NO): Ruinas de una fortaleza de 1601, con una interesante mezcla de los estilos gótico y Tudor (tiene planta rectangular con robustas torres cuadrangulares).

Liscarroll (20 km NO): Restos de un gran castillo del siglo XIII, con torres esquineras circulares y torres de vigilancia al S y al N.

Malmesbury

Wiltshire/Inglaterra Pág. 332 □ H 15

Esta pequeña ciudad, en la parte superior del *Avon,* conserva pocos restos de su antigua e importantísima abadía benedictina. En la Edad Media era una de las tres de más importancia del condado y una de las primeras fundaciones del país. Fue fundada en el año 680; en el 940 fue enterrado en ella el rey *Athelsham.* El famoso escrito «Gesta Regum Anglorum» fue creado dentro de los muros de esta fortaleza por el cronista William of Malmesbury, que también fue monje, profesor y, finalmente, abad de esta abadía. En el año 1413 fue enterrado aquí. La biblioteca de la abadía tuvo un rango importantísimo en la Europa de su época. Una pieza especialmente valiosa de la biblioteca es una biblia hermosísimamente ilustrada por artistas flamencos en 1407. Puede ser admirada en la cámara del tesoro sobre el pórtico de la iglesia La abadía tuvo un antecesor del «sastre de Ulm», cuando Elmer of Malmesbury intentó, en el siglo XI, volar saltando desde la torre de la abadía con unas alas hechas por él mismo.

Abbey Church: La gran iglesia de la abadía fue fundada de 1115 a 1239 y tenía la típica planta de todas las grandes abadías, con crucero, una gran torre central, el coro con nave y brazos, así como una torre en la fachada O. Todo esto fue destruido después de la Reforma; sólo quedó en pie la nave principal de la construcción normanda, ya que un rico comerciante la adquirió y obsequió a la comunidad el edificio para ser utilizado como iglesia parroquial. De esta manera se pudo conservar el pórtico S, de 1165, con fantástica ornamentación. Sólo le supera en belleza el tímpano con un Cristo en la Gloria. A ambos lados de las lunetas se encuentran sentados seis apóstoles, cada uno con un ángel volando sobre su cabeza. Las esculturas son, sin duda, una de las mejores obras del arte normando en Inglaterra.

Man

Isle of Man(I) Pág. 328 □ F 11

Esta apreciada isla vacacional, de unos 56 000 habitantes y 588 km², se encuentra en aguas irlandesas, entre Irlanda, Escocia e Inglaterra. La isla estuvo colonizada por un pueblo pesquero precelta en la época megalítica (alrededor de 2000 a. de J. C.). Posteriormente se instalaron aquí colonias celtas, como demuestran los hallazgos de la Edad del Hierro. Supuestamente, *St. Patrick* cristianizó, en el siglo V, a los habitantes de la isla. Más tarde sucedieron invasiones vikingas y normandas (inglesas). Actualmente la isla es un estado libre bajo la Corona inglesa, con Parlamento propio. El idioma celta, «Manx», ya no se habla prácticamente en la isla.

Malmesbury. Abbey Church, friso

Douglas (20 000 hab.): La capital de esta isla que alberga la sede del Parlamento (Legislative Building), es un famoso lugar vacacional. El *Manx Museum* (Finch Road) ofrece una amplia visión de la historia de la isla: colecciones prehistóricas y de la época temprano-celta, hallazgos vikingos y decoraciones tradicionales de casas (viviendas). Son de especial interés las medievales cruces «Manx».

Castletown: La medieval capital de la isla se encuentra al SO. La grandiosa fortaleza vikinga *Castle Rushen,* del siglo XIII, con muros en buen estado de conservación y torres, alberga interesantes objetos artísticos (entre otros, reloj de sol, cruces celtas). En el *Nautical Museum* (museo naval) se halla el yate «Peggy», de 1791, así como otros modelos de barcos y objetos varios de navegación. Merece la pena visitar también el Museo de la magia.

Alrededores

Ballasalla (3 km N): Ruinas del convento cisterciense, de 1134, *Rushen Abbey* (disuelto en 1540). Cerca, el *King William's College,* de 1668, con su bonita capilla.

Manchester. Catedral, vidriera N

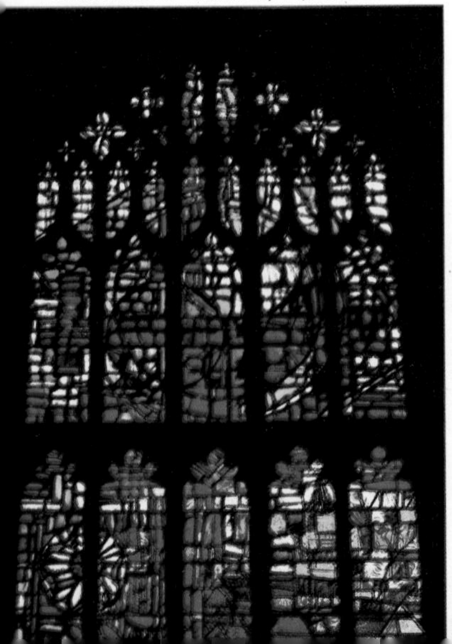

Peel (3 000 hab.): En el pequeño puerto pesquero, en el O de la isla, se encuentran los restos del impresionante *Peel Castle,* del siglo XIII, sobre la isla portuaria *St. Patrick.* El castillo, construido con ladrillo, se conserva en buen estado y está provisto con muros y torres. En el recinto del castillo, la interesante *St. Herman's Cathedral,* del siglo XIII, con coro gótico, y la *St. Patrick's Chapel,* más antigua todavía (siglos IX al X).

Alrededores

St. John's (4 km SE): En las cercanías se encuentra un cementerio prehistórico (Cairn). Aquí se proclaman cada 5 de julio, en la celebración *Tynwald* (Tynwald Hall), las leyes Manx, en idioma celta.

Port Erin: Este pequeño puerto posee una importante estación marina-biológica, con un interesante acuario marino. Cerca, sobre el *Mull Hill,* a unos 3 km al S, se hallan seis cámaras megalíticas (Tritaphe), llamadas *Mull Circle.* También de interés, el *Manx Village Folk Museum,* en el que se pueden ver antiguas cabañas (viviendas) reconstruidas y reproducciones de viejos talleres (herrería, tejeduría...).

Ramsey (4 600 hab.): Cerca del pequeño puerto pesquero se encuentra la interesante iglesia-cementerio de *Kirk Maughold,* del siglo XIII, con numerosas cruces celtas.

Manchester

Greater Manchester/Inglaterra Pág. 328 □ H 12

Ésta es una fundación romana (Mancunium) situada en un importante cruce de carreteras. En el siglo XVII se desarrolló y se convirtió en centro de la industria textil local. En el siglo XVIII, en el período de la Revolución Industrial, se convirtió en centro de la industria algodonera de Inglaterra (han sido criticados los métodos capitalistas utilizados en aquel entonces, el llamado «Manchesterismo»).

Cathedral (Victoria Street): La antigua iglesia parroquial, consagrada a *St. Mary, St. Denys* y *St. George,* es catedral desde el año 1847. La edificación data del siglo XV; es de estilo gótico-perpendicular y el material de construcción es básicamente el ladrillo. Después de terribles destrozos ocasionados por las bombas en la segunda guerra mundial fue reedificada. La edificación principal está compuesta por cinco naves (unos 73 m de largo y 37 m de ancho desproporcionadamente); la torre es cuadrangular y su altura es de unos 43 m. En el interior, de especial interés, la sillería del coro, ricamente decorada (en especial los baldaquines y las misericordias), y el techo; en la nave principal, el púlpito, increíblemente decorado con tallas. También, la *St. John's Chapel,* la *Lady Chapel* y la *Manchester Regimental Chapel* (de interés en estas capillas, las paredes divisorias de la nave principal).

Chetham's Hospital and Library (Long Millgate): Fue edificado en el siglo XV como escuela para niños impedidos. Se modificó en el año 1653. En la biblioteca, una valiosa colección (más de 80 000 tomos) de libros de los siglos XVI al XVIII. Esta biblioteca es la única institución abierta al público de este tipo en Inglaterra.

City Art Gallery (Morley Street): El museo se encuentra en un edificio de 1825-1829, del arquitecto que construyó el edificio del Parlamento en Londres, Charles Barry. La construcción se utiliza como museo desde el año 1882. Es de especial interés la galería de pintura (amplia colección de maestros ingleses desde el siglo XVI hasta la actualidad, incluyendo los prerrafaelistas, artistas flamencos del siglo XVII e impresionistas franceses). La colección de esculturas contiene obras de Henry Moore y Jacob Epstein.

Free Trade Hall (Peter Street): Fue construido en 1856 y reconstruido en 1951, con utilización de materiales originales; en la segunda guerra mundial sufrió grandes daños. La casa es sede de la *Hallé Orhestra,* una de las mejores orquestas sinfónicas de Inglaterra. La gran sala de conciertos, en el interior, puede albergar a más de 2 500 personas (largo, unos 40 m; ancho, unos 26 m; altura, unos 20 m).

John Ryland's University Library

Manchester. Catedral, sillería del coro

(Deansgate): Se creó en el año 1972 al integrarse la *Ryland's Library* en la biblioteca estatal de la universidad. Se encuentra en una construcción neogótica del año 1899. Las colecciones, famosas en todo el mundo, contienen manuscritos (entre ellos un evangelio de *St. John* de los siglos I-II). También alberga numerosos impresos antiguos, como, por ejemplo, las tres famosas biblias de Gutenberg.

Town Hall (Albert Square): Ayuntamiento de la ciudad, edificado por A. Waterhouse en estilo neogótico en los años 1868-1877; la torre del reloj tiene unos 93 m de altura. En el interior hay más de 300 salones, de los que son de especial interés las oficinas del alcalde y la gran sala, con 12 frescos de Ford Madox (imágenes sobre la historia de la ciudad).

University (Oxford Street): Edificada en 1870 en estilo neogótico de la época victoriana (imitación de prototipos franceses). En el *campus* universitario se encuentra el *Manchester Museum,* con colecciones referentes a la historia natural, arqueología (con sección egiptológica y numismática) y a la historia del pueblo. La *Whitworth Art Gallery* (al S del Manchester Museum) contiene una amplia colección de acuarelas y dibujos de los siglos XVIII al XX, en especial de William Turner y los prerrafaelistas, así como obras maestras de la pintura europea moderna (entre otros, Cézanne, Van Gogh, Gaugin, Klee, Picasso). También de interés, impresos y tallas de madera procedentes de todo el mundo, así como una colección de productos textiles (vestidos y tapices).

Otros lugares de interés: *St. Ann's Church,* del siglo XVIII (en el interior, interesantes tallas). *Royal Exchange* (Cross Street), de 1869, antigua Bolsa de la ciudad. *Liverpool Road Station,* estación de ferrocarril construida en 1830, es la más antigua del mundo. *Pórtico Library,* biblioteca fundada en el año 1806, con innumerables y valiosos ejemplares antiguos.

Alrededores

Blackstone Edge (20 km NE): En este lugar se encuentra el tramo de vía romana en mejor estado de conservación de toda Inglaterra (Manchester-Ilkley).

Bramhall Hall (16 km S): Casa de paredes entramadas del siglo XV, con una capilla del siglo XIV.

Didsbury (7 km S): El *Fletcher Moss Museum* se encuentra en una casa señorial del siglo XIX; contiene numerosos objetos alusivos a la historia de la ciudad (entre otras cosas, fotografías).

Eccles (6 km O): El *Monks Hall Museum* se encuentra desde 1961 en una construcción de estilo Tudor; contiene una colección sobre medios de transporte mecánicos.

Foxdenton Hall (8 km E): Casa feudal del Renacimiento de la época Estuardo (restaurada en el año 1965).

Harpurhey (4 km NE): La *Queen's Park Gallery* alberga una amplia colección de esculturas del siglo XIX; también existe un museo militar.

Heaton Hall (8 km NO): Casa feudal edificada en 1772; en el interior, de interés, la sala etrusca (bonitos techos y pinturas murales) y muebles de estilo del siglo XVIII.

Middleton (6 km N): Aquí se encuentra la iglesia *St. Leonhard;* en el siglo XV se renovó la antigua construcción; en el siglo XVI fue ampliada. Bonita torre de 1709; en el interior, hermosa ventana de 1520.

Oldham (12 km NE): Interesante *Art Gallery,* que expone acuarelas y dibujos de los siglos XIX al XX y un buen busto de *Churchill* (1946), obra de Epstein.

Platt Hall (5 km S): Edificio construido en 1760. En el interior, la *Gallery of English Costume,* que contiene trajes típicos ingleses desde el siglo XVII hasta la actualidad.

Salford (6 km O): Posee el *Peel Park Museum* y una galería de arte que contiene una amplia colección de lienzos de L. S. Lowry en Inglaterra.

Stalybridge (12 km E): En la *Astley Cheetham Gallery,* una colección de pinturas de la Edad Media y del Renacimiento, así como de maestros ingleses de los siglos XVIII al XIX; también se exponen piezas arqueológicas.

Stand (7 km NO): En este lugar se encuentra la iglesia *All Saints,* edificada en 1825 por Charles Barry en estilo neogótico.

Wythenshawe Hall (10 km S): Casa de paredes entramadas del siglo XVI; en el interior, pinturas y muebles de estilo del siglo XVII y objetos de la sección oriental del *Manchester City Art Gallery.*

Margam Abbey

West Glamorgan/Gales Pág. 332 □ G 15

A medio camino entre *Bridgend* y *Swansea* se encuentran, en la zona costera (a 16 km NO de Bridgend), los restos del viejo convento cisterciense *Margam Abbey* (fundado en 1147), que antes fue una fundación celta. La nave principal, de finales de la época normanda, de unos 80 m de longitud, se conserva en bastante buen estado; actualmente es utilizada como iglesia parroquial. Se pueden admirar bonitos detalles normandos, entre ellos el pórtico, con capiteles; imponentes pilastras interiores; en el pórtico, tres ventanas circulares; también, numerosos fragmentos de muros, columnas, arcos, la sala capitular, del siglo XIII (parte exterior, 12 caras; el centro es circular, con pilastra central), y diversas tumbas antiguas (familia Mansel).

Museo del convento: En el patio de la iglesia se puede admirar una colección única de cruces celtas y monumentos de piedra de la época precristiana. La piedra de *Bodvoc* es uno de los monumentos celtas de piedra de más antigüedad (alrededor de 550). La roca, sin ornamentación, contiene inscripciones latinas de arriba a abajo: «Bodvoci hic iacit filius Catotigirni pronepos Eternali Vedomavi» («La piedra de Bodvoc. Aquí yace el hijo de C., nieto de E. V.»). Sobre la piedra de *Pumpeius Carantorius,* una inscripción irlandesa *ogham.* La cruz de *Thomas,* de los siglos VIII al IX, con incrustación de un símbolo en forma de cruz y nombre. La cruz elevada de *Enniaun,* del siglo IX, aproximadamente, con decoraciones (cintas). La cruz de *Grutne,* de alrededor de 1000, cruz elevada de ladrillo con inscripción latina del donante. Cruz circular de *Cynfelyn,* de alrededor de 900. La colección es, aparte de la del Museo Nacional, la más completa sobre la cultura sepulcral celta.

Market Harborough

Leicestershire/Inglaterra Pág. 328 □ I 13

Esta es la localidad principal de la parte S del condado; desde el año 1203 es ciudad de ferias (cada martes, mercado de animales). Los alrededores son conocidos como «país de la caza del zorro»; actualmente se organizan todavía cacerías reales y particulares. Merece especial atención la iglesia *St. Dionysius,* edificación gótica de los siglos XIII al XV, con increíbles ventanas con arcos ojivales e impresionante torre. Cerca, la *Grammar School,* construida sobre columnas, de 1614, en la plaza del mercado (es especialmente bonito el letrero de la posada de «The three Swans», increíble trabajo de forja del siglo XVIII).

Alrededores

Claybrooke (25 km O): La iglesia *St. Peter* data del siglo XIV. El coro se conserva de la época de construcción; la nave principal fue modificada en estilo gótico; bonitas ventanas con arcos ojivales y restos de pintura medieval sobre vidrio.

Foxton (5 km NO): *Foxton Locks,* construcción de esclusas construidas en el año 1808 para el *Grand Union Canal* (10 compartimentos de esclusas para un desnivel de 23 m de altura por 800 m de longitud).

Langton Hall (8 km N): Antigua casa señorial. El interior está ricamente decorado. En especial el salón con trabajos de puntillas en las paredes y una valiosa colección de muebles chinos.

Lutterworth (20 km O): Iglesia de finales del gótico, con bonitas pinturas murales; aquí ejerció como párroco John Wycliff (1374-1384), que formó parte de los llamados prerreformadores que protestaban contra injusticias de la Iglesia Católica. La primera traducción bíblica en lengua inglesa es obra del párroco.

Stanford Hall (18 km SO): Casa feudal, desde 1340 residencia de la familia *Cave,* la construcción actual fue comenzada en el año 1680 y finalizada en 1745. En el interior, una interesante colección de pinturas del Renacimiento de la época Estuardo (siglo XVII); muebles de estilo desde el siglo XVI y viejos artículos de cocina. Merece especial atención el *Museo de Transportes,* con la reproducción de un aparato volador del pionero inglés Pilcher, de 1898.

Maynooth

Kildare/Irlanda — Pág. 326 □ D 12

Esta pequeña ciudad (25 km al O de Dublín) es conocida por el seminario seglar *St. Patrick's College,* donde se han formado la mayoría de los curas católicos irlandeses. Fue inaugurado en el año 1521 y reinaugurado, después de un cierre temporal, en el año 1795. Los edificios del *College* datan del siglo XVIII (Stoyte House) y del siglo XIX (St. Mary y St. Patrick's House). En el museo del *College* se exponen interesantes obras de arte y antigüedades de los siglos XIV al XVII. En el cercano *Maynooth Castle,* edificado por Gerald FitzGerald en el año 1203, se halla un interesante cementerio del siglo XIII, la *Great Hall* y la caserna (Gate Tower).

Alrededores

Carton House (3 km NE): Casa feudal de estilo georgiano de alrededor de 1735, construida sobre una edificación anterior.

Celbridge (9 km SE): El *Castletown House* (al N) fue construido por el italiano Alessandro Galilei alrededor de 1722 para William Conolly. Es uno de los edificios más bellos de Irlanda de estilo georgiano y es, en la actualidad, sede de la *Gregoriam Society.* Cerca, el obelisco *Conolly's Folly,* de 42 m de altura, del año 1740. También de interés, la *Ardrass Church* (al SO) pequeño oratorio medieval de piedra con techo también de piedra, pórtico S y dos ventanas E.

Leixlip (6 km E): Interesante torre O medieval de la iglesia protestante (torreón). *Leixlip Castle,* del siglo XIV, fue ampliamente modificado en el siglo XVIII.

Lucan (9 km E): Bonita casa feudal (Lucan House) del año 1776. Arquitectura interior en buen estado de conservación.

Melrose

Borders/Escocia — Pág. 324 □ H 9

Esta pequeña ciudad, a las faldas de los *Eildon Hills,* contiene antiguas y bonitas casas, así como una cruz de mercado de 1642. La localidad es famosa, no obstante, por las ruinas de su abadía. Según Fontane, esta es la más hermosa y cautivadora de todas las ruinas, no sólo de las escocesas, sino del mundo entero. Walter Scott también describió las ruinas de la abadía, escribiendo una novela sobre ella. También fue alabada por Turner, y Theodor Fontane cantó para glorificarla. La realidad de la abadía, sin embargo, no es tan romántica.

Melrose Abbey: Fue erigida en 1136 por el gran fundador de conventos David I. Para su construcción hizo venir a monjes cistercienses de *Rievaulx,* en Yorkshire, y construyó una abadía paralela a ésta que se encuentra a 4 km al E y data del siglo VII. *Melrose Abbey* sufrió mucho a lo largo de la historia: en el año 1322 fue saqueada por los soldados de Eduardo II; en el año 1385 se instalaron aquí las tropas de Ricardo II. Cuando la abadía, en 1385, fue nuevamente escocesa, se comenzó la nueva construcción en estilo gótico. Las proporciones de la abadía corresponden a la riqueza y a la importancia de ésta. Sólo la iglesia tenía una longitud de 100 m y el crucero medía 40 m de ancho. El total de la edificación tenía una superficie de más de 10 000 m². Fue casi totalmente destruida por Enrique VIII, por la sencilla razón de que éste no consiguió hacer a María

Melrose. Melrose Abbey, crucero ▷

Estuardo su cuñada. Sobrevivieron a la destrucción las partes E de la iglesia. También se conserva el coro, el crucero y parte de la torre. Las ruinas impresionan todavía hoy por la excelente obra de picapedreo. Son ejemplares los estilizados capiteles y la riqueza imaginativa de las esculturas. La mayor parte de las bellísimas y reales esculturas representan a obreros; por ejemplo, un cocinero con una cuchara o un carpintero con el martillo, así como una original fuente que representa a un cochino tocando la gaita. Todas las esculturas realizadas y conservadas en la abadía son obras maestras, creadas probablemente por picapedreros franceses.
De los edificios de la fundación también se conservan algunas partes. Del *Vía Crucis,* junto a la nave lateral N, se pueden ver fragmentos de las arcadas. Las excavaciones en la sala capitular, con una superficie de 235 m^2, demostraron que el suelo estaba recubierto por fantásticas losas. El gran tamaño de las partes O se explica, puesto que en el siglo XV en la abadía vivían unos 200 novicios. En un museo anexo se explica la historia de esta abadía.

Melrose Abbey: 1. Nave de la iglesia. **2.** Coro. **3.** Crucero S. **4.** Torre. **5.** Crucero N. **6.** Sala capitular. **7.** Claustro.

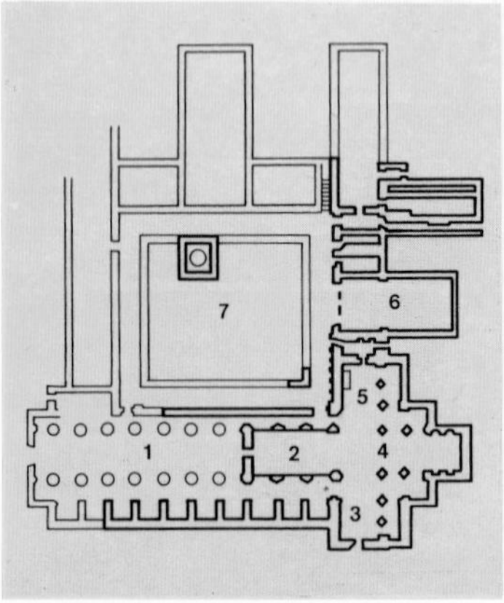

Alrededores

Abbotsford House: La casa fue comprada por Sir Walter Scott en el año 1811; vivió los últimos veinte años de su vida en el edificio. En los años 1817-1824 él mismo transformó la casa, utilizando partes de edificios históricos (alas de puertas de una prisión de Edimburgo) e intentó imitar detalles de edificios célebres (Vía Crucis de Melrose). Lo mismo hizo con la decoración interior (el techo de vigas en la biblioteca es una imitación del de la Roslin Chapel). Se conservan su habitación particular y la colección de armas, así como su biblioteca particular, con más de 10 000 ejemplares.

Dryburgh Abbey (5 km SE): Su romántica situación sobre una península en el *Tweed* impresionó tanto a Sir Walter Scott que decidió ser enterrado aquí. No obstante, esta abadía es, de las cuatro que se encuentran en *Borders,* la menos romántica, pero da la mejor imagen de cómo vivían los monjes y de cómo construían en los siglos XII y XIII. La abadía fue erigida en 1150 por Hugh de Morville, sobre una plaza, para los monjes premonstratenses. En este lugar existió un convento en el siglo VI. En 1322, 1385 y 1544 el conjunto fue destruido por los ingleses.

Melrose. Melrose Abbey

Al contrario que en otros conventos, en *Dryburgh* quedan esencialmente restos del claustro y algunos de la iglesia. Los restos del coro y del crucero delatan, en la parte inferior, influencia románica; el resto de la edificación es gótica. El pórtico, en el extremo O, es del siglo XV. La tumba de Walter Scott, diseñada por Chantrey, se encuentra en el crucero gótico. Al S de la iglesia, los edificios del convento en las laderas que bajan hasta el río. Son muy interesantes los techos de la sala capitular y los de algunas viviendas anejas al convento.

Jedburgh Abbey (20 km S): La abadía es una fundación de David I, el cual ofreció, con la construcción, trabajo a 1134 agustinos de *Beauvais*. En el año 1195 falleció en este lugar Malcolm IV; en 1544 la abadía fue destrozada por los ingleses. Quedan pocos restos de ésta; no obstante, se conservan bastantes partes de la iglesia. Los muros de la nave alcanzan casi la altura original e impresionan por sus arcadas, al igual que la fachada del coro al E. Es especialmente bonita la fachada O. Es una de las pocas que se conservan de esta época y el mejor ejemplo de la época de transición entre el románico y el gótico. Los pocos muros que quedan del edificio de la abadía datan del siglo XIV.

Melton Mowbray

Leicestershire/Inglaterra Pág. 328 □ I 13

St. Mary: Esta iglesia es una construcción gótica de los siglos XIII al XIV, con restos de arquitectura temprano-gótica en estilo Early English. Su planta tiene forma de cruz; la torre del transepto tiene unos 33 m de altura (parte inferior gótica del siglo XIII y parte superior de alrededor de 1500), los cruceros poseen dos naves laterales. De especial interés, las claraboyas.

Otros lugares de interés: *Carnegie Museum* (Thorpe End): En este hermoso lugar se encuentran numerosas casas del siglo XVIII.

Alrededores

Burrough Hill (8 km S): Fortificación ubicada sobre un monte y originaria de la Edad del Hierro. Se conservan los muros defensivos de la fortificación junto con la entrada principal (esquina SE).

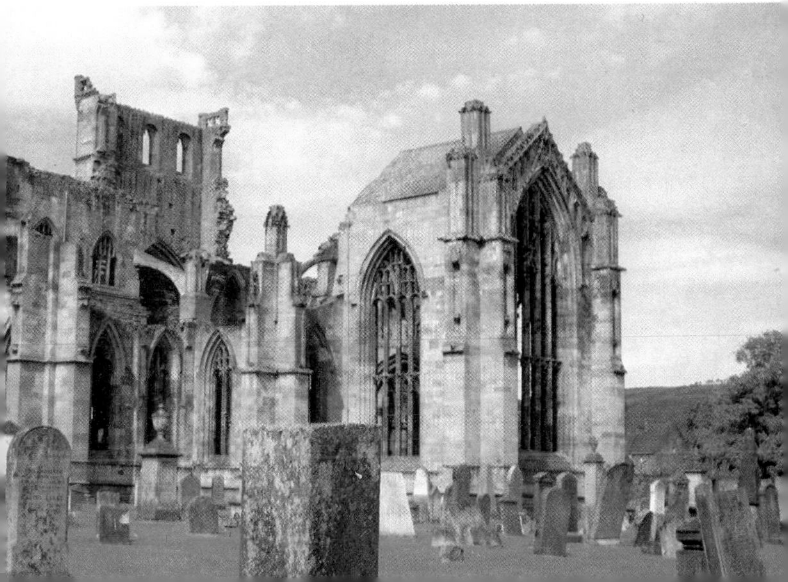

Edmondthorpe (10 km E): Iglesia *St. Michael,* de estilo decorated. La torre fue finalizada en el siglo XV. En el interior, interesantes monumentos fúnebres de los siglos XVII al XVIII.
Market Overton (14 km E): Restos de una colonización romana. Se conservan muros y hallazgos diversos (como monedas, que se hallan en el museo de *Oakham).*
Stapleford Park (7 km E): Aquí se encuentra una casa feudal, transformada, del siglo XVII. En el interior, una bonita colección de pinturas, muebles de estilo y tapices murales. En el mismo terreno se encuentra la iglesia *St. Mary Magdalene,* renovada en el año 1783, en estilo neogótico; en el coro, una interesante escultura de mármol creada por M. Rysbrack en el año 1732.
Teigh (11 km E): La iglesia de *Holy Trinity* fue reformada en estilo gótico en 1782. La torre es original del siglo XIV (bella decoración interior del siglo XVIII).
Thistleton (16 km E): En este lugar se encuentra una iglesia que todavía conserva un arco semicircular prerrománico del siglo X, de una construcción anterior.
Whissendine (8 km SE): Iglesia *St. Andrew,* de estilo gótico, de los siglos XIV al XV. En el interior, de especial interés, el techo, ricamente decorado, y la pared divisoria en el crucero S, del siglo XVI.

Middlesbrough
Cleveland/Inglaterra Pág. 328 □ I 10

Middlesbrough se desarrolló a principios del siglo XIX gracias a la explotación del mineral de hierro de los alrededores. Actualmente es una ciudad con unos 150 000 habitantes. Junto a las localidades cercanas, *Ormesby, Thornaby, Stockton* y *Billingham* forma un núcleo poblacional denominado «Teesside», que tiene unos 400 000 habitantes.

De especial interés: Iglesia *St. Hilda* (Market Place), iglesia parroquial de la ciudad, construida en el año 1830. *Old Town Hall,* de 1846; *Custom House,* de 1840. *Transporter Bridge,* de 1911, mayor construcción de este tipo en el mundo. *Captain Cook Birthplace Museum* (en el sector de ciudad Marton, S). El museo fue construido para el 250 aniversario del gran aventurero y navegante Cook (descubridor de Australia). Contiene documentación y objetos antiguos. *Dorman Museum* (Linthorpe Road), con colecciones referentes a la historia natural y arqueología del NE de Yorkshire.

Melrose Abbey. Ruinas de la nave de la iglesia

Alrededores

Billingham (2 km N): De la construcción anglosajona de la iglesia *St. Cuthbert* se conserva la torre, del siglo X. La nave principal fue transformada en el siglo XII. En el interior, de especial interés, la base de la pila bautismal, del siglo XVII; el púlpito data de 1939.
Great Ayton (8 km S): Con el *Captain Cook Schoolroom Museum* (objetos y recuerdos del gran marino).

Guisborough (10 km SO): Restos de un convento agustino fundado en 1119 por el normando Robert de Brus. Se conserva la parte E, del siglo XIII, con una ventana ricamente decorada; también, la caserna, del siglo XII, y un palomar. Cerca se encuentran las ruinas del convento, la iglesia *St. Nicholas,* del siglo XV, restaurada a principios del siglo XX. En el interior, restos de vidrieras policromadas y un grupo de esculturas del siglo XVI.
Hartlepool (12 km N): En este lugar se encuentra la iglesia *St. Hidda* de los siglos XII y XIII, con una torre coronada de almenas. En el interior, de especial interés, una pila bautismal de 1728. La iglesia lleva el nombre de la abadesa Hilda, que fue dirigente de una fundación anglosajona anterior a la iglesia. También de interés, una parte de los muros de la ciudad, del siglo XIII (al E de la ciudad, cerca del mar), y el *Gray Museum,* que expone objetos referentes a la historia local; en la *Art Gallery,* obras de pintores ingleses.
Kirkleatham (8 km E): En este lugar se halla la iglesia *St. Cuthbert.* En 1763 se efectuó una transformación de la iglesia anterior y, en la misma época, hubo también un cambio de patrono de la iglesia. El mausoleo, de 1740, es obra de James Gibbons; también de interés, obras del famoso escultor Peter Scheemaker, así como de Henry Cheere.

Norton (10 km NE): En este lugar se encuentra la iglesia *St. Mary,* de la época anglosajona. Los arcos en la torre y las ventanas datan de la época de construcción. En el interior, hermosas vidrieras policromadas, obra de C. E. Kempe, de 1896. También de interés, la escultura de un caballero del siglo XV.
Ormesby: La *Ormesby Hall* se construyó mediado el siglo XVIII; en el interior, bonitos estucados de la época de construcción.
Stockton (2 km O): Ciudad de mercadeo desde el año 1310. La iglesia *St. Thomas* fue edificada probablemente según los planos del famoso arquitecto inglés Christopher Wren en el año 1712. En el interior, un increíble

Abbotsford House (Melrose)

púlpito de tres pisos, en estilo georgiano, y la balaustrada del coro, trabajadas en madera de roble del barco de Cook, «Endeavour». También de interés, la *Town Hall,* de 1735. Al S de la ciudad se encuentra *Preston Hall,* con un interesante museo (armas, armaduras y una pieza original de la línea del ferrocarril Darlington-Stockton).

Yarm (12 km SO): Antiguamente fue una importante estación de correos en la carretera hacia el N; de especial interés, la *Town Hall,* de 1710, y el puente sobre el río *Tees,* del siglo XIV.

Minster/Isle of Sheppey (I)

Kent/Inglaterra Pág. 332 □ L 15

Abbey Church of SS. Mary and Sexburgha: Esta abadía, que está situada cerca de la costa, es una de las más antiguas de Inglaterra. Ofrece un perfecto ejemplo de lo que fue la arquitectura sajona. En esta abadía se pueden admirar dos monumentos fúnebres del siglo XIV, el de *Sir Robert Shurland* y el de *Lady Joan Northwode.*

Mommouth

Gwent/Gales Pág. 332 □ H 14

Esta encantadora y pequeña ciudad está situada en el punto donde se unen los ríos *Wye* y *Monnow.* Se supone que en este lugar se ubicó el fuerte romano *Blestium,* del que no quedan restos. La localidad creció alrededor de una fortaleza del siglo XII (se conservan algunos muros) y, en el año 1536, se convirtió en centro del condado de *Monmouthshire.* Es de gran belleza el pórtico del puente (entrada a la ciudad) sobre el *Monnow;* es el único pórtico de puente del siglo XIII que se conserva en Inglaterra.

St. Mary's Church: La iglesia procede de una fundación normanda del siglo XII. De la época de construcción sólo quedan restos de media columna normanda y de los muros de la nave principal y de la lateral N (siglo XIV). El edificio de la iglesia actual data del siglo XIX, la época victoriana.

Otros lugares de interés: En la iglesia normanda *Church of St. Thomas* (cerca del viejo puente Monnow) se encuentra un precioso arco, entre la nave principal y el coro, de la época de construcción. El *Naval Temple* fue edificado en el año 1800 para conmemorar la victoria sobre los franceses en *Abukir,* Egipto (1798). En el mismo edificio se encuentra un museo dedicado a Nelson, que también expone piezas referentes a la historia de la ciudad. La fundadora de esta entidad fue la seguidora de Nelson, Lady Llangattock, madre del fabricante de automóviles Rolls Royce, Charles S. Royce. A este famoso hijo de la ciudad, que en el año 1910 atravesó el canal volando sin hacer paradas, está dedicado el monumento de la sala del condado (Shire Hall, del siglo XVIII).

Alrededores

Abbey Dore (33 km NO): En el valle del río *Dore* se halla la iglesia más bella de *Dore.* Procede de una fundación cisterciense de 1147. De interés, los capiteles y las esculturas de la iglesia, restaurada en 1634.

Grosmont (25 km NO): Este lugar, con las pequeñas pero interesantes ruinas de una fortaleza, es de procedencia normanda de alrededor de 1100. Es de especial interés la profunda fosa, restos del enlosado en el patio del castillo y una chimenea gótica del siglo XIV. La iglesia parroquial *St. Nicholas,* de la misma época, conserva en la nave partes de la construcción original (alrededor de 1240, estilo Early English). La iglesia fue restaurada en el año 1868 y, en parte, fue transformada.

Skenfrith (12 km NO): Interesantes ruinas de una fortaleza fundada en 1075 por los conquistadores normandos de Gales; los actuales restos datan de alrededor de 1200. Junto a las fortalezas vecinas de *Grosmont* y *White Castle* (Abergavenny), forma un trilátero (triángulo de defensa). La fortaleza poseía cuatro torres esquineras rodeadas de fosas y el río Monnow. A través de la caserna (pocos restos) se penetra en el patio, en cuya esquina SO se encuentra el cementerio circular. Tenía tres pisos y la entrada en el piso del medio se alcanzaba por medio de escaleras. Es de interés también el pórtico colgante en dirección hacia el río y los almacenes en los sótanos de las torres esquineras, así como partes de los edificios posteriores, junto a la pared SO del patio. La vecina iglesia (en dirección al pueblo) fue edificada en el año 1200 en estilo Early-English con influencia normanda. Está dedicada a la` santa legendaria *St. Bridget,* de procedencia celta (siglo V), cuyos símbolos, una bellota y hojas de encina, se pueden ver en el atril y en el santuario. Datan de la época de construcción la torre, la nave principal y el coro. Es de especial interés el altar de piedra, de 1207; la ventana E, con fragmentos de ventanas del siglo XV; la pila de piedra, a la derecha del altar, del siglo XIII, así como un sarcófago en la nave N, del siglo XVI, y la sillería del coro, de los siglos XVI al XIX.

Morwenstow

Cornwall/Inglaterra Pág. 330 □ F 16

Este pequeñísimo caserío, en la punta N de *Cornwall,* sobre las colinas delante del Atlántico, fue, en el siglo pasado, durante cuarenta años, la vivienda de Robert Stephen Hawker. Éste poseía un increíble genio poético, lo cual no impedía su vocación cristiana y su oficio como vicario.

Church of St. John: Esta iglesia normanda posee todavía numerosas partes de la construcción original. El pórtico de columnas, normando, y la arcada N, son verdaderas obras maestras. Además de las decoraciones en zigzag, los arcos sobre las columnas redondas están decorados con formas de cabezas y, entre los ángulos de éstos, aparecen antílopes, cabezas de ovejas y caballitos de mar, ballenas y delfines, dragones y sirenas, pájaros y seres humanos, todas ellas bellísimas esculturas en piedra. El techo de bóvedas, en la torre O, es un precioso trabajo de picapedreo del siglo XVI.

Alrededores

Kilkhampton (8 km SE): La *Church of St. James* está formada por tres naves y data de

Monmouth. Pórtico del puente

Morwenstow. Pila bautismal celta

la época normanda. Cada una de las naves está recubierta por un techo de bóvedas de vigas de encina. La nave principal es bastante baja en altura, de manera que resalta la torre O. El pórtico S, escalonado también, data de la época normanda; el resto de la edificación es gótica. La pieza de más valor en el interior es el órgano, de 1698, que antiguamente se encontraba en la *Westminster Abbey*. Los respaldos de los bancos están decorados con bellas tallas y datan de los siglos XV al XVI.

Stoke (15 km N): La *Church of St. Nectan* está dedicada a un misionero galés. Impresiona la torre, que se yergue, con sus 40 m de altura, en medio del paisaje. La iglesia fue comenzada en el siglo XIV y posee techos en parte pintados, así como una bellísima reja de coro del siglo XV. También de interés es la pila bautismal, de procedencia normanda. Desde las cuatro esquinas, cabezas bautizadas contemplan a otras cabezas que miran hacia arriba esperando el sacramento.

Much Wenlock

Salop/Inglaterra — Pág. 328 □ H 13

Esta pequeña ciudad, en el extremo NE del *Wenlock Edge*, da una impresión predominantemente medieval.

Church of the Holy Trinity: Fue fundada en la época anglosajona y ampliada alrededor del año 1550. Antiguamente su patrona fue *St. Milburgha*, la nieta del rey Penda de Mercia. Junto a la tumba de la santa, supuestamente, se habían realizado milagros, lo cual facilitó la construcción de la iglesia. En la iglesia temprano-gótica está enterrado también *Penny Brooke*, luchador en los juegos olímpicos modernos.

Wenlock Priory: Este convento fue fundado alrededor de 680 por *St. Milburga* como convento para mujeres. En 896 fue destruido por los daneses; alrededor de 1050 Lady Godiva lo convirtió en un seminario seglar. Los normandos volvieron a destruir el conjunto poco después y Roger de Montgomery, *Earl of Shrosphire*, puso el convento en funcionamiento de nuevo en el año 1080. Lo convirtió en convento cluniacense, dependiente del edificio madre, en la *Charité-sur-Loire*. Las ruinas actuales datan de la segunda mitad del siglo XI y delatan la trancisión del estilo normando al temprano-gótico. Los restos de la sala capitular son normandos; la iglesia es temprano-gótica, con arcos normandos.

Alrededores

Bridgnorth (8 km SE): La pintoresca ciudad está dividida por el río *Sever* en una ciudad superior e inferior; la orilla derecha supera a la izquierda en 60 m. La *Church of St. Leonhard* data de la época normanda (torre S); no obstante, en el año 1861 fue transformada en estilo neogótico. Se conserva de la época original de construcción el techo de vigas, del siglo XVII, sobre la nave. Son de especial interés numerosas placas de hierro. La *Church of St. Mary Magdalene* es una construcción clásica comenzada por Thomas Telford en el año 1792. El ábside fue añadido por Arthur Blonfield en 1876.

Coalbrookdale (12 km NE): En el *Museum of Ironfounding* se resume la historia de la explotación de hierro y de su transformación. Entre otras cosas se conserva en este lugar un horno de fundición, del que procede el hierro que se utilizó para la construcción del *Ironbridge*.

Ironbridge (10 km NE): Este puente sobre el *Severn* fue el primer puente de hierro de Inglaterra, diseñado en el año 1774 por T. F. Pritchard y construido en los años 1777-1779. El puente marca el comienzo de la arquitectura industrial y la utilización del hierro, aisladamente, como único material de construcción.

Morville (5 km SE): La *Church of St. Gregory* es una pequeña iglesia normanda, con un arco de coro de alrededor de 1110. Son de especial interés la pila bautismal y las decoraciones en hierro del pórtico S, ambos del siglo XII, y una ventana de vidrio emplomado de principios del siglo XIV.

Mull (I)
Strathclyde/Escocia Pág. 324 □ E 7

Esta es la segunda isla más grande de las *Hébridas* interiores (más de 400 km de costa); es de origen volcánico y, actualmente, a pesar de su gran tamaño, no pasa de 2 000 habitantes.

Aros Castle: Las ruinas del castillo, edificado en la costa, fueron antiguamente sede de los *Lords of the Isles*. Fue construido en la primera mitad del siglo XIV. Gran parte de la importancia que tuvo le viene de su situación estratégica. Las demás fortalezas de la costa estaban construidas de manera que tuvieran contacto visual entre ellas. En 1608 llegó a este lugar Lord Ochiltree para hacer entrar en razón a los condes rebeldes de las islas Hébridas. Solucionó la «misión» de manera diplomática: invitó a los señores a una fiesta en su barco y, una vez que se encontraron en él, los hizo prisioneros y los trasladó a Edimburgo.

Duart Castle: La residencia del clan *MacLean* data del siglo XIII y sirvió, en su época, para controlar el tráfico en el *Firth of Lorn*. El clan se hizo con la fortaleza en el año 1390 por medio de un Decreto Real. En 1691 el *Duque de Argyll* incendió el castillo; después de la derrota de *Culloden* la fortaleza y los terrenos limítrofes fueron confiscados por la Corona inglesa. En el año 1912 Sir Fitzroy MacLean compró el castillo, restaurándolo. En la actualidad se puede admirar aquí una interesante colección de antigüedades escocesas.

Moy Castle: En este castillo vivieron hasta finales del siglo XVIII los parientes de los MacLean of Duart. Los *MacLaines of Luchbuie*. Éstos estaban enemistados a muerte con sus familiares, con residencia en el castillo *Duart*. El castillo, con casamatas excavadas en las rocas, posee un fantástico calabozo en forma de botella, llamado «Bottle Dungeon». Lo peculiar de este tipo de mazmorra consistía en que el suelo tenía constantemente agua; quedaba sin inundar un pequeño punto sobre el que el prisionero podía estar sentado, pero no en posición horizontal.

Tobermory: Es la ciudad más bonita

Much Wenlock. Ruinas de la abadía

de las Hébridas; data del siglo XVIII. Fue planificada por la asociación de pescadores británica. Las encantadoras casitas, construidas alrededor de la bahía, se conservan en gran parte de la época original. De los 10000 habitantes que aquí vivían quedan, en la actualidad, unos 600. En el pequeño museo se puede descubrir la historia de la isla.

Mullingar

Westmeath/Irlanda Pág. 326 □ D 12

La capital (unos 6 000 hab.) del condado de *Westmeath* se encuentra en medio de un bonito paisaje de lagos y cultivos; posee una iglesia moderna de reyes cristianos, de 1936.

Alrededores

Ballymore (15 km O): Enfrente de la localidad se encuentra el antiguo túmulo real *«Hill of Ushnagh»*, precristiano, con restos de tumbas, casas y fortificaciones circulares (muros de piedra).

Ballynacarrigy (12 km NO): Al O, los restos del convento cisterciense. *Abbeyshrule*, de alrededor de 1200. Se conserva el coro, la torre y una cruz elevada.

Belvedere House (9 km S): Esta bonita casa señorial se encuentra en el *Lough Ennell.* Su propietario fue el *Earl of Belvedere;* la casa data del año 1741; la arquitectura interior es de gran belleza (rococó).

Bunbrosna (13 km NO): Al N se encuentran los restos del convento franciscano *Multyfarnham Friary*, con ruinas de la iglesia y de la torre, del siglo XV.

Castlepollard (17 km N): Cerca se encuentra el castillo *Tullynally Castle,* del siglo XVII, con modificaciones neogóticas (1806) y hermosos jardines.

Crookedwood (9 km N): De un antiguo convento se conserva la iglesia *Taghmon,* del siglo XIV, con nave, coro y una torre de defensa de cuatro pisos.

Delvin (20 km NE): Ruinas del *Delvin Castle,* de los siglos XII al XIII (se conserva en bastante mal estado).

Fore Abbey (22 km NE): Las ruinas de la iglesia proceden de una fundación conventual precristiana del *St. Feichin* (alrededor del 630). Se conserva la *St. Feichin's Church,* del siglo XIII, con elementos de construcción del siglo VII. Cerca, restos de la abadía benedictina, con iglesia, *Vía Crucis* y torres fortificadas (siglos XIII al XV).

Much Wenlock. Church of the Holy Trinity

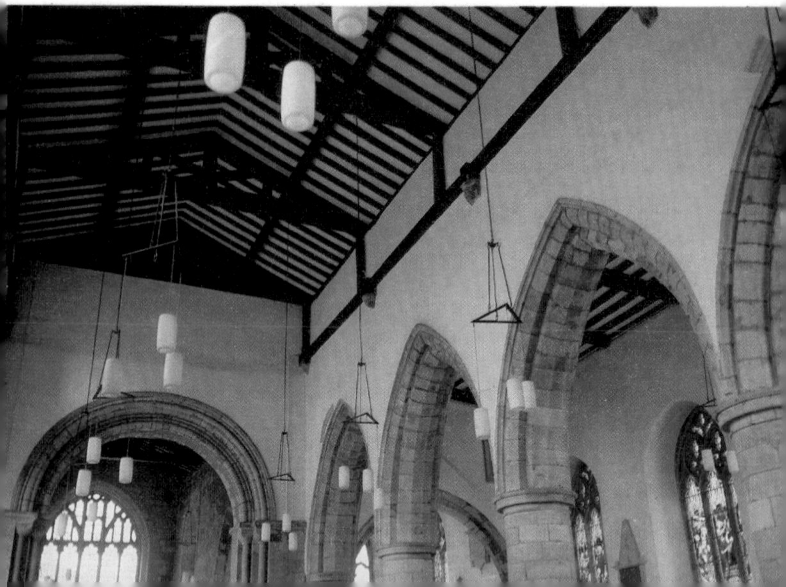

N

Nantwich

Cheshire/Inglaterra Pág. 328 □ H 13

Esta pequeña ciudad era ya apreciada por los romanos por sus fuentes ricas en sales. En el año 1583 se incendió totalmente; posteriormente fue reedificada en estilo isabelino.

Church of St. Mary: La iglesia, de planta en forma de cruz y torre central octogonal, es de estilo temprano-gótico, con partes góticas. Fue restaurada en el siglo XIX; aun así se conservan partes antiguas de gran valor. Merece especial atención la sillería del coro, del siglo XIV. Los baldaquines de la sillería son también de gran belleza, así como las misericordias. El púlpito es de piedra y está increíblemente trabajado (siglo XIV).

Church's Mansion: La casa, de paredes entramadas, data de principios del siglo XVI y sobrevivió a un gran incendio. Es un perfecto ejemplo de casa de comerciante de esta época. Algunas partes de la decoración son todavía isabelinas; son de especial interés los enmaderados de encina.

Alrededores

Acton (3 km NO): La *Church of St. Mary* data de los siglos XIII y XIV; su torre fue reedificada en la parte superior en el año 1757. Son de interés diversos monumentos fúnebres, entre ellos una tumba con una escultura de un caballero del siglo XIV, así como otro monumento con otras dos esculturas de 1650. La pila bautismal es de la época normanda; la sillería del coro data del siglo XVII.

Bunbury (18 km NO): La *Church of St. Boniface* fue edificada como iglesia colegial en el siglo XIV y principios del XV; posee una torre O. En la iglesia se encuentran numerosos monumentos fúnebres, entre ellos uno de alabastro dedicado a Sir George Beeston y Sir Egerton. Las paredes divisorias y los pórticos datan del siglo XVI; el resto procede de las restauraciones habidas después de la última guerra.

Whitchurch (22 km SO): Esta pequeña ciudad es una fundación romana; éstos la denominaron *Mediolanum*. En el siglo XII los normandos edificaron una iglesia blanca, que dio nombre al lugar llamándose *Blancminster*. El nombre se mantuvo, aunque ya no exista la mencionada iglesia. La *Church of St. Alkmund* es la cuarta iglesia emplazada en el mismo lugar. La tercera iglesia se derrumbó en 1711, dejando lugar a la nueva construcción de William Smith de Warwick (1713-1715), que intentó crear un estilo griego que sólo resalta realmente en la torre O. En el interior, imponentes columnas y una galería confirman el estilo; no obstante, el arquitecto no consiguió un espacio armónico. La iglesia es de importancia por los monumentos fúnebres que en ella se encuentran y que se conservan de las antiguas iglesias, entre ellos el del primer *Conde de Shrewsbury* (1388-

1453), que figura como *Old John Talbot* en la obra de Shakespeare «Rey Enrique VI». La pila bautismal, decorada con una rosa Tudor, data del siglo XVII.

Navan/An Uaimh

Meath/Irlanda Pág. 326 □ D 11

La capital del condado, *Meath* («centro»), con unos 4 000 habitantes, se encuentra en la confluencia de los ríos *Boyne* y *Blackwater*. En este lugar se pueden ver los escasos restos de un castillo anglorromano (muros) y una catedral católica de 1836, con una talla de Cristo de E. Smith (alrededor de 1792).

Alrededores

Athlumney Castle (Dowdall Castle, 3 km SE): Las ruinas, con torre S de cuatro pisos, datan del siglo XV. Al lado, una casa feudal del siglo XVII, estilo Tudor, con un aguilón.
Donaghmore (2 km N): Las ruinas del convento proceden de una fundación de St. Patrick. Se conserva una interesante torre circular con techo cónico restaurado en los siglos XI y XII, un pórtico románico y un grupo escultórico. La iglesia vecina data del siglo XV (lápidas). Cerca, al E, el *Dunmoe Castle,* de cuatro pisos, del siglo XV.
Slane (13 km NE): Aquí prendió St. Patrick, en el año 433, el primer fuego de Pascua como señal de la exitosa cristianización de los irlandeses. El convento franciscano, edificado en el año 1522, *Slane Friary* (sobre construcciones anteriores), posee una iglesia con torre O y un colegio sacerdotal de la misma época (torre S). El *Slane Castle* es un precioso castillo neogótico de J. Wyatt (1785), construido sobre las ruinas de otra fortaleza.

Nenagh

Tipperary/Irlanda Pág. 326 □ C 12

Este centro agrícola, de unos 4 500 habitantes, posee las ruinas de una fortaleza normanda del año 1207. Se conserva una caserna con torres laterales y un interesante cementerio circular (keep) con bonitas almenas restauradas (1860). La torre de huida tiene un diámetro de 15 m y los muros un grosor de 5 m. Esta torre es de las más bonitas de Irlanda. Restos de un convento franciscano del siglo XIII se hallan junto al viejo cementerio, también del siglo XIII (Abbey Street).

Alrededores

El alargado lago *Shannon Lough Derg* (Lago Rojo) con una longitud de 37 km, se encuentra al O de *Nenagh.*
Inis Cealtra (también llamada Holy Island, 30 km O): Sobre la isla, en el *Lough Derg,* se encuentran restos de un convento fundado por St. Caimin en el siglo VII. De especial interés son las ruinas de cuatro capillas, la torre circular, en buen estado de conservación, de 25 m de altura; un pozo de peregrinos, dos cruces celtas (Cathasach Cross) y el cementerio, con inscripciones irlandesas antiguas.
Killaloe (15 km SO): Este lugar, situado en el extremo S de *Lough Derg,* tiene una iglesia parroquial (en la actualidad protestante) de alrededor de 1200 (St. Flannan's Cathedral). Es de especial interés el paseo del pórtico románico (S), con pilastras de pared y esculturas (hojas, cabezas de animales y humanas). Cerca se encuentra una piedra (soporte de crucifijo) del siglo X con inscripciones *Runen-Ogham* en dos idiomas. En el patio de la iglesia, el románico *Flannan's Oratory* (casa de rezos), del siglo XII, con un empinado techo de piedra. El *Oratory of St. Molua,* del siglo XII, sobre el patio católico de la iglesia, procede de una isla *Shannon* inundada. Fue reedificado conservando su forma original. Cerca se encuentra el palacio episcopal protestante, del siglo XIX, y, a 1,5 km N. del lugar, *Beal Boru,* con un fuerte muro de tierra prehistórico (fortificación circular).
Portumna (Punta N del Lough Derg, 25 km N): El convento dominicano *Portumna Abbey* fue edificado alrededor de 1426. Junto al convento se encuentra la iglesia de María (ventanas en la pared N y S del siglo XIII, el Vía Crucis y los edificios del convento). En la parte S del lugar se encuentran las ruinas de la casa feudal *Portumna Castle,* edificada en 1618, derrumbada a causa de un incendio en el año 1826. Desde el castillo, de planta rectangular y cuatro torres esquineras, se

Killaloe (Nenagh)

puede gozar de una hermosísima vista sobre el *Lough Derg*. Cerca, hacia el N, el *Derryhiveny Castle*, de 1643, en buen estado de conservación, con bonitas torres esquineras.
Tuamgraney (en Scariff, junto a la orilla O del Lough Derg, a 30 km O): En este lugar se conserva la vieja iglesia del pueblo, del siglo X (ampliaciones en el siglo XII).

Newark-on-Trent

Nottinghamshire/Inglaterra Pág. 328 □ K 13

St. Mary Magdalene: Se comenzó la construcción de esta iglesia en el año 1167 (de esta época data la cripta, inacabada); la parte inferior de la torre, puntiaguda, de 83 m de altura, es de estilo Early English, y el resto de la edificación es de estilo decorated. La nave principal, las naves laterales y el crucero, así como el coro son de estilo gótico-perpendicular, de finales del siglo XV. En el interior, de especial interés, la fantástica ventana E, con pinturas sobre vidrio de la Edad Media. También interesante, la pared del coro, la sillería, de 1500, y varias pinturas murales («Danza de los muertos»).

Museum and Art Gallery (Appleton Gate): El museo de la ciudad está en la antigua *Grammar School,* de 1529. En él se exponen piezas referentes a la historia de la ciudad (restos de un casco romano, urnas anglosajonas, monedas del siglo XVII). El museo también se dedica a la arqueología.

Otros lugares de interés: El castillo, edificado por los normandos en 1125, fue ampliamente modificado en tiempos posteriores. En él falleció, en el año 1216, el rey Juan Sin Patria. Se conserva, entre otras partes, el edificio del pórtico románico. El *Beaumont Cross* (Carter Gate), de 1290 en el cruce de viejas vías comerciales (Newark se hallaba junto al llamado Foss Way, la vía romana más larga de Inglaterra). *Queen's Sconce* (al S de la ciudad), restos de fortificaciones defensivas de la guerra civil, del siglo XVII.

Alrededores

Brant Broughton (11 km E): Iglesia *St. Helen,* del siglo XIV (claraboyas de estilo gótico-tardío; torre de estilo decorated; el coro fue renovado y restaurado en el año 1876). **Hawton** (5 km S): La iglesia *All Saints* posee un fantástico coro de principios del siglo XIV; en el interior, de especial interés, la bella tumba de pascua y las misericordias del lado S del coro, ricamente decoradas. **Kelham** (4 km NO): En este lugar se encuentra la iglesia *St. Wilfrid.* En el interior, la tumba de *Lord Lexington* (fallecido en 1723). También de interés, la *Kelham Hall,* de estilo negótico, del siglo XIX. **Southwell** (10 km O): En este lugar se encuentra una increíble catedral. A partir del año 1108 se renovó una construcción anterior anglosajona (fragmentos arquitectónicos en el crucero N, sobre el pórtico); bonito pórtico O románico; el coro es de un fantástico estilo temprano-gótico Early English. En el interior, de interés, entre otras cosas, la enorme ventana E, con partes antiguas de emplomados que proceden de una capilla *Templer* en París; también de interés es la sala capitular del siglo XIII (las decoraciones góticas son únicas en Inglaterra). Al S de la catedral, los restos del Palacio Episcopal de los arzobispos de York, de 1360. **Thurgarton** (12 km SO): En este lugar se halla la antigua iglesia conventual *St. Peter* (restos de un convento agustino de 1140).

Newbury. Museo del Borough

Newbury

Berkshire/Inglaterra

Pág. 332 □ I 15

Esta ciudad, en el antiguo canal *Kennet-Avon,* ya estuvo colonizada en la prehistoria. La primera época de auge fue cuando John Winchcombe, llamado *Jack of Newbury,* introdujo la industria textil en la localidad, edificando una fábrica particular. Alrededor del año 1520 tenía en funcionamiento más de 200 telares y trabajaban más de 1 000 personas en ella. De esta manera se convirtió en el primer fabricante auténtico de Inglaterra. Demostró su vocación patriótica en el año 1513, cuando 150 hombres de su empresa emprendieron camino hacia la batalla de *Flodden.* Durante la guerra civil tuvieron lugar cerca de la ciudad dos batallas. En la primera cayó, en el año 1463, *Lord Falkland* (el monumento se halla al S de la ciudad); la segunda tuvo lugar en la caserna del *Donnington Castle,* en el año 1644.

Borough Museum: El museo del condado se halla en la *Cloth Hall,* de estilo jacobino. Contiene hallazgos arqueológicos y sobre historia natural, así como piezas de la guerra civil. Ofrece una amplia visión sobre la industria textil del siglo XVII.

Alrededores

Sandleford Priory (3 km S): El antiguo priorato agustino fue renovado en el siglo XVIII por Adam y Wyatt; las instalaciones de los jardines son obra de Capability Brown. Actualmente se utiliza como escuela pública.

Wickham (15 km NO): La *Church of St. Swithin* posee una torre cuyo material de construcción es el granito mezclado con argamasa. Fue edificada en la época anglosajona. Las instalaciones interiores fueron renovadas en el año 1849 por Benjamín Ferrey. Los elefantes de pasta de papel que decoran el techo de la nave lateral fueron expuestos en la exposición mundial de París, en 1862.

Newcastle upon Tyne

Tyne and Wear/Inglaterra Pág. 328 □ I 10

Este lugar estuvo colonizado en la época romana, junto al *Hadrian's Wall,* con el nombre de *Pons Aelii.* Los anglosajones llamaron al lugar *Monkchester.* La verdadera fundación de la ciudad corrió a cargo de los normandos, en el siglo XI. El actual centro de la ciudad está formado por carreteras victorianas del siglo XIX (fueron construidas por Richard Grainger según planos de John Dobson).

Cathedral St. Nicholas (Collingwood Street): Edificada en los siglos XIV al XV en estilo gótico, hasta el año 1882 fue iglesia parroquial de la ciudad (una de las mayores de Inglaterra); desde entonces es sede obispal. Desde el exterior resalta la torre, decorada con almenas de 60 m de altura, edificada en 1442, llamada «Scottish Crown» (una de las primeras torres de este estilo). En el interior, de especial interés, la base de la pila bautismal y un atril (ambos de alrededor de 1500), así como esculturas de los siglos XV al XVI y actuales (de Flaxman, Baily, Theed).

Castle (St. Nicholas Street): La primera construcción corrió a cargo del normando Robert Curthose, en el año 1080 (hijo de Guillermo El Conquistador). En los años 1172-1177 se renovó la construcción casi por completo con Enrique II (de esta época data el cementerio). El pórtico negro, de 1247, antiguo pórtico principal de la fortaleza, alberga en la actualidad un museo de gaitas (Bagpipe Museum, único en el mundo).

High Level Bridge (sobre el río Tyne): Pieza ejemplar de la ciudad edificada en 1846-1849 por Robert Stephenson (hijo del famoso constructor de locomotoras). Dada la época en que fue construido, ésta fue una verdadera hazaña. Edificación de hierro de dos pisos sobre pilastras de ladrillo para ferrocarril y automóviles; altura, unos 50 m.

University (Victoria Road); Fue fundada en el año 1963 y alberga varios museos de interés.

Department of Mining Engineering: Posee una amplia colección de objetos referentes a la minería. De especial interés son los dibujos de T. H. Hair sobre la minería de la región en los años 1830-1840.

Greek Museum (Percy Building): Posee una interesante y amplia colección de arte griego y etrusco (en especial joyas, cerámica y armas).

Hatton Gallery: Posee una amplia colección de obras de pintores europeos del siglo XIV hasta el XVIII; también expone dibujos y lienzos de artistas modernos ingleses.

Museum of Antiquaries of the University and Society of Antiquities: Es una de las colecciones más antiguas del

Newcastle upon Tyne. Catedral

país (fundada en 1813), con objetos prehistóricos (en especial de la Edad del Bronce), romanos (entre otros, de la Hadrian's Wall) y de la época anglosajona. Hay que destacar un modelo del muro de *Hadrian* y un templo de *Mithras,* a tamaño original.

Hancock Museum (al N de la universidad): Museo dedicado a las ciencias naturales; procede de las colecciones de Marmaduke Tunstall, fallecido en el año 1790. De especial interés, la sección etnológica (objetos de la zona del Pacífico y de África; en parte proceden de los viajes de Cook) y las colecciones de momias egipcias (interesante la máscara de una joven llamada *Bakt-Hor-Nekht* de Tebas).

Laing Art Gallery and Museum (Esquina Dobson/New Bridge Street): Galería de pinturas al óleo de maestros ingleses del siglo XVIII; la colección de acuarelas ofrece una visión sobre el desarrollo de esta técnica en Inglaterra. De especial interés, una obra maestra de Sir Edward Burne Jones, «Laus Vaneris». También de interés, la colección de grabados e impresos antiguos. Exposiciones en la *Higham Gallery.*

Museum of Science and Engineering (Exhibition Park): Museo especializado dedicado a la minería, la construcción de barcos y de maquinaria en general en el NE de Inglaterra. Merece especial atención la locomotora de George Stephenson, de 1830 (construida para las minas de carbón de Killingeorth), y el primer barco a turbina del mundo («Turbina», de 1894, construido por Charles Parsons).

Otros lugares de interés: Iglesia *All Saints* (Sandhill), construida a finales del siglo XVIII en estilo clásico; en el interior, una hermosa lápida de 1429. *Plummer Tower* (Croft Street), ruinas de la fortificación medieval de la ciudad (en el siglo XVIII fue transformada en estilo clásico; en el interior, un pequeño museo). *Central Station,* estación principal de ferrocarril de la ciudad, edificada por J. Dobson en el año 1850. *Guildhall* (Sandhill), del siglo XVI, transformada en 1796. *Theatre Royal* (Gry Street), de 1830. *John G. Joicey Museum* (City Road), se encuentra en el *Holy Jesus Hospital,* construido en el siglo XVII y en el que se exponen colecciones referentes a la historia de la ciudad.

Newcastle upon Tyne. High Level Briage (puente levadizo)

Alrededores

Belsay (20 km NO): Bonita casa señorial en estilo georgiano, en la que está integrada una torre defensiva del siglo XIV.
Bolam (25 km NO): Iglesia *St. Andrew*, románica; la torre es anglosajona; en el interior, una figura de piedra (mutilada) de un caballero sentado con las piernas cruzadas.
Bothal (20 km N): La iglesia *St. Andrew* data de los siglos XIII y XIV. En el interior, restos de pintura sobre vidrio de la Edad Media, así como figuras de alabastro del siglo XVI.
Causey Arch (10 km SO): El puente de ferrocarril más antiguo del mundo fue construido en el año 1727.
Cullercoats (12 km NE): Aquí se encuentra la iglesia *St. George*, construida por John Loughborough Pearson en el año 1884. Posee una bonita y alta torre.
Ebchester (18 km SO): En este lugar está situado un castillo románico, *Vindomora*, del que se conserva el altar de estilo románico.
Gibside Chapel (12 km SO): Mausoleo edificado por James Pame en el año 1760 en estilo georgiano. La forma es similar a un templo griego (desde 1812 es utilizado como iglesia).
Heddon-on-the-Wall: En este lugar se pueden contemplar restos, en buen estado de conservación, de la *Hadrian's Wall* (al O del lugar).
Jarrow (8 km E): La iglesia *St. Paul* fue en el 683 una iglesia conventual, en la que falleció en el año 735 el historiador *Venerable Bede* (Beda Venerabilis). De esta época data una ventana; las ruinas son del siglo XI. En el *Hall Museum* de 1785, interesantes objetos.
Kirkwhelpington (28 km NO): Iglesia *St. Bartholomew*, de los siglos XII al XIII; en el siglo XIV se destruyeron el crucero y las naves laterales; en el siglo XVIII se transformó el coro; en el interior se conservan hermosos estucados.
Morpeth (20 km N): La iglesia *St. Mary* posee en el interior, en el lado E, una ventana *Jesé* de la época de construcción.
Ovingham (16 km O): Iglesia *St. Mary the Virgin*. La torre O es románica; el coro y el crucero N son góticos; bonitas ventanas lanceoladas; en el interior, interesantes restos de pintura sobre vidrio del siglo XIV.
Seaton Delaval (13 km NE): En este lugar se encuentra la, originalmente anglosajona, iglesia *St. Mary*. La torre O y el coro datan del siglo XIII; en el interior, de especial interés, la pila bautismal de la misma época y el púlpito, del siglo XVI. Detrás de la iglesia se encuentra el maravilloso castillo barroco edificado en 1728, *Seaton Delaval Hall*, obra maestra de John Vanborough. Fue restaurada en los años 1959-1962; en el interior se pueden ver valiosos muebles de estilo y lienzos de grandes artistas ingleses (entre ellos, obras de Reynolds).
South Shields (12 km E): Excavaciones del castillo románico en el extremo E de la *Hadrian's Wall*. El nombre del castillo es *Arbeia;* en él existe un interesante museo. También se alberga aquí el museo de la ciudad, con un modelo del primer bote salvavidas, construido por W. Woodhave en 1789.
Tynemouth (10 km NE): Restos de un convento fundado en el siglo VII. Se conservan las ruinas de la iglesia, de los siglos XI y XII; la caserna data del siglo XIV.
Wallington (28 km NO): Casa feudal transformada en los siglos XVIII y XIX y construida en el año 1688. En el interior, estucados rococó, interesantes muebles de estilo y una colección de porcelanas.

New Lanark

Strathclyde/Escocia Pág. 324 □ G 9

El conjunto de fábricas de lana y casas de trabajadores en el valle del *Clyde*, de finales del siglo XVIII, es un monumento muy especial de la Revolución Industrial en Gran Bretaña. La *Lanark Mills* fue la primera fábrica mecanizada de algodón de Escocia, en la que se trabajaba con una máquina de hilar que funcionaba con fuerza hidráulica, construida por *Richard Arkwright*. A finales del siglo XVIII se instaló aquí la mayor fábrica de algodón de Escocia. En este entorno Gran Bretaña encontró a su primer socialista práctico, Robert Owen. Se interesó porque todas las viviendas de los trabajadores tuvieran, como mínimo, dos habitaciones y que los trabajadores y las familias de éstos tuvieran derecho a atención médica y a una caja de pensiones. Por medio de una tienda comunal proporcionó precios más bajos en la alimentación y, finalmente, edificó, alrededor de 1816, la primera escuela primaria para hijos de trabajadores, en una época en la que era normal que los niños trabajaran. Realizó estas actividades socialistas siendo empresario y no trabajador. En lugar de explotar a las personas que trabajaban para él, intentó dar a sus trabajadores una vida digna, consiguiendo así mayor rendimiento en la producción. Este modelo se hizo tan famoso a principios del siglo XIX que, entre los años 1815 y 1825, más de 20 000 visitantes, entre ellos el zar Nicolás, admiraron la factoría y la colonia junto al *Clyde*. En el año 1828 Owen dejó de ser empresario para convertirse en socialista; vendió su parte de la fábrica y se dedicó exclusivamente al movimiento obrero. Un amplísimo programa de restauración se efectuará en breve para conservar este ejemplo de la época de la Revolución Industrial y del socialismo.

Alrededores

Biggar (20 km SE): Es de especial interés el *Gladstone Court Street Museum*. Muestra una reproducción exacta de una calle comercial de la época victoriana.

Craignethan Castle (11 km NO): Fue la antigua residencia del clan de los *Hamilton*. El castillo data de los siglos XV y XVI; en el año 1579 fue destruido por los protestantes. Se conserva la caserna, con decoraciones en los muros, una torre de defensa y restos de los edificios vecinos.

Newport/Casnewydd

Gwent/Gales Pág. 332 □ H 15

Ciudad industrial y portuaria que se encuentra en la desembocadura del río *Usk* al canal de *Bristol* (130 000 hab.).

St. Woolos' Cathedral: La iglesia principal de la Diócesis de *Monmouth* tiene una planta poco usual. El espacio interior, de tres naves, es de procedencia normanda del siglo XII, con ornamentación en la sala del altar y hermosos pórticos normandos con columnas esculpidas (probablemente procedentes del vecino Caerleon románico). Es de especial interés la pila bautismal, algunas tumbas y esculturas; también la *St. Mary's Chapel,* entre la nave y la imponente torre cuadrada, al O, del siglo XV.

Castle: La fortaleza, exteriormente en bastante buen estado de conservación, fue fundada por el normando Robert Fitz Hamon (1172). En los siglos XIII al XV, el frente E fue reformado en diversas ocasiones. Merece especial atención la torre central, con capilla superior y pórtico erigido en el agua para la entrada de botes. También, las ventanas de la torre del puente (Bridge Tower), de estilo decorated.

Museum and Art Gallery (Dock Street): Contiene una interesante colección de objetos románicos del fuerte *Caerleon y Caerwent;* también, piezas de los alrededores y esculturas.

Otros lugares de interés: La *Transporter Bridge* (modelo en el museo) fue edificada sobre el río *Usk* alrededor de 1906. Sólo se encuentra una edificación similar (puente eléctrico) en *Middlesborough,* Inglaterra.

Alrededores

Caerleon (4 km N): Son interesantes los restos del campamento romano. El fuerte fue instalado alrededor del 75 d. de J. C. con el nombre de *Isca* y fue el mayor castro de legionarios en Gales. Hasta el siglo IV fue cuartel principal de la *2.ª Legio Augusta.* Aquí se hallaban 10 cohortes (unos 5 000 soldados) y, además, personal civil. Existió una ciudad con tabernas, tiendas y un anfiteatro en las afueras del fuerte. Éste se fundó, aproximadamente, en la misma época que el Coliseo de Roma (alrededor del 80 d. de J. C.). Tiene terrenos de hierba y arena para las luchas de gladiadores y un aforo de más de 5 000 espectadores (se conservan pocos restos). Los muros de cuatro edificios de las barracas de las casernas indican que el espacio estaba dividido; también quedan restos de un muro circundante, una letrina con drenaje al O, así como puestos de fuego y torres de vigilancia (restos de muros de 1,5 m de espesor). De la colonia de viviendas sólo quedan algunas lápidas y piedras. Según la leyenda, éste fue el escenario medieval de la tabla redonda del rey Arturo. El historiador Giraldus describe, alrededor de 1188, los restos de la colonización romana como algo «fantástico». En el museo, que se encuentra en las antiguas viviendas de oficiales, se expone una interesante colección de objetos hallados en el campamento (instrumental médico, dados, piedras de juego, vajilla, objetos decorativos y el modelo de un legionario con el uniforme de la época). Enfrente del museo se encuentra la interesante *St. Cadoc's Church,* edificada en 1867 en estilo gótico perpendicular.

New Ross

Wexford/Irlanda

Pág. 330 □ D 13

Esta pequeña ciudad, con su antiguo puerto, situada en el estuario del *Barrow*, fue fundada como colonia normanda de comerciantes alrededor de 1200. Se pueden ver en el actual cementerio restos de la *St. Mary's Church,* del siglo XIII, de estilo temprano-gótico. Fue transformada en el siglo XV. El interesante edificio del Ayuntamiento *Tholsel* fue edificado en 1749 y renovado en el año 1806 (cúpula octogonal). La iglesia central católica, con la hermosa Pietá de Hogan, data del siglo XIX.

Alrededores

Craiguenamanagh (15 km N): La antigua colonización cisterciense, con convento, fue fundada en el año 1207 y es una de las mayores en Irlanda. La iglesia fue construida en 1230, decayó y fue ampliamente restaurada en el siglo XIX (se conserva el pórtico, el Vía Crucis y la capilla bautismal).

Dunbrody Abbey (14 km S): Es una de las más hermosas abadías cistercienses de Irlanda; fundada en el año 1175, disuelta en 1539, durante la revuelta de los campesinos fue seriamente dañada. La iglesia, con planta en forma cruciforme, de unos 59 m de largo, tiene una torre central del siglo XV. Son de

Dunbrody Abbey (New Ross)

Northampton. Church of St. Peter

especial interés las ventanas de arcos ojivales, de estilo gótico, y las filigranas en el pórtico O. Al lado de la iglesia conventual se conservan restos del antiguo edificio del convento (al E, sala capitular y biblioteca; al S, refectorio y cocina).
Dunganstown (5 km S): En este lugar se encuentra el «Cottage» de los antepasados del presidente de los Estados Unidos, John F. Kennedy. Después de su asesinato se instaló el maravilloso parque, con más de 6000 tipos de plantas diferentes.
St. Mullin's (10 km N): Restos de una fundación medieval llamada *St. Moling*. Se conserva la torre circular, una cruz elevada y otras partes de la edificación.
Ullard (20 km N): En este lugar se encuentran las ruinas de una iglesia del siglo XII (transformada en el siglo XVI), con elementos de construcción románicos. Sobre una placa de piedra (originalmente parte de un pórtico), relieves de los santos de la iglesia; también de interés, una bonita cruz de granito (detrás de la iglesia) con escenas bíblicas.

Newry

Down/Irlanda del Norte Pág. 326 □ E 11

Esta pequeña ciudad portuaria, ubicada en la bahía donde desemboca el río *Newry,* se encuentra en una óptima situación estratégica. Del castillo erigido en el año 1180 prácticamente no quedan restos. La torre de la *St. Patrick's Church,* la primera iglesia protestante de Irlanda (1578), procede de una iglesia medieval. Aquí se pueden ver bonitos edificios del siglo XVIII, de estilo georgiano, y del siglo XIX (Court House).

Alrededores

Derrymore House (de alrededor de 1776): La casa es la residencia de un conde irlandés. En ella se encuentra el histórico *Treaty Room.*

Greencastle (27 km SE): Fortaleza de costa del siglo XIII, en no muy buena situación estratégica. Fue destruida por Cromwell en el año 1652.

Killevy (5 km SO): Al E del monte *Slieve Gullion* (577 m), dos ruinas de iglesias de la Edad Media, con bonito pórtico O y ventanas E. En la cima del monte, restos de túmulos prehistóricos (tumba de pasadizos). También, huellas prehistóricas al O del *Slieve Gullion* y al S, en *Killeen.*

Moiry Castle (10 km S): Al SO de *Killeen* se encuentran las ruinas de la fortificación fronteriza, de alrededor de 1600, con torre de defensa cuadrangular.

Narrow Water Castle (7 km SE): Las ruinas están situadas sobre una isla rocosa, en la desembocadura del río *Newry.* El castillo está compuesto por una alta torre rectangular, con muro de defensa, de alrededor de 1560, sobre los restos de una fortaleza de vigilancia (pequeña), de 1212.

Rostrevor (15 km SE): Sobre el monte *Slievemartin* (486 m) se encuentra una piedra circular de granito de *Cloughmore* (unas 30 t.). Según la leyenda, el gigante Finn MacCoul lanzó esta enorme piedra contra su enemigo Benandonner.

Newtownards

Down/Irlanda del Norte Pág. 326 □ E 10

Esta pequeña ciudad, al N del *Strangford Lough,* posee hermosos edificios de los siglos XV y XVIII (Market House, Town Hall con cúpula). En la *Court Street* se encuentran las ruinas del convento dominicano de 1244, con iglesia y torre (siglo XVII).

Alrededores

Bangor (8 km N): Esta ciudad, de unos 41 000 habitantes, es la tercera ciudad más grande de Irlanda. Aquí se encontró una de las mayores fundaciones de la época temprano-cristiana (apenas quedan restos), fundada alrededor del 555 por *St. Congall.* Desde este lugar fueron cristianizadas las Islas Británicas y parte de Centroeuropa (por ejemplo, St. Gallus como fundador de St. Gallens, Suiza).
Greyabbey (10 km SE): Al N de la península *Ards* se encuentran las interesantes ruinas del convento, de 1193. Se conserva la iglesia conventual de una nave, con planta cruciforme, bonitas ventanas de coro góticas y pórtico O; también se conservan restos de la sala capitular y del refectorio. Cerca, hacia el N, los bellos jardines «Mount Stewart Gardens», edificados bajo la Marquesa de Londonderry a partir de 1921. Los edificios datan de los siglos XVIII y XIX.
Kirkistown Castle (28 km SE): Fue construido como torre defensiva por los Condes de Savage, alrededor de 1622. Cerca, las ruinas de las *Derry Churches,* dos iglesias de los siglos VIII al XII erigidas sobre construcciones celtas.
Nendrum (12 km S): Aquí se descubrieron las interesantes ruinas de una fundación temprano celta (St. Mochua), de los siglos V y VI, con restos de celdas edificadas concéntricamente, capilla y torre circular. Los elementos arquitectónicos medievales proceden de un monasterio benedictino; cerca, *Nendrum Castle,* de los siglos XV y XVI.
Portaferry (25 km SE): Este lugar, en el estrecho hacia el *Strangford Lough,* posee un castillo del siglo XVI. El *Portaffery House* data de 1790; el *Court House,* de 1800.

Northampton. Church of St. Peter

Northampton

Northamptonshire/Inglaterra Pág. 328 □ 14

La capital del condado *Northamptonshire* ya no ofrece su antigua imagen, ya que un enorme incendio devastó la ciudad casi por completo en el año 1675. La colonización, en la orilla N del *Nene,* data de la época sajona. Simón de Senlis conquistó la fortificación a los sajones para los normandos, los cuales hicieron de la localidad un importante punto de apoyo. Aquí se celebró, en 1164, el tribunal contra Thomas Becket y se dictó su sentencia. En 1460 se desarrolló, delante de los muros de la ciudad, una de las batallas decisivas de «La guerra de las dos Rosas», en la que fue hecho prisionero Enrique VI. La ciudad, durante la guerra civil, estaba al lado del partido parlamentarista, por lo que Carlos II hizo destruir el castillo y las demás fortificaciones.

Church of the Holy Sepulchre: Es una de las cuatro iglesias circulares de Inglaterra, y fue construida entre los años 1100 y 1115. Las ocho columnas normandas soportan arcos del siglo XIV; no obstante, datan de la época de construcción de la iglesia, la cual fue edificada por iniciativa de Simon of Senlis, copiando el diseño de la iglesia de la Tumba Santa en Jerusalén. La actual nave de la iglesia fue edificada en los siglos XIII y XIV como prolongación del coro normando; el coro data de los años 1860-1864; su constructor fue Sir Gilbert Scott.

Church of St. Peter: La segunda iglesia de la ciudad de la época normanda fue edificada alrededor de 1160 y es una de las iglesias parroquiales normandas más bellas de Inglaterra. El pórtico de la fachada O está tan ricamente decorado como los capiteles de las columnas en el interior. Son impresionantes los macizos arcos, en especial el arco O de la torre. La parte que ocupa un crucifijo situado en el interior data de la época sajona.

Church of All Saints: La monumental iglesia en el centro de la ciudad data de la Edad Media; en el año 1675 se incendió por completo, siendo reedificada posteriormente. De la vieja iglesia sólo se conserva la cripta, debajo de la sala del altar, así como la parte inferior de la torre, que fue coronada con una cúpula en el año 1704. El pórtico, con columnas jónicas en la fachada O, contiene una estatua de Carlos II, obra de John Hunt, de 1712. El interior también está decorado con columnas jónicas; la pila bautismal y el púlpito datan de 1680.

Town Hall: Fue edificado en los años 1861-1864 por Edward Godwin en estilo gótico veneciano. El edificio de dos pisos posee un campanario y un aguilón decorado con pequeñas torres, así como numerosas esculturas y estatuas de reyes ingleses y santos. En los años 1889-1892 Matthew Holding añadió un ala, que también está decorada con hermosas esculturas.

Museum and Art Gallery: Este museo, ubicado en la *Town Hall,* contiene una interesante colección arqueológica con hallazgos que datan desde la Edad del Hierro. También de interés, la colección geológica, así como una visión general sobre el desarrollo de la técnica y la moda en el arte de la zapatería (se exponen aquí los zapatos de la boda de la reina Victoria).

Alrededores

Althorp (12 km NO): La casa de la Edad Media fue, en 1508, la residencia de la familia *Spencer,* que la hizo renovar en los años 1573 y 1733. La forma actual se debe a Henry Holland en 1787. Robert Spencer, el *segundo Earl of Sunderland* (1640-1702), comenzó una galería de obras pictóricas con obras de maestros holandeses e italianos. Actualmente se puede ver aquí una increíble colección de lienzos y muebles. Merecen especial atención los retratos de Van Dyck, Lely, Kneller, Reynolds (sólo de él 18 obras) y Gainsborough.

Castle Ashby: Esta casa feudal, de estilo isabelino, fue comenzada en el año 1574 y fue la residencia de la familia *Compton,* cuyos miembros se convirtieron en marqueses de *Northampton.* La casa fue finalizada en 1635 y obtuvo un ala S diseñada por Inigo Jones. La instalación interior de la casa data de 1600 a 1635. En ella se pueden admirar finos estucados, enmaderados, escaleras y chimeneas, así como exquisitos muebles y tapices del siglo XVII. La galería, con obras de artistas holandeses e ingleses, es especialmente interesante; los jardines son obra de Capability Brown.

Church Stowe (16 km O): La *Church of St. Michael* todavía conserva su torre O de la época sajona y la entrada normanda. En el interior, la iglesia fue ampliamente reformada; se conservan algunos monumentos fúnebres de interés. En especial uno con la escultura de un caballero con las piernas cruzadas, del siglo XIII. Merece especial atención la escultura de mármol que creó Nicholas Stone para el monumento de *La-*

dy Carey, alrededor de 1620. El monumento al presidente del *Corpus Christi College of Oxford,* fallecido en 1714, doctor Turner, es obra de Thomas Stayner. Está compuesto por dos esculturas en tamaño natural, de las cuales una está de pie sobre un globo terráqueo y la otra sobre un globo celeste.

Earls Barton (13 km NE): La *Church of All Saints,* con su famosa torre O, es una de las obras de más importancia de la época sajona. La torre, del siglo X, fue fortificada como torre defensiva de la vecina fortaleza normanda. Está decorada con una fila de arcos y dos filas de ornamentaciones en zigzag. No se ha descubierto este tipo de ornamentación en ninguna otra edificación. También de la época sajona data la parte inferior de la entrada original O. En la época normanda se añadió a la torre una sala de altar y una pequeña nave. En los siglos XIV y XV se amplió la iglesia; en el siglo XV la torre fue coronada con almenas.

North Elmham

Norfolk/Inglaterra Pág. 328 □ L 13

En esta pequeña ciudad ya no se adivina que, en el año 673, se encontraba aquí la sede episcopal. De 956 a 1075 esta sede fue la única de *East Anglia.* Desde *Thetford* la sede fue trasladada a *Norwich.* A principios del siglo XI los sajones edificaron en *North Elmham* una catedral, cuyas ruinas pueden ser admiradas detrás de la iglesia parroquial, así como los cimientos de la casa episcopal.

Church of St. Mary: Data del año 1093 y fue construida como iglesia de expiación. La iglesia, en épocas posteriores, fue reformada. En el lado S todavía se conserva una ventana normanda. Es de especial interés la reja del coro pintada y fragmentos de los vidrios emplomados del siglo XIV.

Alrededores

East Dereham (10 km S): La iglesia con planta cruciforme, *Church of St. Nicholas,* posee una bonita torre en el transepto y un campanario independiente que no está finalizado, del siglo XVI. La iglesia fue fundada por *St. Withburga,* que está enterrada al lado del campanario. La iglesia actual data, predominantemente, de la época gó-

Northampton. Church of St. Peter, relieve de las archivoltas

tica, aunque se conservan algunos restos normandos. Los techos pintados de las capillas N y S son un excelente trabajo. La pila bautismal, decorada con símbolos de los siete sacramentos, data del año 1468; los emplomados de las ventanas son del siglo XIX. En la iglesia se encuentra el monumento fúnebre del poeta *William Cowper;* que fue creado por John Flaxman en el año 1803.
Elsing (10 km SE): La *Church of St. Mary* fue edificada por Sir Hugh Hastings alrededor de 1330. La iglesia, sin naves laterales, posee una pila bautismal octogonal cuya tapadera está decorada con pinturas. El detalle de más interés en el interior es la lápida, excelentemente trabajada, dedicada al constructor de la iglesia (1347).
Tittleshall (13 km O): La *Church of St. Mary* es, en parte, temprano-gótica. La iglesia es de interés por los numerosos monumentos fúnebres que en ella se albergan. Los que más destacan son los de la familia *Coke,* creados por fantásticos artistas. Nicholas Stone creó el de *Edward Coke* (1634), Bridget Paston el de la *esposa del primero* (1598), Louis Roubiliac el del *primer Earl of Leicester* (1760) y Josep Nollekens el de una *Mrs. Coke* (1800).

Norwich

Norfolk/Inglaterra Pág. 328 □ L 13

La capital del condado de *Norfolk* procede de una fundación sajona. Fue destruida por los daneses bajo Sweyn Forkbeard; a principios del siglo X fue de nuevo tan importante que apareció como *Nothwick* en las monedas del rey Athelstan (925-940). En el siglo XI se encontraba aquí la sede del *Earl of East Anglia* y, en el año 1094, Norwich se convirtió en sede episcopal. De 1294 a 1320 se edificó el muro de la ciudad, de 4 km de largo, comparable en aquella época con el muro de Londres.
A lo largo de los siglos hubo bastantes disturbios, pero la ciudad nunca fue destruida por completo, pudiéndose así conservar sus encantadoras calles medievales. En la última guerra hubo algunas pérdidas importantes que, en comparación, no fueron tan graves como los destrozos que ocasionó la modernización de la ciudad. Se conserva el castillo, la catedral y muchas de las 32 iglesias de antes de la época de la Reforma.

Cathedral: La sede episcopal de *East Anglia* fue fundada en el 630 por Félix de Burgund en *Dunwich.* Después de pasar por *North Elmham* y *Thatford,* la sede se trasladó, bajo el obispado de Herbert de Losinga, en el año 1094, a *Norwich.* Dos años más tarde Losinga comenzó con la construcción de la catedral y finalizó, hasta su fallecimiento en el año 1110, el coro, el crucero y la parte E de la nave, así como la parte inferior de la torre. Su sucesor, el obispo Eborhard, construyó, en el año 1145, la nave grande. La obra se paralizó cuando, en el año 1272, los ciudadanos se rebelaron contra el obispo e incendiaron la catedral. A mitad del siglo XIV el obispo Percy construyó una nueva claraboya en el coro y el obispo Alnwick, un siglo después, erigió la fachada O y finalizó el Vía Crucis. En la segunda mitad del siglo XV se construyeron bóvedas en los techos de la nave y el coro (piedra) y la torre fue coronada con su actual aguja. Durante la Reforma la catedral sufrió bastante; no obstante, las restauraciones efectuadas posteriormente salvaron gran parte del edificio.
El exterior de la iglesia, de 135 m de largo, impresiona por la inmensa torre de 105 metros de altura (sólo la de Salisbury es más alta) y el techo, así como la majestuosa parte inferior de la torre y las arcadas normandas en el lado E del crucero S. El contraste existente entre la gran ventana gótica, en la fachada O, y las torres esquineras es muy llamativo.
El interior de la catedral es un extraño ejemplo, con excepción del techo, de una típica iglesia de la época normanda. Las imponentes columnas normandas de los 14 yugos de la nave crean, conjuntamente con el color claro de la piedra, una luminosidad extraordinaria junto con la sensación de espacio, poco usual en las cons-

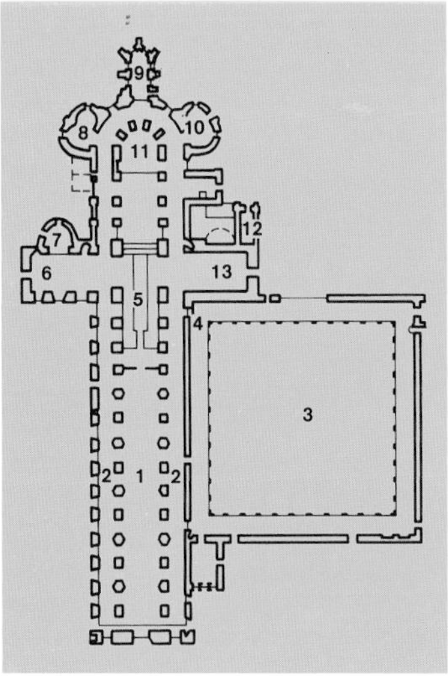

Norwich Cathedral: **1.** Nave principal. **2.** Naves laterales. **3.** Vía Crucis. **4.** Prior's Door. **5.** Coro. **6.** Crucero N. **7.** St. Andrew's Chapel. **8.** Jesus Chapel. **9.** St. Saviour's Chapel. **10.** St. Luke's Chapel. **11.** Altar. **12.** Sacristía. **13.** Crucero S.

Norwich. Catedral

trucciones de la época normanda. Es también extraño que los arcos del triforio tengan el mismo tamaño que las arcadas principales y que en las claraboyas se conserven las ventanas normandas. Las naves laterales se conservan en estilo puro normando. El *Prior's Door,* que conduce del yugo E al Vía Crucis, es gótico. También de estilo gótico es el techo de bóvedas de la nave, construido en el siglo XV.

Son de gran belleza los trabajos de piedra labrada que muestran escenas del Antiguo y del Nuevo Testamento. También es poco usual la *St. Andrew's Chapel,* construida en forma de ábside en el lado E del crucero N. La vidriera policromada que en ella se encuentra data del siglo XV; la *Madonna* es obra de John Skelton. El coro incluye los tres yugos E; la reja del coro data del siglo XV. El coro alcanza el lado E del transepto, otra peculiaridad de esta iglesia que corresponde a diseños franceses. Es especialmente interesante la posición del antiguo trono episcopal situado detrás del altar. El trono data del siglo VIII y fue traído a la catedral por el obispo Losinga desde *Dunwich.* En el extremo E de los dos brazos del crucero del coro se construyeron capillas laterales de forma casi circular. En el lado NE se encuentra la *Jesus Chapel;* en el lado SE la *St. Luke's Chapel.* El valioso tesoro de esta última son dos tablas, en el altar, donadas a la catedral por el obispo Despenser en el año 1380. Son un ejemplar único de la *East Anglian School.* Se conservan todavía, ya que no se encontraban en la catedral durante la Reforma. En el año 1847 fueron encontradas de nuevo, y traídas a su lugar de origen en 1957. En las tablas se representa la Crucifixión y la Resurrección.

En el extremo E de la catedral se encuentra la *St. Aviour's Chapel,* edificada en el año 1932 como capilla dedicada a los caídos en la guerra; dos

arcos temprano-góticos situados a la entrada pertenecen a las ruinas de la *Lady Chapel,* edificada por el obispo Walter de Suffield, que fue demolida posteriormente.
El *Vía Crucis* está en consonancia con la magnitud e importancia de la catedral; fue creado en los años 1297 a 1425. Este es el único Vía Crucis de dos pisos construido en una fundación conventual en Inglaterra; posee increíbles ventanas con el techo emplomado; los trabajos de picapedreo en las bóvedas del techo muestran fantásticas escenas.

Church of St. Peter Mancroft: La impresionante iglesia gótica fue comenzada en el año 1430 y finalizada en 1455. Posee una torre O increíblemente bien proporcionada y decorada, cuya parte superior fue finalizada de 1881 a 1895. En esta torre sonó en el año 1751 un juego de campanas completo con 5 040 sonidos. El interior está formado por una sala sin arcos. El techo de doble viga está recubierto por decorativas bóvedas falsas. La gran ventana E conserva el emplomado original del siglo XV. En la iglesia se pueden ver numerosos monumentos fúnebres, entre ellos el de *Sir Thomas Browne,* el autor de «Religio Medici». Una estatua delante de la iglesia muestra la imagen del famoso autor, el cual vivió en *Norwich* de 1637 a 1682. En la sacristía se encuentran valiosos manuscritos de los siglos XIII y XIV.

St. Peter Hungate Church Museum: La antigua iglesia parroquial fue reedificada en el año 1460 por John y Margaret Paston; posee un techo de vigas en forma de cruz. Los emplomados en las ventanas son de los siglos XV y XVI; se conservan en bastante buen estado. Actualmente la iglesia es utilizada como museo de arte eclesiástico y contiene excelentes tallas medievales, atuendos eclesiásticos, campanas y valiosos manuscritos que datan del siglo XIII y, en parte, están maravillosamente ilustrados. Uno de los tesoros de la iglesia es la «Biblia Wycliffe», de 1388.

Castle Museum: La fortaleza, edificada después de la conquista, destaca por su impresionante cementerio, en perfecto estado de conservación, edificado por Enrique I (1100-1135). Las

Norwich. Cathedral, claustro

falsas arcadas normandas en las paredes exteriores no existen en ningún otro castillo de esta época. Desde el año 1894 se encuentra en el castillo el museo de la ciudad, que se dedica a la arqueología, la historia en general, al arte y a la artesanía. La historia del desarrollo de la ciudad está excelentemente documentada.

Bridewell Museum: El sótano, recubierto con el techo de bóvedas de la casa, fue construido en el año 1325; la casa en 1370, por William Appleyard, el primer alcalde de Norwich. El museo se dedica a los oficios manuales y a la industria local. Sus muestras son diversas: desde herramientas agrícolas, material para la construcción de barcos, técnicas de pesca y objetos referentes a la misma, hasta la hilandería y el vaciado de campanas.

Stranger's Hall: Este museo se encuentra en una vieja casa de comerciante, cuyo sótano data del siglo XIII y la parte superior de la edificación del siglo XV. En el año 1921 L. G. Bolingbroke obsequió la casa y su colección de muebles a la ciudad. Actualmente las habitaciones de la casa están decoradas en estilos de diferentes épocas (principios de Tudor hasta finales de la época victoriana). Aquí se pueden admirar valiosos tapices del siglo XV en la gran sala y objetos de cocina del siglo XIX.

Alrededores

Caistor St. Edmund (6 km S): Aquí se encontró el *Venta Icenorum* de los romanos, que fue fortificado en el siglo II. Los sajones destruyeron el conjunto de tal manera que, actualmente, sólo se pueden ver restos del muro N. La planta de la colonización todavía se puede reconocer. La iglesia parroquial gótica contiene una pila bautismal excelentemente trabajada, del año 1410, y un fresco que muestra a *St. Cristophorus*.

Ranworth (12 km NE): La iglesia gótica *Church of St. Helen* posee la reja de coro de más belleza en el condado. Abarca el ancho total de la iglesia y muestra, sobre 26 tablas independientes, pinturas de santos. Esta colección única de retratos data del año 1470.

Wymondham (17 km SO): La *Church of St. Mary*, una de las iglesias más interesantes del condado, posee torres en los lados E y O. Originalmente perteneció a un monasterio fundado en 1107, del cual se utilizó la nave y el crucero N como parroquia. El coro se reservó exclusivamente para el monasterio. Ya que el monasterio y la parroquia no se ponían de acuerdo en la utilización de la torre, el monasterio edificó, alrededor de 1400, la torre octogonal en el lado E y la parroquia la torre O, alrededor de 1450. En esta época se separaron, por un muro que llegaba hasta el techo, el coro y la nave. Después de la disolución conventual se utilizaron las piedras del coro y de las edificaciones del monasterio por la parroquia para edificar, de 1543 a 1560, la nave lateral S. Actualmente la iglesia se destaca por las arcadas normandas, bonitas claraboyas góticas y el increíble techo de vigas, decorado con ángeles y trabajos de picapedreo. La decoración moderna del altar de Sir Ninian Comper (1935) está en perfecta armonía con el resto de la nave.

Nottingham

Nottinghamshire/Inglaterra Pág. 328 □ I 13

Fundación danesa enclavada en el centro de Inglaterra; en el siglo XI fue adquirida por los normandos; desde el año 1155 posee derechos de mercado (el famoso «mercado de gansos» se celebra anualmente el primer fin de semana de octubre). Esta es la ciudad natal del famoso héroe popular Robin Hood (su campamento se encontraba en Sherwood Forest). En 1642 comenzó aquí la guerra civil.

St. Mary's Church (Stone Street): Construcción del siglo XV en estilo gótico perpendicular. Es de especial interés, en la construcción exterior, la imponente torre del transepto coronada por almenas. En el interior, hermosos trabajos de emplomado del siglo XIX (de los talleres de Ward-Hugh y Clayton-Bell).

St. Peter's Church (St. Peter's Gate): La primera edificación data de finales del siglo XI (de esta construcción no quedan restos prácticamente; la parte más antigua de la construcción actual es la arcada S en la nave principal, de 1200). La imagen actual de la iglesia es de predominante estilo perpendicular, de finales del siglo XIV y de principios del XV; el coro fue renovado en los años 1877-1878.

Castle: Del original castillo normando (edificado en 1068 por Wilhelm el conquistador) no quedan restos; la construcción nueva es de estilo renacentista italiano y data el siglo XVII. Fue construida por el Conde de Newcastle, después de un devastador incendio, en el año 1831; se reedificó nuevamente y, desde 1831, es utilizado como museo. Delante de la fortaleza se erigen las estatuas del legendario Robin Hood y de sus hombres.

Museos:
Castle Museum (City Museum and Art Gallery): En el piso inferior se encuentran colecciones referentes a la historia de la ciudad, exposiciones de cerámica, plata y vidrio (entre otras cosas, vajillas del siglo XVIII de Nottingham), viejos vehículos de los siglos XVII y XVIII; en el primer piso una galería de pinturas (obras de maestros ingleses desde la Edad Media, entre ellos Reynolds y Gainsborough, obras de artistas oriundos R. P. Bonington y de los hermanos Sandby). También de interés, el *Sherwood Forester's Regiment Museum.*

Castle Gate Costume Museum (Castle Gate): Exposición de fantásticas puntillas y bordados del Renacimiento. Se exponen las colecciones en salas decoradas al estilo de los siglos XVIII y XIX. También se pueden ver revestimientos de pared, del siglo XVII, procedentes de *Nottinghamshire.*

Museo de Arte Popular (Brewhouse Yard): Expone objetos utilizados en la vida cotidiana de *Nottinghamshire* en los últimos siglos.

Otros lugares de interés: Iglesia *St. Nicholas* (Maid Marian Way) del siglo XVII con las ventanas de la torre góticas. *Council House* (Old Market Square), de 1929. «Ye Old Trip of Jerusalem» (Castle Road) y «The Salutation» (St. Nicholas Street), las posadas probablemente más antiguas de Inglaterra (siglos XII y XIII).

Alrededores

Holme Pierrepont (7 km E): Iglesia *St. Edmund* (gótica, de finales del siglo XVII). En el interior, una hermosa pila bautismal gótica, así como monumentos fúnebres; entre ellos destaca el de *John Flaxman,* del siglo XIX.

Mansfield (22 km N): En el lugar se encuentra un interesante museo. Aquí se pueden ver acuarelas de A. S. Buxton (más de 150) con motivos del antiguo *Mansfield.*

Newstead Abbey (14 km N): Monasterio fundado en el siglo XII; desde el año 1540 pertenece a la familia *Byron.* Fue reconstruido como casa señorial. En el interior, cartas y manuscritos del poeta Lord Byron, 1788-1824.

Papplewick (10 km N): La iglesia *St. James* es de estilo neogótico, de finales del siglo XVIII (con excepción de la torre, que data del siglo XIV). Bonitos emporios y lápidas, del siglo XIII.

Ratcliffe-on-Soar (10 km S): Iglesia *Holy Trinity* con bonita torre gótica. En el interior, de especial interés, las figuras de alabastro de la familia *Sacheverell,* realizadas en el del siglo XVI.

Sandiacre (9 km SO): La iglesia *St. Giles* es de estilo románico con transformaciones góticas. Es de especial interés el coro, con ventanas ricamente decoradas.

Strelley (5 km O): En este lugar se encuentra la iglesia *All Saints,* del siglo XIV, con su hermosísimo coro. En el interior, los monumentos de la familia *Strelley,* de los siglos XIV al XVI.

Thrumpton Hall (9 km S): Palacio renacentista (bellos muebles de estilo y recuerdos personales de Lord Byron).

Wollaton (4 km O): Palacio renacentista construido entre 1580 y 1588; actualmente alberga al *Natural History Museum of Nottingham* y, en los antiguos edificios de las caballerizas un museo industrial.

O

Oakham

Leicestershire/Inglaterra Pág. 328 □ K 13

Church All Saints: Construcción esencialmente gótica del siglo XIV. En el siglo XV fue ampliada y, de esta época, datan las claraboyas y las hermosas ventanas góticas de estilo perpendicular. La torre se erigió en el siglo XIV. En el interior, de especial interés, los arcos ojivales ricamente decorados y los capiteles. Merece especial atención el tesoro de la iglesia (entre otros objetos y libros se puede ver aquí una Biblia del siglo XIII).

Castle: Originalmente la edificación fue una casa señorial fortificada, adquirida por Guillermo «El Conquistador» en el siglo XI. Es de especial interés la románica *Great Hall* (21 m de longitud y 15 de ancho). En su interior se encuentra una amplia colección de herraduras ornamentadas (según la antigua tradición eran exigidas a los visitantes de sangre real que pasaban por este lugar).

Rutland County Museum: Se encuentra en una antigua escuela de 1795 (increíble techo de madera). Alberga objetos sobre la historia local y sobre la historia de un pequeñísimo condado, *Rutlandshire,* disuelto en el año 1974. Entre otras cosas, se pueden admirar joyas anglosajonas y hallazgos procedentes de *Market Overton* → *Melton Mowbray.*

Otros lugares de interés: Al lado de la iglesia se encuentra la escuela, de 1587. Sobre la plaza del mercado los antiguos «palos de castigo» para quebrantadores de la ley.

Alrededores

Barrowden (12 km SE): La iglesia *St. Peter,* del siglo XIII, posee una gótica ventana E.

Brooke (4 km S): La iglesia *St. Peter,* de origen normando, fue renovada en el siglo XVI. En el interior, un bonito monumento fúnebre del Renacimiento (1619).

Burley-on-the-Hill (3 km NE): La iglesia *Holy Cross* es de origen románico; fue restaurada en el año 1870. En el interior, sobre un monumento fúnebre, una escultura de mármol creada por F. Chantrey en el año 1820.

Egleton (2 km SE): La iglesia *St. Edmund* posee un maravilloso pórtico S de procedencia románica.

Empingham (8 km SE): La iglesia *St. Peter* posee una bonita fachada O del siglo XIV. En el interior, de estilo temprano-gótico, restos de pinturas murales y sobre vidrio.

Exton (8 km NE): La iglesia *SS. Peter and Paul* es especialmente interesante por sus monumentos fúnebres, de los siglos XIV al XVIII; entre ellos, de especial interés, el de *Gibbons* y *Noellekens.*

Hallaton (14 km SO): La iglesia *St. Michael,* del siglo XIII, conserva restos románicos en la antesala; en el lado N, una pequeña torre adicional. En el interior es de especial interés el coro; debajo de la nave lateral N se halla una pequeña cripta.

Langham (3 km NO): En este lugar se encuentra la iglesia *SS. Peter and Paul,* de los siglos XIII y XIV. En el interior, de especial interés, los trabajos modernos del siglo XX, obra de N. Comper.

Lyddington (10 km S): Iglesia *St. Andrew,* de los siglos XIV y XV. En el interior, restos de antiguas pinturas murales; en el coro, viejos emplomados de vidrio; también de interés, el *Bede House.*

North Luffenham (9 km SE): En este lugar se encuentra la iglesia *St. John the Baptist,* de los siglos XIII y XIV; en el interior, restos de pinturas murales; en el coro, interesantes emplomados de vidrio.

Stoke Dry (10 km S): Aquí se encuentra la iglesia *St. Andrew,* de origen románico. En el interior, de especial interés, las tumbas de la familia *Digby,* de los siglos XIV al XVII, así como pinturas murales descubiertas hace poco tiempo, del siglo XIII.

Withcote (8 km SO): Iglesia perteneciente a una casa feudal del siglo XVI. En el interior, bonitos trabajos en vidrio de la misma época.

Oban

Highlands/Escocia Pág. 324 □ F 7

Esta pequeña ciudad, junto al *Firth of Lorn* es, en la actualidad, un apreciado lugar vacacional. Los eventos preferidos por el turismo cada año son: la *West Highland Yachting Week* en agosto, así como el *Argyll Gatherlng* en septiembre.

St. Columba's Cathedral: Esta construcción de granito fue diseñada por Sir Gilbert Scott. La catedral, que no está ubicada sobre suelo histórico ni tiene una gran historia en sí, es, sin embargo, el centro espiritual de los católicos en el O de las *Highlands* y de las Hébridas. La liturgia de la misa se celebra en gaélico.

McCaig's Folly: Los restos de una muralla de hasta 15 m de altura, emplazados sobre una colina de la ciudad, dan testimonio del intento de un banquero que, a partir de 1897, pensó construir un monumental museo con una atalaya de 50 m de altura. Intentó imitar al Coliseo de Roma. Falleció antes de finalizar su obra y, sus antepasados, no la concluyeron; así pues, sólo se conservan las ruinas de la construcción sin acabar.

Alrededores

An Cala Gardens (12 km SO): Los jardines, en la punta O de la isla *Seil,* confirman el maravilloso clima marino. En un jardín de agua y otro de roca crecen rosas y azaleas, cerezos y almendras.

Ardchattan Priory (7 km N): Al lado del priorato de *Beauly* y *Pluscarden* se edificó esta construcción alrededor de 1230. Son de interés algunas lápidas bien conservadas y el hecho de que el rey Roberto Bruce celebró aquí su última reunión de consejo en gaélico.

Dunstaffnage Castle (4 km N): Sobre una roca se encuentran las ruinas de este castillo, del siglo XIII. El fundador fue Alejandro II; él precisaba la fortaleza como base de operaciones para una expedición. En el año 1470 el castillo pasó a ser propiedad del clan de los *Campbell.* En los años 1685 y 1810 se incendió. En los años 1715 y 1745 fue refugio de los Hannoverianos. Actualmente es de interés el muro, de unos 20 m de altura y 4 m de espesor. La torre, en la esquina NO, es la parte más antigua que se conserva de la edificación.

Lismore Island (10 km NO): Esta isla, de 16 km de longitud y, en su punto más alto con una altitud de 127 m, fue cristianizada por un monje iroescocés, el santo Moulag, en el año 560. En el siglo XII *Lismore* fue centro de la diócesis de *Argyll.*

Omagh

Tyrone/Irlanda del Norte Pág. 326 □ D 10

La capital del condado de *Tyrone* posee una bonita iglesia parroquial del siglo XIX con dos torres y un altar de mármol en el interior. También de interés es el *Court House,* de estilo clásico (siglo XIX).

Alrededores

Clogher (30 km SE): Esta localidad fue una de las primeras sedes episcopales de Irlanda (St. Macartan, siglo V). La catedral es de estilo clásico neogótico (alrededor de 1745) y conserva partes de la Edad Media. En el cementerio se erigen tres cruces de los siglos IX y X. En los alrededores (hacia el NO), restos de un túmulo prehistórico en *Knockmany* y *Sess Kilgreen.*

Orkney Islands (I)

Escocia Pág. 322 □ H 3

Este archipiélago, situado al NO de Escocia, está compuesto por unas 67 islas independientes. A pesar de encontrarse éstas en medio del Mar del Norte, a la altura de Estocolmo, sin ningún tipo de protección, ya estuvieron colonizadas hace cinco mil años. En el Neolítico ya se cultivaba el trigo y, en la Edad del Bronce, hubo un drástico aumento de población. Alrededor del 500 a. de J. C. vivían tantas personas en ellas como en la actualidad. La invasión de los romanos bajo Agrícola no dejó demasiadas huellas, al contrario que la de los vikingos en el siglo VIII. Junto a las *Shetlands,* las *Orkneys* se convirtieron en condado noruego, que abarcaba, con *Earl Thorfinn El Poderoso,* no sólo una gran parte de Escocia y partes de Irlanda, sino también las Hébridas. Hasta el año 1468 las islas pertenecieron a la Corona noruega; hasta el siglo XVIII el idioma que se hablaba en las islas fue el «Norn», antiguo dialecto de Irlanda del Norte parecido al escandinavo. En el año 995 comenzó la cristianización. En el siglo XII las islas tenían obispo propio que pertenecía a la diócesis de *Largs.* En el año 1418, por vez primera, un escocés ocupó el puesto de obispo. El «derecho danés», durante el reinado noruego, fue retirado en el año 1611.

Kirkwall: La capital del archipiélago fue un importante puerto vikingo. Éstos edificaron, a principios del siglo XII, una de las construcciones sacras de más importancia en Escocia, la catedral *St. Magnus.* Esta es la única iglesia que se conserva en estado original de la época anterior a la Reforma; fue construida imitando la iglesia episcopal de *Durham;* la construcción comenzó alrededor de 1137. De esta época datan las imponentes pilastras redondas y los arcos de medio punto de las arcadas y el triforio, así como la ornamentación de los arcos falsos entrelazados. Un siglo después se añadieron capillas a las naves laterales y el ábside semicircular fue sustituido por un coro tempranogótico con arcos ojivales en el piso superior y capiteles decorados con hojas y grotescas de animales. Los pórticos con columnas en el frente O, fueron comenzados en el siglo XIII y finalizados doscientos años después, respetando el estilo. Desgraciadamente, durante la Reforma se destruyó casi todo el interior de la catedral. Algunas lápidas barrocas indican que la iglesia fue utilizada para albergar tumbas. Una tabla recuerda a los 833 marineros fallecidos en el barco de guerra «Royal Oak», que fue hundido por un submarino alemán en la bahía de *Scapa* el 14 de octubre de 1939. *Palacio Obispal:* Las partes más antiguas de la construcción datan del siglo XII. El palacio está dominado por una inmensa torre de alrededor de 1550, posee numerosas troneras. Desde aquí se tiene una excelente vista de la *Great Hall,* en la que murió el rey Haakon IV después de la batalla de *Largs,* en el año 1263. *Palacio Condal:* Su mayor época de auge fue la misma que la del Palacio Episcopal. Fue edificado por el mayor tirano de las Orkneys, *Earl Patrick*. En los años 1600-1607 sus súbditos edificaron este palacio renacentista, uno de los más bellos de Escocia, sin derecho a sueldo ni alimentación. Las ruinas del palacio muestran todavía una visión de cómo vivían los emperadores en la época del Renacimiento.

Orphir: Esta iglesia no es sólo la más antigua de las *Orkneys*, sino también la única iglesia medieval circular de Escocia. Data del siglo XII (alrededor de 1120), imitando la estructura de la iglesia de la *Santa Tumba* en Jerusalén. La nave, completamente circular, tenía un diámetro de 6 m; se conserva el ábside semicircular de 2 m de ancho y una pequeña ventana románica. El techo de bóvedas alcanza una altura de casi 4 m.

Skara Brae: En el invierno de 1850 un huracán se llevó una duna costera del territorio del *Meno*. Debajo de la arena apareció una inmensa montaña de escombros: los restos de siete cabañas prehistóricas unidas entre sí. Las casas y callejuelas estaban recubiertas,

Oxford. Cathedral, techo

para resguardarse de las tempestades, de una mezcla de arena. Se encontraron aquí restos de sus habitantes: las artísticas hachas de piedra, collares de dientes de animales y perlas, así como agujas de marfil. Las instalaciones en el interior de las casas eran extremadamente artísticas: camas y armarios de piedra de gran belleza y surcos para canalizar el agua demuestran el tipo de civilización de la época.

Birsay: En este lugar residió hasta 1065 el *Earl of Thorfinn*. Se han encontrado los restos de un palacio imperial y de una catedral del siglo XI, así como partes de un edificio del siglo VII, de la época de los misioneros irlandeses. En el siglo XI existió aquí un monasterio. Al lado de la pequeña iglesia conventual se encontró un cementerio píctico, en el que se descubrió el famoso «Birsay Stone».

Broch of Gurness: Esta fortaleza circular, con doble anillo de muros, data de la Edad del Hierro. Sus muros exteriores tenían originalmente una altura de 12 m. Al lado de un gran pedernal existió aquí un sótano y una fuente. La fortaleza era utilizada como escondite; los últimos en visitarla fueron los vikingos.

Maes Howe: Es el mayor cementerio de las islas *Orkneys,* situado sobre un monte y con un diámetro en la base de 35 m y una altura de 8 m. Es el túmulo funerario más impresionante de Inglaterra. Un pasadizo de 11 m de longitud y 1,3 m de altura forma la entrada a la cámara sepulcral que utilizaron los vikingos en el siglo XII, como una especie de centro de información y recopilación de datos, dejando para la posteridad la mayor colección de ruinas del mundo. La cámara tiene sus orígenes en la época Megalítica (1800-1600 a. de J. C.). Hasta hoy no se ha podido descubrir el método utilizado para transportar estas inmensas piedras de más de tres toneladas.

Egilsay: La iglesia *St. Magnus* fue

construida entre los años 1135 y 1140. Impresiona desde lejos por su ejemplar torre circular, cuyo diámetro es, en la base, de 3 m; la torre se estrecha hacia arriba; su altura total es de 15 m y el diámetro en la aguja es de 1 m. La pequeña iglesia tiene un pórtico románico, así como pequeñas ventanas románicas. El coro está recubierto por un techo de bóvedas.

Oxford

Oxfordshire/Inglaterra Pág. 332 □ I 14-15

La «ford for oxen» (camino de los bueyes) se nombra por primera vez en una crónica anglosajona del año 912; en aquel entonces la colonización ya tenía doscientos años de antigüedad. Hasta mediados del siglo XI su importancia aumentó a tal punto que los normandos edificaron una fortaleza (1071) como protección y defensa de la colonización. Se conserva actualmente la *St. George's Tower.*

La universidad data del siglo XII, procede de la escuela del *St. Frideswide's Priory.* Su primer privilegio oficial fue concedido en el año 1214 por el legado episcopal Pandulf. A partir del año 1249, y en los noventa años sucesivos, se edificaron los siete colegios (actualmente 34), adquiriendo la universidad tanto poder que concurría con la de París. El auge en el Renacimiento fue tan importante como el decaimiento durante la Reforma. El calvinismo de Eduardo VI dejó vacía la universidad, ya que en el año 1871 obligó a todos sus miembros a reconocer las leyes y los postulados del calvinismo. En 1920 la universidad se modernizó, aunque se perdió la independencia que había durado setecientos años. Desde entonces la universidad es estatal, estudiantes femeninas tienen acceso a todas las academias y el griego ya no es una asignatura obligatoria para la graduación. A pesar de la «modernización», Oxford sigue siendo lo que ha sido a lo largo de los siglos, la más bella e interesante universidad del mundo.

Cathedral: Procede de la iglesia conventual de monjas fundada en el siglo VIII por St. Frideswide. Ethelred la convirtió en 1004 en un seminario para curas; en el año 1122 se convirtió

Oxford. All Souls College

en priorato agustino. Las partes más antiguas de la iglesia actual se han conservado gracias a las restauraciones de 1141-1180 por Robert of Cricklade. El cardenal Wolsey hizo demoler, en la primera mitad del siglo XVI, los tres yugos O de la nave cuando edificó el colegio. A partir de 1870, Sir Gilbert Scott reemplazó la gran ventana E por una combinación de ventanas más pequeñas y arcos, modificando así la fachada O. La torre, de 50 m de altura, del siglo XIII, se conserva en su estado original.

En el interior impresionan las columnas redondas y octogonales alternativamente, así como el increíble techo de bóvedas. La caja del órgano y el púlpito datan de la época jacobina. La forma actual del crucero S es obra de Scott. Desde la galería, edificada por él, se puede ver el total del espacio interior. Una pieza especialmente valiosa es la ventana E en la *Chapel of St. Lucy*. Se conserva el emplomado original de 1330. Las bóvedas del coro y sus hermosísimas claraboyas datan de alrededor de 1490. Entre las naves laterales N y el coro se encuentra la tumba de *St. Frideswide*. La *Chapel of St. Catherine* conserva los emplomados originales en sus ventanas del siglo XIV. En ella se encuentran también los monumentos fúnebres más bonitos, como, por ejemplo, el del *Prior Sutton* (1316), el de *Lady Furnival* (1353) y el de *Sir George Nowers* (1425). Al S de la iglesia se encuentra el Vía Crucis, de estilo gótico. En la parte E se conserva el pórtico de estilo normando de la sala capitular.

Christ Church. Tom Tower

Church of St. Mary the Virgin: La iglesia, de estilo predominantemente gótico, data del siglo XV; la parte inferior de la torre data del siglo XIII. La entrada S, barroca, fue edificada en el año 1637 y es una obra maestra de Nicholas Stone. En el interior, la sillería, de fantástica ornamentación, data del siglo XV; son también de interés el púlpito y algunos monumentos fúnebres. Desde el siglo XIV la iglesia fue utilizada como iglesia de la universidad.

Church of St. Peter-In-The-East: Procede de la época normanda y posee debajo de la sala del altar una cripta con impresionante techo de bóvedas. La cripta, la nave del altar y el pórtico S datan del año 1150. Se conservan algunas ventanas creadas en el siglo XV. Actualmente la iglesia es utilizada como biblioteca de la *St. Edmund's Hall.*

All Souls College: El colegio, fundado en el año 1438 por Henry Chichele, arzobispo de *Canterbury,* contiene una bellísima capilla erigida en estilo gótico. El techo es de madera de encina tallada y en esta capilla se encuentran increíbles tallas de altar realizadas en piedra. Estuvieron tapiadas durante doscientos años; de 1872 a 1879 fueron restauradas. Se conservan partes de las ventanas policromadas del siglo XV. La biblioteca del colegio es una fundación de Christopher Codrington.

Christ Church: El mayor colegio de la ciudad, también llamado *Cardinal College,* fue fundado en el año 1525 por Wolsey. En su capilla se albergó, en 1546, el trono del obispo de Oxford. En la torre *Tom Tower,* edificada por Wren en el año 1681 sobre la caserna de Wolsey, cuelga la inmensa campana de 7 t de peso y creada en el año 1680; anteriormente se encontraba en *Osney Abbey.* Cada noche, a las 11,05, la campana suena 101 veces en memoria de los miembros fundadores del colegio.

Magdalen College: Fue fundado por William of Waynflete, obispo de *Winchester;* empezó a funcionar como colegio en el año 1470. La parte más interesante de la edificación es la fantástica torre gótica, erigida de 1492 a 1506, que, junto al *Magdalen Bridge,* construido de 1772 a 1779, son las construcciones más importantes de las existentes en Oxford. La capilla gótica fue finalizada en 1483; en el siglo XIX fue ampliada. El *Vía Crucis* data de la época original de construcción; no obstante, tuvo que ser restaurado y, en parte, modificado. Las figuras grotescas en las pilastras son llamadas «Hieroglyphs»; fueron creadas alrededor de 1510. La *Great Hall* impresiona por sus preciosos enmaderados, una galería de música sobre una pared decorativa y un fino techo de madera de encina. La biblioteca posee una gran fama debido a los valiosos manuscritos e impresos antiguos que en ella se conservan.

Merton College: Este colegio fue fundado por Walter de Merton y es uno de los más antiguos de la ciudad. Sus edificios lo convierten en el complejo más interesante de la ciudad. Su torre data de 1418; la fachada principal fue renovada por Sir Henry Savile en el año 1581. El pórtico de madera de encina es originario del siglo XIII. La *Treasury,* el archivo del colegio, es la parte de más antigüedad; data del año 1274 y está recubierto por un inclinado techo de piedra. *Mob Quad* fue edificado en el año 1309 y contiene la biblioteca medieval más interesante de Inglaterra. Fue instalada en los años 1371-1378 como primera biblioteca del Renacimiento del país. La *College Chapel,* de estilo tempranogótico, fue comenzada en el año 1270 y obtuvo su bonita torre en 1450. En el siglo XIV se construyeron los brazos del crucero junto a la capilla. Es de especial interés el emplomado de la

Magdalen College

gran ventana E, así como el vidrio pintado, que se conserva en perfecto estado, y que es originario de finales del siglo XIII.

New College: Fue fundado en el año 1379 por William of Sykeham, obispo de *Winchester*. Un año después de la fundación se puso «la primera piedra» para el primer colegio planificado unitariamente. Siete años después se finalizó el edificio cuadrangular alrededor de un patio interior, siendo esta construcción un perfecto ejemplo del estilo inglés temprano-gótico. En el año 1675 se modificó la fachada principal y se cambiaron las ventanas; no obstante, esto no ha modificado el aspecto del edificio. Sí han modificado el estilo los cambios efectuados en la capilla que fue renovada por Sir Gilbert Scott en el año 1879. No sólo renovó el techo, sino que también lo elevó, estropeando de esta manera las proporciones del espacio existente. En la antesala se conservan los emplomados originales de las ventanas del siglo XIV, con excepción de la gran ventana O, que fue renovada en 1777, según un diseño de Reynolds; las ventanas de la capilla datan de 1740 y 1774. La sillería, renovada, conserva las misericordias originales. Al O de la iglesia se encuentra el *Vía Crucis,* con hermosas bóvedas de madera, al igual que el campanario, que datan del año 1400. Es también interesante el jardín del colegio, del año 1708. En uno de sus lados linda con el muro de la ciudad, edificado en tiempos de Enrique III.

University College: Fue fundado por Alfredo El Grande. Celebró su 1 000 aniversario en el año 1872. La verdadera donación, no obstante, se efectuó en el año 1249, con William Durham. Los edificios predominantemente góticos datan del siglo XVII. La capilla, inaugurada en el año 1666, posee varias ventanas con vidrios emplomados que proceden de la época de construcción y que son creación de A. van Linge.

Bodleian Library: Esta es una de las bibliotecas más importantes y antiguas del mundo. El Duque Humfrey, hermano menor de Enrique V, puso «la primera piedra» junto a una donación de más de 300 manuscritos para la universidad. El edificio fue finalizado en el año 1488. La Reforma ocasionó muchos destrozos en el edificio; Sir Thomas Bodley comenzó de nuevo con la obra a partir de 1598. Donó su colección privada y salvó el material antiguo que pudo.

Radcliffe Camera: El médico de la Corte, John Radcliffe, donó 40 000 libras para una nueva biblioteca en Oxford. Después de dudar durante años dónde se edificaría la nueva construcción, James Gibbs comenzó, en el año 1737, con la edificación de la clásica rotonda. El arquitecto colegiado en Roma pudo finalizar su lograda obra en el año 1748. La construcción circular está decorada en el exterior con columnas dobles corintias. El techo cupular está situado sobre una construcción octogonal. La escalera de caracol en el interior es obra de Gibbs, que también fue el autor de los dibujos de los estucados y de las rejas forjadas.

Sheldonian Theatre: Esta es una donación de Sir Gilbert Sheldon, arzobispo de *Canterbury,* que encargó a Sir Christopher Wren la construcción de un edificio para los eventos públicos de la universidad. Fue construido en los años 1664-1668 como una imitación del teatro de *Marcellus* en Roma. Las pinturas del techo (interior) muestran «El triunfo sobre la verdad», obra realizada por Robert Streater, en el año 1669.

Ashmolean Museum: El más antiguo museo público de Inglaterra fue inaugurado en el año 1683; los edificios actuales fueron finalizados en 1845, según el diseño de Charles Cockerell. El museo lleva el nombre en honor del astrólogo Elias Ashmole. Posee pinturas de grandes maestros de todas las épocas, así como objetos artísticos de todo tipo de los siglos XVI y XVII. También tiene una colección de instrumentos musicales y otra numismática, así como una serie de hallazgos procedentes del antiguo Egipto, Creta y el Egeo.

Museum of the History of Science: La excelente colección de objetos e instrumentos astronómicos, ópticos y matemáticos no tiene comparación con ninguna otra del mundo. En los edificios del museo se encontró originalmente la colección *Ashmolean*. En el año 1845 el museo de historia natural obtuvo un nuevo edificio, hermoso ejemplo de la arquitectura en Oxford del siglo XVII. En este museo se exponen desde aparatos astronómicos de la Edad Media hasta instrumentos utilizados en física atómica.

Rotunda: Este edificio, construido en 1963, es el mayor museo de muñecas del mundo. La colección de casas de muñecas, cada una con su contenido original, abarca desde el año 1700 hasta 1850.

University Museum: Se encuentra en un edificio comenzado en el año 1854 y finalizado en 1914. La colección de la universidad posee interesantes ejemplares de zoología, mineralogía y geología.

Alrededores

Iffley (5 km SO): La *Church of St. Mary* es una de las iglesias mejor conservadas de la época normanda. Fue construida alrededor de 1170. Posee una pequeña torre cuadrangular y una fachada O muy bonita, con una ventana redonda y tres arqueadas, así como

Radcliffe Camera

un pórtico escalonado, todo ello decorado con ornamentos en zigzag. También de interés y de gran belleza son el pórtico S y los arcos del interior.

Stanton Harcourt (20 km O): La *Church of St. Michael* data de la época normanda. La parte inferior de la torre es de estilo gótico Early English; la superior, al igual que el resto de la iglesia, es gótico puro. Son de especial interés, los monumentos fúnebres del interior; datan mayormente del siglo XIV y son de la familia *Harcourt*. Una escultura especialmente bonita de un Lord de esta familia fue creada por R. W. Sievier en el año 1832.

P

Paisley
Strathclyde/Escocia Pág. 324 □ G 8

Esta ciudad industrial situada al SO de *Glasgow* es la de mayor producción de hilo y es famosa por los pañuelos de seda y algodón que, originalmente, no fueron otra cosa que copias de los paños y pañuelos de la India que enviaban los oficiales escoceses del servicio colonial a sus casas. La mayor atracción de la ciudad es la abadía, llamada popularmente «cuna de los reyes Estuardo».

Paisley Abbey: El priorato de *Pasletum* fue fundado por Walter FitzAlan en el año 1171, con 13 monjes cluniacenses de *Wenlock*. En el año 1219 el priorato se convirtió en abadía, que fue arrasada por los ingleses cien años más tarde (1307). En el año 1450 fue reedificada, como se puede observar por los restos actuales. La mayor parte de la construcción no data de esta época, ya que después de la Reforma la iglesia fue restaurada cuatro veces y, en parte, nuevamente modificada. La torre actual no es de la época original; la antigua se derrumbó en el siglo XV, cayéndose también el coro. De la época de construcción sólo quedan el frente O, así como la pared S de la nave. El techo de la nave tuvo que ser renovado en el año 1780; la primera gran restauración comenzó en 1897, a cargo de Rowand Anderson y MacGregor Chalmers y fue finalizada en el año 1928 por Sir Robert Lorimer. En la fachada O de la iglesia, un pórtico adosado a la pared, de estilo Early English, está flanqueado por dos arcos falsos y decorado con tres ventanas de vidrio emplomado en la parte superior. En la nave son de especial interés las galerías circulares que, antiguamente, circundaban todo el espacio a la altura de las claraboyas. Es muy bello el conjunto de arcos en el triforio con sus anchos arcos de medio punto. A la izquierda del pórtico O una piedra conmemorativa recuerda a John Hamilton, último abad de la abadía, que fue ejecutado en el año 1571 por ser supuesto cómplice del asesino de Darnley.
La *St. Mirren's Chapel* se encuentra en el crucero S. La capilla, edificada en 1499, está supuestamente en el lugar donde el santo celta edificó su primera capilla en el siglo XVII. En la capilla está enterrada la princesa *Marjory,* hija del rey Roberto Bruce. Su hijo fue Roberto II, el primer rey Estuardo. Al S de la iglesia se encuentran las ruinas de los edificios de la abadía. Parte de éstos fueron integrados en el siglo XVII al *Palace of Paisley,* que fue utilizado, primeramente, por el clan *Hamilton* y, posteriormente, como Ayuntamiento.

Museum and Art Gallery: Este museo, fundado en el año 1870, ofrece una amplia documentación sobre la historia local, así como numerosos hallazgos arqueológicos. También se puede admirar en este museo una colección de muestras de pañuelos y mantas de *Paisley*.

Alrededores

Crookston (3 km O): El *Crookston Castle* es una construcción del siglo XV. Las ruinas están rodeadas por un muro y una fosa y se encuentra erigida sobre los cimientos de otra fortaleza del siglo XII. El torreón fue edificado por Sir John Stewart, derrotado en 1429 frente a Orleans.

Kilbarchan (8 km O): En este lugar se encuentra *Weaver's Cottage,* una hilandería originaria del siglo XVIII que se conserva en estado original.

Pembroke

Dyfed/Gales Pág. 330 □ F 15

Esta pequeña ciudad portuaria e industrial está situada en el extremo de una larga bahía interior. *The Haven* todavía es, actualmente, el mayor puerto natural de Gales.

Historia: En el año 1081 los normandos fundaron una fortificación, el actual *Castle.* Alrededor de 1093, al SO de Gales, alrededor de *Pembroke* (Pembrokeshire), fue arrebatado a los galeses y se convirtió en propiedad de la Corona. Actualmente la ciudad es de estilo inglés; el gaélico apenas se habla. *Pembroke* fue sede de la casa Tudor; el galés Enrique VI (Tudor) derrotó al rey Ricardo III (Casa de York) y se proclamó él mismo rey de Inglaterra en el año 1485. Sucesores famosos de la casa Tudor fueron Enrique VIII, que se distanció del papa en el año 1509, fundando posteriormente la iglesia anglicana, e Isabel (1558-1603), enemiga a muerte de María Estuardo de Escocia.

Pembroke Castle: Esta fortificación normanda data del año 1097 y obtuvo su forma actual en el siglo XIII. Las impresionantes ruinas, en excelente estado de conservación (la fortaleza fue conquistada y destruida en una ocasión por Oliver Cromwell), están protegidas por el *Pembroke River* y por terrenos pantanosos. A través de la caserna fortificada (dependencias para la guardia) se penetra en el espacioso patio exterior (hermoso acceso hasta el pórtico). Los muros del patio al NO circundan la *Great Hall* (con capilla), desde la que descendía un camino de escaleras al antiguo pórtico de agua (cueva Woogan) hasta el cementerio. Esta torre tenía cuatro pisos y una altura de unos 20 m (diámetro, 16 m; espesor de los muros, 2-6 m). La entrada estaba en el primer piso; el espacio más habitado era el tercer piso. Por una escalera de caracol es posible acceder al techo de bóvedas realizadas en piedra (cúpula). Cerca se encuentra *Prison Tower* y otras torres en la imponente muralla que circunda el complejo. Es también interesante la torre de Enrique VII, en la parte exterior de los muros de la fortaleza, donde nació este rey.

Paisley. Paisley Abbey, pórtico O

Otros lugares de interés: La iglesia en *Monkton* (Monkton Church) fue parte de una abadía benedictina fundada en 1098. Se conservan pocos restos. La iglesia está compuesta por una delgada y alargada nave con techo de bóvedas que fue reconstruida después de su destrucción. Al S de la ciudad se conservan partes de los muros y el antiguo pórtico O (Main Street).

Alrededores

Angle (15 km O): En este lugar se encuentran las ruinas de un viejo castillo, del que se conservan el cementerio de cuatro pisos, la fosa con el muro correspondiente y una torre utilizada como palomar. Cerca, viejas casas de bloques (defensa) de la época de Enrique VIII (siglo XVI) y una iglesia sepulcral, de 1447 (renovada). En los alrededores, hacia el O, se encuentra la cámara neolítica *Devil's Quoit.* La piedra que cubre la tumba tiene 4 m de longitud.

Bosherston (7 km NE): Cerca de *Sampson Farm* se pueden ver restos de megalitos prehistóricos.

Carew (7 km NE): Este lugar está situado a orillas del *Carew River* y en él se encuentran las ruinas de una fortaleza medieval edificada alrededor de 1300. De esta época datan el frente O, con altos muros, dos grandiosas torres circulares, la *Great Hall* y una escalera. La parte N, con macizos postes centrales (ventanas), fue construida en estilo isabelino en el siglo XVI. Cerca del pórtico de la fortaleza se erige una bonita cruz celta de 4 m de altura (alrededor del año 1000), con bonitos ornamentos e inscripciones (cruz de Margiteut, hijo de Etguin). La *Carew Church* es una construcción de Estilo Early English de los siglos XIV y XV, con torre y capilla sobre el patio de la iglesia (interesantes monumentos fúnebres). La vecina casa parroquial data de finales del siglo XV.

Hodgeston (8 km SE): En esta localidad se encuentra una bonita iglesia de estilo decorated (gótico del siglo XIV), donde se puede ver un viejo asiento de piedra y una bonita pila bautismal.

Lamphey (gaélico: Llantyfai, 4 km SE): Las interesantes ruinas de los siete palacios episcopales de *St. David's* datan de los siglos XIII al XVI. El obispo Henry Gower añadió a la sala existente (1328-1347), de dos pisos, y al edificio que se utilizaba como vivienda (al O), una nueva sala (al SE) y rodeó el complejo con un muro defensivo. También existe una caserna, en buen estado de conservación, al NO. La entrada al edificio-vivienda estaba en el piso superior (al igual que en el cementerio medieval). Las habitaciones del obispo se encontraban en la parte S del piso superior. La capilla, del siglo XVI, tiene una bonita ventana E de estilo perpendicular. También es interesante, la galería de arcos y las bóvedas, en el piso inferior.

Pembroke Dock (3,5 km NO): Aquí, junto a la bahía *Milord Haven,* se encuentra un interesante museo de vehículos y motores (viejos coches, etc.). Este lugar, que se encuentra casi unido a Pembroke, es de estilo predominante victoriano (siglo XIX). Al otro lado del río se encuentra, en *Burton* (5 km NO), el primer barco de guerra del mundo de gran tonelaje, construido en hierro, el «Warrior».

St. Govan's Chapel (8 km S): En la empinada costa S se encuentra, en una gruta, esta antigua capilla, de la que se cuentan numerosas leyendas. Su nombre procede de un caballero de la mesa redonda del rey Arturo. En la capilla, del siglo XIII, se encuentra un altar de piedra, un banco y una pila de agua bendita, también de piedra. Detrás de la pequeña iglesia se encuentra una celda individual y una fuente clausurada en la actualidad, que en su época era meta de peregrinación.

Stackpole (5 km S): En este lugar se encuentra la iglesia prerrománica de los santos *James* y *Elidyr.* La parte más antigua que se conserva es la torre, que se encuentra al N del crucero N, del siglo XIII. También de interés las esculturas de las tumbas, de los siglos XIII y XIV, en el presbiterio y en la *Lord's Chapel.*

Thorn Island (10 km O): Delante de la *West Angle Bay* se encuentra la pequeña isla costera Milford Haven, en la que existió un fuerte de la época de las guerras napoleónicas.

Penrith

Cumbria/Inglaterra Pág. 328 □ H 10

St. Andrew's Church: La primera construcción data de la época normanda (de esta época data la torre O, probablemente edificada por Warwick the Kingmaker). Alrededor del año 1720 la iglesia se transformó en estilo clásico del renacimiento inglés. En el interior, restos de pintura sobre vidrio, del siglo XV. También interesante es el púlpito, la pila bautismal y lámparas, de los siglos XVII y XVIII. En el cementerio adjunto la llamada «Giant's Grave», del siglo X, legendaria tumba del gigante «Owen Cesarius».

Castle: Fue edificado en los siglos XIV y XV, siendo apreciado especialmente por el rey Ricardo III (1483-1485). Durante la guerra civil del siglo XVII fue conquistado por las tropas del Parlamento después de duras batallas; actualmente está en ruinas.

Otros lugares de interés: La *Hutton Hall,* con una torre medieval. *Glucester Arms Inn,* en la que vivió Ricardo III (se conservan sus escudos en una sala).

Alrededores

Appleby (20 km SE): En este lugar se encuentra una fortaleza renovada en el siglo XVII. El cementerio es normando. También de interés, la *Moothall* (sala de reuniones, del siglo XVI).

Bolton (13 km SE): En este lugar se encuentra la iglesia románica *All Saints*. Es de especial interés el pórtico S, con bonitos capiteles románicos. Sobre el pórtico N un primitivo relieve con dos caballeros haciendo esgrima. En el interior, merece especial atención la pared del coro, del siglo XIX.

Brougham (al SE de la ciudad): En este lugar se encuentra la iglesia *St. Nimian*. La primera construcción se efectuó bajo los anglosajones; en la época normanda y en el siglo XVII fue modificada. Cerca, la *St. Wilfrid's Chapel* y *Brougham Castle,* del que se conserva el cementerio y el pórtico principal. Restos del castillo romano *Brocavum.*

Crosby Ravensworth (18 km SE): Zona arqueológica; restos de colonizaciones de la Edad del Hierro (muros circulares, cimientos, edificaciones circulares y ovales).

Great Salkeld (8 km NE): La iglesia *St. Cuthbert* fue edificada en la época normanda. En el siglo XIV se le añadió una imponente torre como protección contra los ataques del enemigo escocés. Se conserva, entre otras partes, el pórtico románico S.

Greystoke (8 km O): En este lugar se encuentra la iglesia *St. Andrew.* La construcción actual data, esencialmente, del siglo XV. En el interior, bonita ventana E con pinturas del siglo XV.

King Arthur's Round Table (al S de la ciudad): Muros circulares de la temprana Prehistoria. Poseía dos entradas; en el centro dos piedras verticales. Al O se encuentra otra instalación semejante, llamada *Mayburgh.*

Kirkoswald (12 km NE): Aquí se encuentra la iglesia *St. Oswald* de estilos mezclados; el coro data del siglo XVI. Al lado, una torre del año 1897 y algunas tapas sepulcrales. También de interés, los restos de una fortificación fronteriza.

Little Salkeld (10 km NE): Vieja aceña restaurada (las piedras de los engranajes y moledoras son originales de la época).

Long Meg and her Daughters (12 km NE): Instalación circular de piedra de la Edad del Bronce (también llamada «Druid's Circle»). De los 59 monolitos se conservan 27. «Long Meg» está situado en el lado SO y tiene una altura de 4 m.

Lowther Castle (6 km S): Ruinas de la antigua residencia de la familia *Lowther.*

Ormside (22 km S): La iglesia *St. James* es de la época normando-románica (la torre O está fortificada contra ataques escoceses; el techo del coro data del siglo XVI). La «Ormside Cup», encontrada en el cementerio en el año 1823 (copa anglosajona en oro y esmalte), se encuentra actualmente en el *Yorkshire Museum.*

Temple Sowerby Manor (10 km SE): Casa feudal del siglo XVI; reformada en el siglo XVIII; de interés, el parque.

Perth

Tayside/Escocia Pág. 324 □ G 7

Esta ciudad industrial tiene más de histórica que de artística. Hasta 1437 estaba situada en el extremo del *Firth of Tay;* fue capital de Escocia hasta el año en el que el rey escocés Jaime I fue asesinado en el monasterio dominicano de la ciudad. Su viuda trasladó la Corte a Edimburgo. En esta ciudad estuvo preso Jaime VI en el año 1600 y residieron temporalmente los reyes Carlos I y Carlos II; también desde ella gobernó Cromwell y, en el año 1715, los jacobinos, y desde este lugar el príncipe Carlos Eduardo Estuardo intentó, en el año 1745, hacerse con el poder antes de que los ingleses se le adelantasen.

St. John's Kirk: Es la única construcción medieval que se conserva en *Perth.* El coro data de 1450; la nave fue construida alrededor de 1490, más o menos en la misma época que la torre. En esta iglesia John Knox hizo un discurso el día 11 de mayo de 1559 contra la idolatría. Este fue el principio de la destrucción iconográfica de la Reforma; en definitiva fue cuando comenzó la devastación y la disolución de conventos, el saqueo de iglesias y la destrucción de altares y hasta de los edificios.

Perth. St. John's Kirk

Scone Abbey: Esta abadía agustina del siglo XII, al N de Perth, es uno de los lugares con más historia de Escocia. Hasta 1559 la iglesia de la abadía fue el lugar de coronación de todos los reyes escoceses. Aquí Kenneth MacAlpine venció, en el año 843, a los pictos y promulgó las leyes para el reino escocés. Supuestamente fue él quien trajo a este lugar la piedra de coronación escocesa «Stone of Scone». La piedra, supuestamente un altar portátil de un misionero celta, fue botín del rey Eduardo I de Inglaterra, el cual la transportó a Londres como símbolo de la victoria sobre Escocia. La lucha entre ingleses y escoceses no había terminado; aun así los ingleses no devolvieron la piedra, símbolo de una victoria temprana. En el año 1950 la piedra fue robada por unos escoceses (en contra de la voluntad del pueblo escocés) de debajo del trono real en *Westminster Abbey.* Scottland Yard se ocupó de que la famosa piedra volviera a Inglaterra después de ser descubierta en *Arbroath.*

Actualmente, en este histórico lugar *Scone,* se encuentra la capilla familiar del *Earl of Mansfield.* La casa en la que habitó, de estilo neogótico, fue diseñada por William Atkinson y construida en los años 1802-1812. Detrás de los bastos muros, y de poco interés, se encuentra una amplísima colección de artesanía francesa, entre otros objetos, un escritorio que fue diseñado por María Antonieta en el año 1770. Aquí se pueden ver pinturas parisinas lacadas del siglo XVIII, así como una valiosa colección de relojes, porcelana y otros objetos. En el parque de *Scone* creció, por primera vez, un tipo de encina llamado *Douglasie* gracias a la habilidad y pericia de un jardinero de nombre David Douglas, del *Earl of Mansfield.*

Alrededores

Abernethy (7 km SE): Este pueblo fue antiguamente capital del reino picto. La torre circular, de 23 m de altura, data de principios del siglo XII; fue añadida a la iglesia como torre defensiva.

Dunkeld (15 km NO): Esta pequeña ciudad está relacionada históricamente con *Scone Abbey.* Kennet MacAlpine la hizo capital de Escocia, al igual que Scone, en el año 843; desde el siglo IX fue sede episcopal. La catedral gótica, destrozada por los reformistas, fue comenzada en el año 1318 y finalizada en 1464. La gran torre NO fue terminada en 1501. Es de especial interés, el trabajo de emplomado en la nave, pinturas murales en el piso inferior de la torre, así como lápidas en la nave y en el patio de la iglesia. En la ciudad se conservan algunas casas «little Houses», del siglo XVII.

Newburgh (10 km SE): A orillas del río se encuentra *Mugdrum House,* edificado en el año 1786 con la *Mugdrum Cross.* La cruz tiene una antigüedad de más de mil años.

Peterborough

Cambridgeshire/Inglaterra Pág. 328 □ K 13

Esta ciudad industrial, situada a orillas del *Nene,* fue la antigua *Medeshamstede,* que creció alrededor de un monasterio benedictino erigido alrededor del 656.

Cathedral: Formó parte del monasterio benedictino, fundado en el año 654 por el rey Penda de Mercia. La primera iglesia del monasterio fue destruida en el año 870 por los daneses; la construcción posterior, anglosajona del siglo X, se incendió en el año 1116. Un año después se comenzó con la construcción actual, una de las más hermosas e impresionantes de Inglaterra. El primer constructor fue el abad Jean de Seez. En el año 1155 se hizo cargo de la construcción William de Waterville. En el año 1177 la iglesia y la torre central estaban acabadas, con excepción de dos yugos, al O, que fueron añadidos por el abad Benedicto en el año 1177. Hasta el año 1199 el mismo abad instaló la mayor parte del techo de madera. Con el abad Acharius se edificó, hasta 1210, la fachada O con sus tres pórticos escalonados, de 30 m de altura, y torres esquineras decoradas con arcos falsos. En el siglo XIV fue sustituida la impresionante torre normanda por otra delgada y más pequeña. En el siglo siguiente se sustituyeron las ventanas normandas por otras mayores. En el año 1509 se finalizó el retrocoro con techo de abanicos. Después de la disolución de los monasterios en el año 1539 la iglesia se convirtió en sede episcopal y, a su vez, en catedral.
El interior de la fantástica nave normanda está recubierto por el maravilloso techo de madera pintado. Los numerosos rombos de los que está compuesto el techo están decorados

Peterboroug Cathedral: 1. Pila bautismal (siglo XIII). **2.** Nave Mayor. **3.** Coro. **4.** Crucero N. **5.** Lápida del abad Benedicto. **6.** Tumba de Catalina de Aragón. **7.** Altar. **8.** Monk's Stone. **9.** Antigua tumba de la reina María de Escocia. **10.** Crucero. **11.** Sacristía. **12.** Antiguo crucero.

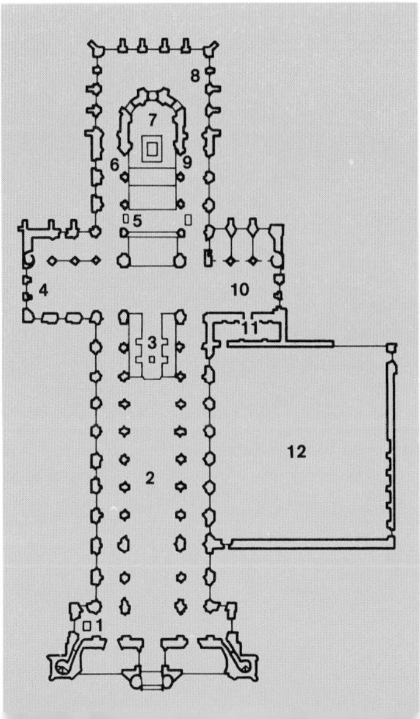

con figuras de santos, patronos de iglesias y apóstoles. En la esquina NO de la nave se encuentra la pila bautismal, del siglo XIII. En el crucero S se descubrieron, en el año 1888, los cimientos de los antecesores anglosajones y esculturas de dos obispos de esta época. El techo del crucero es el único de madera normanda que se conserva en Inglaterra. La parte más antigua de la iglesia es la sala del altar, cuyo techo de madera data del gótico. En la nave lateral del coro N se encuentra la lápida del abad Benedicto, fallecido en el año 1192, así como la tumba de Catalina de Aragón, destruida por los puritanos. En el crucero del coro S se encuentra el *Monk's Stone,* que recuerda a los monjes caídos en la batalla acaecida contra los daneses (870). Los monumentos de los abades, de los siglos XII y XIII, son únicos en Inglaterra. En 1589 fue enterrada en la iglesia la reina *Mary,* «reina de los escoceses». En el año 1612, no obstante, su hijo, Jaime I, hizo trasladar la tumba a *Westminster Abbey.* De la instalación del monasterio (edificios) quedan pocos restos. Ni el palacio episcopal, ni el Vía Crucis sobrevivieron a la disolución del monasterio.

City Museum and Art Gallery: Este museo posee una increíble colección de artículos creados por los soldados franceses hechos prisioneros durante las guerras napoleónicas. La colección arqueológica contiene hallazgos de las épocas anglosajona y románica. Una colección de historia natural y geológica sobre los alrededores completa la documentación del museo.

Alrededores

Barnack (20 km NO): La *Church of St. John the Baptist* fue edificada supuestamente a principios del siglo XI. Las piezas más valiosas en el interior son una escultura de un Cristo sentado, de principios del siglo XI, y una pila bautismal tempranogótica con decoraciones de hojas del siglo XIII. Los monumentos fúnebres más antiguos datan de principios del siglo XV.

Burghley House (23 km NO): Esta casa, comenzada por Sir William Cecil en el año 1552, es una de las construcciones privadas más bellas de la época isabelina. El ministro real, nombrado caballero de la Corte, hizo reedificar en el año 1563 una causa feudal, ampliando la construcción a dos pisos. Después de ser nombrado canciller-tesorero de la reina Isabel I nominado Lord Burghley, continuó la edificación en el año 1587, en la que la casa obtuvo su forma definitiva. Quedan pocos restos de la decoración interior. Se conserva la escalera románica, edificada según el diseño de una escalera del Louvre de París; así como las tallas en madera de Grinling Gibbons y las pinturas murales de Verrio. Actualmente en la casa se puede ver una amplísima colección de pinturas con obras de maestros italianos e ingleses, así como retratos de Holbein y Van Dyck. También son de interés los valiosos tapices y muebles.

Castor (8 km O): La pequeña ciudad es de origen románico. La *Church of St. Kyneburgha* es la única del condado consagrada a la hija del rey Penda de Mercia. La santa fundó un monasterio en Castor y se convirtió en su abadesa. En el pórtico de la iglesia normanda existe una inscripción sobre ella de 1124. La iglesia es de especial interés por los frescos del siglo XIV.

Elton Hall (15 km SO): La casa, de estilo jacobino, fue edificada por Sir Thomas Proby. Alberga en la actualidad una colección de pinturas con obras de Constable, Reynolds y Frans Hals. En la biblioteca hay viejas biblias y libros de rezo, entre ellos el libro de rezos, de Enrique VIII, con inscripciones del rey y de María Tudor.

Longthorpe Tower (3 km O): La casa feudal fortificada (siglo XIII), contiene bonitas bóvedas de piedra en el piso inferior. En 1945 se descubrieron, en el primer piso, frescos del siglo XIV con numerosas escenas domésticas.

March (18 km E): La *Church of St. Wendreda* fue edificada en el siglo XV en estilo mezclado decorated y perpendicular. Posee una bonita aguja en la torre y, en el interior, el techo está decorado con ángeles de gran belleza.

Orton Longueville (3 km SO): La *Church of the Holy Trinity* data del siglo XIII y fue ampliada en el siglo XIV. En el interior se conserva, además del emplomado original de las ventanas, un fresco del siglo XVI con la imagen de San Cristóbal. La pila bautismal data del siglo XV. Es de especial interés la escultura de un caballero del siglo XIII, así como la de una mujer sentada, obra de Sir Francis Chantrey.

Pickering

North Yorkshire/Inglaterra Pág. 328 □ K 11

Church of SS. Peter and Paul: Iglesia parroquial de la ciudad, fue fundada en la época normanda. De la antigua construcción se conservan los arcos circulares de la nave principal y la parte inferior de la torre. El resto de la misma es temprano-gótico (estilo Early English); las claraboyas son de estilo perpendicular (gótico-tardío). En el interior, de especial interés: sobre los arcos de la nave principal pinturas murales del siglo XV (descubiertas en el año 1852, escenas bíblicas y dibujos sobre la vida de los santos). La iglesia es muy visitada por turistas americanos, ya que la misma conmemora la unión americanobritánica en la primera guerra mundial (numerosas placas, entre ellas, la de Walter Hines Page).

Castle (al N de la ciudad): Fundación normanda del siglo XI. Las partes más antiguas datan de esta época; el resto, del siglo XIV. El total de la edificación se conserva en bastante buen estado: muro circular completo, tres torres (una de ellas fue bautizada por Fair Rosamund, acompañante de Enrique II durante una visita a la fortaleza). En el interior se conservan las antiguas divisiones, consistentes en un patio exterior y otro interior y el cementerio. *Pickering Castle* era muy apreciado por los reyes ingleses. Ricardo II estuvo prisionero en él algún tiempo, después de su destitución en el año 1399.

Alrededores

Cawthorn Roman Camps (algunos km al N de la ciudad): Cuatro campamentos romanos de la época de 100 d. de J. C.; en dirección a *Wheeldale Moor,* un trozo de vía romana (es una de las mejor conservadas en Inglaterra).

Ebberston (12 km E): Casa feudal *Ebberston Hall,* edificada en el año 1718 en estilo Palladio del clasicismo inglés. Al O de este lugar está ubicada la *King Alfred's Cave,* en la que supuestamente el rey de Northumbria, Alfredo, se curó de las heridas que había recibido en la batalla de «Bloody Field».

Lastingham (12 km NO): La iglesia fue edificada en los siglos XI y XII sobre una construcción anterior del siglo VII, en la que ejerció el obispo del E de *Anglia* y fundador de un monasterio en *Lastingham* en el 654. Es única la cripta (acceso desde la nave principal), construida en los años 1078-1088; se conserva en su estado actual y está compuesta por una pequeña nave principal con dos naves laterales y un ábside. En ella se encuentra un viejo altar y restos de antiguos crucifijos.

Middleton (3 km O): En este lugar se encuentra una bonita iglesia de la época normanda. En el interior, interesante arquitectura anglosajona (entre otros objetos, algunas cruces celtas).

Thornton Dale (3 km E): Bonita cruz de mercado del siglo XIV.

Plymouth

Devon/Inglaterra Pág. 330 □ F 17

Ninguna otra ciudad portuaria está tan estrechamente relacionada con el auge de las islas en relación al poder mundial. En el año 1480 residió aquí Catalina de Aragón; en 1580 Sir Francis Drake finalizó en esta ciudad su vuelta al mundo, que duró unos tres años; el 31 de julio de 1588, se reunió aquí la flota invasora española con 130 barcos. En 1768 zarpó desde este puerto James Cook, con su navío «Endeavour», descubriendo Australia y, en el año 1919, el primer hidroavión americano amerizó aquí después de cruzar el Océano Atlántico. La ciudad es uno de los puertos marítimos de más importancia en Gran Bretaña; por esa razón fue muy bombardeada durante la guerra (1941) y, prácticamente, destruida.

Church of St. Andrew: Aquí celebró Drake su feliz retorno y se despidieron definitivamente los *Pilgrim Fathers* de su patria. La nave de la iglesia, del siglo XV, se incendió por completo en el año 1941 y no fue reedificada hasta el año 1957. Sus nuevas ventanas policromadas, de increíble belleza, son obra de John Piper y Patrick Reyntiens. En la sala del altar fueron enterrados *Sir Martin Frobisher* (1594) y el almirante *Blake* (1657). Una lápida recuerda a William Cookworthy, el cual, independientemente de Böttinger, inventó la porcelana en Inglaterra y fundó la primera manufacturadora inglesa en el año 1768.

Citadel: Fue edificada en el año 1666 por Carlos II para intimidar a la población y como protección contra posibles enemigos. Actualmente los edificios están ocupados por el ejército.

City Museum and Art Gallery: En este museo se albergan obras de Reynolds, así como viejas porcelanas de *Plymouth* y *Bristol.* También alberga trabajos en bronce y el cáliz que obsequió Isabel I a Drake después de dar la vuelta al mundo a vela.

Alrededores

Antony House (4 km O): La casa, en estilo *Queen Anne,* data de los años 1711-1721; está situada en el parque de *Humphry Repton.* En el siglo XIX se añadió el pórtico, decorado con columnas en el lado S. En el interior se conservan los enmaderados originales, un exquisito mobiliario y una colección de retratos de la familia *Carew.*

Buckland Abbey (10 km N): Esta abadía cisterciense, de 1278, fue transformada por Richard Grenville (1542-1591) en una casa de campo, siendo adquirida por Sir Francis Drake. Actualmente la casa ha sido convertida en museo, en el que se expone el desarrollo habido en la historia de la navegación hasta los barcos a vapor. También expone objetos alusivos a Drake.

Cotehele House (15 km NO): La casa feudal de la Edad Media, de granito, se construyó en varias etapas, entre 1485 y 1627, alrededor de dos patios interiores. Durante siglos fue la residencia de los *Earls of Mount Edgcumbre.* La sala de caballeros de la casa Tudor está decorada igual que debió estarlo en el siglo XV. En la casa se pueden admirar valiosos tapices y muebles de los siglos XVII y XVIII.

Saltram House (5 km E): Esta casa de campo se edificó a partir de 1750 por John Parker. El comedor fue diseñado por Robert Adam en el año 1768; los medallones en el techo son obra de Antonio Zucchi. Sir Joshua Reynolds era un asiduo visitante de la casa; de él se conservan 14 retratos. Otros nueve proceden del americano Gilbert Stewart, que ha pintado los mejores retratos de los primeros presidentes americanos. *Reynolds* fue retratado por Angelika Kauffmann en 1767; la obra se halla expuesta junto a la escalera.

Pontefract

West Yorkshire/Inglaterra Pág. 328 □ I 12

Es una de las parroquias más antiguas de Inglaterra; en la época romana era un campamento militar. Fue fortificado por los daneses, debido a su óptima situación estratégica, a principios de la Edad Media y, después de la conquista normanda, fue ampliado en el siglo XI. *Pontefract* es famoso por su producción de regaliz, que comenzó en el siglo XIII gracias a los monjes y que, probablemente, le viene de la época romana.

Pickering. Church of SS. Peter and Paul, fresco representando a St. Edmund ▷

St. Gile's Church (Market Place): Desde la guerra civil, en el siglo XVII, es la iglesia parroquial de la ciudad. Se menciona por vez primera en un documento de Enrique I (1100-1135), pero probablemente ya fue fundada mucho antes. Ha sido renovada y modificada en múltiples ocasiones, en especial en el siglo XVII. La torre data de 1795 (la parte inferior es cuadrada; la superior, octogonal). La arcada de cinco arcos data del siglo XIV; el coro fue transformado en el siglo XIX. En el altar se conservan utensilios para imponer el sacramento de la comunión (de los siglos XV y XVI, principios del Renacimiento).

All Saints Church (South Baileygate): Es la iglesia más antigua de la ciudad, construida sobre otra iglesia de origen normando reinando Enrique III. Durante las ocupaciones de Pontefract, en la guerra civil (sigloXVII), fue destruida; desde entonces se halla en ruinas, sólo le quedan los muros exteriores de la nave principal y los de las naves laterales (siglo XV), así como del coro (siglo XIV). En el año 1967 se restauró la parte central de la iglesia.

Castle: La fortaleza siempre fue un punto de interés por su excelente situación estratégica (control de un importante cruce de vías N-S y E-O). Fue edificada después de la conquista normanda de Inglaterra, en 1066, y en las épocas posteriores, ampliamente fortificada por los normandos. En el año 1649 fue destruida por orden de Cromwell; desde entonces se encuentra en ruinas. Se conservan partes de la torre circular (planta en forma de trébol): de otras torres se conservan muy pocos restos (Piper Tower, Gascoigne Tower, Treasurer's Tower, Queen's Tower N y King's Tower E, Constable Tower); también restos de habitaciones (King Richard's Chamber) y de los talleres. En la *St. Clement's Chapel,* del siglo XIV, están enterrados, supuestamente, los soldados caídos durante la guerra civil. En el edificio de la portería existe un pequeño museo con hallazgos de la fortaleza y de la ciudad.

Old Town Hall (Market Place): Antiguo Ayuntamiento de la ciudad, edificado en el año 1785; en el interior, una imagen de *Trafalgar Square* en Londres (Muerte de Nelson). Al lado se encuentra *Butter Cross,* sala de arcos de 1734.

Otros lugares de interés: *Friarwood Valey Gardens* (Southgate/Mill Hill Road). Aquí se instalaron en 1221 los monjes de «los hermanos negros». Cerca se encuentra, junto al hospital, una pequeña edificación de 1368.

Alrededores

Ackworth (4 km S): En la iglesia de la localidad ejerció *St. Cuthbert* hasta su destino definitivo en *Durham.* La torre data del siglo XV; el resto de la construcción fue renovado por completo.

Darrington (5 km SE): En este lugar se halla una bonita y vieja iglesia; en el patio se conserva un viejo palomar (sigloXVIII).

Heath Hall (4 km O): Fue edificada por John Carr en el año 1707; más tarde fue ampliada. De especial interés son los techos de las habitaciones.

Ledsham (6 km N): Aquí se encuentra la antiquísima, pero bien conservada, iglesia *All Saints Church,* fundada por los anglosajones; posteriormente fue reformada por los normandos y, a finales del gótico, fue totalmente cambiada. De especial interés, las viejas ventajas y los monumentos fúnebres, de los siglos XVII y XVIII.

Nostell Priory (7 km SO): Casa feudal edificada en el terreno de un priorato agustino de 1110. La casa data del año 1733. En el interior, de especial interés, los muebles Chippendale (Thomas Chippendale ejerció en este lugar como carpintero).

Sandal Magna (11 km SO): Restos de una fortaleza del siglo XIII, desenterrados en los últimos años, y de la iglesia *St. Helen* (la torre del transepto tiene partes normandas; el resto es originario del siglo XIV). En el interior, de especial interés, bonitas sillas del Renacimiento, de estilo jacobino (época Estuardo).

Portsmouth. Buque insignia de Lord Nelson «H.M.S. Victory»

Temple Newsam House (5 km N): Casa feudal, cuya construcción anterior fue propiedad de la Orden del Temple en los años 1155-1308. En el siglo XVI fue reedificada en estilo Tudor; en el año 1622, ampliada. Aquí nació Lord Darnley, el segundo esposo de la reina escocesa María Estuardo. De especial interés, la decoración interior: en la sala de entrada, una bonita escalera victoriana del siglo XIX. En las habitaciones destaca la biblioteca, con muebles de estilo victoriano del siglo XIX; el *Blue Drawing Room,* tiene ornamentos chinos en las paredes (biombos); en la habitación de la terraza, una bonita colección de cajitas de tabaco; en el *Blue Damask Room,* tapices de Damasco; en la *Long Gallery,* retratos relacionados con la historia de la casa.

Wakefield (10 km O): Se menciona por vez primera en el «Domesday Book» como «Wachefield» (siglo XI). En los siglos XV y XVI la ciudad creció y floreció gracias al comercio textil. Es de especial interés la catedral *All Saints* (comenzada en la época normanda, renovada en el año 1329 y ampliada en 1470). La torre O, de una altura de 80 m, data del siglo XV y fue renovada en el año 1861. En el siglo XX se amplió el coro y la *St. Mary's Chapel,* del siglo XIV (bonitas ventanas góticas), junto al viejo puente del siglo XV, así como sobre el río *Calder.* En el *City Museum,* una amplia colección de historia natural. En el *City Art Gallery* se pueden admirar, entre obras importantes, las esculturas de Henry Moore.

Whitkirk (10 km NO): En este lugar se encuentra la *St. Mary's Chapel,* del siglo XV, de estilo perpendicular. En el interior, interesantes monumentos fúnebres.

Port Laoise

Laois/Irlanda Pág. 326 □ D 12

Port Laoise, antiguamente llamada *Maryborough,* es la capital actual del condado de *Leinster Laois.* Posee una preciosa iglesia parroquial protestante (con torre-obelisco) y un Palacio de Justicia del siglo XIX.

Alrededores

Abbeyleix (16 km S): En este lugar residieron los *Condes de Vesci* desde el año 1215. La casa feudal data del año 1773, siendo construida según los planos del constructor Wyatt (estilo georgiano). Fue edificada sobre los restos de una abadía cisterciense erigida en el 1183. En el parque se encuentra la tumba del último rey de Leix.

Portarlington (15 km NE): La encantadora y pequeña ciudad es una fundación de los Hugonotes, de 1667, con preciosas casitas georgianas y arcos en los pórticos.

Timahoe (18 km SE): Aquí se encuentra una torre circular del siglo XII. Es de especial interés el pórtico elevado, con representaciones históricas hechas en piedra. Al lado, las ruinas de un castillo del siglo XVII y de una iglesia medieval del siglo XV.

Portsmouth

Hampshire/Inglaterra Pág. 332 □ I 16

La península y la ciudad portuaria son «el orgullo y una de las obras maestras del Reino». Estos atributos no se conceden a ninguna otra ciudad portuaria de Gran Bretaña. A pesar de las ventajas naturales, *Portsmouth* no es una ciudad muy antigua. Enrique VII (1485-1509) descubrió esta encan-

tadora población e hizo construir un dique seco, convirtiéndola posteriormente, a la, hasta entonces dormida ciudad, en guarnición real. Mientras en *Plymouth* se instalaron comerciantes y descubridores isabelinos, *Portsmouth* se convirtió en puerto de almirantes de la marina y de los Docks. Carlos II (1660-1685) hizo traer al holandés Bernard de Gomme, el mejor constructor de fortalezas de su época, e hizo convertir la ciudad y el puerto en fortificación. De esta manera, desde *Portsmouth* se controlaba el canal y, en consecuencia, la entrada en Inglaterra. Se edificaron torres *(Round Tower,* alrededor de 1415, y *Square Tower,* alrededor de 1495) y fortalezas *(Southsea Castle,* 1538-1540, y *Cumberland Fort,* 1746-1786). En el año 1812 nació aquí Charles Dickens y, de 1882 a 1890, ejerció el médico Arthur Conan Doyle en la vecina *Southsea,* donde escribió, en 1887, la primera novela de Sherlock Holmes, «A Study in Scarlet».

Cathedral: La iglesia episcopal *St. Thomas,* de la diócesis fundada en 1927, procede de una iglesia normanda edificada en los años 1188-1196. Se conservan la sala del altar y el crucero. La nave y la torre fueron renovadas en el siglo XIX (finales). Se está construyendo una nueva nave desde 1935. El crucero del coro S está dedicado a los héroes de la Marina Real, muestra de ello es un modelo de la «Mary Rose». En la pared NE del coro impresiona un fresco con la escena de la Última Cena.

Museos: El *Royal Naval Museum* se encuentra en el barco de Lord Nelson, «H. M. S. Victory», que fue puesto en dique seco en 1921 y restaurado. En el museo se pueden ver piezas alusivas a Nelson, sus oficiales y la tripulación, y se muestra la historia de la navegación en el siglo XVIII. En una maqueta de 14 m se representa la batalla de «Trafalgar»; la obra es de W. L. Wyllie. Numerosos modelos de barcos completan la colección. En el *Southsea Castle,* fundado por Enrique VIII en 1546, como protección contra el enemigo francés, se expone documentación sobre la historia local de la ciudad. El *Cumberland House* alberga el museo regional de ciencias naturales. En el *Dickens Birthplace Museum,* casa natal del poeta, se ex-

Portchester (Portsmouth). Fortaleza romana

ponen piezas alusivas al poeta y a su obra.

Alrededores

Portchester (10 km N): En el extremo N del inmenso puerto natural de *Portsmouth* se encuentra, sobre un saliente, la fortaleza romana *Portus Adurni,* con su imponente muro cuadrangular. Los muros, de 6 m de altura con 20 bastiones, datan del siglo III y son los únicos muros romanos de estas dimensiones que se conservan en el mundo. Los normandos se apoderaron de ellos ochocientos años después. En los lados O y E se añadieron pórticos; en la esquina NO se construyó una maciza torre defensiva cuadrangular. Con Enrique I (1100-1135) la fortaleza se modificó y se convirtió en castillo real. En el año 1133 los monjes agustinos se instalaron en la esquina SE y construyeron un monasterio, del que se conservan solamente los muros. La iglesia del monasterio, no obstante, se encuentra casi en perfecto estado. En ella se puede admirar un hermoso pórtico de columnas y una bonita pila bautismal. En los años 1396-1399 Ricardo II hizo ampliar el castillo, que se convirtió en el punto de reunión de sus tropas antes de su marcha hacia Francia.

Tichfield Abbey (20 km NO): La abadía premonstratense fue fundada en 1232 por el obispo de *Winchester.* En esta abadía se desposó, en 1445, Enrique VI con Margarita de Anjou y, en 1542, Thomas Wriothelsey, canciller de Enrique VIII, construyó sobre ella su palacio renacentista. Convirtió la nave de la iglesia en caserna; del refectorio hizo la *Great Hall* y del Vía Crucis un patio interior. A partir del siglo XVIII el castillo decayó. Actualmente son de especial interés las baldosas del suelo, de alrededor de 1300.

Presteigne

Powys/Gales — Pág. 328 □ H 14

Esta pequeña ciudad fronteriza, con bonitas casas de paredes entramadas (Saint Andrew), obtuvo su nombre de la iglesia parroquial.

St. Andrew's Church: La iglesia, con partes de construcción normanda (alrededor de 1100), fue transformada en el año 1375 (estilo decorated). En el interior, son de interés los arcos y la ventana O (estilo perpendicular). Posee tres naves de diferente anchura. La nave N es la más antigua, con restos de arcos normandos; las dos columnas O, entre la nave central y la nave N, son de estilo normando transicional. También de interés es una estatua de *St. Andrew,* en la venta na O, de alrededor de 1100; un tapiz mural con la escena de «La llegada de Cristo», del siglo XVI; la pila bautismal, del siglo XIV, y una piedra con crucifijo restaurada en 1240.

Alrededores

Knighton (9 km N): Esta pequeña ciudad es conocida como la ciudad sobre el «Offa's Dyke». Este muro fronterizo (gaélico: Clawdd Offa), en medio de Inglaterra y Gales, data de 784 y fue construido por orden del rey Offa de Mercia (757-796). Ningún galés podía atravesar el muro y la fosa (la longitud total de N a S es de 225 km, interrumpido por bosques). Entre *Knighton* y *Presteigne* se pueden ver fragmentos del muro (en Discoed, 3 km O de Presteigne).

New Radnor (10 km SO): Restos de un castillo del siglo XIII.

Old Radnor (7 km SO): La *Old Radnor Church* es una interesante iglesia, de estilo tardío-decorated, de los siglos XV y XVI con torre O. Es de especial interés la pila bautismal, de los siglos VI y VII, que era utilizada para cultos; también interesantes, un atril, la vieja sillería del coro, el techo de madera de encina y la caja del órgano del siglo XVI (trabajo gótico-tardío).

Preston

Lancashire/Inglaterra — Pág. 328 □ H 11

En *Preston* nació Richard Arkwright en 1732, que, en el año 1768, inventó la «Water Frame»: gran aporte hacia la tecnificación de la industria procesadora del algodón (Bolton, museo de maquinaria textil). La ciudad es conocida también por el mercado que se celebra en ella cada veinte años (Preston Gild, el próximo acontecimiento será en el año 1992).

Harris and Art Gallery: Extensas colecciones sobre arqueología, historia natural y social de la región. También interesante es una colección de cerámica. En la galería de pintura, importantes obras de maestros de la pintura de los siglos XIX y XX.

Alrededores

Blackburn (15 km E): En este lugar se encuentra el *Lewis Textile Museum,* exponente de la historia referente al proceso de elaboración del algodón. En el *Museo Municipal* destaca la Sección Antigua (monedas griegas y romanas, objetos egipcios...); en la Galería de Arte anexa se exponen más de 1 200 estampaciones japonesas y hermosas acuarelas inglesas. También es interesante la inacabada catedral.

Halsall (28 km SO): En este lugar se halla la *St. Cuthbert* (siglo XIV, con torre octogonal del siglo XV; merece especial atención el pórtico medieval del coro con la primitiva puerta de roble).

Hoghton Tower (10 km SE): Construcción reformada en 1565 y restaurada en el siglo XIX. En el interior, de interés, los viejos enmaderados en la pared del siglo XVII y piezas alusivas a la visita del rey Jaime I en el año 1617.

Ormskirk (27 km SO): Aquí se encuentra la iglesia *SS. Peter and Paul,* de estilo gótico-tardío. La torre data de 1540; en el interior se hallan interesantes monumentos de los *Earls of Derby.*

Ribchester (12 km NE): Excavaciones del castillo romano *Bremetennacum,* construido alrededor del 80 d. de J. C. por Agrícola, cuñado del famoso historiador *Tacitus.* La fortaleza protegía el cruce de las vías romanas (Manchester-Carlisle, Ilkley-Fylde). Merece especial atención un granero y un pozo. En el cercano *Museum of Antiquities* se exponen los hallazgos de las

Ribchester. Excavaciones romanas

excavaciones; es de especial interés la lápida de un soldado, así como numerosas monedas y cerámica; también se conserva una copia del casco de bronce de los soldados romanos (el original se encuentra en el *British Museum,* en Londres) y una maqueta del castillo romano.

Samlesbury Hall (8 km NE): Casa feudal del siglo XIV. En el interior, amplia colección de acuarelas y armarios antiguos.

Scarisbrick (25 km SO): *Scarisbrick Hall,* de estilo gótico.

Southport (25 km SO): Iglesia parroquial *St. Cuthbert,* renovada en el año 1730; la torre fue edificada posteriormente; en el siglo XIX el conjunto fue ampliado. En el interior, de especial interés, la pila bautismal del siglo XVIII y las naves del altar, de madera tallada en la misma época. También de interés, la *Atkinson Art Gallery* (exposiciones alternativas de pintores ingleses de los siglos XVIII al XX) y el *Botanic Gardens Museum.* De especial interés, la colección de viejas muñecas, originaria del siglo XVIII.

R

Ramsgate

Kent/Inglaterra Pág. 332 □ M 15

Esta ciudad portuaria se hizo importante después de que el rey Jorge IV pasara sus vacaciones en este lugar.

St. Augustine's Abbey Church: Monasterio románico-católico, de 1851.

St. George's Church: Esta iglesia parroquial fue edificada en el año 1827 en estilo gótico, en aquel entonces moderno.

St. Lawrence's Church: Esta iglesia data de la época normanda (siglo XIII).

Otros lugares de interés: *Model Village,* cerca de *St. Augustine's,* un bonito pueblo miniatura de estilo Tudor. *Pegwell Bay,* aquí se encuentra anclado un barco, imitación de un navío vikingo, el «Hugen», delante de *Anker,* que fue traído desde Dinamarca como recuerdo de la invasión danesa del 449. Una cruz celta indica el lugar en el que se instalaron 40 monjes, junto con *St. Agustin,* para llevar la cristianización a los celtas.

Alrededores

Birchington (8,5 km NO): El *Powell Collection Museum* alberga una colección de especies animales africanas e indias, así como objetos artísticos de África, Asia y el Pacífico.

Broadstairs (3 km NE): *Bleak House* es una pequeña edificación de estilo Regency. En esta ciudad Charles Dickens escribió «David Copperfield».

Minster (Isle of Thanet 7 km O): La *St. Mary Church* tiene su planta en forma de cruz y es de procedencia normanda. *Minster Abbey* es el edificio más antiguo de los alrededores y fue fundada en el siglo VII: posteriormente ampliada y, en la actualidad, todavía está ocupada por los benedictinos. En el año 1929 se descubrió la tumba de *St. Mildred de Kent.*

Richborough (6 km SO): En este antiguo campamento de la legión romana se encuentran las ruinas del fuerte romano *Rutupiae.* En el museo se pueden ver los hallazgos de las excavaciones, en especial una extensa colección de monedas.

Sandwich (7 km SO): Este lugar fue, antes de ser secado su puerto, uno de los cinco puertos del canal de Inglaterra; actualmente es una tranquila ciudad costera. En la localildad se encuentran tres iglesias, la más interesante es la *St. Clement's Church,* de origen normando, como muestra la torre y el artístico pórtico; en los siglos XIV y XV la iglesia fue ampliada.

Reading

Berkshire/Inglaterra Pág. 332 □ I 15

La capital del condado *Berkshire,*

donde confluyen los ríos *Kennet* y *Támesis* fue, en la Edad Media, centro del comercio textil. Por su óptima situación geográfica fue asaltada por los daneses en el 871 y en el año 1006; no obstante, la ciudad continuó creciendo. En 1121 Enrique I fundó la abadía de los cluniacenses, cuya iglesia fue bendecida por Thomas Becket en presencia del rey Enrique II. Actualmente *Reading* es una importante ciudad industrial, cuya parte antigua está dominada por la *Church of St. Lawrence,* renovada por completo durante los últimos años.

Abbey: De la que fuera tercera mayor abadía de Inglaterra sólo quedan algunas ruinas. Una lápida recuerda a Enrique I, que fue enterrado en la abadía en 1135, y otra pequeña piedra (lápida) recuerda que un monje de esta abadía compuso la pieza musical, a varias voces, «Sumer is icumen in», la más antigua melodía hallada hasta el momento. En el año 1539 la abadía fue disuelta y Hugh Faringdon, su último abad, fue ahorcado delante de su propia caserna, que más tarde se convirtió en escuela.

Museum and Art Gallery: Este museo está dedicado a la historia local. Son de especial interés, las piezas procedentes del *Silchester* romano. Las piezas y objetos hallados ilustran excelentemente cómo era la vida cotidiana en una ciudad romana.

Museum of English Rural Life: Este museo, fundado en 1951, forma parte de la universidad y es utilizado como centro de información para campesinos. La colección contiene ejemplos referentes a la agricultura y la vida rupestre. Discos, fotografías, estadísticas y una biblioteca especializada completan la colección.

Museum of Greek Archaeology: Este museo también forma parte de la universidad y contiene una amplia colección de cerámica griega, así como antigüedades egipcias.

Alrededores

Basildon Park (10 km NO): La bonita casa feudal, de estilo georgiano, fue construida en el año 1767 por Carr of York para el Vizconde *Fane.*

Checkendon (12 km N): La *Church of SS. Peter and Paul* data de la época normanda. En el interior, frescos del siglo XII con escenas alusivas a la vida de Cristo y los apóstoles. La torre O de la iglesia fue erigida en el siglo XVI.

Henley-on-Thames (15 km NE): Este pequeño pueblo, de situación idílica a orillas del Támesis, con su puente del siglo XVIII, conserva numerosas casas georgianas.

Mapledurham House (5 km NO): Esta casa de campo tiene importancia literaria. En esta casa se desarrolla la famosa leyenda «Forsyte Saga», de John Galsworthy, y «The Wind in the Wilows», de Kenneth Grahame. Aquí también tuvo lugar el romance entre Alexander Pope y Martha y Theresa Blount.

Rotherfield Greys (10 km N): La *Church of All Saints* fue edificada alrededor de 1100. El pórtico se encontraba originalmente en la pared N, en el lugar donde se puede ver todavía el arco normando. En el año 1260 la iglesia fue ampliada por Walter Grey, arzobispo de York, al edificar al lado *Grey's Court.* La iglesia fue nuevamente restaurada y ampliada en el siglo XIX. Es especialmente interesante el monumento fúnebre de *William Knollys,* realizado para sus padres en el año 1605.

Reigate

Surrey/Inglaterra Pág. 322 □ K 15

Esta ciudad, al pie de *North Downs,* existió ya en la época normanda. Del castillo destruido por los partidos del Parlamento en el año 1648, quedan poquísimas ruinas.

Church of St. Mary Magdalene: La gran iglesia parroquial data de la época normanda. Las columnas en la nave datan de una construcción posterior y fueron edificadas en 1200. En la iglesia está enterrado *Lord Howard of Effingham* (1536-1624), que venció a la Armada Española en 1588. Un gran monumento fúnebre, con esculturas y un fondo arquitectónico, es obra de Joseph Rose, de 1730. Las esculturas, de tamaño natural, representan la verdad y la justicia.

Alrededores

Bletchingley (5 km E): La *Church of St. Mary the Virgin* data de 1090 y fue construida sobre una edificación anterior. En la torre y la sala del altar se conservan algunos arcos románicos; en los siglos XIII y XV se añadieron otros arcos. En el siglo XIX la iglesia fue renovada ampliamente. El púlpito data del siglo XVII; un monumento fúnebre, especialmente bonito, es obra de Richard Crutcher, de 1707. *Pendell Dourt* es una bonita casa de 1636 erigida en estilo jacobino.

Walton-on-the-Hill (4 km NO): La *Church of St. Peter* posee una bonita pila bautismal de plomo de la época normanda. El recipiente está decorado con una corona de arcos, en los que se encuentran esculturas sueltas sentadas.

Richmond

North Yorkshire/Inglaterra Pág. 328 □ I 10/11

St. Mary's Church (se accede por la Station Road): Iglesia parroquial de la ciudad; en el año 1860 fue restaurada casi por completo. En el interior, de especial interés, dos pilastras normando-románicas en la pared O. En el coro, la sillería, que procede de *Easby Abbey*. El *Green Howards Regiment* (estacionado en Catterick, 5 km S), tiene en la iglesia una capilla dedicada a los caídos.

Castle: Fue edificado en 1071 después de la conquista normanda por Alan Rufus (recibió de Guillermo El Conquistador el título de *Earl of Richmond,* al igual que el dominio sobre todo el territorio) sobre las rocas, a orillas del río *Swale*. En tiempos posteriores fue ampliado. En 1146 se edificó el cementerio, de más de 35 m de altura y muros de 3 m de espesor.

Richmond. Richmond Castle

Desde la torre se tiene una bonita panorámica sobre la ciudad.

Georgian Theatre (Friar's Wynd): Fue construido en el año 1788; desde mediados del siglo XIX no es utilizado; en 1962 fue restaurado y abierto al público. Este es el único teatro de este tipo que se conserva en Inglaterra.

Otros lugares de interés: *Trinity Church* (Market Place), famosa por sus campanas, que solamente suenan el martes de carnaval, a las 11,00 pm, para recordar a las amas de casa que horneen los pasteles (... «to bid the housewives tend the fire to cook the pancakes well»). *Grey Friars' Tower* (al N de la plaza del mercado), fue construida en estilo gótico-perpendicular. Ultimos restos de una iglesia conventual de «los hermanos grises» (los Grey Friars estuvieron hasta 1158 en Richmond; su convento fue disuelto a principios del siglo XVI sin que estuviera finalizada la iglesia). *Green Howards Museum,* con piezas referentes al regimiento instalado en Richmond (véase St. Mary's Church). Restos de la vieja fortificación de la ciudad.

Alrededores

Easby Abbey (1,5 km SE): Ruinas de una abadía fundada por Richmond en 1155 para los monjes premonstratenses. De la iglesia de la abadía se conserva la parte E del coro, partes del crucero y algunas pilastras en la nave principal. En la parte S de la edificación, restos del antiguo refectorio (comedor); en la parte N se halla el hospital.
Al lado de la abadía se encuentra la antigua iglesia parroquial *St. Agatha* (algo más antigua que la iglesia de la abadía). En el interior bonitos frescos del siglo XIII y una pila bautismal normando-románica.

Ellerton Priory y **Marrick Priory** (13 km O): En el valle del *Swale* superior, se encuentran, a ambos lados del río, las ruinas de dos monasterios cuyo origen se remonta al siglo XIII.

Rievaulx

North Yorkshire/Inglaterra Pág. 328 □ I 11

Rievaulx Abbey: Fue fundada en el año 1131 por Lord Helmsley como pri-

Richmond. Grey Friar's Tower

mera abadía cisterciense de Inglaterra; en el siglo XVI, durante la separación de la iglesia de Roma, fue disuelto. Los restos de esta abadía son sin duda los más impresionantes de toda Inglaterra. Se conservan partes de la iglesia y de la abadía.

Iglesia: La orientación de la iglesia no es hacia el O-E, sino hacia el S-N; se conserva la nave principal, el coro y el crucero; de las naves laterales quedan algunas pilastras de soporte. El estilo de la edificación es, en algunas partes, normando-románico (restos de una construcción anterior); el resto es de estilo Early English (temprano-gótico del siglo XIII); al O de la nave principal se encontró originalmente el Vía Crucis; junto a éste, hacia el O, el antiguo refectorio (comedor de la abadía); al S, ruinas de otros edificios pertenecientes a la abadía.

Alrededores

Byland Abbey (15 km SO): Fundada en 1171 por los monjes cistercienses de *Furness* (Cumbria), ésta fue la mayor iglesia de esta Orden en Inglaterra. De interés es la iglesia con sus baldosas verdes y amarillas y un bonito rosetón en el frente O. En un pequeño museo se exponen capiteles ornamentados de la iglesia.

Gilling (15 km S): Fortaleza del siglo XIII. El interior es utilizado en la actualidad como escuela.

Helmsley (5 km E): Es de interés, aparte de la iglesia (restaurada en 1867; se conserva el pórtico normando-románico; en el interior, bonito arco en el coro de la misma época), la fortaleza en el *Duncambe Park* se construyó en los años 1186-1227; en el siglo XIV fue fortificada con torres; en la guerra civil del siglo XVII fue destruida. Se conserva la doble fosa de la fortaleza, el imponente cementerio y la torre O.

Hovingham Spa (15 km SE): Estuvo colonizado ya en la época romana (entre otros hallazgos de las excavaciones se encontraron instalaciones hipocáusticas, así como termas y suelos de mosaico). De la iglesia es interesante la torre anglosajona y partes de construcción normando-románica. También de interés, la *Hovingham Hall,* casa feudal de 1760.

Kirkdale (10 km E): En este lugar se encuentra la pequeña iglesia *St. Gregory;* es de interés el reloj de sol anglosajón y una

Rievaulx. Rievaulx Abbey

vieja inscripción restaurada en el siglo XI (por los curas Brand y Harward en la época del Earl Tosti).

Mount Grace Priory (25 km NO): Restos de un monasterio cartujano fundado en el año 1398.

Newburgh Priory (20 km SO): Restos de un priorato agustino fundado en 1145; disuelto a principios del siglo XVI durante la Reforma, reinando Enrique VIII.

Nunnington (12 km SE): Casa feudal del siglo XVII; el ala O data de 1580 y de una iglesia (predominantemente medieval, con interesante decoración interior).

Stonegrave (10 km SE): Bonita pequeña iglesia (la torre es, en parte, anglosajona; en el interior, de interés, una vieja cruz).

Thirsk (20 km O): Aquí se encuentra la iglesia *St. Mary's Church,* de estilo gótico-tardío, del siglo XV. Es una de las iglesias más bonitas en su estilo del N de *Yorkshire.* También de interés en la zona, la casa feudal *Thirsk Hall,* renovada en el año 1770 por John Carr de York.

Ripon

North Yorkshire/Inglaterra Pág. 328 □ I 11

Esta es, probablemente, la segunda ciudad más antigua de Inglaterra; en el año 886 formó parte del reino del rey anglosajón Alfredo El Grande. Desde 1598 existe la tradición de que un pregonero a las 21 h (al unísono con las campanas) toque un cuerno para anunciar el comienzo de la noche (en el Ayuntamiento se puede ver el cuerno original, del siglo XVI).

Cathedral SS. Peter and Wilfrid (Minster Road): La primera construcción data del 669; fue comenzada por el obispo Wilfrid (de esta época data la cripta anglosajona). El rey anglosajón Eadred destrozó la construcción; siendo reedificada por los normandos (se menciona en el «Domesday Book»). A finales del siglo XI se comenzó con la actual construcción de la catedral. Se finalizó bajo el arzobispo Roger de Pont l'Eveque (1154-1181). En los siglos sucesivos se efectuaron numerosas reformas y modificaciones; desde 1829 restauraciones (entre otros, por Sir Gilbert Scott). Desde el año 1937 la iglesia es sede episcopal de la entonces fundada diócesis *Ripon.* Por el largo período de construcción, la iglesia conserva viejos estilos, desde el Saxon hasta el Late Perpendicular.

Construcción exterior: La fachada O es de estilo temprano-gótico Early English; el pórtico principal data de 1673. La altura de las torres O y de la torre del transepto es de unos 40 m cada una de ellas. La torre del transepto está dividida estilísticamente. Los lados N y O son de estilo románico-tardío-transicional. Las partes S y E son de estilo gótico-tardío-perpendicular. La aguja de la torre del transepto fue destruida en los siglos XVI y XVII por una tormenta eléctrica.

Espacio interior: La planta está compuesta por tres naves longitudinales con crucero y el coro, de tres naves. La longitud total es de unos 90 m; la anchura de la nave principal tiene unos 29 m; altura, unos 30 m (es la cuarta iglesia mayor de Inglaterra).

Ripon. SS. Peter and Wilfrid

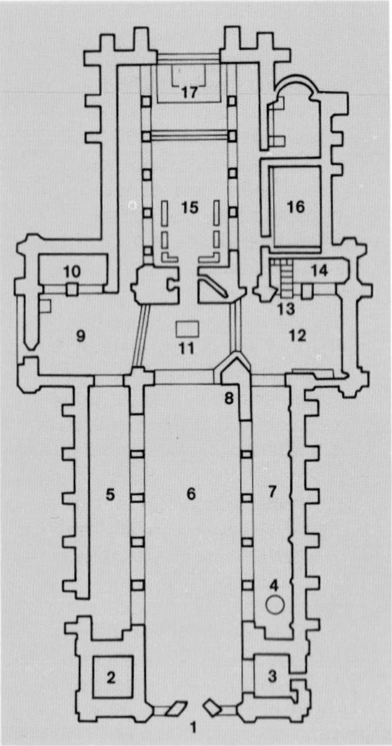

Ripon. Cathedral: 1. Fachada O. **2.** Torre NO. **3.** Torre SO. **4.** Pila bautismal. **5.** Nave lateral N. **6.** Nave principal. **7.** Nave lateral S (St. Wilfred's Chapel). **8.** Acceso a la cripta anglosajona (St. Wilfred's Crypt). **9.** Crucero N. **10.** Nave lateral del brazo N. **11.** Transepto con torre. **12.** Crucero S. **13.** Acceso a la cripta normanda. **14.** Nave lateral del brazo S. **15.** Coro. **16.** Sala capitular. **17.** Altar.

La nave principal originalmente no tenía naves laterales. Restos de partes estilo Transitional, en el lado O, y en las torres O, estilo Early-English, de especial belleza. El triforio es sencillo; se encuentra debajo de las claraboyas superiores. El techo de la nave principal fue restaurado imitando al de *Münster de York.* En la nave lateral N, restos de ventanas policromadas del siglo XVII; en la nave lateral S, junto a la pila bautismal, un sarcófago del siglo XIV con bonitos relieves (un hombre con un león). En el muro S una viejísima pila de agua, triangular; debajo se encuentra una puerta plegable, por la que se accede a la cripta anglosajona. En la parte O de la nave lateral N, el llamado consistorio de la diócesis (la parte inferior de la reja procede del armario de St. Wilfrid). En el crucero, bonitos techos de madera de encina en estilo gótico-tardío-perpendicular; el crucero N es románico (Transition Norman Stil); el púlpito data del siglo XV. En el lado N, un monumento de la familia *Markenfield,* del siglo XV. La nave del crucero N fue utilizada por mucho tiempo como capilla sepulcral de los *Markenfield* (también llamada Markenfields's Chapel). En el crucero S, la parte S y O es de estilo Transition-Norman-Stil, original de la época de construcción; el lado E es de estilo gótico-tardío (perpendicular). La nave lateral del crucero S (Mallory Chapel) alberga tumbas de la familia *Mallory;* en la parte E de esta nave se halla la tumba de *Sir John Mallory de Studley,* un fiel monárquico en la guerra civil, del siglo XVII. Acceso al coro por una pared de coro de finales del siglo XV, estilísticamente muy diferente; en la parte N, los tres primeros arcos son de estilo Norman-Transition, los que se encuentran enfrente son de estilo perpendicular; los restantes son góticos-decorated. En la gran ventana E dibujos geométricos. Junto al altar existe un monumento dedicado a los caídos en la primera guerra mundial; la sillería del coro data del siglo XV. De la nave lateral S del coro se accede a la *Chapter House* (sala capitular); al lado una vieja capilla normanda (de interés, una pila de agua muy antigua y las bóvedas); encima se encuentra la *Lady Chapel* (acceso al crucero S); desde el año 1624 es utilizada como biblioteca (piezas muy valiosas, biblias del siglo XIII e impresos antiguos).

Criptas de la catedral: *Cripta anglosajona* (acceso desde la nave lateral S): Está en la parte más antigua de la iglesia (siglo VII). Techo de bóvedas; longitud, 3,5 m; ancho, 2,5 m; altura, 3 m. Está construida en forma de un «confessio». *Cripta normanda:* Acceso por el crucero S. Longitud, 23 m; ancho, 6 m. Formó parte de la construcción anterior. Hasta el año 1865 fue utilizada como osario; actualmente es la denominada *All Soul's Chapel* (capilla conmemorativa).

Wakeman's House (Market Place): Sede oficial del último *Wakeman* y primer alcalde de la ciudad. En el interior, mobiliario del siglo XVI; adicionalmente se instaló en la casa un pequeño museo.

Otros lugares de interés: *St. Anne's Chapel* (al S de la catedral) fue edificada en el siglo XV como asilo de impedidos mentales; en el año 1869 el edificio fue demolido. Se conserva una capilla de 1100 (sin techo); en el interior, un altar, una pila de agua y una pila bautismal. *St. Agnes Lodge* (al lado), edificio del siglo XV (finales) con construcciones adicionales del siglo XVII (espacio interior no abierto al público). *Thorpe Prebend House* (junto a St. Anne's Chapel), del siglo XVII; en el interior, bonitos enmaderados en la caja de la escalera. *Maison Dieu* (High Street), capilla derruida del siglo XV. *Hospital of St. Mary Magdalene* (Magdalene's Road), hospital edificado por el obispo de Thurstan (1114-1141); fue renovado en los siglos XVII y XIX; actualmente es un asilo para mujeres impedidas mentalmente. *St. Wilfrid's R. C. Church* (Coltsgate), es especialmente interesante por su techo piramidal. *Bishop's Palace* (al NO de la catedral), edificado en los años 1838-1841 en estilo neotudor; antigua residencia de los obispos de Ripon.

Alrededores

Aldborough (12 km SE): Es de interés el *Aldborough Roman Site Museum,* en el que se pueden ver los hallazgos románicos del *Isurium Brigantum* (cerámica, monedas, inscripciones, etc.). Quedan restos de muros de la colonia romana. También de interés, la iglesia *St. Andrew,* del siglo XIV; la torre data del siglo XV; en el interior, una escultura del dios Mercurio (se supone que la iglesia está edificada en el mismo lugar que un antiguo templo de Mercurio).

Boroughbridge (10 km SE): Al O del lugar los tres *Devil's Arrows* (arcos del diablo), monolitos de alrededor del 2000 a. de J. C. Edad del Bronce. Altura hasta 7 m, diámetro superior a 5 m. La superficie está muy dañada debido a los cambios climáticos habidos a lo largo de los años.

Markenfield Hall (5 km S): Mansión señorial construida en el siglo XIV, con un hermoso salón de banquetes, notables vidrieras y una antigua iglesia.

Newby Hall (5 km SE): Mansión señorial construida en 1705 y reformada por Robert Adam entre 1770 y 1776. En su interior destacan sus tapices y una colección de esculturas clásicas.

Rochester

Kent/Inglaterra Pág. 332 □ L 15

Antes de que los romanos colonizaran este lugar, como demuestran las calles de *Rochester,* se localizó en el paso del *Medway* una colonia celta. En el año 604 el episcopado de *Rochester* era el segundo más antiguo de Inglaterra. Guillermo «El Conquistador», convirtió la ciudad en un importante punto de apoyo; actualmente es un destacado centro comercial y portuario.

Rochester. Rochester Castle

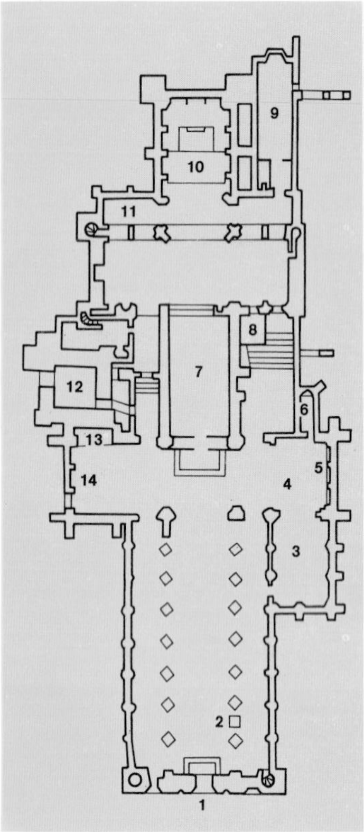

Rochester, Cathedral: 1. Fachada O con pórtico. **2.** Pila bautismal. **3.** Lady Chapel. **4.** Crucero S. **5.** Monumento de Sir Richard Watts y placa conmemorativa de Charles Dickens. **6.** Sacristía. **7.** Coro. **8.** Entrada a la cripta. **9.** Sala capitular. **10.** Presbiterio. **11.** St. John's Chapel. **12.** Gundulf's Tower. **13.** Jesus Chapel. **14.** Crucero N.

Catedral: En el año 604 el rey Ethelbert hizo edificar en este lugar una iglesia. El lugar donde estaba situada la nave está indicado con una señal en el suelo del pequeño pórtico O. La catedral existente data de los siglos XII y XIII, cuando también se fundó en este lugar un monasterio benedictino. El edificio sufrió grandes daños en la guerra civil; fue restaurado ampliamente en el siglo XIX. El edificio es una combinación lograda de estilos normando, perpendicular y Early English. La fachada normanda O, con su maravilloso pórtico y las esculturas de Enrique I y la reina Matilde, es una de las más hermosas de Inglaterra. En la nave central se encuentran seis arcadas normandas; el triforio se abre hacia la nave principal, al igual que las naves laterales. En el crucero S se encuentra una placa dedicada a Charles Dickens, que vivió algunos años en la ciudad. En el crucero N se encontró la tumba del peregrino Guillermo de Perth (siglo XII), que fue asesinado en los alrededores. La cripta, con sus bóvedas escalonadas y las numerosas tumbas de obispos, es una de las más bellas de Inglaterra. Es también interesante la «Wheel of fortune». Enfrente del moderno sillón episcopal, una pintura mural del siglo XIII. También reviste interés, la *Prior's Gate* y la fachada S. Junto a la catedral se encuentran las ruinas del antiguo edificio monasterial. También se conservan tres de los antiguos pasillos de entrada.

St. Nicholas Church: Data del siglo XV y fue renovada en el siglo XVII. Actualmente se albergan aquí las ofi-

Rochester. Catedral

cinas de la administración de la diócesis. El espacio central es utilizado como iglesia.

Castle: Esta fortaleza fue edificada poco después de la conquista normanda. Su increíble cementerio es uno de los mejor conservados del país. También se conservan algunas ruinas de los muros.

Corn Exchange: Construcción del siglo XIX. En la fachada se halla un bonito reloj decorado con figuras y el escudo del almirante *Clowdisley Shovell,* benefactor de la ciudad.

Eastgate House: Esta casa data de finales de la época Tudor. Actualmente se encuentra en el interior un museo y el *Dickens Center.*

Hotel George: Se erigió en el siglo XVI en el mismo lugar de una antigua iglesia de la que se conserva el techo de bóvedas en el sótano, del siglo XIII. Antiguamente ésta fue una estación de correos.

Guildhall (High Street): Construcción de ladrillo rojo del año 1607, con columnas dóricas. Sobre el tejado hay una veleta con forma de barco de vela para indicar la dirección del viento.

King's School: Data de la época de Enrique VIII.

Restauration House (Maidstone Road): Fue construida en el año 1587. Su nombre actual se debe a que Carlos II descansó en este lugar de camino hacia su coronación (1660).

Royal Victoria and Bull: Fue edificada alrededor del 1600; posteriormente fue reformada en estilo victoriano. Aquí vivió Charles Dickens, que describió la casa en sus «Pickwick Papers» y en «Great Expectations».

The «Six Poor Travellers» (High Street): Casa del siglo XVIII, fundada por Richard Watts en el año 1716 para dar asilo a seis viajeros pobres.

Alrededores

Chatham (2 km S): Enrique VIII erigió, en el lugar que ocupara una colonia sajona, un

floreciente puerto; museo militar del *Corps of Royal Engineers.*

Cliffe (8,5 km N): Aquí se encuentra la *Church of St. Helen,* edificada en los siglos XIII y XIV, con bonitas pinturas murales.

Cobham (5 km NO): Cobham es una bonita casa del siglo XVI; en el siglo XVIII fue ampliada por James Wyatt. Actualmente es una escuela femenina.

Luddesdown (7 km O): La casa de campo *Luddesdown Court* es la más antigua de los alrededores.

Sittingbourne (17 km E): En este lugar se localiza el *Court Hall Museum,* con una interesante colección sobre la historia local.

Rockingham

Northamptonshire/Inglaterra Pág. 328 □ K 13

Esta pequeña ciudad, al N de la industrial *Corby,* conserva su bello aspecto y muchas casas viejas de piedra.

Church of St. Leonard: La iglesia data de la época gótica; en el siglo XIX fue ampliamente restaurada. Son de interés los numerosos monumentos fúnebres de los siglos XVI al XIX. Destaca el del *primer Earl of Rockingham,* fallecido en 1724, obra de Peter Scheemakers. También es de notable interés el púlpito, de estilo jacobino, y la pila bautismal, de 1669.

Rockingham Castle: Fue edificado por Guillermo «El Conquistador», siendo propiedad de la Corona hasta la época de regencia de Isabel I, la cual cedió el castillo a Edward Watson. La gran caserna con sus torres circulares data de la época normanda. La *Great Hall* se edificó bajo Eduardo I; la casa obtuvo su forma actual alrededor del año 1550. El castillo alberga una valiosa colección de muebles y lienzos y fue uno de los lugares preferidos de Charles Dickens.

Alrededores

Deene (8 km E): La *Church of St. Peter* data del siglo XIII; de esta época, no obstante, sólo queda la torre O. Hasta el año 1868 Sir Digby Watts realizó amplias restauraciones. En la iglesia se encuentran numerosos monumentos fúnebres, en especial de miembros de la familia *Brudenell. Deene Parl* es, desde el año 1514, residencia de la familia *Brudenell.* La casa, de estilo Tudor, es interesante, ya que se conserva casi intacta. También interesante es el parque, en el que crecen raros árboles y arbustos.

Fotheringhay (15 km E): Aquí fue condenada, en el año 1587, María Estuardo, reina de Escocia, y ejecutada. La impresionante iglesia *Church of St. Mary and All Saints* es de estilo perpendicular y posee una bonita torre O. Antiguamente fue una iglesia colegial. Data del siglo XV. De esta época proceden la nave principal y las laterales. La vieja y encantadora posada también fue erigida en el siglo XV.

Kirby Hall (6 km NE): La construcción fue comenzada en el año 1570 por encargo de Sir Humphrey Stafford. El constructor fue Thomas Thorpe y, cinco años más tarde, Sir Christopher Hatton finalizó la edificación. En los años 1638-1640 Inigo Jones hizo modificaciones. En el año 1809 la familia *Hatton* abandonó la casa y dejó que decayera. Actualmente está restaurada el ala SO. A pesar de estar en ruinas, la casa es arquitectónicamente una joya, ya que en ella se encuentran detalles que en esa época sólo se veían en Francia. En toda Inglaterra no existe una edificación de este tipo. Es una combinación de arquitectura de principios del Renacimiento con elementos isabelinos.

Lowick (20 km SE): La *Church of St. Peter* es interesante por los vidrios emplomados que se conservan desde el siglo XIV. Su imponente torre, con su piso superior de planta octogonal, data del siglo XV. De la misma época son los monumentos fúnebres más antiguos.

Weldon (7 km SE): La *Church of St. Mary the Virgin* es, en Inglaterra, un raro ejemplo de iglesia «luminosa». Para conseguir este efecto se arrancó en el siglo XVIII la aguja gótica de la torre y se sustituyó por una cúpula de vidrio de 5 m de altura. Su luz guiaba a los viajantes que atravesaban el *Rockingham Forest.*

Roscommon

Roscommon/Irlanda Pág. 326 □ C 11

La capital del condado del mismo nombre tiene unos 1 600 hab. y posee las ruinas del *Roscommon Castle.* El castillo, destruido en diversas ocasiones y reedificado, fue durante largo tiempo propiedad de los *O'Conors,* hasta su destrucción definitiva por Cromwell en el año 1652. Se conservan partes del castillo: las imponentes torres esquineras, partes de los muros y el bello pórtico E flanqueado por una torre. La dominicana *Roscommon Abbey* fue fundada por el rey Felim O'Conor en el año 1253. Se conserva la iglesia con el interesante monumento fúnebre del fundador (alrededor de 1300) en un nicho en el coro N. El aguilón es de piedra y data del siglo XV.

Alrededores

Athleague (9 km SO): Cerca de este lugar se halla una piedra de culto esférica del antiguo período celta *La Téne.*

Ballymoe (19 km NO): Hacia el NE se encuentran las ruinas del castillo *O'Conors. Ballintober Castle,* del año 1300 (restaurado en 1677; habitado hasta el siglo XIX). Cerca, restos del castillo *Glinsk Castle,* de principios del siglo XVII (hacia el S).

Castlerea (30 km NO): Aquí se encuentra la antigua residencia de la familia Real *O'Conor* (Don); el *Clonalis House,* de estilo victoriano, fue construido en los siglos XVIII y XIX. Cerca de este lugar se halla *Emlach Cross,* una cruz elevada del siglo XI con bonita ornamentación.

Tulsk (16 km N): En este lugar se encuentra la sede celta *Rathcroghan;* se conservan los muros circulares, muros de tierra, lápidas y huellas de tumbas megalíticas.

Roscrea

Tipperary/Irlanda Pág. 326 □ C 12

Esta pequeña y encantadora ciudad, con unos 3 500 hab., procede de una fundación del santo celta *St. Cronan,* en el siglo VII. Se conserva la pared O de la *St. Cronan's Church,* del siglo XII, con un bonito pórtico en piedra (en el centro, St. Cronan). También interesante es la torre circular sin techo enfrente; data del siglo XII. De

Roscommon. Roscommon Abbey

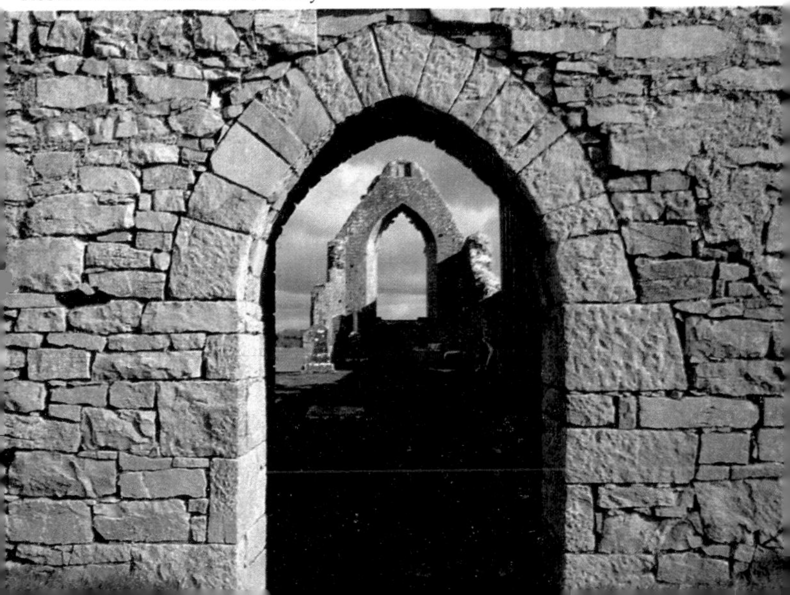

interés, la antigua cruz celta del siglo XII, con una representación de la Crucifixión. El pórtico de la iglesia católica (Abbey Street) es parte de un monasterio franciscano de 1490. También se conserva el campanario y partes del coro y de la nave. Las ruinas del *Roscrea Castle* (Castle Steet), proceden de una fortaleza normanda de 1280, con ampliaciones de los siglos XVI y XVII.

Alrededores

Birr (19 km NO): Esta pequeña ciudad es llamada, por su situación geográfica, «el ombligo de Irlanda». Fue diseñada y construida en los siglos XVIII y XIX en estilo predominantemente georgiano. La iglesia protestante data de 1810, la católica de 1817 y el templo jónico (de Lord Rosse) de 1828. El *Birr Castle* es un bello castillo del siglo XVII, con transformaciones neogóticas en el siglo XIX. Es de interés, el amplio parque, con antiquísimos árboles y restos del que en su época fue el mayor telescopio del mundo, propiedad del astrónomo Earl of Rosse (1845).

Mona Incha (4 km E): El antiguo convento de la isla es una fundación del siglo XII. La iglesia posee un bonito pórtico, también del siglo XII, y ventanas rodeadas de capiteles del siglo XIII. La cruz data, en su parte inferior, es del siglo IX; la parte superior data del siglo XII.

Roslin

Lothian/Escocia Pág. 324 □ H 8

Este antiguo pueblo minero de *Edimburgo* debe su fama a la conjunción de dos acontecimientos: poseer el ejemplo más importante del arte escultórico medieval de toda Escocia y el haberlo hecho popular nada menos que Sir Walter Scott, con su célebre «Canto del último Trovador». Tal es así que ya en el año 1800 se estableció un servicio regular y diario de diligencias desde Edimburgo hasta este pueblo, con el fin de que los turistas pudiesen trasladarse a este lugar para poder admirar «in situ» el desarrollo de dicho canto.

Roslin Chapel: La capilla es una donación de William Sinclair, el tercer y último *Earl of Orkney.* Fue fundada

Birr (Roscrea). Birr Castle

en el año 1446 como iglesia colegial *St. Matthew*. El arquitecto falleció en el año 1484. En aquella época estaba finalizado el coro con sus cinco yugos, el paseo alrededor del coro y el coro rectoral. La capilla, de 21 m de longitud, se convirtió en iglesia sepulcral de Sinclair. En el año 1688 fue dañada por el pueblo de Edimburgo en un levantamiento; en 1862 fue restaurada por encargo del *Earl of Rosslyn*.

La iglesia no tiene gran valor arquitectónico. Es de estilo gótico; el coro es rectangular con techo de bóvedas. La ornamentación de la iglesia es tan bella que la estructura de la misma deja de tener importancia. Prácticamente ninguna parte de la iglesia está sin decorar. Posee hermosísimos trabajos de labrado en piedra, desde los capiteles o las consolas, techos o bóvedas, hasta las estructuras de la tracería; todo está cincelado con increíble precisión. Aparte de la delicada ornamentación, fascinan especialmente las esculturas que representan la virtud y la ociosidad, ángeles y demonios, figuras pías y grotescas. Un ejemplo fantástico, «El baile de los muertos», se halla en el techo del coro rectoral; este es el primer ejemplo de este motivo en Inglaterra y el de más calidad. Es famosísima la *Prentice Pillar*, «La columna del aprendiz». Alrededor de la base vuelan dragones a la caza de las guirnaldas que rodean la columna. Este finísimo trabajo fue realizado por el aprendiz, sin ayuda de su maestro, que, al ver la obra de su alumno, sufrió tal ira y envidia que lo mató a palos. Tres cabezas al fondo de la nave representan a los tres protagonistas: el maestro, el aprendiz y la madre sollozando.

Roslin Castle: El castillo, situado sobre una roca en el valle del *North Esk,* fue comenzado por William Sinclair, fallecido en el año 1330. El cementerio se finalizó alrededor del siglo XIV. La fortaleza fue ampliada por el donante de *Roslin Chapel,* el *tercer Earl of Orkney*. En el año 1544 la construcción fue destruida por los ingleses; a partir de 1580 comenzó la reedificación. De la antigua edificación solamente quedan algunos restos de los muros, los sótanos y diversas grutas en la roca. Existe una pequeña fortaleza-refugio que conduce a la fosa del castillo.

Rothesay Castle

Stratchlyde/Escocia Pág. 324 □ F 8

Situado en el lado oriental de la isla de *Bute,* la construcción de este castillo se remonta a principios del siglo XIII. Las ruinas destacan por su planta, única en su género en toda Escocia: un patio interior circular rodeado por una muralla ciega, fortificada adicionalmente con cuatro torres circulares, y todo el conjunto rodeado por un foso. El acceso a la fortaleza está especialmente protegido por un torreón propio que el rey Jaime V mandó construir hacia 1530. En 1240 los normandos destruyeron parte de la muralla ciega y asaltaron la fortaleza, pero fue el rey noruego *Naakon* quien la conquistó en 1263. Finalmente fue destruida por las tropas de Cromwell. Notable colección de muestras regionales en el *Bute Museum*.

Royal Tunbridge Wells

Kent/Inglaterra Pág. 332 □ L 15

Ya en el año 1606 Lord North descubrió estas fuentes ferruginosas; treinta años más tarde se comenzó la construcción de la pequeña ciudad, situada en medio de un encantador paisaje de bosques que la circundan. Actualmente es famosa por sus balnearios.
En la casa se pueden ver numerosas casas georgianas y victorianas, en especial los *Pantiles*. Es de especial interés, la *Calverley House* (actualmente hotel), en la que vivió la reina Victoria. También merece la pena dar un paseo hasta *Runstall,* deleitándose

con las extrañas formas de las rocas volcánicas.

Holy Trinity Church: El edificio, inaugurado en el año 1829, es obra de *Decimus Burton,* el arquitecto más conocido de su época.

Church of St. Charles the Martyr: El edificio, sencillo y de poca altura, con su techo ricamente decorado, de 1696, fue propiedad del rey Carlos I, asesinado por los seguidores de Cromwell en el año 1649. Una placa indica el banco sobre el que solía sentarse la princesa Victoria.

Museum and Art Gallery: Interesante y amplia colección de piezas referentes a la historia local, así como juguetes y viejos bordados. Existe una sección de ciencias naturales.

Alrededores

Chiddingstone (9 km O): Aquí se encuentra la *Church of St. Mary's* con antiguos labrados en piedra, pila bautismal jacobina y púlpito. El *Chiddingstone Castle* es una construcción gótica del siglo XVIII. En el interior se encuentran documentos de la época Estuardo y Tudor, así como una colección egipcia y otra japonesa.

Chiddingstone (Royal Tunbridge Wells)

Hever (11 km O): *St. Peter's Church,* es una iglesia típica del siglo XIV, con una lápida en el interior de Sir Thomas Boleyn, el padre de *Anne Boleyn. Hever Castle,* castillo del siglo XIII que fue modificado en el siglo XV y que posee un hermoso jardín italiano; en este castillo creció Anne Boleyn; en el siglo XX William Waldorf Astor restauró el conjunto.

Holtye (13 km O): Vía romana cubierta con escoria de las herrerías cercanas.

Owl House (7 km SE): Casa de paredes entramadas del siglo XVI; acceso únicamente al jardín de rosas.

Penshurst (5 km NO): *Penshurst Place,* casa natal del poeta, soldado y hombre de Estado Sir Philip Sidney (1554-1586); data de la Edad Media. Increíble *Great Hall,* del siglo XIV. También es interesante la colección de armas y retratos de los *Sidney* y el museo de juguetes en las antiguas caballerizas. En el pueblo se conservan algunas casas antiguas.

Rotherfield (10 km S): En este lugar se encuentra la *St. Denis Church,* del siglo XIII, con su campanario cubierto de piedra y sala de entrada de dos pisos; interesantes pinturas murales de la época de construcción y bonita ventana E.

Scotney Castle (8 km SE): Interesantísimas ruinas enclavadas en un bello lugar y originarias del siglo XIII.

Sissinghurst (24 km E): El pueblo se enriqueció con la industria textil, erigiéndose bonitas casas. *Sissinghurst Castle,* ruinas de un castillo de los siglos XV y XVI, rodeado por un bellísimo parque, obra de Sir Harold Nicolson y Victoria Sackville West, en estilo isabelino, en el año 1930. La parte más bonita es *White Garden.* con el *Priest's House. Sissinghurst Court,* preciosa casa del siglo XVI, rodeada por un jardín.

Tonbridge (4 km N): Ruinas de una fortaleza normanda; *Parish Church SS. Peter and Paul,* en estilo Early-English.

Withyham (12 km SO): *Church of St. Michael and All Angels.* Iglesia del siglo XIV, reedificada en el siglo XVII con monumentos de la familia *Sackville;* el de *Thomas Sackville* (fallecido en 1677) fue creado por el escultor Caius G. Gibber.

Rye

East Sussex/Inglaterra Pág. 332 ☐ L 16

Esta pequeña ciudad fue antiguamente uno de los cinco puertos del canal y, a lo largo de la historia, fue atacada y destruida en diversas ocasiones; en el año 1377, por los franceses. En la época en que se vació el lecho del puerto comenzó el decaimiento de la industria en esta ciudad. Actualmente *Rye* es un lugar de gran atractivo turístico y que conserva su encantador carácter de origen medieval.

Parish Church St. Mary: La iglesia, edificada en el siglo XII, fue modificada y ampliada en el transcurso de los años en numerosas ocasiones. Actualmente la construcción es una mezcla lograda de estilos normando, Early-English, decorated y moderno. La torre del reloj fue construida en el año 1560 en *Winchelsea* y es la más antigua en Inglaterra. Sobre la esfera se encuentran, a ambos lados de una placa conmemorativa, los llamados *Quarter Boys,* que anuncian con sus campanadas los cuartos de hora. El altar, tallado en *mahogoni,* data del siglo XVIII, al igual que la lustrina en el coro. Datan del siglo XIX la pila bautismal y algunas partes de las bonitas ventanas.

Ypres Tower: La imponente fortaleza cuadrangular, con las tres torres esquineras semicirculares y otra torre independiente más pequeña, coronada de almenas, datan del siglo XIX; formó parte de un fuerte del siglo XIII. En el siglo XIV fue adquirida por las autoridades y, durante largo tiempo, fue utilizada como prisión. Su forma actual data de 1928 y, desde este año, se utiliza como museo. Este expone piezas y documentación referente a los cinco puertos del canal. En el circundante *Canon Garden* se encontraron antiguamente los cañones del fuerte del puerto; actualmente es una terraza desde la cual se goza de una hermosa panorámica.

Otros lugares de interés: *Marmaid Street* es, sin duda, la calle adoquinada más atractiva de la ciudad. *Marmaid Inn* fue un importante lugar de reunión de traficantes y conserva, actualmente, el aspecto típico de una ca-

Owl House (Royal Tunbridge Wells)

Scotney Castle

Scotney Castle. Foso

sa de los siglos XV al XVIII. Enfrente, la *Opposite House,* de la misma época; se llama de esta manera porque a menudo era confundida con *Marmaid Inn. Lamb House* (West Street) fue durante los años 1898-1916 residencia del escritor Henry James; más tarde vivió aquí el narrador inglés E. F. Benson, alcalde en los años 1934-1937. *Landgate* es el último pórtico de la ciudad que se conserva y data del siglo XIII. En el antiguo convento agustino se encuentra en la actualidad una colección de cerámica del lugar.

Alrededores

Camber (2 km S): Balneario con ruinas del *Camber Castle,* edificado reinando Enrique VIII como protección contra una posible invasión francesa.
Dungeness (10 km SE): En el año 1792 el constructor inglés James Wyatt (1746-1813) edificó aquí un faro con una pequeña caserna. En la torre se encuentra, actualmente, una estación de radar.
East Guildford (2 km NE): Aquí se encuentra la *St. Mary's Church,* una pequeña iglesia de ladrillo, sin torre, del siglo XV, con decoración del siglo XIX.
Great Dixter (14 km NO): Casa feudal situada entre hermosos jardines, del siglo XV; fue restaurada en el año 1910 y contiene una bonita *Great Hall.*
Winchelsea (5 km S): Después de la destrucción de la vieja ciudad, junto al puerto, se edificó, en el siglo XIII, la colonia existente. De esta época datan tres pórticos de la ciudad, el antiguo juzgado (Court Hall, actualmente museo dedicado a la historia de la ciudad) y numerosos sótanos. La *Church of St. Thomas the Martyr,* construida junto a las ruinas del coro de la antigua iglesia, alberga los monumentos fúnebres de dos almirantes de los puertos del canal y preciosas ventanas realizadas por Douglas Strachan (1930).

S

Saffron Walden

Essex/Inglaterra

Pág. 332 □ L 14

Esta ciudad procede de la época romana, de *Waledana.* Al O y E de la ciudad se pueden ver las ruinas, en tierra, de fortificaciones de la época anglosajona. En la época normanda se construyó un castillo, del que se conserva el cementerio. El nombre actual de la ciudad procede del tratamiento de la raíz del azafrán que, desde los días de Eduardo II hasta 1800, fue la fuente de ingresos más importante de la ciudad. Se conservan numerosas casas de paredes entramadas y de ladrillo del siglo XV, al igual que hermosos ejemplos de casas decoradas con estucados.

Church of St. Mary the Virgin: Data de la época normanda; en los siglos XV y XVI fue totalmente modificada. Su torre, decorada con una aguja octogonal, data del año 1831. Entre los numerosos monumentos fúnebres y lápidas destacan la tumba de Lord Audley, el canciller de Enrique VIII. Los vidrios emplomados de colores datan del siglo XIX.

Audley End House: Esta abadía benedictina, al O de la ciudad, fue disuelta por Enrique VIII y legada a Lord Audley, que edificó aquí una casa estilo Tudor. En 1603 la propiedad pasó a ser de Howard of Walden, que fue nombrado *Earl of Suffolk* por Jaime I. Éste adosó a la abadía una enorme casa de estilo jacobino con dos grandes patios interiores. Después de la restauración, Carlos II se apropió del edificio, que volvió a ser propiedad de los *Howard* en el año 1701. Alrededor del año 1720 Sir John Vanbrugh se encargó de modernizar la casa. Hizo tirar más de la mitad de la construcción; el resto se conserva. Todavía se puede admirar la hermosa balaustrada. En el interior se modificó gran parte de la decoración y las habitaciones. Actualmente la casa alberga una colección de pinturas; el total de la decoración es originaria del siglo XVII.

Museum: Está situado sobre las ruinas de una fortaleza normanda del siglo XII y se dedica a la historia local. La pieza más valiosa que posee es una espada anglosajona.

Alrededores

Finchingfield (30 km SE): Esta pequeña ciudad es una de las más bonitas del condado. En ella se pueden admirar numerosas y bellísimas casas de gran antigüedad, como, por ejemplo, la *Guildhall,* de alrededor del año 1500, un molino de viento y la iglesia,

St. Albans. Catedral

dominada por su excelente torre normanda. A unos 2 kilómetros de este lugar se encuentra la *Spains Hall,* que es una bonita construcción de ladrillo erigida en el siglo XVI con antesala de dos pisos.

Hadstock (13 km S): La *Church of St. Botolph* fue edificada alrededor del año 1020 por *St. Canute* para conmemorar la victoria de Edmond Ironside en *Ashdon*. Se conserva la estructura de la fábrica como en ninguna otra iglesia. Incluso el pórtico realizado en madera de encina, data de la época anglosajona y es uno de los más antiguos de los conservados en el país. La sala del altar que existe actualmente fue añadida por William Butterfield en el año 1884.

Newport (7 km SO): Esta pequeña ciudad conserva numerosas casas antiguas, así como el granero de los monjes, construcción de paredes entramadas y ladrillo erigida en el siglo XV, y casas del siglo XVII, con bonitos decorados de estucados. La *Church of St. Mary the Virgin* fue edificada durante los siglos XIII y XIV. La torre O fue renovada en el año 1858. Las piezas de más interés son la pila bautismal, originaria del siglo XIII; un altar portátil pintado, también del siglo XIII, y las vidrieras policromadas creadas en el siglo XIV.

Strethall (5 km NO): La *Church of St. Mary the Virgin* es una pequeña iglesia de la época anglosajona, cuya sala del altar y la torre O datan del siglo XV; el arco de triunfo se conserva de la antigua iglesia, del siglo XI.

Thaxted (25 km SE): Esta ciudad floreció en la Edad Media debido al comercio de la lana. En ellas se pueden ver bonitas casas de paredes entramadas. La casa gremial data del año 1475. La *Church of St. John the Baptist* da una imagen de la riqueza en la que vivía el pueblo en el siglo XV. La pila bautismal está decorada con pequeñas torrecitas en la parte superior; la reja del coro, restos de los emplomados originales y el techo de madera decorado, datan del siglo

XV. Tres de las ventanas fueron renovadas por C. E. Kempe.

Wendens Ambo (4 km S): La *Church of St. Mary the Virgin* fue erigida en la época normanda. La torre está decorada con pequeñas agujas; la sala del altar es una creación de alrededor del año 1300. Son de enorme interés los fragmentos de frescos del año 1330, los cuales muestran escenas de la vida de *St. Margaret.*

St. Albans

Hertfordshire/Inglaterra Pág. 332 □ K 15

Esta ciudad, junto al *Ver,* es históricamente de las más importantes de Inglaterra. Aquí se encontró el *Verulamium* de los romanos, la antigua capital de la provincia *Britannia.* La colonia romana fue fundada en el año 43 d. de J. C., en el mismo lugar que ocupara una colonia anterior al siglo I a. de J. C. El nombre de la ciudad se debe al nombre de un soldado que murió como mártir, en el año 303, por haber dado refugio al misionero que lo había convertido al cristianismo. En honor a este primer mártir en tierra inglesa, el rey Offa de Mercia fundó, en el 739, la abadía benedictina de *St. Albans.* La abadía se convirtió en poco tiempo en una de las más importantes de Inglaterra. Durante los años 1455 y 1461 tuvieron lugar, frente a las puertas de la ciudad, cruentas batallas en «La Guerra de las Dos Rosas». Posteriormente la abadía fue disuelta y sólo sobrevivió a la devastación la gran iglesia, que se convirtió en iglesia parroquial.

Cathedral: Las partes más antiguas de la iglesia actual se encuentran en el lugar de la antigua construcción del rey Offa. En el año 1077 Paul of Cean comenzó la construcción, de siete yugos, que se finalizaría en el año 1116. En el siglo XIII comenzó la segunda etapa de la construcción, en la que se edificó el crucero actual, el presbiterio y los restantes yugos O de la nave. En

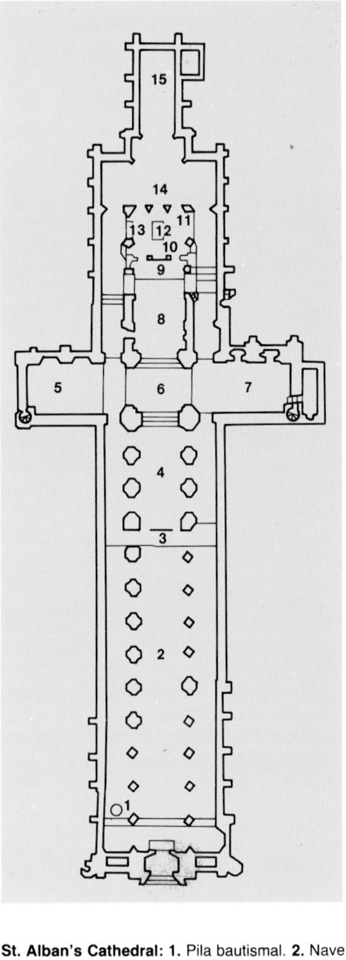

St. Alban's Cathedral: 1. Pila bautismal. **2.** Nave principal. **3.** Reja del coro. **4.** Coro. **5.** Crucero N. **6.** Transepto. **7.** Crucero S. **8.** Presbiterio. **9.** Rejas del altar. **10.** St. Alban's Chapel. **11.** Monumento fúnebre de Humphrey Duke of Gloucester. **12.** Armario de mármol de St. Alban. **13.** Watching Loft. **14.** Coro rectoral. **15.** Lady Chapel.

el año 1856 Sir Gilbert Scott comenzó con la restauración, que finalizó Sir Edmund Becket.

En 1877 *St. Albans* se convirtió en sede episcopal y la iglesia pasó a ser catedral. La inmensa nave (90 m de longitud) separa la parte edificada en la

época normanda y la parte temprano-gótica finalizada en el año 1323. Tres yugos delante del transepto separan la reja del coro, realizado en piedra y erigido en el año 1350, del coro de los monjes, el cual llega al presbiterio por el transepto.
Las columnas normandas de la nave estaban decoradas en los lados O y S con unos interesantes frescos. Se conservan algunos restos: son obra de Walter of Colchester y fueron pintados alrededor del año 1220. En la parte O se representa la Pasión de Cristo; en la parte S, algunas figuras de santos. Los frescos pintados en el techo del presbiterio datan del siglo XV; fueron pintados después de que el abad John de Hertford renovara, en el año 1450, esta parte de la iglesia. Las rejas del altar de piedra fueron realizadas en la segunda mitad del siglo XV por el abad William de Wallingford. El martirio de St. Albans, representado en la nave del coro S, data de alrededor de 1530 y estuvo posteriormente en el crucero N.
Ambos cruceros son las partes en mejor estado de conservación de la construcción normanda. En el crucero S se encuentra, en la parte E del mismo, un triforio decorado con arcos normandos descansando sobre zócalos y capiteles, también de origen normando. Las columnas son restos de la iglesia sajona del rey Offa. En la pared O también se conservan algunas partes de la antigua construcción, ya que Lord Grimthorpe utilizó durante la renovación de la construcción el pórtico normando y las arcadas.
El centro de la iglesia, entre el presbiterio y el coro rectoral, es llamado *St. Albans Chapel.* En esta capilla se puede contemplar el armario de mármol de St. Albans, reconstruido en el año 1872, y que está compuesto por más de 200 piezas.
La *Watching Loft,* situada en el lado N, data de alrededor del año 1400; el monumento fúnebre de *Humphrey Duke of Gloucester* data del año 1447.
La *Lady Chapel* fue edificada por el abad Hugh de Eversden, alrededor del año 1315. Desde la época de la Reforma hasta el año 1870 fue utilizada como escuela; posteriormente fue ampliamente restaurada.

Church of St. Michael: La construcción fue comenzada en el año 948. El altar y la nave datan del siglo X y ofrecen una visión de la construcción anglosajona. En el siglo XII se añadió el crucero. Es de especial interés el increíble púlpito de estilo jacobino y algunos fragmentos de frescos medievales con escenas como la representación del Último Juicio.

Clock Tower: Este campanario fue edificado en el período de años comprendido entre 1403 y 1412, sirviendo como centro de la ciudad y punto de reunión. Es una de las pocas torres de este tipo que han logrado resistir el paso de los siglos en Inglaterra.

Roman Theatre: Se conservan pocos restos de la capital de provincia romana *Britannia.* Son impresionantes los restos del teatro edificado alrededor del año 140 y ampliado posteriormente, alrededor del 300. Los hallazgos de las excavaciones arqueológicas de *Verulamium* se encuentran expuestas en el *Roman Museum.* La pieza más valiosa del museo es un suelo de mosaico hallado en 1959. Data del siglo II y muestra la escena de un león atacando a un ciervo indefenso.

Alrededores

Hatfield (11 km E): Esta vieja ciudad comercial, ubicada al lado de la carretera principal de Londres hacia el N, conserva bonitas casas de las épocas isabelina y jacobina. La *Church of St. Etheldreda* data de la época normanda; no obstante, no quedan restos de la antigua edificación que fue completamente renovada por David Brandon en el pasado siglo. Se utilizó la parte E y el crucero de la iglesia anterior, sin respetar los elementos antiguos. Son de especial interés, en el interior de la iglesia, una pequeña escultura realizada en el año 1200 y el monumento fúnebre dedicado a Robert

St. Albans. Catedral, altar

Nave mayor y coro

Cecil (fallecido en el año 1612), *primer Earl of Salisbury.* Su imagen es sostenida por cuatro vírgenes arrodilladas (esculturas de mármol). El monumento es obra de Maximiliam Colt, al igual que el monumento realizado para Isabel I y que se encuentra, igual que el monumento a Isabel I, en *Westminster. Hatfield House* fue, hasta el año 1497, la residencia del obispo *Morton de Ely.* Enrique VIII la convirtió en residencia Real. Jaime I intercambió la edificación por *Theobalds Manor,* de Robert Cecil. El resto de la construcción se encuentra en la parte O del parque; en el año 1607 el *Earl of Salisbury* encargó a Robert Lyminge la construcción de una nueva casa, que fue finalizada en el año 1611, en estilo isabelino. El castillo, de unos 100 m de longitud y 50 m de anchura, con planta en forma de E, está decorado con cuatro torres esquineras y es, en la actualidad, propiedad de la familia *Cecil.* De la decoración interior impresiona especialmente la caja de la escalera, con sus excepcionales tallas y esculturas. Igualmente increíbles, los tapices y vidrieras del siglo XVII, así como valiosas pinturas y muebles.

Hemel Hempstead (10 km O): La iglesia *Church of St. Mary,* de planta en forma de cruz, data de la época normanda y contiene una bonita torre central. Es de especial interés el techo escalonado en la sala del altar, del siglo XII. En el siglo XIX la iglesia fue restaurada por G. F. Bodley; los vidrios emplomados de la Iglesia fueron realizados en la misma época.

St. Andrews

Fife/Escocia Pág. 324 □ H 8

Según la leyenda, aterrizó en este lugar el monje griego *Rebulus* en el siglo IV. Trajo las reliquias de San Andrés, por lo que el lugar atrajo a numerosos peregrinos cristianos celtas, los cuales construyeron para la advocación de su santo la *St. Rule's*

Church. Posteriormente la iglesia se convirtió en unas de las mayores de Escocia. Dada su importancia eclesiástica y espiritual, se fundó en este lugar, en el año 1410, la universidad más antigua de Escocia. La iglesia sufrió graves daños durante la Reforma y decayó rápidamente.

St. Rule's Church: La iglesia, edificada en los años 1127-1144, se encuentra en el lugar que ocupara una sede episcopal fundada en el 908. Impresiona su torre cuadrangular, de 33 m de altura. Todavía se conservan, en parte, la sala del altar y el coro; la nave ha desaparecido por completo.

Cathedral: La construcción de la catedral se comenzó con el monje tironense y antiguo abad de *Kelso,* el obispo Arnold. La fachada O se construyó entre los años 1273-1279 y conserva su forma original. La catedral fue inaugurada en el año 1318, en presencia del rey Roberto Bruce. Después de un devastador incendio y una renovación completa, la iglesia vivió una época de florecimiento a partir de 1440. El último gran acontecimiento que se celebró en ella fue la boda del rey Jaime V con María de Lorena (1538). Se conserva de la antigua riqueza la fachada E, de 8 m de altura, del siglo XII; una esquina con escalera en el crucero (arcadas ciegas), así como la pared O de la nave. En ella es de especial interés que las cuatro ventanas O tienen arcos circulares, mientras las restantes seis ventanas E son de estilo gótico. Se conservan también algunos arcos góticos; los edificios de la catedral se caracterizan por los escasos cimientos. En un museo se exponen numerosas lápidas, así como un interesante sarcófago con ornamentación celta y escenas de la vida del rey David, creado en el siglo IX.

Castle: Fue la fortaleza de un obispo erigida sobre las rocas, al N de la ciudad; data del año 1200. Cambió de propietario en diversas ocasiones antes de que la comprara el obispo William Lamberton en 1314, que la amplió considerablemente. En las épocas posteriores los ingleses y escoceses batallaron duramente por apoderarse de la fortaleza; la destruyeron, la reedificaron y la volvieron a destruir. A partir de 1425 la fortaleza fue residen-

St. Andrews. Ruinas del castillo

cia de Jaime I, después la ocupó el cardenal David Beaton (1539-1546), el cual, en marzo de su último año de vida, vio desde su castillo la cremación del reformador George Wishard por hereje. Después de la Reforma el consejo de la ciudad decidió, en el año 1654, ampliar el puerto con el material procedente del castillo. Actualmente se conserva el paseo del pórtico, así como la torre O de cuatro pisos, de estilo renacentista. La parte sin duda más interesante del castillo es el pasadizo, que se construyó durante la gran ocupación de 1546-1547 para volar el castillo. Se conservan actualmente *Mine* y *Counter Mine*.

Otros lugares de interés: *St. Mary's College* fue fundado por el cardenal Beaton y formó parte de la universidad. Existe todavía el árbol blanco que, supuestamente, fue plantado por María Estuardo. En el viejo Ayuntamiento se puede ver, entre otros objetos, el hacha del juez supremo. La *Holy Trinity Church* fue comenzada en 1412; la torre data del siglo XVI. Se conservan restos de la sillería del coro de 1505, así como el monumento fúnebre del arzobispo *Sharp*, asesinado alrededor de 1679. En la iglesia de la universidad, del siglo XV, se encuentra el tabernáculo de más antigüedad de Escocia.

Alrededores

Anstruther (10 km S): En este pueblo se encuentra la casa parroquial habitada y de procedencia más antigua de Escocia; fue erigida en el año 1590. También se encuentra en este lugar el interesantísimo *Scottish Fisheries Museum*.

Balmerino Abbey (12 km NO): Esta abadía fue fundada en 1226 por la viuda de Guillermo de León. Para su construcción hizo venir monjes cistercienses de *Melrose*. En el año 1547 los ingleses destruyeron la fortaleza. Aún así, las ruinas de la sala capitular son de estilo gótico-tardío y las bóvedas, son de gran interés.

Leuchars (5 km NO): En este lugar se fundieron, la sala, el altar y un ábside de una iglesia de estilo normando-románico del siglo XII, en una iglesia moderna. El viejo ábside, que forma parte de la nueva iglesia, es uno de los ejemplos más bellos de la construcción normanda en Escocia.

St. Andrews. Ruinas de la catedral

St. David's/Tyddewi

Dyfed/Gales Pág. 330 □ E 14

Esta pequeña ciudad, en la punta SO de Gales, es, desde la Edad Media, «ciudad santa» de los galeses. En esta ciudad vivió y falleció en el siglo VI el santo nacional *St. David,* el misionero del S de Gales.

St. David's Cathedral: De la fundación conventual de *St. David,* del siglo VI, no se conservan restos. La catedral actual fue edificada por el obispo normando *Peter de Leia* alrededor de 1180. El exterior de la construcción, de ladrillo oscuro, es de estilo transitional y decorated. La imponente torre del transepto data de 1250 y tiene un aspecto oscuro y severo. La fachada O obtuvo su aspecto actual al restaurarla en el siglo XIX. El interior, con nave principal normanda y decoraciones de todas las épocas del gótico, es fascinante. Las pilastras son redondas y octogonales alternativamente; los arcos de las pilastras son de arquivolta de gran belleza; las ventanas laterales, de estilo decorated, datan del año 1340, y el techo de madera de encina irlandesa data del siglo XV. La caserna S, con el árbol genealógico de Jesé y la genealogía de Cristo en el pórtico data, de alrededor de 1340; en la nave lateral S se encuentran dos pilas bautismales prenormandas y, también, esculturas de obispos. Enfrente del hermoso atril del siglo XIV se encuentra el famoso monumento fúnebre del obispo *Henry Glower* (alrededor de 1350). El transepto (torre) abarca parte del coro, en el que se encuentra una bonita sillería del siglo XV (misericordias) y el trono episcopal (restaurado). Cuatro increíbles arcos de estilo transitional separan los pasillos del coro del presbiterio y el santuario; las ventanas lanceoladas están, en parte, restauradas.

Por medio del pasillo del coro S se accede a la *Holy Trinity Chapel* (capilla de la Trinidad), con bonito techo de bóvedas escalonadas en estilo perpendicular. En esta capilla se conservan las reliquias de *St. David* en el *St. David's Shrine.* El techo de la *Lady Chapel* (capilla de María, alrededor de 1295) se hundió en el año 1775 y fue restaurado imitando el antiguo estilo. El crucero, en parte, original de la época de construcción; en parte fue restaurado en estilo tempranogótico cuando se hundió la torre en el año 1220. En el lado N se encuentra la *St. Nicholas Chapel,* con un interesante crucifijo y, en el crucero N, la *St. Thomas Chapel,* construida por el obispo Gower alrededor de 1340, con una bonita pila bautismal doble del siglo XIII. En el lado N de la catedral se encuentran las ruinas del *St. Mary's College,* fundado alrededor de 1365. Está compuesto por una sencilla torre cuadrada y una capilla en estilo perpendicular.

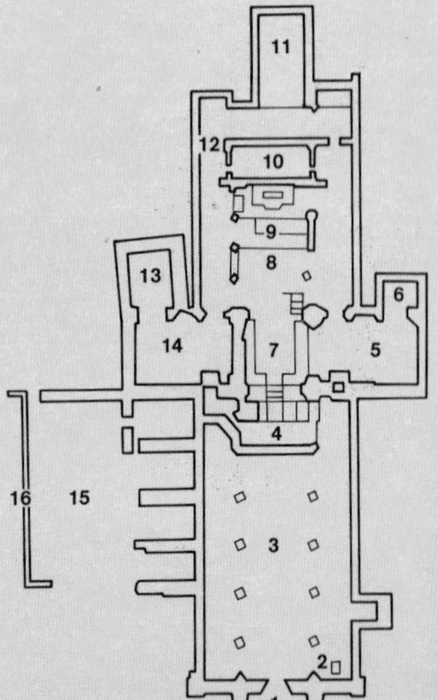

St. David's, Cathedral: 1. Fachada O. **2.** Pila bautismal. **3.** Nave principal. **4.** Atril. **5.** Crucero S. **6.** Sala capitular. **7.** Coro. **8.** Presbiterio. **9.** Santuario. **10.** Holy Trinity Chapel. **11.** Lady Chapel. **12.** St. Nicholas Chapel. **13.** St. Thomas Chapel. **14.** Crucero N. **15.** Vía Crucis. **16.** Antiguo St. Mary's College.

Bishop's Palace: Cerca de la catedral se encuentran las imponentes ruinas del palacio episcopal medieval. Fue edificado por el obispo Henry Gower al estilo de una residencia fortificada, en el año 1342. Alrededor del patio interior se agrupan la *Great Hall,* al SO; la capilla, al NO (con encantadora torre); la cocina y los demás edificios. El pasillo del pórtico, con arcos semioctogonales, se encuentra al NE. La residencia se trasladó a *Abergwili,* en *Camarthem,* y, en el año 1540, el palacio decayó. Se conservan restos de los muros que circundaban el terreno de la catedral, del siglo XIII.

Alrededores

Chapel of St. Non (1,5 km O): La capilla de *St. Non,* madre de *St. David,* se encuentra sobre un acantilado de la costa. Se conservan restos de la antigua capilla y de un pozo de aguas curativas.

Ramsey Island (5 km O): En la isla de enfrente se encuentran las escasas ruinas de una abadía benedictina. La isla es un parque natural nacional, con plantas e insectos poco frecuentes.

St. David's Head (4 km NO): El prehistórico muro *Warrior's Dyke* (muro de los guerreros), con restos de cromlech y grutas en las rocas, se encuentra en una zona montañosa. Desde este lugar existe una hermosa vista hacia el mar.

St. Michael's Mount

Cornwall/Inglaterra Pág. 330 □ E 17

A esta pequeña isla granítica, de forma circular y una altitud de unos 65 m sobre la bahía de *Penzance,* se puede llegar, con la marea baja, por un estrecho paso y, cuando está alta, en bote. Aquí se localizó antiguamente el *Ictis* romano. Probablemente en el siglo V llegaron los primeros cristianos. Sólo se demuestra la colonización, no obstante, desde el siglo XI, época en la que Eduardo El Confesor edificó una abadía benedictina paralela a la de *Mont St. Michel* (Normandía). En el siglo XII se convirtió en una compacta abadía benedictina, que, después de la disolución conventual, pasó a ser propiedad de la familia *St. Aubyn.* En el año 1875 la familia convirtió la abadía en vivienda,

St. David's. St. David's Cathedral

Techo de la torre

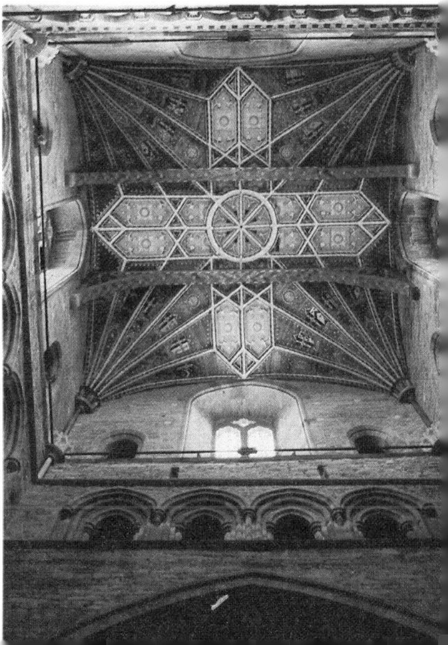

afortunadamente respetando la construcción. Un fantástico estucado, con escenas de caza del año 1641, decora el antiguo refectorio. En la *Lady Chapel* se conservan los blancos ornamentos de las bóvedas.

Alrededores

Chysauster (6 km NO): Este pueblo de viviendas prehistóricas de la Edad de Piedra, estaba compuesto por ocho casas situadas a pares a ambos lados de una carretera. Sus habitaciones estaban construidas alrededor de un patio ovalado y, cada casa, en la parte trasera, poseía un terreno vallado con un muro de piedra para ser utilizado como huerto o jardín. Los techos de las casas eran de paja y se supone que estuvieron habitadas hasta la época romana.

Helston (20 km E): Esta pequeña localidad fue, antaño, parte de la «Stannary Town», la ciudad a la que Ricardo I concediera amplias prerrogativas en atención a sus minas de estaño. En 1901 Marconi logró establecer la primera comunicación inalámbrica sobre el Atlántico, desde el arrecife de *Poldhu Point,* al sur de Helston. En el museo existe una sección dedicada exclusivamente a la hazaña del pionero. También se exponen numerosos objetos referentes a la historia local.

Penzance (4 km O): En el centro de «Cornish Riviera» se encuentran algunas viejas casas de paredes entramadas y una casa egipcia de 1830. Fue construida por John Foulston que también fundó la biblioteca egipcia en *Phymouth* unos diez años antes. Columnas semejantes a manojos de papiros, cariátides con capiteles decorados con hojas de palmera como soportes de leones y rinocerontes, ventanas con forma de trapecio, una sinfonía de colores verdes, marrón y amarillo, convierten la bellísima casa en un fantástico ejemplo de construcción egipcia. El pequeño *Natural History and Antiquarian Museum* expone objetos referentes a la historia local, entre ellos algunos hallazgos de la Edad del Bronce y del Hierro.

St. Ives (15 km N): En este lugar vivieron Ben Nicholson, Bárbara Hepworth y Bernard Leach; actualmente la localidad sigue atrayendo a los artistas. *Trewyn Studio* es un museo dedicado a Bárbara Hepworth; el *Zennor Folk Museum* muestra objetos sobre la historia local y sobre el desarrollo de la industria minera en *Cornwall;* modelo de una mina de estaño.

St. Osyth

Essex/Inglaterra Pág. 332 □ L 14

En este pequeño pueblo, cerca de la orilla NE de la desembocadura del *Colne,* fue asesinada por los daneses, alrededor del 870, la reina del E de Sajonia, *Osyth.* Junto a su tumba parece ser que se han realizado milagros, lo que atrajo a numerosos peregrinos que facilitaron la construcción de un monasterio.

St. Osyth's Priory: Del viejo monasterio se conserva la capilla y una torre del siglo XIII. La gran caserna obtuvo su forma actual en el siglo XV. En ella se alberga una colección artística compuesta por cerámicas y lienzos.

Church of SS. Peter and Paul: Esta iglesia parroquial, cerca del monasterio, también data del siglo XIII. Su forma actual, no obstante, procede en gran parte del siglo XVI, época en la que fueron construidas la nave y las naves laterales, usando como material básico de construcción el ladrillo. El techo de vigas data de esta época. Los monumentos fúnebres más antiguos son originarios de la segunda mitad del siglo XVI.

Salisbury

Wiltshire/Inglaterra Pág. 332 □ I 16

Existen pocas ciudades tan bien planificadas como *New Sarum,* a orillas del *Avon.* Esta ciudad sustituyó, en el siglo XIII, a *Old Sarum,* a 3 km al N. El obispo Richard Poore abandonó, alrededor de 1220, su antigua sede, ya

St. Osyth. St. Osyth's Priory

Salisbury. Catedral, claustro

que la proximidad con la guarnición Real era causa de constantes rencillas. Los habitantes le siguieron voluntariamente hasta el valle del *Avon* y construyeron, en el período de cuarenta años, con esfuerzos sobrehumanos, la catedral más pura, estilísticamente, de Inglaterra.

Cathedral: La construcción se comenzó sobre una gran pradera, en un saliente del *Avon,* en el año 1220; es de estilo estrictamente gótico. En el año 1258 el obispo Giles de Bridport pudo inaugurar la acabada edificación, con excepción de la torre que se finalizó en el año 1334. Esta es la torre de transepto más fina y estilizada de Inglaterra, así como la más alta, ya que su altura es de 123 m.

La «catedral de una sola pieza», tiene dobles cruceros, con un coro rectangular y capilla de María. La fachada O está flanqueada por dos torres esquineras y se halla dividida en cinco nichos sobrepuestos, construcción semejante a la de *Wells,* con esculturas de santos. La nave, relativamente estrecha, está dividida en 10 yugos por medio de pilastras escalonadas de mármol de Purbeck. En la gran ventana lanceada, en la pared O, se conservan restos de vidrieras de los siglos XIII al XV. Una ventana de la nave lateral S data del siglo XIV y muestra el árbol genealógico de Jesé. El reloj, en la nave lateral N, data de 1386 y es uno de los más antiguos de Europa. Los arcos góticos en el transepto fueron instalados con el obispo Beauchamp, a finales del siglo XV, ya que los arcos originales corrían peligro de derrumbarse bajo la presión de la torre, que comenzaba a ladearse. En el coro y en las naves laterales E, se puede ver claramente la frialdad con la que trabajó Wyatt en el año 1788, el cual «limpió» la catedral. Lo que se perdió en aquel entonces no pudieron salvar-

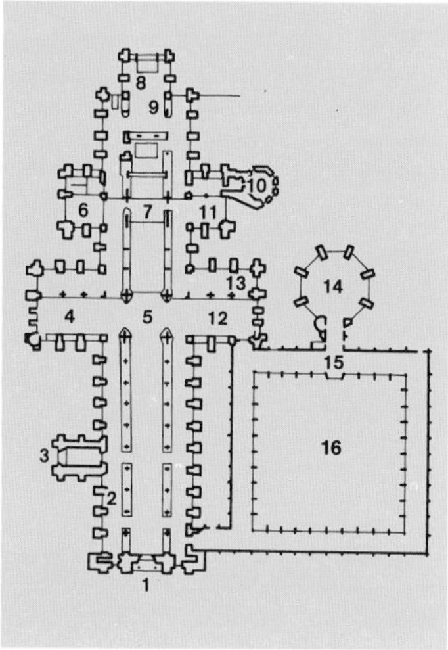

Salisbury, Cathedral: 1. Pórtico O. **2.** Reloj de 1386. **3.** Pórtico N. **4.** Crucero NO. **5.** Transepto con torre. **6.** Crucero NE. **7.** Presbiterio. **8.** Lady Chapel. **9.** Shrine (sepulcro) of St. Osmund. **10.** Sacristía. **11.** Crucero SE. **12.** Crucero SO. **13.** War Memorial Chapel. **14.** Sala capitular. **15.** Biblioteca. **16.** Claustro.

Salisbury. Catedral

lo ni las amplias restauraciones de Sir Gilbert Scott. Las pinturas de 1870, en las bóvedas, intentan imitar las originales del siglo XIII. La sillería del coro y el trono episcopal fueron restaurados por Scott. En el crucero N del coro se encuentra la lápida del obispo *Wyvill* con su imagen. La torre fortificada, situada en el centro de la lápida, representa la riqueza del obispo que, a su vez, poseía un gran poder mundial.

La *Lady Chapel* es rectangular en el extremo E, al igual que la parte con la que fue comenzada la construcción de la iglesia. En sus ventanas aún quedan restos del emplomado, de los siglos XIV y XVI. El *Shrine of St. Osmund* recuerda al obispo fallecido en el año 1099. Repartidos por toda la iglesia se encuentran numerosos monumentos fúnebres de diversos siglos desde que se fundó la iglesia. En el lado O de la iglesia se encuentra el *Vía Crucis,* que fue comenzado por el obispo *Wyle* en el año 1271, aunque en la iglesia jamás existiera una fundación. La parte E fue transformada en el año 1446 y contiene, en la actualidad, desde el año 1756, la biblioteca, cuyos mayores tesoros son un misal anglosajón y cuatro copias de la *Magna Carta.* Hacia el E, la sala con forma octogonal, edificada entre los años 1260-1284, imitando el diseño de *Westminster Abbey.* La delgada pilastra central se diversifica en un precioso techo de abanicos que parece flotar sobre las numerosísimas ventanas de vidrio emplomado.

Salisbury and South Wiltshire Museum: Este museo alberga una excepcional colección arqueológica con hallazgos y objetos de *Stonehenge,* un mosaico romano, hallazgos de *Old Sarum,* piezas medievales de la ciudad, así como una colección de vidrio y cerámica inglesa.

Alrededores

Old Sarum (3 km N): Antes de la época romana ya existió, sobre un monte, una fortaleza rodeada de una fosa al N de *Salisbury*, denominada por los romanos *Sorviodunum*. Los normandos, y también los sajones, utilizaban la fortaleza, que adquirió importancia cuando llegó a ella el obispo de *Sherborne*. Con St. Osmund se comenzó con la construcción de una catedral normanda que fue inaugurada en el año 1092. Cuando en el año 1220 comenzó la edificación de la catedral, en el valle se paró la producción y se utilizaron sus piedras para construir la nueva iglesia. La antigua fortaleza y la ciudad decayeron. Lo que se encontró en las excavaciones en el siglo XIX data esencialmente de la época normanda. No se pudieron demostrar influencias romanas. Finalmente, los cimientos de la catedral, así como los de la fortaleza, han podido ser identificados y, en la actualidad, pueden ser visitados por el público.

Wilton (6 km O): En la antigua capital *Wiltshires* el rey Egbert unió, en el año 838, los reinados de *Kent* y *Wessex*. La *Church of St. Mary and St. Nicholas* fue diseñada por Thomas Wyatt en el año 1843, éste fue un intento de revivir formas de construcción cristiana. Con su campanil y los numerosos arcos recuerda una torre italiana del románico. También en el interior intentó crear un efecto clásico con columnas torneadas, mosaicos y pintura sobre vidrio. Las consecuencias de este trabajo son, entre otros objetos, las vidrieras policromadas de los siglos XII al XVI, de los lugares más diversos. *Wilton House* procede de un antiguo convento benedictino obsequio de Enrique VIII a su cuñado, el general William Herbert, después de su disolución. La casa Tudor, edificada por éste, se incendió en el año 1647, con excepción de una torre. Fue reedificada por Inigo Jones y John Webb, en el año 1653, como una sencilla casa de campo. La *Palladian Bridge*, en el parque, fue construida por orden del *noveno Earl of Pembroke* en los años 1736 y 1737. Las siete oficinas estatales, en el interior, son de una increíble belleza barroca. La habitación más asombrosa es *Double Cube Room* (30 × 30 × 60 pies), cuyos revestimientos de pared, con decoraciones doradas, crean el espacio perfecto para las valiosas obras de Van Dyck de los años 1632-1635. Además de numerosas obras de otros maestros, en la casa, se encuentran 55 gouaches de la escuela ecuestre española, obra del barón D'Eisenberg (1755). El toque final de la maravillosa decoración es el mobiliario.

Wilton (Salisbury). Wilton House

Scarborough

North Yorkshire/Inglaterra Pág. 328 □ K 11

En el siglo IV a. de J. C. fue una estación de vigilancia romana; alrededor de 1160 pasó a formar parte del reino de Enrique II, con el nombre de *Scardeburg*. Desde finales del siglo XVII es un balneario de aguas termales (el más antiguo de Inglaterra, actualmente considerado como «el rey de los balnearios»).

St. Martin-on-the-Hill (Albion Road): Iglesia edificada en el año 1863, según planos de G. F. Bodley, en estilo neogótico. En el año 1879 se amplió la nave principal en un yugo y, alrededor del *nártex*, se construyó, en 1902, la *Lady Chapel.* En el interior, interesantes obras artísticas del círculo prerrafaélico alrededor de *Bodley* (pinturas sobre papel y vidrio de Burne-Jones; recubrimiento del coro de Webb y Morris).

St. Mary's Church (debajo de la fortaleza): Fue fundada en los siglos XII y XIII; en la guerra civil inglesa del siglo XVII se destruyó la mayor parte de la edificación (la antigua torre del transepto se convirtió en torre O). De la construcción original se conserva una fila de arcos con bonitas pilastras y las capillas de la nave lateral S. De interés, en el interior, las esculturas (entre ellas una obra del francés Roubillac, del siglo XVII). En el cementerio adyacente se encuentra la tumba de *Anne Brontë* (véase Bradford).

Castle: El monte fortificado (100 m sobre el nivel del mar) está colonizado desde la Edad del Bronce (excavaciones desde 1921; hallazgos del siglo V a. de J. C.). Encima de éstos se encontraron capas romanas y, encima, una capa medieval (restos de muros de tres capillas, una de ellas de la época prenormanda). De la fortaleza del siglo XII (edificada por William LeGros, Conde de Aumale), se conservan los muros de hasta 4 m de ancho que rodeaban la fortificación. Enfrente, una fosa y otro muro. Antiguamente el acceso era un pórtico fortificado en el lado O de la fortaleza. El cementerio, finalizado en el año 1158, es de cuatro pisos; tiene una altura de 30 m; fue destruido durante un sitio en la guerra civil. Quedan también restos de la torre en el muro circular. Al S del cementerio, ruinas de *Mosdale Hall* (nominada por John Mosdale, nombrado «Life Gobernor» en 1397); antiguamente se utilizó como cuartel Real. En el lado E, directamente en el acantilado hacia el mar, los restos de la estación «de vigilancia» romana. Edificada alrededor del 370 junto a otras cuatro similares situadas en la costa para descubrir a los enemigos procedentes del N (en especial pictos). Originalmente la construcción era cuadrangular en la parte inferior y encima se halla una pequeña torre (modelo de construcción en el Museo Arqueológico).

Scarborough Museum of Regional Archaeology (Vernon Road): Se encuen-

Scarborough. St. Mary's Church

tra en una edificación circular construida en el año 1829 por la «Comunidad Filosófica» de *Scarborough;* en el año 1860 se edificaron dos naves. El museo está dedicado a la historia natural. En una de las naves se encuentra la sección prehistórica; en la otra, la medieval (en la edificación central se encuentran objetos de épocas posteriores). Es de especial interés la sección prehistórica, en la cual se pueden ver hallazgos de las excavaciones de *Starr Carr* (en Seamer, SO de Scarborough), colonización mesolítica en increíble estado de conservación por la zona pantanosa en que se encontraba (descubierta en los años 1949-1951); un sarcófago de hierro de la Edad del Bronce y los hallazgos de la estación «de vigilancia» del montículo.

Wood End Museum (The Crescent): Museo sobre historia natural; se encuentra en una antigua casa de veraneo de la familia *Sitwell.* Las colecciones están compuestas por objetos referentes al mundo geológico, así como al mundo de la flora y de la fauna. En la sección de libros, valiosa colección de viejos manuscritos.

Otros lugares de interés: *St. Peter's R. C. Church* (Castle Road), construcción moderna interesante por sus vidrieras policromadas (con figuras de santos, entre otros, Augustinus, Andres, Patrick y el St. Vinzenz of Paul y St. Philipp of Neri). *Art Gallery* (The Crescent), con valiosa colección de lienzos y exposiciones alternativas. *St. Thomas Museum* (East Sandgate), desde el año 1970 se encuentra en la antigua iglesia de pescadores *St. Thomas, King Richard III.* Café (Snadside), cuartel real de Ricardo III de 1483 a 1485; utilizado desde 1964 como restaurante. En el interior se conserva parte de la decoración original.

Scarborough. King Richard III. Café

Alrededores

Filey (12 km SE): La iglesia *St. Oswald* data del siglo XII. En el siglo XIII se transformaron el coro y el crucero. Lo peculiar de esta iglesia es que el coro está por debajo de la nave; sobre la torre se halla, en lugar del tradicional «gallo del tiempo», un «pez del tiempo».

Hackness (4 km O): Iglesia normando-románica. La nave principal y el coro datan de 1050; en el extremo E de la nave lateral S se encuentran los restos de una cruz, del siglo VIII.

Hunmanby (15 km SE): Aquí se encuentra una iglesia normando-románica; la torre, el arco del coro y la arcada N son de la época original. También son interesantes, la *Hunmamby Hall,* edificada en el siglo XIX en estilo pseudo-Early English.

Reighton (20 km SE): En este lugar se encuentra una bonita iglesia del siglo XII, edificada sobre una construcción anterior anglosajona; desde el año 1890 ha sido restaurada en numerosas ocasiones. En el interior, una pila bautismal muy trabajada, de la época normanda, con la forma de un altar romano.

Scalby (2 km NO): Se menciona en el «Domesday Book» (siglo XI) como *Scallebi,* con una iglesia (en el pórtico, un reloj de sol) que perteneció, otrora, al priorato de *Burlington.*

Speeton (22 km SE): Pequeña iglesia de

Scarborough. Castle ▷

origen anglosajón, reformada posteriormente por los normandos.

Selby

North Yorkshire/Inglaterra Pág. 328 □ J 11

Abbey Church: Últimas ruinas de una abadía fundada por Guillermo El Conquistador (1066-1087) para estrechar relaciones con el Norte. La construcción de la abadía se comenzó con Benedikt of Auxerre. Alrededor de 1097 se comenzó a edificar la iglesia con Hugh de Lacy, el segundo abad de la abadía; se finalizó, al igual que el coro, en el año 1340. En 1906 se destruyó la torre y el techo en un incendio. A partir de 1909 se comenzó la reedificación, respetando la forma original. Actualmente ésta es una de las iglesias abaciales más interesantes de Inglaterra (secularizada en el siglo XVI durante la Reforma inglesa con Enrique VIII; actualmente iglesia parroquial de la ciudad). En el exterior, de especial interés, dos pórticos normandos; en el interior (planta en forma de cruz), la arquitectura da una imagen de la transición del estilo normando-románico al temprano-gótico Early English (en especial en el triforio). El coro es de estilo decorated. Merece especial atención la increíblemente trabajada ventana E, en el coro. También de interés, una bonita ventana Jesé policromada, originaria del siglo XIV, y un escudo familiar de los *Washington*.

Alrededores

Hemingbrough (6 km E): En este lugar se encuentra la hermosa iglesia *St. Mary,* de los siglos XII al XV. Su planta tiene forma de cruz. En el interior, de especial interés, el techo de madera y la sillería; el púlpito data de 1717.

Monk Fryston (10 km SO): Iglesia *St. Wilfrid,* con increíble torre O anglosajona (ruinas de la iglesia en estilo gótico Early-English y gótico decorated); en el interior, una bonita pila bautismal gótica y viejas ventanas pintadas.

Sheburn in Elmet (10 km O): Iglesia *All Saints,* originalmente de estilo normando-románica. Se conserva, de la época de construcción, las arcadas de la nave principal; el resto es gótico. En el interior, una bonita cruz del siglo XV.

Selby. Abbey Church, pórtico normando-románico

Snaith (10 km S): La vieja iglesia conventual fue fundada en la época normanda y transformada en los siglos XIII al XV. De interés, la torre O coronada de almenas. En el interior, interesantes monumentos fúnebres del siglo XV (escultura de Sir Francis Chantrey).

Settle

North Yorkshire/Inglaterra Pág. 328 □ H 11

La pequeña ciudad de *Ribbesdale* (unos 2 500 hab.; interesante aspecto urbano de los siglos XVII y XVIII) se encuentra en una zona geológicamente muy interesante. En la localidad se pueden admirar numerosas cuevas habitadas en la Prehistoria (en este lugar se encuentra un museo privado de arqueología; de interés, especialmente, hombres y animales).

La cueva de más importancia es *Victoria Cave* (a 3,5 km al N, a una altitud de 500 m). Las excavaciones demuestran que aquí habitaban, al final de la Edad del Hierro, hienas (hallazgos de huesos de sus presas). Después de la variación del clima, alrededor del 8000 a. de J. C., fue colonizada por seres humanos procedentes de la Edad de Piedra (hallazgos de objetos domésticos de piedra); después estuvo deshabitada por milenios. Alrededor del 450 d. de J. C., fue refugio de británicos romanizados durante la invasión anglosajona.

Alrededores

Giggleswichk (al O de Settle): Iglesia *St. Alkeda,* de estilo gótico-perpendicular. En el interior, obras del siglo XVII (de especial interés, el púlpito y el atril), es interesante también un lienzo, en bastante mal estado de conservación, de Sir Richard Tempest, fallecido en 1488, benefactor de la iglesia que, según se cuenta, se hizo enterrar con la cabeza de su caballo preferido. También de interés en este lugar, una capilla moderna en el estilo de principios del siglo XX.

Kirkby Malham (8 km SE): En este lugar se encuentra la iglesia *St. Michael,* edificada en estilo gótico-tardío-perpendicular. En el interior, bonita pila bautismal románica y la sillería de la iglesia de los siglos XVII y XVIII.

Stainforth (4 km N): Puente de piedra sobre el río *Ribble,* que fue erigido en el año 1670.

Chartwell (Sevenoaks). Residencia de Sir W. Churchill, monumento nacional

Ightham Mote (Sevenoaks). Casa rural

Sevenoaks

Kent/Inglaterra Pág. 332 □ K 15

Este encantador lugar está habitado por la clase alta y procede de una colonización del siglo XII. La *Parish Church St. Nicholas* fue edificada en los siglos XIII al XV y restaurada en el XIX; contiene esculturas de origen sajón. La escuela masculina del siglo XV es una de las más antiguas y famosas de Inglaterra.

Alrededores

Chartwell (10 km S): Casa de campo de Sir Winston Churchill (1874-1965).

Combe Bank (8 km O): Casa de campo del siglo XVIII; actualmente escuela femenina.

Ightham (6 km SE): *St. Peter's Church,* data del siglo XV y está construida sobre cimientos normandos; en el interior, dos monumentos fúnebres de los siglos XIV y XVII. Hacia el SO restos de una colonización de la Edad del Hierro y de la Piedra. *Ightham Mote,* casa de campo medieval rodeada por una fosa; en el siglo XVI fue transformada (sala de entrada del siglo XIV y capilla Tudor del siglo XVI, así como una bonita escalera jacobina).

Knole (2 km E): Una de las casas particulares más grandes de Inglaterra. Data del siglo XV y, antiguamente, fue propiedad del arzobispado de *Canterbury;* posteriormente del poeta Thomas Sackville. La valiosa decoración interior data de los siglos XVII y XVIII; de especial interés, la chimenea.

Quebec House (10 km O): Data de los siglos XVI y XVII; casa del conquistador de *Quebec,* el general *James Wolfe.*

Sundridge Old Hall (7 km O): Casa feudal medieval erigida en el año 1458, con cocina de piedra original en la inmensa sala.

Westerham (10 km SO): Ciudad natal del general Wolf; *Squerryes Court,* de 1681, con lienzos de maestros holandeses y piezas alusivas a *Wolf.* En este lugar se encuentran las estatuas de *Wolf* y de *Churchill.*

Shaftesbury
Dorset/Inglaterra Pág. 332 □ H 16

Esta encantadora ciudad, situada sobre un monte, es una de las comunidades más antiguas de Inglaterra. De su importancia pasada no quedan prácticamente huellas. La ciudad, sobre el monte de unos 200 m de altitud, tuvo, en su época, más de 12 iglesias y una gran abadía. Fue fundada en el año 880 por Alfred the Great como abadía benedictina. La tumba de la primera abadesa canonizada y la del rey Eduardo, mártir fallecido en el año 978, convirtieron a la iglesia de la abadía en centro de peregrinación, lo que fue de gran importancia para la abadía, que se enriqueció de manera desmesurada; durante siglos esta abadía, junto a la de *Glastonbury*, poseía más tierras que la Corona.

Museos:
El *Abbey Ruins Museum* ofrece una viva imagen de lo que fueron la abadía y la ciudad en la Edad Media. Aquí se exponen piedras de muros labradas, baldosas decoradas y otras piezas de la abadía. También se exponen varias maquetas de la abadía y de la ciudad (siglo XVI).
El *Local History Museum* está dedicado a la historia local. Contiene objetos arqueológicos de la zona.

Alrededores

Stourhead (20 km NO): Entre 1721 y 1724 *Colen Campbell* construyó esta fascinante casa de campo para el banquero *Hoare* de Londres. Contiene lienzos de importantes artistas, así como muebles y objetos decorativos de *Chippendale*. La verdadera atracción es, sin embargo, el jardín, algo apartado de la casa, creado alrededor de 1740, que es uno de los más bellos ejemplos de jardines en Inglaterra. Alrededor de un lago se construyeron templos, puentes y grutas; se colocaron estatuas que, en conjunto, con la frondosa vegetación, forman una paisajística sin igual. Se puede admirar así una armonía completa entre el hombre, constructor, y la naturaleza. Aquí se encuentra, entre otros objetos de interés, la cruz elevada de Bristol, creada en el siglo XIV.

Shaftesbury. Abbey, tumba

Wardour Castle (8 km NE): El viejo castillo fue edificado por Lord Lovell en el año 1392, alrededor de un patio interior sexagonal. En el año 1547 lo adquirió la familia *Arundell*. En la guerra civil fue duramente expugnado; tan grande fue la devastación que se abandonó. Las ruinas están situadas en el paisaje tan encantadoramente que el dueño decidió no reedificar el castillo, sino que las dejó como decoración del parque, en el que se construyó un nuevo castillo. Éste, de estilo Palladio, fue edificado por James Paine en los años 1769-1776. Al edificio, de tres pisos con naves de dos, se le anexionó una increíble escalera que tenía una galería de columnas corintias que soporta una cúpula hermosamente decorada. El diseño de la escalera es obra del arquitecto Robert Adam.

Sheffield
South Yorkshire/Inglaterra Pág. 328 □ I 12

Cathedral SS. Peter and Paul (Church Street): Hasta el año 1913 fue iglesia parroquial de la ciudad. Se edificó en el siglo XII; en el año 1435 fue reformada en estilo perpendicular; después de los bombardeos de la segunda guerra mundial se reedificó, en los años 1963-1966, casi por completo, en estilo moderno. La decoración más impresionante del interior son las fantásticas vidrieras policromadas (con representaciones de la historia de la ciudad en la sala capitular); también de notable interés son los monumentos fúnebres del siglo XVI (Earls of Shrewsbury).

Cutlers Hall (Church Street): Casa edificada en el año 1832 en estilo neoclásico. Fue financiada por la «Cutlers Company», el gremio de herreros (fundado en 1624 por una ley; su fiesta anual es todavía un gran acontecimiento en el N de Inglaterra. Sheffield es el centro industrial mayor de Inglaterra en el proceso del acero). En el interior, de especial interés, además de la sala principal revestida de mármol, la sala de banquetes, de estilo regency. En el edificio se conserva una colección única de objetos de plata (con el símbolo de calidad que existe desde 1773, «Sheffield Assay Office»).

Museos:

Abbeydale Industrial Hamlet (Abbeydale Road, al S de la ciudad): Museo industrial dedicado a la herrería de hoces, del siglo XVIII. Se conservan varios martillos de hierro movidos hidráulicamente, originarios de 1785.

City Museum and Mappin Art Gallery (Weston Park): En este museo, de especial interés, una colección de cubertería de cinco siglos manufacturada en Sheffield; se conservan, así mismo, ejemplares de los famosos «Sheffield Plates», producidos en esta ciudad desde el siglo XVIII. También es interesante la sección de ciencias naturales. En la galería de arte se exponen pinturas desde la Edad Media hasta el siglo XIX.

Graves Art Gallery (Surrey Street, en la Central Library): Pintura europea, así como arte de Asia y África.

Sheffield. SS. Peter and Paul

Sepulcro del siglo XVI

Otros lugares de interés: *City Hall* (Barker's Pool), de 1932. *Town Hall* (Surrey Street), torre, altura 61 m, con una estatua que representa un volcán como símbolo de la industria local. *Beauchief Abbey,* último resto de una abadía fundada en 1175 (se conserva la torre O y muros de sus cimientos). *Sheperd Wheel* (Forge Dam), herrería de cuchillos del siglo XVIII. *York and Lancaster Regimental Museum,* con documentación sobre la historia del regimiento desde el año 1758.

Alrededores

Carl Wark (10 km SO): Restos de un fuerte de la Edad del Hierro situado sobre un monte.

Ecclesfield (2 km N): Iglesia *St. Mary,* de estilo gótico-tardío. En el interior, de interés, la sillería y los emplomados, en parte medievales.

North Lees Hall (12 km O): Casa feudal construida en el año 1410 y restaurada en 1959; en el interior se conserva una bonita caja de escalera.

Rotherham (10 km NE): La iglesia *All Saints* fue restaurada en el siglo XIX por Sir Gilbert Scott. En el interior, bonita sillería de coro y un púlpito del Renacimiento de 1604. También de interés, la *Chantry Chapel of Our Lady,* de 1383, y el museo de la ciudad (en una casa feudal del siglo XVIII, colección de porcelana, vidrio, cerámica y hallazgos románicos).

Templeborough (7 km NE): Este lugar posee un castillo románico (hallazgos en el museo de Clifton Park).

Wentworth (5 km N): En esta población se encuentra la iglesia *Holy Trinity.* De la construcción original se conserva el coro y la capilla N; el resto de la edificación es neogótica, del siglo XIX (diseño de J. L. Pearson).

Sherborne

Dorset/Inglaterra Pág. 332 □ H 16

Esta pequeña ciudad es de gran importancia por dos motivos: fue uno de los puntos de cristalización de la cultura monacal medieval en el S de Inglaterra; por otra parte, ofrece en la actualidad el mejor conjunto medie-

Sherborne. Abbey, sepulcro

Bóveda de abanico

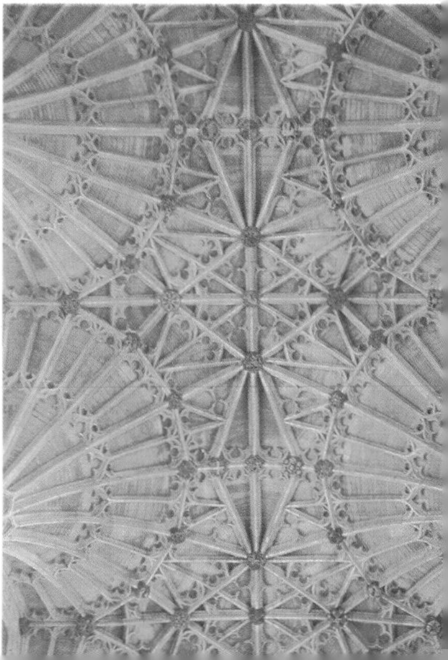

val de *Dorset.* En el año 705 existió ya una sede episcopal, que fue trasladada en 1075 a *Old Sarum* (Salisbury); hasta entonces pasaron por aquí 27 obispos, entre ellos el legendario *Aldhelm,* maestros de Bonifacius. La catedral episcopal se convirtió, en el año 909, en abadía de un monasterio benedictino, cuya parte más famosa fue la escuela.

Sherborne Abbey: La construcción comenzó en el año 705 como iglesia episcopal; después de 1122 fue completamente renovada. De la iglesia normanda se conserva el pórtico S y el transepto. La nave y el coro fueron edificados en el siglo XV. El pórtico S normando, edificado alrededor de 1170, es un doble arco escalonado que descansa sobre sendas columnas con capiteles demoníacos. El techo de abanicos, en la nave, y el coro datan de 1450 y son, sin duda, una obra maestra del gótico. En su estilo es superado solamente por el techo del *King's College,* creado medio siglo después. La sillería del coro, con misericordias talladas, data de mediados del siglo XV; los numerosos monumentos fúnebres datan desde el siglo XIII. En el crucero N una placa de piedra nos señala la posible tumba de *Thomas Wyatt.* El mayor monumento, y sin duda el más pomposo y artístico, es el realizado por John Nost para el *Earl of Bristol,* fallecido en el año 1698.

Old Castle: Fue edificado, por encargo del obispo Roger, de 1107 a 1139. La construcción se anticipaba a su época, con los muros construidos concéntricamente. En el año 1592 Isabel I obsequió a su prometido, Sir Walter Raleigh, el castillo. Durante la guerra civil fue bombardeado y destrozado por el partido del Parlamento en el año 1645.

Sherborne Castle: Esta es la residencia de verano que construyó Sir Walter Raleigh, a partir de 1595, en la época en la que fue propietario del antiguo castillo. En el año 1617 la adquirió Sir John Digby y le añadió cuatro naves con balaustradas y torres esquineras. En el castillo se conservan actualmente, muebles y pinturas de los siglos XVII y XVIII, así como libros, diplomas y documentos desde el siglo XVI.

Alrededores

Bradford Abbas (5 km SO): La *Church of St. Mary the Virgin* data del siglo XV y posee una imponente torre O. En la fachada O se pueden ver 11 nichos cubiertos, de los que dos están decorados con figuras. El atril de piedra en el interior data del siglo XV; el púlpito del XVII.

Trent (5 km O): La *Church of St. Andrew* data del siglo XIII; la torre S, el techo de bóvedas y el atril gótico datan del siglo XIV. El monumento fúnebre de mayor belleza, erigido para un caballero, data del siglo XIV. Los respaldos de las sillas del coro, tallados con muy buen gusto, datan del siglo XVI y el púlpito holandés data, probablemente, de 1600. De la misma época datan las vidrieras.

Shetland Island (I)

Escocia Pág. 322 □ I 2

Este archipiélago está compuesto por más de 100 islas independientes, de las cuales están habitadas menos de 20. Su historia corresponde a las de las islas *Orkney.* Las Shetlands estuvieron colonizadas en la Prehistoria; los primeros ocupantes llegaron alrededor de 1500 y 2000 a. de J. C. Hasta el momento se han encontrado en las excavaciones arqueológicas realizadas más de 70 tumbas neolíticas.

Jarlshof: Esta peculiar colonización, en la punta S de *Mainland,* ofrece una visión perfecta sobre la historia de la colonización de las islas. Desde principios del Paleolítico hasta hace más

Sherborne. St. Mary the Virgin

de tres mil años los humanos han edificado en este lugar casas, creando así uno de los lugares prehistóricos de más importancia en Inglaterra. El nombre de la colonización surgió del nombre ficticio noruego creado en el año 1816, cuando Sir Walter Scott denominó a las ruinas de una casa feudal del 1600, en su novela «El Pirata», con este nombre. Cuando, con el paso de los siglos, se descubrió la colonia del Paleolítico, se bautizó con el nombre inventado por Scott.

En una superficie de unos 10 000 m^2 se encontraron los restos de tres pueblos prehistóricos y dos colonias de antiquísimas épocas. La capa de más antigüedad data de la Edad del Bronce y es similar en el tipo de construcción a la de *Skara Brae,* en las islas *Orkney*. Datan de la Edad del Hierro numerosas casas circulares. Los vikingos ampliaron considerablemente la colonia en el siglo IX. No sólo construyeron establos, sino también una herrería y, posiblemente, un templo. En el siglo XIII comenzó la construcción de una fundación que, en el año 1605, con el *Earl Patrick,* alcanzó su máxima extensión y esplendor y cuyas ruinas inspiraron a Sir Walter Scott en algunas de sus más conocidas y célebres novelas.

Broch of Mousa: La fortaleza sobre la pequeña isla *Mosua,* al E de *Sandwick,* data del siglo I a. de J. C. y es la mejor conservada de Escocia. Su diámetro es de 15 m y la altura de 13. En el siglo III a. de J. C. el patio interior circular fue transformado en una casa circular. Las seis galerías del interior están comunicadas entre sí por medio de una escalera de 1 m de anchura.

Lerwick: La capital de las *Shetland* posee un excelente puerto natural, en el que, en el año 1263, el rey noruego Haakon reunió su flota contra los escoceses. Actualmente el puerto es utilizado para abastecer a las islas del Mar del Norte. Es de especial interés el *Shetland Museum,* museo condal que expone colecciones referentes a las islas.

Alrededores

Broch of Clickhimin (2 km S): Esta fortaleza no se encuentra en tan buen estado de conservación como la de *Mousa;* se pueden contemplar en ella interesantes casas que datan de la Edad del Bronce.

Scalloway (5 km O): En la vieja capital de Escocia se encuentran las ruinas de la vieja fortaleza del *Earl of Patrick.* La construcción, de cuatro pisos, impresiona por los tortuosos sótanos que posee.

Shrewsbury

Salop/Inglaterra Pág. 328 □ H 13

Esta colonia anglosajona, junto al *Severn,* existió ya en el siglo V. Los anglosajones la llamaron *Scrobesbyrig.* A finales del siglo VIII fue conquistada por el rey Offa de Mercia; posteriormente se hicieron dueños de la colonia los anglosajones y, después, los normandos. Llegaron tiempos más pacíficos con Roger de Montgomery en el siglo XI. Durante la lucha por Gales (1277-1283) Eduardo I reinaba aquí; en el año 1283 hizo ejecutar a David, el último rey galés. La ciudad volvió a ser cuartel general con Carlos I. En el año 1642, tres años más tarde, cayó en manos del partido del Parlamento.

Church of St. Mary: La mayor iglesia de la ciudad fue fundada como iglesia colegial en el año 970. De la construcción normanda no se conservan prácticamente restos. La construcción actual es, predominantemente, de estilo Early-English; de la época normanda se conserva la sillería del coro. El mayor tesoro de la iglesia son sus vidrieras, por ejemplo, el enorme ventanal rectangular, en el lado E, con el árbol genealógico de Jesé. Los fantásticos

Shrewsbury. Abbey Church

ventanales datan del siglo XIV y fueron encargados por Sir John de Charlton y su esposa, Lady Hawis. Originalmente se encontraban en la antigua *Church of St. Chad.* También son impresionantes las placas (19), con escenas de la vida de *St. Bernhard,* creadas por el maestro de Colonia alrededor de 1500 y procedentes de la abadía de *Altenburg.* En la *Trinity Chapel,* de principios del siglo XV, se encuentra el ventanal, del siglo XVI, de St. Jacques en Lüttich. También de notable interés es la escultura de un caballero del siglo XIV y unos relieves realizados en alabastro, también creados en el siglo XIV.

Abbey Church: Esta abadía bendecida por *SS. Peter and Paul,* fue fundada por Roger de Montgomery en el año 1083. La iglesia de ladrillo rojo posee una imponente torre temprano-gótica con una gran ventana gótica. La estatua que se encuentra encima representa a Eduardo III. La parte inferior de la torre, al igual que la nave, con excepción de los dos yugos O, es normanda. El púlpito data del año 1888 y es obra de James Pearson. Las vidrieras datan del siglo XIX. En el interior de la iglesia, numerosos monumentos fúnebres y tumbas desde 1300. Enfrente, el pórtico N donde se encuentran restos de un armario del altar (St. Winefrid), descubierto en 1933 en el jardín.

Castle: La fortaleza de Roger Montgomery fue edificada en el año 1070 en la parte más estrecha del río; posteriormente la finalizó Eduardo I. En el año 1138 cayó en manos del normando Stephan de Blois, que hizo ejecutar a todo el personal que se hallaba en la fortaleza. En 1283 Eduardo I hizo ejecutar en ella al último rey de Gales, David. Actualmente en este castillo se alberga el Ayuntamiento de la ciudad.

Shrewsbury.

Rowley's Mansion: En esta casa, del año 1618, se encuentra actualmente el *Viroconium Museum,* con una excelente colección de objetos románicos de la colonización *Viroconium,* el actual *Wroxeter.* También se pueden ver aquí piezas prehistóricas y geológicas de la región.

Alrededores

Haughmond Abbey (6 km NE): Esta abadía fue fundada por William FitzAlan, en el año 1135, para los monjes agustinos. De la iglesia, del siglo XII, se conservan pocos restos. Las ruinas de la sala capitular del siglo XII, así como un hospital del siglo XIV, son de gran interés.

Wroxeter (10 km SE): Aquí se encuentran los restos del *Viroconium* romano, la capital de *Britannia Secunda.* Fue fundada en el 70 a. de J. C. y abandonada alrededor del 400. Se conservan el foro y los baños públicos. En la construcción de la iglesia del pueblo, que posee un púlpito del siglo XII y la nave es anglosajona; se utilizaron piedras románicas. Los hallazgos de más importancia, entre ellos un espejo plateado del siglo II, obra de un taller romano, se encuentran en *Rowley's Mansion,* en Shrewsbury.

Skipton

North Yorkshire/Inglaterra Pág. 328 □ I 11

Holy Trinity Church: Fue edificada en el siglo XIV en estilo gótico-tardío-perpendicular, con una sencilla torre O. En el interior, de especial interés: En la nave principal el techo, de la época de Ricardo III (1483-1485); la pared del coro, del siglo XVI; las misericordias del coro, del siglo XIII; también interesante es una tapadera de pila bautismal, del siglo XVII. En la iglesia está enterrada la familia

Clifford, Condes de Cumberland (los artísticos sarcófagos se pueden ver a ambos lados del santuario).

Castle: La construcción original data de la época normanda, de tiempos de William de Romillé; desde el año 1309 es la residencia de la familia *Clifford.* En 1645 se apoderó de la construcción el partido del Parlamento, como último bastión de los Monárquicos en el N. Poco después fue reedificado. De la construcción exterior es de especial interés el pórtico principal, de cuatro torres (construido en estilo Tudor del Renacimiento Inglés), y el patio interior del siglo XV. En el interior, la sala de banquetes de 16 m de longitud, la vieja cocina con un antiquísimo horno, los calabozos y el *Shell Room* (paredes decoradas con corales y conchas).

Craven Museum (en la Public Library): Principalmente expone colecciones sobre la historia del lugar, natural y de la prehistoria de *Craven District* (hallazgos de las cuevas de *Elbolton,* una espada de la Edad del Hierro y herramientras para la obtención del plomo de las minas cercanas).

Otros lugares de interés: *High Corn Mill* (junto a la Mill Bridge, sobre el canal Spring), molino de trigo del siglo XIII.

Skye (I)

Highland/Escocia Pág. 324 □ E 6

La mayor de las islas Hébridas del interior se llama, en gaélico, *Eilean à Cheo,* «la isla vecina». Es llamada así por los *Cuillin Hills,* que posee al S de la isla con alturas de hasta 990 m sobre el nivel del mar. Aparte de niebla y lluvia, tienen el mayor jardín de plantas trepadoras de Gran Bretaña.

Dunvegan: Este castillo, en el *Loch Dunvegan,* es la residencia del clan *MacLeods of MacLeod;* esta familia, en el año 1577, asesinó a 395 miembros de la familia *MacDonalds* en una gruta, ahogándolos despiadadamente. Al castillo, situado sobre una roca en el agua, sólo se podía acceder, hasta el siglo XIX, por un pasadizo subterráneo o en bote. Los muros, de 3 m de espesor, dastan del siglo XIV. En aquella época se construyeron también las mazmorras en forma de «bottle-neck dungeon». Los prisioneros eran arrojados al calabozo, de unos 5 m de profundidad, por el estrecho cuello de botella que formaba su entrada. Si el prisionero no se había roto la nuca con el golpe, moría ahogado con la subida de la marea, que inundaba el pequeño espacio.

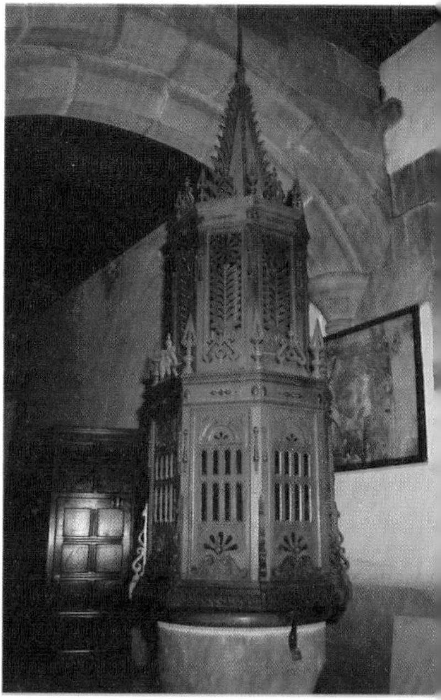

Skipton. Holy Trinity, pila bautismal

Sligo

Sligo/Irlanda Pág. 326 □ C 10

La ciudad condal y portuaria (14 000 habitantes), en la costa irlandesa NO

(Sligo Bay), fue fundada por el normando Maurice FitzGerald alrededor del 1250. Edificó una fortaleza que, en batallas posteriores, sería destruida por completo.

Convento dominicano: También fue fundado por FitzGerald alrededor de 1252. Se conserva la hermosa iglesia del convento con el coro, del siglo XIII; los ventanales tienen arcos ojivales del siglo XV; el altar y la torre están decorados con esculturas; el crucero data del siglo XVI. En la nave central (N) se encuentra el interesante monumento fúnebre de *Cormac O'Craian* (O'Craian Tomb), de 1506. El Vía Crucis, en excelente estado de conservación, con bonitos arcos, columnas y púlpito ha sido construido en el siglo XV y es uno de los mejores de Irlanda.

Otros lugares de interés: La iglesia protestante parroquial *St. John* (al O) data de los años 1730 y 1812 (reconstrucción neogótica); la catedral católica fue edificada en el año 1870 en estilo italiano románico. En el *Museum* (County Library) se encuentran piezas prehistóricas y una colección sobre el famoso poeta W. B. Yeats (1865-1939). Éste vivió durante algún tiempo en *Sligo* y en los alrededores describiendo encantadores paisajes, en especial del vecino lago *Lough Gill.* El prestigioso y conocido poeta fue galardonado con el premio Nobel de literatura de 1923.

Carrowmore (Sligo), tumba megalítica

Alrededores

Ballysadare (10 km SO): Restos de un monasterio fundado en el siglo VII por St. Fechin, con ruinas de la iglesia del siglo XIII.
Carrowmore (4 km SO): En este lugar se encuentra el mayor cementerio de tumbas megalíticas de Irlanda, con dólmenes, túmulos de pasadizos y círculos de piedra. Desgraciadamente la mayoría de las tumbas han sido saqueadas o dañadas.
Cliffony (15 km N): La casa feudal de Lord Mountbatten fue construida en el año 1842. Cerca, hacia el O, la interesante colonia de túmulos (Court Cairn) de *Creevykeel* (siglo III a. de J. C.).
Deerpark (4 km E): Otra concentración de túmulos prehistóricos se encuentra en la parte N del *Lough Gill,* también llamada *Magheraghanrush.*
Dromahair (18 km SE): Restos de un castillo envuelto en leyendas. De aquí huyó la bella reina Devorgilla, en el año 1152 (Irlanda-Helena), con Dermont, el rey de Leinster. Éste fue desterrado por los reyes irlandeses, pidiendo ayuda a los normandos ingleses dirigidos por Enrique II (comienzo de la invasión normanda). Cerca se encuentran las interesantes ruinas de *Creevelea Abbey,* la última fundación franciscana en Irlanda, de 1508 (se conservan interesantes monumentos fúnebres).
Drumcliff (11 km N): En este lugar fundó el santo celta St. Colmcille, alrededor de 572, un monasterio. Se conserva la torre circular, del siglo XII. En el cementerio del pueblo descansa el famoso poeta W. B. Yeats, con la siguiente leyenda sobre su tumba: «Cast a cold eye on life, on death. Horseman pass by!» («¡Mira la vida y la muerte fríamente, ahora jinete puedes pasar!») Cerca, la interesante cruz labrada de *Drumcliff,* del siglo XI, con bonitos relieves. Detrás de Drumcliff se eleva el macizo calcáreo de *Ben Bulben* (526 m), escenario

de numerosas sagas irlandesas (por ejemplo, Dermond y Grainne).

Isla Inishmurray (15 km NO): En esta pequeña isla deshabitada se encuentran las ruinas precristianas de varias pequeñas iglesias, casas de «nido de abeja» (Clochans) y un muro de piedra circular fortificado. La colonia monacal fue fundada en el siglo VI por el santo Molaise.

Knocknarea (4 km O): En los alrededores de *Sligo,* en especial en la península *Knocknarea,* al O, se realizan numerosas excavaciones arqueológicas. Sobre la cima del monte (333 m), desde el que se goza de una excelente vista, se encuentra el túmulo de la reina celta *Maeve* (Maeve's Cairn). El muro de tierra y piedra contiene gran cantidad de pasadizos aún sin desenterrar (Passage-Grave).

Park's Castle (11 km E): Al NE de *Lough Gill* se conserva un castillo fortificado del siglo XVII, con una torre.

Southampton

Hampshire/Inglaterra Pág. 332 □ I 16

Este gran puerto de mar, junto a la desembocadura del *Itchen,* ya era apreciado por los romanos y los sajones. En la época romana los barcos llegaban a *Clausentum;* en la época sajona se fundó *Hamwih.* Los normandos fortificaron la ciudad con un muro y su correspondiente fosa, utilizando el protegido puerto, detrás de la isla de *Wight,* para reunir flotas de todo tipo. En el año 1338 una flota de barcos franceses, españoles e italianos saqueó la ciudad, lo cual no impidió que, un siglo después, este puerto se convirtiera en el centro del comercio entre Inglaterra y los países mediterráneos. En nuestra época, se caracterizó por ser el puerto de los grandes transbordadores a vapor. En esta ciudad ancló el «Mayflower», en el año 1620, y zarpó el «Titanic» hacia su catastrófico viaje el 10 de abril de 1912. En los años treinta llegaron los hidroaviones y, en los sesenta, finalmente, el *Hovercraft.*

Fortificación de la ciudad: De la fortificación normanda se conservan partes, especialmente en el lado O. Los muros alcanzaban hasta 10 m de altura, reforzados por torres que contenían siete casernas. El *West Gate,* edificado en el siglo XIV, fue el pórtico

Knocknarea (Sligo). Tumba megalítica

principal del puerto. El *North Gate* tuvo su misión más importante en la Edad Media: en él se cobraban los derechos de aduana de toda la mercancía que entraba o salía de la ciudad. La parte más antigua de esta construcción es un arco semicircular de 1175. La *Guildhall* fue edificada alrededor de 1400 y era, originalmente, el punto de reunión del gremio de comerciantes. Actualmente en su interior se encuentra un pequeño museo dedicado a la historia local. El *God's House Gate,* en la esquina SE de la fortificación, data de principios del siglo XV y es, en la actualidad, un museo arqueológico, en el que se exponen piezas de la prehistoria, así como de las épocas romana, sajona y medieval.

Wool House: Data del siglo XIV y, antiguamente, fue un almacén de lana. La casa, cuyo tejado original es de madera española de castaño se conserva todavía; fue prisión de franceses en el siglo XVIII. Actualmente alberga un museo dedicado a la navegación.

Art Gallery: Esta galería posee como pieza de gran valor el «Perseus Zyklus», de Burne-Jones; también está dedicado a los pintores y escultores actuales de Inglaterra. Se puede admirar también en él una colección contemporánea de cerámica.

Alrededores

Netley Abbey (5 km SE): Enrique III fundó aquí, en el año 1239, una abadía cisterciense en la que primeramente habitaron monjes de *Beaulieu.* La enorme instalación de 150 × 100 m (sólo la iglesia tenía una longitud de 70 m), decayó después de ser disuelta por Enrique VIII. Actualmente quedan restos de los muros de la iglesia, del Vía Crucis, de la sala capitular y del edificio de abastecimiento.

Romsey (17 km NO): La *Abbey Church of SS. Mary and Ethelfleda* forma parte de un monasterio de benedictinas fundado en el año 907, cuya primera abadesa fue St. Elfleda, la hija del rey Eduardo (899-925). La iglesia de la abadía procede de una iglesia sajona de 967; la construcción, en su mayor parte, data de alrededor de 1130. Esta es una de las mayores, más hermosa y mejor conservada de las iglesias normandas en Inglaterra. Su longitud es de 85 m y su anchu-

Southampton. St. Michael, vidriera

Sepulcro

ra (a la altura del crucero) de 40 m. En el interior impresionan, especialmente, por su fuerza arquitectónica, el triforio y las claraboyas del coro. En la esquina E del crucero S del coro se conserva un crucifijo sajón; otro se encuentra en el pórtico S, que data probablemente del siglo XI. Las pinturas que se conservan en la nave lateral N y en el crucero datan de alrededor del 1500 y muestran imágenes de la Resurrección y de diversos santos.

Southend-on-Sea
Essex/Inglaterra Pág. 332 □ L 15

Esta ciudad, en la orilla N de la desembocadura del *Támesis,* posee en el puerto un muelle de 3 km de longitud, sin gran importancia histórica.

Prittlewell Priory Museum: El edificio del museo se encuentra en el mismo lugar que los restos de un priorato cluniacense, fundado alrededor de 1110. Se conserva el refectorio, la habitación del prior con el techo del siglo XIV, así como algún sótano. Las colecciones del museo se encuentran en una construcción moderna del siglo XIX y se componen de piezas referentes a la arqueología, historia y ciencias naturales en la parte S de Essex. Está especialmente bien documentada la Edad del Bronce y la época romana.

Beecroft Art Gallery: La colección de lienzos que aquí se expone se compone de obras de maestros europeos a partir del siglo XVII; otra colección está dedicada a artistas locales.

Alrededores

Laindon (20 km O): La pequeña *Church of St. Nicholas* data de los siglos XIV y XV. En la entrada se pueden admirar preciosas tallas en madera (al S). En el extremo O se encuentra una casa del siglo XVII de dos pisos. La pieza más bella de la decoración interior es una pila bautismal del siglo XIII.

South Uist (I)
Escocia Pág. 324 □ D 6

Esta isla, perteneciente a las *Hébridas*

Southampton. Wool House, entramado

Tudor House

Crowland (Spalding). Ruinas de la abadía (izda.).–Estatuas (drcha.)

exteriores, forma, junto a las islas *Benbecula* y *North Uist,* una unidad, ya que están comunicadas entre sí por puentes y presas. Las islas son un centro de cultura galesa y del idioma gaélico. El príncipe Carlos Eduardo Estuardo permaneció oculto, en 1746, durante tres semanas, en la isla *South Uist* después de la derrota de la *batalla de Culloden,* hasta el día en que Flora MacDonald le facilitó la huida a *Skye.*

Daliburgh: Al S del pueblo se encuentra una casa circular del 200 a. de J. C.; la construcción tiene un diámetro de 10 m, aproximadamente, y una profundidad de 2 m. Los muros tienen una altura de unos 2 m. La instalación circular está rodeada por un anillo de 10 cámaras. Las pilastras soportaban el techo de madera y barro.

Howmore: El parque nacional de *Loch Druidebeg,* al N del pueblo, es uno de los mayores criaderos de gansos grises. La alta escultura *Our Lady of the Isles,* en el extremo N del parque, data de 1947.

Southwold

Suffolk/Inglaterra Pág. 328 □ M 14

Esta pequeña ciudad, en la desembocadura del *Blyth,* se incendió por completo en el año 1659. Se conservan algunas casas de ladrillo, de la segunda mitad del siglo XVII, y casas pintadas de nuestra época.

Church of St. Edmund: La iglesia gótica tiene una bonita torre O; la entrada S es de dos pisos y tiene enormes ventanales. La inmensa reja del coro, que abarca todo el ancho de la iglesia, data de principios del siglo XVI, así como el techo enmaderado y la sillería del coro decorada con

Crowland (Spalding). Puente triangular

hermosísimas tallas. En la pila bautismal se simbolizan los siete sacramentos; la tapa data del año 1930.

Museum: Se encuentra en una casa del siglo XVII, una de las más antiguas de los alrededores, y expone colecciones sobre la historia natural y local.

Alrededores

Blythburgh (7 km SO): La *Church of the Holy Trinity* data, esencialmente, del siglo XV y posee una bonita torre O. De la misma época datan la pila bautismal, la sillería del coro y los respaldos de los bancos, decorados con tallas de los siete pecados capitales.

Heveningham Hall (22 km SO): Esta es una de las casas de estilo Palladio más interesantes de Inglaterra. Fue edificada por orden de Sir Gerald Vanneck en el año 1779. El diseñador de la obra fue Sir Robert Taylor. La decoración interior es obra de James Wyatt; las pinturas murales, y en las bóvedas fueron creadas por Biago Rebecca. Los jardines son obra de Capitality Brown. *Heveningham Hall* es actualmente propiedad de la familia *Vanneck*.

Wenhaston (10 km O): La *Church of St. Peter* data de la época normanda; posteriormente fue ampliamente modificada. Es de especial interés una gran pintura que muestra el Último Juicio y fue creada, alrededor del 1500, sobre madera.

Spalding

Lincolnshire/Inglaterra Pág. 328 □ K 13

SS. Mary and Nicholas: Iglesia comenzada a finales del siglo XIII en estilo gótico decorated. El techo gótico sin soportes, con esculturas de ángeles, data del siglo XIX, al igual que los emplomados de estilo victoriano.

Ayscoughfee Hall: Casa feudal gótica renovada en el siglo XVIII por su propietario, M. Johnson, el fundador de la «Gentlemen's Society». Actualmente alberga un museo (entre otras colecciones, la de más interés es la de pájaros de la zona).

Spalding Gentlemen's Society Museum: Este es el museo de la asociación científico-literaria más antigua del condado. Fue fundada en el año 1712 y uno de sus miembros más destacados fue Isaac Newton. La biblioteca contiene valiosos libros y documentos con literatura científica, histórica y arqueológica.

Otros lugares de interés: «Ye Olde White Horse Inn». Ésta es, probablemente, la casa habitada de más antigüedad de Spalding. Fiesta popular en mayo, con exposición de tulipanes (Spalding es el principal centro floricultor de Inglaterra).

Alrededores

Bourne (16 km O): Aquí vivió Hereward the Wake, el último anglosajón que ofreció resistencia a los normandos. Es de especial interés la antigua iglesia de la abadía *SS. Peter and Paul* (los arcos de la nave principal son normandos; el resto es temprano-gótico). *Red Hall,* construcción de ladrillo del Renacimiento, de 1620.

Crowland (12 km S): Restos de una abadía fundada por el rey Ethelbald alrededor del 716. La nave lateral N de la iglesia de la abadía es, en la actualidad, parroquia de la localidad; se conserva la fachada O ricamente decorada. En el centro de la localidad, el *Triangular Bridge,* puente de tres arcos del siglo XIV; actualmente el río se ha secado.

Fleet (15 km E): Con la iglesia *St Mary Magdalene* (siglo XIV; en la nave central, hermosas arcadas ojivales, magnífica ventana occidental; torre exenta).

Gedney (16 km E): En este lugar se encuentra la iglesia *St. Mary Magdalene.* La torre está inacabada; su parte inferior es temprano-gótica; en el interior, entre otras cosas de interés, se conservan restos de emplomados de la Edad Media.

Holbeach (12 km E): La iglesia *All Saints,* de construcción gótica, no fue transformada desde el año 1380. La antesala N está flanqueada por pequeñas torres.

Long Sutton (18 km E): En este lugar se encuentra la iglesia *St. Mary,* con torre in-

Stafford. Church of St. Mary

dependiente del resto de la construcción, de estilo temprano-gótico. En el interior se conservan arcos románicos y un bonito atril; bonita antesala del siglo XV.

Moulton (6 km E): La iglesia *All Saints* posee una torre gótica. En la nave principal, bonitos capiteles decorados con hojas y una bella pila bautismal del siglo XVIII.

Tydd St. Mary (20 km SE): La iglesia *St. Mary* data del siglo XIV. En el interior, restos de una construcción anterior. Ventanas del coro profusamente ornamentadas; hermosa pila bautismal del siglo XV.

Whaplode (8 km E): Iglesia *St. Mary* (nave central en parte románica; en el interior, notables tumbas, algunas del siglo XIII).

Stafford

Staffordshire/Inglaterra Pág. 328 □ H 13

La ciudad natal de Isaac Walton (1593-1683) floreció en la era industrial. Antes fue una tranquila ciudad de campo, de lo que, en la actualidad, no quedan huellas.

Church of St. Mary: La gran iglesia parroquial está compuesta por una torre central; la nave es de estilo Early-English, y el crucero de estilo temprano-gótico. Un busto de Isaac Walton recuerda que el famoso escritor fue bautizado en la pila bautismal normanda de esta iglesia.

Church of St. Chad: Esta gran iglesia data de la época normanda. El increíble arco del coro, quíntuple, está increíblemente decorado. Los arcos normandos de la nave impresionan por su sencillez. La pila bautismal es un excelente trabajo.

Museum and Art Gallery: Los objetos expuestos en este museo ilustran la historia local, el desarrollo de la industria y el arte de los alrededores.

Otros lugares de interés: *William Salt Library* se encuentra en una casa del siglo XVIII. Contiene valiosos libros y manuscritos. En el *High House* del año 1555 se encontraron, en el año 1642, Carlos I y el príncipe Ruperto. En el *Chetwynd House* (correos) residió, en 1745, el Duque de Cumberland.

Alrededores

Blithfield (10 km E): El *Museum of Childhood and Costume* se encuentra en una ca-

St. Chad. Pila bautismal normanda

Pórtico principal

sa isabelina que fue sede, durante más de seiscientos años, de la familia *Bagot.* Las piezas de más valor y belleza en el museo son dos casas de muñecas de la época victoriana, así como antiguas muñecas, muebles en miniatura y vestidos. Libros sobre muñecas completan la colección.

Sandon (6 km N): La *Church of All Saints* data de la época normanda (siglo XI). En el año 1310 fue reedificada. La torre y las capillas laterales fueron añadidas alrededor de 1450. La pila bautismal todavía data de la época normanda; el púlpito es una obra del siglo XVII, al igual que los frescos. En el interior se encuentran los monumentos fúnebres de la familia *Erdeswick.*

Shugborough (6 km E): El edificio de la casa de campo fue edificado por encargo de William Anson, padre del almirante Lord Anson (1697-1762). El almirante hizo construir una edificación anexa en estilo chino. La decoración interior se efectuó según los diseños de su primer oficial en *Kanton.* Las dos naves laterales y la galería de esculturas fue encargada por Thomas Anson, hermano mayor del almirante, a James Stuart en el año 1760. En colaboración con el arquitecto, instaló el jardín clásico. Cuando en el año 1803 se esperaba la visita del príncipe, James Wyatt amplió el frente O y construyó un gran salón. El increíble y enorme relieve en este espacio es obra de Peter Scheemakers. Actualmente en la casa se encuentra una amplia colección de muebles franceses del siglo XVIII, así como el museo del condado de *Staffordshire.*

Stamford
Lincolnshire/Inglaterra Pág. 328 □ K 13

Fundación danesa del siglo VII que se convirtió, en la Edad Media, en una floreciente ciudad (debido, fundamentalmente, al comercio de la lana). Esta pequeña ciudad es digna de atención por su aspecto urbano prácticamente inalterado, de los siglos XVII y XVIII: en especial, las iglesias medievales y las plazas y calles.

Iglesias: *Church of All Saints:* Gótico, de los siglos XIII al XV. *Church of St. John:* Fue edificada alrededor de 1450; en el interior, bonitas tallas en madera de encina y emplomados. *Church of St. George:* Gótico, de los siglos XIII al XV. *St. Leonhard's Priory:* Convento benedictino edificado desde *Durham* en el año 1082. De la construcción original se conservan

Stafford. Church of St. Mary, nave mayor

cinco yugos de la nave principal y la fachada O. *Church of St. Mary,* del siglo XV; se conserva la torre, de los siglos XIII y XIV.

Otros lugares de interés: *Burghley Hospital,* con bonita fachada del siglo XII. Restos de la fortaleza, del siglo XIII. *George Hotel,* la posada más bonita y, probablemente, la más antigua de la ciudad (en funcionamiento desde 1568). Restos de la vieja fortificación de la ciudad (siglos XIII al XV). Museo de la ciudad (en especial cerámica medieval de Stamford). También de interés son las plazas y calles de los alrededores de las iglesias arriba mencionadas, así como edificios que se conservan, de los siglos XVII y XVIII, en estilo georgiano.

Alrededores

Clipsham (12 km NO): La iglesia *St. Mary* data de los siglos XII al XIV. En el interior, bonitos capiteles románicos y una vieja pila bautismal.

Deeping St. James (12 km E): La iglesia *St. James* fue, antiguamente, el convento de una fundación del año 1139. De la construcción normanda quedan las arcadas, en la nave principal, y la pila bautismal; el resto de la decoración y de la edificación datan de hasta el siglo XVIII, ya que la iglesia fue modificada en numerosas ocasiones.

Essendine (5 km N): En este lugar se halla la iglesia *St. Mary,* en parte románica. Está compuesta por una nave principal y coro. Es de especial interés el pórtico S.

Great Casterton (4 km NO): Iglesia *SS. Peter and Paul,* del siglo XIII. En el interior, bonita pila bautismal románica y restos de pinturas murales de la Edad Media.

Ketton (5 km SO): La iglesia *St. Mary* data de los siglos XII al XIV; el coro fue renovado en el siglo XIX; bonitas ventanas de vidrio emplomado creadas por Sir Ninian Comper.

Little Bytham (10 km N): Aquí se encuentra la iglesia *St. Medard.* En la nave principal, restos de arquitectura anglosajona. Interesante pórtico con medallón en el coro.

Little Casterton (3 km N): Iglesia *All Saints* del siglo XII con campanario O. En el interior, restos de pintura mural, del siglo XIV. También de interés, la casa feudal *Tolethorpe Hall.*

Ryhall (4 km N): Iglesia *St. John the Evangelist,* del siglo XII; en el coro, una misericordia del siglo XIV. En la pared de la na-

Stirling. Stirling Castle

ve lateral N, restos de una celda de retiro del siglo VII.

Tickencote (4 km O): Aquí se encuentra la iglesia *St. Peter*. El coro es original de la época de construcción; los arcos del mismo están ricamente decorados.

Tixover (8 km SO): En este lugar se conserva una iglesia en gran parte románica. En el coro se pueden ver los antiguos asientos de piedra, así como un bonito arco realizado en el año 1140.

Stirling

Central/Escocia Pág. 324 □ G 8

Esta ciudad, situada en los meandros del *Forth,* tiene un nombre bélico. Los galeses la llamaron *Place of Striving* (lugar de pelea). Alrededor de la montaña de la fortaleza se encuentran más de 15 campos de batalla diferentes. El que tenía *Stirling* bajo su dominio daba acceso a las *Highlands,* considerándose pieza clave de Escocia. La historia de la ciudad y del monte de la fortaleza guarda estrecha relación con la casa Estuardo. Desde principios del siglo XII tuvo aquí el clan su residencia en repetidas ocasiones. En el año 1124 murió en Stirling Alejandro I; en 1297 William Wallace derrotó a los ingleses reinando Eduardo I, reconquistando la fortaleza para Escocia. Siete años más tarde volvieron los ingleses, hasta que Roberto Bruce derrota a los invasores en el año 1314 en la batalla de *Bannockburn.* En el año 1430 nació en la fortaleza Jaime II y, en 1612, Jaime V. En 1651, finalmente, el general Monck pudo conquistarla para Cromwell. En el año 1715 se detuvo en este lugar el impetuoso avance de los jacobinos y, en 1746, el príncipe Eduardo Estuardo fracasó en el intento de conquistarla.

Stirling Castle: La fortaleza se erige a 75 m de altura sobre la ciudad. Fue edificada en sus partes esenciales con Jaime III (Great Hall, 1475-1503), con Jaime V (palacio, 1534-1542) y con Jaime VI (capilla del castillo, 1595). Exceptuando los muros de fortificación, la *Great Hall* es la parte más antigua del castillo. Jaime III la hizo construir como salón de fiestas reales para reuniones del Parlamento y ceremonias públicas. La decoración gótica del salón es valiosísima: contiene una galería de música y un techo de vigas. En el siglo XVIII el castillo se convirtió en guarnición y la *Great Hall* pasó a ser el pabellón de los soldados; actualmente se intenta reproducir la decoración original. La capilla del castillo fue edificada con Jaime VI, que la necesitaba para el bautizo de su hijo. La construcción renacentista estaba cobijada bajo un entramado de vigas con hermosísima ornamentación de flores; las paredes estaban decoradas con escudos heráldicos. Al O de la capilla se encuentra el jardín *Nether Green,* del año 1532.

El verdadero núcleo del castillo está formado alrededor de un patio cuadrangular interior y su construcción es el único ejemplo del Renacimiento escocés influenciado por el estilo francés. Las fachadas están decoradas con nichos situados entre las ventanas, en los que se alojan esculturas míticas o alegóricas semidesnudas que se apoyan sobre columnas ricamente decoradas, que son soportadas, a su vez, por ménsulas moldeadas con figuras de demonios. Son especialmente bellos los diablos de la fachada S. Al igual que en el palacio de *Linlithgow,* las habitaciones reales se encontraban en el primer piso. El rey habitaba el ala N y la reina el ala S. El palacio estaba decorado con extrema delicadeza, como se puede constatar por los medallones de madera de encina que estuvieron en su día en el techo de la sala de audiencias, en la esquina NE del palacio. De los 60 medallones se pudieron salvar unos 30 de las incineraciones llevadas a cabo por los soldados. Los medallones están decorados con retratos de los reyes de Escocia, así como por diversas figuras de significado simbólico y cuya temática no está definida hasta el momento.

Stirling. Stirling Castle, parte exterior con figuras alegóricas ▷

Church of the Holy Rude: La iglesia del Sagrado Corazón data del siglo XV. Es, desde hace quinientos años, iglesia parroquial de la ciudad y una de las pocas iglesias medievales de Escocia que sobrevivió a las devastaciones de la Reforma. En el coro, de estilo gótico, fue proclamada reina, en el año 1543, María Estuardo, de nueve meses de edad; En 1567 su hijo, Jaime VI, fue coronado aquí. El sermón de la ceremonia fue dado por John Knox. De 1656 a 1935 la iglesia estuvo dividida en una parroquia O y otra en el lado E; durante las restauraciones llevadas a cabo entre 1936 y 1940 se suprimió esta división.

Otros lugares de interés: La ciudad antigua conserva numerosas *Little Houses,* que datan desde el siglo XVI al XVIII, así como arquitectura de la época victoriana. Junto a la iglesia del Sagrado Corazón se encuentra *Mar's Wark,* la residencia fortificada del *Earl of Mar.* El palacio renacentista, edificado de 1580 a 1572, nunca pudo ser terminado; no obstante, Jaime VI habitó en él durante algún tiempo, mientras se terminaban las obras en su palacio. Los jacobinos destrozaron la residencia en el año 1746. La casa del *Earl of Stirling* fue edificada en el año 1630 y denominada, por su propietario posterior, con el nombre de *Argyll's Lodging.* Fue construida por William Alexander of Menstrie, fundador de *Nova Scotia,* la colonia escocesa en Norteamérica. El obispo Hamilton fue condenado a muerte en el año 1571, en el lugar donde se encuentra el *Mercat Cross,* en la *Broad Street.* El viejo puente de piedra, al N del centro, fue durante cuatrocientos años el único puente que vadeaba el río *Forth.* A 2 km de éste se encuentra, sobre un monte, el *Wallace Monument.* Desde su torre, que posee unos 65 m de altura, se domina un extenso territorio y se tiene una hermosa vista panorámica del valle del *Forth.*

Stirling. Stirling Castle, acceso

Alrededores

Bannockburn (5 km S): En este lugar recuperó Roberto Bruce, en el año 1314, la independencia para Escocia. En un centro de información existente se puede seguir el desarrollo de la batalla habida en las inmediaciones del lugar.

Menstrie Castle (8 km N): Construcción de tres pisos del siglo XVI, con torres esquineras típicamente escocesas sobre ménsulas. En este pequeño castillo, increíblemente restaurado, nació William Alexander. En el castillo se alberga una interesante exposición *Nova-Scotia,* patrocinada por el *National Trust.*

Stoke-on-Trent

Staffordshire/Inglaterra Pág. 328 □ H 13

Es una hermosa ciudad industrial que posee una larga tradición dentro del campo de la cerámica, la loza y la alfarería en Inglaterra.

City Museum and Art Gallery: Aparte de objetos sobre la historia local, el nuseo posee una colección única de oza y alfarería de la región y de toda Europa, del lejano y cercano Oeste, le Norteamérica y hasta de procedencia sudamericana.

Keele Hall: En los edificios de la *University of Keele,* fundada en el año 1962, se encuentra una interesantísima colección que posee más de cinco millones de vistas aéreas tomadas entre los años 1939-1946.

Alrededores

Alton Towers (14 km E); La antigua residencia del *Conde de Shrewsbury* fue ampliada por el *Conde Charles Talbot* en el siglo XV. De 1814 a 1827 se convirtió, con enorme esfuerzo, el espacio dedicado a las faenas agrícolas en un increíble parque. Este parque fue dividido, en medio, por una gran sala de columnas de tipo románico, con un templo chino, un invernadero gótico y una cabaña de montaña de tipo suizo. Su sucesor amplió los jardines nuevamente y llamó a la parte que él edificó «Her Ladyship's Garden». La casa de campo neogótica existente no fue restaurada.
Alton Tower se encuentra sobre un monte que ya estuvo habitado en la Edad del Hierro. Un monumento dedicado al constructor lleva el siguiente lema: «He made the desert smile».

Barlaston (7 km S): Uno de los hombres importantes de la industria de la loza y cerámica fue Josiah Wedgwood, que fundó, en el año 1769, *Etruria* (entre Newcastle y Hanley). La evolución de la fábrica está documentada desde sus comienzos hasta la actualidad en el *Wedgwood Museum.* Aquí se pueden ver planos y diseños, así como piezas acabadas de hace más de doscientos años, que, a su vez, dan una impresión de cómo se fue desarrollando el gusto de la población. La pieza más valiosa de la exposición es uno de los seis floreros que creó Wedgwood el mismo día de la inauguración de la empresa.

Little Moreton Hall (15 km N): La casa, edificada en los años 1559-1580, es una de las construcciones de paredes entramadas más bellas del condado. Sus torcidas paredes, los aguilones decorados y las pintorescas y coquetas ventanas recuerdan una casita de cuento. En esta hermosísima casa se pueden contemplar increíbles tallas de madera en la decoración interior y exterior de la «casita de brujas».

Stonehenge. Vista parcial

Stonehenge

Wiltshire/Inglaterra Pág. 332 □ H 15

Este cromlech está situado en medio de la *Salisbury Plain* y es uno de los santuarios más famosos en Europa de la Edad del Bronce. Sus orígenes datan del siglo III a. de J. C., al final del Neolítico. La instalación debió ser finalizada alrededor del 1500 a. de J. C. En primer lugar fue edificado el aro, consistente en un muro de piedras y una profunda fosa; otras piedras más pequeñas marcaban la entrada. Alrededor del 1200 a. de J. C. se creó un anillo interior de 60 piedras de menor tamaño de basalto azul. Se ha demostrado que proceden de *Prescelly Mountain,* situada a unos 300 km de este lugar.

En el siglo siguiente fue construido el anillo exterior, con un diámetro de 30 m. Estaba compuesto por 30 pilastras agrupadas por parejas y cubiertas por piedras horizontales. Se conservan más de la mitad. Seis de las piedras horizontales se encuentran en su posición original. Estas piedras horizontales o dinteles tienen la forma exacta de segmentos circulares y configuran a la perfección la forma circular (planta) del conjunto. Las enormes piedras eran transportadas por medio de palancas y alternando leños colocados debajo de las mismas cruzados entre sí.

Poco tiempo después fueron erigidos 19 monolitos con forma de herradura; todas las piedras proceden de los *Marlborough Downs.* En la última etapa de construcción, alrededor del 1500 a. de J. C., se transportaron las piedras de basalto azul. En aquella época se instaló en el centro del conjunto el monolito conocido actualmente como «piedra de altar».

El santuario de *Stonehenge* cumplía dos funciones: en aquella época se utilizó como inmenso sepulcro que albergaba más de 400 tumbas de la cultura *Wessex.* Por otra parte, el conjunto sirvió a los sacerdotes como calendario de piedra eterno. El sol sale el día del solsticio de verano, desde

Stonehenge, contraluz

la piedra del altar, directamente hacia el *Heel Stone,* y marca, de esta manera, el eje del camino procesional que discurre hasta el *Avon.* Para el solsticio de invierno existe su correspondiente arco de piedra, por cuyo centro pasa el sol al atardecer, justamente cuando empieza la ruta del largo semestre invernal.

Stranraer

Dumfries and Galloway Region/Escocia Pág. 326 □ F 10

Esta pequeña ciudad, enclavada junto al *Loch Ryan,* data de la época romana. La bahía, situada en lugar privilegiado estratégicamente, fue utilizada por los romanos como puerto de aprovisionamiento, denominándola *Rerigonus Sinus.*

Stranraer Castle: El castillo fue co-

menzado a mediados del siglo XV. Se encuentra en medio de la ciudad y fue residencia de John Graham of Claverhouse, el gran enemigo y fustigador de los Covenanters. En el siglo XVII fue reformado y, posteriormente, utilizado como prisión. Según una leyenda, el castillo tuvo que ser construido sobre ingentes cantidades de lana para evitar que sus cimientos se hundiesen en el suelo pantanoso.

Alrededores

Glenluce Abbey (18 km E): Esta abadía cisterciense fue fundada por Roland, *Lord of Galloway*, en el año 1192. Los monjes que edificaron el conjunto procedían de *Dundrennan*. Las ruinas de la abadía se conservan en un asombroso estado, en especial la nave lateral S y el crucero S de la iglesia. Es especialmente interesante la sala capitular de 1470, cuyo techo de bóvedas ha sobrevivido al paso del tiempo. Todavía se puede reconocer la instalación de la conducción de aguas, al igual que otra instalación de tipo mecánico de regulación para abastecer a la abadía con el esencial líquido. Se conservan también, alineadas en una fila, numerosas vasijas de barro que proceden probablemente de *Bordeaux*.

Lochnaw Castle (4 km O): Sirvió como residencia de la familia del clan *Agnew* y fue comenzada en el año 1426. El clan residió en este encantador lugar durante casi trescientos años. El bellísimo edificio es especialmente interesante por su exquisito parque *Rhododendron*.

Logan (20 km S): Este jardín botánico es muy famoso, ya que en él crecen multitud de especies raras de plantas tropicales originarias de todas las partes del mundo. En la costa se encuentra un estanque artificial con peces, construido en los años 1788-1800; en él se ofrecen actualmente, y a diario, diversos espectáculos con peces amaestrados.

Stratford-upon-Avon

Warwickshire/Inglaterra Pág. 328 □ I 14

Esta ciudad comercial, fundada en 1196 por Ricardo I, es el lugar natal del poeta más grande de Inglaterra, William Shakespeare nació aquí el 26 de abril de 1564 y murió en esta misma ciudad el 23 de abril de 1616. Poco después de su muerte la ciudad empezó a recibir multitud de turistas, que siguen afluyendo anualmente al lugar.

Holy Trinity Church: En esta iglesia fue bautizado y enterrado Shakespeare. Data de los siglos XIII y XIV. La torre central, originalmente de madera, y el crucero datan del siglo XIII. La nave y las naves laterales son de principios del XIV. El altar fue reedificado completamente a finales del siglo XV; la vieja torre de madera fue instalada por William Hiorn en el año 1763. La sillería del coro data también del siglo XV. Aparte de restos de estilo Early English, los detalles de la iglesia son góticos. En el lado N de la sala del altar se encuentran las tumbas de Shakespeare, su esposa y su hija. En la pared N se construyó un monumento al escritor y poeta, con dos arcos y dos columnas corintias de mármol negro. Junto a la pila bautismal se indica, sobre una tabla, el día en que fue bautizado el escritor.

Shakespeare's Birthplace: La casa, del siglo XVI, fue en su época una casa doble. En la parte O había una tienda de quincalla; en la mitad E se ubicó durante largo tiempo una posada; la parte O está decorada de la misma manera que debió estarlo en vida del escritor. La habitación donde nació tiene algunas piezas originales de la época. La parte O es, en la actualidad, el museo de la casa y posee manuscritos, libros, fotografías y piezas alusivas al poeta.

Royal Shakespeare Theatre: Fue erigido de 1877 a 1879. En él se han representado siempre las obras de Shakespeare. En el año 1926 se incendió; fue reedificado e inaugurado nuevamente en 1932. Actualmente es un teatro de festivales de verano. En el edificio se alberga una biblioteca con más de 10 000 tomos de la literatura de Shakespeare, así como en el

Stratford-upon-Avon. Anne Hathaway's Cottage

primer piso una *Picture Gallery and Museum,* con una colección de disfraces originales, maquetas de escenarios y piezas alusivas a las representaciones de las obras del famoso escritor, desde el año 1897 hasta la actualidad.

Otros lugares de interés: *Anne Hathaway's Cottage* data del siglo XV y fue la casa de los padres de la esposa de Shakespeare. La *Guild Chapel* data del año 1269. Sir Hugh Clopton renove la nave en 1495; el fresco del Juicio Final, en el arco del coro, data de alrededor de 1500. Junto a la capilla se construyó, en los años 1416-1418, la *Guild Hall* para la hermandad de la «Santa Cruz». En la sala del piso inferior Shakespeare vio cómo se representó su primera obra de teatro. En el primer piso finalizó sus estudios primarios. *New Place* fue la casa más grande de la localidad. Shakespeare la compró en 1597 y vivió en ella hasta el día de su muerte. De la casa edificada por Sir Hugh Clopton en el año 1483 sólo quedan los cimientos. La estatua de Shakespeare es obra de Lord Gower, que la obsequió a la ciudad en el año 1888. Las figuras de Hamlet, Lady Macbeth, Falstaff y el príncipe Hall, representan, simbólicamente, a la sabiduría, lo trágico, lo cómico y lo histórico.

Alrededores

Compton Wynyates: La gran casa de campo, con muros de ladrillo rojo, es una de las casas del Renacimiento más bonitas de Inglaterra. A principios del siglo XIII fue residencia de la familia *Compton;* a partir de 1481 Edmund Compton comenzó con la construcción actual, que fue finalizada con sus cuatro naves en 1515 por Sir William Compton. La casa impresiona por la diversidad de estilos en sus habitaciones, sus escaleras ocultas y por la capilla renovada después de la Reforma, alrededor de 1665.

Sudbury
Suffolk/Inglaterra Pág. 332 □ L 14

En esta pequeña ciudad, junto al *Stour,* se encuentran numerosas y viejas casas de paredes entramadas. *Old Moot Hall* y *Salter's Hall* datan del si-

Stratford-upon-Avon

Lavenham (Sudbury). Guildhall

glo XV. Aquí nació Thomas Gainsborough en el año 1727; su casa natal se ha convertido en museo, en el que se pueden ver numerosas obras del artista y piezas referentes a él y a su vida. Una estatua en la plaza del mercado recuerda al famoso pintor. Es obra de Mackennal del año 1913.

Church of St. Gregory: La iglesia parroquial de la ciudad es de estilo gótico y posee una torre O. Fue edificada por Simon de Sudbury, arzobispo de *Canterbury,* asesinado en el año 1378 por Wat Tyler. Su cabeza se conserva en la iglesia. Es de especial interés la bonita construcción, semejante a una torre, de la pila bautismal y las misericordias de la sillería del coro.

Alrededores

Acton (7 km NE): La *Church of All Saints* data de alrededor de 1300 y tiene una de las lápidas más antiguas y bonitas de Inglaterra. Fue creada para Sir Robert de Bures, fallecido en 1302. El monumento está decorado con la escultura de un caballero a tamaño natural.

Brent Eleigh (13 km NE): La *Church of St. Mary,* temprano-gótica, tiene un pórtico O del siglo XIV; el púlpito y la tapa de la pila bautismal datan del siglo XVII. De especial interés son los frescos del siglo XIV, descubiertos en el año 1961.

Clare (16 km O): Aquí se edificó, alrededor de 1248, un priorato agustino, en el que nació Lionel, *Duke of Clarence,* hijo de Eduardo III. De los edificios se conservan restos de los muros. Las antiquísimas casas de la ciudad, que datan en parte del siglo XV, son especialmente bonitas e interesantes. La *Church of SS. Peter and Paul* data de los siglos XIV y XV: la torre O es bastante más antigua. La pila bautismal, ricamente decorada, es gótica; las tallas de madera datan del siglo XVII. Los emplo-

Long Melford (Sudbury). Melford Hall

mados originales de las ventanas fueron destruidos por William Dowsing.

Lavenham (16 km NE): Esta pequeña y encantadora ciudad fue, antiguamente, centro de la industria lanera; de esta época conserva numerosas casas de paredes entramadas. Los edificios antiguos de más belleza son: la vieja casa de lana (alrededor de 1500), los *Tudor Shops*, el *Vere House*, la vieja escuela de enseñanza primaria, el *Mullet House* y la *Shiling Old Grange*. La *Church of St. Peter and Paul* data, esencialmente, del siglo XV; posee una gran torre O, bonitas claraboyas y capillas laterales con grandes ventanales. La reja del coro data también del siglo XV, como la sillería, con las excelentes misericordias talladas. De interés es también la *Spring Chantry*, de 1523, y la *Oxford Chantry*. Los monumentos fúnebres proceden desde el siglo XV en adelante. La *Guildhall*, bonita construcción de paredes entramadas, fue edificada en el año 1530 y perteneció a la hermandad del *Corpus Christi*.

Long Melford (7 km N): En esta pequeña ciudad, con su carretera de 4 km, se encuentran increíbles y viejas construcciones, como, por ejemplo, *Melford Hall* (1554), *Holy Trinity Hospital* (1573) y *Kentwell* (1554). En la *Church of the Holy Trinity* se encuentra la *Lady Chapel*, con tres aguilones, y la torre O, renovada en 1901 por G. F. Hodley. La pieza de más valor de la decoración interior son las ventanas, increíblemente trabajadas, de las naves laterales. En los siglos XVI y XVII se destruyeron la mayoría de ellas; las restantes dan una imagen de la belleza de la iglesia. En la *Clopton Chantry*, en la nave lateral N, se pueden ver interesantes placas y monumentos fúnebres. En la nave se encuentra un sillón, que procede de la catedral de Granada, y está decorado con el escudo de los reyes Fernando e Isabel. *Melford Hall*, casa feudal edificada por Sir William Cordell. Desde el siglo XVIII es de la familia *Hyde-Park;* actualmente alberga la *Hyde Parker Collection*, compuesta por muebles, pinturas y una colección de porcelana china.

Sunderland
Tyne and Wear/Inglaterra Pág. 328 □ I 10

Holy Trinity: Esta iglesia fue edificada alrededor de 1719 en estilo clásico del Renacimiento inglés; en 1735 se le añadió el ábside. En el interior, fantásticas columnas corintias. Es de especial interés el monumento, de 1838, del escultor neoclasicista Francis Chantrey, de la *Royal Academy*.

Museum and Art Gallery (Mowbray Park): En la sección arqueológica es digna de admiración la colección de trabajos en vidrio de la época anglosajona (proceden de Monkwearmouth en su mayor parte); también de interés, viejas cerámicas de *Sunderland* y una colección de modelos de barcos. En la galería de arte se exponen obras de maestros ingleses.

Otros lugares de interés: Iglesia *St. Michael,* del siglo XVIII.

Alrededores

Beamish (19 km O): En el *North of England Open-Air Museum* se exponen objetos sobre la historia social e industrial del N de Inglaterra, viviendas, estaciones de ferrocarril, minas, etc.

Easington (13 km S): La iglesia *St. Mary the Virgin* es de origen normando; posteriormente fue reformada. En el interior, de interés, la sillería del coro y dos monumentos fúnebres del siglo XIII.

Hylton Castle (al O de la ciudad): Fortaleza, con imponente torre de defensa, construida en el siglo XIV contra los ataques escoceses.

Monkwearmouth (al N del río Wear): Restos de un monasterio fundado por el obispo Benedicto en el año 674 (en el año 680 llegó aquí Venerable Bede [Beda Venerabilis]), que junto al monasterio hermano de *Jarrow,* fundado en el 684, dominaban la vida espiritual de la época en Inglaterra. La iglesia fue restaurada en 1866. La parte que se conserva de la época de construcción es la torre O, con una antesala del siglo VII (aquí se conserva el techo de bóvedas más antiguo de la Edad Media en Inglaterra); encima se encuentra el relieve de una figura en posición vertical, en bastante mal estado de conservación.

Penshaw Monument (8 km O): Monumento erigido en 1844 en forma de templo dórico en memoria del *primer Earl of Durham* (1792-1840).

Pittington (12 km SO): Con la iglesia de *St. Lawrence,* del siglo XII (en el interior, en el lado N, bello arco románico sobre columnas ricamente ornamentadas; notables son también los frescos de la época en que fue construida la iglesia).

Roker (4 km N): La iglesia *St. Andrew* fue edificada por el prior E. S. en los años 1906-1907. Sobre el coro existe una torre de estilo gótico. En el interior, de especial interés, los artísticos objetos de la decoración (alfombras y revestimientos de altar, de Morris; tapices, de E. Burne Jones; cruz de altar y atril, de Ernest Grimson).

Seaham (8 km S): En este lugar se encuentra la iglesia *St. Mary*. La nave principal es prerrománica; el coro y la torre O datan del siglo XIII. En el interior, pila bautismal de principios del siglo XIII: el púlpito data del siglo XVI.

Washington Old Hall (10 km O): Durante los años 1183-1613 fue la residencia de la familia Washington. La casa feudal del Renacimiento fue construida en el año 1610 y conserva partes de la Edad Media. En el interior, bonitos muebles de estilo y objetos alusivos a George Washington, primer presidente de los Estados Unidos.

Swansea/Abertawe
West Glamorgan/Gales Pág. 332 □ G 15

Esta ciudad, en la desembocadura del *Tawe* (gaélico: «Aber-tawe»), en la bahía de igual nombre, *Swansea,* posee importantes complejos industriales (latón, cobre, procesado del cinc) y un importante puerto exportador (carbón). En el año 1800 tenía unos 6 000 habitantes y, actualmente, son más de 170 000; después de *Cardiff* es la segunda ciudad más grande de Gales. En la segunda guerra mundial *Swansea* sufrió mucho con los ataques aéreos, resultando destrozada.

Sunderland. Iglesia Holy Trinity

Swansea Castle: Esta fortaleza normanda fue edificada por el obispo Gower de *St. David's* en 1909; quedan pocos restos. La torre posee otras más pequeñas; pretil con arcadas en la *Castle Street.*

Otros lugares de interés: En el *Glynn Vivian Museum* se encuentran lienzos de maestros ingleses y galeses, así como una bonita colección de porcelana. La *Guildhall* (1934) contiene los interesantes «British Empire Panel» (17 tablas de madera con escenas coloniales de 1924). En el *Industrial Museum* se pueden ver viejos telares y vehículos.

Alrededores

Desde *Swansea* merece la pena hacer una agradable excursión a la península *Gower* (acantilados, colinas, dunas, cuevas...). La península tiene 22 km de largo por 12 km de anchura.

Oxwich (14 km SO): Pequeña localidad costera con la notable iglesia de *St. Illtyd* (siglos XII-XIV), con pila bautismal paleocéltica. El *Oxwich Castle* es una especie de mansión señorial del siglo XV.

Penmaen (10 km SE): Cerca del pueblo se encuentra la interesante cámara funeraria neolítica de *Park Cwm.* La colina fúnebre (cromlech), de casi 23 m de longitud, comprende cuatro cámaras laterales precedidas por un patio y pertenece al tipo *Cotswold,* siendo actualmente una de las mejor conservadas del país.

Penrice Castle (12 km SO): Pintorescas ruinas con un bello parque construido en los siglos XIII y XIV.

Port Eynon (16 km SO): Al O de esta localidad costera se encuentra la legendaria gruta denominada *Paviland Caves,* en la que, entre otras cosas, se descubrieron esqueletos de hombres prehistóricos.

Reynoldston (18 km SO): En el pueblo se encuentra un dolmen de la Edad del Bronce llamado *Arthur's Stone*. La enorme piedra horizontal, que cubre la tumba vinculada al legendario rey Arturo, pesa unas 25 t y descansa sobre nueve piedras más pequeñas. Cerca se encuentran también los escasos restos del *Weobley Castle*, del siglo XIII (cerca del pueblo Llanrhidian).

Rhossili (18 km SO): La iglesia de esta localidad, situada sobre un acantilado (con magnífica vista al mar), posee un torreón con reloj de sol que data del último período normando.

The Mumbles (8 km S): Sobre la conocida ciudad balneario de *Mumbles*, con sus impresionantes acantilados, se alzan las ruinas del *Oystermouth Castle*. Del antiguo castillo normando (hacia 1094), varias veces destruido y reedificado, solamente se conserva el pintoresco torreón de acceso, la sala de banquetes y la capilla.

Swindon

Wiltshire/Inglaterra Pág. 332 □ J 15

El viejo mercado, en el lado NE del condado de *Wiltshire*, floreció en la moderna ciudad industrial, cuando la *Western Railway* instaló aquí una fábrica de locomotoras y vagones.

Great Western Railway Museum: El museo, inaugurado en el año 1962, expone bonitas locomotoras y vagones de todas las épocas; entre las máquinas se encuentra «City of Truro», que alcanzaba en el año 1904, entre *Exeter* y *Bristol*, una velocidad media de 70 millas por hora. También se puede ver aquí una reproducción del «North Star», el primer tren de pasajeros que circulaba en el año 1838 entre *Paddington* y *Maidenhead*. Aparte de los numerosos modelos de trenes, se puede contemplar en este museo todo lo referente a la historia del ferrocarril. Un salón está dedicado al gran ingeniero y constructor de puentes Isambard Kingdom Brunel.

Museum and Art Gallery: El museo alberga, en su parte más antigua, monedas, muestras geológicas, instrumentos musicales y piezas referentes a las ciencias naturales. En la parte nueva se exponen obras de artistas modernos, como Henry Moore, Ben Nicholson y Graham Sutherland.

Alrededores

Aldbourne (13 km SE): La *Church of St. Michael* data del siglo XII; fue renovada posteriormente y se le añadió en el siglo XV la torre O. El pórtico S data de la época normanda; la sala de entrada, de dos pisos, es gótica. El revestimiento de la parte interior del techo data del siglo XV. El púlpito data de la época jacobina; la pila bautismal octogonal es del siglo XVII.

Ashdown House (7 km SE): El primer Lord Craven hizo edificar esta gran casa de caza a finales del siglo XVII para Isabel de Böhmen. La casa, de cuatro pisos, coronada por una cúpula, está rodeada por hermosos jardines. La imponente escalera abarca una cuarta parte del espacio interior de la casa.

Cricklade (10 km NO): La *Church of St. Sampson* data del siglo XVI. La torre central está decorada con cuatro agujas. Los cimientos de la iglesia datan de la época anglosajona; la iglesia fue ampliada por primera vez por los normandos. La *Saxon Burh* es una fortificación de la época del rey Alfredo. Éste era de la opinión que sólo puntos concretos podían salvaguardar a sus soldados en caso de guerra. Por esta razón él y su hijo Eduardo construyeron fortificaciones a ambas orillas del Támesis.

Faringdon (15 km NE): La *Church of All Saints* es una gran iglesia, con planta en forma de cruz, construida alrededor de la torre del transepto, que perdió su aguja durante la guerra civil. La construcción de la iglesia comenzó en el siglo XII; sus partes principales datan del siglo XIII; en los siglos posteriores se modificó en numerosas ocasiones. El pórtico N, de 1170, es normando; el pórtico S es temprano-gótico, de finales del siglo XIII; la pila bautismal también data del siglo XIII. En la iglesia se encuentran numerosos monumentos fúnebres de miembros de la familia *Pye*.

Littlecote (20 km SE): La casa feudal isabelina fue comenzada en el año 1490 en estilo Tudor y fue finalizada alrededor de 1520.

Contiene una espectacular *Great Hall* y una larga galería. Los enmaderados y estucados datan de la época de construcción; en la *Great Hall* se pueden ver armas de la época de Cromwell.

Lydiard Tregoze (5 km O): La *Church of St. Mary* es esencialmente gótica; en 1633 se modificó. El púlpito data del siglo XVII. La iglesia es de especial interés por los monumentos que ella alberga, como, por ejemplo, los de la familia *St. John,* que datan del siglo XVI y están decorados con esculturas horizontales o sentadas de los finados. Uno de los monumentos está decorado con el árbol genealógico. La residencia de la familia *St. John* fue *Lydiard Mansion,* una casa de campo del Renacimiento; en el año 1749 se edificó una nueva fachada de estilo georgiano.

Purton (7 km NO): La *Church of St. Mary* posee dos torres. La torre central del transepto está coronada por una aguja; la torre O no posee aguja. La iglesia data de la época normanda; en los siglos XIV y XV fue modificada ampliamente. De interés son algunos frescos, uno de ellos representa la muerte de María, del siglo XIV. Se conservan restos de vidrios emplomados de la Edad Media.

Uffington (9 km E): Este lugar es famoso por el «caballo blanco», una enorme estatua incrustada en piedra calcárea que data del 600 al 100 a. de J. C. y es nombrada posteriormente en numerosas ocasiones. Cerca se encuentra *Uffington Castle,* fuerte de la Edad del Hierro. En la localidad de Uffington se encuentra una iglesia del siglo XIII, de estilo Early-English, con torre octogonal y ventanas lanceoladas.

Swords
Dublin/Irlanda — Pág. 326 □ E 12

Esta antigua sede episcopal se encuentra a unos 10 km de Dublín y posee extrañas ruinas medievales: una torre circular y restos de una edificación demuestran que hubo aquí una abadía (fundada por St. Columban). De la fortaleza episcopal, del siglo XIII, se conservan una caserna, capiteles y una torre defensiva que fue erigida en el siglo XIV.

Alrededores

Doulagh (5 km SE): En este lugar se encuentra la pequeña iglesia *St. Doulagh's Church,* con techo de piedra del siglo IX, y anexos (coro) del siglo XII, así como una torre del siglo XV. La parte más antigua de la iglesia, al O (The Hermit's Cell), es, supuestamente, la tumba del fundador de la iglesia, *St. Doulagh* (alrededor del 600).

Lusk (10 km N): En este encantador pueblecito se encuentran los restos de una antigua fundación monasterial, de los siglos V y VI. Se conserva una torre circular, del siglo XII. Estas torres circulares con techo cónico, también llamadas «minaretes irlandeses», eran utilizadas de los siglos IX al XII como refugios durante ataques o saqueos. En las cercanías, otros restos de torres circulares y cuadrangulares.

Malahide (5 km E): Esta fortaleza es de origen normando; fue ampliada en el siglo XVIII y era propiedad de los *Condes de Talbot.* Cerca, las ruinas de una abadía, de los siglos XV y XVI.

Skerries (20 km NE): Restos de la *Baldongan Church,* del siglo XV.

Swindon. Great W. Railway Museum

T

Tara

Meath/Irlanda Pág. 326 □ E 12

En este pequeño lugar se encuentra la, quizá, más famosa comunidad celta y precelta *Teamhair na Riogh* (= montaña del rey); los más antiguos pasadizos y túmulos datan del 2000 a. de J. C. En época de los primitivos celtas, de 400 a. de J. C. a 400 d. de J. C., en la colina *Rath na Riogh* (= patio del rey) se elegían y coronaban los reyes irlandeses. Sin embargo, sólo se conservan los fosos con muros circulares (bank-ditch) y construcciones de tierra. De las edificaciones de madera, las salas de Tara, muy espaciosas y con puertas de piedras preciosas; no se conserva ningún resto.

En el centro del *Rath na Riogh* se hallan los muros interiores de *Cormac's House* (gaélico : Teach Cormiac) con la antigua piedra de coronaciones *Lia Fail.* Al lado, una estatua de *St. Pa-*

Tara, Teamhair na Riogh: 1. Rath Laoghaire (antiguo patio real de Laoghaire). **2.** Rath na Riogh (Patio Real de los reyes irlandeses). **3.** Cormac's House (Teach Cormaic). **4.** Lia Fail (piedra de coronación). **5.** St. Patrick-statue. **6.** Royal Seat (trono de Forradh). **7.** Mound of the Hostages (pasadizo funerario prehistórico de aproximadamente 1800 a. de J. C.). **8.** Rath of the Synods (muros anulares). **9.** St. Patrick's Church con el Adamnan's Cross. **10.** Banquet Hall. **11.** Rath Grainne (muro anular).

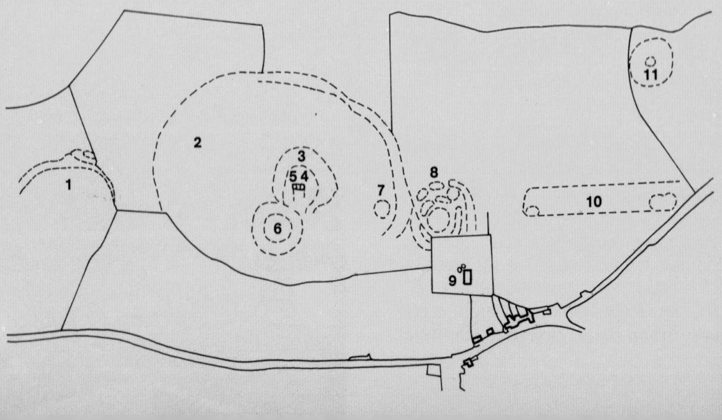

trick rememorando los intentos del santo de convertir al rey Laoire (Laoghaire). En el interior del recinto se encuentra, además, el *Royal Seat* (trono real) «Forradh» y el pasadizo funerario prehistórico (al N) *Mound of the Hostages* (aproximadamente 1800 a. de J. C.). Hacia el S el muro anular *Rath Laoghaire,* antiguo patio real de Laoghaire, y hacia el N los muros anulares de *Rath of the Synods, Rath Grainne* y los paralelos de *Banquet Hall.* Interesante es la columna del *Adamnan's Cross,* en la capilla del vecino cementerio, con una reproducción de una deidad celta (Cornunnos).

Aproximadamente 1 km al S se encuentran los restos de la fortificación anular prehistórica *Rath Maeve,* con fosos y muros. En el siglo pasado este lugar cobró nuevo interés al convocar el independentista O'Connell un mitin multitudinario.

Alrededores

Dunshaughlin (aproximadamente 6 km SE): Restos de una iglesia medieval con una hermosa lápida (slab).

Taunton

Somerset/Inglaterra Pág. 332 □ G 16

La capital de la sidra y del condado *Somerset,* fue fundada en 705 por *Ine,* rey de los sajones del O, como fortificación fronteriza contra los celtas. A principios del siglo XII se comenzó la construcción del castillo. En 1497 finalizó aquí la rebelión fracasada de Perkin Warbeck y, en 1644, los realistas trataron en vano de asaltar la ciudad. En 1685 fue coronado en la plaza del mercado el *Duke of Monmouth.* En el mismo año Judge Jeffrey se vengó sangrientamente tras la batalla de *Sedgemoor.* Más de 500 partidarios del rey protestante no sobrevivieron a esta atroz masacre.

Se conservan pocos restos de la que fue una importante fortificación normanda. En sus inmediaciones se encuentra hoy el museo del condado.

Somerset County Museum: La interesante colección arqueológica y de ciencias naturales posee interesantes hallazgos arqueológicos, un mosaico romano de *Low Ham* y hasta motores de

Taunton. Somerset County Museum, utensilios de la Edad del Bronce

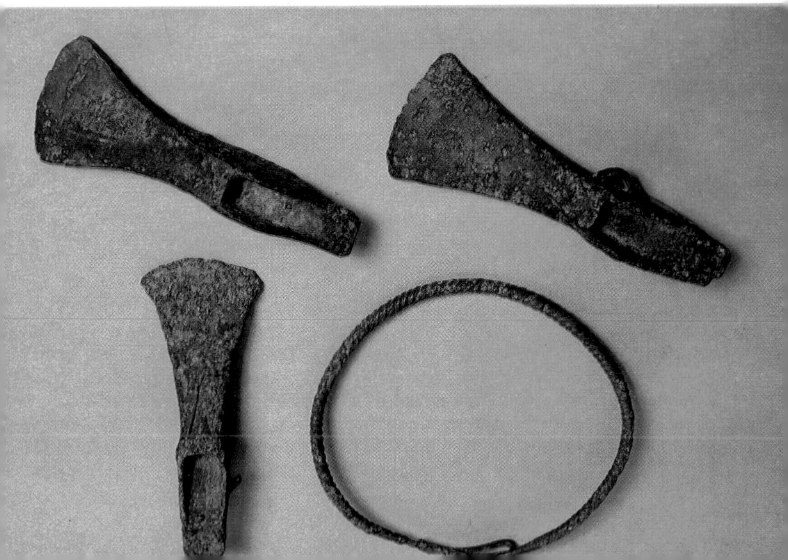

Taunton. Somerset County Museum, mosaico

aviones a vapor. La pieza de más valor es un retrato de Van Dyck, que representa a Carlos I y a su esposa.

Alrededores

Bridgwater (18 km N): Esta pequeña ciudad, en la parte inferior del *Parrett,* es el lugar natal de Robert Blake (1598-1657), almirante de Oliver Cromwell. La *Church of St. Mary* es de estilo temprano-gótico y contiene una torre de casi 60 m de altura edificada por Nicholas Wleys en el año 1366, así como un interesante púlpito gótico: la reja del coro es un increíble trabajo de estilo jacobino.

El *Admiral Blake Museum* se halla en la casa natal del almirante. Aquí se encuentran numerosas piezas alusivas al navegante, así como a la batalla de *Sedgemoor,* en el año 1685, y al Duque de Monmouth (1649-1685).

Tenby/Dinbych-y-pysgod

Dyfed/Gales Pág. 330 □ F 14-15

Esta encantadora ciudad, situada sobre una península rocosa, en el lado O de la *Carmarthen Bai* (5 000 hab.), es actualmente un lugar muy apreciado turísticamente.

St. Mary's Church: Esta bonita iglesia data de los siglos XIII y XIV y es de estilo Early English (finales del gótico). En el siglo XV fue decorada con un increíble techo de madera de encina tallada y numerosas esculturas (sólo en el coro se encuentran 75 originales), motivos de plantas y grotescas, y, entre otras figuras, una sirena. La escultura de Dios en el trono, en el techo, es original; la mayoría de las demás de la nave son reproducciones. En la iglesia se halla un santuario elevado (con escalones) y una cripta.

Tenby. Vista panorámica.

Son también interesantes los numerosos sarcófagos medievales con esculturas yacentes de los personajes fallecidos (por ejemplo, la de Thomas ap Rees en la St. Nicholas's Chapel, al N); en la *St. Thomas's Chapel,* al SE, se encuentra una plaza conmemorativa dedicada al matemático Robert Recorde, que inventó, en el siglo XVI, el símbolo de: «es igual a». Junto a la iglesia, restos de arcos de una vieja escuela eclesiástica.

Otros lugares de interés: Cerca de la iglesia (hacia el O) se encuentran restos de los muros de la ciudad con bastiones del siglo XV; se conserva el viejo pórtico *Five Arches* (pórtico de cinco arcos); el *Merchant House,* de estilo Tudor (actualmente museo), y, al lado, *Plantagenet House* (actualmente un pub), ambos del siglo XV. Desde el puerto se accede al monte de la fortaleza, al E de la península. Del castillo, del siglo XIII, se conservan pocos restos. El pequeño museo *Tenby,* debajo de la fortaleza, alberga una colección de conchas de mar y hallazgos arqueológicos de los alrededores (por ej.: huesos de un mamut).

Alrededores

Amroth (15 km NE): En el mismo lugar en el que se erigía una fortaleza del siglo XII (se conserva el camino de acceso) se encuentra el *Amroth Castle,* casa señorial del siglo XIX. El castillo, junto a otras fortificaciones anejas, en cadena, debían proteger la parte SO normanda contra los rebeldes galeses.

Caldey Island (4 km S): La isla ya estuvo habitada en el Mesolítico (armas y otros hallazgos se encuentran en el Tenby-Museum). En el siglo VI llegaron los primeros monjes; se conserva una piedra con inscripciones *ogham* y una inscripción posterior latina del siglo IX que se encuentra al S de la *Old Priory Church.* En el siglo XII los monjes benedictinos fundaron un nuevo monasterio (Old Priory), cuyos edificios, en buen estado de conservación, datan de los siglos XII, XIII y XV. Se componen de la iglesia, la caserna, el refectorio, las habitaciones del prior (actualmente posada) y otros. Después de la retirada de los monjes benedictinos del monasterio, éste fue habitado por anglicanos (1907) y trapenses (1929). Actualmente viven aquí unos 20 monjes que se dedican a la agricultura y a actividades culturales. Son de interés, en especial, las iglesias: la nueva del monasterio y la vieja, también del monasterio, *St. Illtyd's* y la iglesia del pueblo *St. David* (ambas de finales de la Edad Media).

Manorbier (10 km SO): Este pueblo, en la costa O, impresiona por su castillo, en casi perfecto estado de conservación, en la parte alta, sobre la bahía. La fortaleza fue fundada en el siglo XI. En el siglo XIII se sustituyó la construcción de madera y tierra por una nueva edificación de piedra. Se puede ver la forma original de la fortaleza, ya que no sufrió ataques ni desgracias; el patio interior del castillo está rodeado por un muro con una caserna al E. Todavía están habitados los edificios que servían de vivienda, actualmente muy modificados; también se conserva la capilla *Great Hall* (casa feudal) y los relojes de sol al O. Aquí nació el famoso escritor e historiador Giraldus de Barri en el año 1146. Describió con su libro «Viajes por Gales» el paisaje de su patria (1188). Enfrente de la fortaleza se encuentra la vieja iglesia parroquial *St. James,* interesante edificación del siglo XIII con presbiterio, torre y crucero. El crucero N fue añadido en el año 1300; el crucero S, en el siglo XIV. Durante las reformas se instalaron arcos de estilo Early English. Cerca, hacia el SO, se encuentra la cámara sepulcral megalítica (Dolmen), de *King's Quoit;* junto a *Priest's Nose* se hallan dos piedras de soporte y la superior (trilito).

Penally (5 km S): En este lugar se encuentra una bonita iglesia del siglo XIII, con un antiguo monumento fúnebre y una interesante cruz celta en el patio de la iglesia.

St. Catherine (1 km E): Justo delante de la costa, muy cerca, se encuentra la pequeña isla, con un fuerte del siglo XIX.

Tewkesbury

Gloucestershire/Inglaterra Pág. 332 □ H 14

Esta pequeña ciudad, cerca de la desembocadura del *Avon* al *Severn,* posee numerosas casas de los siglos XVI y XVII, así como una hilera de casas del siglo XV. La *King John's Bridge* fue edificada en 1200 y ensanchada en 1946. La edificación de más importancia en la ciudad es la abadía (iglesia).

Abbey Church of St. Mary the Virgin: Fue comenzada, sobre los cimientos de una abadía benedictina de 715, en el año 1092 por Sir Robert Fitzhamon. El coro fue finalizado en el año 1123; la torre y la nave, alrededor de 1160. Las capillas del coro fueron añadidas entre 1330 y 1350. La iglesia, con unos 100 m de largo por 40 m de ancho, fue renovada y bendecida de nuevo. Desde entonces ha permanecido prácticamente inalterada. Sobrevivió a la Reforma gracias a que el edificio fue comprado, por unas 400 libras, por la comunidad, que, en 1660, construyó las cuatro torres esquineras sobre la gran torre cuadrangular de casi 50 m de altura. En el interior de la nave dominan las enormes columnas románicas. La bóveda, renovada en el siglo XIV, está decorada por yugos maravillosamente trabajados. Las naves laterales son de época normanda; las ventanas y la parte S de la nave fueron renovadas en el siglo XIV. En el crucero se encuentra la *Lady Chapel,* adornada en la actualidad con la pintura «Madonna del Passeggio», de Rafael, antigua propiedad de Madame Pompadour. El coro románico presenta ventanas, también del siglo XIV, dedicadas en su época a los condes de los alrededores. De interés son las capillas de donativo, sobre todo *Beauchamp Chantry,* de 1422; la *Founder's Chantry,* de 1397, dedicada a Lord Fitzhamon, y la *Trinity Chantry,* de 1378. En esta última son de interés la antigua bóveda en abanico y la escultura penitente

Tewkesbury. Abbey Church of St. Mary the Virgin

de *Edward le Despenser,* trabajada sobresalientemente. La iglesia presenta, además, numerosos sepulcros y monumentos funerarios, entre ellos el del *Duke of Clarence,* asesinado en el año 1478. Pocos restos quedan de la gran abadía. En el lado S un camino de acceso del siglo XV y la *Abbey House,* también del siglo XV, que son las únicas ruinas que aún quedan.

Alrededores

Deerhurst (4 km SO): La *Church of St. Mary* pertenece a un monasterio fundado en 804. De esta época se conservan la primera mitad de la torre y una pila bautismal perfectamente trabajada y conservada (de hacia 800). La nave, transición entre el románico y el gótico, lleva integrado el coro de 6 m de largo y estilo sajón. Los restos de sus ábsides aún son visibles desde el exterior. La pared E de la torre presenta las famosas ventanas triangulares. Probablemente la vidriera más hermosa del siglo XIV sea la de Santa Catalina, con la rueca, en la nave lateral S. La Santa está arrodillada en la postura típica del siglo XIV, bajo una arquitectura maravillosa con torres y árboles alargados. De interés, también, la tumba de *Sir John Cassey* y su esposa, en la nave lateral N del coro. Muy cerca de la iglesia se encuentra *Odda's Chapel,* consagrada al hermano de Odda, Aelfric; capilla construida en 1056.

Thetford
Norfolk/Inglaterra Pág. 328 □ L 13

Se adivina fácilmente que esta pequeña ciudad, a orillas del *Little Ouse,* fue la residencia del rey de *East Anglia* y, de 1075 a 1904, sede episcopal. Antes de la Reforma hubo aquí no menos de 20 iglesias parroquiales, así como varios monasterios. Se conservan numerosas ruinas de un priorato cluniacense, uno agustino y un monasterio franciscano y otro de la orden benedictina.

Ancient House Museum: Esta habilitado en un edificio del siglo XV y dedicado a la historia y naturaleza de la ciudad y sus alrededores. Los hallazgos expuestos datan de hasta la temprana etapa del Paleolítico. Se conserva una colección particular de pesos y medidas.

Castle Hill: La colina y el castillo, con unos 30 m de altitud, conservan, en la parte E, los restos de una torre defensiva normanda rodeada de murallas de tierra de la Edad del Hierro. La construcción normanda fue destruida en el año 1173.

Alrededores

East Harling (15 km E): La *Church of SS. Peter and Paul* data del siglo XIV. La nave presenta un hermoso techo de vigas. La gran ventana E conserva todavía partes del emplomado original; la pila bautismal octogonal es del período gótico. La iglesia posee numerosos monumentos funerarios dedicados, en su mayoría, a las familias *Harling* y *Lovell*.

Euston (6 km S): La *Church of St. Genevieve* fue renovada en el siglo XVII; la torre, no obstante, es anterior. Interesante es el púlpito, tallado maravillosamente en madera. Los retablos han sido atribuidos a Grinling Gibbons.

Grime's Graves (9 km NO): En este lugar se encuentra uno de los más interesantes centros de producción de pedernal, una de las materias primas más importantes del Paleolítico. Las excavaciones realizadas mostraron casi 400 minas que alcanzaban hasta 15 m de profundidad. Las minas datan del 2100 a. de J. C. y su buen estado de conservación se debe a que se rellenaban las agotadas con los escombros de la siguiente. En el cercano lugar denominado *Brandon* todavía se dedican a la producción del pedernal.

Thirlestane Castle

Borders/Escocia Pág. 324 □ H 8

Junto a esta pequeña ciudad de *Lauder* se encuentra uno de los castillos mejor conservados de Escocia. Su núcleo data de 1595, siendo ampliado en 1675 y 1841. Su fachada E es obra de Sir William Bruce. La parte más antigua de la construcción es el bloque central, rodeado por cuatro enormes torres de planta circular. El cuarto piso de estas torres está desarrollado en forma de *Cap-House* cuadrado, cuyas esquinas descansan sobre ménsulas. Las torres esquineras están dotadas, a partir del segundo piso, con torres escalonadas simétricamente. Junto a las cuatro torres esquineras se hallan no menos de seis torres circulares que intensifican la irradiación romántica del castillo. El interior posee apreciables cielos rasos estucados, mobiliario de los siglos XVII-XIX y una colección de lienzos. El castillo es la residencia de los *Lords of Lauerdale.*

Thorney

Cambridgeshire/Inglaterra Pág. 328 □ K 13

Esta pequeña ciudad tiene su origen en un monasterio fundado en el siglo VII. En el año 870 lo destruyeron los daneses siendo reconstruido por los normandos, mateniéndose hasta su disolución en 1539. En las cercanías del monasterio se enfrentó, por última vez, Hereward the Wake a William the Conqueror. Tras la disolución del monasterio, la comunidad y una buena extensión del territorio, pasaron a ser de los *Dukes of Bedford.*

Church of SS. Mary and Botolph: En esta iglesia se hallan aún ruinas de la antigua iglesia monacal de la época normanda. A ella pertenecen la fachada E y las arcadas de la nave. El crucero, la torre del transepto y la sala del altar no resistieron el paso de los siglos. Toda la parte E fue reconstruida por Edward Blore en 1840 en estilo normando.

Thorney Abbey: Tras la disolución del monasterio en el año 1539, el edificio permaneció vacío durante cien años, hasta que en 1638 comenzaron los primeros trabajos de renovación. Es impresionante la fachada O, con dos grandes torres del siglo XII, que presentan construcciones octogonales del siglo XV. La ventana sobre el pórtico con escalera fue construida en el siglo XVII, mientras que la galería de nichos existente entre ambas torres, con sus nueve estatuas, es originaria de la Edad Media.

Abbey House: Data de finales del siglo XVI y sirvió a los *Dukes of Bedford* de mansión señorial. El edificio, sin ornamentación exterior, posee en el interior buenos retablos, así como un hogar de forma ostentosa.

Thurles

Tipperary/Irlanda Pág. 330 □ C 13

Este centro agrícola del condado *Tipperary* jugó, durante la Edad Media, un importante papel como fortificación fluvial a orillas del *Suir*. En este lugar fueron derrotadas, en 1174, las tropas normandas de *Strongbows*. Se conservan todavía las ruinas de una torre-puente del siglo XV y del *Black Castle* (en el centro). En la catedral católica, de 1860, hay un hermoso tabernáculo barroco de Andrea Pozzo (siglo XVII).

Alrededores

Holy Cross Abbey (aproximadamente 7 km SO): Las ruinas de este antiguo lugar de peregrinación forman una de las construcciones del gótico-tardío más hermosas de Irlanda. El monasterio cisterciense fue fundado en 1180 por el rey de Munster y poseía una reliquia de la Santa Cruz (de ahí el nombre). Los edificios se ordenan en torno a un patio interior; al N se halla una iglesia monacal de planta cruciforme del siglo XII, con ampliaciones del siglo XV (sala del coro, nichos de las misericordias del coro ricamente ornamentadas). De interés es la parte central, con bóvedas de cañón y, también, de encuentro; además las vidrieras, en particular las ventanas O y E, de seis vidrios, y la ventana del crucero S. La reliquia de la Cruz (actualmente en Black-

Thorney. SS. Mary and Botolph

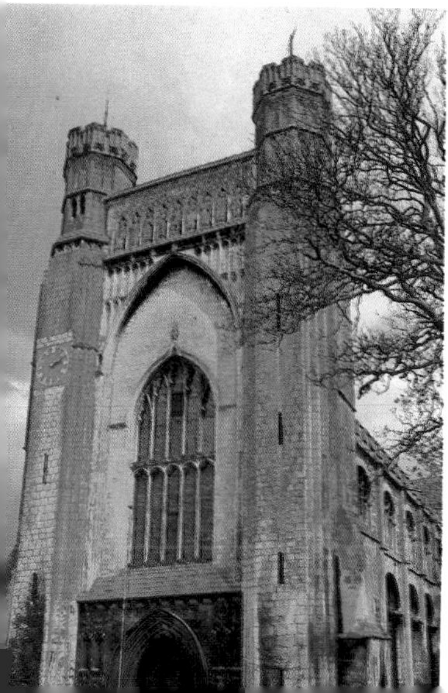

Vidriera

rock/Cork) se guardaba en el santuario del crucero S (arcos, columnas helicoidales y techo escalonado). En el crucero N existe uno de los pocos frescos irlandeses (con escenas de caza); hermosas esculturas en los pilares del transepto en el crucero N. La maciza torre del transepto (torre central) data del siglo XV. Restos del Vía Crucis, del dormitorio (al O), el lagar, la sala capitular, la sacristía, la enfermería y la vivienda del abad se conservan.

Kilcooly Abbey (aproximadamente 12 m E): Las ruinas de esta abadía cisterciense proceden de los siglos XIII-XVI. La abadía se fundó en 1182: la iglesia fue construida hacia 1200, siendo renovada en el siglo XV (coro, torre central). Hermosas esculturas, así como sepulturas del siglo XV.

Tintagel

Cornwall/Inglaterra — Pág. 330 □ F 16

Según la «Historia Regum Britanniae», crónica de 1136 de Geoffrey of Monmouth, las rocas de *Tintagel* fueron el lugar de residencia del rey Artus, personaje legendario (¿romano o celta?) que en el año 515 dirigió a los celtas en la batalla de *Badon Hill* contra los invasores anglos y sajones. Si hemos de creer las palabras del cronista, el rey Artus falleció en el año 542 en su castillo, aunque no se ha encontrado ninguna prueba.

Thorney. S. Mary and Botolph

Tintagel Castle: Las ruinas de este castillo, en el que se supone que vivió el Rey Artus, proceden de un edificio construido en el siglo XII, con ampliaciones sucesivas en los siglos siguientes. Ya en el siglo XVI, una parte de la construcción se precipitó al mar, y, en 1852, se procedió a la restauración de las ruinas restantes. Numerosas excavaciones revelaron la existencia de una fundación celta que debió erigirse sobre la roca que ocupa el castillo entre el 500 y el 850. Tampoco esto es un documento fiable de la leyenda de Artus.

Old Post Office: Esta casa, única construcción antigua de la pequeña ciudad, se edificó en el siglo XIV sobre la estructura de una casa señorial medieval. De 1844 a 1892 fue la oficina postal del distrito, lo cual motivó que el *National Trust* decorara una sala como oficina postal victoriana.

Tralee

Kerry/Irlanda — Pág. 330 □ A 13

La capital comercial del condado *Kerry* (aproximadamente 13 000 habitantes) fue, hasta 1583, el lugar de residencia de los *Earls of Desmond*. De esta antigua época se conservan, no obstante, pocos restos. Anualmente se celebra, en septiembre, la elección de la «Rose of Tralee» (concurso de belleza) en una típica fiesta.

Alrededores

Ardfert (12 km NO): Este lugar fue sede episcopal en la Edad Media y procede de una fundación de St. Brendan. Los restos de la *St. Brendan's Cathedral* datan del siglo XIII: es una construcción fortificada con almenas, arcadas romanas y una antigua entrada O (siglo XII), el crucero S y capilla al NE (relieves de obispos en el coro). *Temple-Na-Hoe:* Iglesia románica tardía del siglo XII con hermosas ornamentaciones (motivo floral). En el *Temple-Na-Griffin,* del siglo XV, una interesante lápida con dragón y grifo. *Franciscan Friary:* Convento franciscano (Ardfert Abbey) fundado en 1253 por Lord Fitz Maurice. Se conservan la iglesia conventual, de los siglos XIII-XIV, con hermosas ventanas, nave lateral S y crucero (siglo XV); asimismo, la torre esquinera (siglo XV), Vía Crucis y parte del convento (siglos XII-XV).

Ballyduff (30 km N): En este lugar se hallan los restos de una abadía del siglo XV y una *Round Tower* (of Rattoo) del siglo XII. La torre, de 28 m de altura, se conserva en buen estado (techo restaurado).

Traquair House

Borders/Escocia Pág. 324 □ H 9

El castillo, que se remonta al siglo X, pretende ser la mansión señorial, habitada permanentemente, más antigua de Escocia. No menos de 27 monarcas escoceses e ingleses fueron huéspedes de la casa o incluso moradores fijos. Entre ellos, Guillermo «El León» (1209) y María Estuardo con Lord Darnley (1566). En los siglos XVII y XVIII el castillo fue un centro jacobino: lo confirma un relieve de 1601 en una puerta de encina. El unicornio escocés atraviesa con su cuerno al león inglés. No menos simbólica es la puerta del oso, que no se ha vuelto a abrir desde 1745. Entonces el *quinto Earl of Traquair* juró, en la despedida de Carlos Eduardo Estuardo, que la puerta sólo se abriría cuando los Estuardo hubiesen vuelto al trono. Que la puerta se haya mantenido cerrada, a pesar de que el último Estuardo murió en 1807, es algo que el visitante puede interpretar a su gusto.

La parte más antigua del castillo se construyó en el siglo XII como casa para cacerías y forma la esquina NE del edificio. El gran bloque principal, cuadrangular, data de 1642; ambas alas se adosaron en el siglo XVII. Interesante la decoración por su originalidad, así como los recuerdos de María Estuardo y el Príncipe Carlos Eduardo Estuardo. La fábrica de cerveza del castillo, instalada en el siglo XVIII, aún funciona; son muy bonitas las instalaciones del jardín.

Tintagel. Vista desde el castillo

Alrededores

Bowhill Castle (20 km SE): La mansión señorial de los *Buccleuch* data de 1812 y fue al principio una casa georgiana. Las ampliaciones victorianas datan de 1825, bajo el mandato de Sir Charles Barry, arquitecto del Parlamento de Londres.
El edificio es interesante, sobre todo, por su brillante colección de arte: muebles, tapices, porcelanas y papeles chinos pintados a mano, que son obras maestras del siglo XVII; además, se conservan lienzos de Leonardo da Vinci, Guardi, Lorrain, Reynolds, Gainsboroguh y Canaletto.
Neidpath Castle (10 km NO): La estilizada torre se halla en el acantilado, sobre el *Tweed*. Original del siglo XIII, perteneció en un principio al *Fraser-Clan;* posteriormente a los *Hays* de *Tweeddale*. Los cañoneros de Cromwell destrozaron prácticamente la fortificación, a pesar de poseer tres gruesos muros; en 1686 fue comprada por el primer *Duke of Queensbury*, que la reconstruyó.

Trim
Meath/Irlanda — Pág. 326 □ D 12

Esta ciudad, situada a orillas del *River Boyne* (45 km al NE de Dublín), es interesante por sus construcciones medievales, bien conservadas.

Trim Castle (Castle Street): Fortificación fluvial erigida en 1173 por el anglonormando Lacy; bajo el reinado de Juan «Sin Tierra» fue ampliada con el cementerio cuadrangular, 10 torres circulares, caserna, murallas exteriores con parapetos y fosos de agua, convirtiéndose en uno de los castillos más enormes de Irlanda. Desde entonces lleva el nombre de *King John's Castle.*

Talbot Castle (Abbey Lane): Esta casa, fortificada en 1415, fue modernizada en gran parte. Restos del *Nangle Castle* (siglo XV) y de la *St. Mary's Abbey,* fundada en el siglo XIII, de la que se conserva el hermoso campanario de cinco pisos *Yellow Steeple* (siglo XIV).

Otros lugares de interés: La *St. Patrick's Church,* reconstruida en el siglo XIX, conserva una torre del siglo XV. Se encuentra en el lugar donde St. Patrick fundó, en el siglo V, la primera fundación irlandesa. De la antigua muralla de la ciudad, de los siglos XIII-XIV, se conservan varios pórticos (Sheep Gate, Navan Gate, Dublin Gate, Water Gate, Athboy Gate) y partes del muro. En el vecino lugar *Newtown Trim* (1 km E), se halla, a orillas del *Boyne,* la hermosa catedral *St. Peter and Paul* (siglo XIII), con los restos de un antiguo priorato agustino fundado en 1206 (se conservan, la iglesia, el jardín del priorato, el refectorio y los edificios de trabajo).

Alrededores

Athboy (10 km NO): Terraplenes del antiguo lugar de reunión celta *Hill of Ward* (Tlachta), con lugar de culto.

Bective (7 km NE): En este lugar se hallan las ruinas de la abadía cisterciense de 1150, *Bective Abbey,* con Vía Crucis y anexiones del siglo XV.

Truro
Cornwall/Inglaterra — Pág. 330 □ E 17

Durante ochocientos años *Cornwall* careció de sede episcopal, dependiendo de *Devon*. En 1876 recuperó Cornwall su sede en *Truro*. Dado que la iglesia del siglo XVI, *Church of St. Mary,* se hizo pequeña e inapropiada para las necesidades, se construyó rápidamente otra.

Cathedral: La iglesia episcopal, en estilo Early English, se construyó entre 1880 y 1910 por J. L. Pearson. La vieja parroquia gótica se conservó, afortunadamente, como nave lateral S del coro. Aunque la nueva construcción sea un anacronismo, posee cierto encanto gracias a la combinación de arcos ojivales, ventanas lanceoladas, naves laterales en el coro y la nave y el crucero. La parquedad de su interior demuestra que pueden reproducirse las formas de construcción, pero no la capacidad artística de una época; la apariencia exterior del edificio se convierte en una ilusión, sin la correspondiente instalación interior. Una placa dedicada a nobles personajes no palía este hecho (torre central: Memorial Tower to Queen Victoria; torre fachada izquierda: Memorial Tower to Edward VII; torre fachada derecha: Memorial Tower to Queen Alexandra).

County Museum and Art Gallery: Las muestras ilustrativas de la vida del condado, que se exponen en este museo, abarcan desde la Edad del Bronce hasta la actualidad. También existe una famosa colección de minerales, así como otra de arte, con obras de artistas oriundos, entre ellos el retrato del gigante de *Cornwall,* Anthony Payne, que Carlos II hizo retratar a tamaño natural (2,24 m).

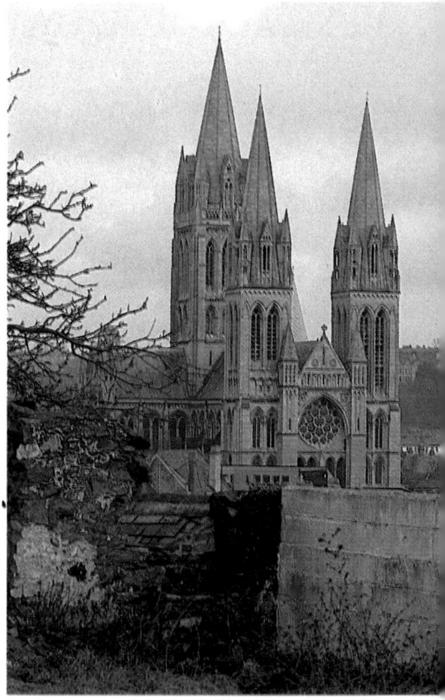

Truro. Catedral

Alrededores

Pendennis Castle: La redondeada colina en el lado O de *Carrick Roads,* frente al *St. Mawes Castle,* servía, al igual que este último, para prevenir una posible invasión francesa. Cuando los españoles, en lugar de los franceses, amenazaron la costa de *Cornwall,* Isabel I aseguró esta fortaleza con bastiones esquineros adicionales, murallas y fosos. Ello sirvió para que, en 1646, durante la guerra civil, los parlamentaristas tuvieran que sitiar la fortaleza durante cinco meses para lograr su capitulación.

Perranporth (16 km NO): La minúscula iglesia *Church of St. Piran* es una capilla desenterrada de entre las dunas en 1835. Está consagrada al sucesor del misionero irlandés *St. Patrick,* protector y patrón de la gente montañesa de *Cornwall,* con un sencillo y cuadrangular oratorio, la capilla es la más antigua en el SO de Inglaterra; fue construida en el siglo VI.

St. Mawes Castle (21 km S): Este castillo, situado en la lengua de tierra SE de las *Carrick Roads,* fue edificado por Enrique VIII en prevención de una invasión francesa. La construcción se comenzó sobre la península de *Roseland,* en 1540, terminándolo tres años después. Dado que la fortaleza orientaba su defensa al mar, las tropas de Cromwell sólo necesitaron un día para conquistarla desde el interior.

Tuam

Galway/Irlanda Pág. 326 □ B 11

La vieja ciudad episcopal es, en la actualidad, sede del arzobispo católico de *Connacht;* su origen se debe a la fundación erigida por *St. Jarlath* hacia el año 540.

Protestant Cathedral (High Street): La construcción neogótica de 1861 se asentó sobre las partes conservadas de una iglesia normanda del siglo XII. Interesante, la antigua sala del coro (siglo XII), con el arco del púlpito, arcadas y ventanas con ricos ornamentos. La sillería del coro, barroca, de 1740, procede de un monasterio italiano. En la nave lateral S se conserva una cruz celta del siglo XII, con una inscripción del rey fundador *Turloch O'Connor* y del abad *Aedh O'Hession.*

Otros lugares de interés: La cruz del mercado, celta, con un fuste de 2,90 m y una altura total de 4,37 m; data del siglo XII. Interesante, las escenas del relieve de los zócalos (ornamentos con animales) y la parte superior (imágenes de santos). La catedral católica (Bishop Street) es una construcción neogótica de 1827-1837.

Alrededores

Dunmore (15 km NE): El *Dunmore Castle* se construyó en 1225; se conservan una enorme torre cuadrada y parte del amurallado. En este lugar se hallan los restos de un monasterio agustino de 1425 que conserva la iglesia (nave, coro, torre del coro y pórtico O ornamentado).

Feartagar Castle (9 km NO): Posee una torre de defensa erigida en el siglo XVI, bien conservada, con escaleras laterales y techo abovedado.

Kilbennan (3 km NO): De la fundación celta *St. Benen* (siglo VI), sólo se conserva la torre circular de *Kilbennan* (3 km NO), del siglo XII, y los restos de un convento franciscano fundado hacia 1428 (con un hermoso camino de acceso y bonitas ventanas).

Knockmoy Abbey (12 km SE): Las ruinas de la iglesia de la abadía cisterciense datan de los siglos XII-XIII. Interesante el fresco de reyes medieval (de 1400), al N del coro. La frase dicha por los tres reyes fallecidos a los tres reyes vivos: «We have been as you are, you shall be as we are». (Nosotros fuimos como sois vosotros; vosotros seréis como somos nosotros.)

Tullamore

Offaly/Irlanda Pág. 326 □ D 12

La capital (6 000 habitantes) del condado *Offaly* se halla junto al *Grand Canal,* comenzado en el siglo XVIII (1756) y acabado en el XIX. Debía comunicar, con una longitud de 266 km de O a E, la capital, Dublín, con el sistema fluvial del *Shannon River.* El canal fue cerrado en el año 1959 y sólo se usa en la actualidad para determinadas visitas turísticas. En este lugar se conservan algunos buenos e interesantes edificios del siglo XVIII (Market-House) y del XIX (Court-House, Canal Hotel).

Alrededores

Durrow Abbey (7 km N): Las ruinas de la abadía cristiana, fundada por St. Columba, datan del 555. La abadía fue destruida varias veces (iglesia restaurada de 1802). Interesante, una bonita cruz del siglo X, decorada con representaciones de la Biblia (Isaac, Cristo, David, sepelio de Cristo). También se conservan varias lápidas con inscripciones gaélicas (siglos XI-XII).

Rahan (10 km O): Interesantes restos de una abadía fundada en el siglo VI por *St. Carthach.* Se conservan las ruinas de tres iglesias románicas del siglo XII con bonitos arcos en el púlpito, ventanas ornamentadas y bustos; diferentes reformas en los siglos XV-XVI; restauración en el siglo XVIII.

Tihilly Church (3 km NO): Las ruinas de esta iglesia medieval proceden de un monasterio cristiano del 670 (St. Fintan). Interesante es la cruz que se erige en las cercanías, con hermosas representaciones bíblicas y dibujos geométricos.

W

Walsingham

Norfolk/Inglaterra Pág. 328 □ L 13

Esta pequeña ciudad fue durante la Edad Media uno de los lugares de peregrinación más famosos de Inglaterra. La peregrinación se originó a raíz de un sueño de la piadosa Richeldis de Favarques, que vio en sueños la casa de la Sagrada Familia. Como recuerdo hizo construir una capilla, la *Shrine of Our Lady*. Al pasar a ser propiedad de los agustinos en 1153, se convirtió en monasterio.

Walsingham Priory: En el siglo XIII la peregrinación a *Shrine of Our Lady* se hizo tan numerosa, que los agustinos edificaron una iglesia en el monasterio. El florecimiento de la peregrinación y del monasterio se vieron interrumpidos por la Reforma; en la actualidad sólo se conservan las ruinas del monasterio y su iglesia. Su parte más impresionante es el gran ventanal E de la iglesia, del siglo XIV. De las edificaciones del monasterio se conservan los restos del muro del refectorio. En 1921 se revivió la peregrinación de tiempos prerreformativos y se construyeron dos nuevas iglesias al efecto. En 1931 se erigió otra iglesia de culto anglicano, ampliada en 1938; para los católicos se acondicionó, en 1938, la *Slipper Chapel* (3 km S), sobre una construcción del siglo XIV.

Alrededores

Binham Priory (7 km NE): La parroquia actual del pueblo es la nave del convento, de 1091. De 1226 a 1244 se le añadió la fachada O; parte de las arcadas datan de 1230. La gran ventana de tracería, con dibujos geométricos, fue instalada hacia finales del siglo XIII. La pila bautismal, bien trabajada, data también de la época gótica, al igual que la sillería del coro, con hermosas misericordias. Del priorato sólo se conservan ruinas en los alrededores.

Burnham Norton (15 km NO): La *Church of St. Margaret* data del siglo XIII y fue ampliada en el siglo XV. Su torre circular data probablemente de la época anglosajona. La reja del coro fue elaborada en 1458. Muy apreciado es el púlpito, decorado con retratos de los benefactores y representaciones de los Padres de la Iglesia. La pila bautismal data de tiempos normandos.

Holkam Hall (10 km NO): La casa señorial de estilo Palladio, tiene planta en forma de H, siendo construida por William Kent entre 1734-1759 por encargo de Thomas Coke, *Earl of Leicester*. La casa, fantásticamente bien decorada, conserva en sus salones de representación su decoración original, con cielos rasos estucados y pintados, valiosos tapices y excelentes muebles. Las habitaciones son obras maestras de composición y fueron diseñadas por William Kent. Interesante es la casa, sobre todo debido a su amplia colección artística, con valiosos lienzos de maestros como Leonardo da Vinci, Rubens, Rafael, Veronese, Van Dyck, Reynolds y Gainsborough.

North Creake (8 km O): La *Church of St. Mary* fue construida hacia 1300 y, en su lado N, hay una torre gótica adornada con almenas; en la nave se conserva un techo de vigas estucadas y, sobre el arco de triunfo, un fresco descolorido.

South Creake (8 km SO): La *Church of St. Mary* data del siglo XIII; fue reformada y ampliada en el siglo XIV. Destaca su techo de vigas decorado con figuras talladas de ángeles y una, poco convencional, lápida con la representación de un sacerdote yacente entre sus padres.

Warwick

Warwickshire/Inglaterra Pág. 328 □ I 14

Esta pequeña ciudad, en el lado N del *Avon,* fue fundada en 914 y conserva aún mucho de su atractivo medieval, a pesar de haberse incendiado casi totalmente en 1694.

Church of St. Mary: Esta iglesia colegial del siglo XII tuvo que ser reconstruida casi totalmente tras el incendio de 1694. Bajo la dirección de Sir William Wilson, se recuperaron, en parte, aspectos del original gótico; en parte, se adoptaron soluciones en el estilo del Renacimiento. Es impresionante la sala del altar de 1394, con una alta bóveda y una cripta normanda, del siglo XII. En el centro de la sala, las figuras de alabastro de Thomas Beauchamp, del *Earl of Warwick* y su esposa cogidos de la mano, rememoran al constructor del coro, fallecido en el año 1369.
Lo más bonito de la iglesia es la gótica *Beauchamp Chapel,* de 1443-1464, en el lado S del coro. La sillería data de 1449; sobre el pórtico O existe una representación del Juicio Final, de 1678. El monumento fúnebre de Robert Dudley, *Earl of Leicester,* fallecido en 1588, y su esposa Lettice, adornan la pared N de la capilla. El monumento, de estilo isabelino, no delata, sin embargo, que el amigo de infancia de la reina Isabel I perdió a su primera mujer de un modo misterioso, precisamente cuando se le consideraba el amante de la reina. Lo más valioso de la capilla es, quizá, la vidriera policromada realizada en el año 1447 por John Prudde, el cristalero real. Dado que en su creación se utilizaron todas las posibilidades técnicas existentes en la época, es uno de los mejores exponentes creativos en la realización de vidrieras policromadas durante el siglo XV.

Warwick Castle: Este castillo de la Edad Media es de los pocos que todavía hoy están habitados. El exterior, con las fortificaciones perfectamente conservadas, es un maravilloso ejemplo de construcción del siglo XIV. El interior refleja la vida de los siglos XVII y XVIII. Situado sobre una colina junto al *Avon,* el castillo es una fundación de Ethelfleda, la hija de Alfredo El Grande (871-899) y, probablemente, se inició hacia el 915. Guillermo El Conquistador hizo ampliar la construcción por mediación del *Earl of Turchil.* Las construcciones de fortificación que se conservan en la actualidad datan del siglo XIV. El bastión jamás fue conquistado, pero un incendio destruyó, en 1871, gran parte de la zona habitada. Hoy, en el interior, se expone una interesante colección de armas, que contiene, entre otras cosas, un casco de Cromwell y la armadura de Lord Brooke, caído en 1643 en *Lichtfield.* Las salas de exposición contienen interesantes lienzos de Rubens, Van Dyck y Holbein, entre otros. En una casa del parque se muestra una vasija *Warwick* de 2 m de altura, obra de un maestro romano de la época del emperador Adriano.

Museum: El *Doll Museum* se encuentra en una casa isabelina de mediados del siglo XVI y expone numerosas muñecas de diferentes épocas, materiales y procedencia. El *County Museum* se alberga en un edificio de un mercado construido en 1670 y muestra hallazgos y objetos históricos de la región.

Otros lugares de interés: El *Lord Leycester Hospital,* edificado en 1383 como fundación de una congregación religiosa; en 1571 fue transformado en asilo, por el Conde de Leicester, para 12 pobres hermanos. El comedor del hospital alberga, en la actualidad, el museo del regimiento de los *Queen's Own Hussars.*

Alrededores

Kenilworth Castle: Este castillo fue construido en 1122 por Geoffrey de Clinton, tesorero de Enrique I. Entre 1203 y 1216 se construyó el muro protector exterior y, en 1244, la instlación se traspasó a Simon de Monfort. De 1399 a 1563 el castillo fue una fortificación del rey y, posteriormente, le fue cedido a Robert Dudley, confidente de la reina Isabel I. Amplió el edificio, en el que se hospedó a menudo la reina. En el año 1937 el castillo fue restaurado. La parte más antigua es, en la actualidad, la *Caesar's Tower,* torre edificada entre 1160-1170 con cinco gruesos muros. En el ala SE se encuentran las habitaciones que ocupaba la reina Isabel I.

Waterford

Waterford/Irlanda Pág. 330 □ D 13

La activa ciudad portuaria, en la desembocadura del *Suir,* en la alargada bahía *Waterford Harbour,* es, con unos 33 000 habitantes, la cuarta ciudad en tamaño de Irlanda.

Historia: Waterford («fiordo de agua») es una fundación de los vikingos daneses de 914. El dirigente normando Strongbow conquistó la ciudad en 1170; en 1171 la anexionó el rey inglés Enrique II y la declaró «Ciudad real». En el siglo XVIII tuvo un período floreciente y se hizo mundialmente famosa gracias al cristal emplomado (Cristal Waterford).

Warwick. Warwick Castle

Reginald's Tower (Mall Street): La torre fortificada, cilíndrica y con tres gruesos muros y unos 24 m de altura, data de los siglos XI-XII. Su nombre recuerda al príncipe vikingo *Reginald* (Rognald). En el siglo XV sirvió de casa de la moneda y, en el siglo XIX, se convirtió en cárcel (restaurada en 1819). En la actualidad alberga un museo nacional.

French Church (cerca de Reginald's Tower): Las ruinas de esta iglesia, con una torre central, proceden de una antigua iglesia franciscana erigida en el año 1240. Posteriormente sirvió como iglesia a los hugonotes franceses (1695), a ello debe su nombre «French Church».

Otros lugares de interés: En el *Mall Street* se encuentra el hermoso *City*

Waterford. Reginald's Tower

Hall (Ayuntamiento), de 1788, y el *Royal Theatre,* construido al mismo tiempo por J. Roberts. En el Ayuntamiento se encuentran expuestas numerosas piezas referentes a la historia de la ciudad (archivo, banderas de liberación de la «Joven Irlanda», de 1848). Cerca (Catherine Street) se encuentran la *Court House* (edificio de justicia), de 1849, sobre el antiguo monasterio agustino, y el *Palace,* de estilo clásico (siglo XVIII), residencia de los obispos protestantes. La catedral protestante *Christ Church* (o Holy Trinity Church) se construyó en 1770 sobre los cimientos de una iglesia románica del siglo XII. De esta época son aún la cripta y algunos monumentos funerarios medievales (siglos XV-XVI). La catedral católica *St. Patrick's Church* (Barronstrand Street), con un grabado algo pesado, también se atribuye al arquitecto J. Roberts (1790). En el siglo XIX se produjeron las ampliaciones (1830-1881).

La *Chamber of Commerce* (O'Connel Street), en estilo georgiano y con bonitas escaleras interiores, constituye la obra maestra de Robert (1795). Del priorato dominicano *St. Saviour's Priory* (Arundel Street), se conserva aún el campanario, del siglo XIII; del convento benedictino *St. John's* sólo quedan algunos restos. Interesantes son también las ruinas de las murallas de la ciudad, con torres aisladas, y el *Holy Ghost Hospital,* con tallas de madera, del siglo XV.

Waterville

Kerry/Irlanda — Pág. 330 □ A 14

Este estimado centro de pesca (de salmón) se halla sobre una estrecha franja de tierra entre el Atlántico, al O, y el precioso lago de agua dulce *Lough Currane.* En la pequeña isla del lago *Church Island* se encuentra la supuesta casa de *St. Finan* (siglo VIII) y las ruinas de una iglesia románica del siglo XII.

Alrededores

Ballinskelligs (15 km O): Restos de un castillo del siglo XIII y una abadía de los siglos XII-XV, construida por monjes *Skellig.*

Cahersiveen (17 km NO): Ruinas de las fortificaciones prehistóricas de piedra *Cahergal* y *Leacanabuaile;* también las del castillo medieval *Ballycarbery Castle,* fortificación perteneciente a los *Mac Carthys.* Aquí nació, en 1775, el famoso héroe independentista Daniel O'Connel. En una isla cercana, *Valentia,* se tendió en 1866 el primer cable transatlántico hacia Terranova.

Great Skellig Island (20 km O): Esta pequeña isla fue antaño un importante centro de monjes (St. Michael) y de peregrinación. Una escalera de piedra de 600 escalones conduce a las raras ruinas del convento de los monjes ermitaños de los siglos V y VI. Se conservan seis cabañas en forma de panal de abejas (Clochans) de piedra sin mortero, además de dos oratorios (piedra sin mortero), dos manantiales santos y la

St. Michael's Church, amurallada, erigida en el siglo X.

Staigue Fort (8 km SE): Junto a *Castle Cove* se encuentra la famosa fortificación prehistórica de piedra. El diámetro de la fortificación circular, muro de piedra sin mortero de hasta 4 m de espesor, mide más de 30 m. Al N se observa aún la altura original del muro, de 5 m; la entrada se encuentra al S. Se conservan también dos cámaras y una escalera.

Wells

Somerset/Inglaterra Pág. 332 □ H 15

Esta pequeña ciudad, con una gran catedral, ha preservado su carácter medieval como ninguna otra ciudad inglesa. Se extiende desde la colonia de casas alineadas de 1348, *Vicar's Close,* hasta el frente de casas cerrado junto al mercado, del siglo XV. Hay que destacar que en la ciudad toda su historia se desarrolló sobre un fondo claramente clerical.

Cathedral: Fue fundada, como *Church of St. Andrew,* en 704 por el rey Ine. En 909 la sede episcopal se trasladó a *Wells,* pero el obispo John de Villula la situó en 1090 en *Bath,* entonces fuertemente fortificada. En 1244 la residencia se estableció definitivamente en *Wells,* con una restricción, sin embargo, de que los monjes de *Bath* tuvieran, hasta la disolución de su abadía en 1539, el mismo derecho en la elección del obispo que el cabildo de *Wells.* La construcción de la iglesia actual la comenzó el obispo Reginald hacia 1175. En primer lugar se edifica el crucero, los yugos más al O del coro y los del lado E de la nave. En el siglo siguiente se terminaron el coro y la nave y Thomas Norreys construyó la fantástica fachada O. En 1239 la obra estaba tan avanzada, que ya se pudo bendecir. Hasta 1319 se siguió con la casa del cabildo y la torre central hasta 1321. Las dos torres O son obra de William de Wynford y se concluyeron en 1403. Como corresponde a la historia

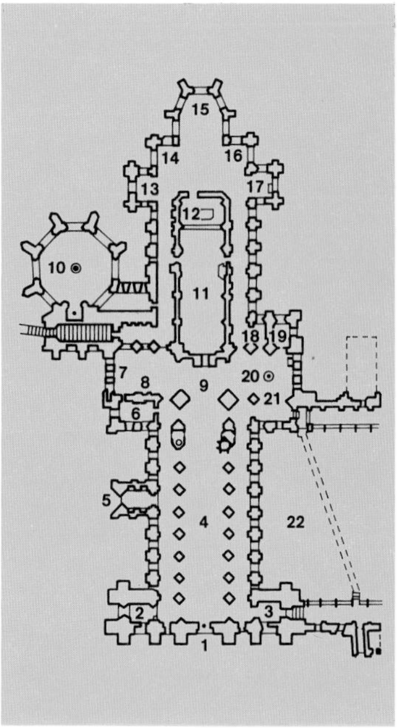

Wells Cathedral: **1.** Fachada O (con bonita galería de esculturas). **2, 3.** Torres O. **4.** Nave principal. **5.** Pórtico N. **6.** Sacristía. **7.** Crucero N. **8.** Reloj de las fases de la Luna. **9.** Torre del transepto. **10.** Sala capitular. **11.** Coro. **12.** Presbiterio. **13.** St. John the Evangelist's Chapel. **14.** St. Stephen's Chapel. **15.** Lady Chapel. **16.** St. John the Baptist's Chapel. **17.** St. Catherine's Chapel. **18.** St. Calixtu's Chapel. **19.** St. Martin's Chapel. **20.** Pila bautismal. **21.** Crucero S. **22.** Vía Crucis.

arquitectónica, la nave y el coro están construidos en estilo Early-English; las torres y la casa del cabildo son de estilo gótico-tardío.

Dado que las dos torres O no se hallan en el eje de la nave, sino en los lados N y S, se originó un frente O de 59 m de anchura, en el que los constructores instalaron una galería de esculturas sin comparación. Adosadas a las esculturas del pórtico de Reims o Chartres se construyeron más de 400 figuras, en tamaño natural o mayor, en varias galerías de nichos superpuestos. Estas figuras estaban antiguamente policromadas y ofrecían un verdadero teatro mundial: reyes y nobles, obispos y abades, ángeles y apóstoles, superados en la gloria por Cristo. Aun cuando en la actualidad sólo se conservan unas 300, constituyen la más brillante colección de esculturas de Inglaterra.

El interior está dominado por tres gidel transepto que fueron construidos del transepto, que fueron construidos más tarde, al descubrirse, en 1338, que las paredes exteriores de las naves no eran capaces de soportar el peso de la torre central. La nave, de 60 m de largo, muestra aún el estilo de transición con connotaciones Early English, cuyo efecto hace parecer más alta la nave. Con capiteles de figuras y flores, maravillosamente trabajados, en parte con escenas completas de la vida cotidiana. En el triforio del crucero N se halla el reloj de fases lunares (el Sol y la Luna se mueven en círculo alrededor de la Tierra), de 1390. Cada hora en punto aparecen cuatro caballeros luchando entre sí. El mecanismo original del reloj fue sustituido en 1835 por uno nuevo (el original se halla en el Science Museum de Londres). La pila bautismal, del siglo XII, tiene una tapadera jacobina y está, paradójicamente, en el centro del crucero S. El coro y la *Lady Chapel* son góticos. En las naves laterales del coro y el crucero se encuentran restos de las vidrieras, del siglo XIV. La ventana E, de 1340, muestra el árbol genealógico de Jesé; en el crucero SE hay ventanas de vidrio de Rouen. Datan de 1500 y se instalaron aquí en 1812. La catedral contiene más de 20 sepulturas de obispos famosos, así como muchas otras de personalidades, entre ellas una del siglo XIII, que hasta ahora no ha podido ser identificada. Una escalera gótica bien proporcionada sale del crucero N y conduce a la sala del cabildo, terminado en 1315. La sala octogonal tiene un pilar, del cual parten 32 arcos, formando una preciosa bóveda en abanico.

Bishop's Palace: El obispo Jocelin comenzó la construcción hacia 1210. El obispo Ralph de Shrewsbury completó la instalación construyendo un gran foso de agua entre él y sus creyentes. Lamentablemente sólo se conservan algunas ruinas de la gran sala, concluida en el año 1292 por el obispo Burnell, si bien la capilla consagrada en su honor muestra un poco esta expresión del naciente gótico.

Church of St. Cuthbert: La parroquia, del siglo XV, posee una torre gótica e impresiona por su techo entramado, tallado y pintado.

Welshpool/Trefaldwyn

Powys/Gales Pág. 328 □ G 13

La ciudad (7 000 habitantes), al E de Gales central, posee la medieval *St. Mary's Church* (siglo XIV), con una torre maciza, viejo techo en la iglesia y hermosos monumentos fúnebres. En la entrada a la iglesia *Maen-Llog-Setin* existe un antiguo altar druida que sirvió de trono episcopal. El *Powis Castle* data de los siglos XIII y XIV, posee un hermoso parque y fue destruido y reconstruido en varias ocasiones. En el interior se pueden admirar muebles y piezas de colección de diferentes épocas. El *Powysland Museum* expone en su interior numerosos hallazgos de procedencia romana y galesa.

Alrededores

Llanrhaeadr-ym-Mochnant (25 km NO): En la iglesia se conserva una vieja lápida del siglo X.

Meifod (7 km SO): En la iglesia del pueblo, un centro galés temprano de *Powys,* se halla una lápida celta con una cruz (aproximadamente del siglo XI).

Montgomery (8 km S): El antiguo lugar posee una bonita iglesia, *St. Nicholas,* del siglo XIV, con un grandioso atril con crucifijo, una pila bautismal normanda, antigua sillería de la iglesia con misericordias y monumentos fúnebres medievales. Restos del viejo *Montgomery-Castle,* del siglo XI, que fue renovado en el siglo XII por Baldwin, se hallan cercanos a la ciudad. Cerca (1 km E) se pueden contemplar los restos del *Offa's Dyke,* la que fuera muralla fronteriza anglogalesa.

Newtown (19 km S): En este lugar se halla la casa natal, con museo, de Robert Owen, socialista histórico (1771-1858); su sepultura se halla en el cementerio, junto a la *Old Church.*

Pennant Melangell (55 km NO): Iglesia normanda con viejas lápidas y atriles tallados de los siglos XIV-XV.

Strata Marcella (5 km NE): Del antiguo convento cisterciense sólo se conservan los cimientos.

Westport

Mayo/Irlanda Pág. 326 □ B 11

Esta encantadora y pequeña ciudad, al SE de la ancha *Clew Bay,* con unos 3 000 habitantes, fue fundada hacia 1780 por el Marqués de *Sligo.* Se construyó según los planos del famoso arquitecto James Wyatt, casi totalmente en estilo georgiano. Junto a la avenida (Mall), la plaza mayor *Octagon* es uno de los lugares más hermosos de Irlanda. Cerca se halla la *Westport House* (1731-1778), la antigua mansión señorial del Marqués de Sligo. Interesante es el comedor (de Wyatt) y la colección de lienzos, con obras de Reynolds (1723-1792), entre otros; existe, además, una colección realizada en plata y cristal (cristal de Waterford).

Alrededores

Achill Island (30 km NO): En esta salvaje y romántica isla atlántica, con preciosas costas de arrecife, se encuentran los restos del castillo *Kildowet Castle,* del siglo XV. Aquí vivió la legendaria reina pirata Grace O'Malley, que en el siglo XVI era una acérrima enemiga de los ingleses.

Ballintober Abbey (12 km SE): En el extremo N del lago *Lough Carra* se hallan las in-

Westport. Westport House

teresantes ruinas de la abadía agustina, de 1216. Se conservan la iglesia románica del siglo XIII, en forma de cruz, con una torre en el transepto y Vía Crucis del siglo XV (restaurado en 1966), así como ventanas y capiteles temprano-góticos. Interesantes también la antigua sacristía que sirvió, en el siglo VII, de mausoleo para los *Condes Mayo*. Posee representaciones de los apóstoles y un monumento fúnebre renacentista del siglo XVII. A pesar de la prohibición inglesa, se celebraba aquí la misa católica.

Castlebar (18 km NE): Capital del condado de *Mayo* (6 000 habitantes), con una elegente avenida principal, *The Mall*, y la plaza del mercado. Este lugar jugó un importante papel (Castlebar Races) en la invasión de los franceses de 1798.

Clare Island (20 km O): Junto a los restos de la *Clare Abbey* cisterciense (1500, con pinturas murales en el coro), también se pueden ver las ruinas de un castillo de la reina pirata Grace O'Malley, siglo XVI.

Croagh Patrick (4 km O): Esta montaña (765) se considera la montaña sagrada de Irlanda. Aquí se supone que habitó el santo nacional St. Patrick durante algún tiempo (fallecido hacia 461). En la cumbre hay un pequeño oratorio y una estatua de *St. Patrick*, además de una maravillosa vista. Anualmente se celebra, el último domingo de julio, la peregrinación: desde las ruinas de la *Murrisk Abbey* agustina, del siglo XIV, situada al pie de la montaña (también desde el vecino Croagh Patrick House), hasta la cima.

Moore Hall (15 km SE): El bello castillo georgiano data del siglo XVIII. Su constructor, John Moore, fue proclamado en 1798 «presidente de la república de Connacht».

Newport (14 km N): En este pueblecito pesquero, al NE de la *Clew Bay*, se encuentran los restos del dominicano *Burrishoole Friary*, de 1486; se conservan la iglesia, con torre y crucero, así como varios edificios del convento.

West Wycombe

Buckinghamshire/Inglaterra — Pág. 332 □ K 15

Este pueblo, al O de la ciudad industrial *High Wycombe*, ha podido conservar en gran medida su apariencia antigua. Aquí se encuentran aún numerosos talleres y casas de los siglos XVI, XVII y XVIII.

Dashwood Mausoleum: Fue construido en 1763 por encargo de Sir Francis Dashwood, el fundador del *Hell Fireclub*, sobre la colina vecina a la población. El monumento, sin techo hexagonal, está decorado con columnas y vasijas. Fue construido por John Bastard.

West Wycombe Park: La familia Dashwood había construido en 1698 sobre un extenso territorio, un edificio de tres pisos con tejado. A partir de 1750 la construcción fue renovada por Sir Francis Dashwood en estilo Palladio y fue ampliada. Hizo construir la columnata con columnas corintias y toscanas; el pórtico jónico, en el lado O, fue diseñado por Nicolás Revett; el pórtico toscano, en el lado E, es obra de John Donowell. Actualmente en la casa se pueden ver techos pintados por Borgnis, valiosos muebles, tapices y una colección de lienzos. El parque fue creado por Humphry Repton.

Alrededores

Bledlow (10 km NO): La *Church of the Holy Trinity* data de la época normanda. En el interior se conservan arcadas de 1200 y bonitos capiteles. La pila bautismal circular también data de la época normanda. El pórtico S fue edificado a finales del siglo XIII. Son de interés los frescos medievales que representan a Adán y Eva y a St. Cristophorus.

High Wycombe (6 km SE): El *Chair and Local History Museum* se dedica a la industria de la ciudad. Se exponen aquí infinidad de sillas y sillones, así como piezas referentes a la producción de sillas.

Penn (12 km SE): La *Church of the Holy Trinity* data del siglo XI y alberga una de las pocas pilas bautismales de plomo que se conservan. De interés, un fresco en el arco de triunfo que muestra el Juicio Final, así como el techo de la nave, que data del año

Wexford. Vista panorámica

1380, y es uno de los más bellos de los existentes en el condado.

Wexford
Wexford/Irlanda Pág. 330 □ D 13

La ciudad (13 000 habitantes) del condado del mismo nombre procede de la fundación vikinga *Vaesfjord,* de los siglos IX y X. Los anglonormandos se apoderaron de Wexford alrededor de 1169 e hicieron de ella un floreciente centro comercial y ciudad portuaria. Posteriormente el puerto tuvo que ser suprimido por las inundaciones causadas por el río *Slaney* y se trasladó al vecino *Rosslare* (Harbour). Se pueden ver restos del puerto (muelles).

St. Selskar's Church: Las ruinas del convento del antiguo priorato agustino *Selskar Abbey* datan del siglo XII. Estaba bendecida por St. Peter y St. Paul. Se conserva la nave, en muy mal estado, y una torre decorada con almenas, del siglo XV.

Otros lugares de interés: En el centro de la ciudad se encuentran restos de un convento medieval del caballero de St. John. En la *John Street* se localizan las ruinas de la iglesia medieval *St. Patrick Church* y de una iglesia conventual franciscana. Restos del viejo muro de la ciudad con la *West Gate Tower,* del siglo XIV, junto a la iglesia protestante (cerca del cementerio). Al lado del *Bull Ring,* considerada como la plaza de toros normanda, una interesante casa de aguilón del siglo XVII y un monumento homenajeando la revuelta campesina del año 1798. En el pequeño teatro, del siglo XVIII, se celebra anualmente, en octubre, la famosa «fiesta de la lírica».

Alrededores

Bargy Castle (8 km S): Cerca de *Lady's Lake* se encuentra esta casa feudal, con las ruinas de un torreón del siglo XIII y las de un convento. En las cercanías se halla el molino de viento de *Tacumshane*, de 1846.
Clonmines (20 km SO): Esta localidad posee una iglesia construida al estilo de un castillo fortificado.
Coolhull Castle (25 km SO): Este castillo data de finales del siglo XVI, encontrándose en buen estado de conservación.
Johnstown Castle (6 km SO): El imponente castillo neogótico, del siglo XIX, fue construido sobre las ruinas de un castillo medieval. En el interior se encuentra actualmente un museo agrícola.
Kilmore Quay (25 km SO): Este pueblo, en la costa S, es conocido por sus casitas de pescadores (Cottages) construidas con blancas paredes y techos de paja.
Rathmacknee Castle (8 km S): Las ruinas de esta fortaleza datan de los siglos XV y XVI. Una torre con almenas, en buen estado de conservación, y el muro alrededor del patio de la fortaleza, dan idea de las fortificaciones de esta época.
Slade (25 km SO): El castillo *Slade*, en casi perfecto estado de conservación, junto al pueblo pesquero, en la entrada de la bahía de *Waterford*, data de los siglos XV y XVI. Impresiona por su encantadora situación y por los muros de la torre almenada.
Tintern Abbley (20 km SO): Esta antigua abadía cisterciense fue edificada por los monjes de la abadía del mismo nombre en *Monmouthshire*, alrededor del 1200. Las ruinas datan del siglo XIII (nave, torre central) y las construcciones anexas de los siglos XVIII y XIX.

Whitby

North Yorkshire/Inglaterra Pág. 328 □ K 10

Esta pequeña ciudad (13 000 habitantes) ha salido del anonimato en dos ocasiones a lo largo de la historia: en el 664 hubo aquí un sínodo, que dio un importante impulso, para la cristianización de Inglaterra; en el año 1768 el capitán James Cook, que vivió durante un tiempo en *Whitby*, zarpó de aquí hacía su travesía por el Océano Pacífico.

Whitby Abbey (se llega por Abbey Lane): La primera abadía del lugar data de principios de la Edad Media, los siglos VII y VIII (en las excavaciones se encontraron restos de muros de celdas de monjes así como de la iglesia románica). En el 876 fue destruida por los daneses invasores; después de la conquista normanda se reedificó, a partir del 1067. En el siglo XVI se disolvió durante la Reforma inglesa con Enrique VIII. El único resto importante de la abadía es la iglesia. Fue construida en los siglos XIII y XIV; después de la secularización de ésta, decayó; alrededor de 1763 se derrumbó la nave principal y, en 1830, la torre del transepto. Durante la primera guerra mundial se destruyó la fachada O, siendo en el año 1921, reconstruida.
De la iglesia se conservan, en la actualidad, el coro, el crucero, una parte de la nave lateral N de la nave principal y la fachada O. Estilos de las partes que se conservan: esencialmente Early English temprano-gótico (de especial belleza en el extremo E del coro y en el crucero N), algunas ventanas son de estilo decorated; en la fachada O una ventana de estilo gótico-tardío-perpendicular. Del espacio interior de la iglesia se conserva poco; en la nave principal, las bases de las pilastras (una de ellas fue renovada en 1790). En la nave lateral E del crucero N, en la pared N, se encuentra el nicho para el cáliz y patena («Aumbry»). Cerca de los derruidos muros del recinto de la abadía, se erige una cruz del siglo XV, de unos 3 m de altura, sobre una construcción de base circular.
Al S de la Iglesia las ruinas de *Abbey House:* El lado S fue edificado alrededor de 1580 en estilo Tudor del Renacimiento inglés, con material de la antigua abadía: en el siglo XVII fue transformada; en el año 1760 se derrumbó la sala de banquetes, edificada en 1670.

St. Mary's Church (junto a Whitby Abbey; se llega subiendo los 199 escalones de la llamada escalera jacobina): Fue edificada alrededor de 1150 en estilo normando-románico; en el siglo XVII se efectuaron ampliaciones y se modificó el conjunto (los dos primeros pisos de la torre datan del siglo XII; el resto es del siglo XIII. Las ventanas de arcos ojivales, del siglo XV; en el siglo XIII se añadió el crucero en estilo Early-English; en los siglos XVII y XVIII se instalaron los emporios y la sillería). El pórtico S, románico, es de gran belleza. En el interior, de especial interés: En el crucero S una placa de altar románica (hallada en 1922, último resto de cuatro altares encontrados en las mismas excavaciones de la iglesia); en la pared S una piscina (pila de agua para la limpieza del cáliz y la patena). Al S del arco del coro un llamado «Hagioskop» o «Squint» (agujero en el muro para participar en las actividades del altar desde el exterior). Sobre el cementerio de la iglesia el *Caedmon Memorial Cross,* cruz de unos 6 m de altura, ricamente trabajada como recuerdo al monje Caedmon, del siglo VII, el padre «de la canción espiritual inglesa» (sobre una placa conmemorativa las primeras líneas de sus «Himnos de Creación»).

Museum and Art Gallery (Pannett Park): La pieza más valiosa de la colección prehistórica es el fósil de un *Teleosaurus,* cocodrilo hallado en las excavaciones de *Saltwick* (al S de Whitby). También de interés, la colección de modelos de navíos con piezas alusivas a James Cook y William Scoresby. Se expone también la piedra romana del siglo IV d. de J. C. hallada en *Ravenscar.*

Otros lugares de interés: *St. Hilda's Church* (Royal Crescent), con interesante decoración interior (tallas en madera de encina). De especial interés, el techo, el púlpito tallado, así como la pared del coro; también las ventanas en los lados E y O. *Old Town Hall* (junto al puente) fue edificado en 1778; hasta 1905 fue sede de las «Court Leet and Baron». *Captain Cook's House* (Grape Lane), construida a finales del siglo XVII; aquí vivió Cook durante sus años de aprendiz. En el puerto se encuentra su monumento; al pie de la estatua existe una ilustración o figura de su famoso barco «Resolution».

Alrededores

Danby Rigg (20 km O): Aquí se encuentran los restos de una necrópolis de la Edad del Bronce.

Goldsborough (8 km NO): Restos de una «estación de vigilancia romana» del siglo IV d. de J. C. La instalación estaba rodeada por un muro y una fosa (hallazgos de dos esqueletos y monedas romanas).

High Bridestone y Flat Howe (6 km SO): Túmulo de menhires de la Edad del Bronce (algunos están caídos).

Hinderwell (12 km NO): En la iglesia se utiliza un cáliz de 1420.

Hulleys (28 km SE): Restos de una colonización prehistórica y de un túmulo de la Edad del Bronce (cerca de Cloughton Moor).

Lythe (6 km NO): La iglesia *St. Oswald the Martyr* fue edificada en la época normanda (en el siglo XII fue ampliada en estilo Early English). Se han descubierto fragmentos arquitectónicos del siglo X (lápidas, placas de altar, fragmentos de cruces).

Mulgrave Woods (3 km NO): En este lugar se encuentra un hermoso castillo de finales del siglo XVII y que fue ampliado en los siglos XVIII y XIX; cerca, los restos de una vieja fortaleza (se conservan partes del pórtico principal).

Ravenscar (12 km SE): El nombre de este lugar se deriva del cuervo que ilustraba la bandera de los daneses que invadieron el lugar. En *Ravenscar* se encontró una «estación de vigilancia romana» (hallazgos en el museo de Whitby).

Robin Hood's Bay (8 km SE): La iglesia *St. Stephen* formó parte de la abadía de *Whit-*

by; fue renovada en el año 1822. En la nueva iglesia de *St. Stephen* se encuentra una pila bautismal de 1898, hallada en un campo de cultivo.

Whitehaven

Cumbria/Inglaterra Pág. 328 □ G 10

El aspecto urbano de esta vieja ciudad está dominado, en gran parte, por el estilo del gran arquitecto inglés Christopher Wren, influenciado por el Renacimiento (la ciudad, en la Edad Media, fue un importante centro comercial). Es de especial interés la *Lowther Street* (a partir de 1690, Sir John y Sir James Lowther se preocuparon por la organización de las calles en la ciudad). De interés es la iglesia *St. James,* del siglo XVIII; en el interior, bonita decoración de estilo georgiano y la tumba de la abuela de George Washington, primer presidente de los Estados Unidos. También, las ruinas de la iglesia *St. Nicholas,* destruida en el año 1972 por un incendio; sólo se conserva la torre y el museo de la ciudad, con objetos referentes a la historia de la misma.

Alrededores

Calder Bridge (13 km SE): Restos de una abadía fundada por los monjes cistercienses de *Furness* en el siglo XII. Después de la destrucción de la misma por los escoceses, se erigió nuevamente durante el siglo XIII; se conservan las ruinas de la iglesia y de la sala capitular.

Egremont (10 km SE): Fortaleza edificada alrededor de 1140. Fue destruida en el siglo XVI.

Eskdale Mill (28 km SE): Molino reconstruido de la Edad Media, junto al mismo, un pequeño museo sobre la historia de los molinos.

Gosforth (17 km SE): Sobre el cementerio, una cruz del siglo X con inscripciones anglosajonas.

Ravenglass (25 km SE): *Muncaster Castle* (al E del lugar), edificado alrededor de 1200; restaurado en el siglo XIX y, desde hace seiscientos años, sede de la familia *Pennington.* En el interior, increíble colección artística (muebles de estilo, porcelana y la pieza de más valor: una vasija de cristal, obsequiada al señor del castillo por la ayu-

Egremont (Whitehaven). Ruinas del castillo

da que le prestó, llamada «Luck of the Muncasters»). También de interés, la colonia romana *Glannaventa,* donde se desenterró una villa y una instalación termal. Hacia el SE se encuentra *Waberthwaite Church;* en el cementerio, restos de una cruz anglosajona.

St. Bees (6 km S): Iglesia *St. Mary and Bega.* Fue fundada alrededor del 650; la construcción actual fue edificada después de la destrucción por los daneses. En el interior de la iglesia se pueden ver varios monumentos fúnebres del siglo XIX.

Whithorn

Dumfries and Galloway/
Escocia Pág. 328 □ G 10

La historia de esta pequeña ciudad comienza en el 397, cuando *St. Ninian,* volviendo de Roma de un viaje de estudios y peregrinaje, introdujo la doctrina del cristianismo en Escocia. Los muros exteriores de la ciudad, que se descubrieron en 1949, estaban recubiertos con una capa de yeso blanco. En anglosajón la construcción se llamaba *Huit aern,* que dio origen al nombre de la localidad. Los cristianos llamaron a su capilla *Candida Casta* (latín). Esta celda cristiana dio origen a un importante centro misional y cultural. En el convento adyacente se crearon, en el siglo VII, muchas leyendas sobre los milagros de St. Ninian. Su tumba se convirtió en meta de cientos de peregrinos. A partir de 1160 los monjes premonstratenses edificaron un gran convento para recibir la gran avalancha de peregrinos. Desde Roberto Bruce hasta Jaime IV, todos los reyes de Escocia habían realizado la peregrinación a pie hasta este lugar. En el año 1581 los reformistas consiguieron que el peregrinaje fuera prohibido por la ley.

Whithorn Priory: La iglesia data del siglo XIII, con modificaciones en los siglos XVII y XVIII. En el interior se encuentran dos monumentos fúnebres del siglo XIII. Al O de la iglesia se halla un cementerio precristiano descubierto sobre un campo romano de urnas. En la caserna, del siglo XVI, se puede ver una colección de cruces temprano-cristianas: *Latinus Stone* (alrededor de 450), el monumento cristiano de más antigüedad en Escocia, así como el *St. Peter's Stone,* del siglo VII, están provistos de inscripciones originales que sólo se han visto en Francia.

Wicklow

Wicklow/Irlanda Pág. 326 □ E 12

Esta ciudad portuaria (3000 habitantes), en la costa E de Irlanda (unos 40 km de Dublín), es la capital del condado del mismo nombre. La localidad fue fundada en el siglo IX por los vikingos; su nombre significa «Faro vikingo». La fortaleza de *Black Castle* fue fundada por los invasores anglonormandos en el siglo XII. En el siglo XVI el castillo fue completamente transformado. Sobre una colina, al E de la ciudad, se encuentran viejas ruinas normandas. En la iglesia parroquial protestante, del siglo XVIII, se pueden ver todavía restos

Whithorn. Whithorn Priory, pórtico

de un pórtico románico de la medieval *St. Patrick's Church.* En el jardín de la parroquia existen numerosísimas ruinas de un convento franciscano que se erigía en el lugar.

Alrededores

Arklow (20 km S): Este lugar de pesca es una fundación vikinga del siglo IX. Las ruinas del *Butler Castle* datan de la época normanda, del siglo XII; los restos del convento dominicano son del siglo XIII. En este lugar se encuentra una encantadora iglesia católica de 1840 y una protestante de 1900. Un puente medieval con 19 arcos permite el paso sobre el río *Avoca.*

Rathdrum (12 km SO): *Avondale House* es la casa natal del famoso político y luchador por la libertad Charles S. Parnell (siglo XIX). Fue denominado por el pueblo «el rey sin corona de Irlanda».

Rathnew (4 km NO): En este pueblo se encuentra la bonita casa feudal de *Clermont,* del año 1731, de ladrillo rojo y decoración rústica en el interior. Al NO de *Rathnew* (unos 2 km) los encantadores parques *Mount Usher Gardens* con plantas raras de todo el mundo y un museo de carruajes. Muy cerca se encuentra «El barranco del diablo» (Devil's Glen), con la catarata del río *Vartry.*

Wight (I)

Inglaterra

Pág. 332 □ J 16

Esta isla, limitada al NO por tierra firme y al NE por el *Solent,* fue, en la prehistoria, una península. En el año 43 d. de J. C. fue conquistada por los romanos, que la llamaron *Vectis.* En el 661 la isla formó parte del reino *Wessex,* siendo cristianizada y, en el siglo X, la utilizaron los daneses como cuartel general. Fue obsequiada por Guillermo «El Conquistador» a Guillermo Fitz-Osborn; finalmente fue propiedad de los *Earls of Devon* y, posteriormente, la compró la Corona en el año 1293. La isla floreció en el siglo XIX, cuando la reina Victoria instaló aquí su residencia de verano, haciendo de la isla la Meca de los victorianos.

Bembridge: En las *Ruskin Galleries* se encuentra la mayor colección de obras de John Ruskin, manuscritos y cartas. Sólo una parte de la colección se encuentra en la localidad de *Bembridge;* la otra está en *Brantwood,* en *Lancashire.* El molino de viento, construido en el año 1700, es el último que se conserva en la isla. Su engranaje de madera funcionó hasta el año 1913.

Carisbrooke: La *Church of St. Mary* es la iglesia de un antiguo priorato benedictino del siglo XII. Su bonita torre fue finalizada en el año 1474. La sala del altar fue destruida en el siglo XVI por Sir Francis Walsingham, secretario de la reina Isabel. Se conservan la torre exterior, la nave normanda y arcadas, del siglo XII. El púlpito y la pila bautismal datan del siglo XVII. La escultura moderna, «Madonna con Niño», es una obra de John Skelton, del año 1969.

El *Carisbrooke Castle* data de la época temprano-normanda. Se encuentra en el mismo lugar que ocupara una antigua fortificación. El constructor del cementerio anexo a la fortificación fue Guillermo Fitz-Osborn.

El *Gate House* fue edificado en los siglos XIV y XV. En 1588, en la época que la Armada Española amenazaba a la Corona inglesa, se construyeron las fortificaciones exteriores y el pozo, con una profundidad de 50 m. La fortaleza adquirió fama por sus importantes presos: de noviembre de 1647 hasta septiembre de 1648, el partido del Parlamento mantuvo prisionero en este lugar a Carlos I. También sus hijos, el príncipe Enrique y la princesa Isabel, estuvieron prisioneros en este lugar. Un mes después del cautiverio murió la princesa; el

Whithorn. Whithorn Priory

príncipe tuvo que soportar tres años de presidio. Lo que se puede ver actualmente del castillo ha sido renovado, como, por ejemplo, la *Chapel de St. Nicholas*. En el museo del castillo existe una colección arqueológica e interesantes muestras alusivas a la historia local.

Godshill: La *Church of All Saints* es gótica y fue edificada en los siglos XIV y XV. Es interesante por un fresco muy peculiar que muestra la imagen de Cristo colgado en un crucifijo de hojas. De la escuela de Rubens se puede ver una obra que representa a «Daniel en la gruta de los leones». El monumento de más interés de la iglesia es el de *Sir John Leigh*, de 1520.

Osborne House: Esta casa de campo fue la preferida de la reina Victoria siendo edificada por su esposo, el príncipe Alberto de Sajonia-Coburg, y el arquitecto Thomas Cubitt, de 1846 a 1851, en estilo Palladio, con campanil y jardín con terrazas. En ningún otro lugar del reino se reunió, durante e largo período de regencia de la reina Victoria, tanta cultura puramente victoriana como en esta singular casa de campo. El rey Eduardo se dirigió a la nación en el año 1902, después de que la reina falleciera en la que era su casa favorita, rememorando la gran personalidad de ésta.

Sandown: El *Museum of Isla of Wight Geology* se dedica a la geología de la isla, en la que se han encontrado más de 5 000 fósiles.

Winchester

Hampshire/Inglaterra — Pág. 332 □ I 16

Esta ciudad es de las de más importancia histórica en Inglaterra. Antes de

que se asentaran los romanos en este lugar; existió aquí otra civilización; los romanos construyeron *Wintanceaster* del este y convirtieron la ciudad, en el año 519, en capital del reino *Wessex* (O de Sajonia).
Trescientos años después, en el 827, Egberth fue coronado como primer rey de Inglaterra: en el 634 el obispo Birinus trajo el cristianismo. Con Alfredo «El Grande» la ciudad vivió su primera época de florecimiento (871-899); 897 es el año en el que la ciudad fue fundada oficialmente. Con Guillermo «El Conquistador» se hizo patente el importantísimo auge adquirido por Londres: declaró a las dos pequeñas poblaciones capitales y se hizo coronar en ambas como ya habían hecho otros reyes anteriormente. Ya en el siglo XIII la ciudad fue, después de Londres, la segunda ciudad más importante del reino. Con la conquista de Cromwell, en el año 1645, comenzó para Winchester el declinar irreversible hacia una pequeña ciudad provinciana.

Cathedral: Su historia está estrechamente relacionada con la ciudad real anglosajona y normanda. En el N de la catedral actual se localizó el *Saxon Old Minster,* edificado por el rey *Cenwalh* en 634-648. En el año 971 se trajeron a este lugar los restos mortales de *St. Swithun.* Por esta razón la iglesia fue ampliada hacia el lado O y, posteriormente, hacia el lado E.
Al N de la iglesia el rey Alfredo fundó una abadía que fue ampliada en el año 903 por el rey Eduardo. No se conservan restos de estas edificaciones. La actual catedral es la tercera iglesia que ha sido construida en el mismo lugar; fue comenzada por el obispo Walkelin en 1079. En el año 1093 se inauguró la construcción normanda.
Cien años después el obispo Godfrey de Lucy construyó la *Lady Chapel* y efectuó cambios en estilo Early English. El obispo Edington (1346-1366) intentó transformar la nave normanda en gótica y renovó el frente O. La obra fue finalizada por el obispo William of Wykeham (1367-1404). De esta época datan las arcadas ojivales y el techo de bóvedas en abanico de la nave. Entre los años 1906-1912 se construyeron los nuevos cimientos en la iglesia para impedir el hundimiento de la misma.

El exterior de la iglesia es menos impresionante. No tiene una fachada O tan bonita como la de *Wells,* ni una torre tan imponente como la de *Salisbury.* Sorprende, no obstante, su longitud total, de 170 m. Es la iglesia medieval más larga de Europa. El motivo de la desmesurada longitud en la iglesia es el siguiente: la parte del coro sirvió a los benedictinos como convento y la nave era utilizada por los creyentes como catedral.

En el interior la catedral ofrece, a pesar de la transformación gótica, increíbles tesoros. Es de resaltar que durante la transformación gótica no se retiraran las pilastras normandas, sino que fueron labradas. Las claraboyas fueron ampliadas y el triforio se redujó. En algunas ventanas se encuentran restos del emplomado, del siglo XIV. La pieza más hermosa de la decoración de la nave es, sin duda, la pila bautismal, creada por maestros flamencos en el siglo XII, de mármol negro de *Tournai,* que labraron sobre su superficie fantásticas escenas de la vida de St. Nicholas. Sólo existen siete pilas de este tipo en Inglaterra. Los cruceros, de finales del siglo XI, son uno de los mejores ejemplos (en especial la nave N) del arte de construcción normanda. De especial interés son las pinturas murales, con escenas de la vida de Cristo, en la *Chapel of the Holy Sepulchre,* debajo de la parte N del emporio del órgano (de los siglos XII y XIII).

En la entrada a la nave lateral S del coro se halla una bonita reja forjada,

Winchester. Catedral ▷

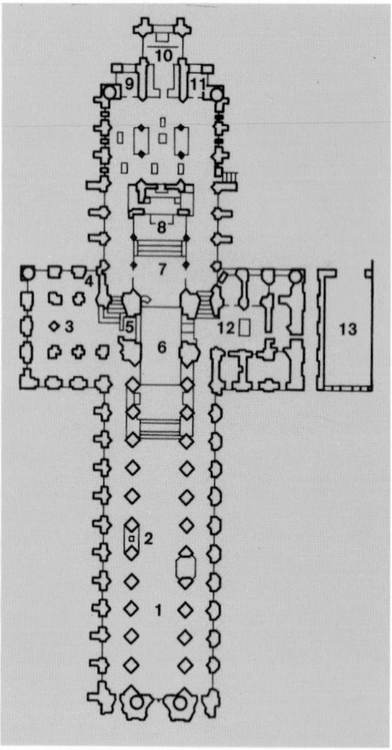

Winchester Cathedral: **1.** Nave principal. **2.** Pila bautismal. **3.** Crucero N. **4.** Acceso a la cripta normanda. **5.** Chapel of the Holy Sepulchre. **6.** Coro (con sillería original de 1305-1310). **7.** Presbiterio. **8.** Altar elevado. **9.** Guardian Angel's Chapel. **10.** Lady Chapel. **11.** Langtons's Chapel. **12.** Crucero S. **13.** Sala capitular.

en el pórtico, del siglo XII. En el coro se conserva la sillería original, de 1305-1310, con misericordias ricas en relieves. Esta sillería es la más antigua que se conserva en Inglaterra (completa). La ventana E data del año 1525. En el coro se encuentran numerosos monumentos fúnebres de obispos. En la cripta, debajo del crucero N, muestra la arquitectura de la época normanda. La sala capitular estaba construida junto a la nave lateral S; encima se encuentra la actual biblioteca, renovada en el año 1668, que documenta la importancia de la iglesia en la Edad Media. Aquí se creó en el benedictino *Aethelwold,* alrededor del 980, uno de los más valiosos manuscritos (actualmente en el Museo Británico de Londres); en este lugar el obispo Henry of Blois hizo escribir a seis monjes, en el siglo XII, la «Vulgata». Sus tres tomos contienen letras capitales con increíbles miniaturas, en las que se muestran historias completas; estas maravillosas obras forman parte de los «Master of Leaping Figures».

St. Cross Hospital: Este hospital fue fundado por el obispo Henry of Blois, hermanastro del rey Esteban, para 13 hermanos pobres, en el año 1136. En 1446 el cardenal Beaufort añadió una nueva donación para los pobres de sangre real. El asilo más antiguo de Inglaterra funciona todavía según las reglas de sus benefactores. Los pensionistas llevan un abrigo negro con una cruz plateada sobre el antepecho izquierdo y un sombrero; los ancianos de la donación del obispo de Beaufort llevan un abrigo rojo y un sombrero de cardenal. Los edificios de la donación se conservan exactamente igual, con sus altas chimeneas circulares, tal como se han ido edificando entre 1136 y 1445. La parte más antigua del conjunto es la iglesia, construida entre 1136 y 1250. Enfrente del altar una placa conmemora a uno de los dirigentes del hospital (1410). El atril de madera data de 1510 y es el único que se conserva de esta época en el condado. También se conservan algunos restos de los emplomados originarios del siglo XV y de bellas pinturas murales medievales.

Castle Hall: Este castillo, del que esta sala es el único resto, fue edificado por Guillermo El Conquistador y ampliado por Enrique III en 1236. La sala, de estilo Early English, con columnas de mármol negro de Purbeck, es uno de los más bellos espacios medievales de Inglaterra. La sala, de tres naves con entramado de tejado abierto, fue utilizada para numerosas reuniones del Parlamento; aquí se juzgó a Sir Walter Raleigh, así como a Jud-

Catedral. Pórtico principal

Torre del reloj

ge Jeffrey. La pared O está decorada con una pintura mural de la mesa del rey Arturo «Round Table of King Arthur»; fue pintada por encargo de Enrique VIII con motivo de un banquete en honor del emperador Carlos V. La placa de la mesa fue creada para Eduardo III y su orden de «Knight of the Round Table».

Winchester College: La *Public School* más antigua de Inglaterra fue fundada en 1382 por el obispo William of Wikeham. Sirvió de modelo para todas las escuelas públicas del país. A finales del siglo XIV *Winchester College,* era la escuela más generosamente decorada y construida de Europa, así como su capilla. El lema de su fundador sigue vigente actualmente: «Manners Makyth Man».

Museos: El *City Museum* está dedicado a la historia local y a la historia en general. Se exponen desde vasijas prehistóricas, mosaicos románicos y monedas sajonas, hasta diseños originales del palacio que encargó Carlos II al famoso arquitecto Christopher Wren.

El *Royal Greenjackets Museum* se dedica a la infantería ligera de *Oxford* y *Buckingham.*

En el *Royal Hampshire Regimental Museum* se puede contemplar todo lo relacionado con el mundo militar del condado, o que recuerde momentos históricos de importancia que hayan tenido lugar en el mismo.

El *Westgate Museum* está dedicado a la historia de la ciudad. Es de interés una amplia colección de pesos de todas las épocas, entre ellas un juego de pesas de hierro de la época de Eduardo III.

Windermere

Cumbria/Inglaterra Pág. 328 □ H 14

St. Martin's Church (en Browness): La iglesia parroquial de *Windermere* fue edificada en 1483 en estilo gótico-tardío-perpendicular (la construcción anterior se incendió); el coro, la sacristía y la torre fueron finalizados en el siglo XIX. La parte más fascinante de la iglesia es la ventana E del coro (1438-1480, en parte data del siglo XIII, probablemente procede de la iglesia de la abadía de *Cartmel;* representa a María con el Niño, figuras de santos, abades y caballeros). También de interés, en la nave principal, una viejísima pila bautismal esculpida; en la nave lateral S se puede admirar un bello monumento fúnebre de un obispo, creado por John Flaxman y la hermosa sala de entrada S (bonito arco sobre el pórtico interior).

Alrededores

Ambleside (8 km NO): En este lugar se encuentra la iglesia *St. Mary,* del siglo XIX. En el interior, bonitas pinturas sobre vidrio y una caseta, en el puente, de más de doscientos años, sobre el río *Rothay.*

Brantwood (13 km O): Hogar del pintor prerrafaélico y escritor John Ruskin (1819-1900); en su interior, numerosos cuadros del artista y recuerdos personales.

Coniston (12 km O): Posee un museo dedicado a *John Ruskin,* en el que se exponen recuerdos personales del artista y su colección de minerales, libros y cuadros, así como otros objetos.

Grasmere (12 km NO): El *Dove Cottage* fue, entre 1799-1808, vivienda del poeta William Wordsworth; en el *Wordsworth Museum* se encuentran piezas alusivas y manuscritos. El poeta está enterrado en el cementerio de la iglesia de *St. Oswald.*

Hawkshead (6 km O): La iglesia *St. Michael* data del siglo XV; se menciona una construcción anterior de la época normanda; también de interés, la caserna medieval de la *Hawkshead Hall* y la escuela de enseñanza primaria que frecuentó William Wordsworth (1778-1783).

Hill Top (4 km SO): La antigua vivienda de

Ambleside (Windermere). Caseta sobre el puente

la escritora y pintora Beatrix Potter data del siglo XVII; en el interior de la casa se pueden admirar bonitos muebles antiguos y dibujos de la pintora.

Rydal Mount (10 km NO): Durante los años 1813-1850, vivienda del poeta William Wordsworth; en el interior, un pequeño museo con retratos, impresos y muebles de estilo.

Troutbeck (5 km N): La casa de campo *Townend*, construida en 1626, alberga en el interior bonitas tallas de madera, viejos muebles y documentos.

Windsor

Berkshire/Inglaterra Pág. 332 □ K 15

Esta ciudad, junto al Támesis, al E de Londres, es famosa por su castillo, el mayor de Inglaterra, que sirvió durante más de ochocientos cincuenta años como residencia de reyes y reinas de Gran Bretaña.

Windsor Castle: La fortificación, edificada originalmente de madera por Guillermo «El Conquistador», sobre una roca calcárea en la parte superior del Támesis, tenía la función de controlar el acceso a Londres desde el O. Enrique II continuó con la construcción utilizando la piedra como material, y Enrique III, al igual que Eduardo III, ampliaron la fortaleza sistemáticamente. Enrique I inauguró, con la celebración de su boda con Adeliza of Louvain, en 1121, la larga lista de celebraciones de familias reales. Eduardo III nació aquí en el año 1312, al igual que Enrique VI, en 1421. En este castillo estuvieron presos David II de Escocia, Juan de Francia y Jaime I de Escocia; este último pudo huir junto a su esposa, Jane Beaufort. Eduardo IV (1461-1483) fundó la *St. George's Chapel*. La forma actual del conjunto ha sido una obra original de Jeffrey Wyatwille, arquitecto del rey Jorge IV (1820-1830).

La *St. George's Chapel* está consagrada al patrono de la Orden de la Jarretera, *St. Georg*. La construcción fue comenzada por Henry Janyns en 1478, por encargo de Eduardo IV, y ha sido finalizada por William Vertue entre 1503-1511. La fantástica obra gótica es

Windsor. Windsor Castle

del mismo rango que la *King's College Chapel,* en *Cambridge,* o la capilla de Enrique VII, en *Westminster.* Las esquinas, así como ambas naves del coro, contienen una fila de capillas consagradas a diversos santos, del siglo XVI, que, a menudo, también albergan tumbas de esta época. En la capilla SE, también llamada *Lincoln Chapel,* se encuentra la tumba del *Earl of Lincoln,* fallecido en 1585. En la esquina NO se encuentra la tumba de Jorge V, fallecido en 1936, así como la de *Queen Mary,* de 1953. La gran ventana E conserva partes del emplomado original, del siglo XVI. La nave y el coro están separados por una reja de coro, obra de Henry Emlyn de 1785. El coro da una imagen del tradicionalismo inglés con la sillería del siglo XV y, sobre los asientos de los caballeros, banderas con el emblema de la Orden de Jarretera. En el coro se encuentran numerosas tumbas de

Windsor Castle: 1. Henry's VII Gateway. **2.** Salisbury Tower. **3.** Garter Tower. **4.** Horseshoe Cloisters. **5.** Curfew Tower. **6.** Canon Residences. **7.** St. George's Chapel. **8.** Lower Ward. **9.** Albert Memorial Chapel. **10.** Dean's Cloister. **11.** Canon's Cloister. **12.** Deanery. **13.** Winchester Tower. **14.** Middle Ward. **15.** Round Tower. **16.** Norman Gateway. **17.** North Terrace. **18.** Home Park. **19.** George's IV Tower. **20.** State Apartments, con fantásticas tallas de Gibbons. Las salas son las siguientes: The Inner Entrance Hall, con obras de grandes artistas. The China Museum, con valiosas porcelanas. La Grand Staircase, construida en 1866 con la estatua de Jorge IV de Chantrey, armas y armadura de Enrique VIII.The King's Dining Room, con fresco en el techo, de Verrios. The King's Drawing Room, con pinturas de Rubens. The King's State Bed Chamber. The King's Dressing Room, con techo de Wyattville y valiosas pinturas. The King's Closet. The Queen's Drawing Room, con el cuadro de Van Dyck de 1637 de los cinco hijos mayores de Carlos I. The Queen's Ball Room. The Queen's Audience Chamber, con fresco en la pared de Verrios y tapices franceses de finales del siglo XVIII. The Queen's Presence Chamber, semejante al anterior. The Queen's Guard Chamber, con armas y una armadura del siglo XVI, bustos del Duke of Marlborough y Churchill, así como la bala que mató a Nelson y la espada de un dirigente japonés regalada a Lord Mountbatten en 1945. The Greater Throne Room, organizaciones privadas de la Orden de los Jarretera. St. George's Hall. The Great Reception Room, salón más hermoso. Waterloo Chamber. The Grand Vestibule, con armas. Estatua de George IV y de la reina Victoria. **21.** Cornwall Tower. **22.** Brunswick Tower. **23.** Prince of Wales Tower. **24.** Private Apartments. **25.** Chester Tower. **26.** East Terrace. **27.** Clarence Tower. **28.** Victoria Tower. **29.** Augusta Tower. **30.** South Terrace. **31.** York Tower. **32.** George's IV Gateway. **33.** Lancaster Tower. **34.** Visitor's Apartment. **35.** Edward's III Tower. **36.** St. George's Gateway. **37.** Henry's III Tower. **38.** Military Knights Residences.

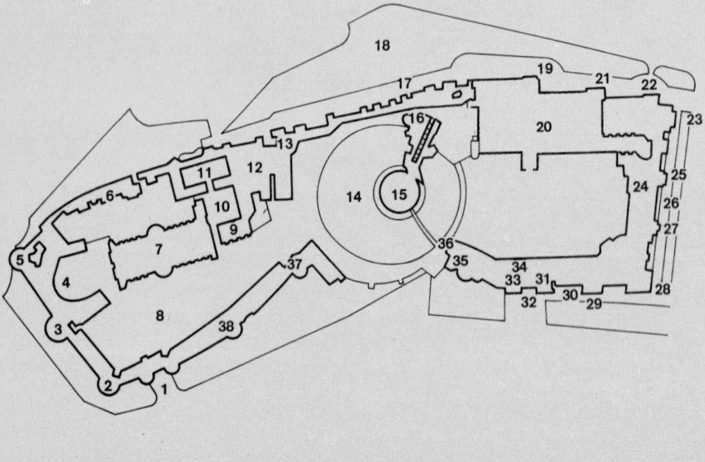

reyes ingleses. Al S del altar descansa Eduardo VII (1910) y la reina Alejandra (1925); en la nave lateral N del coro, Eduardo IV, y en el S, Enrique VI y Enrique VIII. En la cripta se encuentran Carlos I, Jorge III, Jorge IV, Guillermo IV, Jorge VI y otros miembros de la familia Real.

La *Albert Memorial Chapel* fue edificada por Enrique VII como capilla fúnebre, pero no fue utilizada como tal. En la guerra civil fue anulada hasta que la reia Victoria le dio un nuevo uso, instalando en su interior un monumento para su esposo príncipe.
Las habitaciones situadas en la parte NE están increíblemente decoradas y contienen valiosos lienzos de la colección de pinturas reales, maestros como Rubens, Van Dyck, Canaletto, Durero, Holbein, Memling y Reynolds. La decoración de muebles, alfombras y tapices es de la misma calidad.

La *St. George's Hall* es, desde 1348, sala de banquetes y fiestas de la Orden de la Jarretera. Aquí se hallan los retratos de los reyes ingleses, desde Jaime I hasta Jorge IV, pintados por artistas de sus respectivas épocas.

En el gran *Waterloo Chamber* se encuentran numerosos retratos, realizados por Lawrence, de las personalidades que tomaron parte en la batalla contra Napoleón.

Es de especial interés el *Queen Mary's Doll'House*. Fue diseñado por Sir Edwin Lutyens con una superficie de una pulgada: un pie y construida por más de 1 500 colaboradores en los años 1922 y 1923.

Windsor Great Park: Las partes más importantes de este inmenso jardín son *Savill Garden* y *Valley Gardens*. *Valley Gardens* es la mayor colección de rododendros del mundo y contiene las más hermosas azaleas; en *Savill Garden* se pueden ver las plantas más extrañas y exóticas de todas las partes del mundo.

Windsor Guildhall Exhibition: La casa gremial de la ciudad de Windsor fue diseñada por Sir Thomas Fitch en el año 1686, siendo finalizada alrededor de 1707. Actualmente es museo y posee una colección de retratos reales a partir de la época de Isabel I, una se-

Windsor Castle. St. George's Chapel

Eton College (Windsor)

rie de escenas del castillo de *Windsor* y muestras sobre la historia local. Anualmente se celebran en esta casa gremial numerosas exposiciones especiales dedicadas a los acontecimientos y temas especiales de Windsor.

Alrededores

Eton College (1,5 km N): La más famosa de las escuelas fue fundada por Enrique IV en 1450 como iglesia colegial y una escuela primaria adjunta, así como un asilo. El conjunto está compuesto por edificios de diversas épocas construidos alrededor de patios interiores. El patio mayor está decorado con una estatua de Enrique IV. En el lado N se encuentra la *Lower School*, edificada alrededor de 1500, cuyas columnas de madera datan de 1625. La *College Chapel* fue comenzada en el año 1441 y debía tener la grandeza de una catedral. La capilla, finalizada por William Orchard, es el coro de la originalmente planeada catedral, que nunca llegó a construirse. La capilla está decorada con dos frescos de 1479-1488. Fueron descubiertos debajo de otras pinturas nuevas, siendo restaurados en el año 1927. Estos frescos muestran clara influencia flamenca y son los más bonitos de este tipo conservados en Inglaterra. Una caserna edificada en el año 1517 conduce al segundo patio, junto al que se encuentra el comedor, construido en 1450, y la biblioteca, finalizada en 1450.

Warfield (9 km SO): La *Church of St. Michael* es, en su mayor parte, tempranogótica; la nave lateral N data de la época de transición del románico al gótico. En la ventana E, emplomados de gran belleza de los siglos XIV y XIX. Las rejas del coro datan del siglo XV.

Wisbech

Cambridgeshire/Inglaterra Pág. 328 □ K 13

Esta ciudad portuaria, junto al *Nene*, posee sendas hileras de edificios a ambos lados del río que constituyen uno de los complejos arquitectónicos, erigidos al estilo georgiano, más importantes de Inglaterra.
Ambos paseos, a lo largo del río, son obra holandesa; fueron comenzados antes de que los romanos edificaran en la marisma. Por ello es imposible no apreciar la obra holandesa existente en el lugar.

Church of SS. Peter and Paul: Data del siglo XII y su grandeza corresponde a la antigua relevancia de la ciudad. La torre aislada de la parte N y la segunda nave N datan del siglo XV. De la misma época son las vidrieras de los ventanales, renovadas parcialmente en el siglo XIX. Entre los diferentes monumentos fúnebres, el de *Joseph Nollekens* es, sin duda, el más hermoso. La lápida de *Thomas de Braunstone,* que tiene más de 2 m de longitud, fallecido en el año 1401, lleva incluso una inscripción realizada en francés antiguo.

Peckover House: La casa más bonita de la ciudad data de 1722-1726, siendo erigida por encargo de *Sibald Home.* Su decoración interior muestra relevantes ornamentos al estilo rococó, en cuya creación intervinieron los mejores talladores y estucadores de la época.

Museum: Está dedicado a la historia de la ciudad y contiene, entre otras cosas, el manuscrito original de «Great Expectations» («Grandes esperanzas»), de Charles Dickens.

Alrededores

Leverington Hall (4 km NO): Esta casa de campo data, en parte, de la época isaelina; el resto se construyó entre 1660-1675. Interesante escalera.

Walpole St. Peter (10 km NE): La *Church of St. Peter* es una de las múltiples apreciables iglesias de la marisma de la época gótica. Fue construida, en su mayor parte, durante el siglo XIV (segunda mitad). El interior posee un fino emplomado gótico, que también decora las ventanas de las naves laterales y la claraboya. El poco corriente techo de tirantes y vigas está bien decorado. La pila bautismal data del siglo XVI; la base, de principios del siglo XVII. También de principios del siglo XVII son las rejas del coro, su sillería, con bonitas misericordias, y el púlpito. Se conservan fragmentos de las vidrieras originales.

West Walton (5 km N): La *Church of St. Mary* se construyó hacia 1240. Interesante, la torre, del siglo XIII, situada a unos 20 m de la iglesia. El interior de la iglesia contiene fragmentos de frescos medievales y una pila bautismal de la época gótica.

Wolverhampton

West Midlands/Inglaterra Pág. 328 □ H 13

Esta ciudad debe su nombre a Wulfruna, hermana del rey Eduardo II, que donó a la comunidad su primera iglesia colegial en el año 994.

Church of St. Peter: Esta gran iglesia se erigió, en parte, en el siglo XV sobre viejos cimientos; la torre y el crucero N se edificaron en el siglo XVII. El frente O y la sala del altar fueron renovados en 1865. Del siglo XV se conservan el púlpito de piedra, algunas paredes divisorias y la pila bautismal octogonal. Parte de la sillería del coro procede de *Lilleshall Abbey* (ahora en ruinas) y se instaló en 1544; el emporio O se construyó en 1610 para los estudiantes.
Entre los monumentos fúnebres destaca el del almirante Sir Richard Leverson of Lilleshall, con una estatua fundida en bronce sobre el conjunto. En el patio de la iglesia se encuentra *Dane's Cross,* una columna con relieves, de 4 m de altura, que data posiblemente del siglo IX.

Alrededores

Chillington Hall (12 km NO): En este lugar se encuentra la residencia, desde el siglo XII, de la familia *Giffard.* En la primera mitad del siglo XVIII su casa fue reconstruida en estilo georgiano, ocasión en la que se construyó la fachada S, en 1724, por Sir Francis Smith. La gran sala y las salas de representación son obra de Sir John Soane, de 1785; el parque, con un lago artificial es obra de C. Brown.

Moseley Old Hall (3 km N): En la residencia isabelina de los *Whitgreaves* obtuvo Carlos II socorro y refugio cuando perdió, en 1651, la batalla de *Worcester.* Su escondite secreto, así como su cama, se exponen en este edificio. Es interesante la decoración de la calle que, en gran parte, pertenece a la época isabelina.

Weston Park (20 km NO): Esta casa de campo, construida en 1671, fue, durante trescientos años, la residencia de los *Earls of Bradford.* Hoy la casa posee interés turístico debido a sus valiosos tapices y lienzos de Holbein, Van Dyck, Gainsborough y Reynolds, entre otros.

Wightwick Manor (4 km NO): La casa, de paredes entramadas, construida en 1887-1893, alberga una interesante colección de arte, dominada por los prerrafaelinos, jun-

Worcester Cathedral: 1. Fachada O. **2.** Pila bautismal. **3.** Pórtico N. **4.** Nave principal. **5.** Jesus Chapel. **6.** Crucero N. **7.** Transepto y torre del transepto. **8.** Crucero S. **9.** Coro. **10.** Presbiterio. **11.** Monumento fúnebre de Juan Sin Tierra. **12.** Lady Chapel. **13.** Sala capitular. **14.** Vía Crucis. **15.** Refectorio.

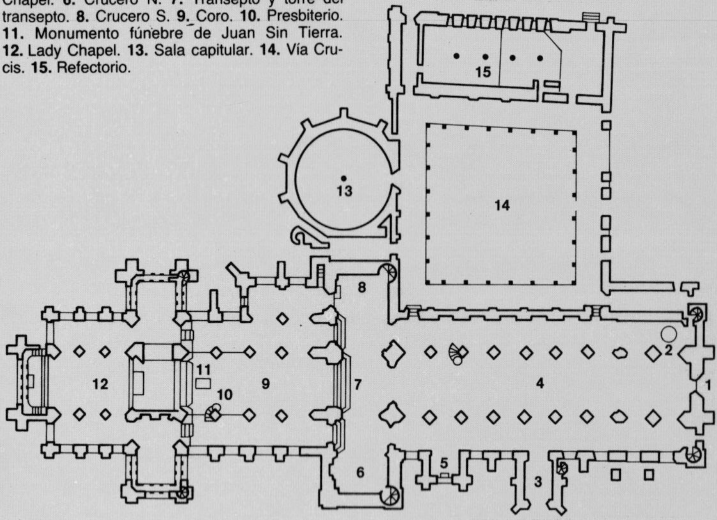

to a obras de Ruskin, Burne-Jones, Millais y Morgan.

Worcester

Hereford and Worcester/ Inglaterra

Pág. 328 □ H 14

Esta ciudad, en el curso inferior del *Severn,* es una fundación de los anglosajones que, en el año 680, edificaron la colonia que denominaron *Wigorna Ceaster*. La ciudad recibió privilegios de Ricardo I (1189), Enrique III (1227), y Jaime I la nombró, en 1621, condado independiente. En 1651 Cromwell hizo huir a Carlos II frente a las puertas de la ciudad. En la ciudad se elebora porcelana desde 1751 y, desde 1862, existe la manufacturadora real de porcelana.

Cathedral: La catedral, con una enorme torre semejante a una fortificación defensiva del siglo XIV, se yergue majestuosa sobre el *Severn* y su historia se remonta hasta finales del siglo VII. Al lado se construyó una iglesia dedicada a San Pedro, que fue renovada en la segunda mitad del siglo X por el obispo Oswald, que la convirtió en parte integrante de un convento benedictino. En el mismo lugar en el que se encontraba la iglesia benedictina se construyó, en 1089, una catedral normanda, bajo los auspicios del obispo, canonizado posteriormente, Wulfstan (1062-1095). La cripta es la parte más antigua que se conserva en la catedral actual. En el sepulcro del obispo Wulfstan se produjeron, supuestamente, algunos milagros que provocaron una afluencia continuada de peregrinos, lo cual facilitó que la catedral evolucionara hacia su aspecto actual a partir del siglo XIII. En 1224 se comenzó con la construcción de la *Lady Chapel* y con la renovación del coro; durante el siglo XIV se construyeron el crucero y

Worcester. Claustro de la Catedral

la nave principal. En el año 1374 pudo terminarse la torre central, que tiene 60 m de altura.

La cripta, del año 1084, es lo más antiguo y, a la vez, lo más impresionante de la catedral que, después de la de *Canterbury,* es la cripta más antigua con ábsides de Inglaterra. Está consagrada a *St. Oswald,* fallecido en el 642, y que fue rey de *Northumbria.* El coro, construido en 1220-1260, es, junto al de *Beverly Minster,* uno de los más logrados de todos los de las catedrales inglesas.

Lady Chapel, el presbiterio y el crucero del coro muestran admirablemente la transición del románico al gótico temprano. El suelo del presbiterio, elevado a causa de la cripta, muestra una buena distribución espacial. Muy interesantes son las cuñas de la bóveda, con diferentes esculturas. El púlpito data del siglo XVI y la sillería victoriana del coro sustituye a la antigua del siglo XVII. En la parte E del presbiterio se halla el monumento fúnebre del rey Juan «Sin Tierra» (1199-1216). El monumento data, sin embargo, de 1504, aunque la escultura de mármol ya existiese desde 1218. Antiguamente estaba policromada y decorada con valiosas joyas.

La nave, de nueve yugos, muestra claramente las diferentes épocas de construcción de los mismos. Los dos primeros del extremo O, construidos a partir de 1160, pertenecen al románico-tardío; sólo los arcos ojivales apuntan hacia el naciente gótico. En los yugos restantes se observa perfectamente cómo la construcción progresó de N a S. Mientras la parte N es gótica-temprana, hacia el S se aprecian elementos del gótico-tardío. Esto mismo ocurre en las arcadas del triforio. En el crucero es donde la afluencia de estilos se hace más palpable. Elementos románicos y góticos se alternan, si bien los románicos producen una mejor impresión.

Worcester. Catedral, sala capitular

De la antigua abadía benedictina se conserva el Vía Crucis, renovado en 1375. Está adosado a la nave lateral S e impresiona por sus conseguidas bóvedas. Al S del Vía Crucis se halla el refectorio, de 1370. Su mayor atractivo es el sótano, de bóveda románica. La casa del cabildo es una construcción circular fechada en el año 1550, siendo uno de los más tempranos exponentes de bóvedas construidas a partir de un pilar central.

Commandery: Este edificio es una fundación de *St. Wulfstan,* quien lo hizo construir en 1085, en un principio como hospicio. Tras su muerte se convirtió en sede de una orden de caballeros hasta 1540; en 1541 Richard Morrison lo reformó en estilo renacentista y, finalmente, se convirtió en cuartel general de los realistas en la batalla de *Worcester.*

Guildhall: Este edificio se construyó entre 1721-1723, según los planos de Thomas White. Mientras la construcción presenta un estilo reina Ana, su fachada es georgiana-temprana. En el interior hay una colección de armas de la batalla de *Worcester.*

Dyson Perrins Museum: Se encuentra en una antigua escuela victoriana de 1843 y alberga una colección de porcelana de Worcester desde 1751.

Worksop

Nottinghamshire/Inglaterra Pág. 328 □ J 12

Priory Church of Our Lady and St. Cuthbert: Del convento fundado en 1103 se conserva la nave principal y la fachada O, ricamente decorada y con torres dobles, en estilo posrománico tradicional. La torre del transepto se concluyó en 1974, al igual que el coro (en la actualidad es la parroquia de la ciudad). En el interior destaca la *Lady Chapel,* con hermosas ventanas lanceoladas del siglo XIII.

Gatehouse (al S de Priory Church): Construida a primeros del siglo XIV; frente a la entrada se encuentra la plaza del mercado. En el interior existe un original techo con travesaños de encina, de la época de construcción; además, una interesante capilla del gótico-tardío.

Alrededores

Cresswell Crags (8 km SO): Cuevas calcáreas habitadas desde la Edad de Piedra hasta el medievo (hallazgos de utensilios de hueso y sílex).

East Markham (17 km SE): Iglesia gótica *St. John the Baptist,* del siglo XV. Restos de la antigua cristalería y una interesante ventana de Sir Ninian Comper, del siglo XIX, se pueden ver en su interior.

Edwinstowe (13 km S): Debe su nombre al rey medieval Edwin de Northumbria y posee una interesante iglesia con una hermosa torre gótica.

Egmanton (18 km SE): La iglesia de *St. Mary* fue renovada ampliamente en 1898 por Sir Ninian Comper. En la nave principal se conservan restos románicos.

Laxton (20 km SE): La iglesia *St. Michael* fue construida en el siglo XII; en su interior hay interesantes monumentos fúnebres, del siglo XIII.

Steetley (3 km E): La capilla *All Saints,* con hermosos arcos en el interior, se encuentra aislada.

Thoresby Hall (10 km SE): Casa señorial reconstruida en estilo victoriano tras la destrucción de la casa original atribuida al arquitecto John Carr.

Whitwell (5 km SO): La iglesia *St. Lawrence* es una construcción románica con coro y crucero góticos. En el interior se conserva una hermosa pila bautismal románica.

Worthing

West Sussex/Inglaterra Pág. 332 □ K 16

Este frecuentado balneario fue, antiguamente, un pueblo de pescadores descubierto por la princesa Amelia, hija de Jorge III. La atracción principal es el museo con la contigua *Art Gallery*. Junto a hallazgos arqueológicos romanos y sajones, el museo expone una colección prehistórica, juguetes y muñecas del siglo XIX, un teatro de polichinelas, trajes del siglo XVIII y un carbo vikingo construido en el año 900. En la galería hay lienzos de artistas ingleses, como W. Holman Hunt, W. Callow, entre otros. Destacan las antiguas acuarelas.

Alrededores

Bramber (5 km E): Ruina de un castillo normando destruido durante la guerra civil; en la *House of Pipes* existe una impresionante colección de pipas de más de mil quinientos años. Interesante también *St. Mary's*, una casa de paredes entramadas del siglo XV con revestimiento en madera pintada del siglo XVII y una colección de mariposas.

Bramber (Worthing). Ruinas del castillo

Broadwater: El barrio de *Worthing,* al NE de la ciudad, posee una iglesia normanda restaurada en el siglo XIX, en la que se encuentran dos monumentos conmemorativos dedicados a la familia *Warr.*

Chanctonbury (4 km NO): Los restos de fuertes de la Edad del Hierro y de un templo romano se hallan rodeados por un cerco de abedules plantados en el siglo XVIII.

Cissbury Ring (2 km N): Posee un fuerte del siglo III y varias minas de pedernal de la Edad de Piedra.

Highdown Hill (4 km NO): En la Edad del Hierro existió aquí un fuerte, sobre una colonia de la Edad del Bronce. Además, en las excavaciones aparecieron termas romanas y un cementerio sajón.

Sompting (Worthing). St. Mary's Church

Muchelney Abbey (Yeovil). Chimenea

Sompting (1 km E): La pequeña *St. Mary's Church* es rebasada en altura por su campanario con aguilones, único de su especie en Inglaterra. La iglesia resultó de la ampliación realizada por los templarios en el siglo XII, de tres capillas, hacia el N y S; obtuvo su planta actual, en forma de cruz, por los juanistas, que le adosaron varias capillas.
Steyning (8 km NE): *St. Andrew's Church,* con nave normanda. Partes de su construcción datan del siglo XVI y la pila bautismal es del siglo XII.

Wrexham/Wrecsam

Clwyd/Gales Pág. 328 □ H 13

Esta ciudad norgalesa (35 000 habitantes), industrial y carbonífera, tiene claras influencias inglesas.
Su único atractivo es la iglesia de *St. Giles,* en estilo perpendicular, de 1472. La hermosa torre de la iglesia, de cinco pisos, pertenece a las «siete maravillas» de Gales (ornamentos); interesante también el pórtico del patio de la iglesia, construido en 1720 por Hugh Davies.

Alrededores

Gresford (5 km N): En el pueblo existe una bonita parroquia en estilo perpendicular de 1460. La torre, estilo somerset, contiene un importante juego de campanas (12).
En el interior destacan: la pila bautismal, las ventanas de porticones (en la capilla N, escenas de la Vida de la Virgen María), la sillería del coro y los monumentos de la *Trevor Chapel* (todos de hacia 1500); en un bonito patio de la iglesia están plantados viejos tejos de hacia 1714.
Holt (6 km NE): En este lugar, en la frontera de Gales, se encuentran las ruinas de un castillo del siglo XIII y un puente de ocho arcos sobre el *River Dee,* de principios del siglo XV. Hay que destacar la iglesia medieval de *St. Chad,* de los siglos XIV-XV.

Y

Yeovil

Somerset/Inglaterra Pág. 332 □ H 16

Esta activa ciudad posee dos destacados atractivos:

Church of St. John the Baptist: La gran parroquia del siglo XIV constituye un hermoso conjunto en estilo gótico. La majestuosa torre O, las grandes ventanas y el bien dimensionado crucero, se complementan con una cripta abovedada situada bajo la sala del altar.

Borough of Yeovil Museum: Muestra una colección de objetos históricos locales, de la prehistoria hasta la actualidad, una colección de armas manuales de fuego de Henry Stiby, así como una colección de trajes típicos muy interesantes.

Alrededores

Cadbury Castle (12 km NE): Este campamento de la Edad de Piedra, sobre la colina, fue, según la leyenda, la sede real *Camelot* del legendario rey Arturo. Las excavaciones han mostrado que las fortificaciones fueron reconstruidas y ampliadas en repetidas ocasiones hasta el siglo de su destrucción. En total, cinco murallas defensivas con fosos intermedios.

Huish Episcopi (22 km NO): La torre de la iglesia, del siglo XV, es de las más bonitas de *Somerset.* Interesantes vidrieras de Burne-Jones de 1899 y el pórtico S normando.

Ile Abbots (17 km NO): La preciosa torre de la iglesia, ricamente adornada, en estilo perpendicular, es de las más bonitas de la zona. El pórtico S está decorado con finos emplomados.

Ilminster (18 km O): Su iglesia posee una hermosísima torre de estilo perpendicular. En su interior se hallan los sepulcros de Nicholas y Dorothy Wadham. La antigua *Grammar School* fue erigida en 1586.

Lytes Cary (14 km O): Durante más de quinientos años el edificio fue la mansión señorial de la familia *Lyte.* Su construcción se inició en 1343 y se finalizó en 1535. El miembro más famoso de la familia fue *Henry Lyte,* que, en 1578, editó «Niewe Herball», en su día la obra más completa sobre jardinería.

Montacute House (5 km O): Este castillo rural, uno de los más hermosos del estilo isabelino, fue construido entre 1588-1601 para Sir Edward Phelips, *Speaker* de la *House of Commons,* reinando Jaime I. Posee una planta simétrica en forma de E, ventanas compuestas, aguilones flamencos y chimeneas en forma de columna. En el lado E, por toda la gran galería, se encuentran los nichos con esculturas de los «nueve famosos»: Josua, David, Judas, Hektor, Alexander, Caesar, Artus, Carlomagno y Godofredo

de Bouillon. El amor por la simetría se transfiere al jardín con sus tablas con barandilla, obeliscos y pabellones. Incluso el interior presenta la misma disposición simétrica. Prueba de ello es que el comedor y la habitación tienen la misma planta. La mayor habitación es la larga galería del segundo piso, de 60 m de largo, que ocupa la anchura total del edificio. El castillo está decorado con los más valiosos muebles y tapices, de los que el mejor sea, tal vez, el tapiz del comedor, que representa a un caballero con armadura completa sobre un caballo opulentamente adornado, creado posiblemente en *Tournai* en 1480. Casi 100 retratos valiosos de los siglos XVI y XVII (donación en préstamo de la National Portrait Gallery), aumentan aún más el interés del conjunto.

Muchelney Abbey (20 km NO): La abadía es la segunda en antigüedad del condado y ejercía, ya en el siglo X, gran influencia en el extrarradio. Se conserva la casa del abad del siglo XIV, decorada con impresionantes frescos. La parroquia, junto a la abadía, posee una bóveda de cañón con frescos del siglo XVII.

◁ *Muchelney Abbey (Yeovil)*

York

North Yorkshire/Inglaterra Pág. 328 □ J 11

Desde el 71 d. de J. C. el crecimiento de la comunidad romana la convirtió en guarnición; fue la capital de la provincia romana *Britannia,* bajo el nombre de *Ebocarum,* lugar frecuentado por diversos emperadores romanos (entre ellos Adriano y Constantino El Grande, proclamado en este lugar emperador). Posteriormente, con el nombre *Eoforwic* fue la capital del reino anglosajón *Northumbria;* cristianización en el siglo VII. En el 867, conquistada por los daneses (nombre danés: Jorvik) y, a partir del 1069, fue normanda. Desde entonces se convirtió progresivamente en uno de los centros culturales de la península. El arzobispo católico de York es primado de Inglaterra. Por sus construcciones aisladas, al igual que por su aspecto general, la ciudad de York está considerada como una de las ciudades más atractivas de Gran Bretaña.

Minster: La primigenia construcción se edificó ya en el siglo VII, en vida

York Minster: 1. Fachada O. **2.** Transepto y torre del transepto. **3.** Atril. **4.** Crucero S. **5.** St. George's Chapel. **6.** Acceso a la galería y torre. **7.** Pórtico N. **8.** Monumento fúnebre del arzobispo Walter de Gray. **9.** Zouche Chapel. **10.** All Saints' Chapel. **11.** Lady Chapel con la famosa ventana E. **12.** Monumento fúnebre del arzobispo Scrope. **13.** Altar mayor. **14.** Accesos a la cripta. **15.** Presbiterio. **16.** Coro. **17.** Nave lateral N. **18.** St. John's Chapel. **19.** «Five Sisters». **20.** Sala capitular.

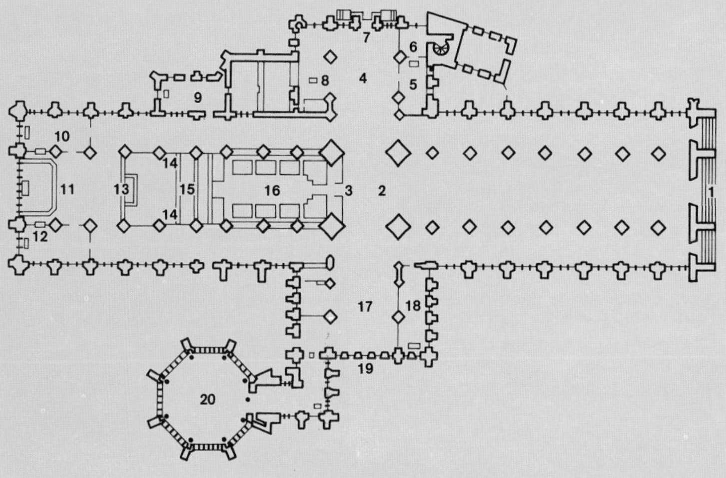

de *St. Paulinus,* primer obispo de York. Posteriormente sufrió diversas reformas (entre otras, en el siglo VIII por Alkuin, que fue luego a Aachen con Carlomagno); destrucción total durante la ocupación normanda de 1069. La nueva construcción sucumbió a las llamas en 1137. La construcción actual se comenzó poco después del 1200 por el arzobispo Walter de Gray y fue finalizada casi totalmente en el año 1472. A pesar de su largo período de construcción, los diferentes estilos se combinan armónicamente: crucero en estilo Early English (temprano-gótico, siglo XIII), nave principal y casa del cabildo en estilo decorated (gótico, siglo XIV), coro y torres en estilo perpendicular (gótico-tardío, siglos XIV-XV). En 1829 y 1840 la iglesia sufrió grandes daños a causa de los incendios, que no llegaron a alterar su estructura; los ataques aéreos de la segunda guerra mundial no afectaron la construcción (se salvaron también las ventanas, únicas en su clase, que fueron desmontadas y puestas a salvo).

La planta y la construcción exterior están compuestas por tres naves, con larguísimo coro, también de tres naves, así como las naves laterales; adosado al crucero N se encuentra la octogonal *Chapter House* (casa del cabildo). Longitud total de 175 m, con una anchura de 75 m. En el punto de intersección de las naves longitudinales y del crucero se encuentra la enorme torre del transepto (65 m de alto y 30 de ancho); en sus cuatro costados hay dos ventanas góticas. Las dos torres O tienen 65 m de altura y carecen de aguja; en cambio tienen, cada una, ocho torres puntiagudas y una balaustrada. En la fachada O hay un pórtico gótico ricamente decorado (en el tímpano se representa la tentación y expulsión del Paraíso de Adán y Eva); encima, una ventana ojival (26 m de alto y 10 de ancho), con pinturas sobre vidrio descritas más adelante. Bajo la ventana, esculturas (Cristo y los 12 apóstoles). En el crucero N también se conserva una ventana con famosas pinturas sobre vidrio («Five Sisters», siglo XII). En la fachada S se observan hermosas ventanas ojivales y un rosetón.

Interior: La longitud de la nave principal es de 85 m, su altura de 32 m y su anchura de 35 m; entre la nave principal y las laterales existe, en cada lado, siete columnas con preciosos capiteles de hojas. Soportan arcos ojivales ricamente trabajados. La cúpula del transepto es sostenida por cuatro enormes pilastras (acceso a la galería en la cúpula desde el crucero S) y está profusamente decorada en el interior. En el crucero S está la *St. George's Chapel* y en el crucero N la *St. John's Chapel,* ambas con monumentos fúnebres de unidades militares afincadas en el lugar. Entre el transepto y el coro hay un interesante atril de piedra (encima, el órgano), con 15 estatuas de reyes que son obra de William Hindley (finales del siglo XV). Detrás del coro se encuentra la *Lady Chapel,* con la rara ventana E (fachada E), que representa, en más de 200 ilustraciones separadas, escenas bíblicas (por ejemplo, cuadros del Reino de los cielos, escenas del Antiguo Testamento hasta la muerte de Absalón, la Anunciación). La cripta tiene acceso desde

York. Minster

ambas naves laterales: está construida principalmente en estilo transitional, aunque contiene también restos arquitectónicos de la edad temprana del Minster (siglo VIII). Interesante, el «cuerno del Ulphus», medieval. Bajo la cripta, una base de pilastra, que se atribuye al antiguo pretorio romano. *Decoración interior:* Los adornos más valiosos de la iglesia son los numerosos ventanales de las vidrieras. Junto a las citadas, hay que destacar la ventana de *Cuthbert,* en el crucero N. También son de interés los numerosos monumentos fúnebres de los arzobispos de York, en el coro (entre otros, el del arzobispo Walter de Gray y el del arzobispo Scrope, decapitado por Enrique IV por traición). Desde el crucero N existe un paso hasta la *Chapter House,* una construcción octogonal con hermosas ventanas en estilo Early Decorated, de las cuales seis están decoradas con pintura sobre vidrio de la época de Eduardo I.

Museum Gardens (acceso desde la Museum Street): En el interior de estos jardines botánicos destacan los siguientes edificios: las ruinas de la abadía benedictina *St. Mary,* fundada por los normandos del siglo XIII; se conservan restos de la iglesia, de la casa de huéspedes, de la caserna y del amurallado. Frente a estas ruinas se celebra cada tres años un misterio en el marco del «York's Festival of Music and the Arts». Restos del *St. Leonhard's Hospital,* del siglo XIII.

Multangular Tower (torre multiangular): Antiguamente fue una de las torres esquineras de la fortificación romana del siglo IV d. de J. C.; claramente visible el paso de la estructura en teja romana a la construcción medieval.

King's Manor (siglos XV-XVII): Antigua vivienda del abad de *St. Mary.* El *Yorkshire Museum,* también en este recinto, se describe en el apartado de museos.

Assembly Rooms (Blake Street): Fue constrida en 1736 en estilo georgiano (mezcla de barroco y renacentista). Interesante, la sala egipcia (35 m de largo por 12 de ancho).

Clifford's Tower (acceso por Tower Street o Castle Gate): Últimas ruinas

de la primera fortificación normanda, construida por Guillermo El Conquistador en 1068-1069. La base de la construcción del antiguo cementerio data del siglo XIII; curiosa planta en forma de trébol de cuatro hojas (junto con una torre similar de Pontefract, única en Inglaterra). Se usó hasta 1684 como cárcel, año de su destrucción a causa de una explosión.

Treasurer's House (Minster Yard): Antigua residencia del tesorero de *Minster*. La casa se halla en el mismo lugar donde se enclavaba un edificio románico (en el sótano puede verse la base de una columna romana). Fue construido originalmente en el siglo XIII, datando su forma actual de los siglos XVI y XVII; desde la Reforma es propiedad privada hasta el año 1930 (actualmente es propiedad del Estado). Posee bonitos elementos de decoración de la época de construcción.

St. William's College (Minster Yard): Antiguo colegio sacerdotal de *Minster* (desde el siglo XV); durante la guerra civil (siglo XVII), reinando Carlos I fue, alternativamente, casa de la moneda e imprenta. El frente principal de la construcción, de paredes entramadas, es medieval; el pórtico del patio interior es del siglo XVIII (estilo georgiano). En el interior hay una bonita escalera del siglo XVII. En la sala principal, un hermoso techo de entramados abiertos.

Casa gremiales medievales:

Merchant Adventurer's Hall (Piccadilly): Construido entre 1357-1368 es la casa gremial conservada más bonita de York. Perteneció a los comerciantes de York que traficaban, sobre todo, con algodón (se conservan viejas básculas en las que eran pesadas las balas de algodón para su exportación). La *Great Hall* se halla muy bien conservada, con techo de entramado abierto (actualmente museo gremial); en el sótano aún existen las viejas vigas de apoyo de madera de encina.

Guildhall (directamente junto al río River Ouse): Construido en 1448, fue reconstruido en 1960, siguiendo fielmente el modelo original, tras su destrucción por los bombardeos de la segunda guerra mundial. Interesante el *Committee Room* (siglo XV), en el que los ingleses compraron la libertad de Carlos I, con un elevado precio, capturado por los escoceses.

Marchant Taylor's Hall (Aldwark): Casa gremial de los sastres de la Edad Media, también restaurada; hermosos trabajos de cristalería del siglo XVII. Interesante también un emporio destinado a los músicos.

St. Anthony's Hall (Aldwark): Construido en el siglo XV sobre un hospital de 1100; hoy es biblioteca de antiguos documentos.

Muros y pórticos de la ciudad: La primera construcción amurallada llegó con la conquista de los normandos (1069); los muros actuales datan, en su mayor parte, del siglo XIV. Rodean la ciudad con una longitud de 4,5 km.

Monk Bar: Fue transformada, en el siglo XIV en estilo decorated; se reconocen todavía partes de la construcción normanda y se conservan las rejas basculantes originales. Sobre un arco central se puede ver un balcón para discursos. Desde este lugar, bonita vista sobre el *Minster*.

Walmgate Bar: Es el pórtico más antiguo de la ciudad, con torre de vigilancia. En la parte interior se conserva el pórtico de madera de encina. Éste sobrevivió a la artillería de la armada republicana durante la guerra civil.

Micklegate Bar: Antiguo acceso a la ciudad desde el S. Se conservan partes normandas de la parte superior, del siglo XIV (en aquella época estaba fortificado); en los siglos XVIII y XIX, amplias restauraciones. En este pórtico se decapitaba a los quebrantadores de la ley; posteriormente eran exhibidas sus cabezas.

Bootham Bar: En el lugar que ocupara un viejo pórtico románico (del que se utilizaron piedras) se encuentra *Bootham Bar,* pórtico N de la ciudad. En esta ciudad se desarrollaron diversas batallas decisivas en la lucha contra los escoceses.

Otras iglesias de interés: *Church of All Saints* (Pavement): Bonita torre del siglo XV. *Holy Trinity Church* (Goodramgate), del siglo XIII. En el interior, bonita sillería del siglo XVIII; junto a la iglesia, las casas más antiguas de York (principios del siglo XIV). *Holy Trinity Church* (Micklegate): Parte de una abadía benedictina con partes normandas en la nave principal y en las laterales; la torre procede de la iglesia vecina destruida en la guerra civil, *St. Nicholas. St. Denis Church* (Walmgate): Con pórtico normando y emplomados del siglo XII. *Church of St. Margaret* (al N de Walmgate): Conserva un pórtico normando; proviene, también, de la Church of St. Nicholas. *Church of St. Martincum-Gregory* (Micklegate): Con restos de construcciones romanas; en el interior, hermosa ventana del siglo XV. *Church of St. Martin-le-Grand* (Coney Street): Con torre de 1437; el resto de la iglesia fue reedificado después de la destrucción durante la segunda guerra mundial. *St. Mary's Church* (Bishophill Junior): Con partes de contrucción anglosajona en la torre. *St. Michael's Church* (Low Ousegate): Posee una interesante torre y ventanas pintadas en el interior de la misma.

Castle Museum (acceso por Tower Street): Prisión de mujeres en 1780; es uno de los museos populares de más interés en Inglaterra. Expone reproducciones en tamaño original de tiendas, comercios y calles comerciales del viejo *Yorkshire.* En la vieja prisión (Debtor's Prison), que hoy es parte del museo, se conservan, junto a las celdas originales del siglo XVIII, una colección de trajes regionales en el primer piso y, en el segundo, un museo militar; y, a orillas del río *Foss,* un molino de época (principios del siglo XIX).

Otros museos: Museo de Yorkshire (Museum Gardens) es un museo dedicado a las ciencias naturales que también contiene una colección de arte romano y medieval.

City Art Gallery (Museum Gardens): Galería de pintura. Colección de viejos maestros y pintores modernos; también alberga una colección de arte japonés y chino.

National Railway Museum (Museo de ferrocarril, Leeman Road): Entre otros objetos, expone locomotoras antiguas, una de Stephenson y Wood, de 1822.

Otros lugares de interés: *Mansion House* (Lendal) de 1726, sede del alcalde de York. *Judge's Lodging* (Lendal) de 1720, bonito estilo georgiano. También de interés las calles medievales: *The Pavement, Shambles* (calle lateral de The Pavement), la vieja calle de la Carnicería; *Goodramgate, Micklesgate* (al O de Ouse).

Alrededores

Beningbrough Hall (13 km NO): Mansión señorial del siglo XVIII en estilo georgiano; merece especial atención la escalinata por sus trabajos en roble.

Bishopthorpe Palace (4 km S): Desde 1226 es residencia arzobispal de York. En el palacio (siglo XVIII) se conserva aún una capilla del siglo XIII (solamente puede visitarse previa solicitud por escrito).

Skelton (7 km NO): Esta localidad posee una bella iglesia del siglo XIII, atribuida a un maestro del «taller catedralicio» de York.

Sutton Park (13 km N): Mansión señorial del siglo XVIII, con original decoración interior y una valiosa colección de porcelanas.

Ardmore (Youghal). Ruinas del monasterio

Youghal
Cork/Irlanda Pág. 330 □ C 14

La historia de este pequeño puerto está estrechamente relacionada con dos importantes hombres de los siglos XVI y XVII, Sir Walter Raleigh, el antiguo confidente de la reina Isabel I, y el «caballero de la suerte», más tarde *Earl of Cork*, Richard Boyle. Raleigh fue colgado en la *London Tower*, después de largos años de cautiverio, en el año 1618; Boyle se convirtió, alrededor de 1588, en el hombre más rico del país.

St. Mary's Church (North Main Street): Esta iglesia protestante fue edificada en el siglo XIII sobre una construcción anterior; en el año 1464 fue transformada y, en 1850, restaurada. Es de interés el campanario, de situación independiente; los pórticos O y S de la iglesia, con planta en forma de cruz; la ventana E, el techo de madera de encina, el púlpito y la bonita pila bautismal, así como el sillín del obispo. En el crucero S se encuentran los monumentos fúnebres (en parte, del siglo XIII), en especial el monumento renacentista de Richard Boyle, *Earl of Cook*. La escultura del finado, con figuras más pequeñas de la familia, data de alrededor de 1620.

Otros lugares de interés: Detrás de la *St. Mary's Church*, partes de la vieja fortificación, de los siglos XV al XVII. Cerca, el *Tynte's Castle*, modificado en el siglo XV. Enfrente, el *Red House*, en estilo del Renacimiento holandés, de 1706. También, en la *High Street*, el hospicio fundado por Richard Boyle, Almshouse, de 1634. También de interés el gran campanario (carretera principal) de 1777; temporalmente fue cárcel; actualmente es museo dedicado a la historia de la ciu-

Ardmore (Youghal). Relieves murales

dad. Cerca de *St. Mary's,* el *New College House,* de 1781, con dos bonitas torres edificadas por R. Boyle alrededor de 1641. La bonita casa isabelina *Myrtle,* del siglo XVI, en la cual vivió temporalmente Walter Raleigh. Aquí se cultivaron las primeras patatas de Europa y el tabaco de Virginia.

Alrededores

Ardmore (12 km E): En este pueblo costero se encuentran las ruinas de uno de los lugares precristianos más antiguos de Irlanda. Antes de St. Patrick, *St. Declan* fundó un convento (al SE del pueblo).
Se conserva una de las torres circulares más bonitas de Irlanda, de unos 30 m de altura, y junto a ésta una casa de rezos de anchas paredes (probablemente la tumba de St. Declan). La vecina *St. Declan's Cathedral* data de alrededor de 1200, sobre una construcción anterior. La iglesia está compuesta por una nave románica de finales del siglo XI y un coro gótico del siglo XIII. Son de especial interés los arcos ojivales del coro y de los muros interiores, en especial el conjunto de arcos románicos del frente O; son increíbles las, en parte estropeadas, esculturas en relieve con representaciones bíblicas (los tres sabios, Salomón, el Pecado Mortal). Junto a la carretera de la costa se encuentra la *St. Declan's Well* (fuente de St. Declan), decorada con relieves, así como una pequeña iglesia de los siglos XII al XIV, llamada «Temple Disert». Aquí se realiza anualmente el peregrinaje de *St. Declan* (24 de julio).

Glosario de términos técnicos

A

Ábside: Terminación del → coro, generalmente de forma semicircular. Normalmente, lugar del → altar.
Acanaladura: Canal o estría en el fuste de una columna o pilastra.
Acanto: Elemento ornamental, que se encuentra principalmente en los capiteles corintios y que se deriva de la imagen estilizada de una hoja dentada, como de cardo.
Acueducto: Conducción de agua, a menudo como un canal sobre un puente con arcos. Los a. fueron convertidos por los romanos en construcciones monumentales.
Aguamanil: Vasija o recipiente para las abluciones rituales en la liturgia católica.
Aguja: Torrecita en el → gótico, que corona a menudo un → contrafuerte.
Ajimez: Ventana arqueada dividida en el centro por una columna.
Alcazaba: Fortaleza árabe.
Alcázar: Castillo árabe, fortaleza.
Alfiz: Encuadramiento rectangular del arco árabe (→ pág. 107, derecha, arriba)
Alminar: Minarete.
Altar: Para griegos y romanos fue mesa de sacrificio. Mesa divina para la fe cristiana. En las iglesias católicas hay a menudo varios altares para los distintos santos; en las iglesias protestantes, sólo un altar.
Ambón: En las antiguas iglesias cristianas y de la E. M., facistol junto a la barandilla del coro; precursor del → púlpito.
Angelote: Figura angélica de niño desnudo, durante el → renacimiento, el → barroco y el → rococó.
Arabesco: Dibujo de hojas estilizadas que se utiliza como motivo de decoración.
Arcada; Serie de arcos sostenidos por → columnas o → pilastras. Se unen muchas arcadas para formar soportales. Cuando las arcadas no tienen apertura (y sólo se utilizan con fines decorativos), se trata de arcadas falsas.
Arcada falsa: → Arcada.
Arco de herradura: Arco que tiene más de media circunferencia, con los arranques volados.
Arco de triunfo: Arco adornado.
Arco vuelto: Soporte constructivo y decorativo de la bóveda que se extiende en forma de nervios longitudinales.
Arquitrabe: Viga maestra de piedra que descansa sobre una → columna.
Arquivolta: Decoración de un arco sobre pórticos románicos y góticos.
Arte Nuevo: Llamado así por el estilo «nuevo» popularizado en Munich que se enfrenta con las formas antiguas establecidas, expresando formas de la naturaleza. Se extiende desde 1895 a 1905.
Artesonado: Techo de madera con adornos cóncavos poligonales en serie.
Ático: Cuerpo (generalmente muy adornado) construido sobre la → cornisa de una serie de columnas y que debe cubrir el techo.
Atrio: Para los romanos era una habitación central con una abertura en el techo por la que podía caer el agua de lluvia. Para la arquitectura cristiana, patio, generalmente rodeado de → columnas, también llamado paraíso.
Azulejo: Losa esmaltada en colores.

B

Balaustrada: Barandilla formada por → balaustres.
Balaustre: Pequeña columna panzuda o perfilada.
Baldaquín: Pabellón que cubre el → altar, un sepulcro, una estatua o un pórtico.
Barroco: Denominación estilística dada a la época artística y cultural que va desde 1600 hasta 1750. Se caracteriza por su movilidad.
Basa: Pie de una → columna o → pilastra, generalmente ancho y ricamente decorado.
Basílica: Pabellón griego de los reyes; en la construcción de iglesias se utiliza para denominar una iglesia de varias → naves, con el techo de la nave principal más alto que los techos de las naves laterales. Ver también → basílica columnada y → basílica de pilastras.
Basilica columnada: Basílica cuyos soportes son columnas.
Basílica de pilastras: Los arcos de las naves de la basílica se apoyan en pilastras.
Bóveda: Obra de fábrica curvada que sirve para cerrar la parte superior de un recinto.
Bóveda claustral (bóveda esquifada). Una → bóveda similar a una cúpula formada por secciones de bóveda de medio cañón.
Bóveda de aristas: Una → bóveda en la que se cruzan dos → bóvedas de medio cañón. Se diferencian la bóveda de aristas sencilla de la nervada por el refuerzo de la nervadura.
Bóveda de artesa: Bóveda claustral terminada en un cuadrado de medidas regulares.
Bóveda de crucería: →Bóveda formada por el cruce de arcos diagonales, propia del estilo gótico.
Bóveda de medio cañón: →Bóveda que imita a un cañón, cortado transversalmente.
Bóveda plana: → Bóveda claustral alargada, terminada en plano.
Bóveda reticulada: → Bóveda en la que se cruzan los nervios numerosas veces. Se encuentran sobre todo durante el período gótico.
Buhardilla: Ventana que se levanta sobre el tejado y sirve para dar luz a los desvanes.

C

Caja del órgano: Zona visible de un órgano.
Campanil: Campanario.
Canon: Medida regular que se repite.
Capitel: Parte final o cabeza de una → columna. La forma del capitel está definida para cada → orden o estilo.
Capitel con figura: El → capitel de una columna sobre el que está esculpida una figura.
Capitel cúbico: Del paso del cubo a la esfera se desarrolló este capitel durante la época románica.
Capitel florido: Derivación del → capitel corintio en el gótico primitivo.

Formas de los arcos

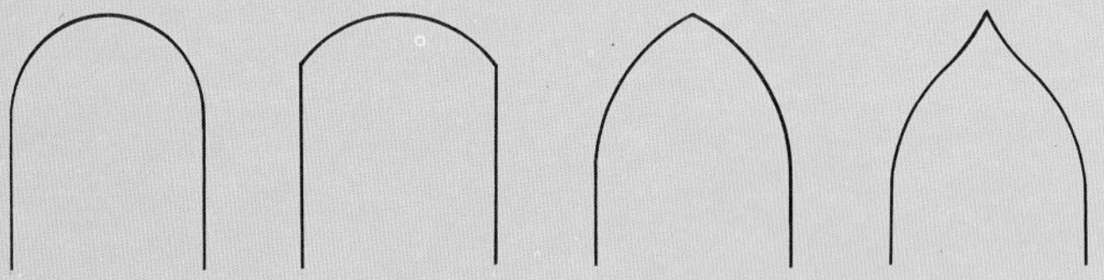

Arco de medio punto *Arco rebajado* *Arco ojival* *Arco aquillado*

Cariátide: Figura que sostiene una balconada.
Cartela: Marco ornamental con escudos, iniciales e inscripciones grabadas.
Cella: Recinto principal de los templos antiguos con las imágenes de los dioses.
Cenotafio: Monumento fúnebre erigido en un lugar distinto del sepulcro.
Ciborio: Gran baldaquín de piedra sostenido por columnas sobre el altar.
Cimborrio: Cúpula que corona una torre.
Claustro: Galería, generalmente abovedada, con → arcadas abiertas hacia el interior, que rodea el patio de un convento y que por un lado termina en la iglesia.
Columna: Soporte redondo. El tipo de columna se especifica según su → orden o estilo.
Columna adosada: Columna que sobresale de una pared, con basa y capitel.
Columna corintia: Ricos adornos en el → capitel caracterizan a este tipo. La → basa se asemeja al tipo jónico.
Columna dórica: Se caracteriza por ir directamente asentada en el suelo, sin basa; sostiene un → capitel liso.
Columna jónica: Tipo de → columna caracterizado por tener la → basa de varios elementos y estar formado su → capitel por dos arcos espirales.
Contrafuerte: Las extraordinariamente grandes aperturas de las ventanas góticas precisaban un soporte exterior a través de → pilastras y arbotantes. Éstos sostenían las bóvedas.
Cornisa: Terminación sobresaliente de una pared.
Coro: Recinto final de la iglesia, generalmente más alto y orientado al E. El coro no suele tener la misma anchura que la → nave. Sirve de ingreso al → altar. En la E. M. el coro solía estar separado del resto de los recintos de la iglesia por barandillas.
Coro de monjes: Parte del → → coro reservada a los monjes, a menudo cerrada.
Cripta: Sepulcro subterráneo en una iglesia, normalmente situado bajo el coro. A menudo se han construido iglesias sobre una antigua cripta.
Crucero: Lugar donde se cruzan las naves frontal y transversal.
Cuadriga: Vehículo de cuatro caballos.
Cupulino: Pequeña torre que cierra una cúpula.
Custodia: Círculo adornado en el que se muestra (generalmente entre cristales) la sagrada forma.

ch

Churriguerismo: Estilo barroco español recargado, llamado así por José Churriguera (1665-1725).

d

Díptico: Tabla o retablo del altar con dos partes unidas.

e

Epitafio: Lápida conmemorativa en una pared o en pilastras, generalmente sobre un sepulcro.
Estilo dentado: En el gótico, e incluso en el románico tardío, surge este estilo de formas severas y dentadas.
Estilo desornamentado: → Estilo herreriano.
Estilo herreriano: Estilo caracterizado por su fuerza geométrica, perteneciente al renacimiento español, que recibe su nombre de Juan de Herrera (1530-1597).
Estilo Luis XV: Estilo → rococó.
Estilo mozárabe: Estilo desarrollado por los cristianos durante la soberanía árabe. En él se mezclan elementos árabes y románicos.
Estilo mudéjar: Estilo arquitectónico que floreció desde el s. XIII al XVI, caracterizado por la conservación de elementos del arte cristiano con ornamentación árabe. Recibe su nombre de los mudéjares, árabes que vivieron en España durante la soberanía cristiana, después de la Reconquista.
Estilo plateresco: Estilo arquitectónico español ricamente ornamentado, de transición entre el gótico tardío y el renacentista temprano. Reconocible por sus características decoraciones pequeñas, similares a las de orfebrería.
Estilo Regencia: Estilo artístico francés de transición entre el barroco y el rococó.
Estilo Weich: Descubrimiento específico en la pintura y escultura alemanas del gótico tardío, con delicadas expresiones en las caras.
Estucado: Ligero material de trabajo formado por escayola, cal, arena y agua; fue utilizado sobre todo durante los s. XVII y XVIII para los relieves de habitaciones interiores.
Exedra: Ábside abovedado por una sección de cúpula.

f

Fachada: Cara principal o visible de una edificación.
Falsa tracería: → Tracería.
Filigrana: Antiguo trabajo de orfebrería en el que se soldaban hilos de oro y plata sobre un armazón de metal en forma ornamental. También se aplica a tallas y estucados.
Fresco: Pintura realizada sobre

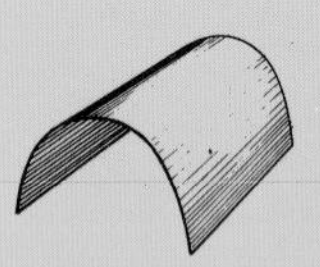

Bóveda de medio cañón

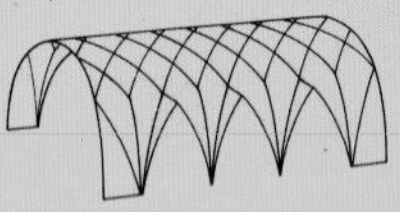

Bóveda de crucería

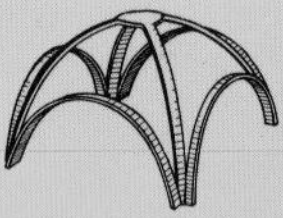

Bóveda nervada

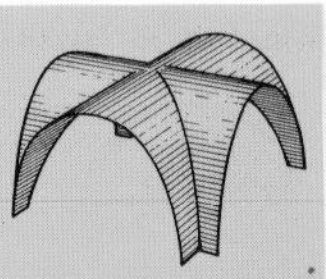

Bóveda de aristas

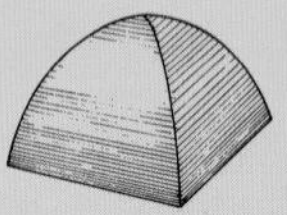

Bóveda claustral

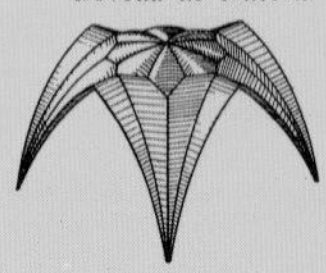

Bóveda estrellada

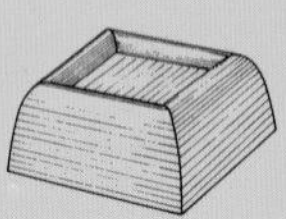

Bóveda de artesa

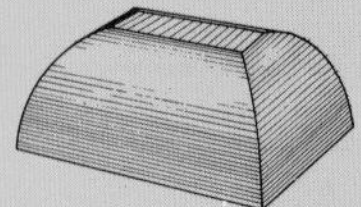

Bóveda plana

cal húmeda, aplicando directamente acuarelas. Al secarse se unen los colores absorbentes con la cal.
Friso: Tiras adornadas al final o como unión de una pared. El friso puede ser liso o plástico y puede estar formado por figuras u ornamentos.
Friso arqueado: → Friso con forma de arco de medio punto (común en construcciones romanas).

g

Galería: Habitación alargada; a menudo las → galerías altas y los pasillos con → arcadas se denominan galerías.
Galería alta: Piso intermedio en las iglesias, generalmente para el coro y el órgano.
Galería enana: Pasillo en las murallas exteriores bajo los contrafuertes del techo; abierto hacia fuera y generalmente muy decorado.
Girola: Pasillo que conduce alrededor del coro.
Gobelino: Tapiz.
Gótico: Época del arte y la cultura europea, que va desde mediados del s. XII hasta mediados del s. XVI.

h

Haces de pilastras: Formación gótica de → pilastras. Alrededor de una pilastra central se agrupan pilastras de tres cuartos, de mayor y menor tamaño.

i

Imposta: Hilada de sillares entre las → columnas o → capiteles y los arcos o cúpulas.
Inmaculada: Nombre antonomásico de la Virgen María en el misterio de su concepción.
Intradós: Superficie inferior de un arco o bóveda, visible en ventanas y puertas.

k

Kibla: Dirección hacia la que tienen que orar los musulmanes.

l

Lonja: Edificio público donde se reúnen mercaderes y comerciantes para sus tratos y comercios.
Luneta: Semicírculo sobre puertas o ventanas, frecuentemente con pinturas o relieves.

m

Manierismo: Estilo artístico entre el → Renacimiento y el → Barroco (de 1530 a 1630 aprox.). El manierismo abandona las formas naturales y clásicas en favor de formas afectadas y rebuscadas.
Mansarda: Desván cuyo techo en la parte más baja está más inclinado que en la alta. Este recinto se utiliza para necesidades domésticas. (Así llamado por el francés F. Mansart.)
Maqsura: Dormitorio del califa.
Marquetería: Trabajo en madera, piedra, estuco, etc., consistente en embutir en la superficie pequeños elementos de distintos colores.
Mausoleo: Gran sepulcro, generalmente con la forma de una casa o de un templo.
Menhir: Piedra rudamente trabajada de la época prehistórica.
Ménsula: Elemento arquitectónico que sobresale de un plano vertical y sirve para sostener alguna cosa.
Mezquita: Edificio en que los musulmanes practican sus ceremonias religiosas.
Mihrab: Lugar de oración en la mezquita.
Miniatura: Cuadro de pequeñas dimensiones; grabado de pequeñas dimensiones en viejos manuscritos.
Mirador: Construcción cerrada en la pared exterior de un edificio. A menudo, elemento de decoración.
Monte Calvario: Representación plástica de la crucifixión.
Moriscos: Árabes bautizados que permanecieron en España tras la Reconquista.
Mosaico: Adorno de pared, suelo o bóveda formado por pequeñas piedras de colores, losetas y otros materiales.

n

Nártex: Recinto anterior en basílicas e iglesias.
Nave: Recinto de una iglesia; de ahí, iglesias de una sola nave o de varias, estas últimas separadas por → columnas o → pilastras.
Nave lateral: → Nave situada a un lado separada del recinto principal por → columnas o → pilastras.
Nave transversal: Recinto de la iglesia transversal a la basílica.
Neobarroco: Reacción contra el

frío → neoclasicismo. El retorno a las formas del barroco se desarrolló en el último tercio del s. XIX con un esplendor caracterizado por adornos y colores brillantes.
Neoclasicismo: Estilo derivado de ejemplos clásicos antiguos que alcanzó su máximo esplendor entre 1770 y 1830.
Neogótico: Estilo histórico con el que se quiso volver en el siglo XIX a las formas arquitectónicas y adornos del gótico.

o

Oratorio: Pequeña capilla, generalmente no abierta al público, unida a menudo con el coro.
Orden: sistema arquitectónico de la antigüedad, caracterizado por sus normas constructivas fijas, especialmente las → columnas (dóricas, jónicas, etc.).
Ornamento: Adornos que se repiten regularmente; generalmente se encuentran en otro elemento (p. ej. friso).

p

Pabellón: Construcción poligonal o circular, generalmente en parques. En los palacios barrocos es común que los pabellones de las esquinas sirvan para unir el edificio principal con las galerías circundantes.
Palacio: Zona habitable de un castillo.
Panel: Recubrimiento de madera de gran altura.
Panteón: Templo dedicado a los dioses. Semejante al panteón romano (construcción circular).
Parroquia: Iglesia en que se administran los sacramentos y se atiende espiritualmente a los fieles de una feligresía.
Paso: Efigie o grupo que representa un suceso de la Pasión de Cristo y se saca en procesión por la Semana Santa.
Patio: Espacio interior, cerrado con paredes o galerías, que en las casas y otros edificios se deja al descubierto. Muy frecuentemente en España.
Pedestal: Cuerpo sólido que sostiene una estatua.
Pérgola: Pasillo abierto de una construcción de madera, por cuyas vigas trepan plantas ornamentales.
Períptero: Templo griego rodeado de un pasillo con columnas.
Picota: Rollo o columna de piedra o de fábrica, que había a la entrada de algunos lugares, donde se exponían las cabezas de los ajusticiados o los reos a la vergüenza.
Piedad: Imagen de María con el cadáver de su Hijo en su regazo.
Pilastra: Al igual que la columna, es un soporte vertical, pero de base rectangular.
Políptico: Cuadro (del altar) formado por varias tablas unidas.
Pórtico: Arco de entrada de la planta baja de un edificio.
Predela: Construcción por debajo del altar.
Presbiterio: Antigua «habitación de los presbíteros», actualmente denominación general para el → coro o → ábside de una iglesia.
Profano: Lo contrario de sacro; también arte que no está en relación con la religión. Entre las construcciones profanas se encuentran, p. ej., ayuntamientos, castillos, palacios, etcétera.
Pronaos: Vestíbulos de los antiguos templos (también en las iglesias cristianas).
Propileo: Vestíbulo de un edificio monumental. Un ejemplo para construcciones posteriores fue la Acrópolis de Atenas (construida entre 437 y 432 a.C.).
Púlpito: Lugar elevado en la iglesia desde el que se predica el sermón. A menudo cubierto por un → baldaquín o un techo en forma de concha.

r

Reconquista: Recuperación del territorio invadido por los musulmanes llevada a cabo por los cristianos en la península ibérica.
Refectorio: Comedor del convento.
Relicario: Recipiente en el que se conservan las reliquias de un santo.
Relieve: Obra escultórica en la que las figuras aparecen en semirrelieve sobre una superficie de madera o de piedra. Según lo profundo del relieve se habla de bajo, medio o altorrelieve.
Remate: Coronación final del retablo.
Renacimiento: Denominación del estilo del arte pictórico desde 1500 a 1600. El Renacimiento coincide con el final de los conceptos medievales y el principio de una nueva forma de vida, orientada hacia la antigüedad.
Retablo: Construcción decorativa sobre el altar.
Revestimiento: Recubrimiento de partes de construcciones que no deben ser vistas.
Rococó: Denominación estilística para la época de fines del barroco (1720-70), con formas elegantes, ligeras y ovaladas.
Rollo: Columna de piedra, símbolo de la justicia.
Románico: Denominación general para el arte del año 1000 al siglo XIII. Se caracteriza por arcos de medio punto, sencillos adornos y aspecto pesado.
Romanticismo: Estilo artístico de principios del s. XIX que se extendió principalmente a la literatura (cuentos), pintura y música. Toma formas y motivos de la E.M. y rechaza las normas racionales del neoclasicismo.
Ronda: Espacio entre las murallas interiores y exteriores de las fortificaciones medievales. Aquí se guardaban a menudo los animales. Durante el barroco se erigieron aquí numerosos centros de caridad.
Rosetón: Ventana redonda con bellas vidrieras, principalmente en iglesias góticas.
Rotonda: Construcción redonda.
Rústica: Dícese de la muralla de sillares cuya parte visible se ha dejado sin trabajar a propósito.

s

Sacro: Sagrado, lo contrario de → profano.
Sagrario: Lugar donde se guardan las sagradas formas. Durante el gótico tardío se hicieron numerosos sagrarios que constituyen valiosas obras de arte.
Sala capitular: Recinto de reunión de la comunidad del convento.
Sarcófago: Generalmente, tumba de piedra ricamente adornada.
Sección transversal: Sección proyectada para una construcción en los planos del arquitecto.
Seo: Catedral.
Sepulcro: Recinto de la iglesia reservado para sepulturas.
Sillar: Bloque labrado de piedra maciza.

Sillería del coro: Series de asientos para el clero o en los monasterios para los monjes y monjas, situados a ambos lados del coro.
Sinagoga: Edificio en el que se reúnen los judios a orar y a oír la doctrina de Moisés.
Solana: Nave con columnas abierta hacia fuera, generalmente en el piso superior de un edificio.

t

Tambor: Construcción que sirve de base a una cúpula, generalmente cilíndrica o poligonal.
Techo a dos aguas: Techo formado por dos vertientes. Las dos fachadas se encuentran en los lados más estrechos.
Techo bulboso: Techo con forma de cebolla.
Techo cuadriculado: Techo dividido en espacios cuadrangulares decorados con ornamentos, pinturas, etc.
Termas: Baños romanos de agua caliente.
Terracota: Arcilla cocida sin vidriar.
Tímpano: Espacio triangular o semicircular sobre el pórtico de la E.M.
Torre del Homenaje: Torre principal de un castillo, último refugio en caso de sitio.
Tracería: Adornos geométricos góticos, utilizados sobre todo para adornar arcos de ventanas. Si los arcos adornados están directamente sobre la pared se habla de → falsa tracería.
Trascoro: Pared exterior del → coro.
Triforio: Pasillo junto a las ventanas de las naves central, transversal y el coro, especialmente en iglesias góticas.
Tríptico: Retablo de tres partes.

v

Vejiga de pez: Ornamento en forma de llamas en la → tracería gótica.
Viguería: Sistema de vigas de una construcción de madera. En las construcciones de piedra del Renacimiento y del barroco se consideran viguería los arquitrabes, frisos y cornisas.
Voluta: Ornamento en forma de espiral.

z

Zócalo: Parte inferior y sobresaliente de una pared, una pilastra o una columna.

Inventario de los lugares a los que se dedica un artículo de fondo (△) y aquellos que aparecen bajo otro encabezamiento (→)

H

I

St

T